［改訂第2版］

Office 2021
2019／2016
Microsoft 365 対応

Word & Excel

国本 温子

完全ガイド

基本操作 ＋ 疑問・困った解決 ＋ 便利ワザ

SB Creative

本書の対応バージョン

本書はWord・Excelともにバージョン2021/2019/2016に対応しています。ただし、記載内容には一部、全バージョンに対応していないものもあります。また、本書では主にWindows版のWord 2021とExcel 2021の画面を用いて解説しています。そのため、ご利用のWord・ExcelやOSのバージョン・種類によっては項目の位置などに若干の差異がある場合があります。ご注意ください。

教材ファイルのダウンロード

本書では、各解説項目の手順を実際に試すための練習用の教材ファイルを用意しています。以下に記載の本書サポートページからダウンロードしてご利用ください。なお、教材ファイルが必要ない一部の項目については、ファイルは提供されていません。

本書に関するお問い合わせ

この度は小社書籍をご購入いただき誠にありがとうございます。小社では本書の内容に関するご質問を受け付けております。本書を読み進めていただきます中でご不明な箇所がございましたらお問い合わせください。なお、ご質問の前に小社Webサイトで「正誤表」をご確認ください。最新の正誤情報を下記のWebページに掲載しております。

本書サポートページ　https://isbn2.sbcr.jp/13877/

ご質問送付先

ご質問については下記のいずれかの方法をご利用ください。

Webページより

上記のサポートページ内にある「この商品に関する問い合わせはこちら」をクリックすると、メールフォームが開きます。要綱に従ってご質問をご記入の上、送信ボタンを押してください。

郵送

郵送の場合は下記までお願いいたします。

〒106-0032
東京都港区六本木2-4-5
SBクリエイティブ　読者サポート係

はじめに

本書は、WordとExcelの機能をぎゅっと詰め込んでおり、WordとExcelのそれぞれについて、基本操作から実務で役立つ操作、困ったことや時短テクニック、トラブルシューティングに至るまでをQ&A形式で紹介しています。Office 2021/2019/2016およびMicrosoft 365に対応しているため、バージョンの違いによる機能の追加・変更にも対応しています。

1章では、起動と終了の仕方や、メニューの選択方法など、WordやExcelを操作するうえで覚えておきたい共通の基本操作や基礎知識をまとめています。

2章から6章では、Wordの機能を紹介しています。文字の入力や範囲指定などの基本操作から、書式設定、表作成、文書に挿入する図形、画像、グラフなどのオブジェクトの操作、見出しの設定や文章校正、変更履歴など長文作成に役立つ機能や印刷機能まで、Wordで文書を作成、編集、校正して、印刷するまでの一連の作業で覚えておくべきこと、知っておくと便利なこと、困ったときの対処法など、さまざまな疑問に答えています。

7章から11章では、Excelの機能を紹介しています。データ入力から、書式設定や表示形式、罫線、数式や関数、図形とグラフ、並べ替えや抽出、ピボットテーブルなどのデータ分析機能まで、基本操作だけでなく、日常使っていて疑問に思うことの答えや、ちょっとしたテクニック、Excelの優れた機能を使ったデータ分析や資料作成に役立つテクニックなど情報満載です。

12章から13章では、ファイルの操作方法や他のユーザー、他のソフトウェアとの連携やOneDriveを使ったファイルの共有に関する操作や知識をまとめています。

このように、WordとExcelについて多岐にわたってさまざまな情報を網羅していますので、困ったときに開くだけでなく、時間のある時にパラパラとめくってみるだけでも思わぬ発見があるかもしれません。

また、本書では、解説の中に出てくる語句や関数などに関連するQ番号を適宜入れていますので、わざわざ索引を調べることなく、すばやく関連ページを開くことができます。

さらに、Qに対応したサンプルファイルを用意していますので、読むだけでなく、実際に操作することにより理解を深めることができるでしょう。

本書により、読者の皆様のWord力、Excel力を高め、お役に立てれば幸いです。

2022年10月

国本 温子

本書の使い方

- 本書では、WordやExcelの基本的な使い方から、手間なくデータを入力する方法や、WordやExcelをより効率的に使うためのプロの技、実践的なデータ分析の手法、見栄えのよいグラフを作る方法など、さまざまな使い方を、多くの図版を使って、とにかく丁寧に解説しています。
- 基本的な操作はもちろんのこと、本書では、多くの人がつまずいたり、疑問に思っていることもできるだけ多く掲載しています。WordやExcelの使い方に迷ったら、まずは本書に目を通してください。きっと答えが見つかります。
- 本編以外にも、おトクな情報やショートカットキー一覧、用語集など、さまざまな情報を多数掲載しています。

紙面の構成

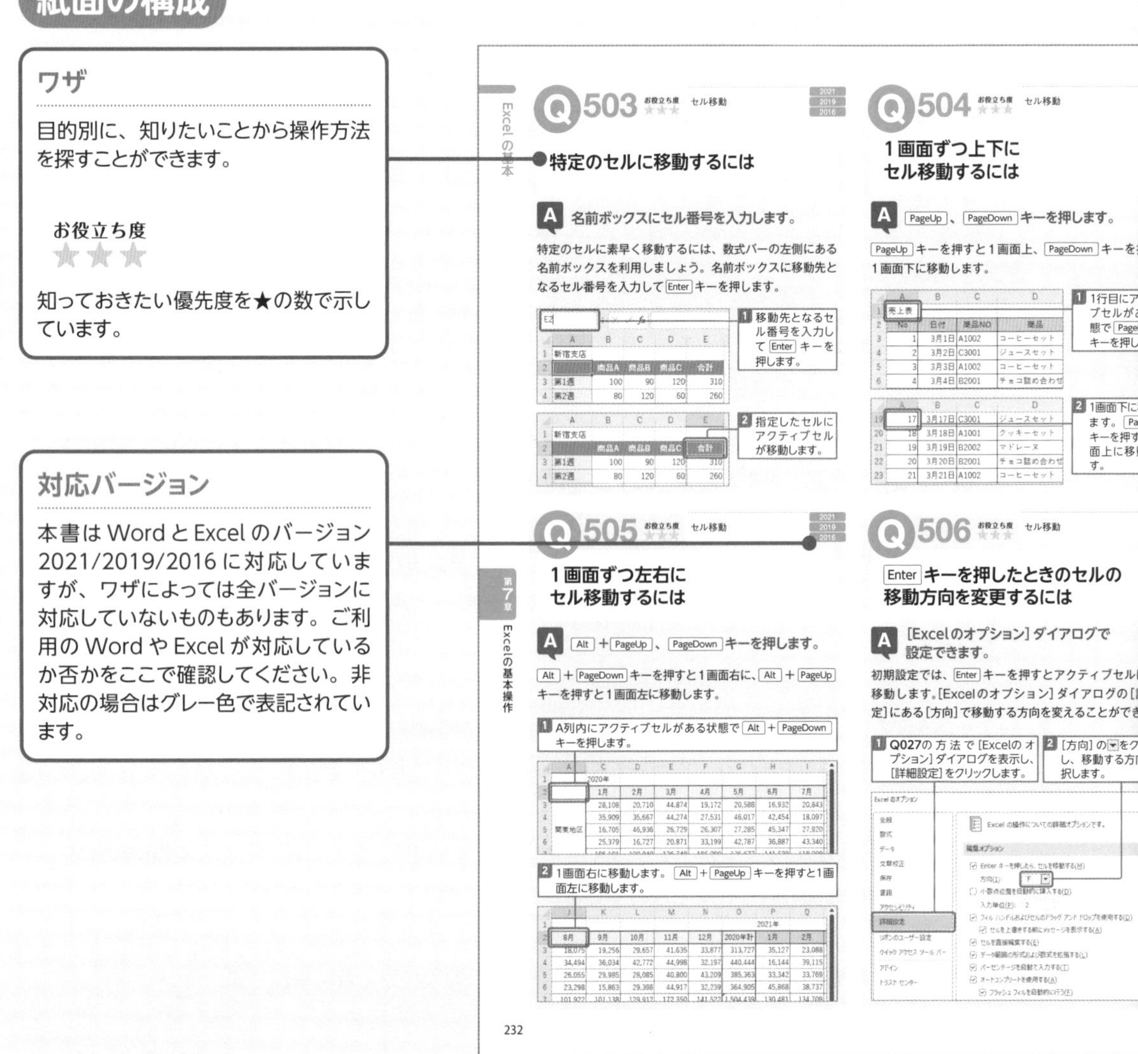

ワザ
目的別に、知りたいことから操作方法を探すことができます。
お役立ち度
知っておきたい優先度を★の数で示しています。
対応バージョン
本書はWordとExcelのバージョン2021/2019/2016に対応していますが、ワザによっては全バージョンに対応していないものもあります。ご利用のWordやExcelが対応しているか否かをここで確認してください。非対応の場合はグレー色で表記されています。
Q503 お役立ち度 セル移動
特定のセルに移動するには
A 名前ボックスにセル番号を入力します。
Q504 お役立ち度 セル移動
1画面ずつ上下にセル移動するには
A PageUp、PageDownキーを押します。
Q505 お役立ち度 セル移動
1画面ずつ左右にセル移動するには
A Alt+PageUp、PageDownキーを押します。
Q506 お役立ち度 セル移動
Enterキーを押したときのセルの移動方向を変更するには
A [Excelのオプション]ダイアログで設定できます。
232

「知りたい情報」＋「困った解決」の見つけ方

1 まずは章から絞り込む	本書では、WordやExcelに関する情報を幅広く掲載しています。各章は機能や目的ごとに分かれています。まずはそれぞれの章を見て、知りたいことを絞り込んでください。
2 次にテーマで探す	それぞれの章では、解説するワザをテーマごとに分類しています。テーマでさらに絞り込み、目的の項目を探してください。
3 キーワードからも探せる	本書の巻末には索引を用意しています。操作内容をキーワードから調べたい場合はぜひ活用してください。

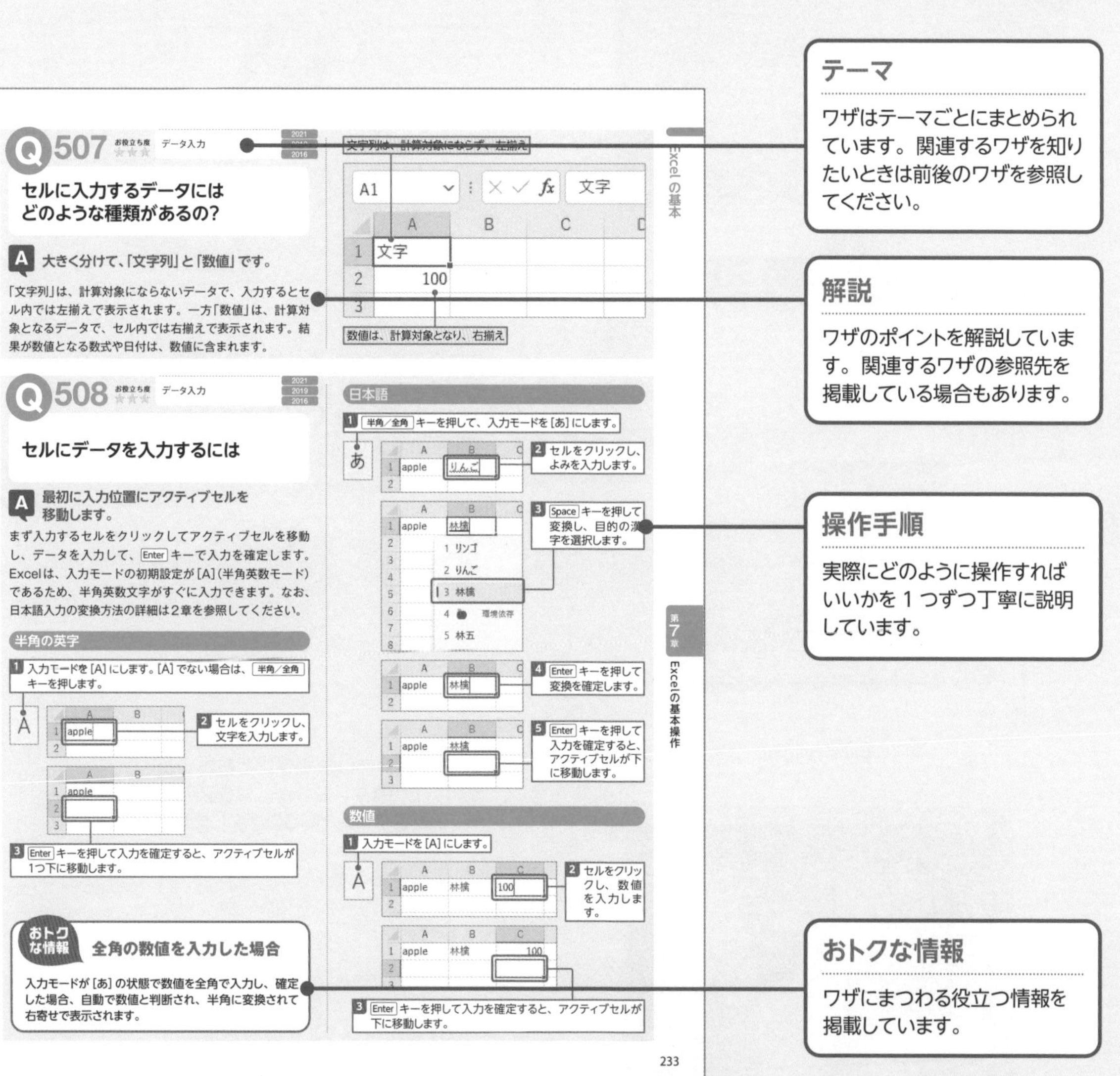

テーマ

ワザはテーマごとにまとめられています。関連するワザを知りたいときは前後のワザを参照してください。

解説

ワザのポイントを解説しています。関連するワザの参照先を掲載している場合もあります。

操作手順

実際にどのように操作すればいいかを1つずつ丁寧に説明しています。

おトクな情報

ワザにまつわる役立つ情報を掲載しています。

パソコンの基本操作

パソコンの操作は、キーボードとマウスを使って行います。ノートパソコンでは、マウスの代わりにタッチパッドを使用するのが一般的です。ここではマウスとタッチパッドの操作方法を説明します。
また、タッチパネル対応のディスプレイを備えたパソコンの場合は、画面を指で触って操作をすることもできます。

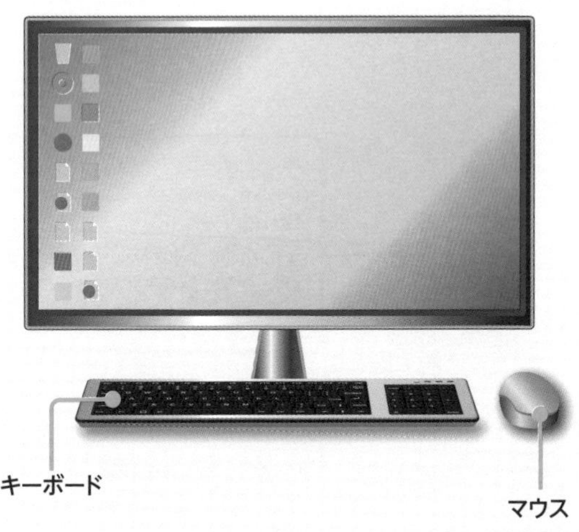

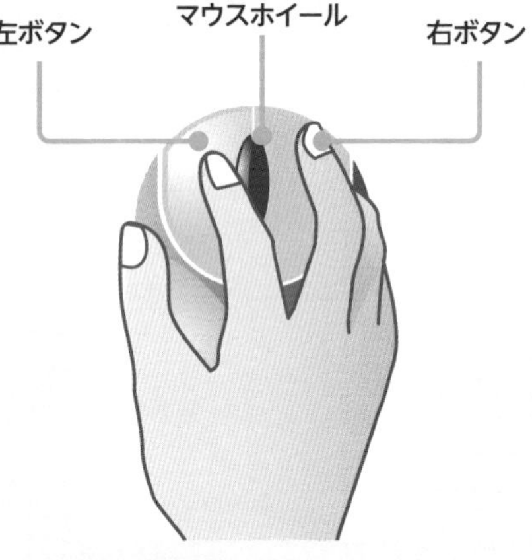

マウスの左ボタンに人差し指を置き、右ボタンに中指を置きます。マウスホイールは人差し指または中指で回転させます。

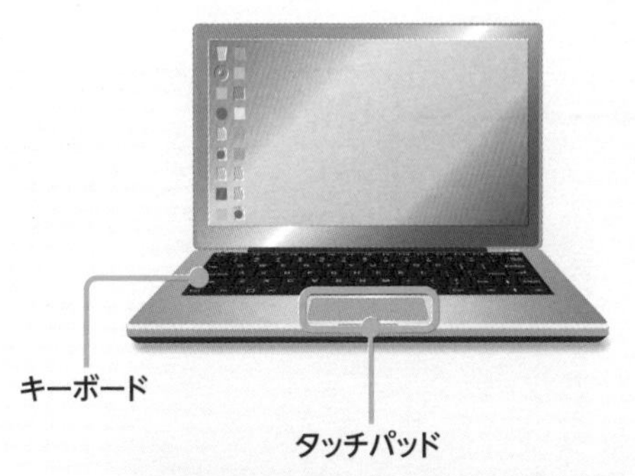

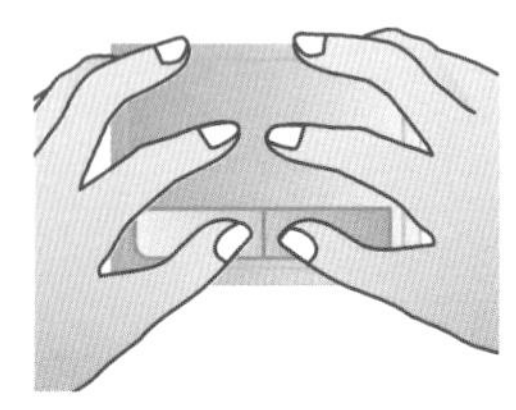

タッチパッドには左ボタンと右ボタンが付いています。これが、マウスの左ボタンと右ボタンと同じ働きをします。

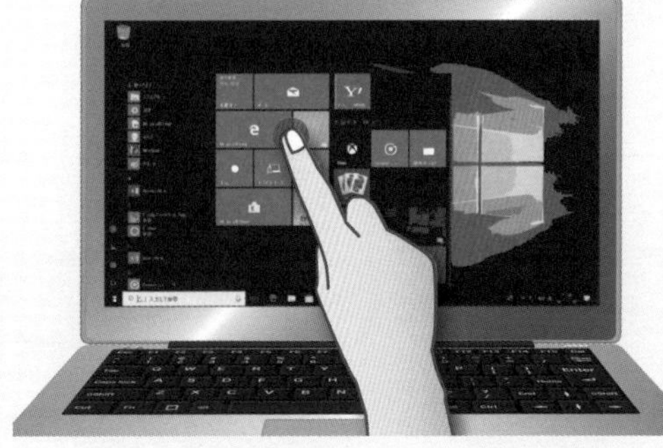

タッチパネル対応のディスプレイの場合は、画面をタッチして操作できます。

マウス／タッチパッドの操作

クリック

画面上のものやメニューを選択したり、ボタンをクリックしたりするときに使います。

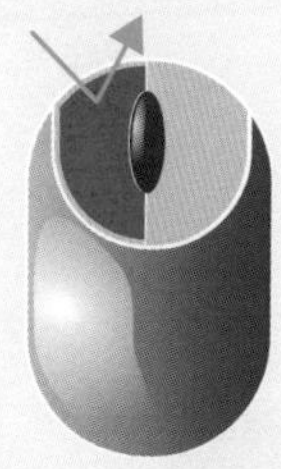

左ボタンを 1 回押します。

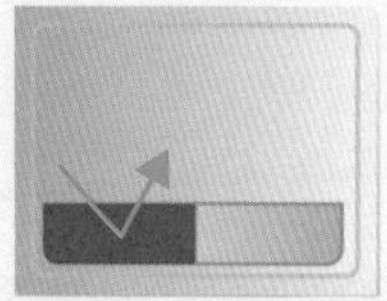

左ボタンを 1 回押します。

右クリック

操作可能なメニューを表示するときに使います。

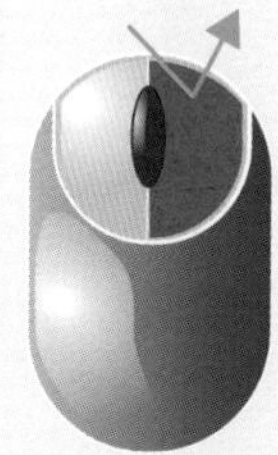

右ボタンを 1 回押します。

右ボタンを 1 回押します。

ダブルクリック

ファイルやフォルダーを開いたり、アプリを起動したりするときに使います。

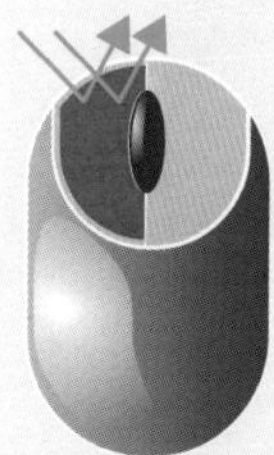

左ボタンを素早く 2 回押します。

左ボタンを素早く 2 回押します。

ドラッグ

画面上のものを移動するときに使います。

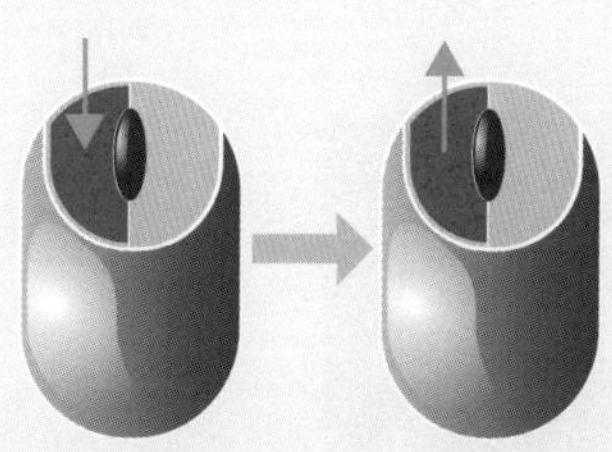

左ボタンを押したままマウスを移動し、移動先で左ボタンを離します。

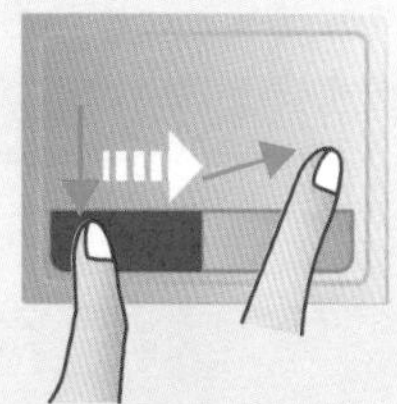

左ボタンを押したままタッチパッドを指でなぞり、移動先で左ボタンを離します。

タッチパネルでのタッチ操作

タッチパネル対応のディスプレイの場合は、画面をタッチして操作できます。

タップ

マウスのクリックに当たります。

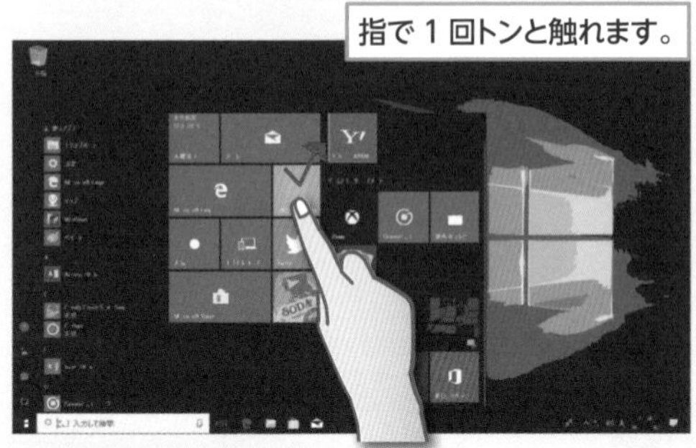

指で 1 回トンと触れます。

ロングタッチ

マウスの右クリックに当たります。

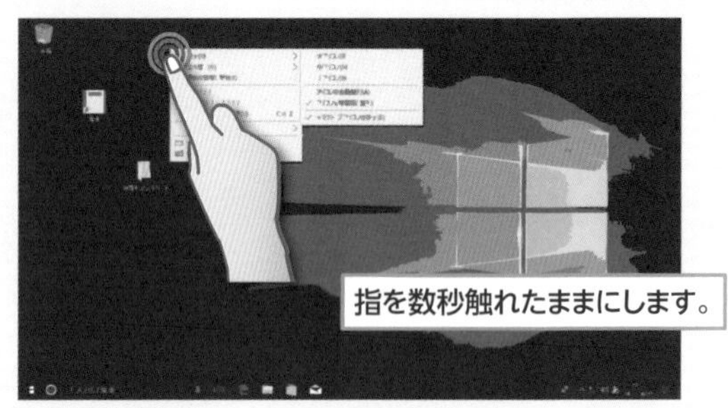

指を数秒触れたままにします。

ダブルタップ

マウスのダブルクリックに当たります。

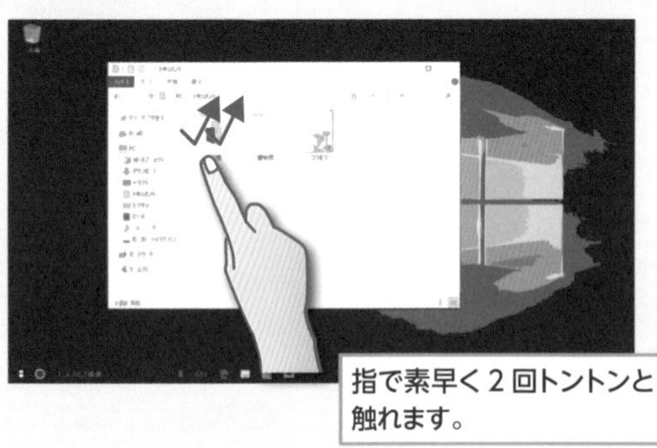

指で素早く 2 回トントンと触れます。

スライド

画面をスクロールさせるときなどに使用します。

画面を指で触れたまま上下左右に動かします。

スワイプ

画面の右側からスワイプしてアクションセンターを呼び出す場合などで使用します。

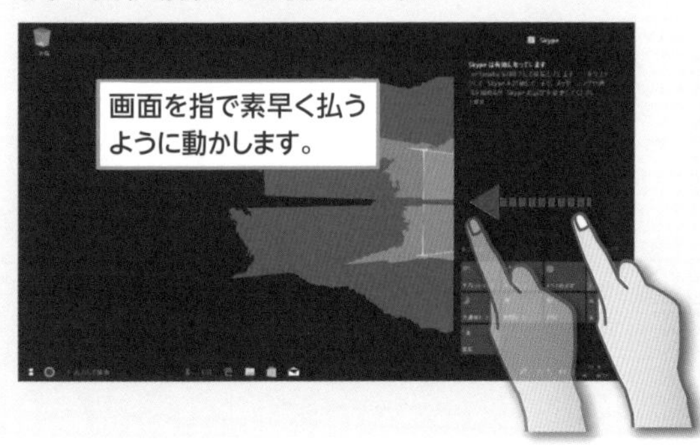

画面を指で素早く払うように動かします。

ピンチ／ストレッチ

画面を拡大/縮小させるときに使用します。

画面に触れた 2 本の指をつまんだり広げたりします。

よく使うキー

Esc（エスケープ）キー
操作を取り消すときに使います。

半角 / 全角キー
日本語入力モードと半角英数モードを切り替えます。

Delete（デリート）キー
カーソルの右側の文字を削除します。

BackSpace（バックスペース）キー
カーソルの左側の文字を削除します。

テンキー
電卓のように数字や演算記号が集まったキーです。

Shift（シフト）キー
他のキーと組み合わせて使います。

スペースキー
空白の入力や漢字への変換に使います。

Enter（エンター）キー
文字の確定や改行入力で使います。

矢印キー
カーソルを上下左右に移動します。

Ctrl（コントロール）キー
他のキーと組み合わせて使います。

ショートカットキー

複数のキーを組み合わせて押すことで、特定の操作を素早く実行することができます。本書中では ○○ + △△ キーのように表記しています。

▶ Ctrl + A キーという表記の場合

2つのキーを
同時に押します。

▶ Ctrl + Shift + Esc キーという表記の場合

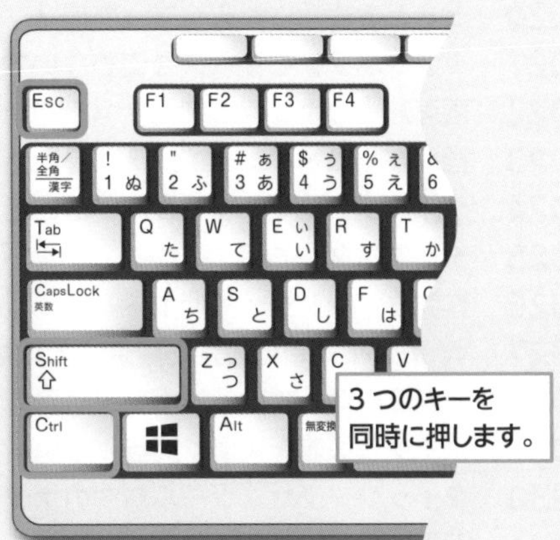
3つのキーを
同時に押します。

CONTENTS

第1章 Officeの概要と基本操作 43

Officeの基礎

Officeの起動と終了

Officeの基本操作

文字入力

カーソルの移動

範囲選択

第3章 Word文書の編集と書式設定 101

編集全般

文字書式

段落書式

ドロップキャップ

段組みとセクション

スタイル

クイックパーツとテーマ

第4章 説得力のある図表やグラフの作り方 ……137

表の作成

表の編集

ページ罫線

図形

画像

ワードアート

SmartArt

ヘッダー／フッター

透かし

はがき宛名印刷

差し込み印刷

第7章 Excelの基本操作 217

Excelの基礎

シート／ウィンドウの操作

オートフィル

フラッシュフィル

データの入力規則

範囲選択

行／列／セルの操作

移動とコピー

検索・置換／その他の操作

印刷

第8章 「書式設定」と「表示形式」を完璧にマスターする 289

書式設定

文字列の配置や向き

罫線

表示形式

条件付き書式

第9章 作業効率を劇的に改善する計算式と関数の便利な使い方 319

数式の基礎

関数の基礎

数学／三角関数

統計関数

データベース関数

日付／時刻関数

文字列操作関数

論理関数／情報関数

検索／行列関数

財務関数

数式のエラーとトラブル対処

第10章 説得力のある図形とグラフの作り方 371

図形の作成

図形の編集

文字列の追加

複数の図形の操作

いろいろなオブジェクトの挿入

グラフの作成

グラフの編集

いろいろなグラフの作成と編集

第11章 データ分析の全手法を徹底解説 411

集計

テーブル

ピボットテーブル

ファイルを閉じる

ファイルを開く

第1章

Officeの概要と基本操作

この章では、Officeの基礎知識や起動方法などの概要や基本操作を紹介します。メニューの選択や画面の操作方法など、WordとExcelに共通する基本操作をまとめていますので、最初に確認しておけば、スムーズに作業に入ることができます。

お役立ち度 ★★★ Officeの基礎

2021 2019 2016

Q001 Officeとは

A マイクロソフト社のアプリケーションソフトをまとめたパッケージ製品です。

Officeは、ExcelやWordなどのアプリケーションソフトをパッケージ化したマイクロソフト社の製品です。いくつかのOffice製品が提供されており、製品によって含まれているアプリケーションソフトが異なります。

●主な Office 2021 製品

製品名	含まれるアプリケーションソフト
Office Personal 2021	Word、Excel、Outlook
Office Home & Business 2021	Word、Excel、PowerPoint、Outlook、OneNote
Office Professional 2021	Word、Excel、PowerPoint、Outlook、Access、Publisher、OneNote

※ Office Personal 2021、Office Professional 2021 は Windows PC のみ

おトクな情報 買い取り型の「永続ライセンス」

Office Personal 2021、Office Home & Business 2021、Office Professional 2021は、最初に代金を支払う買い取り型の製品です。これらは、発売後に追加された新機能を使用することはできませんが、使用期間に制限はありません。これを「永続ライセンス」といいます。なお、月や年単位で使用料を払うタイプのOffice製品もあります（Q004）。

お役立ち度 ★★★ Officeの基礎

2021 2019 2016

Q002 Officeのアプリケーションソフトにはどんなものがあるの？

A Word、Excel、PowerPointなどがあります。

Office製品に含まれるアプリケーションソフトのことを、総称してOfficeアプリケーションと呼びます。文書の作成にはWord、集計表の作成にはExcelのように目的に合わせて使い分けましょう。

●主な Office アプリケーション

アプリケーション名	機能
Word	文書作成
Excel	表計算
PowerPoint	プレゼンテーション資料作成
Outlook	メール、スケジュール管理
Access	データベース
Publisher	カタログ・チラシ作成
OneNote	情報の収集と管理

お役立ち度 ★★★ Officeの基礎

2021 2019 2016

Q003 Officeのバージョンって何？

A Office製品が発売されたときに付けられる製品番号です。

Officeのバージョンには、2021年10月に発売されたOffice 2021をはじめ、Office 2019、Office 2016などがあり、数年ごとに新しいOffice製品が発売されています。最新のOffice 2021では、Office 2016やOffice 2019で作成されたファイルを問題なく開くことができます。また、Officeにはサポート期間が設けられています。サポート期間が終了すると、更新プログラムなどが提供されなくなるため、プログラムの不具合やセキュリティの問題に対応できなくなります。そのため、サポート期間の終了に合わせて新しいバージョンに変更することをお勧めします。

●主な Office のバージョン

Office製品	発売日	延長サポート終了日
Office 2013	2013年2月7日	2023年4月11日
Office 2016	2015年9月30日	2025年10月14日
Office 2019	2019年1月22日	2025年10月14日
Office 2021	2021年10月5日	2026年10月13日

※ Office 2021 は延長サポートはなく、通常のサポート期間のみとなります。

Q004 お役立ち度 ★★★ Officeの基礎 2021 2019 2016

Microsoft 365って何?

A 常に最新の機能を使用できるOfiice製品です。

Microsoft 365は、年単位または月単位で使用料を払って使えるOffice製品です。このような、期間で支払う契約を「サブスクリプション契約」といい、常に最新版のOfficeアプリケーションをダウンロードして使用できます。
Microsoft 365には、個人向けのMicrosoft 365 Personal、法人向けのMicrosoft 365 Business Standardなどの種類があります。Microsoft 365 Personalには、下表のようなサービスが含まれます。製品ごとの使用料やサービスの詳細は、Microsoft 365のWebサイトでご確認ください。
なお、Microsoft 365は、以前は「Office 365」という名称でしたが、2020年4月22日に名称変更されました。

● Microsoft 365 Personal に含まれる主なサービス

サービス	内容
アプリケーション	Word、Excel、PowerPoint、Outlook、OneNote、Teams、Access (Windows PCのみ)、Publisher (Windows PCのみ)
OneDrive	インターネット上の専用のデータ保管場所として1TB (1024GB) の容量が使用可
Microsoftエディター	AIを利用した文章校正機能
Skype	毎月60分間、携帯電話や固定電話への無料通話
Microsoftサポート	無料の電話／チャットサポート

Q005 お役立ち度 ★★★ Officeの基礎 2021 2019 2016

Officeはどのように入手するの?

A プロダクトキーを購入してインストールします。

Officeを使用するには、下表を参考にプロダクトキーを購入し、インターネットからダウンロードして、PCにインストールします。
なお、PC購入時にあらかじめOfficeがインストールされている場合(プリインストール版Office)は、それを使うことができます。

● Office 2021 製品の入手方法

入手方法	内容
POSA カード版	コンビニや家電量販店などで購入できる。購入するとカードに書かれているプロダクトキーが有効になる
ダウンロード版	オンラインショップなどでプロダクトキーを購入する
プリインストール版	PCに永続ライセンス版のOffice 2021がインストールされている。そのままOfficeアプリケーションが使える。なお、使用前にOfficeが使えるように設定(セットアップ)が必要な場合がある

おトクな情報 インストールとは

インストールとは、アプリケーションをPCに組み込んで使えるようにすることです。

Q006 お役立ち度 ★★★ Officeの基礎 2021 2019 2016

自分が使っているOfficeのバージョンが知りたい!

A ExcelかWordを起動して、製品情報を確認します。

OfficeのバージョンをSを調べるには、ExcelかWordを起動し、スタート画面で[アカウント]の[製品情報]で確認できます。アプリケーションのバージョンは、[バージョン情報]で確認できます。更新プログラムが適用されると、アプリケーションのバージョン情報も更新されます。

1 Officeアプリケーション (ここではExcel) を起動します。

2 スタート画面で[アカウント]をクリックします。

3 Officeの製品名が表示されます。

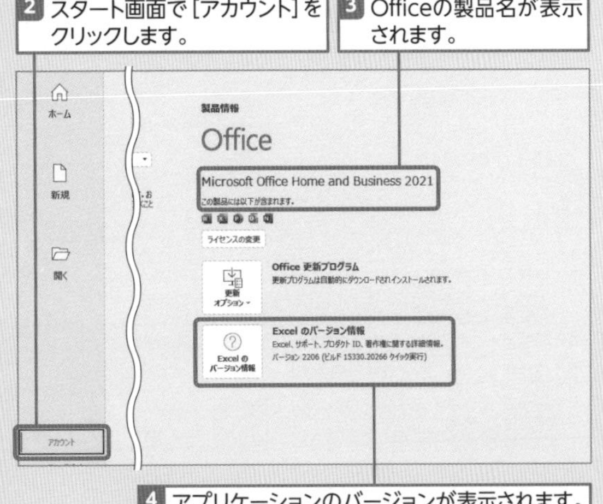

4 アプリケーションのバージョンが表示されます。

Q 007 お役立ち度  Officeの基礎 2021 2019 2016

Office 2021の新機能にはどんなものがあるの?

A 共同編集、自動保存、更新された[描画]タブなどがあります。

WordやExcelに共通する主な機能には、「共同編集」や「自動保存」、更新された[描画]タブ、画像やアイコンなどの素材として「ストックメディア」が提供されています。またExcelでは、新しい関数がいくつか追加されています。

共同編集

OneDriveに保存したファイルを共有し、複数のユーザーで同時に編集でき、ファイルを開いているユーザーが表示されます。

SB 太郎
鳥観察会のご案内
鳥が棲んでいます。市民野鳥の会では、野鳥観察会を開催
ら、野鳥を観察してみませんか？TVでおなじみの専門家
しくお過ごしいただけます。どうぞお気軽にご参加くださ

自動保存

Microsoftアカウントでサインインし、OneDriveに保存されているファイルを編集中に変更があると自動的に保存します。

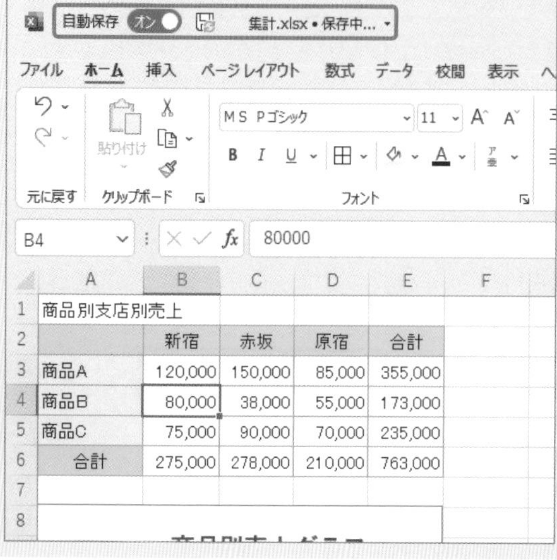

更新された[描画]タブ

手書きで入力されたインクをまとめて選択できる「なげなわ」や、部分的に消去できる「消しゴム(ポイント)」など新しい機能が追加されています。

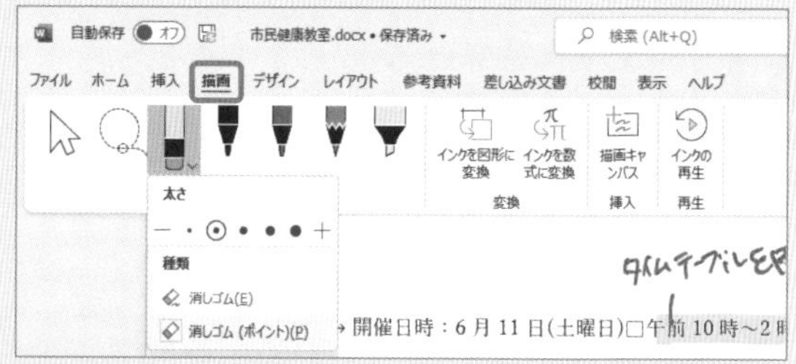

ストックメディア

文書内で使用できる画像やアイコンなどの素材がより豊富に用意されています。

新しい関数

Excelでは、XLOOKUP関数、LET関数、XMATCH関数やFILTER関数といった配列関数が追加されています。

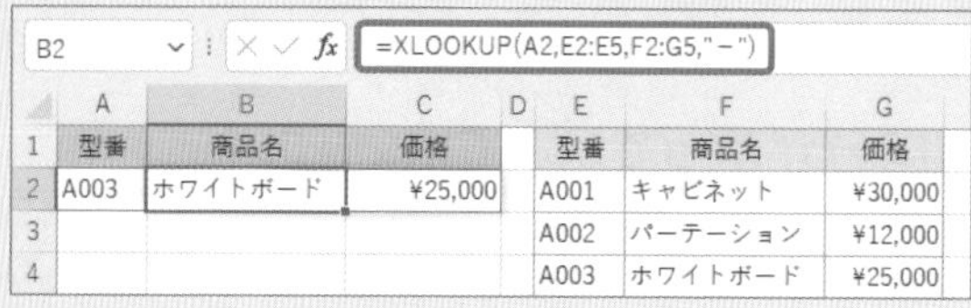

● **そのほかの主な新機能**

新機能	内容
コメント	共同作業者とのコメントのやり取り
Microsoft Search	キーワードを入力し、使える機能や解説を調べたり、ドキュメント内で検索したりできる
行フォーカス	文章内で表示する行(1行、3行、5行)を絞り込める
スケッチスタイルの枠線	手書き調の枠線
Hex値で色指定	16進数で色指定
OpenDocument形式(ODF) 1.3のサポート	ODF1.3形式のファイルを開いたり、保存したりできる

Q008 お役立ち度 ★★★ Officeの起動と終了 2021 2019 2016

WordやExcelを起動するには?

A スタートメニューから起動します。

WordやExcelを起動するには、[スタート]ボタンをクリックし、表示されるスタートメニューで[すべてのアプリ]をクリックして、アプリ一覧からWordまたはExcelをクリックします。なお、スタートメニューにアイコンがピン留めされている場合は、アイコンをクリックしても起動できます(**Q009**)。

1 [スタート]ボタンをクリックします。
2 [すべてのアプリ]をクリックします。
検索するには、ここに入力します
ピン留め済み
すべてのアプリ >
Atsuko Kunimoto

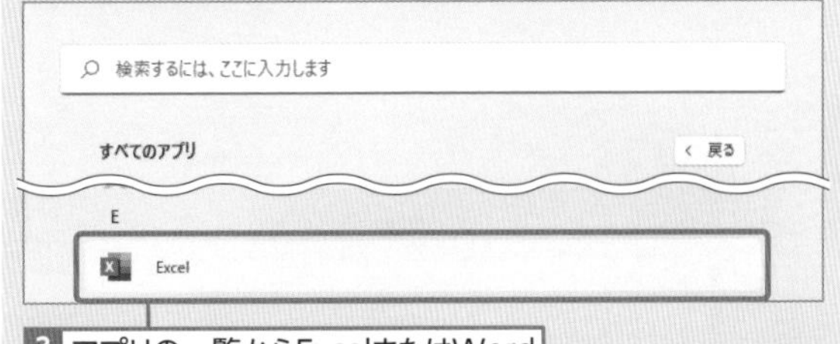

検索するには、ここに入力します
すべてのアプリ
< 戻る
E
Excel
3 アプリの一覧からExcelまたはWordのアイコンをクリックします。

Q009 お役立ち度 ★★★ Officeの起動と終了 2021 2019 2016

スタートメニューからExcelやWordを起動しやすくするには

A スタートメニューにピン留めします。

WordやExcelのアイコンを、[スタート]ボタンをクリックしたときに表示されるスタートメニューにピン留めしておくと素早く起動できます。ピン留め後、アイコンをドラッグして、クリックしやすい場所に移動できます。

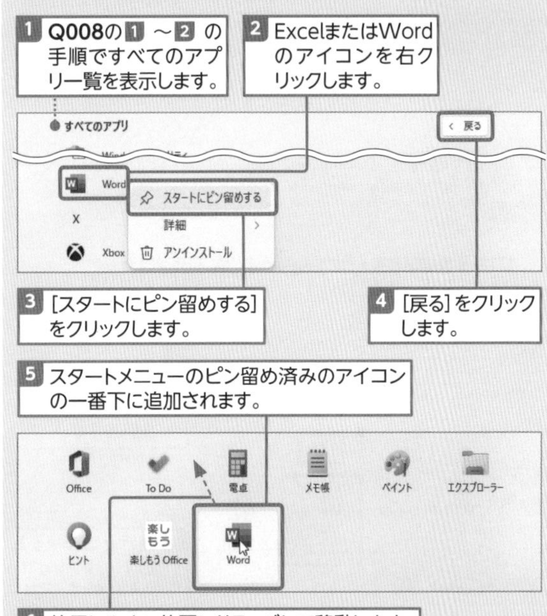

1 Q008の1～2の手順ですべてのアプリ一覧を表示します。
2 ExcelまたはWordのアイコンを右クリックします。
すべてのアプリ
< 戻る
Word
スタートにピン留めする
詳細
X
Xbox
アンインストール
3 [スタートにピン留めする]をクリックします。
4 [戻る]をクリックします。
5 スタートメニューのピン留め済みのアイコンの一番下に追加されます。
Office
To Do
電卓
メモ帳
ペイント
エクスプローラー
ヒント
楽しもう Office
Word
6 使用しやすい位置にドラッグして移動します。

Q010 お役立ち度 ★★★ Officeの起動と終了 2021 2019 2016

タスクバーから素早く起動するには

A タスクバーにExcelやWordのアイコンをピン留めします。

タスクバーには、起動中のExcelやWordのアイコンが表示されます。このアイコンをタスクバーにピン留めすると、常にアイコンがタスクバーに表示されるようになり、クリックするだけで素早く起動できます。

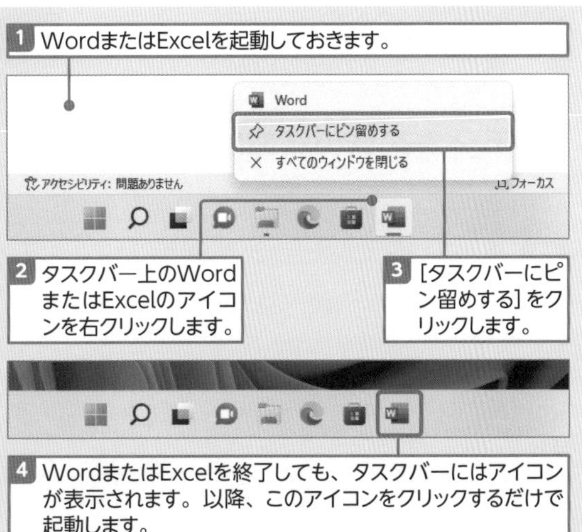

1 WordまたはExcelを起動しておきます。
Word
タスクバーにピン留めする
すべてのウィンドウを閉じる
アクセシビリティ: 問題ありません
フォーカス
2 タスクバー上のWordまたはExcelのアイコンを右クリックします。
3 [タスクバーにピン留めする]をクリックします。
4 WordまたはExcelを終了しても、タスクバーにはアイコンが表示されます。以降、このアイコンをクリックするだけで起動します。

Q011 お役立ち度 ★★★ Officeの起動と終了 2021 2019 2016

デスクトップから起動するには

A デスクトップにExcelやWordのアプリのショートカットを追加します。

デスクトップにExcelやWordのショートカットを配置すれば、ショートカットをダブルクリックするだけで起動できます。スタートメニューからExcelやWordのメニューをデスクトップにドラッグするだけで簡単に追加できます。

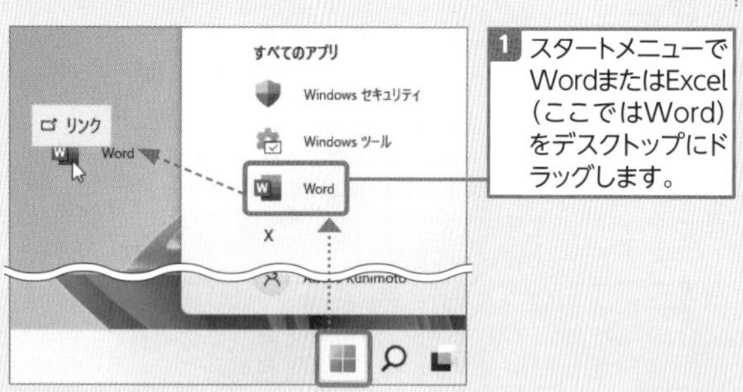

1 スタートメニューでWordまたはExcel（ここではWord）をデスクトップにドラッグします。

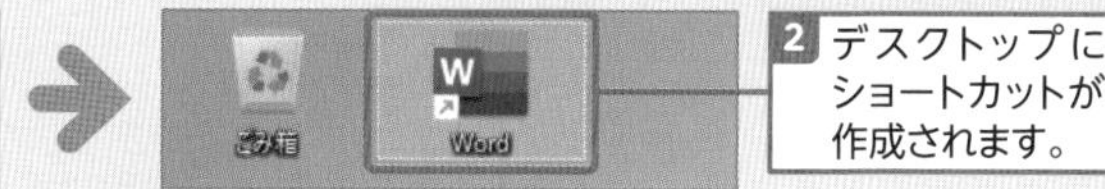

2 デスクトップにショートカットが作成されます。

おトクな情報 ショートカットを削除するには

ショートカットが不要になった場合は、ショートカットをクリックして選択し、Deleteキーを押して削除します。

Q012 お役立ち度 ★★★ Officeの起動と終了 2021 2019 2016

起動と同時にファイルを開くには

A エクスプローラーでファイルをダブルクリックします。

エクスプローラーで、開きたいWordやExcelのファイルをダブルクリックすると、起動と同時にファイルを開くことができます。素早く作業を開始したいときに便利です。

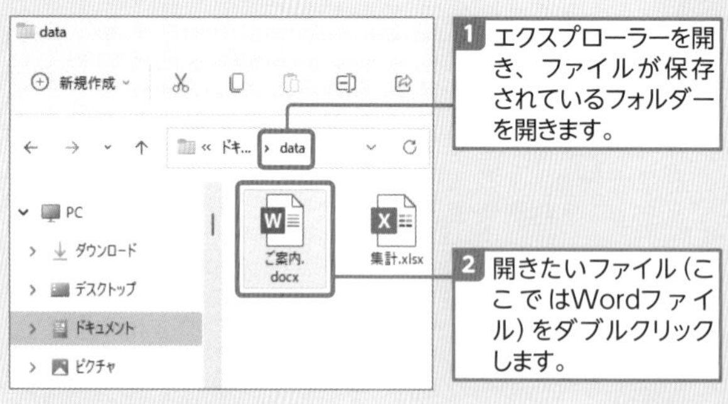

1 エクスプローラーを開き、ファイルが保存されているフォルダーを開きます。

2 開きたいファイル（ここではWordファイル）をダブルクリックします。

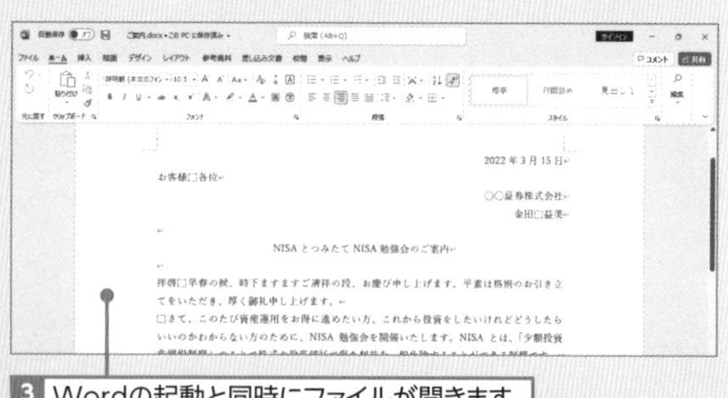

3 Wordの起動と同時にファイルが開きます。

Q013 お役立ち度 ★★★ Officeの起動と終了 2021 2019 2016

Officeを最新の状態にするには

A 更新プログラムをチェックします。

Officeでは、不具合の修正やセキュリティ対策などを含む更新プログラムが提供されます。初期設定では、自動的にダウンロードされ適用されます。手動で更新するには、WordまたはExcelのスタート画面で、[アカウント]の[更新オプション]から[今すぐ更新]を選択します。または、Windows UpdateでOffice更新プログラムをチェックし、インストールすることもできます。

1 WordまたはExcel（ここではExcel）を起動し、[アカウント]をクリックします。

2 [更新オプション]→[今すぐ更新]をクリックすると、最新の更新プログラムを確認し、見つかったらダウンロードされ、インストールされて最新の状態になります。

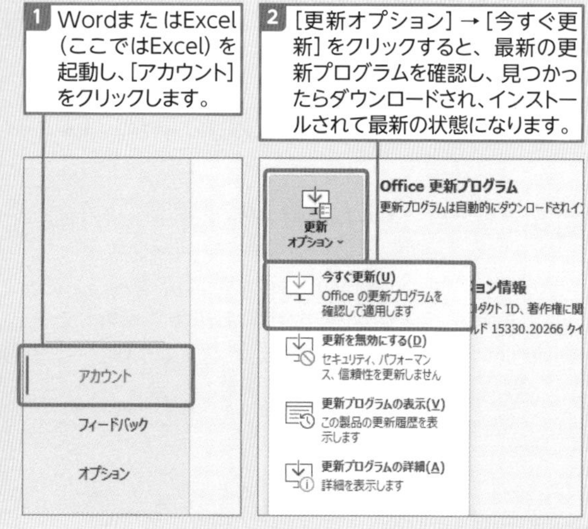

Q014 お役立ち度 ★★★ Officeの起動と終了 2021 2019 2016

WordやExcelの起動直後の画面は何?

A 作業を開始するためのスタート画面です。

ExcelやWordの起動直後に表示される画面を「スタート画面」といいます。この画面から新規のブックや文書を作成したり、既存のファイルを開いたりと、これから行う作業を選択できます。

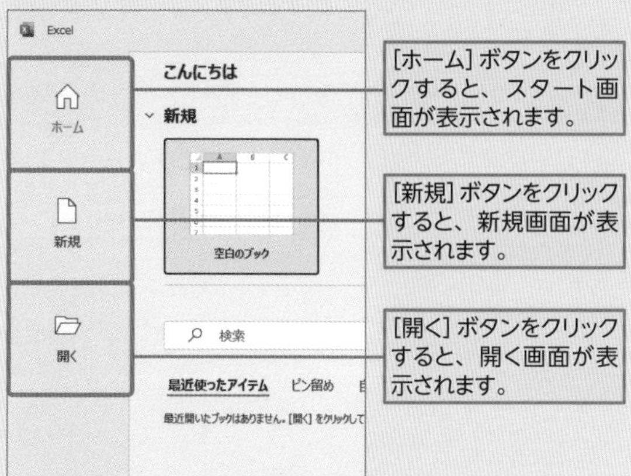

おトクな情報 起動と同時に新規作成画面を表示する

起動時にスタート画面を表示しないで新規ブック、新規文書を直接表示するように設定できます。設定方法はQ1074を参照してください。

Q015 お役立ち度 ★★★ Officeの起動と終了 2021 2019 2016

サインインしたほうがいいですか?

A OneDriveを使用する場合はサインインしましょう。

WordやExcelは、サインインしなくても使用できますが、OneDriveにファイルを保存するなど、OneDriveを使用する場合はサインインが必要です。なお、サインインにはMicrosoftアカウントを使用します(**Q1135**)。

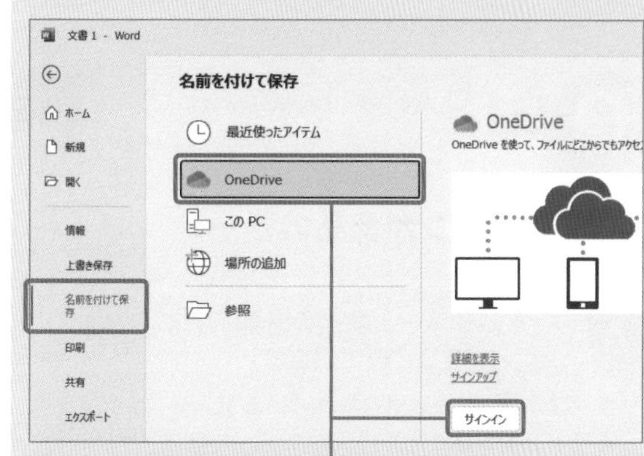

おトクな情報 OneDriveとは

マイクロソフト社が提供しているインターネット上のデータ保管場所です(Q1134)。

Q016 お役立ち度 ★★★ Officeの起動と終了 2021 2019 2016

WordやExcelを終了するには

A タイトルバーにある[閉じる]ボタンをクリックします。

WordやExcelを終了するには、タイトルバーの右上にある[閉じる]ボタンをクリックします。複数のファイルを開いている場合は、最前面に表示されているファイルが閉じます。開いているファイルが1つだけのときに[閉じる]ボタンをクリックすると、ファイルを閉じるのと同時にWordやExcelが終了します。また、Alt + F4 キーを押しても同様に終了できます。

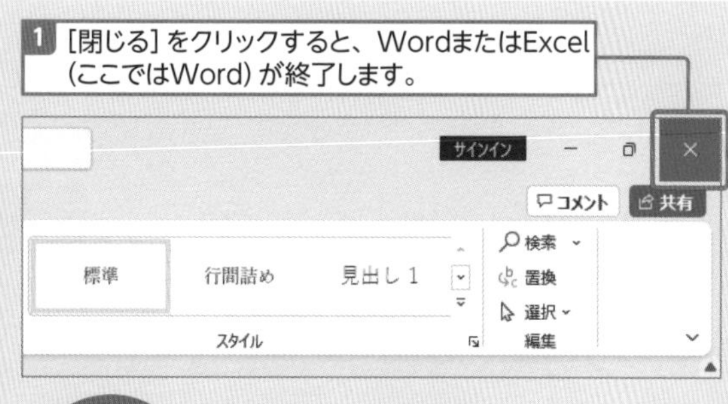

おトクな情報 保存の確認画面が表示される場合

WordやExcelで文書や表を編集し、保存していない場合は、保存の確認画面が表示されます。保存方法についてはQ057やQ463を参照してください。

Q017 お役立ち度 ★★★ Officeの基本操作 2021 2019 2016

WordやExcelの機能を実行するには

A タブをクリックし、リボンを切り替えて、リボン上のボタンをクリックします。

WordやExcelの機能を実行するには、[タブ]をクリックして[リボン]を切り替え、リボン上の[ボタン]をクリックします。なお、リボン上のボタンは機能ごとに[グループ]別にまとめられています。

また、ウィンドウのサイズを小さくすると、ウィンドウサイズに合わせてボタンがまとめられます。まとめられたボタンをクリックすると、非表示になったボタンが表示されます。

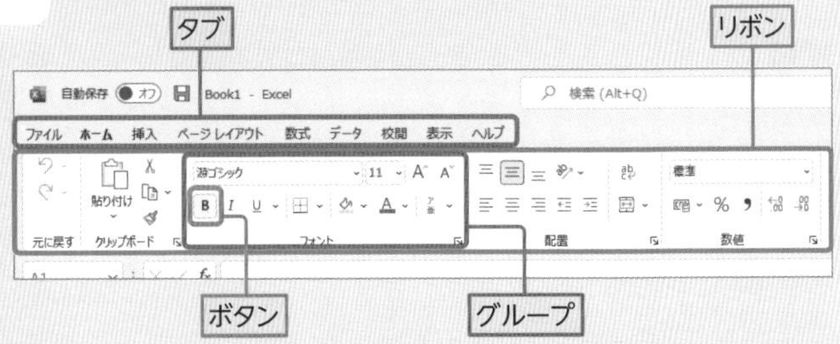

Q018 お役立ち度 ★★★ Officeの基本操作 2021 2019 2016

どんなリボンがあるの?

A ファイルやホームなどの分類ごとにリボンが用意されています。

リボンは分類別に複数用意されています。タブをクリックしてリボンを切り替えて操作します。なお、[ファイル]タブの場合は、BackStageビューが表示されます。ここでは、新規作成、開く、保存、印刷などファイル関連の設定や、WordやExcel全体の設定などが行えます。BackStageビューから編集画面に戻るには、⊖ボタンをクリックするか、ESCキーを押します。

Excelのリボン

タブをクリックしてリボンを切り替えます(Wordも同様)。

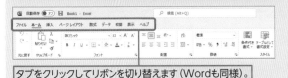

[ファイル]タブをクリックしたときのBackStageビュー

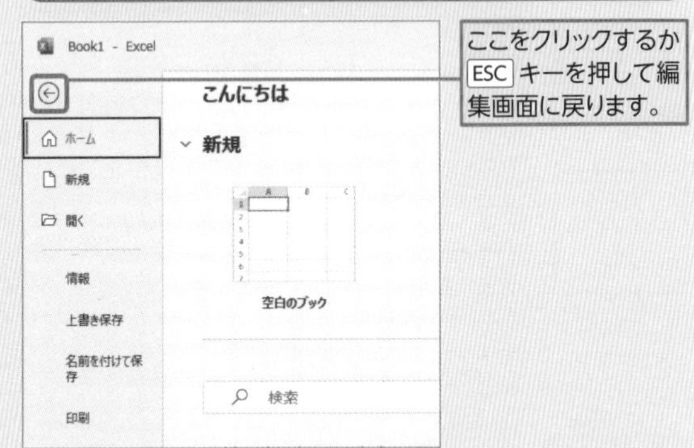

●Excel・Wordに共通する主なリボン

リボン	主な内容
ファイル	保存・印刷・ファイル・環境設定
ホーム	文字のサイズ・色・配置
挿入	表・図形・画像・グラフ
ページレイアウト(Excel)	用紙の設定や印刷設定
レイアウト(Word)	
校閲	文章校正・コメント
表示	表示モードや表示倍率
ヘルプ	わからないことを調べるなど

Q019 お役立ち度 ★★★ Officeの基本操作 2021 2019 2016

ボタンの機能を確かめるには

A ボタンにマウスポインターを合わせるとヒントが表示されます。

ボタンの機能がわからないときは、ボタンにマウスポインターを合わせてみましょう。ボタン名と機能の説明がヒントで表示されます。

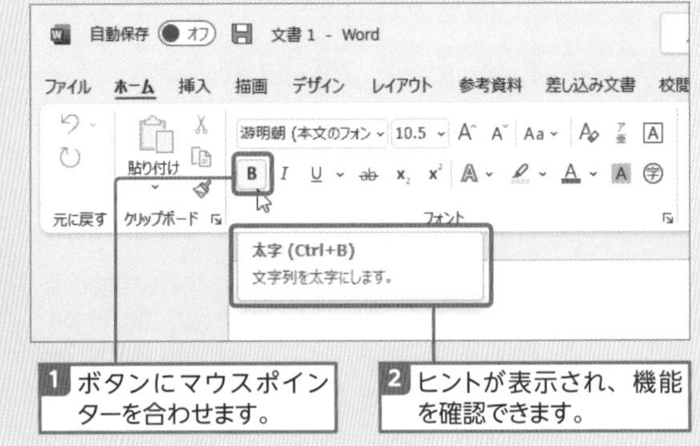

Q020 お役立ち度 ★★★ Officeの基本操作 2021 2019 2016

ときどき表示されるタブって何?

A 選択対象によって表示されるコンテキストタブです。

WordやExcelで図形を選択すると、[図形の書式] タブ、グラフを選択すると [グラフのデザイン] タブと [書式] タブが青字または緑字で表示されます。このように選択対象によって表示されるタブのことをコンテキストタブといいます。

コンテキストタブは、選択対象によって表示されます。

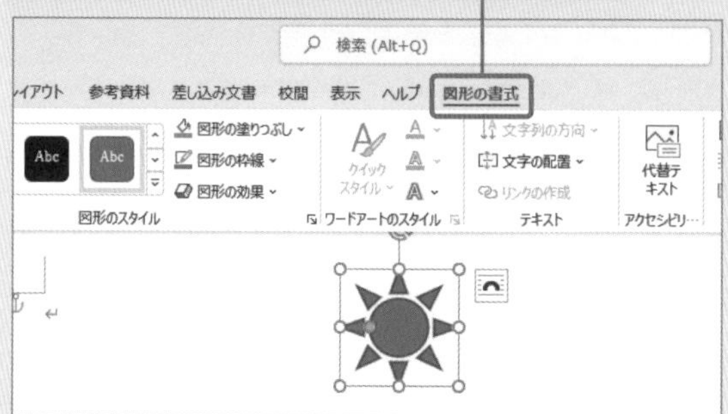

おトクな情報 Excel 2019/2016ではタブの表示が異なる

Excel 2019/2016では、コンテキストタブの表示形式が異なります。例えばWordの場合、図形を選択するとタイトルバーに [描画ツール] と表示され、その下の通常のタブ位置に [書式] タブが表示されます (p.288)。

Q021 お役立ち度 ★★★ Officeの基本操作 2021 2019 2016

タブやボタンをマウスを使わないで操作するには

A Alt キーを押すと、タブやボタンをキー操作で選択できます。

Alt キーを押すと、タブやボタンの周囲にアルファベットが表示されます。タブやボタンに割り当てられているアルファベットのキーを押すと、クリックしたときと同じ動作をします。マウスが使えない場合に活用できます。なお、表示を消すには、ESC キーを押します。

1 Alt キーを押すと、タブやボタンの周りに数字やアルファベットが表示されます。

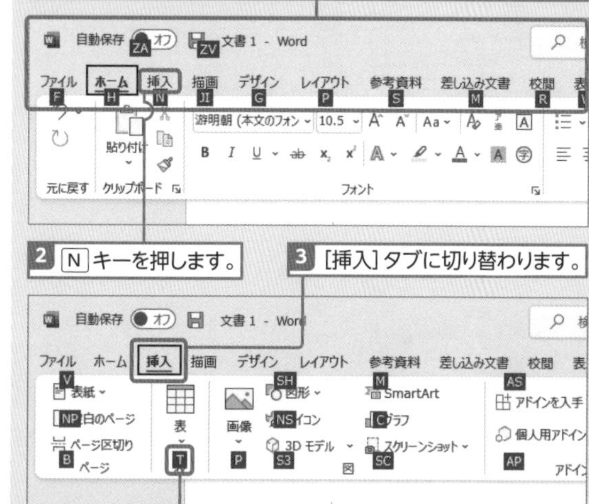

2 N キーを押します。
3 [挿入] タブに切り替わります。

4 T キーを押すと [表の追加] 機能が実行されます。

Q022 お役立ち度 ★★★ Officeの基本操作 2021 2019 2016

画面左上のボタンって何? (Office 2019/2016)

A クイックアクセスツールバーのボタンです。

タイトルバーの左側には、いくつかのボタンが表示されています。この部分を「クイックアクセスツールバー」といいます。ボタンが常に表示されているため、機能を素早く実行できます。また、必要に応じてボタンを追加・変更・削除することができます (**Q029**)。なお、Office 2021では、クイックアクセスツールバーが初期設定では非表示になっています (**Q024**)。

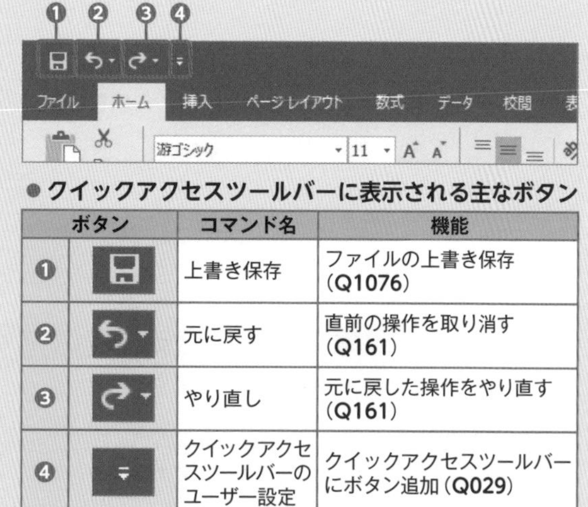

● クイックアクセスツールバーに表示される主なボタン

	ボタン	コマンド名	機能
❶		上書き保存	ファイルの上書き保存 (**Q1076**)
❷		元に戻す	直前の操作を取り消す (**Q161**)
❸		やり直し	元に戻した操作をやり直す (**Q161**)
❹		クイックアクセスツールバーのユーザー設定	クイックアクセスツールバーにボタン追加 (**Q029**)

Q023

お役立ち度 

Officeの基本操作

2021 2019 2016

画面左上のボタンって何?(Office 2021/Microsoft 365)

A [自動保存]ボタンと[上書き保存]ボタンです。

タイトルバーの左側にある2つのボタンは[自動保存]ボタンと[上書き保存]ボタンです。[自動保存]ボタンは、Microsoftアカウントでサインインし、OneDriveにファイルを保存している場合に有効になります。オフの時にクリックしてオンにしようとすると、サインインしていない場合は、サインインが促され、次にOneDrive上に保存を促される画面が表示されます。

1 自動保存

2 上書き保存

	ボタン	コマンド名	機能
①	オフ	自動保存	変更があった場合、自動で保存(Q1079)
②		上書き保存	ファイルの上書き保存(Q1076)

Q024

お役立ち度 

Officeの基本操作

2021 2019 2016

クイックアクセスツールバーはどこにいったの?

A 初期設定では非表示になっています。

Office 2021とMicrosoft 365では、初期設定でクイックアクセスツールバーが非表示になっています。使用したい場合は、表示してボタンを追加します。クイックアクセスツールバーへのボタンの追加は**Q029**参照。

1 任意のタブ上で右クリックし、

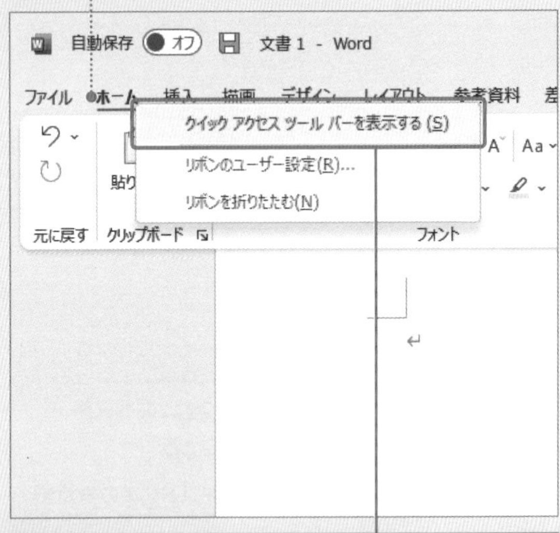

2 [クイックアクセスツールバーを表示する]をクリックします。

3 空のクイックアクセスツールバーが表示されます。

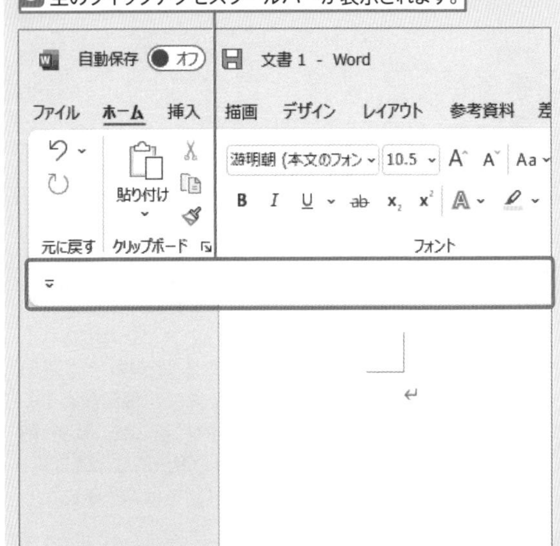

Q 025 お役立ち度 ★★★ Officeの基本操作

ダイアログって何?

A 機能をまとめて設定できる画面です。

WordやExcelでは、ダイアログという画面を表示して機能をまとめて設定できます。ダイアログを表示するには、リボンの各グループの右下にある⧉ボタンをクリックします。そのグループに関連する機能がまとめられているダイアログが表示され、リボンに表示されていない機能も含めてまとめて設定できます。なお、ダイアログ表示中は、画面を閉じるまで編集作業が行えません。

1 [ホーム] タブ→ [フォント] グループの⧉をクリックします。

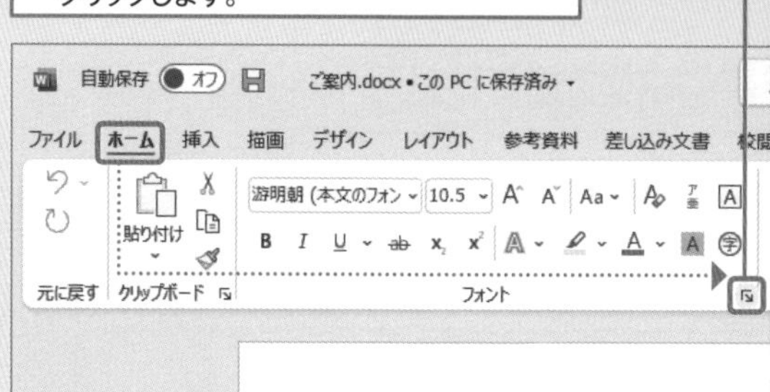

2 [フォント] ダイアログが表示されます。

3 必要な設定を変更します。

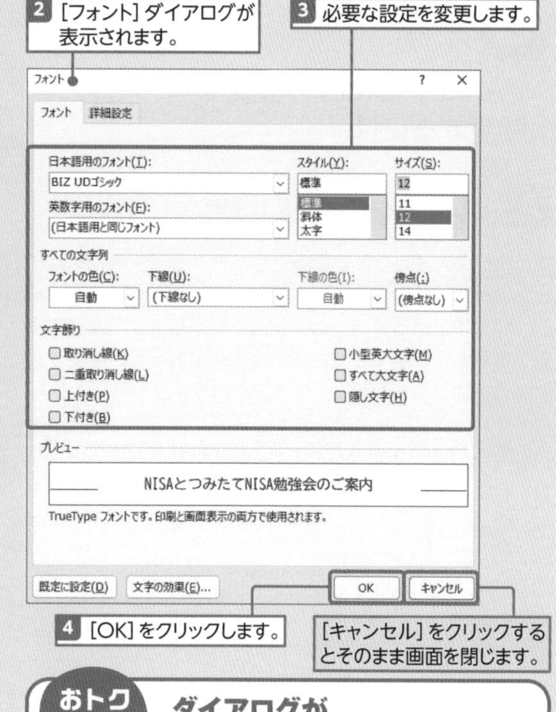

4 [OK] をクリックします。

[キャンセル] をクリックするとそのまま画面を閉じます。

おトクな情報 ダイアログが表示されない場合

選択されているものによって、⧉をクリックすると作業ウィンドウが表示される場合があります (Q026)。

Q 026 お役立ち度 ★★★ Officeの基本操作

2021 2019 2016

作業ウィンドウって何?

A 画面の左側や右側に表示される設定画面です。

作業ウィンドウは、画面の左側や右側に表示される設定画面で、主に図形やグラフの詳細設定や文章校正などの機能を実行する際に表示されます。作業ウィンドウで行った設定は、すぐに反映されます。ダイアログとは異なり、作業ウィンドウは表示したまま編集作業が行えます。

1 図形を選択し、コンテキストタブの [図形の書式] タブ→ [図形のスタイル] グループの⧉をクリックします。

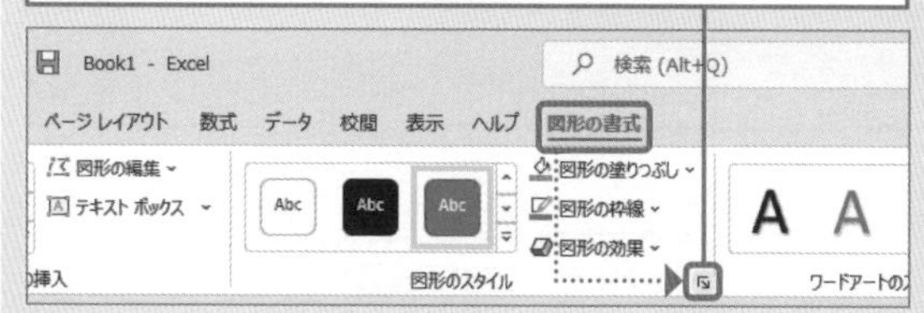

2 [図形の書式設定] 作業ウィンドウが表示されます。

3 必要な設定を変更します。

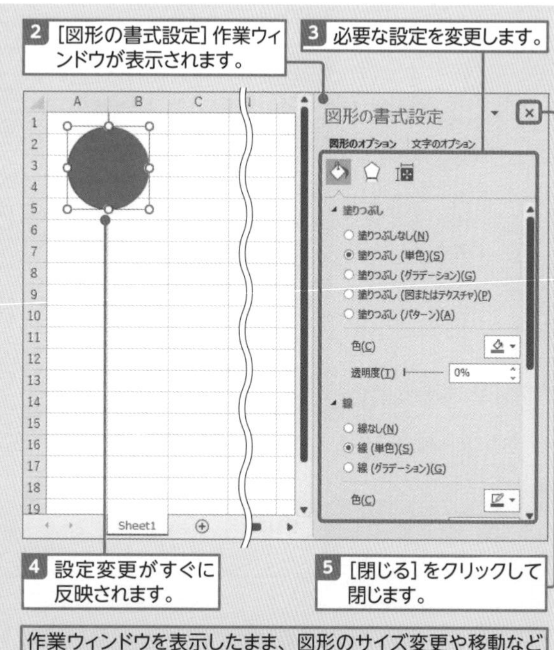

4 設定変更がすぐに反映されます。

5 [閉じる] をクリックして閉じます。

作業ウィンドウを表示したまま、図形のサイズ変更や移動などの操作や文字入力など他の操作ができます。

Q 027 WordやExcelの設定を変更するには

お役立ち度 ★★★　Officeの基本操作　2021 2019 2016

A オプション画面を表示します。

WordやExcelの全体的な設定を変更する場合は、それぞれ[Wordのオプション]ダイアログ、[Excelのオプション]ダイアログというオプション画面を利用します。左側で項目を選択し、右側で設定内容の確認や変更を行います。ここでは、オプション画面の表示方法のみ確認しましょう。なお、WordやExcelの画面サイズによっては、手順2で[オプション]が左側の項目にそのまま表示されます。

1 [ファイル] タブをクリックしてBackStageビューを表示します。

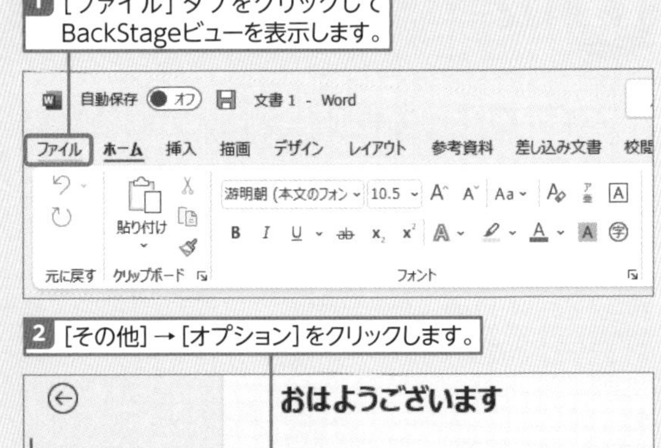

2 [その他] → [オプション] をクリックします。

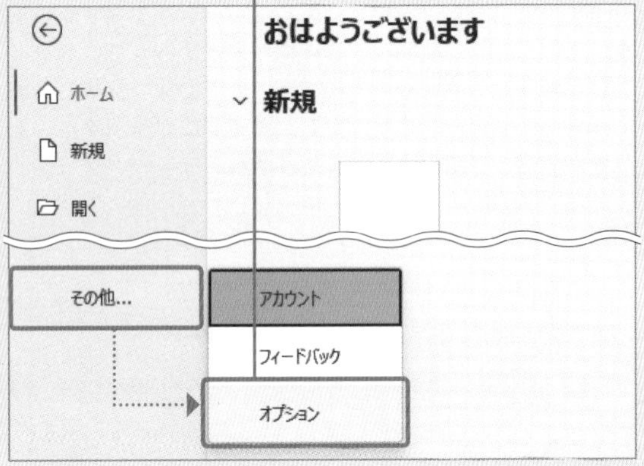

3 オプション画面が開きます。

4 左側の項目をクリックします。

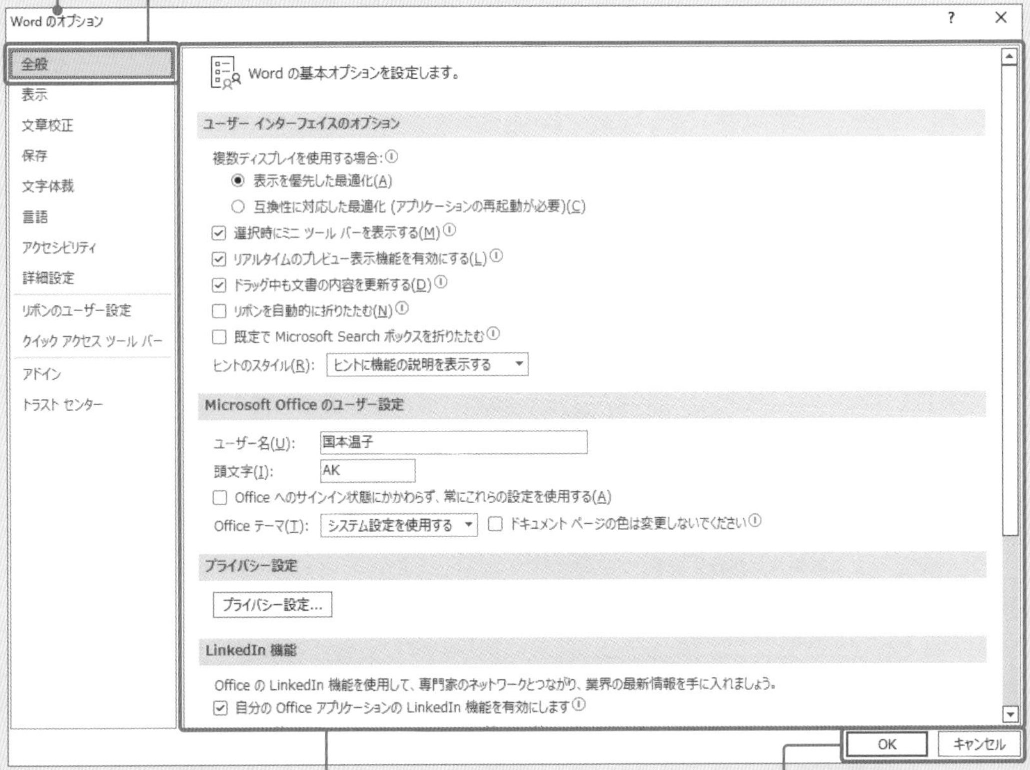

5 右側に対応した設定画面が表示されます。

6 [OK] をクリックすると変更が反映され画面が閉じます。[キャンセル] をクリックするとそのまま画面を閉じます。

Q028 お役立ち度 ★★★ Officeの基本操作 2021 2019 2016

非表示になっているリボンを表示するには

A [リボンのユーザー設定] で追加したいリボンにチェックを付けます。

表示されていないリボンを表示したいときは、[リボンのユーザー設定] を利用します。**Q027**の手順でWordやExcelのオプション画面を表示し、[リボンのユーザー設定] で表示したいリボンにチェックを付けます。また、非表示にしたい場合は、非表示にしたいリボンのチェックを外します。

おトクな情報 [リボンのユーザー設定] を素早く表示する

画面上の任意のタブで右クリックし、表示されたメニューから [リボンのユーザー設定] をクリックします。

1 **Q027**の手順でオプション画面を表示します（ここでは [Excelのオプション] ダイアログ）。

2 [リボンのユーザー設定] をクリックします。

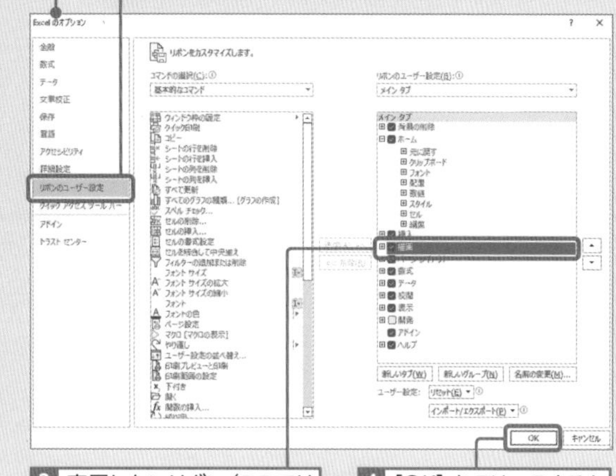

3 表示したいリボン（ここでは [描画]）にチェックを付けます。

4 [OK] をクリックすると [描画] タブが表示されます。

Q029 お役立ち度 ★★★ Officeの基本操作 2021 2019 2016

よく使う機能を素早く実行したい!

A クイックアクセスツールバーに追加します。

よく使う機能をクイックアクセスツールバーのボタンに追加しておけば、リボンを切り替えることなく、素早く機能を実行できます。[クイックアクセスツールバーのユーザー設定] をクリックして表示される一覧から簡単に追加できます。なお、一覧にない機能は、オプション画面を表示して追加できます（Office 2021/Microsoft 365でのクイックアクセスツールバーの表示設定は**Q024**参照）。

[クイックアクセスツールバーのユーザー設定] の一覧にある機能を追加する

1 [クイックアクセスツール バーのユーザー設定] をクリックします。

2 一覧からボタンに追加したい機能（ここでは [新規作成]）を選択します。

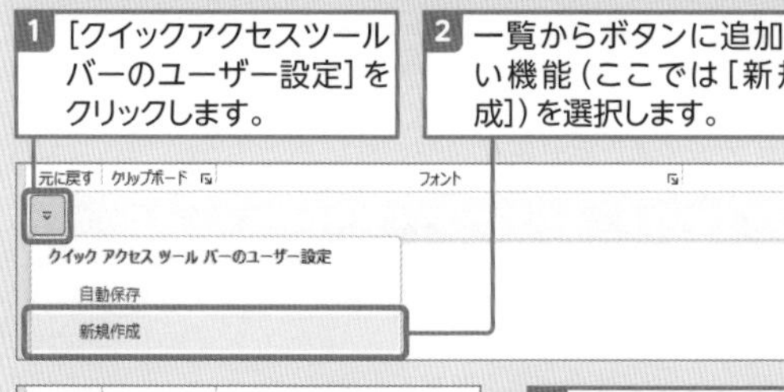

3 [新規作成] ボタンが追加されます。

[クイックアクセスツールバーのユーザー設定] の一覧にない機能を追加する

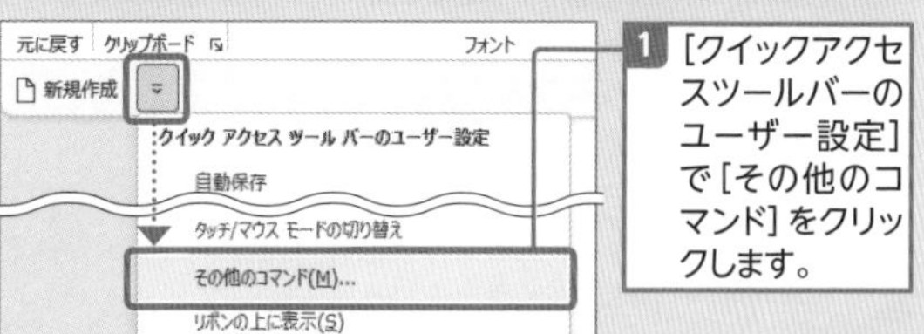

1 [クイックアクセスツールバーのユーザー設定] で [その他のコマンド] をクリックします。

2 オプション画面（ここでは [Wordのオプション] ダイアログ）の [クイックアクセスツールバー] が表示されます。

3 表示するコマンドの種類を選択します。

4 追加したい機能（ここでは [図形]）を選択します。

5 [追加] をクリックします。

6 選択した機能が追加されます。

7 [OK] をクリックすると、クイックアクセスツールバーに [図形] が追加されます。

Q030

お役立ち度 ★★★ Officeの基本操作

クイックアクセスツールバーのボタンを削除するには

A [クイックアクセスツールバーから削除] を選択します。

クイックアクセスツールバーから削除したいボタンを右クリックして[クイックアクセスツールバーから削除] を選択するだけです。

1 削除したいボタンを右クリックします。

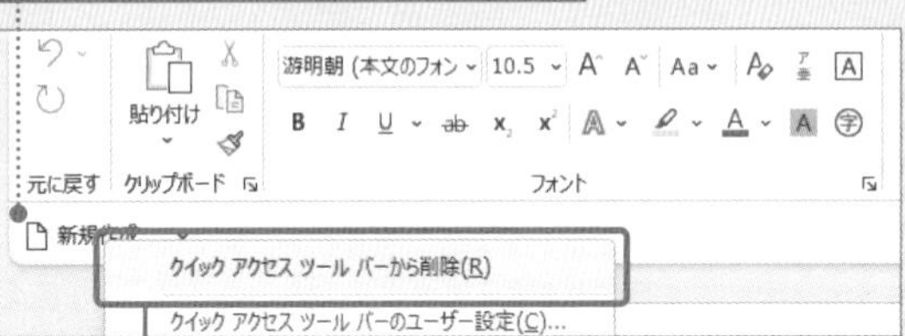

2 [クイックアクセスツールバーから削除] を選択します。

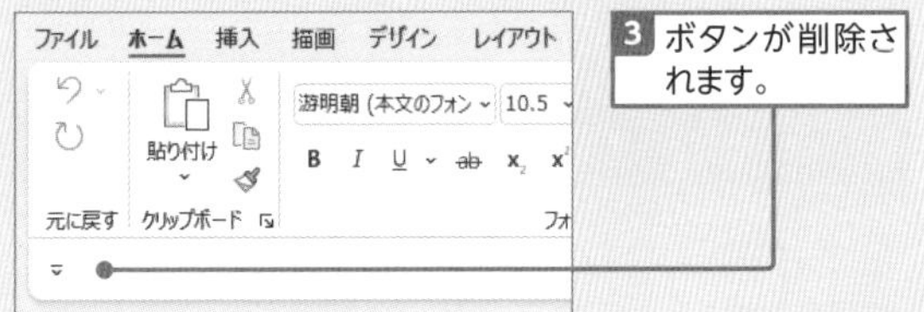

3 ボタンが削除されます。

Q031

お役立ち度 ★★★ Officeの基本操作 2021 2019 2016

画面に表示される小さいツールバーは何?

A いくつかのボタンが配置されたミニツールバーです。

ミニツールバーは選択対象に対して設定可能な書式のボタンをまとめたものです。文字列を選択したときや選択範囲内で右クリックしたときなどに表示されます。素早く書式設定ができるというメリットがあります。

Excelの場合

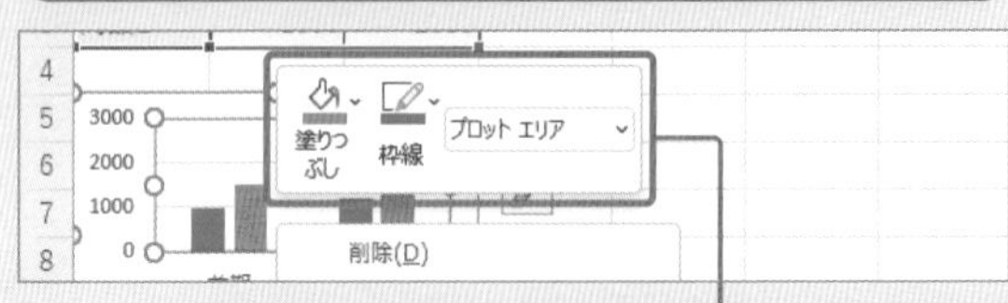

グラフ内で右クリック時に表示されるミニツールバー

Wordの場合

文字選択時に表示されるミニツールバー

Q032

お役立ち度 ★★★ Officeの基本操作 2021 2019 2016

目的の機能を素早く実行したい!

A ショートカットキーを覚えると便利です。

ショートカットキーとは、機能が割り当てられたキーやキーの組み合わせです。簡単なキー操作で目的の機能を素早く実行できます。作業の効率をアップするためには、覚えておきたいテクニックです。

● Excel・Word 共通の主なショートカットキー

ショートカットキー	機能
Ctrl + C	コピー
Ctrl + X	切り取り
Ctrl + V	貼り付け
F4	直前の操作の繰り返し
Ctrl + Z	操作を元に戻す
Ctrl + Y	元に戻した操作のやり直し
PageUp 、 PageDown	画面をスクロール
Ctrl + Home	先頭にジャンプ
Shift + ↑ / ↓ / ← / →	選択範囲を広げる
Ctrl + A	すべてを選択
Ctrl + B / I / U	太字、斜体、下線
Ctrl + F	検索
Ctrl + H	置換
Ctrl + P	BackStageビューの [印刷] 画面を表示
Ctrl + N	新規ファイル作成
F12	名前を付けて保存
Ctrl + S	上書き保存
Ctrl + O	BackStageビューの [開く] 画面を表示
Ctrl + W	ファイルを閉じる
Alt + F4	終了する

Q033 目的の機能がどこにあるのかわからない

お役立ち度 ★★★ Officeの基本操作 2021 2019 2016

A Microsoft Searchを使うと簡単に見つけられます。

操作のボタンがどこにあるかわからない場合は、Microsoft Searchに実行したい操作のキーワードを入力します。入力されたキーワードに対応する操作の一覧が表示されたら、目的の操作をクリックすると、その機能が実行されます（Office 2019/2016では［操作アシスト］に該当します）。

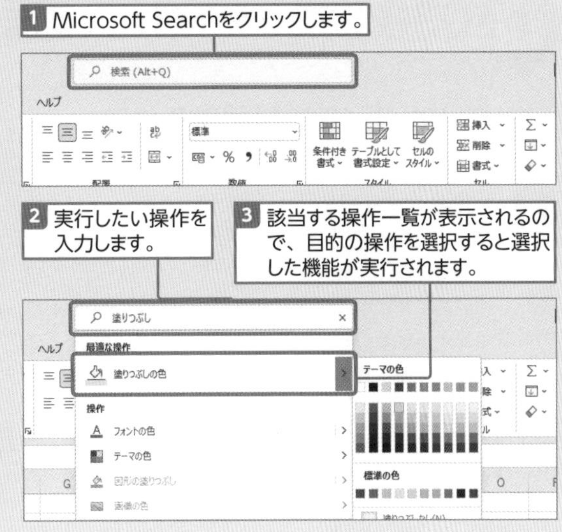

1 Microsoft Searchをクリックします。
検索 (Alt+Q)
2 実行したい操作を入力します。
3 該当する操作一覧が表示されるので、目的の操作を選択すると選択した機能が実行されます。
塗りつぶし
最適な操作
塗りつぶしの色
操作
フォントの色
テーマの色
テーマの色
標準の色

Q034 機能の設定前に結果が表示されるのはなぜ？

お役立ち度 ★★★ Officeの基本操作 2021 2019 2016

A 確定前にチェックするためです。

選択した文字や図形の色などの書式を変更したいとき、メニューの一覧にある色にマウスポインターを合わせると、設定結果が画面上に表示され、クリックして確定する前に事前にチェックができるようになっています。これを「リアルタイムプレビュー」といいます。

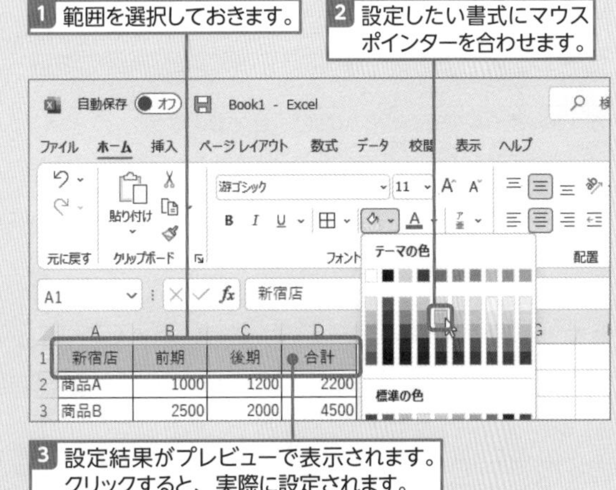

Q035 単語の意味を知りたい！

お役立ち度 ★★★ Officeの基本操作 2021 2019 2016

A スマート検索を使うとすぐに調べられます。

語句の意味がわからない場合、スマート検索を使うと、インターネット上で単語を検索し、画像や定義などさまざまな情報を素早く調べられます。検索結果の項目をクリックすると、ブラウザーが起動してWebページが開きます。右クリックでメニューを選択する以外に、Wordでは［参考資料］タブの［検索］ボタン、Excelでは［校閲］タブにある［スマート検索］ボタンをクリックしても実行できます。

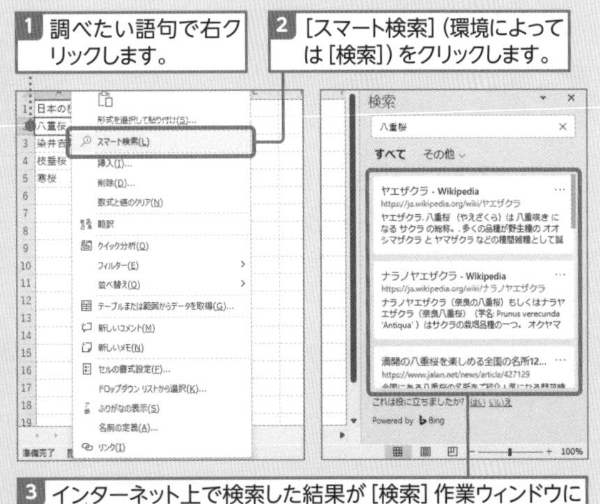

Q036 お役立ち度★★★ Officeの基本操作

2021 2019 2016

ウィンドウサイズを変更するには

A 画面右上の[最小化][最大化][元に戻す(縮小)]ボタンをクリックします。

ウィンドウは、画面全体に広がった状態の「最大化」、タスクバーに収めて非表示にした状態の「最小化」、ウィンドウの背景が見える状態の「元のサイズ」の3つの状態があります。元のサイズのときはウィンドウサイズを自由に変更できます。

ウィンドウが最大化の状態

[最小化]ボタン:ウィンドウを最小化します。

[元に戻す(縮小)]ボタン:ウィンドウを元のサイズに戻します。

ウィンドウが元のサイズの状態

タイトルバーをダブルクリックするか、タイトルバーを画面上端へドラッグすると最大化します。

[最大化]ボタン:ウィンドウを最大化します。

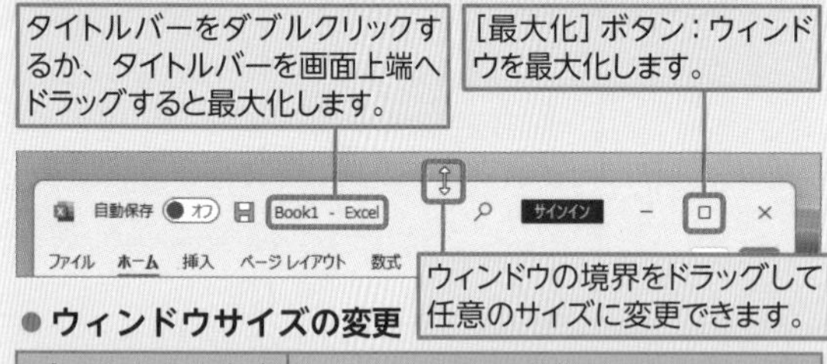

ウィンドウの境界をドラッグして任意のサイズに変更できます。

● ウィンドウサイズの変更

ウィンドウサイズ	操作
最大化	[最大化]ボタン、タイトルバーをダブルクリック、⊞+↑キー
元のサイズ	[元のサイズ(縮小)]ボタン、タイトルバーをダブルクリック、⊞+↓キー
最小化	[最小化]ボタン、⊞+↓キー

Q037 お役立ち度★★★ Officeの基本操作

2021 2019 2016

複数のウィンドウを整列したい!(Windows 11)

A [元に戻す(縮小)]/[最大化]ボタンから整列方法が選択できます。

Windows 11の場合に、複数のウィンドウを画面上にきれいに整列させたいときは、[元に戻す(縮小)]または[最大化]にマウスポインターを合わせると整列方法のパターンが表示されます。目的のパターンをクリックして整列させることができます。

1 整列したいウィンドウの[最大化]ボタンにマウスポインターを合わせます。

2 整列のパターンが表示されたら、目的のパターンのウィンドウを配置したい箇所をクリックします。

3 ウィンドウが指定した位置に配置されます。

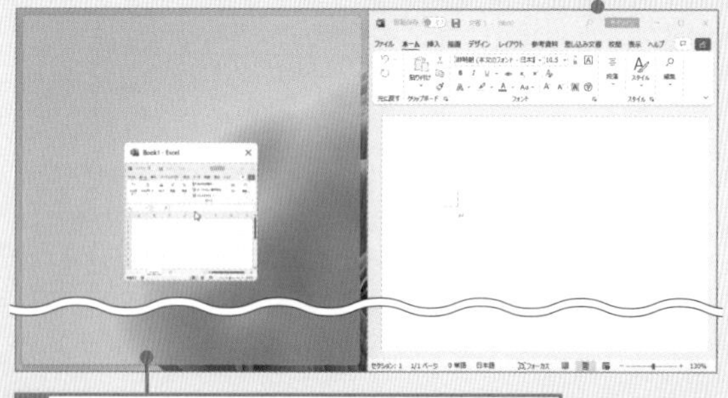

4 整列させたい別のウィンドウをクリックすると、ウィンドウが整列します。

Q038 お役立ち度★★★ Officeの基本操作

2021 2019 2016

開いているウィンドウを一気に最小化するには

A ⊞+Dキーを押します。

パソコンで複数のウィンドウを開いて作業しているとき、⊞+Dキーで、すべてのウィンドウを一瞬で最小化できます。このキーを再度押すと、元のウィンドウのサイズに戻ります。

1 ⊞+Dキーを押します。

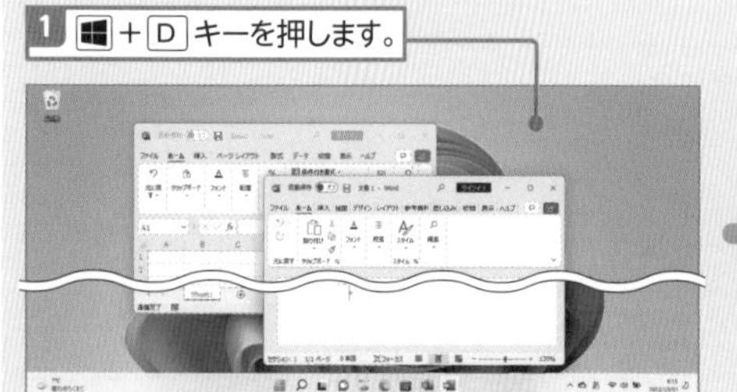

2 すべてのウィンドウが最小化されます。

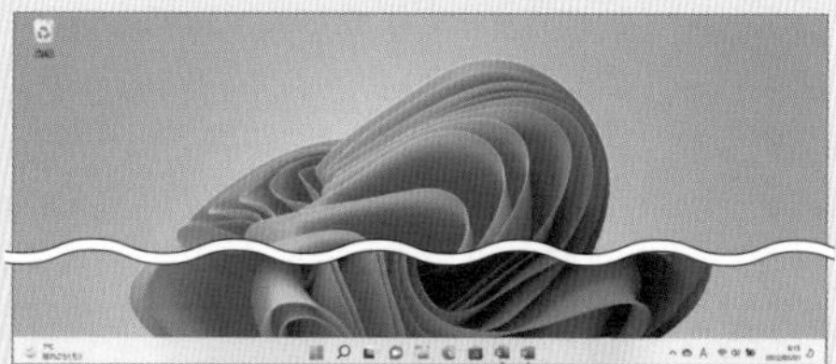

Q039 一時的にリボンを非表示にしたい!

お役立ち度 ★★★　Officeの基本操作　2021 2019 2016

A タブをダブルクリックするとリボンを非表示にできます。

任意のタブをダブルクリックするとリボンが非表示になり、作業画面が広くなります。機能を実行したいときは、目的のタブをクリックすればリボンが表示されます。リボンを再表示するには、任意のタブをダブルクリックしてください。

1 タブをダブルクリックします。

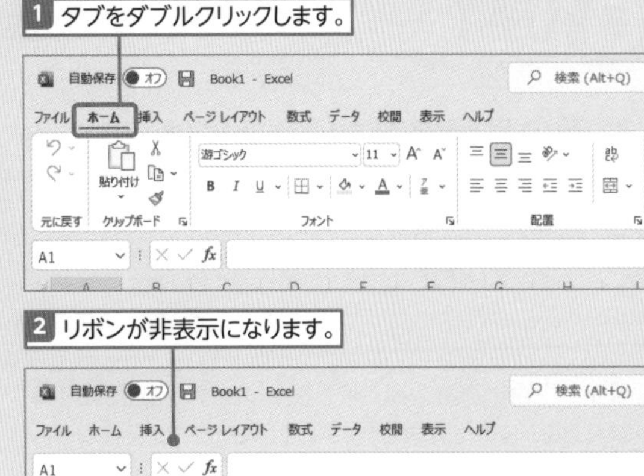

2 リボンが非表示になります。

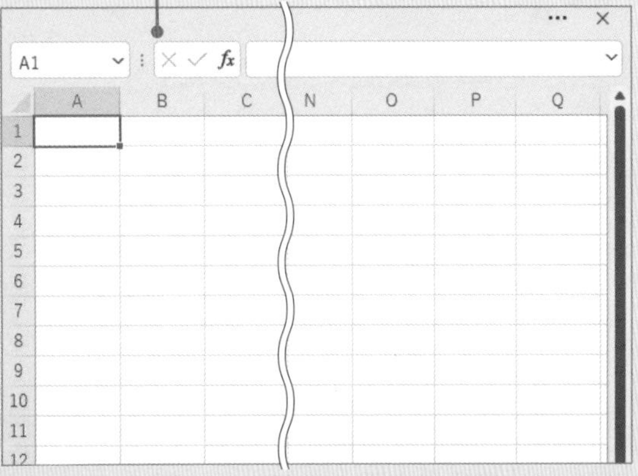

Q040 タブとリボンを非表示にして作業領域を広くするには

お役立ち度 ★★★　Officeの基本操作　2021 2019 2016

A [リボンの表示オプション] で非表示に設定します。

リボンの右側にある [リボンの表示オプション] をクリックし、[全画面表示モード] を選択すると、タブとリボンの両方を非表示にできます。機能を実行したいときは、画面上部をクリックすればタブとリボンが表示されます。また、[常にリボンを表示する] をクリックすると最初の状態に戻せます。

1 [リボンの表示オプション] をクリックします。

2 [全画面表示モード] を選択します。

2 リボンとタブが非表示になり、作業領域が広くなります。

2019/2016の場合

リボンの表示オプション

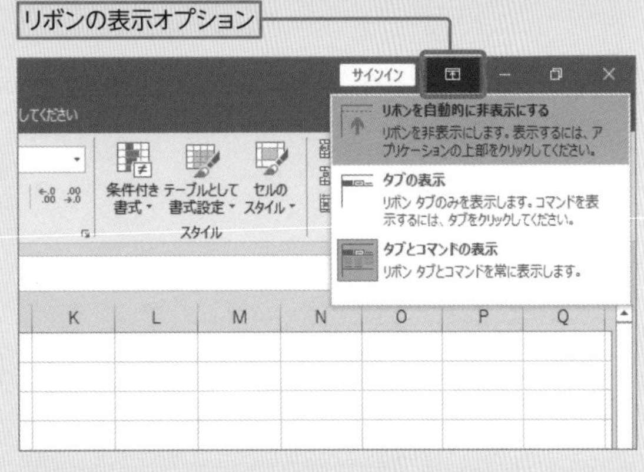

● 2021 と 2019/2016 のメニューの比較

2021	2019/2016
全画面表示モード	リボンを自動的に非表示にする
タブのみを表示する	タブの表示
常にリボンを表示する	タブとコマンドの表示

Q041 お役立ち度 ★★★ Officeの基本操作 2021 2019 2016

画面の表示倍率を変えるには

A 画面右下のズームスライダーをドラッグします。

WordやExcelのウィンドウの右下にあるズームスライダーのつまみをドラッグすると、画面の表示倍率を変更できます。左右にある[＋]、[−]をクリックすると10%ずつ拡大、縮小します。[表示]タブの[100%]ボタンをクリックすると100%に戻せます。

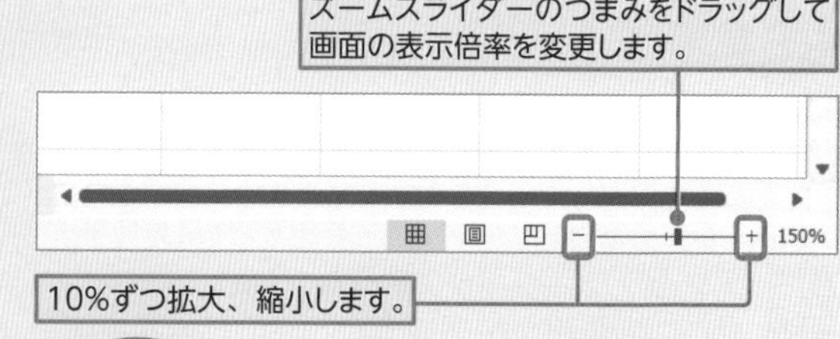

おトクな情報 マウスホイールを回転して表示倍率を変更する

Ctrl キーを押しながらマウスホイールを奥に回転させると拡大、手前に回転させると縮小できます。

Q042 お役立ち度 ★★★ Officeの基本操作 2021 2019 2016

表示倍率を数値で指定したい!

A [表示]タブ→[ズーム]で設定します。

[表示]タブの[ズーム]ボタンをクリックして、[ズーム]ダイアログを表示すると、画面の表示倍率を数値で正確に指定できます。ドラッグでなかなか目的のサイズに変更できない場合に便利です。

Wordの[ズーム]ダイアログ

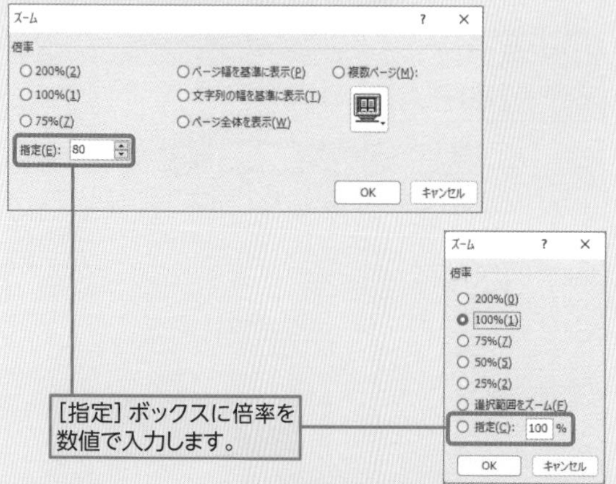

Excelの[ズーム]ダイアログ

おトクな情報 ズームスライダーの数値をクリックして表示する

ズームスライダーの右端に表示されているパーセントの数値をクリックしても表示できます。

Q043 お役立ち度 ★★★ Officeの基本操作 2021 2019 2016

タッチパネルを使って操作したい!

A タッチモードに切り替えます。

パソコンがタッチパネルの場合、画面を直接タッチして操作できます。クイックアクセスツールバーに[タッチ/マウスモードの切り替え]ボタンを表示して、タッチモードに切り替えると、ボタンの間隔が広がり、指で操作しやすくなります。タッチ操作の方法とマウス操作の対応は下表のとおりです。なお、タッチモードにしてもマウス操作もできます。

1 Q029の手順で[タッチ/マウスモードの切り替え]をクイックアクセスツールバーに追加しておきます。

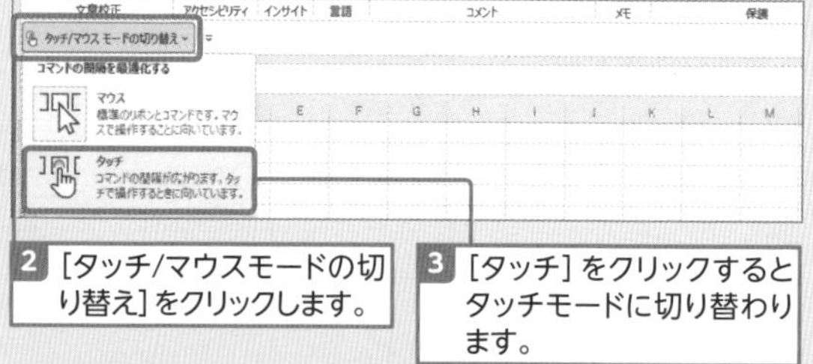

● タッチ操作の方法とマウス操作の対応

タッチ操作	操作方法	対応するマウス操作
タップ	画面を1回トンとたたく	クリック
ダブルタップ	画面を2回トントンたたく	ダブルクリック
長押し	半透明の四角が表示されるまで画面をタッチし続ける	右クリック
スライド	タッチしたまま指を上下、左右に動かす	ドラッグ

Q044 アクセシビリティって何?!

お役立ち度 ★★★ Officeの基本操作 2021 2019 2016

A ユーザーが情報を問題なく取得できるかどうかを表す言葉です。

WordやExcelでは、アクセシビリティチェック機能により、視覚機能に制約のある方をはじめ、多くの人にとって読み取りにくい内容が編集中の文書などに含まれているかどうか検査できます。[校閲]タブの[アクセシビリティのチェック]ボタンをクリックして検査を開始し、[アクセシビリティ]作業ウィンドウに結果が表示されます。

1 [校閲]タブ→[アクセシビリティチェック]をクリックします。

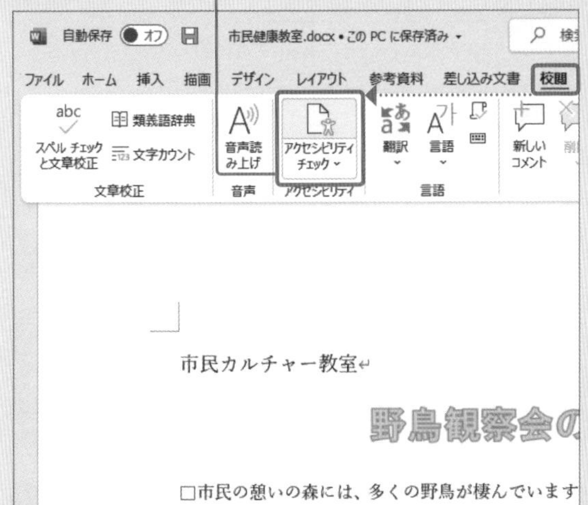

2 [アクセシビリティ]作業ウィンドウが表示されます。

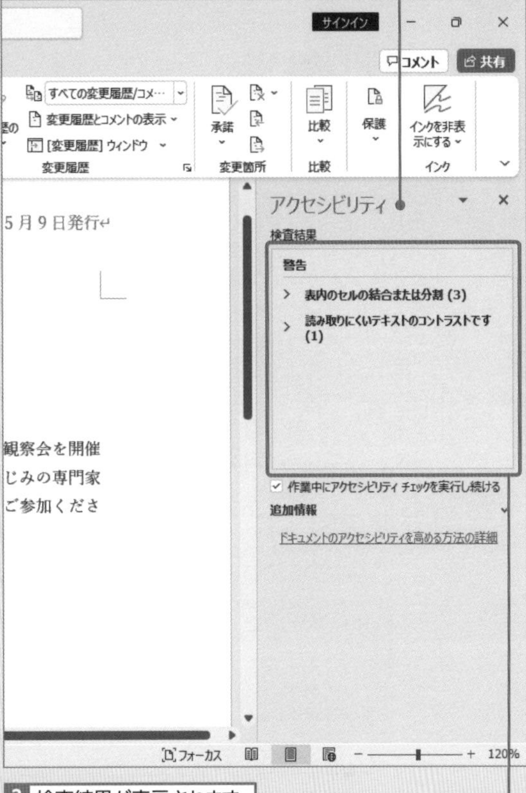

3 検査結果が表示されます。

おトクな情報 アクセシビリティを常にチェックする

[アクセシビリティ]作業ウィンドウの[作業中にアクセシビリティを実行し続ける]にチェックをつけると、作業中にアクセシビリティが常にチェックされます。問題があると、ステータスバーに[アクセシビリティ:検討が必要です]と表示されます。

Q045 オブジェクトって何?

お役立ち度 ★★★ Officeの基本操作 2021 2019 2016

A 図形やグラフのことです。

Wordの文書やExcelのワークシート上に配置する図形、画像、グラフなどを総称して「オブジェクト」といいます。オブジェクトの移動、サイズ変更、回転など、基本操作はほぼ共通です。

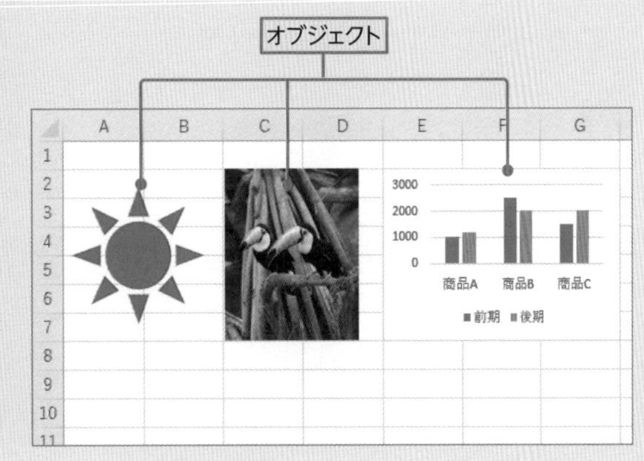

Q046 英文に翻訳したい！

お役立ち度 ★★★　Officeの基本操作　2021 2019 2016

A 翻訳機能を使うとすぐに翻訳できます。

翻訳機能を実行するには、[校閲] タブの [翻訳] をクリックします。翻訳機能では、翻訳元言語と翻訳先言語を選択できます。そのため、さまざまな言語の翻訳に対応しています。なお、インターネットに接続されている必要があります。また、バージョンによって結果の表示画面が異なります。

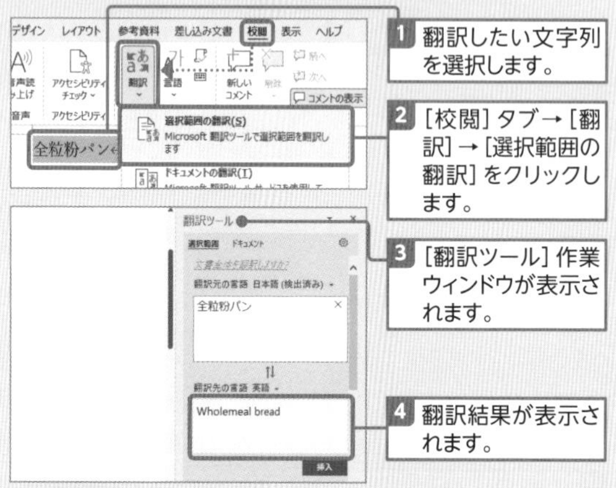

1 翻訳したい文字列を選択します。
2 [校閲] タブ→ [翻訳] → [選択範囲の翻訳] をクリックします。
3 [翻訳ツール] 作業ウィンドウが表示されます。
4 翻訳結果が表示されます。
全粒粉パン
Wholemeal bread

おトクな情報　Wordでは文書全体を翻訳できる

Wordの場合、手順2で [ドキュメントの翻訳] をクリックすると、文書全体を指定した言語に翻訳できます。

Q047 類義語を調べたい！

お役立ち度 ★★★　Officeの基本操作　2021 2019 2016

A 英単語のみですが、調べられます。

英単語の類義語を調べたいときは、[校閲] タブの [類義語辞典] をクリックします。[類義語辞典] 作業ウィンドウに表示された類義語の右にある [▼] をクリックし、[挿入] をクリックして入力することもできます。

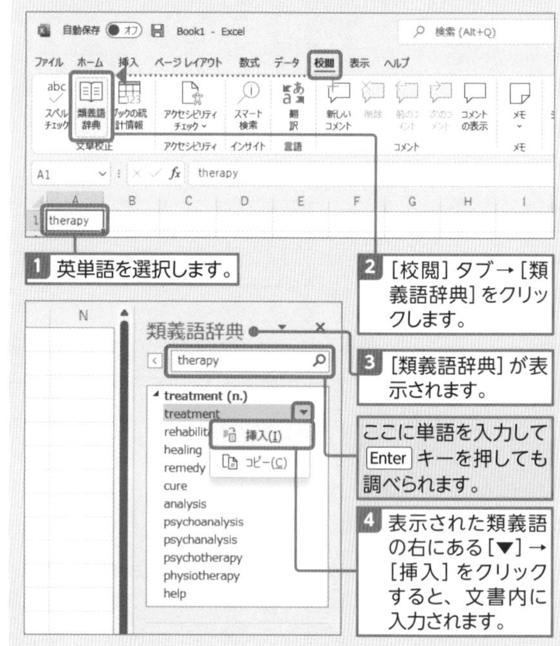

1 英単語を選択します。
2 [校閲] タブ→ [類義語辞典] をクリックします。
3 [類義語辞典] が表示されます。
ここに単語を入力して Enter キーを押しても調べられます。
4 表示された類義語の右にある [▼] → [挿入] をクリックすると、文書内に入力されます。
therapy
treatment (n.)
treatment
healing
remedy
cure
analysis
psychoanalysis
psychanalysis
psychotherapy
physiotherapy
help

Q048 操作など、わからないことを調べたい！

お役立ち度 ★★★　Officeの基本操作　2021 2019 2016

A ヘルプ機能を使って調べます。

機能の内容や設定方法など、わからないことを調べたい場合は、ヘルプ機能を使います。 F1 キーを押せば簡単にヘルプ画面を表示できます。ヘルプ機能を使用する場合は、インターネットに接続されている必要があります。
また、[ヘルプ] タブ→ [ヘルプ] をクリックしてもヘルプ画面を表示できます。

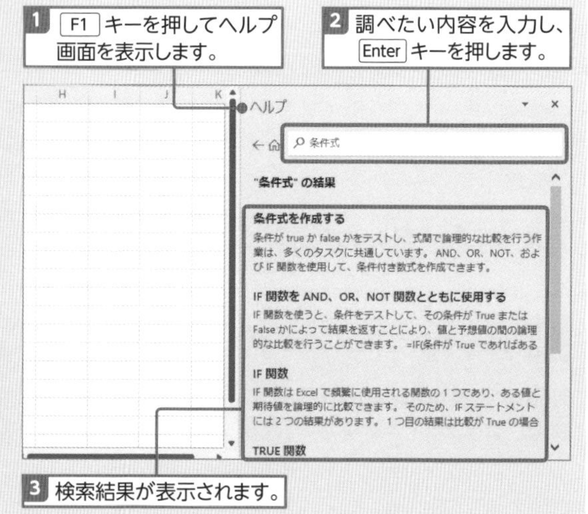

1 F1 キーを押してヘルプ画面を表示します。
2 調べたい内容を入力し、Enter キーを押します。
3 検索結果が表示されます。
ヘルプ
条件式
"条件式" の結果
条件式を作成する
IF 関数を AND、OR、NOT 関数とともに使用する
IF 関数
TRUE 関数

Wordの基本操作

ここでは、Wordの基本操作について説明します。画面構成から文書作成の一連の操作や作業環境の設定をはじめ、文字入力や範囲選択などの基本を中心にしながら、覚えておくと便利な機能や、困った場合の対処法などを集めています。

お役立ち度 ★★★　Wordの基礎

Q049 Wordとは

A さまざまな機能を持った文書作成ソフトです。

Wordは文書作成ソフトで、ビジネス文書、チラシ、はがき、論文など、あらゆる種類の文書を作成できます。これらの文書を効率的に作成するための便利な機能が用意されています。

表や罫線のあるビジネス文書

写真や図形を使った表現力のあるチラシやはがき

レポートや論文など複数ページの長文

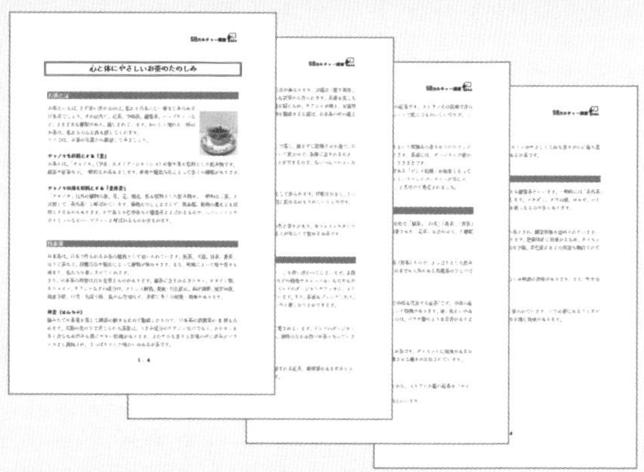

名簿のデータを差し込んだレターや宛名印刷

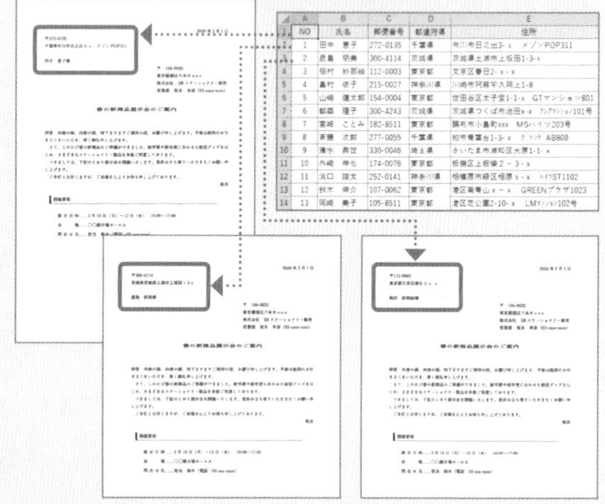

NO	氏名	郵便番号	都道府県	住所
1	田中　恵子	272-0135	千葉県	市川市日之出3-x　メゾンPOP311
2	鹿島　明美	300-4114	茨城県	茨城県土浦市上坂田1-3-x
3	堀村　紗那絵	112-0003	東京都	文京区春日2-x-x
4	島村　依子	215-0027	神奈川県	川崎市阿麻宇久岡上1-8
5	山崎　健太郎	154-0004	東京都	世田谷区太子堂1-1-x　GTマンション801
6	都築　理子	300-4243	茨城県	茨城県つくば市池田x-x　ｸﾚｱﾏﾝｼｮﾝ101号
7	宮崎　ことみ	182-8511	東京都	調布市小島町xxx　MSハイツ203号
8	斉藤　次郎	277-0055	千葉県	柏市青葉台1-3-x　ｸﾞﾗﾝﾃﾞAB808
9	清水　典世	330-0046	埼玉県	さいたま市浦和区大原1-1-x
10	外崎　伸也	174-0076	東京都	板橋区上板橋2-3-x
11	浜口　雄太	252-0141	神奈川県	相模原市緑区相原x-x　ﾊｲﾂST1102
12	鈴木　伸介	107-0062	東京都	港区南青山x-x　GREENプラザ1023
13	岡崎　美子	105-8511	東京都	港区芝公園2-10-x　LMﾏﾝｼｮﾝ102号

お役立ち度 ★★★　Wordの基礎

2021
2019
2016

Q050 Wordで新規ファイルを作成するには

A ［白紙の文書］を選択します。

Wordで文書を一から作成する場合は、［白紙の文書］を作成します。Word起動時のスタート画面で表示される［白紙の文書］をクリックします。

おトクな情報　すでに別の文書を開いている場合

［ファイル］タブ→［新規］をクリックし、［白紙の文書］をクリックします。または、Ctrl＋Nキーを押します。

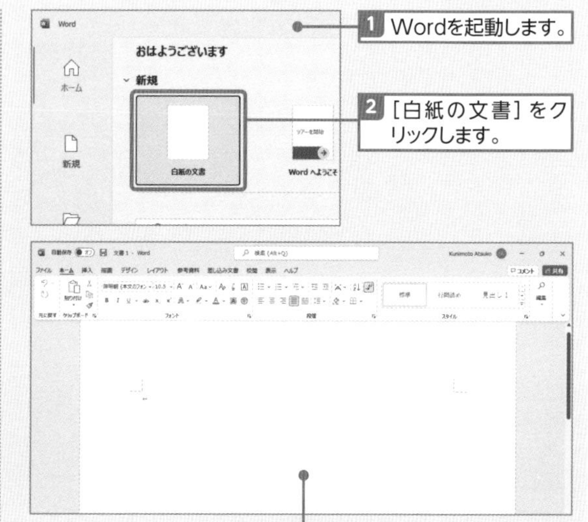

Q051 お役立ち度 ★★★ Wordの基礎 2021 2019 2016

Wordの画面構成を覚えたい!

A 画面と名称をここで覚えておきましょう。

Wordは次のような画面構成になっています。各部の名称と位置の確認用に利用してください。ここでは、Word 2021の画面で説明しています。

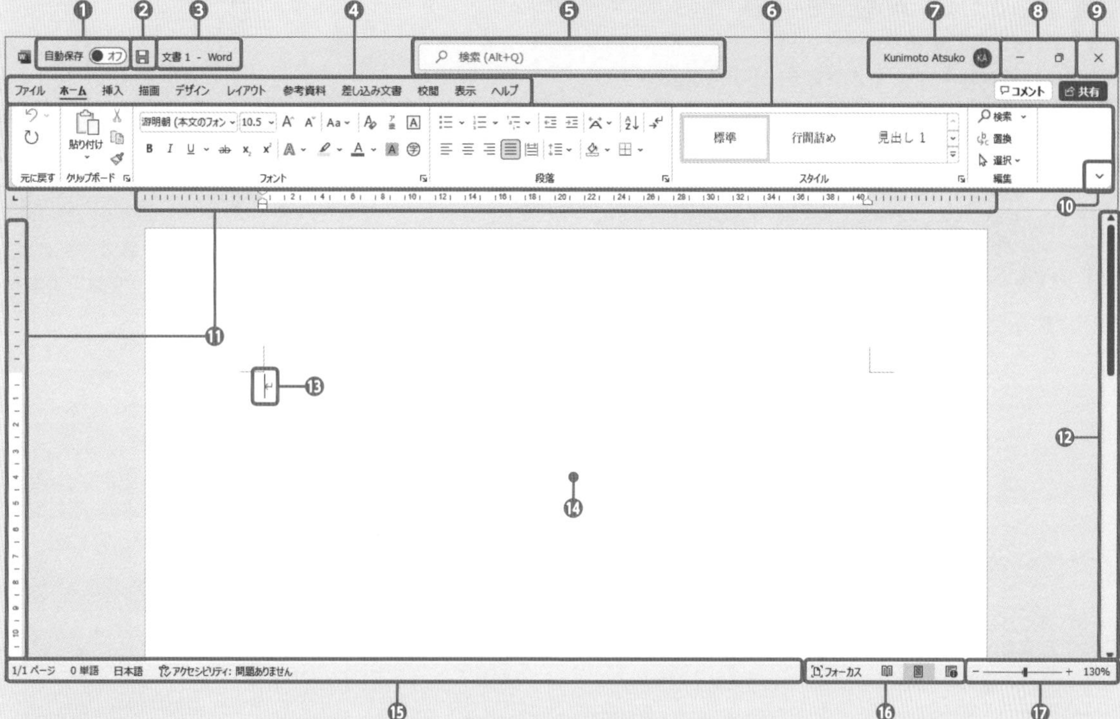

● 各部の名称と機能

NO	名称	機能
❶	自動保存	Microsoftアカウントでサインインしているときに有効になる
❷	[上書き保存]	現在開いている文書を上書き保存する
❸	タイトルバー	開いている文書名が表示される
❹	タブ	リボンを切り替えるための見出し
❺	Microsoft Search	入力したキーワードに対応した機能やヘルプを表示したり文書内で検索したりする
❻	リボン	機能を実行するボタンが表示される
❼	Microsoftアカウント	サインインしているMicrosoftアカウントが表示される
❽	[最小化] [最大化／元に戻す(縮小)]	[最小化] でWord画面をタスクバーに収納し、[最大化] でWordをデスクトップ全体に表示する。最大化になっていると [元に戻す(縮小)] に変わる
❾	[閉じる]	ウィンドウを閉じる
❿	リボンの表示オプション	リボンの表示／非表示など、表示方法を設定できる
⓫	ルーラー	水平／垂直方向の目盛。初期設定では非表示になっている
⓬	スクロールバー	つまみをドラッグして表示領域を移動する
⓭	カーソル	文字を入力する位置や機能を実行する位置を示す
⓮	編集画面	文字を入力するなど、文書を作成する領域
⓯	ステータスバー	ページ数や文字数など、文書の作業状態が表示される
⓰	表示選択ショートカット	文書の表示モードを切り替える
⓱	ズームスライダー	画面の表示倍率を変更する

Q052 お役立ち度 ★★★ Wordの基礎

2021 2019 2016

どんな表示モードがあるの?

A Wordには5つの表示モードが用意されています。

Wordには「印刷レイアウト」「閲覧モード」「Webレイアウト」「アウトライン」「下書き」の5つの表示モードがあります。通常の編集画面は印刷レイアウトです。それぞれの違いを確認しておきましょう。

印刷レイアウト

余白や画像などが印刷結果のイメージで表示されます。

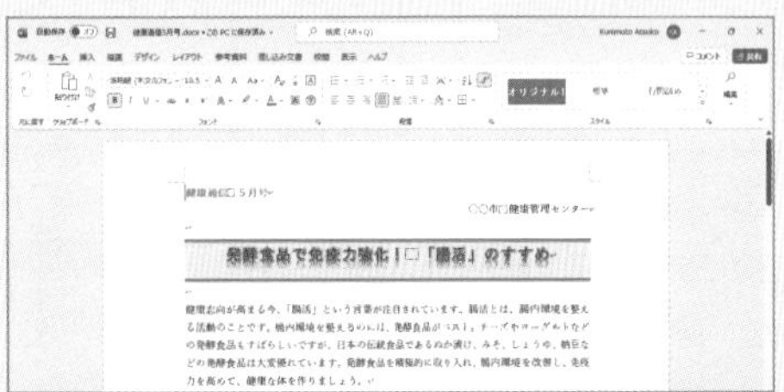

閲覧モード

画面の幅に合わせて文字が折り返されて表示されます。編集はできません。文章を読むのに適しています。

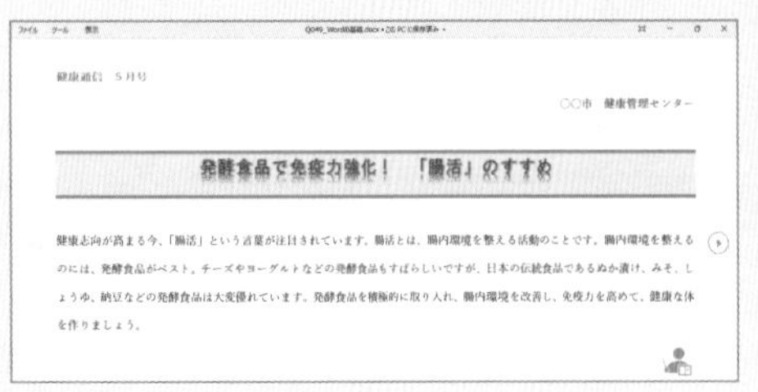

Web レイアウト

Webブラウザーで文書を開いたときと同じイメージで表示されます。文書をWebページとして保存したい場合に事前にイメージの確認ができます。

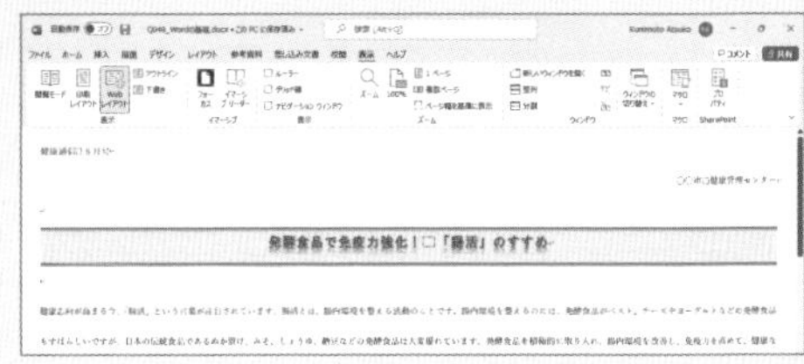

アウトライン

罫線や画像が省略され、文書が箇条書きで表示されます。章、節、項のような階層構造の見出しのある文章を編集する場合に便利な画面です。

下書き

余白や画像などが表示されないため、文字の入力や編集作業に集中したい場合に適しています。

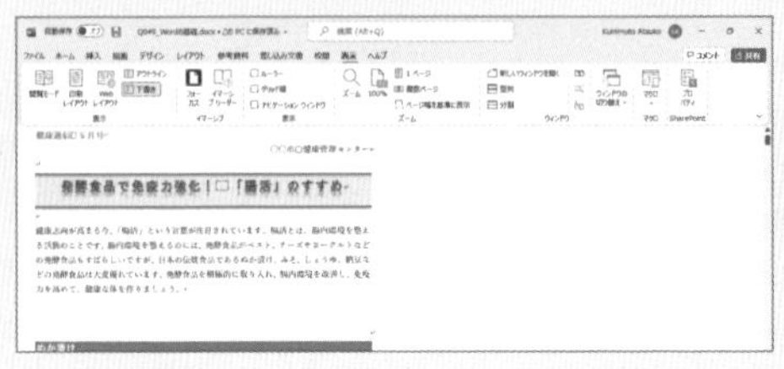

Q053 お役立ち度 ★★★ Wordの基礎

2021 2019 2016

表示モードを切り替えるには

A ステータスバー、または[表示]タブで切り替えます。

表示モードを切り替えるには、ステータスバーの右側にある[表示選択ショートカット]エリアの各ボタンをクリックします。[表示]タブにあるボタンをクリックしても切り替えられます。なお閲覧モードのとき、ESCキーを押せば印刷レイアウトに戻せます。

ステータスバーで切り替える

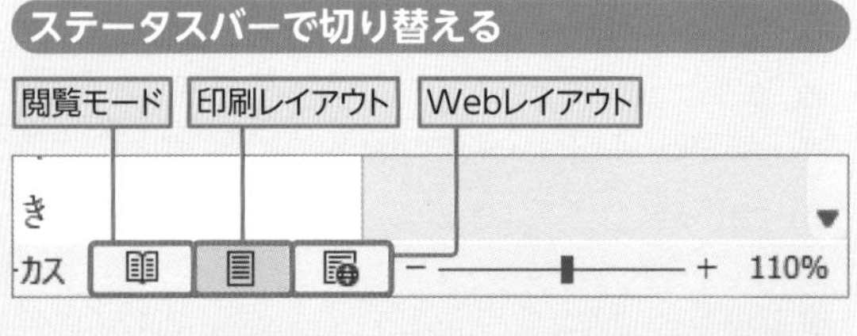

[表示] タブで切り替え

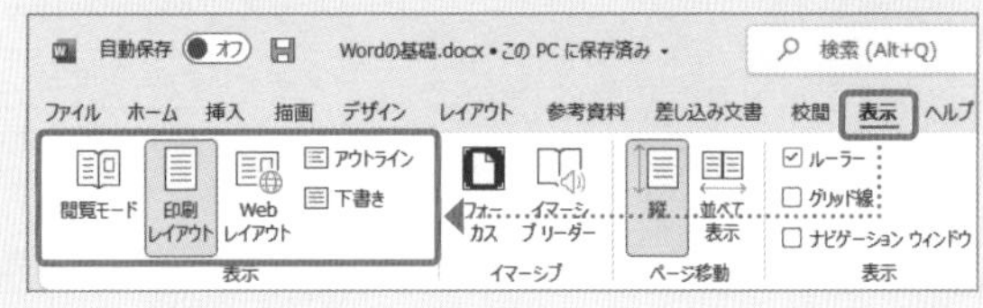

Q054 お役立ち度 ★★★ Wordの基礎 2021 2019 2016

文書の編集に集中したい

A フォーカスモードに切り替えます。

フォーカスモードに切り替えると、背景を黒に変更し、タブやリボンが非表示になります。編集画面のみが表示されるため、文書編集に集中することができます。タイトルバーをクリックするとタブとリボンが表示されます。元の表示モードに戻るには、[表示] タブ→ [フォーカス] をクリックするか、ESC キーを押します。

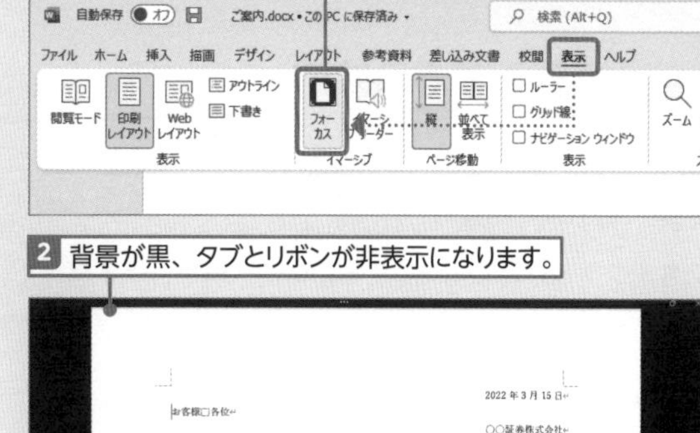
1 [表示] タブ→ [フォーカス] をクリックします。
表示
フォーカス

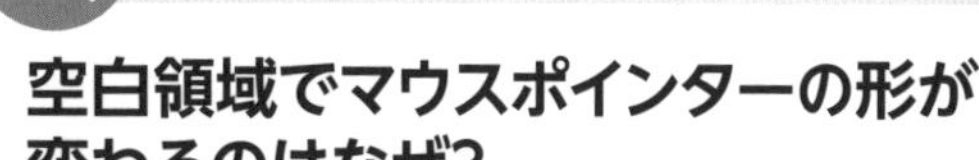
2 背景が黒、タブとリボンが非表示になります。
2022年3月15日
お客様□各位
NISAとつみたてNISA勉強会のご案内

Q055 お役立ち度 ★★★ Wordの基礎 2021 2019 2016

画面を移動するには

A スクロールバーを使うか、マウスホイールを回転させます。

画面に表示しきれていない領域を表示するには、スクロールバーのつまみをドラッグします。または、マウスホイールを手前に回転させると下方向、奥に回転させると上方向に画面が移動します。

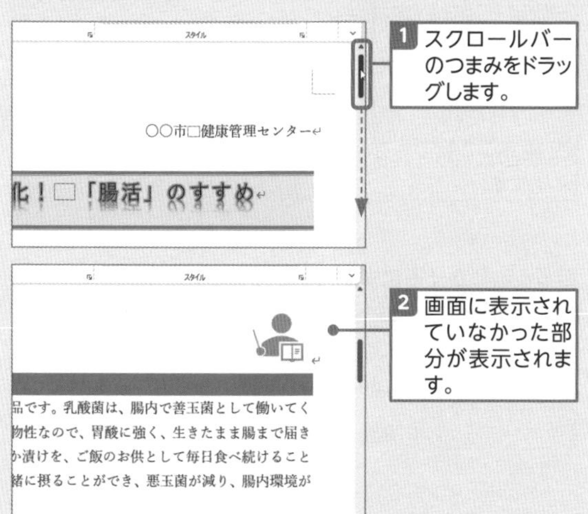
1 スクロールバーのつまみをドラッグします。
○○市□健康管理センター
化！□「腸活」のすすめ
2 画面に表示されていなかった部分が表示されます。
品です。乳酸菌は、腸内で善玉菌として働いてく
物性なので、胃酸に強く、生きたまま腸まで届き
か漬けを、ご飯のお供として毎日食べ続けること
緒に摂ることができ、悪玉菌が減り、腸内環境が

おトクな情報 1画面ずつ画面移動する

スクロールバーのつまみ以外の部分をクリックすると、1画面単位で画面を移動させることができます。

Q056 お役立ち度 ★★★ Wordの基礎 2021 2019 2016

空白領域でマウスポインターの形が変わるのはなぜ?

A クリックアンドタイプで、文字入力位置を示しています。

マウスポインターを文字上に合わせると、Iの形になり、クリックするとカーソルが移動します (Q148)。何も入力されていない空白領域にマウスポインターを移動すると、下表のような形に変わります。ダブルクリックすると、その位置にカーソルが表示され、その位置から文字入力ができます。何も入力しないで、任意の場所をクリックすると解除されます。

1 何も入力されていない領域にマウスポインターを移動し、形状が変わったらダブルクリックします。

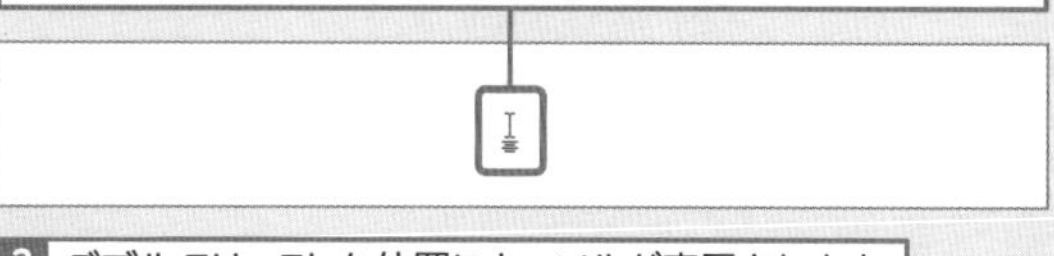

2 ダブルクリックした位置にカーソルが表示されます。

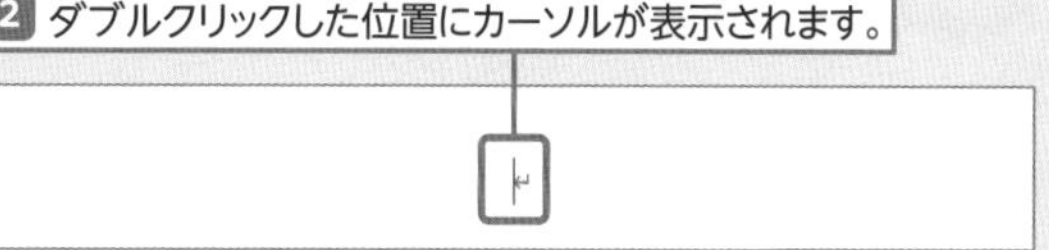

● **カーソルの形状と状態**

形状	状態
I (字下げ)	1文字分字下げされた位置から文字入力される
I (左揃え)	行頭または、ダブルクリックした位置に左揃えタブが追加され、その位置から文字入力される
I (中央揃え)	中央揃えの位置から文字入力される
I (右揃え)	右揃えの位置から文字入力される

Q057 お役立ち度 ★★★ Wordの基礎 2021 2019 2016

文書を保存するには

A [ファイル] タブ→ [名前を付けて保存] をクリックします。

文書をファイルとして保存するには、[名前を付けて保存] ダイアログを表示して保存場所と名前を指定します。編集画面で F12 キーを押すと素早く [名前を付けて保存] ダイアログを表示できます(**Q1078**)。なお、自動保存については**Q1079**を参照してください。

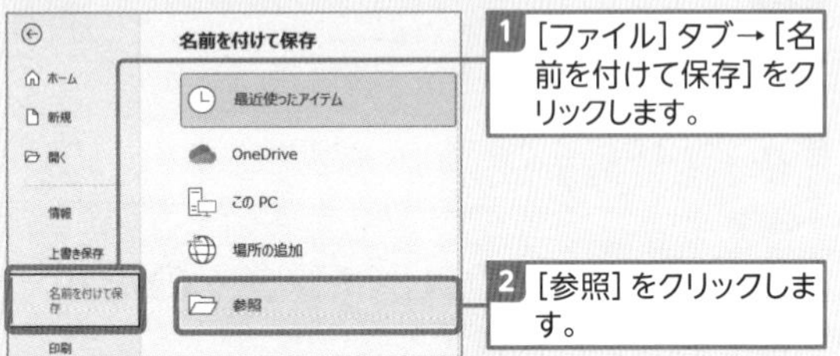

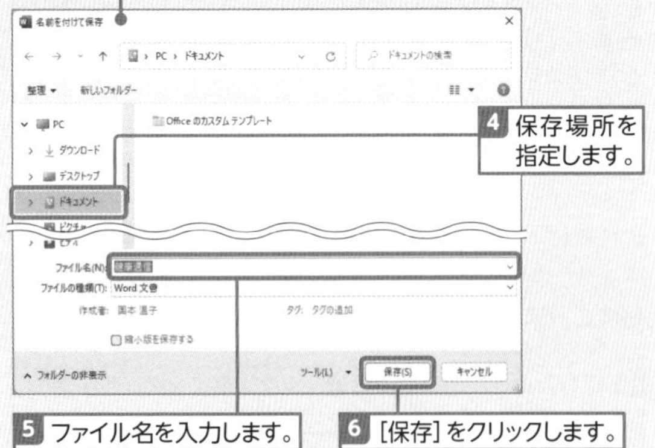

Q058 お役立ち度 ★★★ Wordの基礎 2021 2019 2016

文書を開くには

A [ファイル] タブ→ [開く] をクリックします。

文書を開くには、[ファイルを開く] ダイアログを表示し、保存場所と名前を指定します。編集画面で Ctrl + F12 キーを押すと素早く [ファイルを開く] ダイアログを表示できます(**Q1094**)。

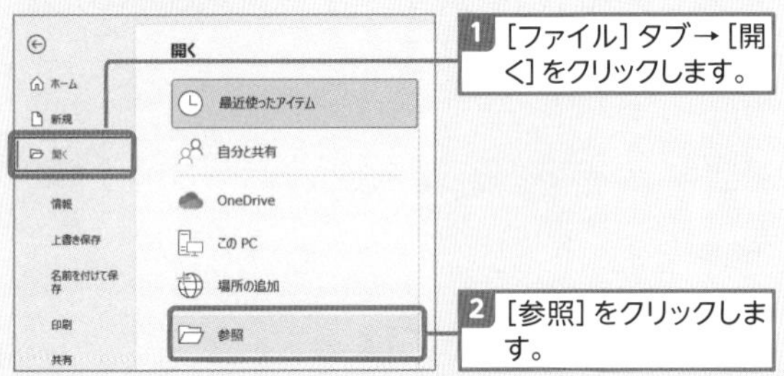

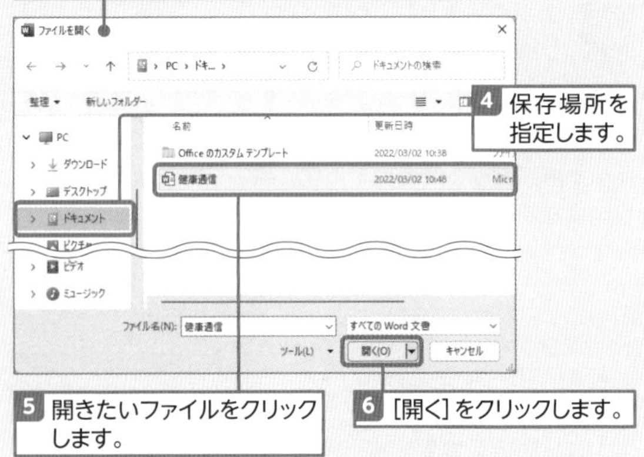

3 [ファイルを開く] ダイアログが表示されます。
4 保存場所を指定します。
5 開きたいファイルをクリックします。
6 [開く] をクリックします。

Q059 お役立ち度 ★★★ Wordの基礎 2021 2019 2016

文書を閉じるには

A [ファイル] タブ→ [閉じる] をクリックします。

文書だけを閉じてWordを終了しない場合は、[ファイル] タブをクリックしたときに表示されるBackStageビューで [閉じる] をクリックします。閉じる前に行った編集を保存していない場合は、保存の確認メッセージが表示されます(**Q1093**)。また、タイトルバーの [閉じる] ボタンでも閉じることができますが、開いている文書が1つだけの場合は、文書を閉じると同時にWordも終了します(**Q016**)。

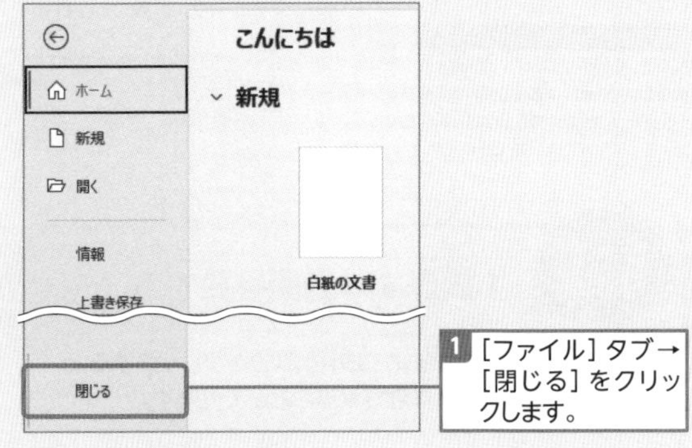

Q060 入力中のページ数を確認するには

お役立ち度 ★★★ Wordの基礎 2021 2019 2016

A ステータスバーで確認できます。

複数ページの文書を作成しているときに、現在何ページを編集しているのか知りたい場合は、画面下にあるステータスバーの左端で確認できます。「3/5ページ」のように「現在のページ数/全ページ数」の形式で表示されます。

1 画面左下のステータスバーで現在のページ数を確認できます。

おトクな情報 ナビゲーションウィンドウでページのサムネイルを表示する

ステータスバーのページ数の表示をクリックすると、ナビゲーションウィンドウが表示されます。[ページ] タブをクリックすると、ページのサムネイルが表示され、サムネイルをクリックしてページ移動できます（Q185）。

Q061 前回編集した場所を表示する

お役立ち度 ★★★ Wordの基礎 2021 2019 2016

A [再開] のメッセージをクリックします。

文書を開いた直後に画面の右側に[再開] のメッセージが表示されます。このメッセージをクリックすると、前回最後に編集した位置に移動することができます。しばらくすると表示が▯に変わり、そのうち非表示になります。非表示になる前にクリックすれば前回の編集位置に移動できます。

1 文書を開きます。

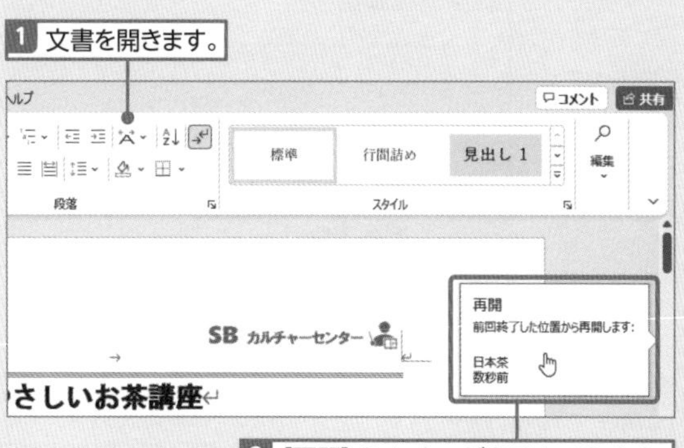

2 [再開] のメッセージをクリックします。

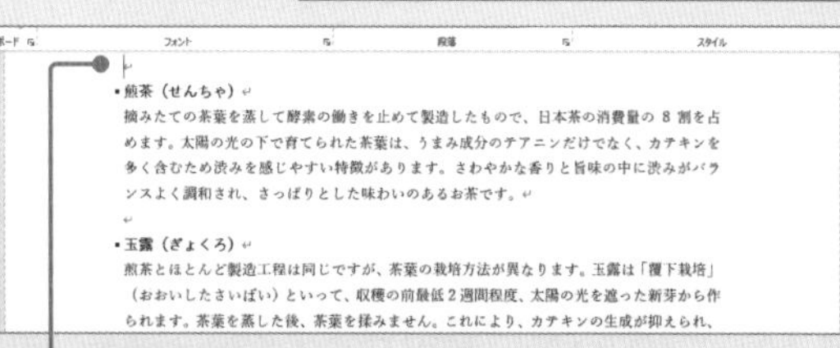

3 前回編集した位置に画面が移動します。

Q062 直前に編集した場所を表示する

お役立ち度 ★★★ Wordの基礎 2021 2019 2016

A Shift + F5 キーを押します。

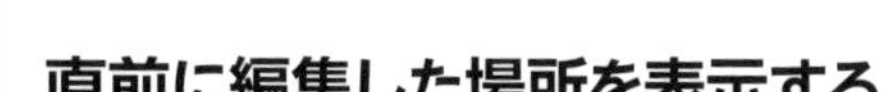

Shift + F5 キーを押すと、直前に編集した場所に画面を移動することができます。Shift + F5 キーを押すごとに1つずつ前の変更箇所に移動します。なお、編集位置は3つ前まで移動できます。

1 Shift + F5 キーを押します。

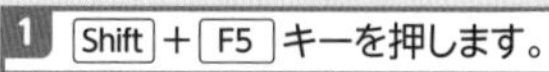

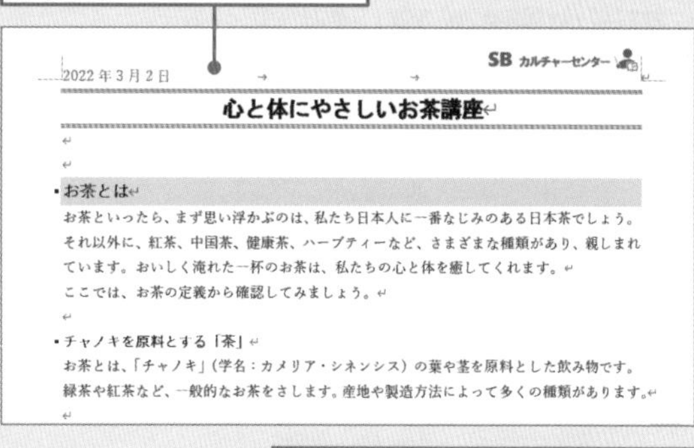

2 直前に編集した場所に移動します。

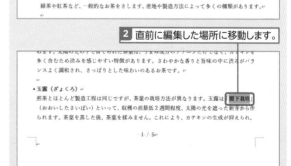

多く含むため渋みを感じやすい特徴があります。さわやかな香りと旨味の中に渋みがバランスよく調和され、さっぱりとした味わいのあるお茶です。

・玉露（ぎょくろ）

煎茶とほとんど製造工程は同じですが、茶葉の栽培方法が異なります。玉露は「覆下栽培」（おおいしたさいばい）といって、収穫の前最低 2 週間程度、太陽の光を遮った新芽から作られます。茶葉を蒸した後、茶葉を揉みません。これにより、カテキンの生成が抑えられ、

1 / 5

Q063 お役立ち度 ★★★ Wordの基礎 2021 2019 2016

選択した文字列の文字数を調べるには

A ステータスバーで確認できます。

ステータスバーには、編集中の文書の単語数が表示されます。文字列を選択すると、選択された範囲の文字数が表示されます。この文字数の部分をダブルクリックすると、[文字カウント]ダイアログが表示され、より詳細な文字数のデータを確認できます。

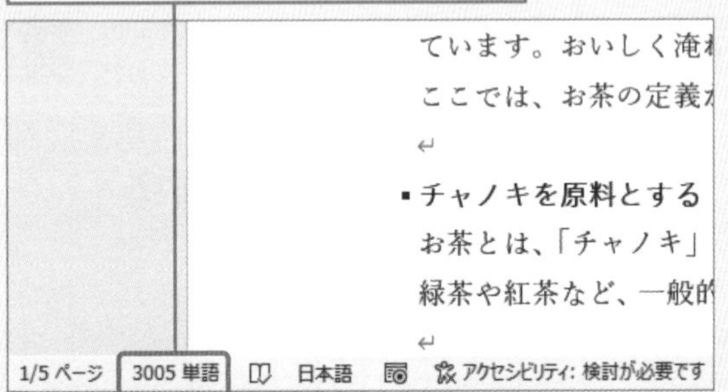

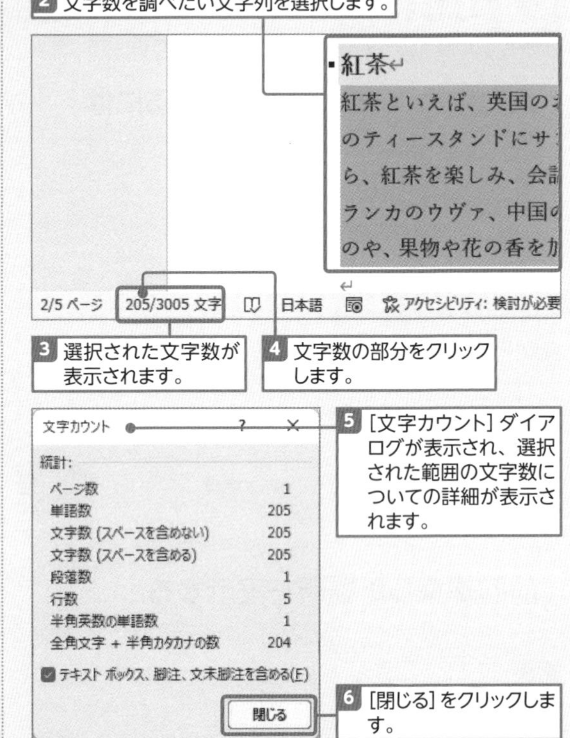

Q064 お役立ち度 ★★★ Wordの基礎 2021 2019 2016

ステータスバーの表示内容を変更したい!

A ステータスバーを右クリックして表示したい項目にチェックを付けます。

ステータスバーには、現在開いている文書の状態が表示されており、表示内容を自由に変更できます。ステータスバーを右クリックして表示される一覧でチェックが付いている項目は、表示されているか、該当する機能を実行中に表示される項目です。必要に応じて表示／非表示を切り替えられます。

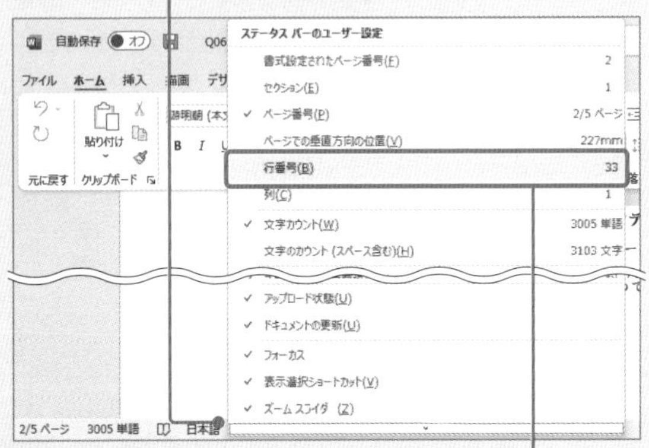

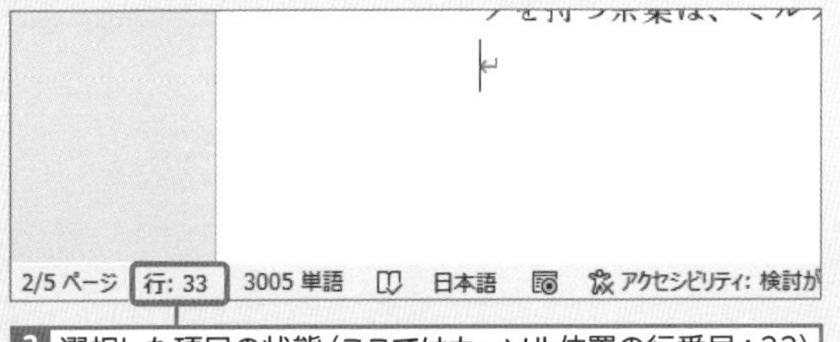

Q 065 お役立ち度 ★★★ 文書作成の準備と表示設定 2021 2019 2016

用紙サイズを変更したい!

A [レイアウト]タブ→[サイズ]で変更します。

Wordの初期設定の用紙はA4サイズです。一覧から用紙サイズを選択してください。なお、プリンターによって使用できる用紙サイズは異なります。

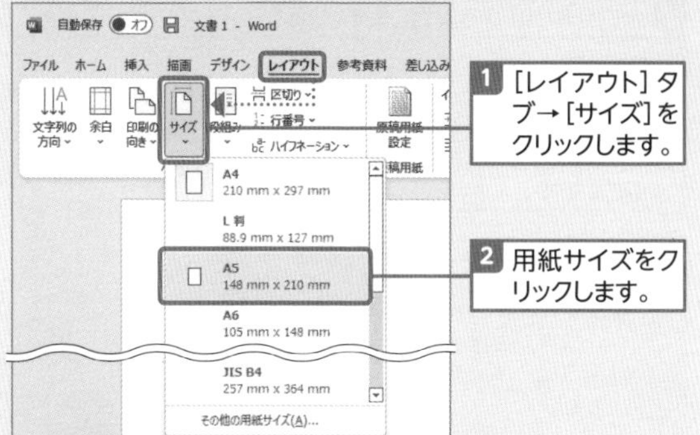

おトクな情報 一覧にない用紙サイズを指定する

手順で[その他の用紙サイズ]をクリックし、[ページ設定]ダイアログの[用紙]タブで[幅]と[高さ]をミリ単位で設定してください。

Q 067 お役立ち度 ★★★ 文書作成の準備と表示設定 2021 2019 2016

用紙を横向きにするには

A [レイアウト]タブ→[印刷の向き]で変更します。

用紙の向きは初期設定で[縦]になっています。横向きに印刷したい場合は、[横]に変更します。

1 [レイアウト]タブ→[印刷の向き]をクリックします。

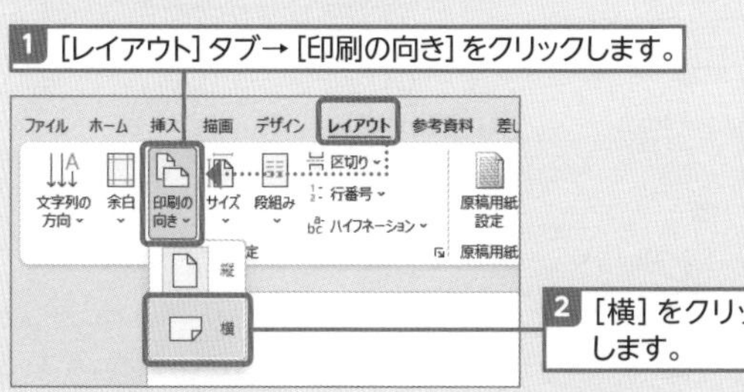

Q 066 お役立ち度 ★★★ 文書作成の準備と表示設定 2021 2019 2016

横書き・縦書きを変更するには

A [レイアウト]タブ→[文字列の方向]で変更します。

Wordでは、初期設定は横書きになっています。縦書きにしたい場合は、文字列の方向を[縦書き]に変更します。縦書きにすると、半角英数字が横になってしまうので、縦にするには全角にします。半角のまま縦にしたい場合は、[縦中横]の書式設定をしてください(Q202)。

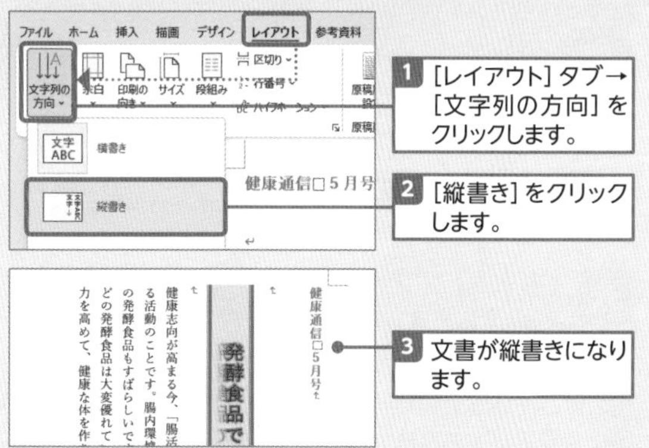

Q 068 お役立ち度 ★★★ 文書作成の準備と表示設定 2021 2019 2016

余白をもっと狭くしたい!

A [レイアウト]タブ→[余白]で変更します。

余白とは、用紙の上下左右にある空白の領域です。編集領域を広くするには、余白のサイズを小さくします。

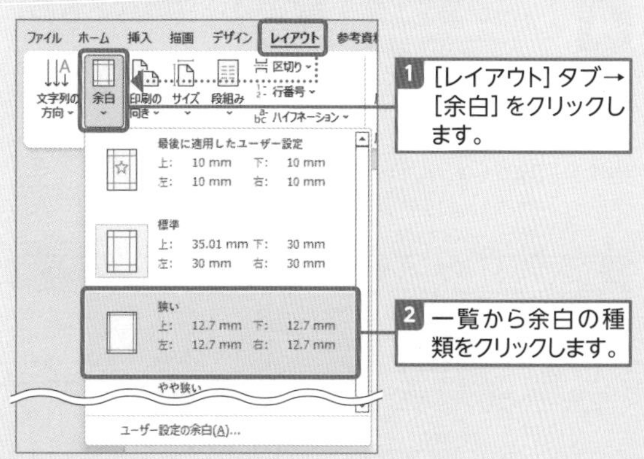

Q069

お役立ち度 ★★★

文書作成の準備と表示設定

2021 2019 2016

余白をミリ単位で指定したい!

A [ページ設定] ダイアログの[余白] タブで設定します。

Q068の手順2で[ユーザー設定の余白] をクリックすると、[ページ設定] ダイアログの[余白] タブが表示されます。[上][下][左][右] でそれぞれミリ単位で数値を入力し、余白を設定します。初期設定では上余白が35mm、その他の余白は30mmになっています。

1 [レイアウト] タブ→[余白]→[ユーザー設定の余白] をクリックして [ページ設定] ダイアログを表示します。

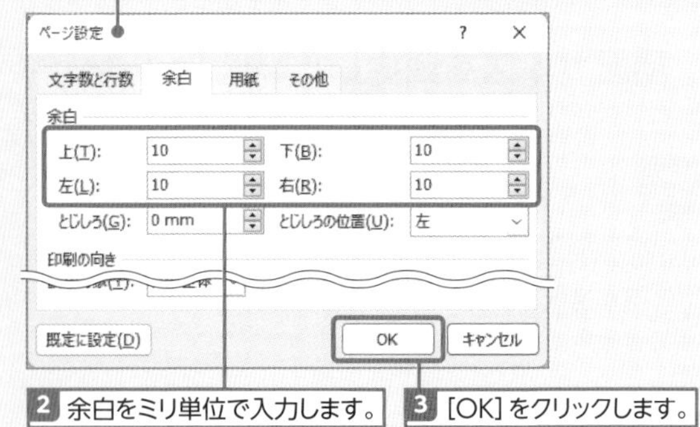

2 余白をミリ単位で入力します。

3 [OK] をクリックします。

Q070

お役立ち度 ★★★

文書作成の準備と表示設定

2021 2019 2016

編集記号を表示するには

A [ホーム] タブ→[編集記号の表示/非表示]で設定します。

編集記号とは、文書内に表示される印刷されない記号です。例えば、↵は段落記号という編集記号です。非表示になっている編集記号を表示するには、[編集記号の表示/非表示] ボタンをオンにします。

1 [ホーム] タブ→[編集記号の表示/非表示] をクリックしてオンにします。

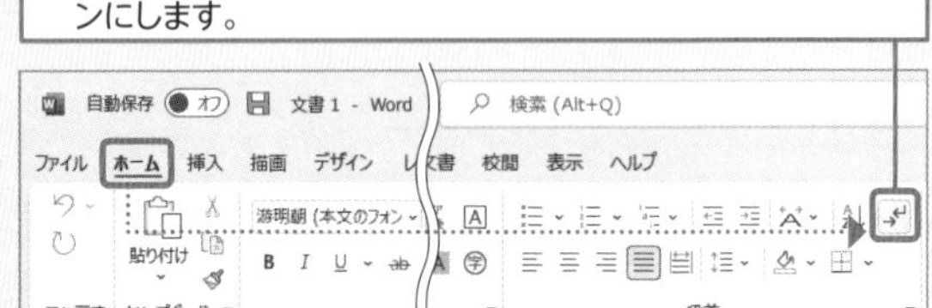

● 主な編集記号

記号	意味	記号	意味
↵	段落記号	□	全角スペース
↓	段落内改行記号	・	半角スペース
→	タブ	⚓	アンカー記号

Q071

お役立ち度 ★★★

文書作成の準備と表示設定

2021 2019 2016

1ページの文字数や行数を指定するには

A [ページ設定] ダイアログの [文字数と行数] タブで設定します。

1行の文字数と1ページの行数は、[ページ設定] ダイアログの[文字数と行数] タブで設定します。文字をきれいに揃えたい場合に利用できます。文字数と行数を指定すると、字送りと行送りは自動調整されます。

1 [レイアウト] タブ→[ページ設定] にある⧉をクリックします。

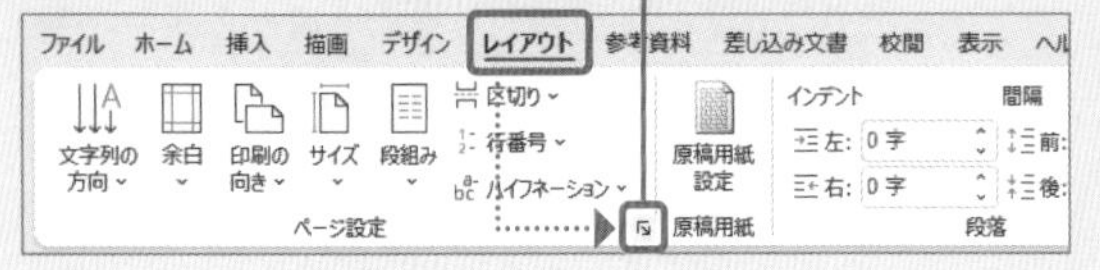

2 [ページ設定] ダイアログが表示されます。

3 [文字数と行数を指定する] を選択します。

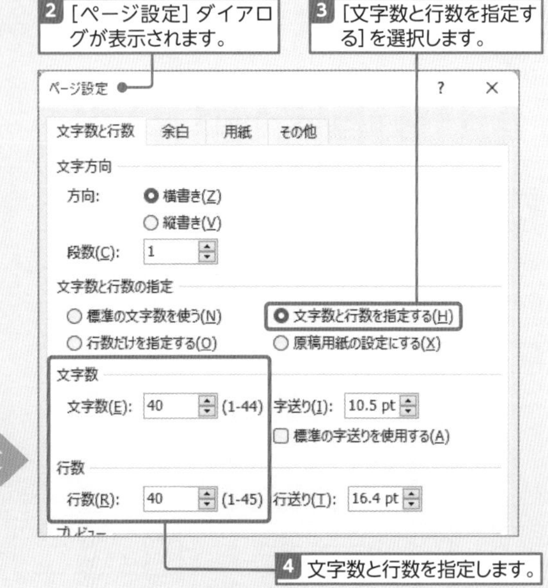

4 文字数と行数を指定します。

Q072 お役立ち度 ★★★ 文書作成の準備と表示設定 2021 2019 2016

行数を増やしたら、行間が広がってしまった!

A [1ページの行数を指定時に文字を行グリッド線に合わせる]をオフにします。

游明朝のようなフォントは、行数を増やすと、行間隔が開いてしまうことがあります。このような場合に行間が広がらないようにするには、文字列全体を選択してから、[段落]ダイアログで[1ページの行数を指定時に文字を行グリッド線に合わせる]をオフにします。指定した行数どおりにならない場合もありますが、行間は狭くなります。

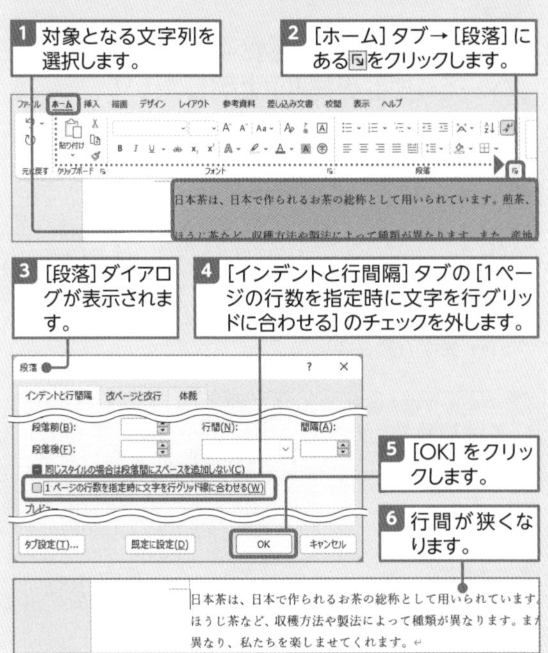

Q073 お役立ち度 ★★★ 文書作成の準備と表示設定 2021 2019 2016

指定した文字数に設定できない!

A フォントの種類を[MSゴシック]などに変更してください。

「MS P 明朝」のように、フォント名に「P」が付いているフォントは、文字の字幅に合わせて字間が自動調整されます。この場合、指定どおりの文字数になりません。フォントの種類を「MSゴシック」のような「P」が付いていない等倍フォントに変更すれば、字間が等しくなり指定した文字数に設定されます(Q190)。

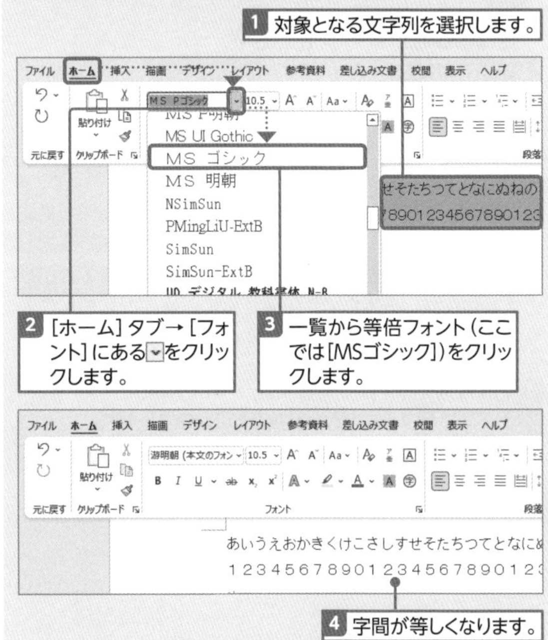

Q074 お役立ち度 ★★★ 文書作成の準備と表示設定 2021 2019 2016

指定した行数に設定できない!

A テーマのフォントを変更してみましょう。

指定どおりの行数にならない場合は、文書全体のフォントを別のフォントに変更してください。それには、テーマのフォントを変更するのが早道です。例えば、[デザイン]タブの[フォント]で[Office 2007-2010]を選択すると、文書全体のフォントが「MS P ゴシック」になり、指定どおりの行数になります。

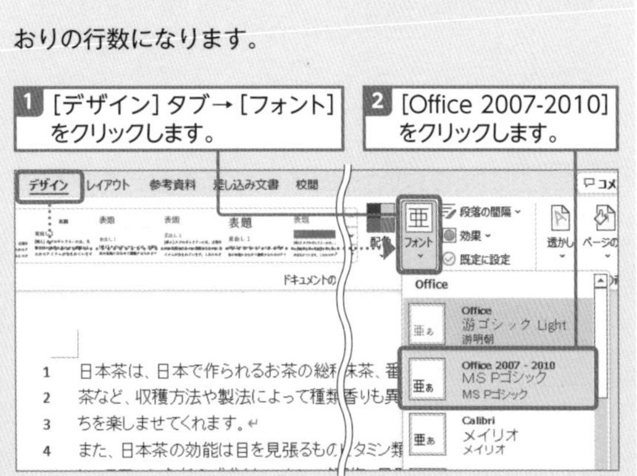

Q075 お役立ち度 ★★★ 文書作成の準備と表示設定

文書にレポート用紙のような横線を表示したい!

A [表示] タブ→ [グリッド線] にチェックを付けます。

レポート用紙のような横線を表示したい場合は、グリッド線を表示します。グリッド線は、あくまでも目安の線なので、印刷されません。

1 [表示] タブ→ [表示] にある [グリッド線] をクリックしてチェックを付けます。

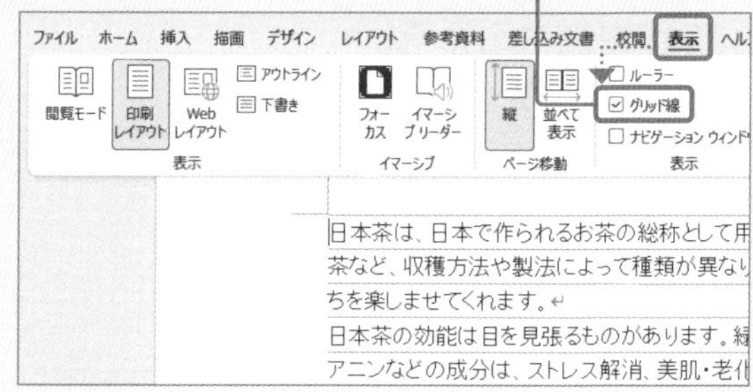

Q076 お役立ち度 ★★★ 文書作成の準備と表示設定

指定したページ設定を毎回使用したい!

A [ページ設定] ダイアログで [既定に設定] をクリックします。

用紙サイズや余白、文字数、行数など、指定したページ設定を毎回使用するには、[ページ設定] ダイアログで設定した内容を既定に設定して登録します。以降、すべての白紙の文書が登録した設定で作成されます。最初の状態にまた戻せるように、初期設定も覚えておきましょう。

1 Q071の方法で [ページ設定] ダイアログを表示して、用紙サイズ、余白、文字数、行数などの設定をします。

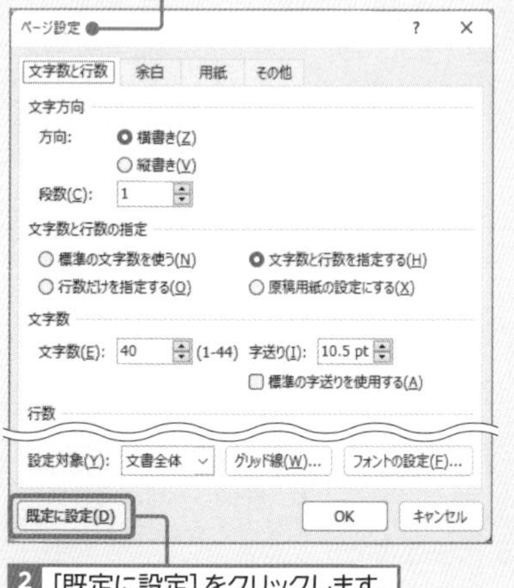

2 [既定に設定] をクリックします。

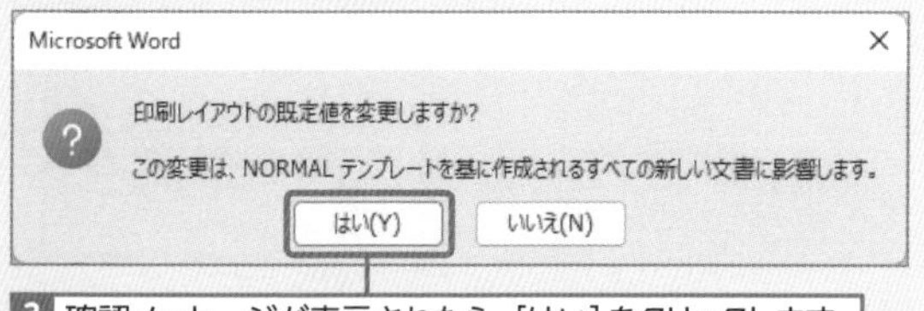

3 確認メッセージが表示されたら、[はい] をクリックします。

Q077 お役立ち度 ★★★ 文書作成の準備と表示設定

2021
2019
2016

標準の設定を変更せずに指定したページ設定を毎回使用したい!

A ページ設定をオリジナルのテンプレートファイルに保存します。

Q076 の方法では、[白紙の文書] を作成したときにすべての新規文書が保存した設定で作成されます。既定の白紙の文書の設定を変更せずに、指定したページ設定で新規文書を作成するには、オリジナルのテンプレートファイルとして保存します (**Q1069**)。

1 白紙の文書を開き、**Q076** の手順 1 の方法でページの設定をします。

2 **Q057**の方法で [名前を付けて保存] ダイアログを表示します。

3 [ファイルの種類] で [Wordテンプレート] を選択します。

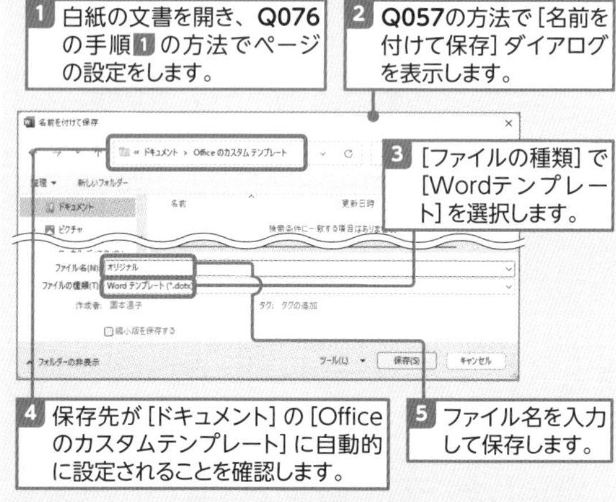

4 保存先が [ドキュメント] の [Officeのカスタムテンプレート] に自動的に設定されることを確認します。

5 ファイル名を入力して保存します。

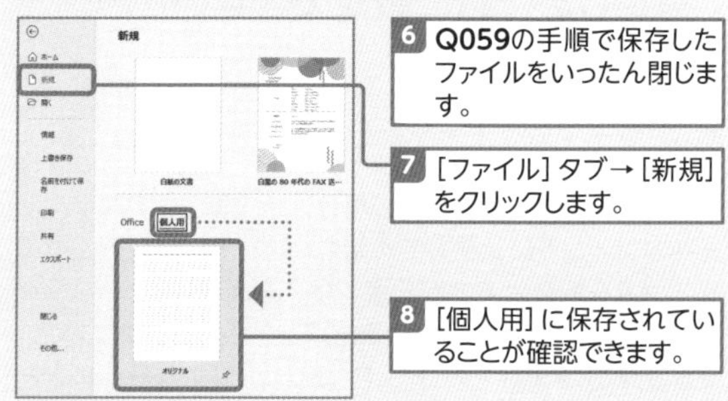

6 **Q059**の手順で保存したファイルをいったん閉じます。

7 [ファイル] タブ→ [新規] をクリックします。

8 [個人用] に保存されていることが確認できます。

Q078 お役立ち度 ★★★ 文書作成の準備と表示設定

ルーラーを表示するには

A [表示] タブ→ [ルーラー] にチェックを付けます。

初期設定では、ルーラーは表示されていません。必要な場合は、[表示] タブの [ルーラー] にチェックを付けます。画面の上と左にルーラーが表示されます。

1 [表示] タブ→ [ルーラー] をクリックしてチェックを付けます。

2 ルーラーが表示されます。

Q079 お役立ち度 ★★★ 文書作成の準備と表示設定

ページとページの間に余白があるため文章が読みづらい

A ページの区切りをダブルクリックして余白を非表示にします。

複数ページの文書を作成するときにページとページの間にある余白によって文章が読みづらい場合、ページの区切りをダブルクリックすれば、余白が非表示になり読みやすくなります。ページの区切りをダブルクリックするごとに余白の表示と非表示を切り替えることができます。

1 ページの境界でダブルクリックします。

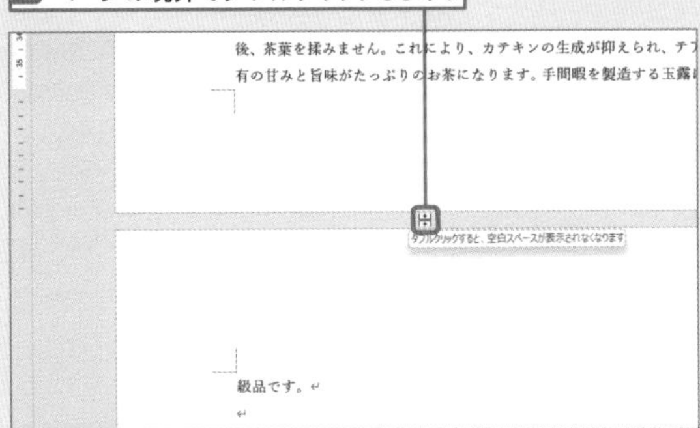

2 余白が非表示になります。

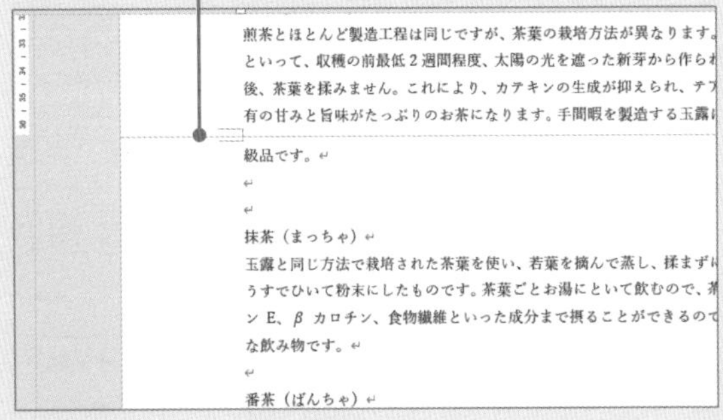

Q080 お役立ち度 ★★★ 文書作成の準備と表示設定

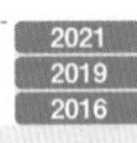

英単語を改行した際にハイフンを付けるには

A ハイフネーションの設定をします。

英文を入力するときに行末に来る単語が行内に収まらない場合は、自動的に次の行に送られます。そのため、単語の間隔が多少広がります。行末の英単語の途中にハイフン「-」を付けて改行させると、単語の間隔が均等になります。ハイフンを付けるには、[レイアウト] タブ→ [ハイフネーション] をクリックします。

1 [レイアウト] タブ→ [ハイフネーション] をクリックします。

2 [自動] をクリックします。

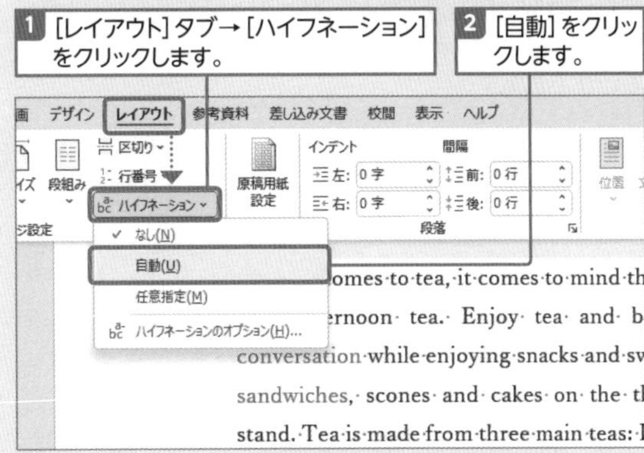

3 次の行に送られていた単語にハイフネーションが設定されます。

When it comes to tea, it comes to mind the British tea time afternoon tea. Enjoy tea and blossom into conver-sation while enjoying snacks and sweets such as sand-wiches, scones and cakes on the three-tier tea stand. Tea is made from three main teas: Darjeeling in India, Assam, Uva in Sri Lanka, and Keemun in China. You can also blend tea leaves and add fruit and flower in-

Q081 行番号を表示したい!

お役立ち度 ★★★ 文書作成の準備と表示設定 2021 2019 2016

A [レイアウト]タブ→[行番号]→[連続番号]を設定します。

ページに行番号を表示するには、[レイアウト]タブの[行番号]で行番号の表示方法を選択します。[連続番号]では文書内の全ページに連続番号が表示されます。行番号は入力済みの行に表示されます。行番号は印刷されるので、不要な場合は[なし]を選択してください。

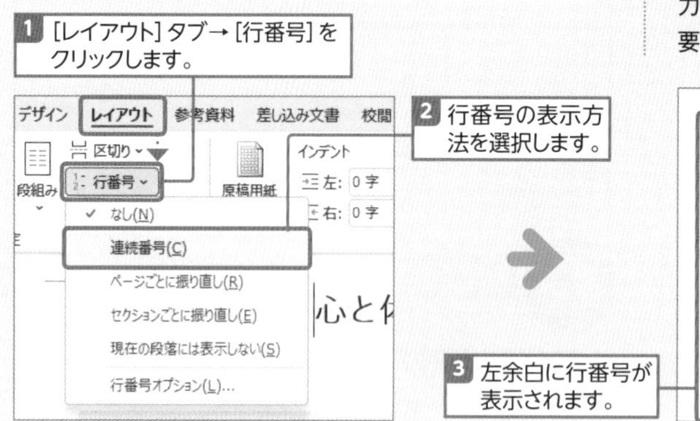

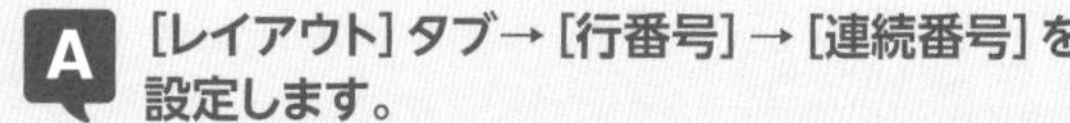

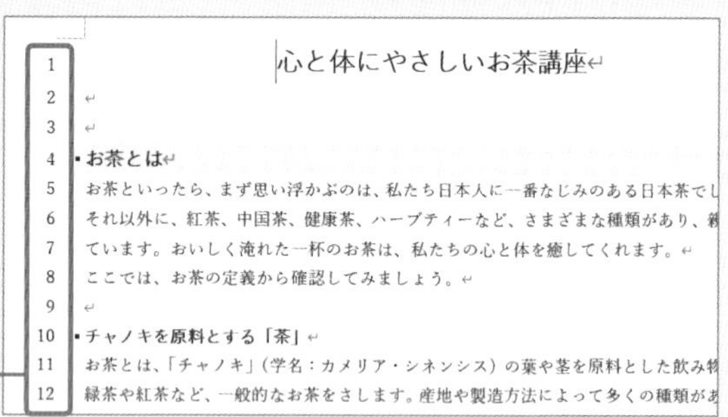

Q082 行番号の開始番号を変更するには

お役立ち度 ★★★ 文書作成の準備と表示設定 2021 2019 2016

A [行番号]ダイアログで設定変更します。

行番号は1～32767の範囲で表示できます。[行番号]ダイアログを利用すると、1以外の数値を開始番号に指定することができます。

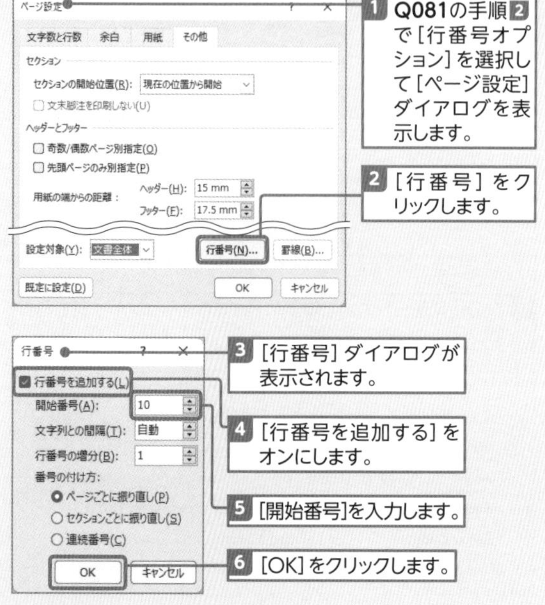

Q083 原稿用紙のマス目を表示するには

お役立ち度 ★★★ 文書作成の準備と表示設定 2021 2019 2016

A [レイアウト]タブ→[原稿用紙設定]をクリックします。

原稿用紙のイメージで文字を入力して印刷することもできます。縦書きにするには、[原稿用紙設定]ダイアログで印刷の向きを[横]にします。なお、マス目に1文字ずつ表示するには、「MS明朝」のような等倍フォントにしてください(**Q190**)。

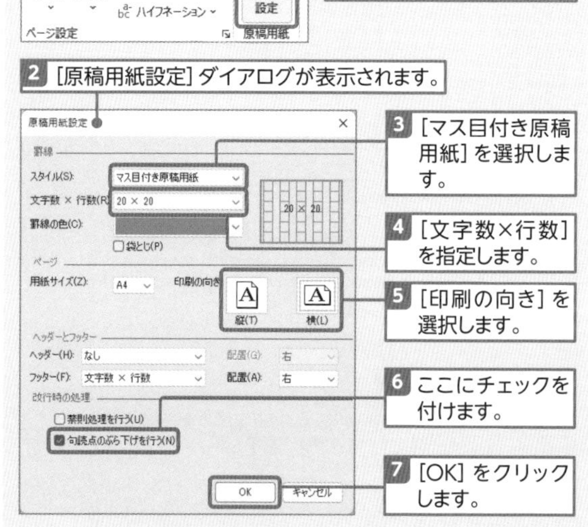

Q084 お役立ち度 ★★★ 文字入力 2021 2019 2016

IMEとは

A 文字を入力するための機能です。

IME（Input Method Editor）は、Windowsに付属している、ひらがな、カタカナ、漢字などの日本語を入力するための機能で、このような機能を「日本語入力システム」といいます。IMEの入力モードの状態はWindowsのタスクバー右端のコーナーアイコン（通知領域）に表示されます。

IMEの状態が表示されます。

フォーカス　120%　あ　14:06　2022/07/08

Q086 お役立ち度 ★★★ 文字入力 2021 2019 2016

入力方法の種類を知りたい!

A 「ローマ字入力」と「かな入力」があります。

日本語を入力する方法には、キーボードの英字キーをローマ字読みでタイプする「ローマ字入力」と、かなキーをそのままタイプして入力する「かな入力」があります。

ローマ字入力

A ち　S と　A ち → あさ

かな入力

ぁ 3 あ　X さ → あさ

Q085 お役立ち度 ★★★ 文字入力 2021 2019 2016

ひらがな入力と半角英数入力を切り替えるには

A 半角/全角 キーを押します。

IMEの表示が「あ」のときはひらがなが入力できる状態で、入力した文字を漢字などに変換できます。半角/全角 キーを押すと「A」に切り替わり、半角英数が入力できる状態になります。また、直接コーナーアイコン（通知領域）のIMEの表示をクリックしても同様に切り替えられます。

Q087 お役立ち度 ★★★ 文字入力 2021 2019 2016

ローマ字入力とかな入力を切り替えるには

A 「あ」を右クリックして切り替えのメニューを選択します。

IMEの初期設定はローマ字入力です。かな入力に切り替えたい場合は、IMEのメニューで切り替えます。メニューを表示し、「かな入力（オフ）」をクリックするとかな入力になります。再度メニューを表示すると「かな入力（オン）」と表示されており、かな入力に切り替えられたことがわかります。クリックするとローマ字入力に戻ります。

1 「あ」を右クリックします。

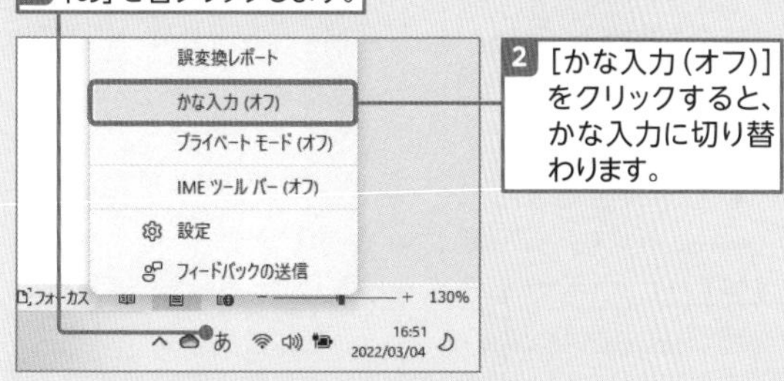

2 ［かな入力（オフ）］をクリックすると、かな入力に切り替わります。

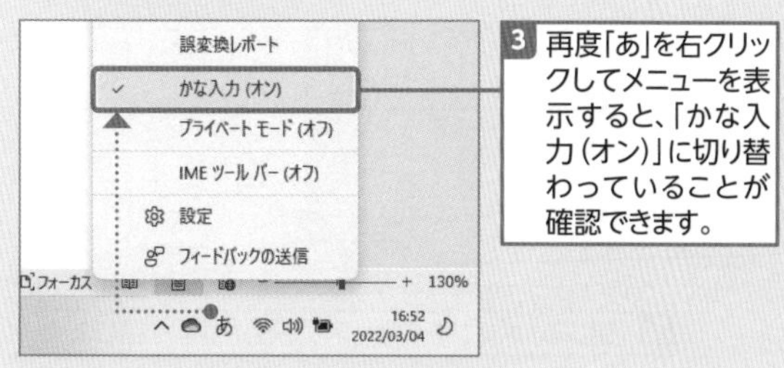

3 再度「あ」を右クリックしてメニューを表示すると、「かな入力（オン）」に切り替わっていることが確認できます。

Q088 お役立ち度 ★★★ 文字入力 2021 2019 2016

ローマ字入力とかな入力をキーボードで切り替えられないの?

A IMEの設定を変更すればできます。

Windows10までは、Alt + カタカナ/ひらがな キーを押すとローマ字入力とかな入力を切り替えることができましたが、Windows11では初期設定で無効になっています。IMEの設定画面で[かな入力/ローマ字入力をAlt + カタカナひらがなローマ字キーで切り替える]をオンにすることでキーボードを使って切り替えられるようになります。

1 「あ」を右クリックします。

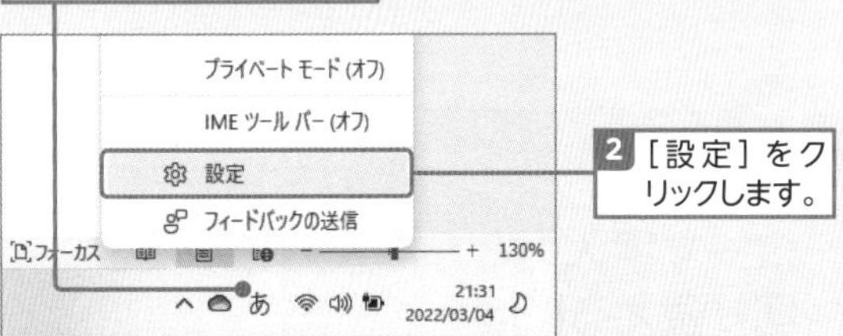

2 [設定]をクリックします。

時刻と言語 › 言語と地域 › Microsoft IME

全般
入力設定、文字の種類と文字セット、予測入力、既定の設定、互換性

キーとタッチのカスタマイズ
キー テンプレート、キーの割り当て、タッチ キーボード

3 Microsoft IMEの設定画面で[全般]をクリックします。

時刻と言語 › 言語と地域 › Microsoft IME › 全般

入力設定

ハードウェア キーボードでかな入力を使う

オフ

かな入力/ローマ字入力を Alt + カタカナひらがなローマ字キーで切り替える

オン

句読点

、。

4 [かな入力/ローマ字入力をAlt + カタカナひらがなローマ字キーで切り替える]をオンにします。

時刻と言語 › 言語と地域 › Microsoft IME › 全般

入力設定

5 [閉じる]ボタンをクリックして設定画面を閉じます。

Q089 お役立ち度 ★★★ 文字入力 2021 2019 2016

入力モードを切り替える(IME)

A 「あ」を右クリックして入力モードを選択します。

入力される文字の種類を変更するにはIMEで入力モードを切り替えます。メニューを使って簡単に切り替えることができます。

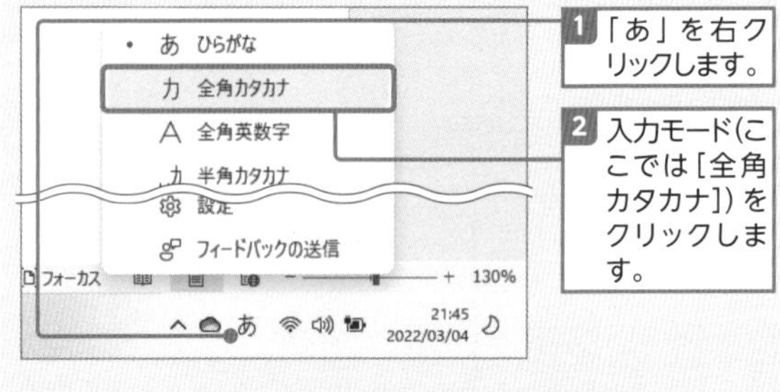

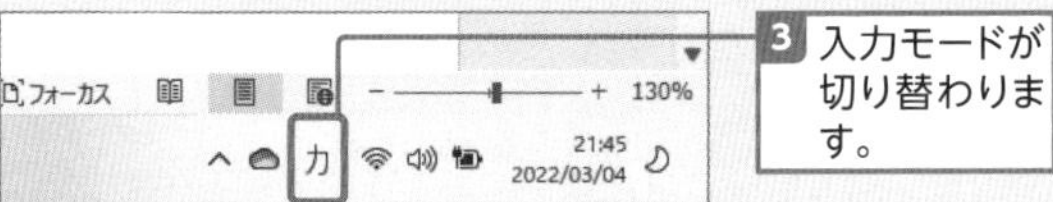

3 入力モードが切り替わります。

おトクな情報 キーボードを使ってひらがなに戻す

ひらがなに戻すには、カタカナ/ひらがな キーを押します。全角カタカナなど、ひらがな以外の入力モードから素早くひらがなに戻すことができ便利です。

Q090 お役立ち度 ★★★ 文字入力 2021 2019 2016

各キーに割り当てられている文字の打ち分け方を知りたい!

A 下側の文字はそのまま押し、上側の文字は Shift キーを押しながら押します。

1つのキーボードには2〜4つの文字や記号が割り当てられています。4つの文字が割り当てられているキーの場合の打ち分け方を確認しておきましょう。[かな入力]の場合、キーの左側に表示されている記号は、入力モードを全角英数または半角英数にしてタイプします。

Q091 お役立ち度 ★★★ 文字入力 2021 2019 2016

アルファベットや数字を入力するには

A 入力モードを全角英数、または半角英数にしてキーを押します。

アルファベットや数字を入力する場合は、入力モードを全角英数、半角英数モードに切り替えて、そのままキーを押してください。アルファベットは小文字で入力されます。

全角英数・半角英数モード

A ち　% え 5 え → a 5

Q092 お役立ち度 ★★★ 文字入力 2021 2019 2016

大文字のアルファベットを入力するには

A Shift キーを押しながら英字キーを押します。

キーボードに表記されているアルファベットはそのままタイプすると小文字で入力されますが、Shift キーを押しながらタイプすると大文字が入力されます。

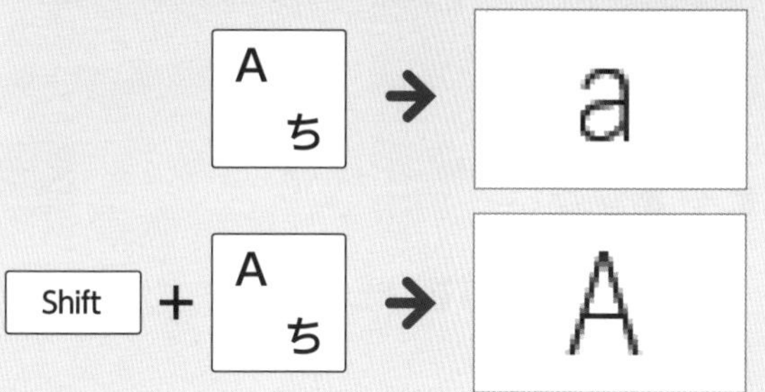

Q093 お役立ち度 ★★★ 文字入力 2021 2019 2016

常に大文字で入力するには

A Shift + CapsLock キーを押してCapsLockを有効にします。

大文字を連続して入力する場合は、Shift + CapsLock キーを押してCapsLockを有効にします。CapsLockが有効の間は、アルファベットキーをそのまま押すと大文字が入力されます。Shift + CapsLock キーを再度押すと解除されます。

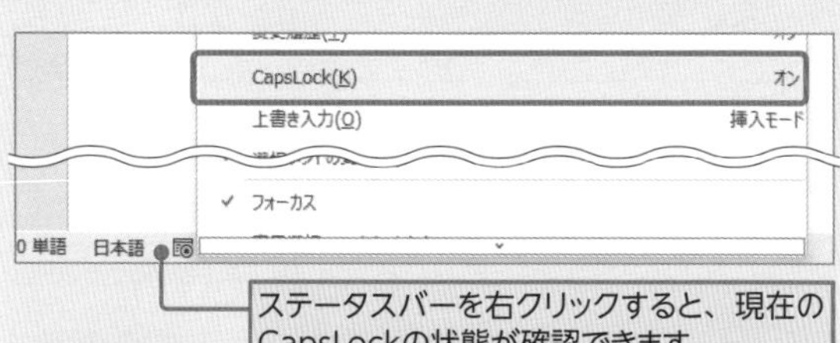

おトクな情報 ステータスバーにCapsLockの状態を表示する

Q064の手順でステータスバーを右クリックして[CapsLock]をクリックすると、CapsLockが有効の場合にステータスバーに「CapsLock」と表示されるようになります。

Q094 お役立ち度 ★★★ 文字入力 2021 2019 2016

テンキーから数字が入力できない

A NumLockをオンに切り替えます。

数字入力が多い場合は、テンキーを使うと便利です。テンキーから数字を入力する場合は、NumLock キーを押してNumLockをオンにします。このとき、キーボードの「NumLock」のランプが表示されます。パソコンによって Fn キーと NumLock キーを組み合わせて押すタイプもあります。

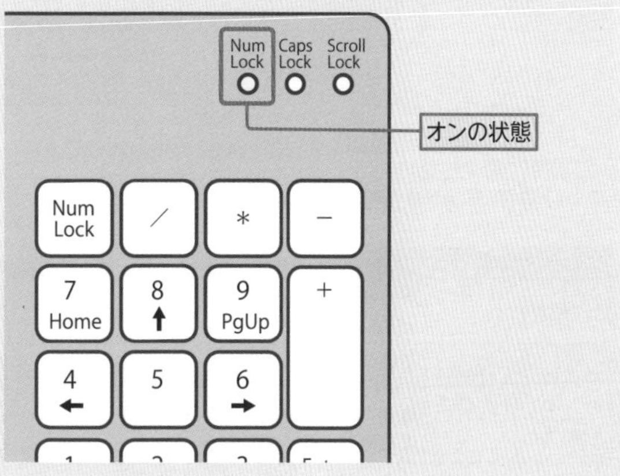

Q095 お役立ち度 ★★★ 文字入力

赤の波線や青の二重線が表示される

A スペルミスや文法の誤りがあることを示しています。

入力された文字にスペルミスの可能性が見つかると、該当する箇所に赤い波線が表示されます。また、文法の誤りや誤字脱字、表記の揺れが見つかると、該当する箇所に青の二重線が表示されます。印刷はされません。対処方法については、Q396を参照してください。

スペルミスの赤線

表記の揺れの青線

作業用のフォルダをデスクトップ上に作成
［マイドキュメント］フォルダー内にショ

Q096 お役立ち度 ★★★ 文字入力

ローマ字入力でひらがなを入力するには

A ローマ字読みで英字キーをタイプします

ローマ入力でひらがなを入力するには、ローマ字読みで英字キーをタイプします。例えば、「さくら」と入力する場合は、「SAKURA」とタイプします。ローマ字入力で注意する文字を表にまとめます。

入力文字		入力の仕方
長音	―	[= − ほ]
読点	、	[< 、 , ね]
句点	。	[> 。 . る]
中黒	・	[? ・ ／ め]
ん		[N み] [N み]
を		[W て] [O ら]

※「ん」の次に子音が続く場合は「N」を1回でも可

入力文字	入力方法	例
っ（促音）	次に続く子音を2回入力	いった → ITTA
ゃ、ゅ、ょ（拗音）ぁ、ぃ（など小さい文字）	子音と母音の間にYまたはHを入力。単独の場合は、先頭に「X」または「L」を入力	きゅう →KYUU てぃ →THI ゃ → LYA、 ぁ → LA

Q097 お役立ち度 ★★★ 文字入力

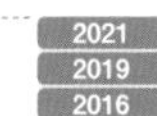

かな入力でひらがなを入力するには

A ひらがなの読みでかなキーをタイプします。

かな入力でひらがなを入力するには、そのままかなキーをタイプします。かな入力で注意する文字を表にまとめます。

入力文字		入力の仕方
長音	―	[| ¥ ー]
読点	、	[Shift] + [< 、 , ね]
句点	。	[Shift] + [> 。 . る]
中黒	・	[Shift] + [? ・ ／ め]
を		[Shift] + [を O わ]

入力文字	入力方法	例
っ（促音）ゃ、ゅ、ょ（拗音）ぁ、ぃ（など小さい文字）	[Shift] キーを押しながらそれぞれのかな文字キーを押す	っ → [Shift] + [{ っ [つ]
゛（濁音）	かな文字の後ろに [` @ ゛] を押す	が → [T か] [` @ ゛]
゜（半濁音）	かな文字の後ろに [{ 「 [。] を押す	ぱ → [F は] [{ 「 [。]

Q 098 お役立ち度 ★★★ 文字入力 2021 2019 2016

半角のスペースを簡単に入力するには

A **Shift + Space キーを押します。**

ひらがな入力モードのときに Space キーを押すと、全角のスペースが入力されます。半角のスペースを入力するには、Shift + Space キーを押してください。

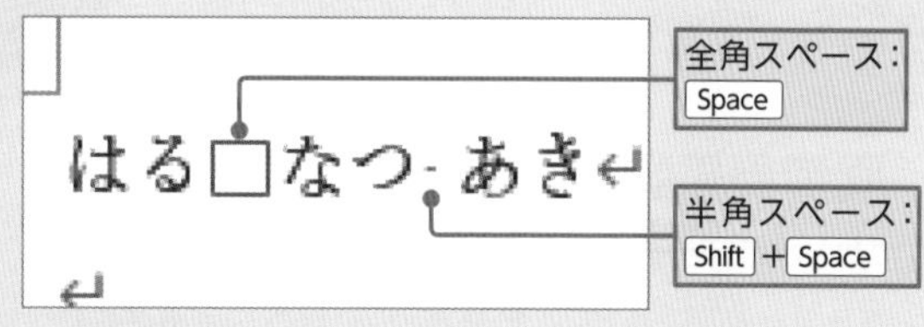

おトクな情報 スペースの編集記号が見えない場合

[ホーム] タブの [編集記号の表示/非表示] をクリックしてオンにします (Q070)。

Q 099 お役立ち度 ★★★ 文字入力 2021 2019 2016

入力中の文字を訂正するには

A **Delete キーや BackSpace キーを使って削除し、入力し直します。**

入力途中でまだ確定していない文字を訂正するには、← → キーでカーソルを移動して、BackSpace 、Delete キーで文字を削除します。また、ESC キーを押すと入力を取り消せます。

確定前の文字の削除

カーソルを移動して BackSpace キーで前の文字、Delete キーで後ろの文字を削除します。

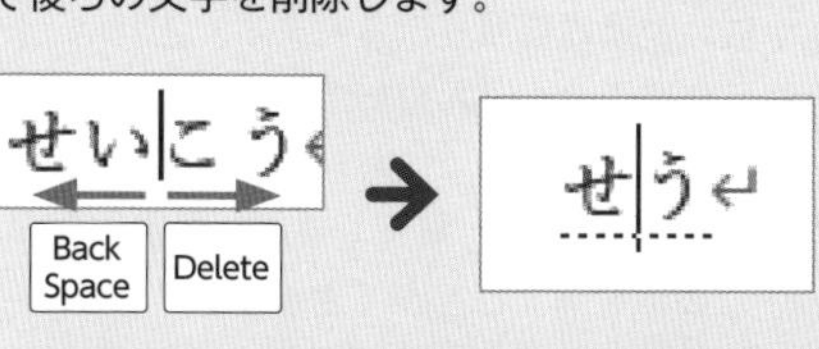

確定前の文字の挿入

カーソルを移動して、文字を入力します。

確定前の文字の入力の取り消し

ESC キーを押すと入力が取り消されます。

Q 100 お役立ち度 ★★★ 文字入力 2021 2019 2016

文字を漢字に変換するには

A **読み入力後、Space キーで変換し Enter キーで確定します。**

文字を漢字に変換するには、読みを入力後、Space キーを押します。最初の変換で目的の漢字に変換されなかったら、続けて Space キーを押して変換候補を表示し、↓ ↑ キーまたは Space キーを押して正しい漢字を選択し、Enter キーで確定します。または、変換候補の左にある数字を入力しても漢字を選択できます。

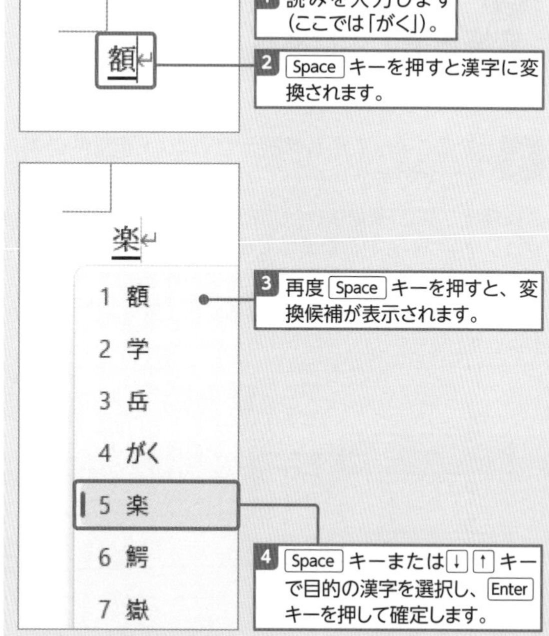

1 読みを入力します（ここでは「がく」）。
2 Space キーを押すと漢字に変換されます。
額
楽
3 再度 Space キーを押すと、変換候補が表示されます。
1 額
2 学
3 岳
4 がく
5 楽
6 鰐
7 嶽
4 Space キーまたは ↓ ↑ キーで目的の漢字を選択し、Enter キーを押して確定します。

Q101 お役立ち度 ★★★ 文字入力

同音異義語の中から正しい漢字を選択するには

A 変換候補にある辞書で意味を確認できます。

変換候補に同音異義語の単語が登録されている場合は、右端に辞書マークが表示されます。辞書マークが付いている候補にカーソルを合わせると辞書が表示されます。一覧で意味や使い方を確認しながら正しい単語を選択できます。

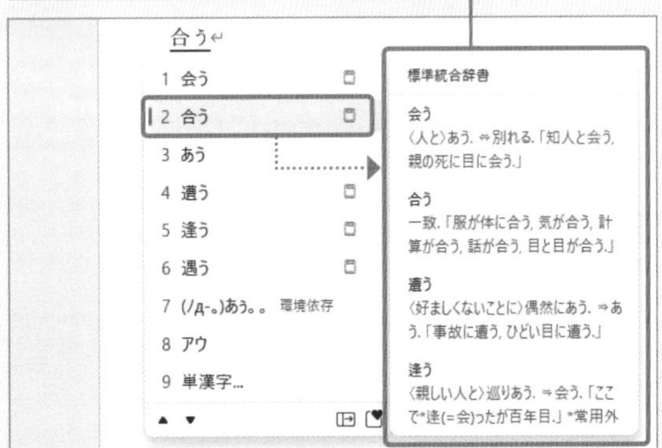

Q103 お役立ち度 ★★★ 文字入力

変換候補の中にある環境依存って何?

A 環境によって正しく表示されない可能性のある文字です。

変換候補の中で[環境依存]と表示されているものは、パソコンやソフトなどの環境によっては正しく表示されず、文字化けする可能性があります。環境の異なるパソコンなどで文書を編集する場合は、できるだけ使用を避けたほうがいいでしょう。

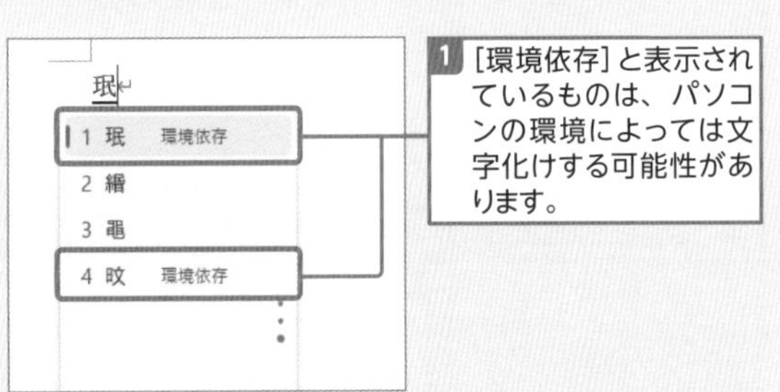

1 [環境依存]と表示されているものは、パソコンの環境によっては文字化けする可能性があります。
1 珉 環境依存
2 緡
3 黽
4 旼 環境依存

Q102 お役立ち度 ★★★ 文字入力

2021
2019
2016

変換候補の中にある単漢字って何?

A 単漢字辞書の漢字を表示します。

変換候補の一番下に「単漢字」と表示される場合があります。これをクリックすると、単漢字辞書にある漢字が候補に表示され、より多くの変換候補から漢字を探すことができます。

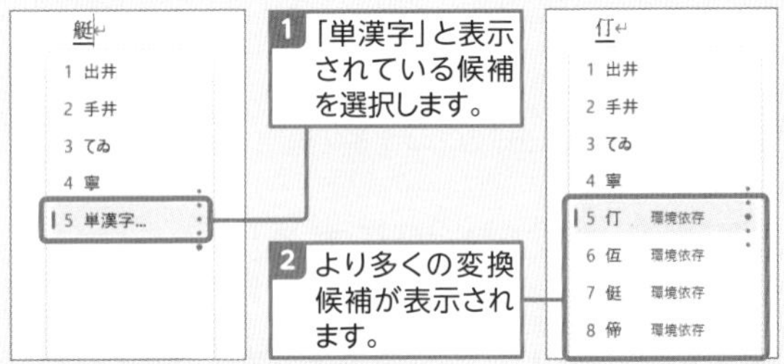

Q104 お役立ち度 ★★★ 文字入力

2021
2019
2016

読みの入力途中に変換候補が表示される!

A 読みの入力時に表示される予測候補です。

読みの入力途中に、変換候補が表示されます。これは、読みから予測される文字や今まで入力した文字から予測される候補です。Tabキーまたは↓↑キーを押して候補を選択し、続けて入力するか、Enterキーで確定します。なお、ESCキーを押すと表示を消すことができます。

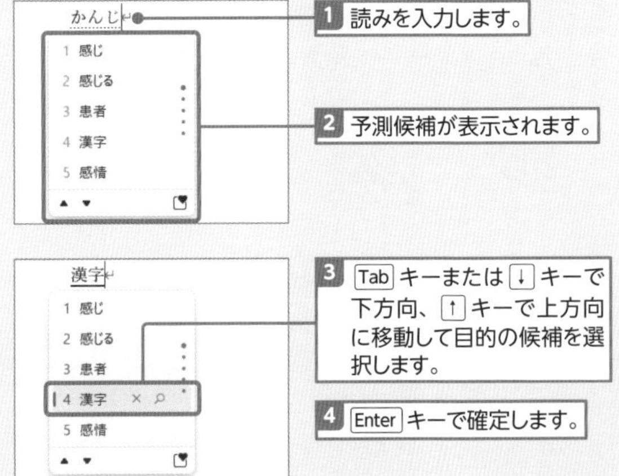

かんじ
1 読みを入力します。
2 予測候補が表示されます。
1 感じ
2 感じる
3 患者
4 漢字
5 感情
漢字
3 Tabキーまたは↓キーで下方向、↑キーで上方向に移動して目的の候補を選択します。
4 Enterキーで確定します。

Q105 お役立ち度 ★★★ 文字入力 2021 2019 2016

変換前の状態に戻すには

A [ESC]キーを押します。

文字を変換後、確定前であれば、[ESC]キーを押すと読みに戻せます。読みを訂正し、再度変換し直したいときに活用しましょう（Q100）。

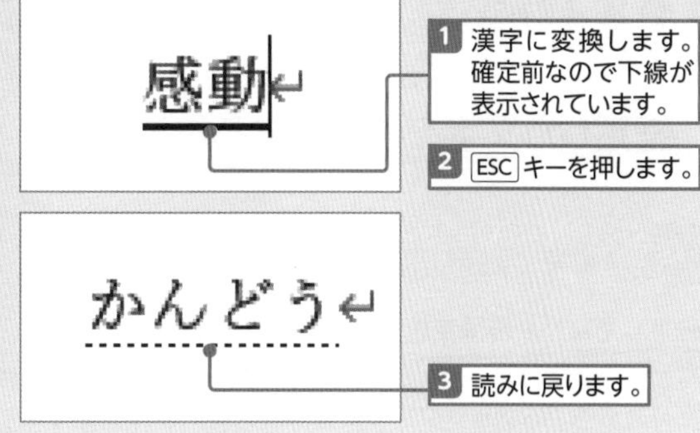

Q106 お役立ち度 ★★★ 文字入力 2021 2019 2016

変換候補を1画面ずつ切り替えるには

A [Shift]＋[↓]／[↑]を押します。

変換候補の数が多く、1画面で表示しきれない場合は、[Shift]＋[↓]／[↑]キーを押すと、1画面ずつ、次や前の変換候補に切り替えられます。

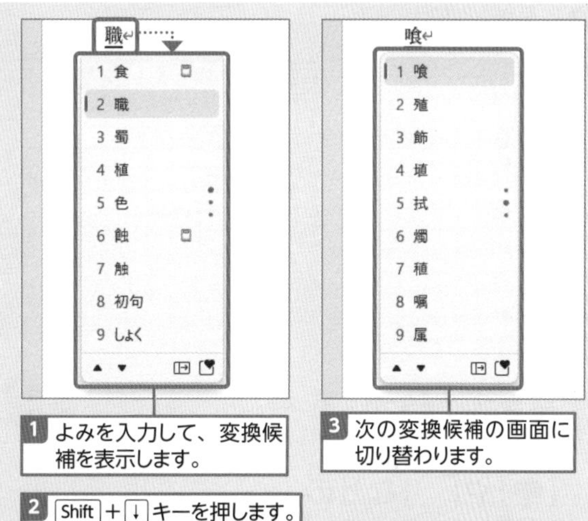

Q107 お役立ち度 ★★★ 文字入力 2021 2019 2016

変換候補が多い場合にまとめて表示するには

A [Tab]キーで変換候補を複数列に表示できます。

変換候補が多い場合、変換候補の右下角に表示されている[⊡]をクリックするか、[Tab]キーを押すと複数列で表示でき、[↑][↓][→][←]キーで変換候補を選択できます。また、[⊡]をクリックするか、[Tab]キーを押すと表示が戻ります。

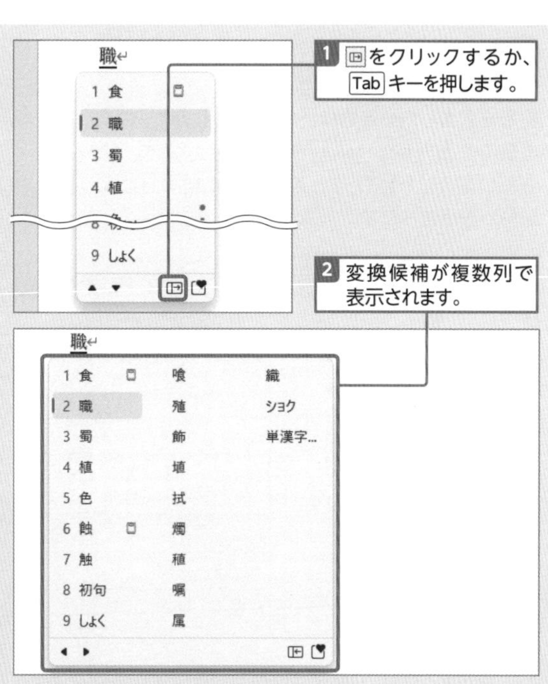

Q108 お役立ち度 ★★★ 文字入力

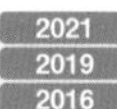

確定した文字を再変換するには

A [変換] キーを押します。

確定した文字を再度変換するには、再変換したい文字にカーソルを移動し、[変換] キーを押します。また、再変換したい文字内で右クリックすると表示されるメニューの上部に変換候補が表示されます。一覧から漢字をクリックして選択することもできます。

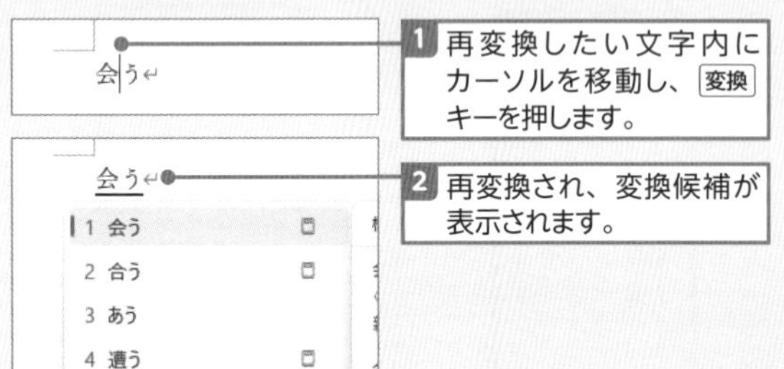

会う
1 再変換したい文字内にカーソルを移動し、[変換] キーを押します。
会う
1 会う
2 合う
3 あう
4 遭う
2 再変換され、変換候補が表示されます。

Q109 お役立ち度 ★★★ 文字入力 2021 2019 2016

カタカナに変換するには

A [Space] キーで変換するか、[F7] キーを押します。

カタカナに変換する場合も、[Space] キーを押します。一般的なカタカナの単語はすぐにカタカナに変換できます。また、[F7] キーを押してもカタカナ変換できます（Q114）。

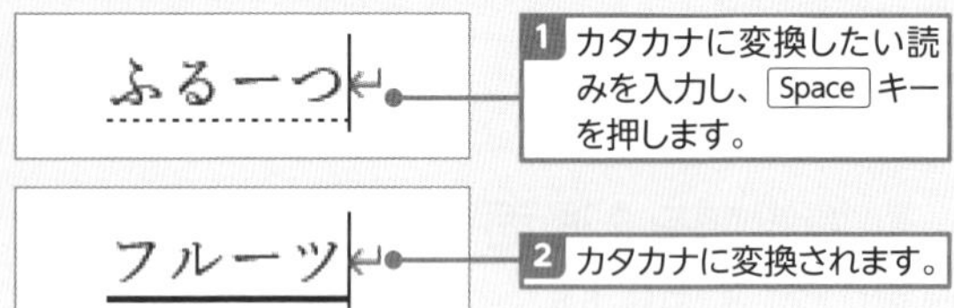

ふるーつ
1 カタカナに変換したい読みを入力し、[Space] キーを押します。
フルーツ
2 カタカナに変換されます。

Q110 お役立ち度 ★★★ 文字入力 2021 2019 2016

「●」や「□」などの記号に変換するには

A 「まる」など記号の読みを入力して [Space] キーで変換します。

記号を入力したいときは、「まる」や「しかく」のように記号の読みを入力して [Space] キーで変換します。読みがわからない場合は「きごう」と入力して変換するとより多くの記号が表示されます。

読み	主な記号
まる	● ◎ ○
しかく	■ □ ◇ ◆
さんかく	△ ▽ ▲ ▼
ほし	★ ☆ ※ ☆彡
かっこ	「」 [] () 【】
やじるし	← → ↑ ↓
から	～
こめ	※
ゆうびん	〒
でんわ	℡

読み	主な記号
かぶ	㈱ ㍿
たんい	℃ kg ㎎ ㎞ ㎝
てん	： ； ・ ， … 、
すうじ	Ⅰ～Ⅹ ⅰ～ⅹ ①～⑳
おなじ	〃 々 ゞ 仝
かける	×
わる	÷

Q111 お役立ち度 ★★★ 文字入力 2021 2019 2016

英単語に変換するには

A [Space] キーを押します。

一般的な英単語であれば、ひらがなで英語の読みを入力して変換できます。

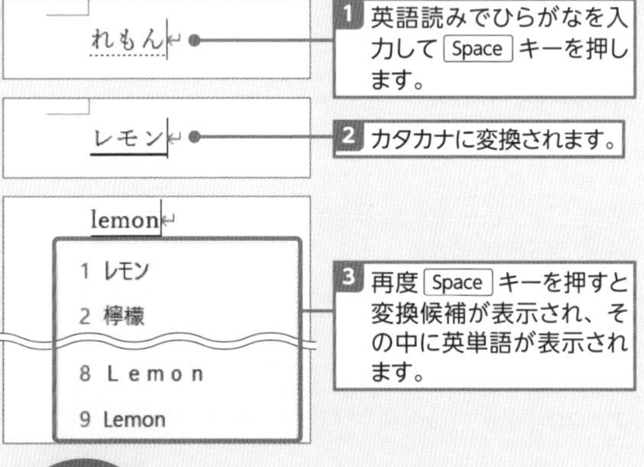

おトクな情報 省略形の単語も変換される

「パソコン」や「デジカメ」のような一般的なカタカナの用語の場合、[Space] キーで変換すると「personal computer」「digital camera」のように正しい綴りに変換されます。

Q 112 お役立ち度 ★★★ 文字入力 2021 2019 2016

絵文字や読みがわからない記号を入力するには

A [記号と特殊文字] ダイアログを利用します。

[記号と特殊文字] ダイアログを表示すると、さまざまな種類の記号の一覧から選択して入力できます。

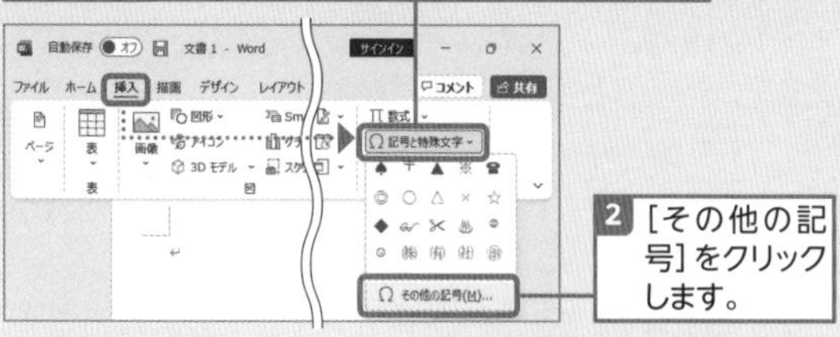
1 [挿入] タブ→ [記号と特殊文字] をクリックします。
2 [その他の記号] をクリックします。

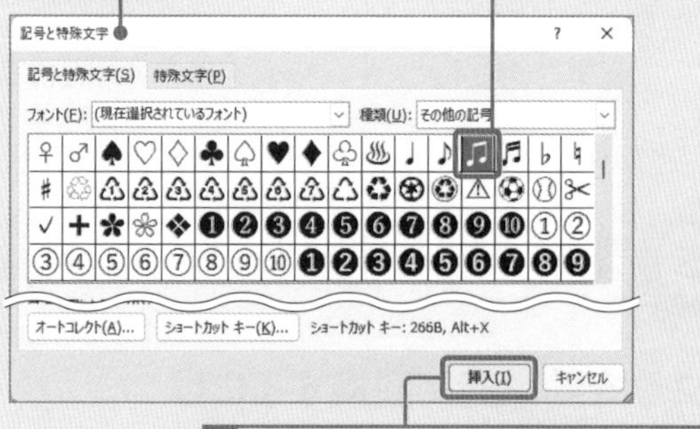
3 [記号と特殊文字] ダイアログが表示されます。
4 使用したい記号をクリックします。
5 [挿入] をクリックして文書内に挿入します。

Q 114 お役立ち度 ★★★ 文字入力 2021 2019 2016

ファンクションキーでひらがなやカタカナに変換するには

A F6、F7、F8キーを押します。

ファンクションキーのF6、F7、F8キーを押すと、変換途中の読みをそれぞれひらがな、全角カタカナ、半角カタカナに変換できます。下表のようにキーを押すごとにカタカナ、ひらがな交じりに変換されます。

全角ひらがな変換	ばなな ➡ F6 ➡ バなな ➡ F6 ➡ バナな
全角カタカナ変換	バナナ ➡ F7 ➡ バナな ➡ F7 ➡ バなな
半角カタカナ変換	ﾊﾞﾅﾅ ➡ F8 ➡ ﾊﾞﾅな ➡ F8 ➡ ﾊﾞなな

Q 113 お役立ち度 ★★★ 文字入力 2021 2019 2016

郵便番号を住所に変換するには

A 郵便番号を入力してSpaceキーで変換します。

郵便番号から住所に変換できます。例えば、「106-0032」と入力してSpaceキーを2回押すと、変換候補が表示され、その中に「東京都港区六本木」と住所が表示されます。なお、半角英数モードのときは変換キーで変換できます。

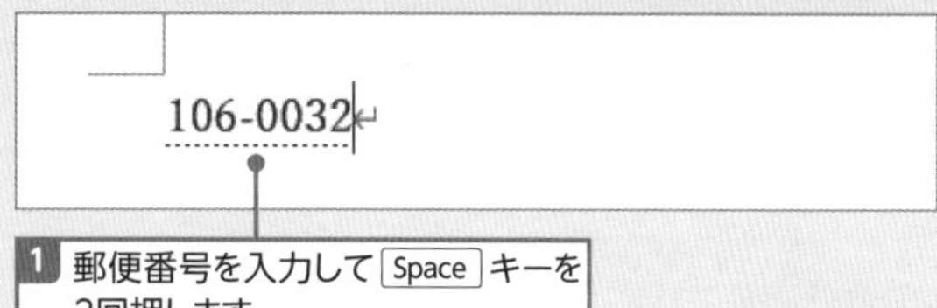
106-0032
1 郵便番号を入力してSpaceキーを2回押します。

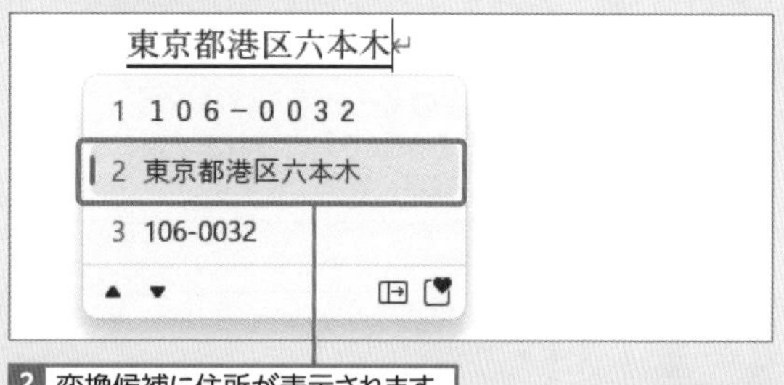
東京都港区六本木
1 106-0032
2 東京都港区六本木
3 106-0032

2 変換候補に住所が表示されます。

Q 115 お役立ち度 ★★★ 文字入力 2021 2019 2016

顔文字に変換するには

A 「かお」と入力してSpaceキーで変換します。

「かお」と入力してSpaceキーを2回押して変換候補を表示すると、さまざまな顔文字が表示されます。

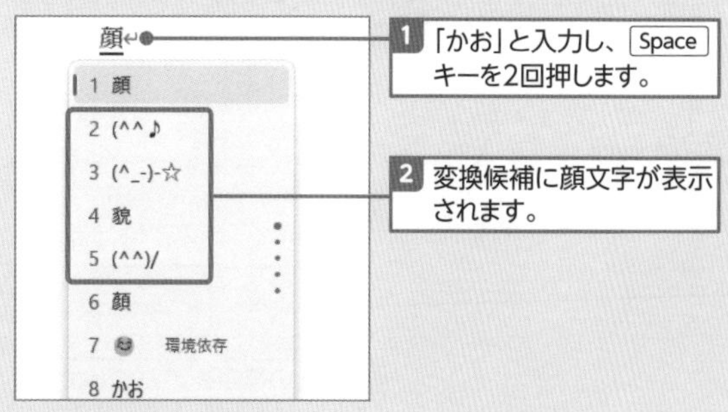
顔
1 顔
2 (^^♪
3 (^_-)-☆
4 貌
5 (^^)/
6 顔
7 環境依存
8 かお
1 「かお」と入力し、Spaceキーを2回押します。
2 変換候補に顔文字が表示されます。

Q116 お役立ち度 ★★★ 文字入力

2021 2019 2016

ファンクションキーで英数字に変換するには

A F9、F10キーを押します。

ファンクションキーのF9、F10キーを押すと、変換途中の読みをそれぞれ全角英数、半角英数に変換できます。下表のようにキーを押すごとに小文字、大文字、頭文字のみ大文字に変換されます。

全角英数字変換	ｔｏｋｙｏ ➡ F9 ➡ ＴＯＫＹＯ ➡ F9 ➡ Ｔｏｋｙｏ
半角英数字変換	tokyo ➡ F10 ➡ TOKYO ➡ F10 ➡ Tokyo

おトクな情報 かな入力でも英数変換できる

かな入力の場合、英字のキーを「TOKYO」とタイプすると「からのんら」とひらがなで入力されますが、F9、F10キーを押せば、英数字に変換できます。

Q117 お役立ち度 ★★★ 文字入力

2021 2019 2016

「①」のような丸囲み数字を入力するには

A 数字を入力してSpaceキーで変換します。

丸囲み数字を入力するには、半角英数モード以外で数字を入力し、Spaceキーで変換します。①～㊿まで変換できます。なお、この方法で変換できるのは50までです。51以降の数字を丸囲みしたい場合は、囲い文字の書式を設定します（Q197）。

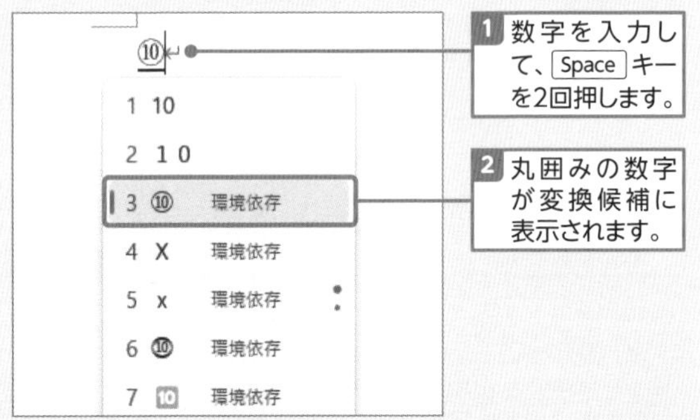

Q118 お役立ち度 ★★★ 文字入力

2021 2019 2016

選択した文字列の文字種を変更するには

A ［ホーム］タブ→［文字種の変換］で文字種を選択します。

文字列の確定後に文字種を変更したい場合は、［ホーム］タブの［文字種の変換］を使うと便利です。表示される一覧から変換したい文字種を選択するだけで簡単に変更できます。

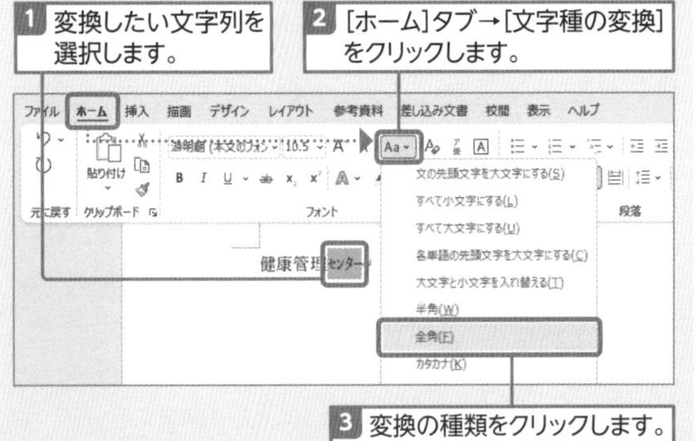

Q119 お役立ち度 ★★★ 文字入力

2021 2019 2016

文章を効率的に変換するには

A 文節単位で変換します。

文章は文節単位で変換すると、単語単位で変換する場合より正確に変換されやすいため、効率的に入力できます。文節とは、文章を意味がわかる程度に区切った言葉の単位です。例えば、「私は来年留学する」の場合、「私はね来年ね留学するよ」のように、「ね」や「よ」などの言葉を挟んで区切ることができる単位です。

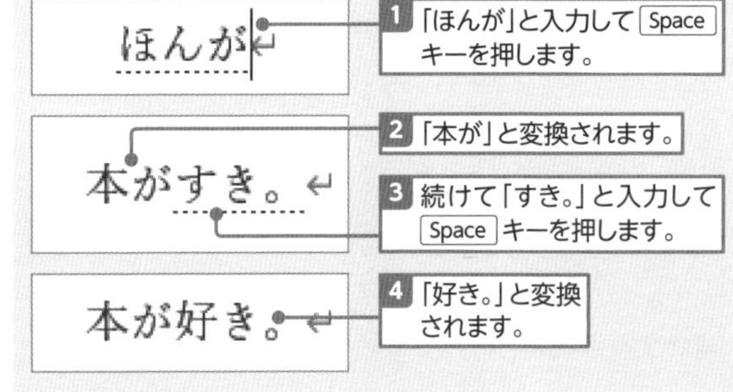

ほんが
1 「ほんが」と入力してSpaceキーを押します。
本がすき。
2 「本が」と変換されます。
3 続けて「すき。」と入力してSpaceキーを押します。
本が好き。
4 「好き。」と変換されます。

Q 120 お役立ち度 ★★★ 文字入力 2021 2019 2016

一括変換したときに文節ごとに変換し直したい!

A →、←キーで文節を移動しながら変換します。

文章をまとめて変換することを一括変換といいます。一括変換して正しく変換できていればそのままEnterキーで確定しますが、正しくない場合は←、→キーで変換対象となる文節を移動し、Spaceキーで変換します。ここでは、「私は公園に行く。」の文節を移動して「私は講演に行く。」に変換します。

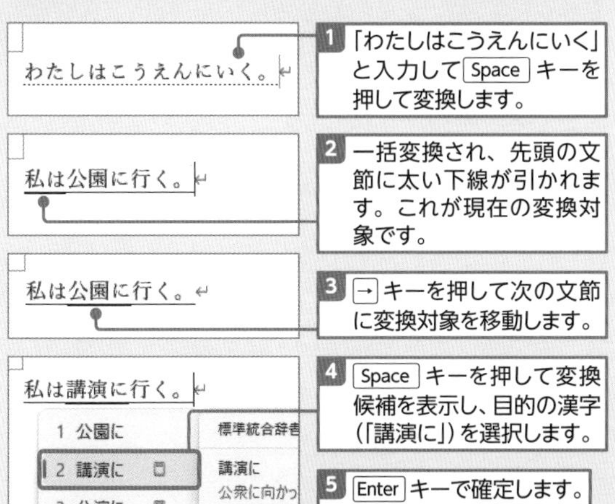

1 「わたしはこうえんにいく」と入力してSpaceキーを押して変換します。

2 一括変換され、先頭の文節に太い下線が引かれます。これが現在の変換対象です。

3 →キーを押して次の文節に変換対象を移動します。

4 Spaceキーを押して変換候補を表示し、目的の漢字(「講演に」)を選択します。

5 Enterキーで確定します。

Q 121 お役立ち度 ★★★ 文字入力 2021 2019 2016

文節の長さを調整するには

A Shift＋→／←キーを押します。

文節の区切りが間違っていて、正しく変換されていない場合は、Shiftを押しながら→←キーを押して正しい文節の長さに修正し、変換し直します。ここでは、「私は寝る」を文節の長さを調整して「私跳ねる」に変換し直します。

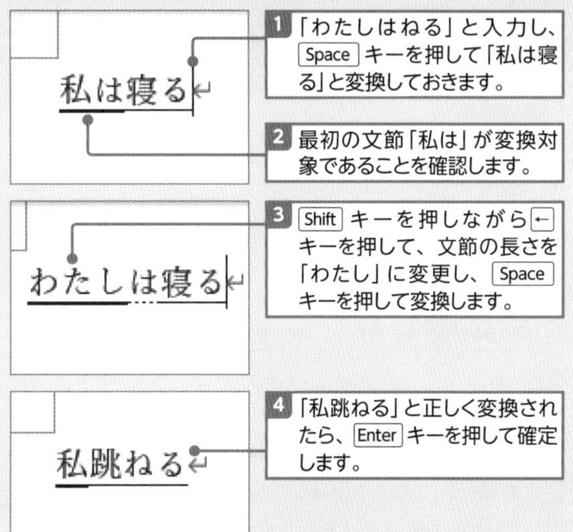

1 「わたしはねる」と入力し、Spaceキーを押して「私は寝る」と変換しておきます。

2 最初の文節「私は」が変換対象であることを確認します。

3 Shiftキーを押しながら←キーを押して、文節の長さを「わたし」に変更し、Spaceキーを押して変換します。

4 「私跳ねる」と正しく変換されたら、Enterキーを押して確定します。

Q 122 お役立ち度 ★★★ 文字入力 2021 2019 2016

単語を登録するには

A [単語の登録] ダイアログで登録できます。

読みが難しい名前や会社名などは、[単語の登録] ダイアログを利用して単語登録しておくとスムーズに変換できて便利です。登録した単語は、Microsoft IMEユーザー辞書ツールによって管理されるため、Word以外のソフトでも使えます。

なお、[単語の登録] ダイアログは、タスクバーのIME表示(「あ」)を右クリックして表示されるメニューで[単語の追加] をクリックして表示できます。

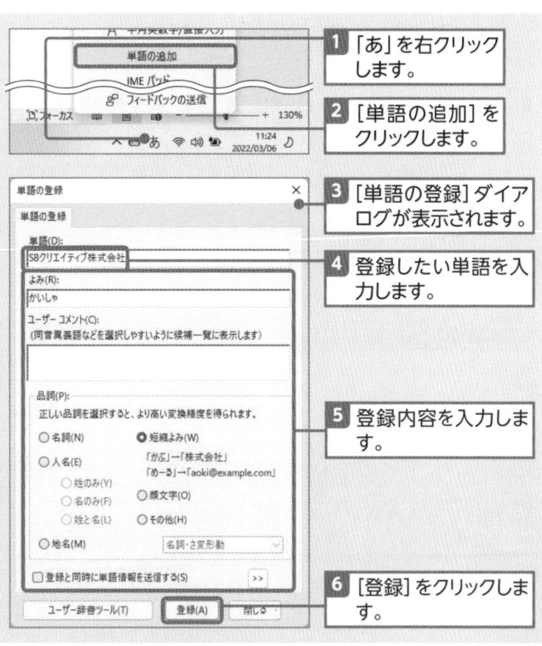

1 「あ」を右クリックします。

2 [単語の追加] をクリックします。

3 [単語の登録] ダイアログが表示されます。

4 登録したい単語を入力します。

5 登録内容を入力します。

6 [登録] をクリックします。

Q123 お役立ち度 ★★★ 文字入力

登録した単語を削除するには

A [Microsoft IME ユーザー辞書ツール] ダイアログで削除します。

[Microsoft IME ユーザー辞書ツール] ダイアログで登録した単語の削除や修正ができます。なお、[Microsoft IME ユーザー辞書ツール] ダイアログは、[単語の登録] ダイアログの [ユーザー辞書ツール] ボタンをクリックして表示します。

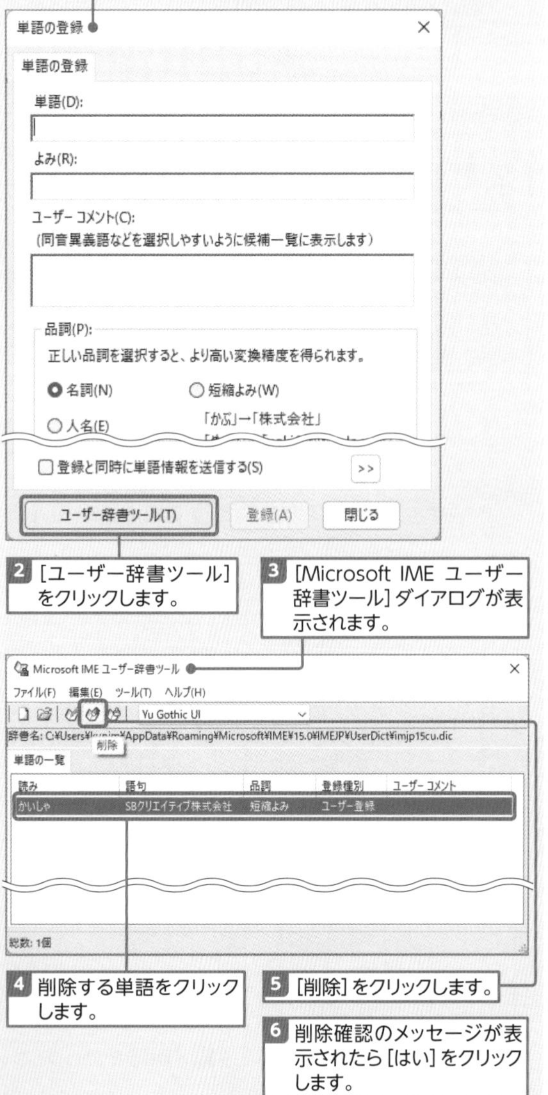

Q124 お役立ち度 ★★★ 文字入力

読めない漢字を入力するには

A [IMEパッド] を利用します。

読みがわからない漢字を入力したい場合、[IMEパッド] を利用して目的の漢字を検索します。検索の方法には、手書き、画数、文字一覧、部首があります。探しやすい方法を使って検索しましょう。[IMEパッド] は表示したまま、カーソル移動や、文字入力など編集作業が行えますが、あらかじめ入力する位置にカーソルを移動してから、[IMEパッド] を表示するといいでしょう。

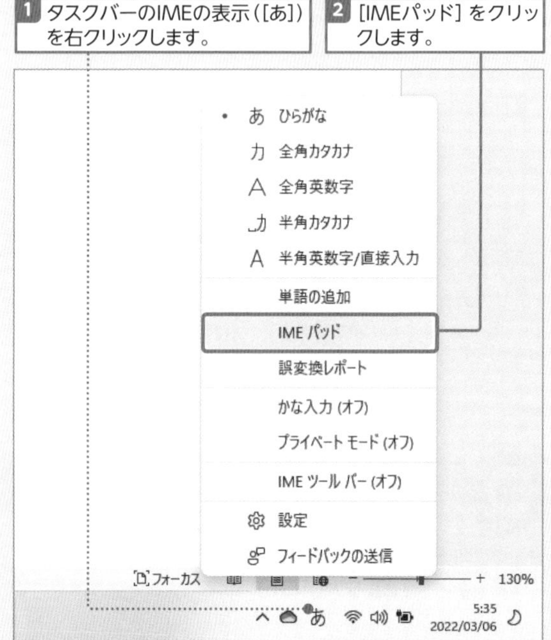

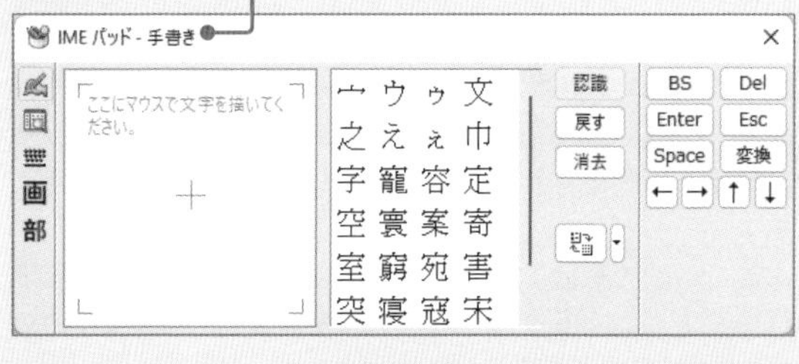

Q125 お役立ち度 ★★★ 文字入力 2021 2019 2016

漢字を手書きで探すには

A [IMEパッド] の手書きアプレットを使います。

漢字は書けるけど、読みがわからないという場合は、[IMEパッド] の手書きアプレットを使い、ドラッグで漢字を書いて検索できます。

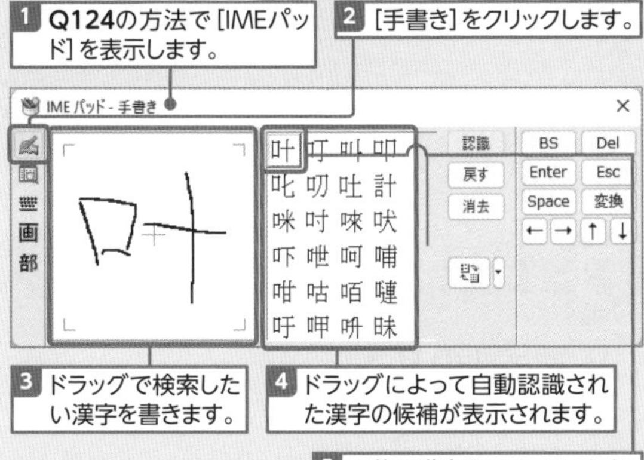

Q126 お役立ち度 ★★★ 文字入力 2021 2019 2016

画数から漢字を探すには

A [IMEパッド] の総画数アプレットで検索します。

総画数アプレットを利用すれば、漢字の総画数で検索できます。総画数ごとに漢字がまとめられているので、目的の漢字の総画数を指定して一覧から漢字を探します。

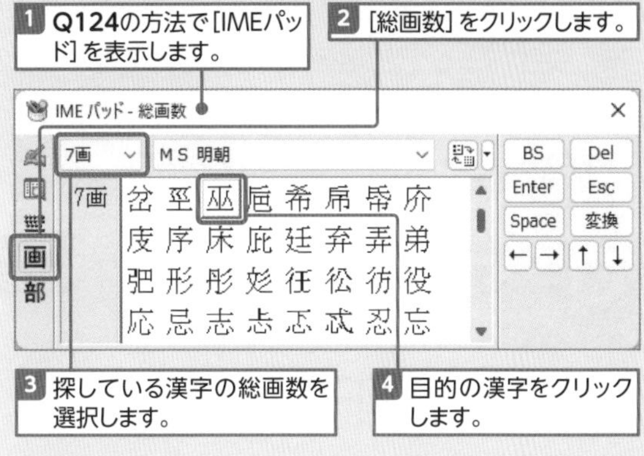

Q127 お役立ち度 ★★★ 文字入力 2021 2019 2016

部首から漢字を探すには

A [IMEパッド] の部首一覧アプレットで検索します。

部首一覧アプレットを使うと、部首から漢字を検索できます。指定した画数の部首から一覧が検索できるので、その中から漢字を探します。

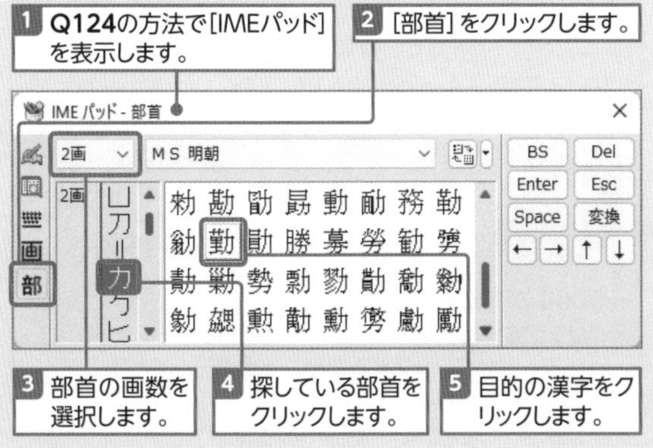

Q128 お役立ち度 ★★★ 文字入力 2021 2019 2016

外国語の文字を探すには

A [IMEパッド] の文字一覧アプレットから文字を探します。

キーボードにない外国語の文字を入力するには、文字一覧アプレットを利用しましょう。外国語や記号などさまざまな文字がカテゴリー別に整理されています。

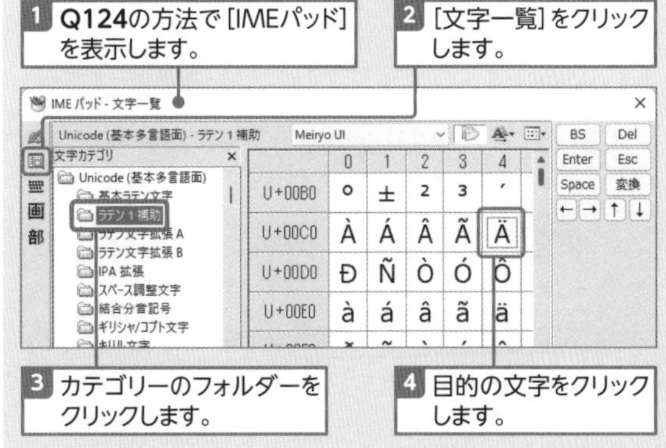

1 Q124の方法で [IMEパッド] を表示します。
2 [文字一覧] をクリックします。
IME パッド - 文字一覧
3 カテゴリーのフォルダーをクリックします。
4 目的の文字をクリックします。

Q129 お役立ち度 ★★★ 文字入力 2021 2019 2016

キーボードを表示してクリックで文字入力するには

A [IMEパッド] のソフトキーボードを利用します。

[IMEパッド] のソフトキーボードを表示すると、画面上に表示される擬似キーボードを使って文字を入力できます。

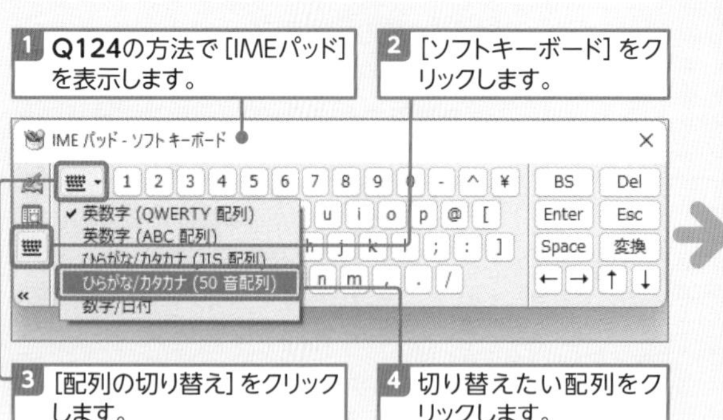

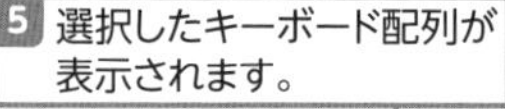

5 選択したキーボード配列が表示されます。

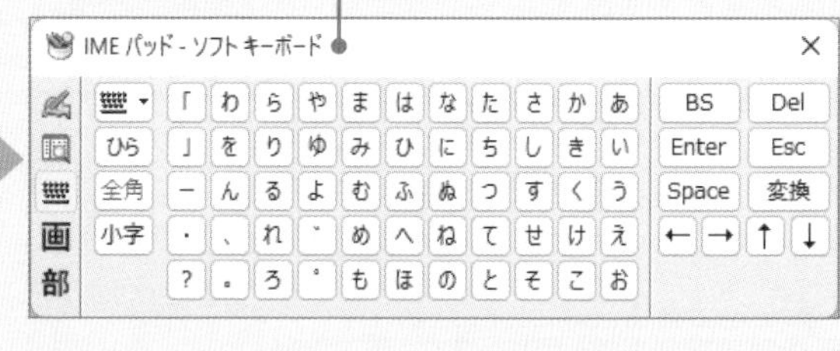

Q130 お役立ち度 ★★★ 文字入力 2021 2019 2016

文字を削除するには

A Delete キー、BackSpace キーで削除します。

Delete キーでカーソルより右の文字、BackSpace キーでカーソルより左の文字を1文字ずつ削除できます。複数の文字をまとめて削除するには、削除する範囲を選択し、Delete キーまたは BackSpace キーを押します。

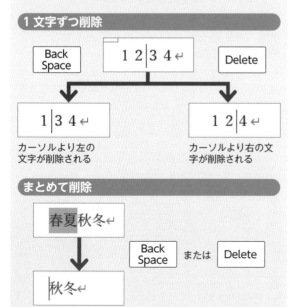

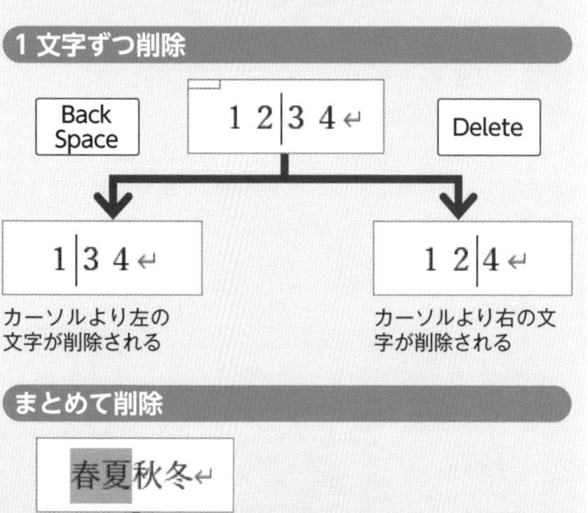

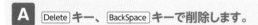

Q131 お役立ち度 ★★★ 文字入力 2021 2019 2016

文字が別の文字に置き換わってしまう!

A 上書きモードになっています。

文字入力には、カーソルのある位置に文字が挿入される「挿入モード」とカーソルより右側（後ろ）の文字が上書きされる「上書きモード」があります。Wordの初期設定は挿入モードです。文字が別の文字に置き換わってしまう場合は、上書きモードになっているので、Insert キーを押して挿入モードに切り替えてください。

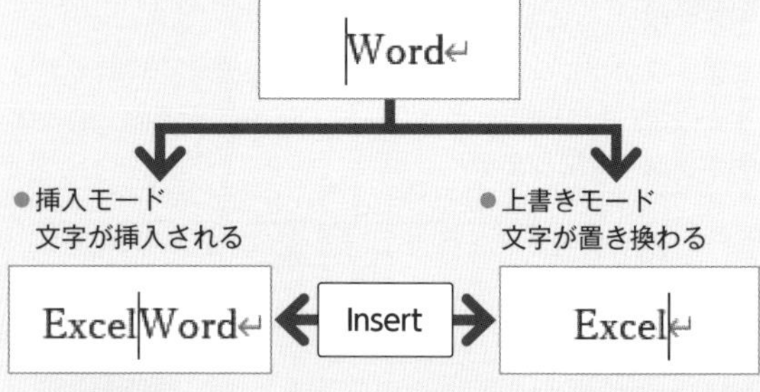

おトクな情報 ステータスバーで上書きモードと挿入モードを切り替える

Q064の手順で表示されるメニューで [上書き入力] をクリックするとステータスバーに現在のモードが表示され、モードをクリックするごとに上書きモードと挿入モードを切り替えられるようになります。

Q132 分数などの数式を入力するには

お役立ち度 ★★★ 文字入力 2021 2019 2016

A 数式ツールを使用します。

文書の中に数式を入力するには数式ツールを使用します。表示されるコンテキストタブの［数式］タブで、分数、ルート、積分などを使用した数式が入力できます。「×」や「＝」などの演算記号は、［記号と特殊文字］グループにあるボタンをクリックして入力します。

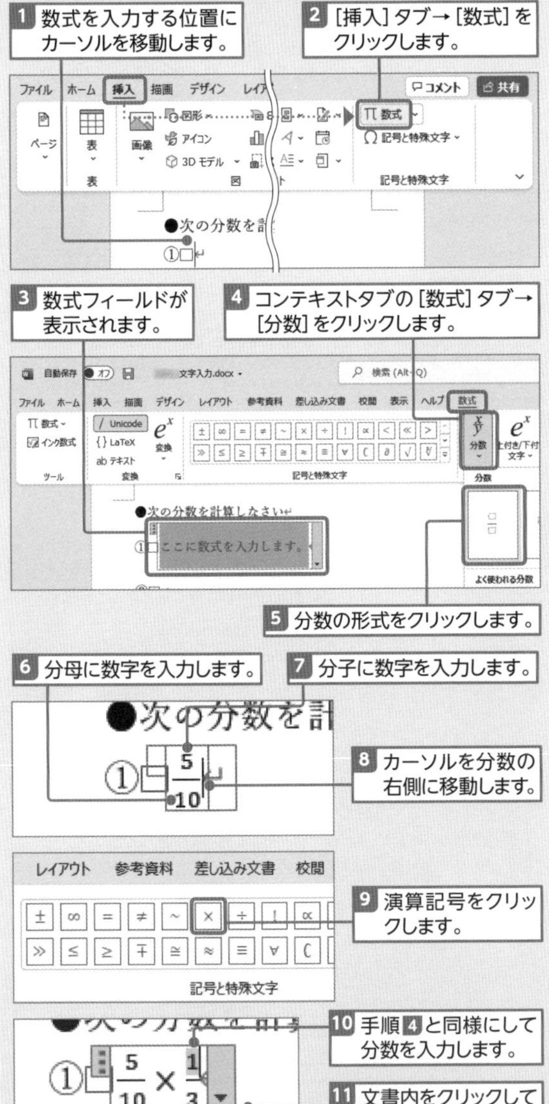

6 分母に数字を入力します。
7 分子に数字を入力します。
8 カーソルを分数の右側に移動します。

10 手順4と同様にして分数を入力します。
11 文書内をクリックして数式を確定します。

Q133 数式を手入力できるの？

お役立ち度 ★★★ 文字入力 2021 2019 2016

A ［数式入力コントロール］ダイアログを利用します。

［数式入力コントロール］ダイアログでは、鉛筆で書くような感覚で、数式をドラッグで書いて入力できます。修正したい場合は、［消去］をクリックして1画ずつ消去するか、［クリア］をクリックして全消去します。また、［選択と修正］をクリックして修正したい文字をクリックすると、修正候補が表示されます。［挿入］で数式を文書に挿入した後で修正したい場合は、**Q132**の数式ツールを使って編集します。

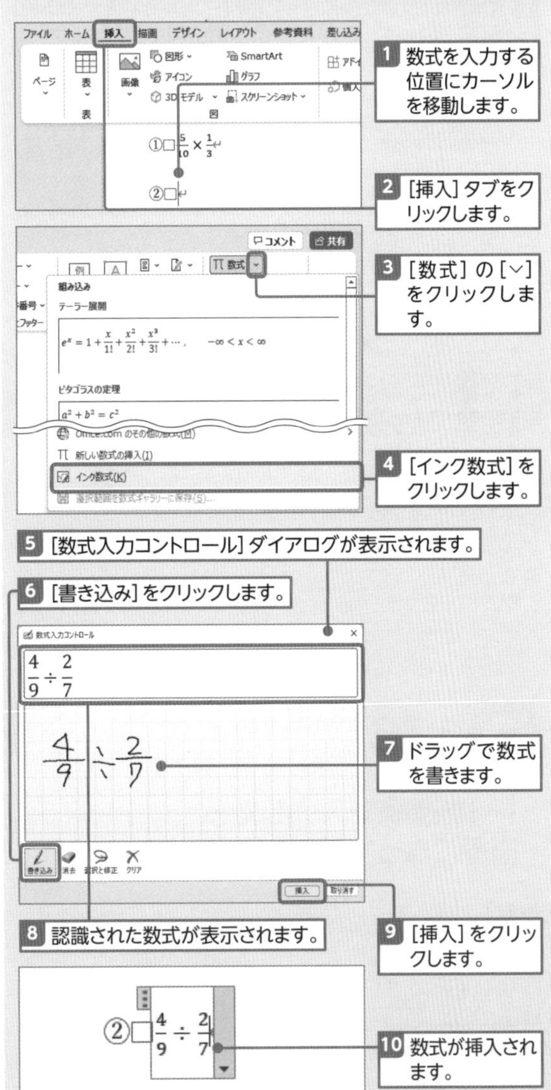

1 数式を入力する位置にカーソルを移動します。
2 ［挿入］タブをクリックします。
3 ［数式］の［∨］をクリックします。
4 ［インク数式］をクリックします。
5 ［数式入力コントロール］ダイアログが表示されます。
6 ［書き込み］をクリックします。
7 ドラッグで数式を書きます。
8 認識された数式が表示されます。
9 ［挿入］をクリックします。
10 数式が挿入されます。

Q134 お役立ち度 ★★★ 文字入力

2021 2019 2016

「the」と入力すると「The」に変換されてしまう!

A オートコレクトによる機能です。

英単語を入力したときに頭文字だけ大文字に変換されてしまうことがあります。これはオートコレクト機能によるものです。元に戻すには、変換された直後に、[ホーム]タブ(Word 2019/2016ではクイックアクセスツールバー)の[元に戻す]をクリックするか、Ctrl+Zキーを押して取り消します。または、手順のようにメニューから取り消すこともできます。

1 変換された文字に表示されるここをクリックします。

2 [元に戻す－大文字の自動設定]をクリックします。

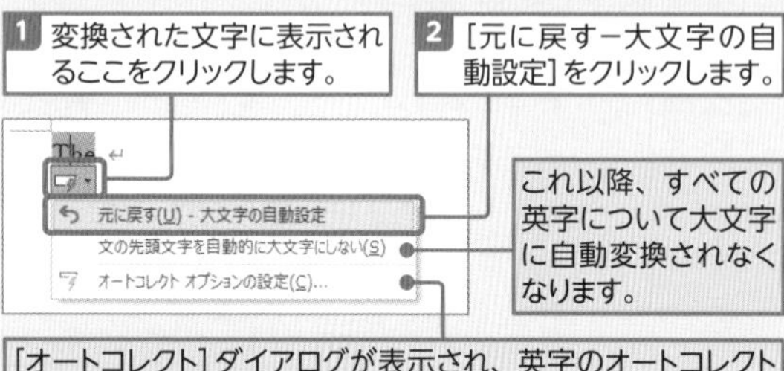

これ以降、すべての英字について大文字に自動変換されなくなります。

[オートコレクト]ダイアログが表示され、英字のオートコレクトの設定の確認と変更ができます。

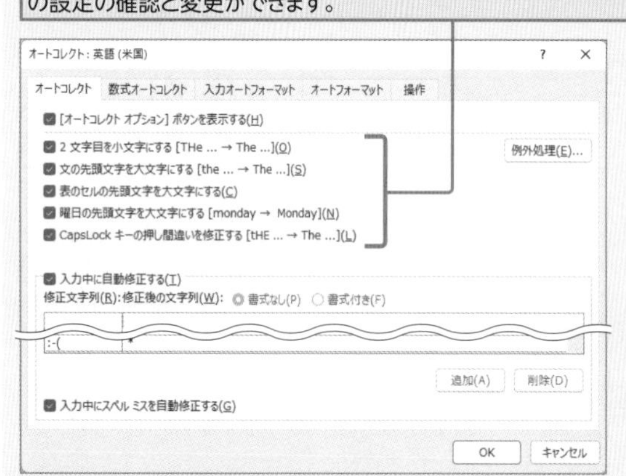

Q135 お役立ち度 ★★★ 文字入力

2021 2019 2016

「" "」と入力したいのに「“ ”」と表示されてしまう!

A 入力オートフォーマットによる機能です。

入力オートフォーマットの初期設定では、「" "」や「' '」と入力すると、自動的に「“ ”」や「‘ ’」のように左右で向きが異なるように変換されます。この設定を解除するには、[オートコレクト]ダイアログの[入力オートフォーマット]タブで[左右の区別がない引用符を、区別がある引用符に変更する]のチェックを外します。

1 Q027の方法で[Wordのオプション]ダイアログを表示します。

2 [文章校正]→[オートコレクトのオプション]をクリックします。

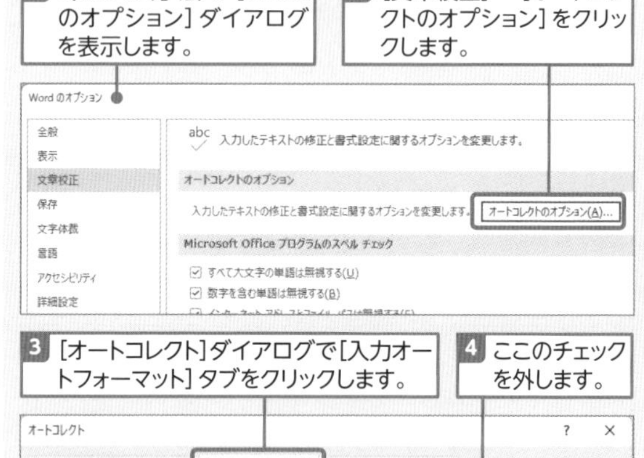

3 [オートコレクト]ダイアログで[入力オートフォーマット]タブをクリックします。

4 ここのチェックを外します。

Q136 お役立ち度 ★★★ 文字入力

2021 2019 2016

「－」を連続で入力したら直線になってしまう!

A 入力オートフォーマットによる機能です

「－」(ハイフン)や「＝」(イコール)などの記号を3つ以上連続して入力し、Enterキーを押すとページの横幅いっぱいに横罫線が自動で引かれます。これも入力オートフォーマットによる機能です(Q237)。不要な場合は、直後にBackSpaceキーを押すか、[ホーム]タブ(Word 2019/2016ではクイックアクセスツールバー)の[元に戻す]をクリックするか、Ctrl+Zキーを押して解除します。

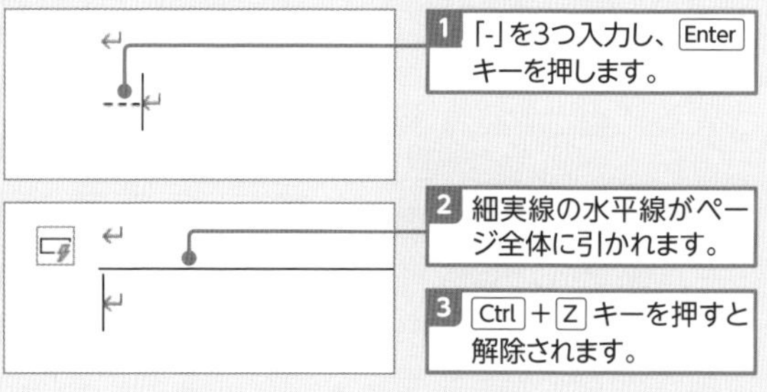

1 「-」を3つ入力し、Enterキーを押します。
2 細実線の水平線がページ全体に引かれます。
3 Ctrl+Zキーを押すと解除されます。

お役立ち度 ★★★ 文字入力 2021 2019 2016

今日の日付を素早く入力したい!

A 今年の年や元号を入力するだけで簡単に入力できます。

入力モードが あ（ひらがな）の状態で「2022/」や「令和」のように現在の年や元号を入力して確定すると、今日の日付がポップアップヒントで表示されます。Enter キーを押すと、今日の日付が自動的に入力できます。西暦の場合は、「2022/」のように「/」を含めて入力します。

Q138 お役立ち度 ★★★ 文字入力 2021 2019 2016

改行すると連番や記号が自動で表示される!

A 入力オートフォーマットによる機能です。

例えば「1.Word」と入力して改行すると、次の行に「2.」と自動で入力されます。同様に「●日時」を入力して改行すると、次の行に「●」と同じ記号が自動で入力されます。これは、入力オートフォーマットによる箇条書きの機能です（**Q228**）。不要な場合は、直後に［ホーム］タブ（Word 2019/2016ではクイックアクセスツールバー）の［元に戻す］をクリックするか、Ctrl ＋ Z キーで戻します。この設定を解除するには、**Q135**のように［オートコレクト］ダイアログの［入力オートフォーマット］タブで［箇条書き（段落番号）］［箇条書き（行頭文字）］のチェックを外します。

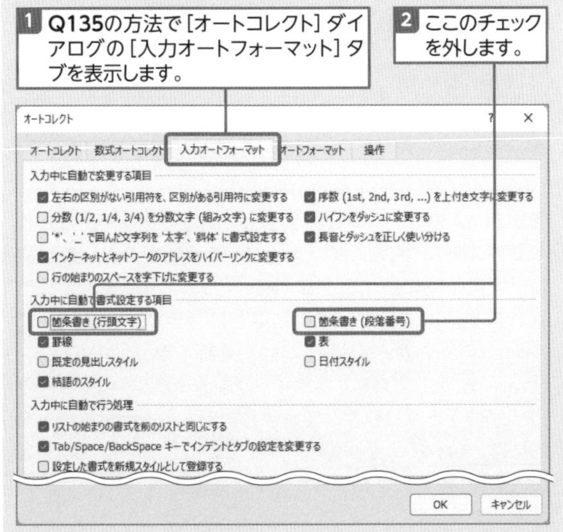

Q139 お役立ち度 ★★★ 文字入力 2021 2019 2016

メールアドレスを入力するとハイパーリンクが設定されてしまう!

A 入力オートフォーマットによる機能です。

入力オートフォーマットの初期設定により、メールアドレスやURLを入力して Space キーや Enter キーを押すと、自動的にハイパーリンクが設定されます。ハイパーリンクが不要な場合は、BackSpace キーまたは Ctrl ＋ Z キーを押すか、［ホーム］タブ（Word 2019/2016ではクイックアクセスツールバー）の［元に戻す］ボタンをクリックして解除します。この設定が不要な場合は、［オートコレクト］ダイアログの［入力オートフォーマット］タブで［インターネットとネットワークのアドレスをハイパーリンクに変更する］のチェックを外します。

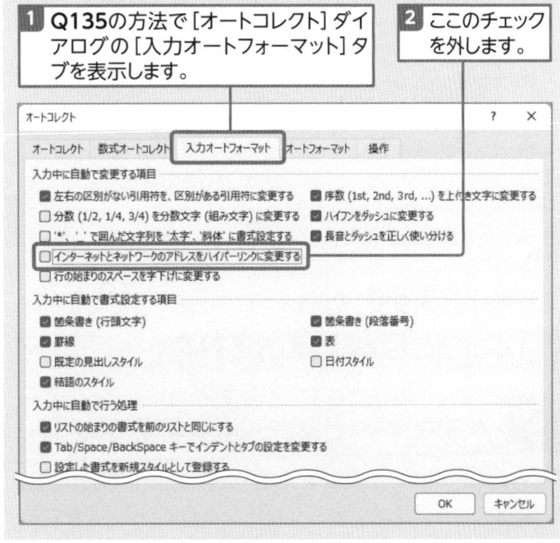

Q140 お役立ち度 ★★★ 文字入力 2021 2019 2016

自動で更新される今日の日付を入力するには

A [日付と時刻] ダイアログで[自動的に更新する] をオンにします。

文書を開くたびに日付が自動更新されるようにするには、[日付と時刻] ダイアログで[自動的に更新する] をオンにして日付を入力します。[日付と時刻] ダイアログを使うと、西暦、和暦などさまざまな表示形式の中から日付を選択して入力できます。

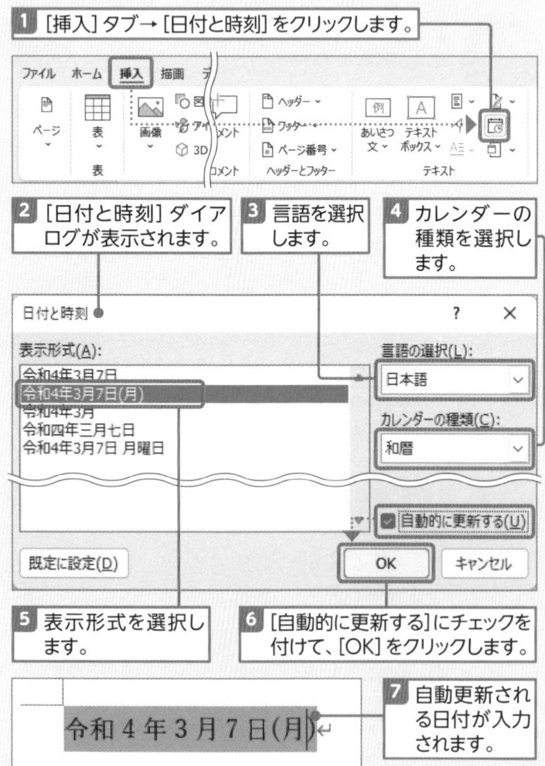

Q141 お役立ち度 ★★★ 文字入力 2021 2019 2016

「拝啓」と入力したら「敬具」と自動で表示された!

A 入力オートフォーマットによる機能です。

入力オートフォーマットの機能によって「拝啓」のような頭語を入力すると、対応する結語が自動で入力され、右寄せに配置されます。ビジネス文書や手紙を作成するときにはとても便利な機能です。不要な場合は、結語が入力された直後に BackSpace キーか、Ctrl + Z キーを押すか、[ホーム] タブ(Word 2019/2016ではクイックアクセスツールバー)で[元に戻す] をクリックします。この設定を解除するには[オートコレクト] ダイアログで[頭語に対応する結語を挿入する] のチェックを外します。

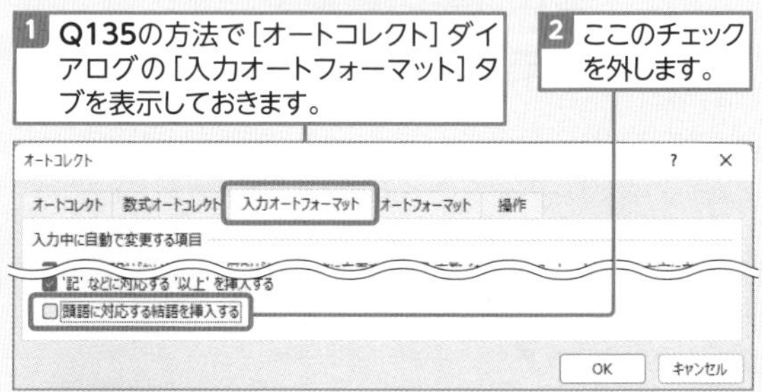

おトクな情報 頭語と結語

頭語とは「拝啓」のように手紙などの文書の最初に記述する決まり言葉です。また、結語とは文書の最後に記述する決まり言葉で「敬具」などがあります。頭語と結語は下表のようにセットになっています。

頭語と結語	文書の種類
拝啓　敬具	一般的な文書
前略　草々	前文を省略した文書
謹啓　謹白	改まった文書

Q142 お役立ち度 ★★★ 文字入力 2021 2019 2016

「記」と入力したら「以上」と自動で表示された!

A 入力オートフォーマットによる機能です。

文書内に箇条書きで連絡事項の要点をまとめる場合、「記」で始まり、箇条書きで要点を記述したら、「以上」で終わらせます。入力オートフォーマットではこの機能が用意されており、「記」と入力して Enter キーで確定すると、自動的に中央揃えになり、「以上」が自動入力されて右寄せで表示されます。この機能が不要な場合は、設定された直後に BackSpace キーか、Ctrl + Z キーを押すか、[ホーム] タブ(Word 2019/2016ではクイックアクセスツールバー)の[元に戻す] をクリックして解除します。この設定を解除するには、Q141 の手順2で['記' などに対応する '以上' を挿入する] のチェックを外してください。

Q143 お役立ち度 ★★★ 文字入力

2021 2019 2016

あいさつ文を簡単に入力したい!

A [あいさつ文] ダイアログが使えます。

ビジネス文書や手紙で頭語に続くあいさつ文では、季節の挨拶や感謝の言葉などを記述します。これを簡単に入力するには、[あいさつ文] ダイアログを使います。

1 [挿入] タブ→ [あいさつ文] → [あいさつ文の挿入] をクリックします。

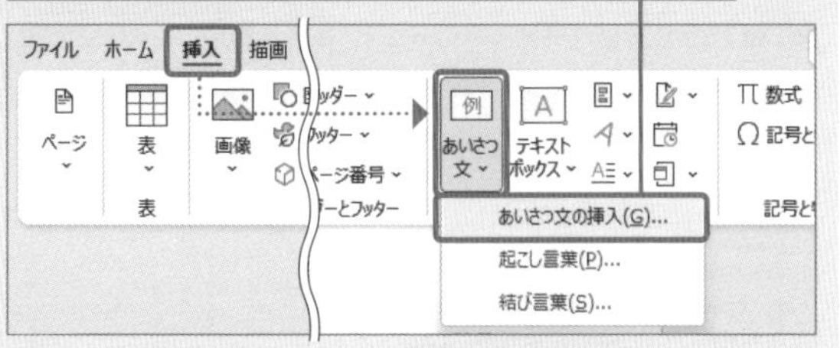

2 [あいさつ文] ダイアログが表示されます。

3 用途に合わせてあいさつ文を選択します。

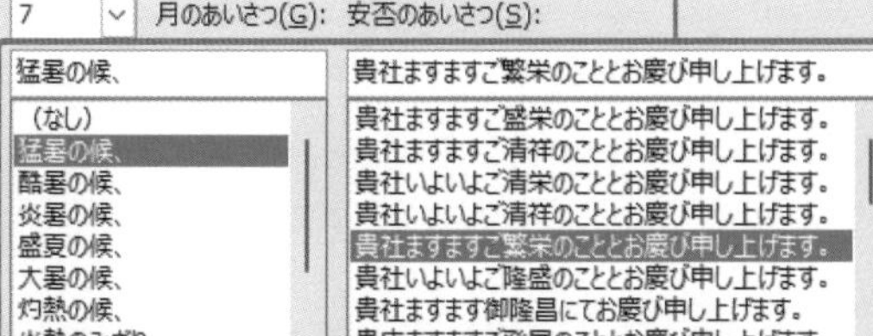

4 [OK] をクリックします。

5 あいさつ文が挿入されます。

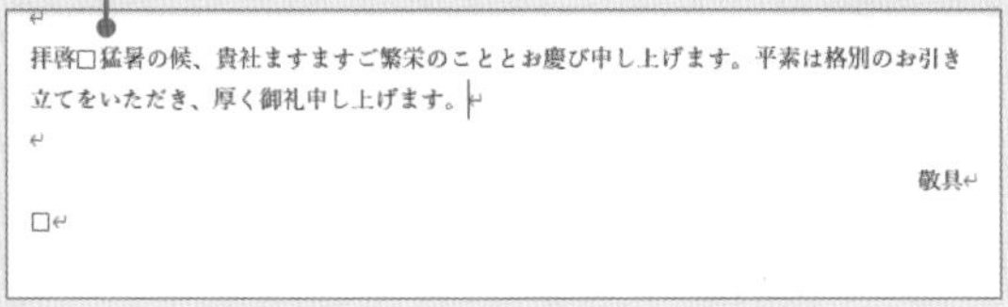

拝啓□猛暑の候、貴社ますますご繁栄のこととお慶び申し上げます。平素は格別のお引き立てをいただき、厚く御礼申し上げます。

敬具

□

Q144 お役立ち度 ★★★ 文字入力

2021 2019 2016

起こし言葉に何を使えばいいかわからない

A [起こし言葉] ダイアログが使えます。

あいさつ文に続く、主文の内容の書き出しには「さて」のような起こし言葉が入ります。[起こし言葉] ダイアログから文書の内容に合わせた言葉を選択できます。

1 Q143の手順**1**で [起こし言葉] を選択すると、[起こし言葉] ダイアログが表示されます。

2 起こし言葉を選択します。

3 [OK] をクリックします。

Q145 お役立ち度 ★★★ 文字入力

2021 2019 2016

結び言葉に何を使えばいいかわからない

A [結び言葉] ダイアログが使えます。

文書の最後に記述する結びの言葉もダイアログに用意されています。[結び言葉] ダイアログから文書の内容に合わせた言葉を選択できます。

1 Q143の手順**1**で [結び言葉] を選択すると、[結び言葉] ダイアログが表示されます。

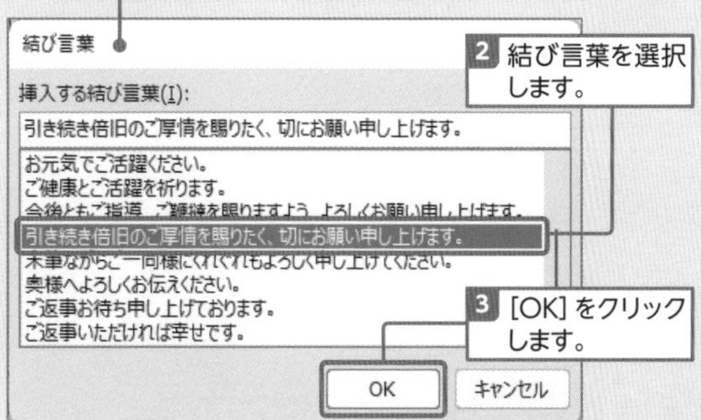

2 結び言葉を選択します。

3 [OK] をクリックします。

Q146 お役立ち度 ★★★ 文字入力

2021 2019 2016

「ショー」の「ョ」が行頭に来ないようにするには

A 禁則文字の設定を変更します。

行頭に促音「っ」や拗音「ゃ」「ゅ」「ょ」が来ないようにするには、[Wordのオプション] ダイアログで禁則文字の設定を変更します。

□私は、動物園や水族館に行くのが好きだ。とりわけ、イルカのショータイムを見るのが大好き。↵

1 「ョ」が行頭に来ています。

2 Q027の方法で [Wordのオプション] ダイアログを表示します。

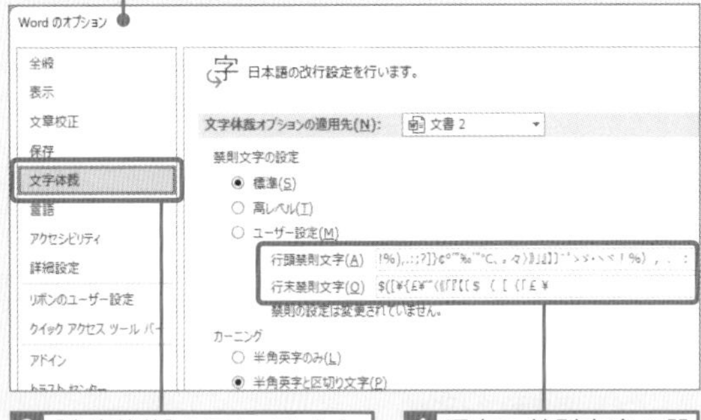

3 [文字体裁] をクリックします。

4 現在の禁則文字の設定が確認できます。

5 適用先の文書を選択します。

6 [高レベル]をクリックします。

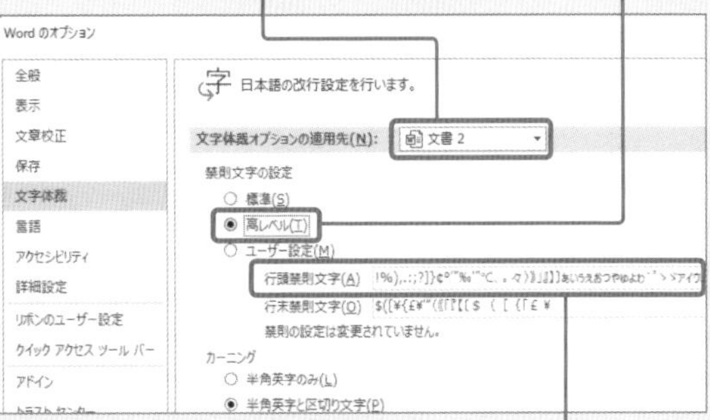

7 [行頭禁則文字] に「ョ」などの促音や拗音が追加されるのを確認して、[OK] をクリックします。

□私は、動物園や水族館に行くのが好きだ。とりわけ
ショータイムを見るのが大好き。↵

8 「ョ」が行頭に来ないように自動調整されます。

Q147 お役立ち度 ★★★ 文字入力

2021 2019 2016

オートコレクトで自動修正したい単語を登録するには

A [オートコレクト] ダイアログで追加できます。

オートコレクト機能には、綴りを間違えやすい単語がいくつか登録されています。そのため、間違えて入力しても自動修正されます。入力中に自動修正したい単語を追加することもできます。ここでは、「etc」を「etc.」と自動修正されるように登録する手順を例に説明します。

1 Q135の方法で [オートコレクト] ダイアログの [オートコレクト] タブを表示します。

2 [修正文字列] に修正する文字列を入力します。

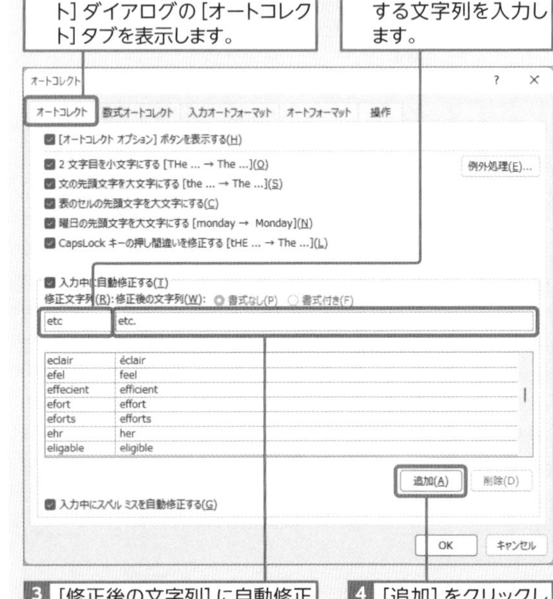

3 [修正後の文字列] に自動修正する文字列を入力します。

4 [追加] をクリックします。

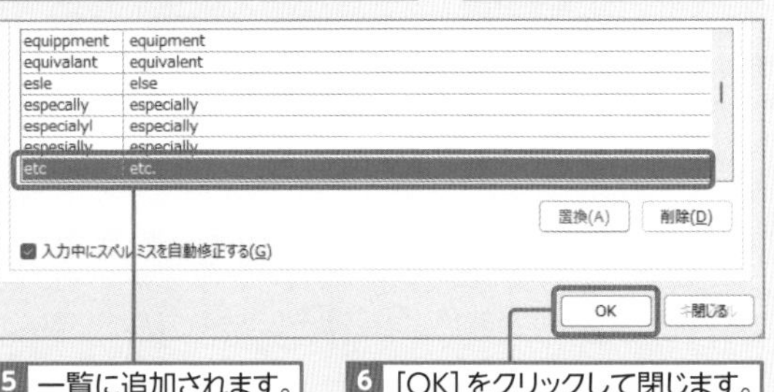

5 一覧に追加されます。

6 [OK] をクリックして閉じます。

おトクな情報　登録した単語を削除する

手順2で登録した単語を一覧で選択してから [削除] をクリックします。

Q148 お役立ち度 ★★★ カーソルの移動 2021 2019 2016

文字カーソルを移動するには

A クリックするか矢印キーを押します。

カーソルとは、文字の入力位置を示すものです。文字が入力されている場合は、マウスポインターの形が[I]の状態のときにクリックするか、→←↑↓キーで移動します。また、何も入力されていない空白の領域にマウスポインターを移動すると、の形に変化します。この時にダブルクリックすると、その位置にカーソルが移動します（**Q056**）。

拝啓　皆様にはます
厚く御礼申し上げま

1 カーソルを表示したい位置にマウスポインターを移動し、クリックします。

2 カーソルが移動します。

Q149 お役立ち度 ★★★ カーソルの移動 2021 2019 2016

キー操作で素早くカーソルを移動するには

A ショートカットキーを覚えると便利です。

文書内でカーソルを素早く移動するには、カーソル移動のショートカットキーを覚えておくと便利です。

ショートカットキー	移動先
Ctrl＋Home	文頭
Ctrl＋End	文末
Home	行頭
End	行末
PageUp	前ページ
PageDown	次ページ
Ctrl＋→、←	単語単位
Ctrl＋↑、↓	段落単位
Ctrl＋G	指定したページ

Q150 お役立ち度 ★★★ 範囲選択 2021 2019 2016

文字単位で選択するには

A ドラッグで簡単に選択できます。

文字のサイズや色を変更したり、太字などの書式を設定したりする場合は、対象となる文字を選択します。文字列はドラッグで選択するのが基本です。選択を解除するには、何も入力されていない空白の領域でクリックします。

健康通信□５月号
○○市□健康管理

1 選択したい文字列の先頭にマウスポインターを移動してクリックします。

2 選択したい最後の文字までドラッグします。

3 文字列が選択されます。

Q151 お役立ち度 ★★★ 範囲選択 2021 2019 2016

1文字ずつ選択を増やしたり減らしたりするには

A Shift＋→／←キーを押します。

Shift＋→／←キーを使えば、マウスに持ち替えることなく範囲選択できます。選択範囲を変更するのに便利です。なお、Shift＋↑／↓キーで行単位で範囲選択できます。

健康通信□５月号↵

1 Shift＋→ キーを押します。

2 選択範囲が1文字増えます。

● キー操作で範囲選択する方法

キー操作	選択範囲
Shift＋→、←	現在のカーソル位置から文字単位で選択
Shift＋↑、↓	現在のカーソル位置から行単位で選択
Shift＋Home	現在のカーソル位置から行頭まで選択
Shift＋End	現在のカーソル位置から行末まで選択
Shift＋Ctrl＋Home	現在のカーソル位置から文頭まで選択
Shift＋Ctrl＋End	現在のカーソル位置から文末まで選択
Ctrl＋A	文書全体を選択

Q152 お役立ち度 ★★★ 範囲選択

クリックだけで範囲選択するには

A 始点でクリック、終点でShiftキーを押しながらクリックします。

ドラッグでの範囲選択は便利ですが、広範囲になると多少選択しづらくなります。始点でクリック、終点でShiftキーを押しながらクリックすれば広範囲でも正確に選択できます。

1 始点でクリックしてカーソルを表示します。

2 終点でShiftキーを押しながらクリックします。

発酵食品で免疫力強化！□「腸活」

3 始点から終点までが範囲選択されます。

発酵食品で免疫力強化！□「腸活」

Q153 お役立ち度 ★★★ 範囲選択

単語単位で選択するには

A 単語の上でダブルクリックします。

単語だけを選択する場合は、単語の上でダブルクリックします。単語を別の漢字に再変換したいとき、別の単語に書き換えたいときなどに便利です。

1 選択したい単語の上でダブルクリックします。

定期清掃のお知らせ

2 その単語のみ選択されます。

定期清掃のお知らせ

Q154 お役立ち度 ★★★ 範囲選択

行単位で選択するには

A 行の左余白をクリックします。

行選択は、選択したい行の左余白でクリックするだけです。マウスポインターが☐の形のときにクリックするのがポイントです。

1 選択したい行の左余白にマウスポインターを移動し、☐の形になったらクリックします。

拝啓□皆様にはますます御健勝のこととお慶び申し上げます。平素は格別のご高配を賜り、厚く御礼申し上げます。

2 行が選択されます。

拝啓□皆様にはますます御健勝のこととお慶び申し上げます。平素は格別のご高配を賜り、厚く御礼申し上げます。

おトクな情報 キー操作で行選択する

行の先頭にカーソルを移動し、Shiftキーを押しながら↓キーを押します。

Q155 お役立ち度 ★★★ 範囲選択

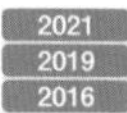

複数行選択するには

A 行の左余白をドラッグします。

複数行選択するには、左余白にマウスポインターを移動し、⬀の形になったら、ドラッグします。

1 行選択したい開始位置の左余白にマウスポインターを合わせ、下にドラッグします。

拝啓□皆様にはますます御健勝のことと
厚く御礼申し上げます。
さて、下記の日程で、〇〇マンション

2 複数行が選択されます。

拝啓□皆様にはますます御健勝のことと
厚く御礼申し上げます。
さて、下記の日程で、〇〇マンション

おトクな情報　キー操作で複数行選択する

行の先頭にカーソルを移動し、Shift キーを押しながら ↓ キーを数回押します。

Q156 お役立ち度 ★★★ 範囲選択

2021
2019
2016

1文だけ選択するには

A Ctrl キーを押しながら文章内でクリックします。

句点（。）やピリオド（.）で区切られた文を選択するには、Ctrl キーを押しながら、選択したい文の上をクリックします。ドラッグする必要がなく、便利です。

1 選択したい文の上にカーソルを移動して、Ctrl キーを押しながらクリックします。

健康通信□5月号
〇〇市□健康管理センター

発酵食品で免疫力強化！□「腸活」のすすめ

健康志向が高まる今、「腸活」という言葉が注目されています。腸活とは、腸内環境を整える活動のことです。腸内環境を整えるのには、発酵食品がベスト。チーズやヨーグルトなどの発酵食品もすばらしいですが、日本の伝統食品であるぬか漬け、みそ、しょうゆ、納豆などの発酵食品は大変優れています。発酵食品を積極的に取り入れ、腸内環境を改善し、免疫力を高めて、健康な体を作りましょう。

2 1文のみ選択されます。

健康通信□5月号
〇〇市□健康管理センター

発酵食品で免疫力強化！□「腸活」のすすめ

健康志向が高まる今、「腸活」という言葉が注目されています。腸活とは、腸内環境を整える活動のことです。腸内環境を整えるのには、発酵食品がベスト。チーズやヨーグルトなどの発酵食品もすばらしいですが、日本の伝統食品であるぬか漬け、みそ、しょうゆ、納豆などの発酵食品は大変優れています。発酵食品を積極的に取り入れ、腸内環境を改善し、免疫力を高めて、健康な体を作りましょう。

Q157 お役立ち度 ★★★ 範囲選択

2021
2019
2016

段落を選択するには

A 左余白でダブルクリックします。

文章の先頭から改行するまでのひとまとまりの文章を段落といいます。段落単位で選択したい場合は、段落の左余白でマウスポインターの形が⬀になったらダブルクリックします。キー操作で選択するには、段落の先頭にカーソルを移動し、Ctrl ＋ Shift キーを押しながら ↓ キーを押します。

1 選択したい段落の左余白にマウスポインターを合わせ、⬀のときにダブルクリックします。

定期清掃のお知らせ

拝啓□皆様にはますます御健勝のこととお慶び申し上げます。平素は格別のご高配を賜り、厚く御礼申し上げます。
　さて、下記の日程で、〇〇マンションの清掃を実施致します。みなさまのご理解とご協力をよろしくお願いいたします。
　なお、何かご不明な点がございましたら下記問い合わせ先までご連絡ください。
敬具

2 段落が選択されます。

定期清掃のお知らせ

拝啓□皆様にはますます御健勝のこととお慶び申し上げます。平素は格別のご高配を賜り、厚く御礼申し上げます。
　さて、下記の日程で、〇〇マンションの清掃を実施致します。みなさまのご理解とご協力をよろしくお願いいたします。
　なお、何かご不明な点がございましたら下記問い合わせ先までご連絡ください。
敬具

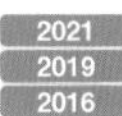

Q158 お役立ち度 ★★★ 範囲選択 2021 2019 2016

離れた範囲を選択するには

A 2箇所目以降を Ctrl キーを押しながら選択します。

離れた複数箇所を同時に選択するには、1箇所目はドラッグして選択し、2箇所目以降は Ctrl キーを押しながらドラッグして選択します。

る活動のことです。腸内環境を整え
の発酵食品もすばらしいですが、日
どの発酵食品は大変優れています。

1 1箇所目はドラッグして選択します。

る活動のことです。腸内環境を整え
の発酵食品もすばらしいですが、日
どの発酵食品は大変優れています。

2 2箇所目以降は Ctrl キーを押しながらドラッグすると、追加して選択されます。

Q159 お役立ち度 ★★★ 範囲選択 2021 2019 2016

ブロック単位で選択するには

A Alt +ドラッグします。

Alt キーを押しながらドラッグすると四角形の範囲選択ができます。箇条書きのような縦に並んだ文字列を選択するときに活用できます。

1 選択範囲の左上端にマウスポインターを合わせ、 Alt キーを押しながらドラッグします。

●作業期間 → 4月15日（金）□
●作業場所 → アプローチ、エン
●作業内容 → 床面洗浄、ガラス
●お問合先 → クリーン○○株式

2 ブロック単位で選択されます。

●作業期間 → 4月15日（金）□
●作業場所 → アプローチ、エン
●作業内容 → 床面洗浄、ガラス
●お問合先 → クリーン○○株式

Q160 お役立ち度 ★★★ 範囲選択 2021 2019 2016

文章全体を選択するには

A 左余白で素早く3回クリックします。

文章の左余白でマウスポインターが⇗の形のときに、3回素早くクリックすると文章全体を選択できます。または、 Ctrl + A キーを押しても選択できます。

1 左余白にマウスポインターを移動し、⇗の形のときに3回素早くクリックします。

拝啓□皆様にはますます御健勝のことと
厚く御礼申し上げます。

2 文章全体が選択されます。

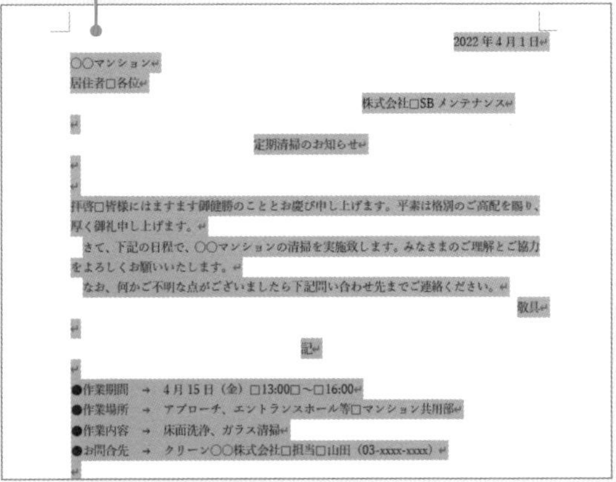

Word文書の編集と書式設定

この章では、Word文書の基本的な編集方法や、文書内での移動方法、文字列などの検索、置換の方法を説明します。また、文字書式や段落書式の設定方法、スタイルなどの文書を編集するための操作を紹介します。

Q161 お役立ち度 ★★★ 編集全般

直前の操作を取り消したり、やり直したりするには

A [ホーム] タブの [元に戻す]、[やり直し] をクリックします。

[ホーム] タブ (Word 2019/2016ではクイックアクセスツールバー) の [元に戻す] をクリックすると直前の操作を取り消せます。クリックするごとに1つずつ前の操作が取り消されます。横の [∨] をクリックして、複数の操作をまとめて取り消せます。また、[やり直し] で元に戻した操作を再度やり直せます。

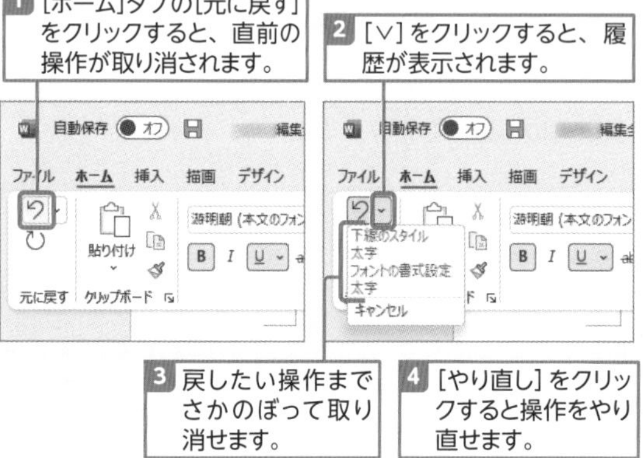

下線のスタイル

3 戻したい操作までさかのぼって取り消せます。

Q162 お役立ち度 ★★★ 編集全般

直前の操作を繰り返すには

A [ホーム] タブの [繰り返し] をクリックするか、F4 キーを押します。

便利なキー操作なので F4 キーをぜひ覚えてください。

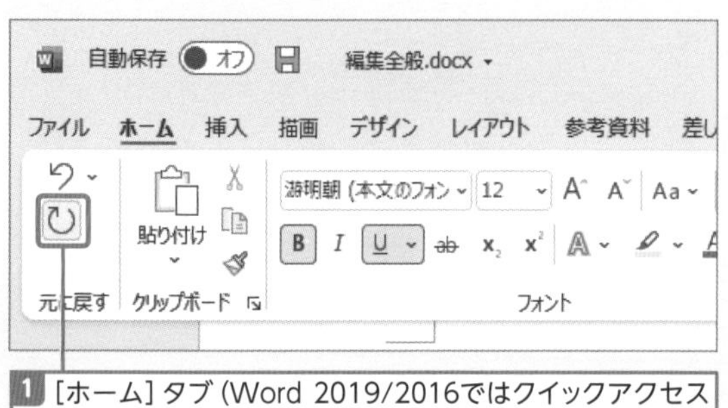

Q163 お役立ち度 ★★★ 編集全般

文字列をコピーするには

A ボタンを使う方法とドラッグする方法があります。

[コピー] ボタン、[貼り付け] ボタンを使う方法と、Ctrl キーを押しながらドラッグする方法があります。複数箇所や離れた場所にコピーする場合はボタン、1回限りの近い場所へのコピーはドラッグを利用するなど使い分けるといいでしょう。

ボタンを使ってコピーする

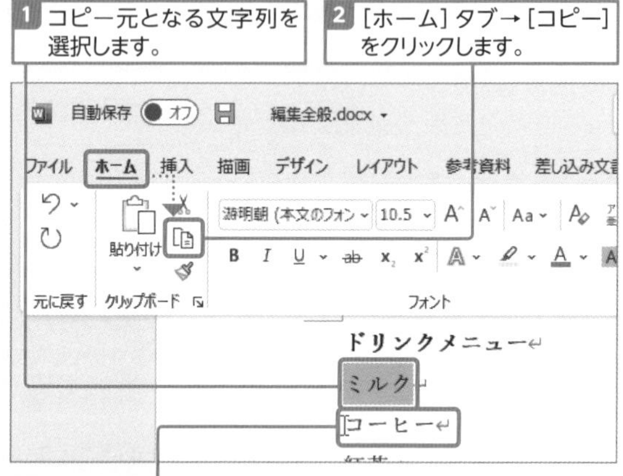

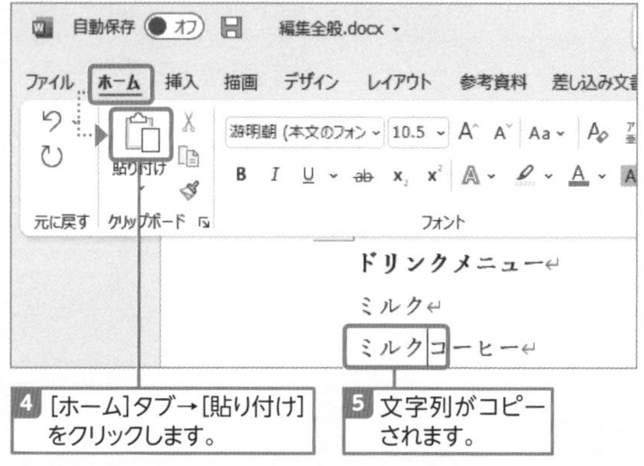

ドラッグでコピーする

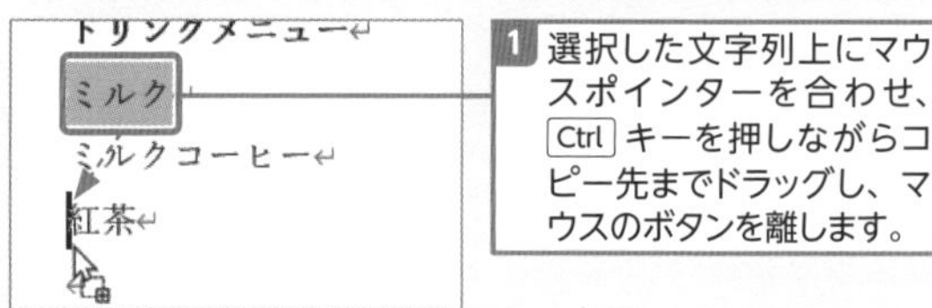

1 選択した文字列上にマウスポインターを合わせ、Ctrl キーを押しながらコピー先までドラッグし、マウスのボタンを離します。

Q164 コピーする内容を指定して貼り付けるには

お役立ち度 ★★★ 編集全般 2021 2019 2016

A [貼り付け]の[∨]で貼り付け方法を選択します。

[貼り付け]の下の[∨]をクリックすると、[貼り付けのオプション]が表示され、貼り付け形式を選択できます。各ボタンをポイントすると、貼り付けの結果をプレビューで確認できます。

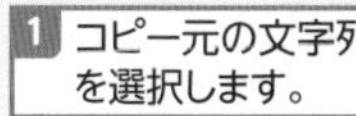

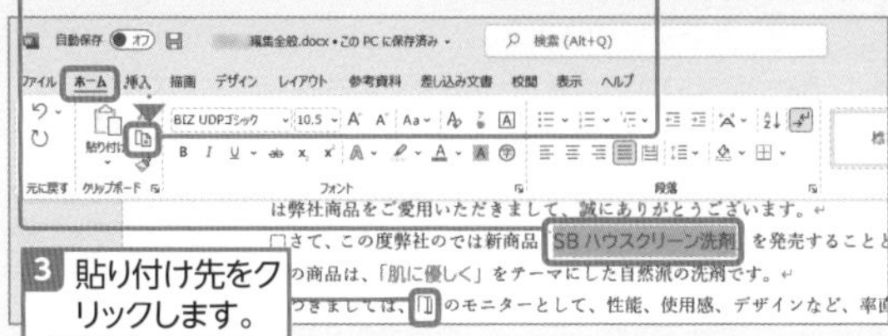

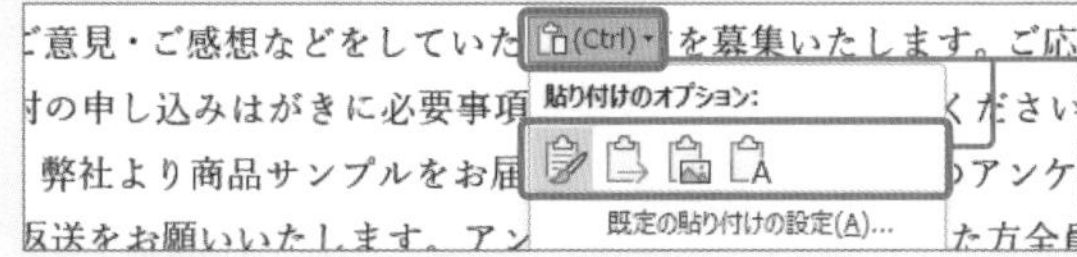

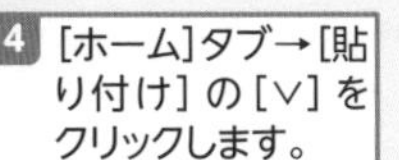

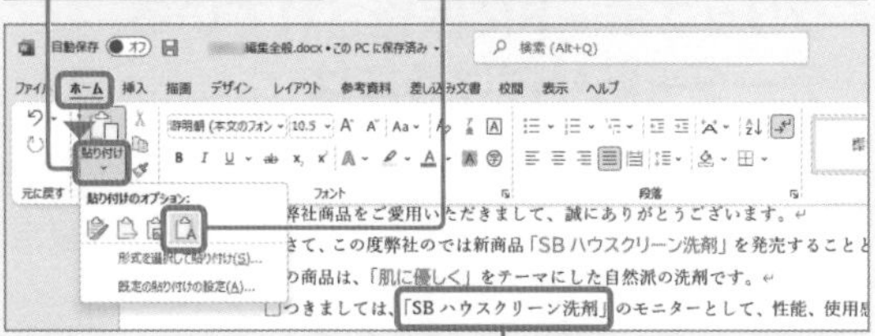

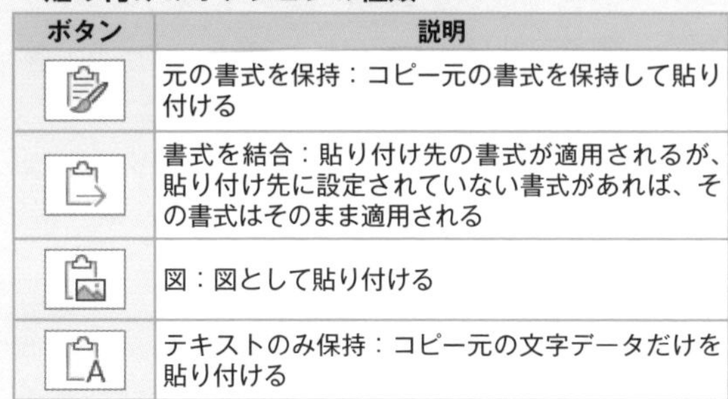

6 指定した方法で文字列がコピーされます。

● 貼り付けのオプションの種類

ボタン	説明
	元の書式を保持：コピー元の書式を保持して貼り付ける
	書式を結合：貼り付け先の書式が適用されるが、貼り付け先に設定されていない書式があれば、その書式はそのまま適用される
	図：図として貼り付ける
	テキストのみ保持：コピー元の文字データだけを貼り付ける

Q165 貼り付ける方法を後で変更できるの？

お役立ち度 ★★★ 編集全般 2021 2019 2016

A [貼り付けのオプション]で貼り付け方法を変更できます。

[貼り付けのオプション]をクリックするか、Ctrlキーを押すと一覧が表示されるので、目的の貼り付け方法をクリックして変更できます。

Q166 文字列を移動するには

お役立ち度 ★★★ 編集全般 2021 2019 2016

A ボタンを使う方法とドラッグする方法があります。

[切り取り]ボタン、[貼り付け]ボタンを使う方法と、ドラッグする方法があります。離れた場所に移動する場合はボタン、近い場所への移動はドラッグを利用するなど使い分けましょう。

ボタンを使って移動する

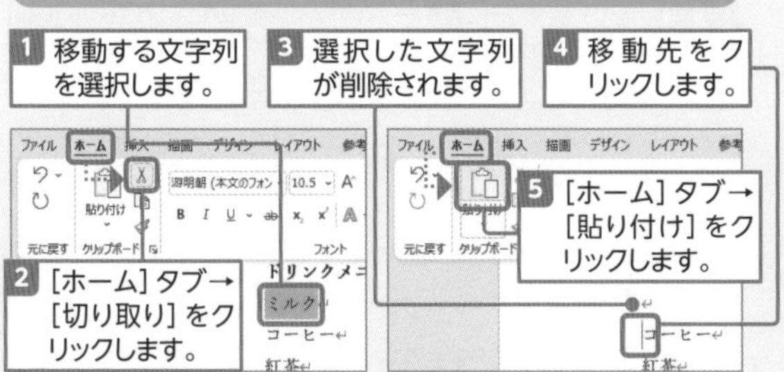

1 移動する文字列を選択します。
2 [ホーム]タブ→[切り取り]をクリックします。
3 選択した文字列が削除されます。
4 移動先をクリックします。
5 [ホーム]タブ→[貼り付け]をクリックします。

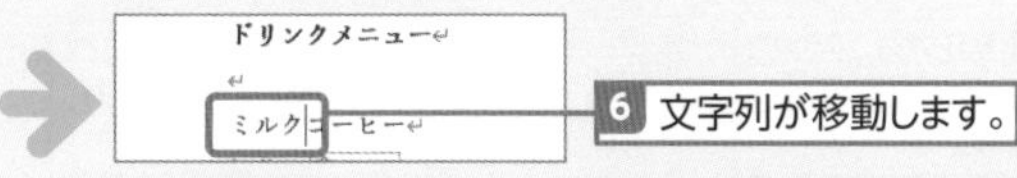

6 文字列が移動します。

ドラッグで移動する

Q167 お役立ち度 ★★★ 編集全般 2021 2019 2016

クリップボードに保管されているデータを貼り付けるには

A [クリップボード] 作業ウィンドウを表示します。

[クリップボード] 作業ウィンドウを表示した状態でコピーや切り取りをすると、データが最大で24個一時保管されます。これを「Officeクリップボード」といいます（**Q607**）。保管されている複数のデータの中から、必要なものを選択して貼り付けられます。

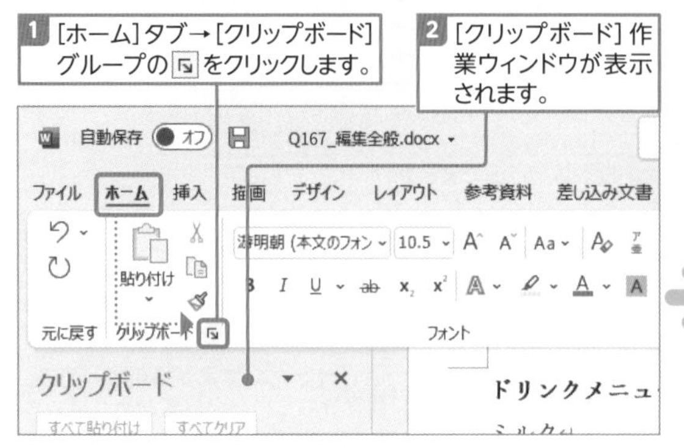
1 [ホーム] タブ→ [クリップボード] グループの をクリックします。
2 [クリップボード] 作業ウィンドウが表示されます。
自動保存 オフ
Q167_編集全般.docx
ファイル ホーム 挿入 描画 デザイン レイアウト 参考資料 差し込み文書
貼り付け
元に戻す クリップボード
フォント
クリップボード
すべて貼り付け すべてクリア
ドリンクメニュー

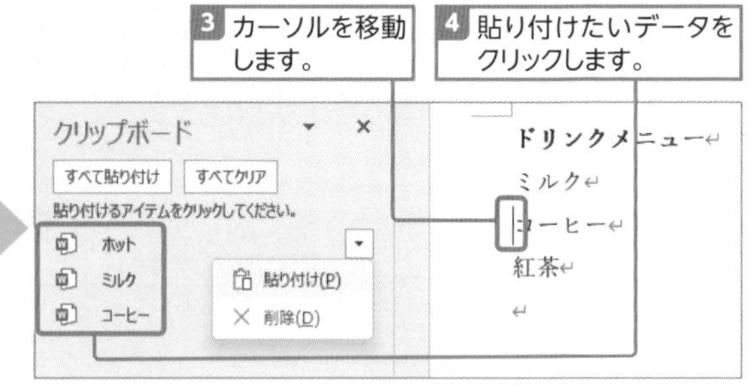
3 カーソルを移動します。
4 貼り付けたいデータをクリックします。
クリップボード
すべて貼り付け すべてクリア
貼り付けるアイテムをクリックしてください。
ホット
ミルク
コーヒー
貼り付け(P)
削除(D)
ドリンクメニュー
ミルク
コーヒー
紅茶

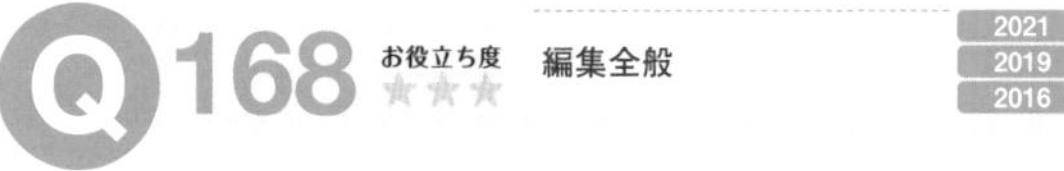

Q168 お役立ち度 ★★★ 編集全般 2021 2019 2016

書式を別の場所にコピーするには

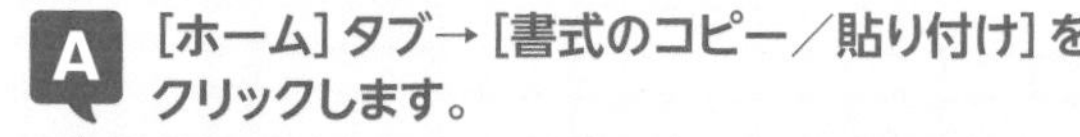

A [ホーム] タブ→ [書式のコピー／貼り付け] をクリックします。

文字列に設定されている同じ書式を別の文字列にも設定できます。[書式のコピー/貼り付け] をクリックすると1回限り、ダブルクリックすると ESC キーを押すまでは複数箇所にコピーできます。

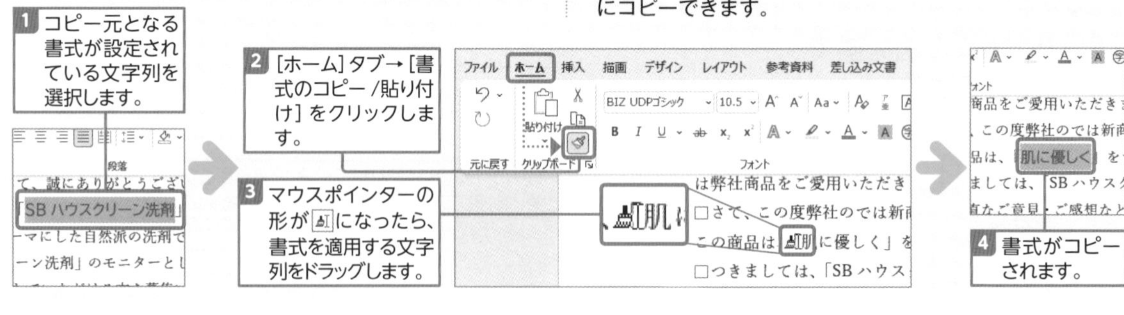
1 コピー元となる書式が設定されている文字列を選択します。
2 [ホーム] タブ→ [書式のコピー/貼り付け] をクリックします。
3 マウスポインターの形が になったら、書式を適用する文字列をドラッグします。
4 書式がコピーされます。
SB ハウスクリーン洗剤
ファイル ホーム 挿入 描画 デザイン レイアウト 参考資料 差し込み文書
BIZ UDPゴシック 10.5
元に戻す クリップボード フォント
肌に優しく

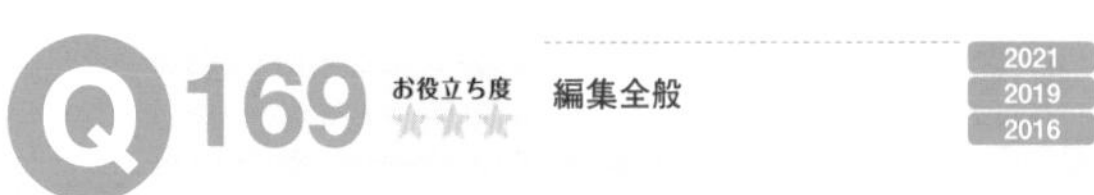

Q169 お役立ち度 ★★★ 編集全般 2021 2019 2016

2つの文書を並べて比較するには

A [表示] タブ→ [並べて比較] をクリックします。

[並べて比較] を使うと、2つの文書が左右に並べて表示され、スクロールも連動します。解除するには、どちらかのウィンドウを最大化し、再度 [並べて比較] をクリックします。

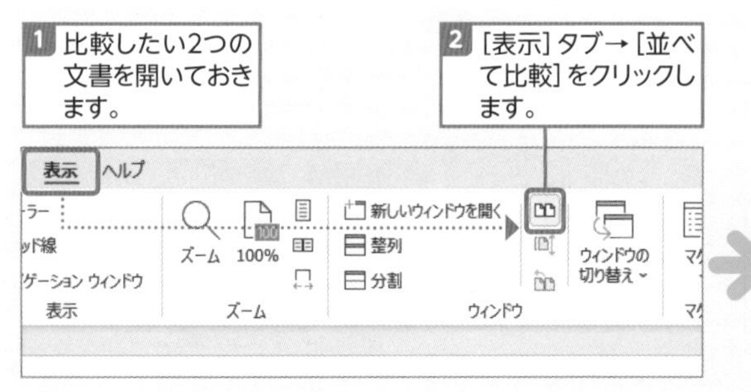
1 比較したい2つの文書を開いておきます。
2 [表示] タブ→ [並べて比較] をクリックします。
表示 ヘルプ
ズーム 100%
新しいウィンドウを開く
整列
分割
ウィンドウの切り替え
表示 ズーム ウィンドウ

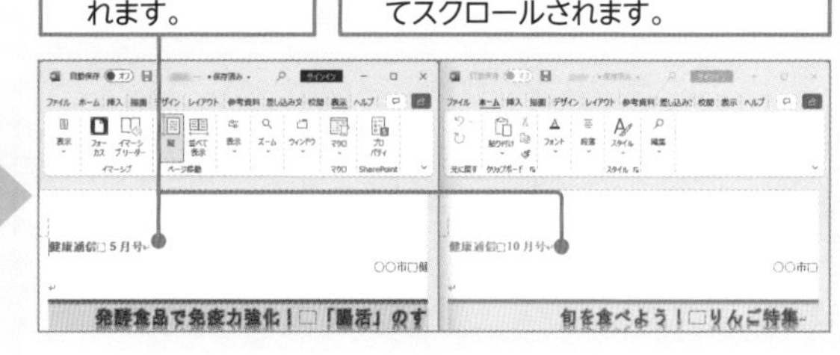
3 開いている文書が左右に表示されます。
4 一方のウィンドウをスクロールすると、もう一方のウィンドウも連動してスクロールされます。

Q170 お役立ち度 ★★★ 編集全般 2021 2019 2016

複数の文書を並べて表示したい!

A [表示] タブ→ [整列] をクリックします。

[整列] を使うと、開いている複数の文書が上下に整列します。最小化されている文書は整列されないので、整列させたくない文書がある場合は、最小化してから整列させるといいでしょう。解除するには、いずれかのウィンドウを最大化してください。

1 整列させたいウィンドウを開いておきます。

2 [表示] タブ→ [整列] をクリックします。

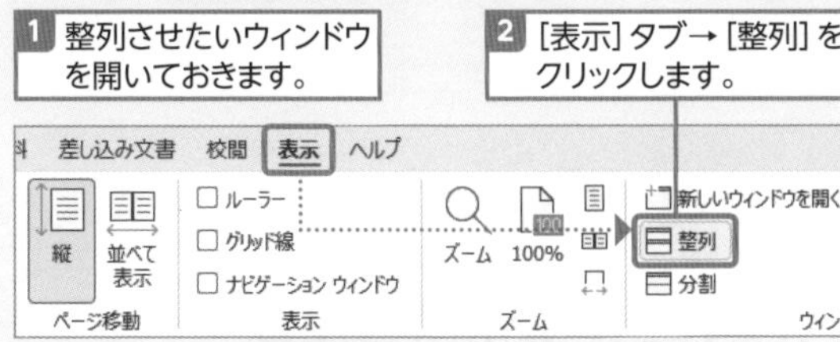

3 開いている文書が上下に整列します。

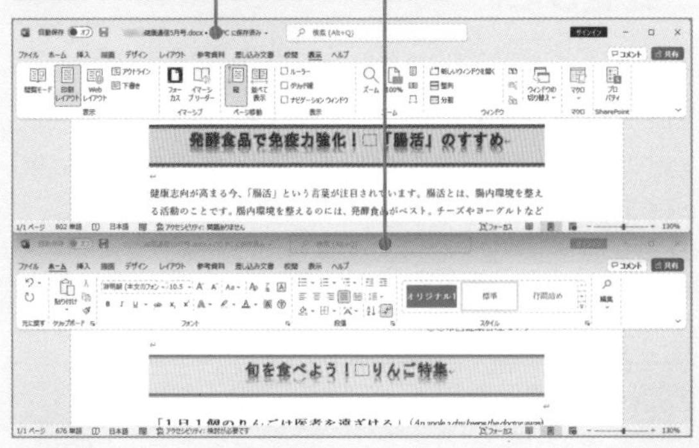

Q171 お役立ち度 ★★★ 編集全般 2021 2019 2016

1つの文書の上部と下部を同時に見たい!

A [表示] タブ→ [分割] をクリックします。

[分割] を使うと、画面中央に分割線が表示され、画面が上下に2分割されます。それぞれ別々にスクロールできます。分割線をドラッグすると分割位置を変更できます。解除するには、[表示] タブの [分割の解除] をクリックするか、分割線をダブルクリックします。

1 [表示] タブ→ [分割] をクリックします。

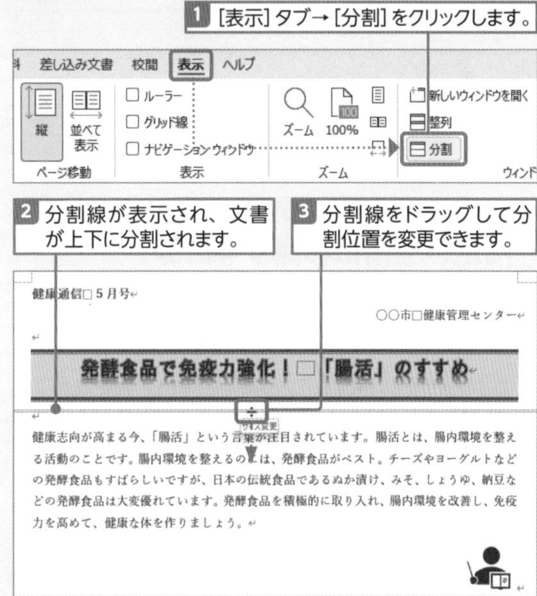

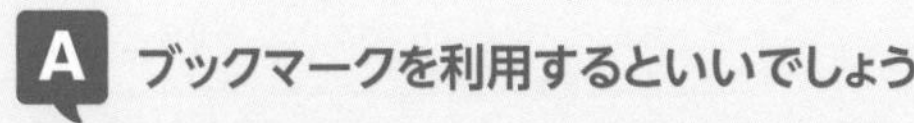

2 分割線が表示され、文書が上下に分割されます。

3 分割線をドラッグして分割位置を変更できます。

Q172 お役立ち度 ★★★ 編集全般 2021 2019 2016

文書内の特定の場所に素早く移動したい!

A ブックマークを利用するといいでしょう。

文書内で頻繁に移動する箇所に目印としてブックマークを付けておくと便利です。通常、ブックマークを作成しても画面上に表示されません。

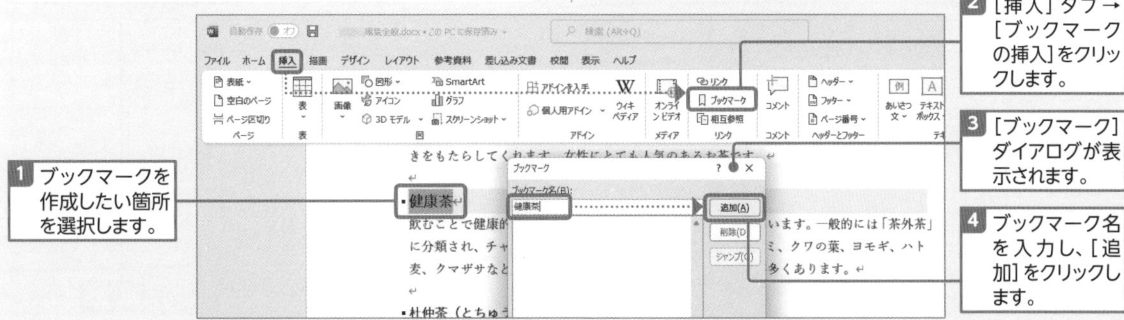

1 ブックマークを作成したい箇所を選択します。

2 [挿入] タブ→ [ブックマークの挿入] をクリックします。

3 [ブックマーク] ダイアログが表示されます。

4 ブックマーク名を入力し、[追加] をクリックします。

編集全般

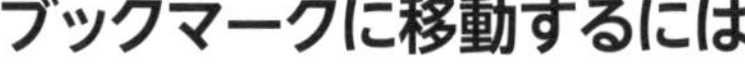

ブックマークに移動するには

A F5 キーを押して、ブックマークを選択します。

F5 キーを押すと、[検索と置換] ダイアログの [ジャンプ] タブが表示されます。一覧でブックマーク名を選択して移動します。

1 F5 キーを押すと、[検索と置換] ダイアログの [ジャンプ] タブが表示されます。

2 [移動先] でブックマークをクリックします。

3 ブックマーク名を確認し、[ジャンプ] をクリックすると、

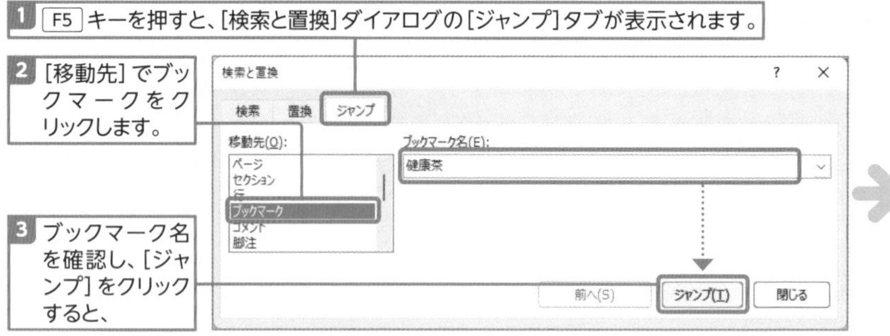

4 ブックマークに移動します。

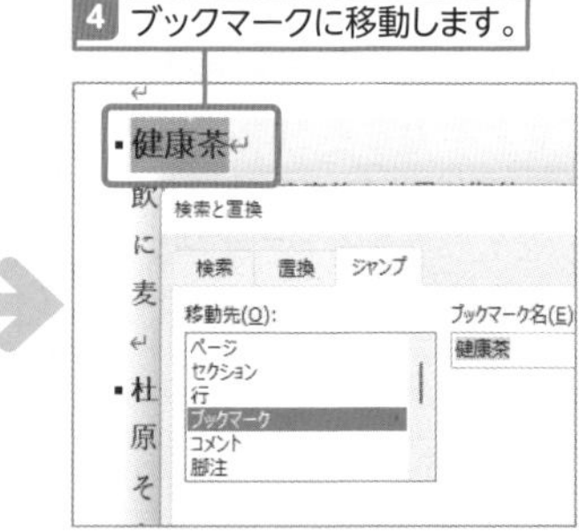

Q 174 お役立ち度 ★★★ 編集全般 2021 2019 2016

文書内の文字をクリックしたら指定の場所に移動するには

A ハイパーリンクを作成します。

文書内の文字列に見出しスタイル (**Q388**) が設定されているか、ブックマーク (**Q172**) が作成されている場合、それを移動先として文字列にハイパーリンクを設定できます。

1 ハイパーリンクを設定したい文字列を選択し、[挿入] タブ→ [リンク] (ハイパーリンクの追加) をクリックします。

2 [ハイパーリンクの挿入] ダイアログが表示されます。

3 リンク先と移動先を確認し、[OK] をクリックします。

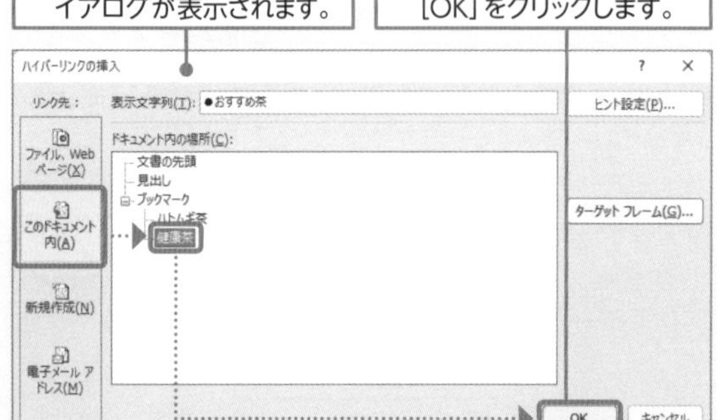

Q 175 お役立ち度 ★★★ 編集全般 2021 2019 2016

ハイパーリンクの移動先を変更したい

A [ハイパーリンクの編集] ダイアログで変更できます。

ハイパーリンクを設定していれば、[ハイパーリンクの編集] ダイアログで移動先の変更やリンクの解除ができます。

1 ハイパーリンクを編集したい文字列内にカーソルを移動し、[挿入] タブ→ [リンク] (ハイパーリンクの追加) をクリックします。

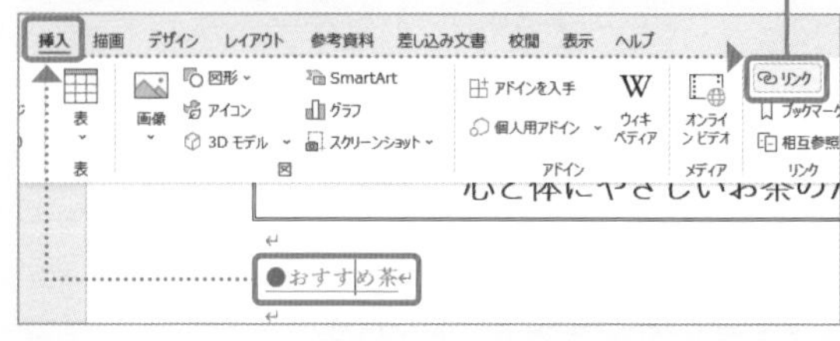

2 [ハイパーリンクの編集] ダイアログが表示されます。

3 変更する移動先を選択し、[OK] をクリックします。

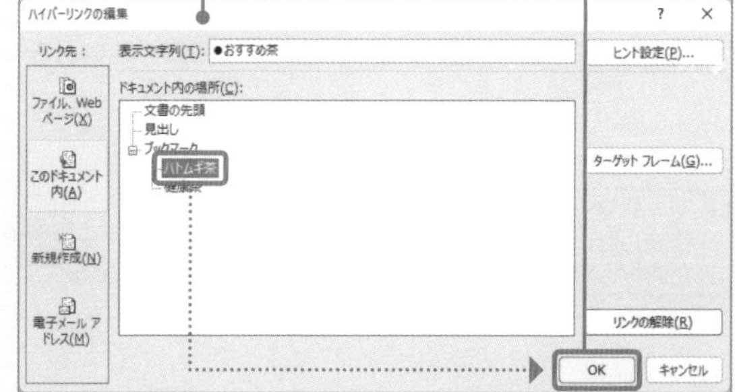

Q176 お役立ち度 ★★★ 編集全般

2021 2019 2016

指定した文字列を探したい!

A [ホーム]タブ→[検索]をクリックします。

文字列を検索するには、ナビゲーションウィンドウを使います。指定した文字列には黄色のマーカーが付きます。

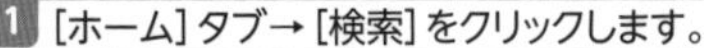

1 [ホーム]タブ→[検索]をクリックします。

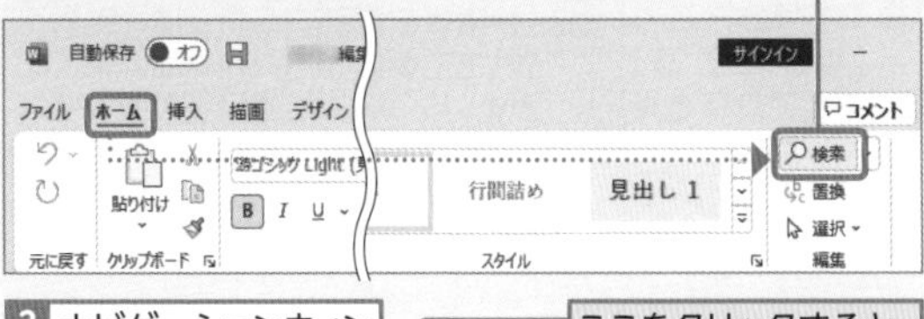

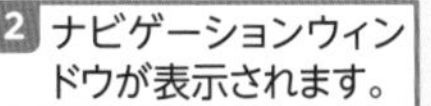

2 ナビゲーションウィンドウが表示されます。

ここをクリックすると、検索が解除されます。

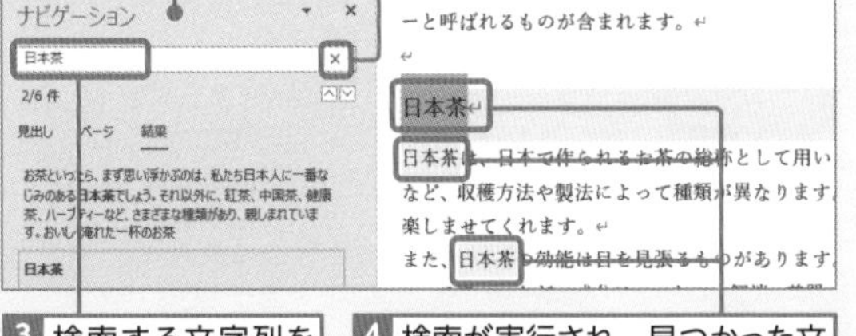

3 検索する文字列を入力して Enter キーを押します。

4 検索が実行され、見つかった文字に黄色いマーカーが表示されます。

Q177 お役立ち度 ★★★ 編集全般

2021 2019 2016

図や表も検索できるの?

A 図や表、コメント、数式、脚注は検索対象に指定できます。

ナビゲーションウィンドウの検索ボックスの横の[∨]をクリックすると、文字列以外の検索対象を選択できます。

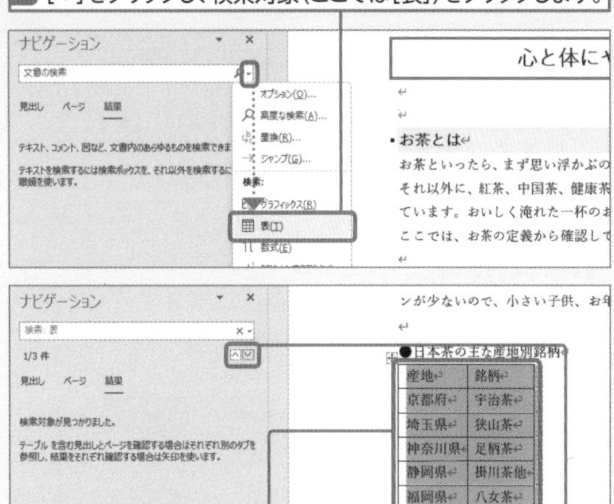

Q178 お役立ち度 ★★★ 編集全般

2021 2019 2016

大文字と小文字を区別して検索したい

A [検索と置換]ダイアログの検索オプションで指定できます。

検索機能は初期設定では大文字と小文字や全角と半角を区別しません。これらを区別したい場合は、[検索と置換]ダイアログの検索オプションで細かく設定できます。

1 [検索]の[∨]をクリックし、[高度な検索]をクリックします。

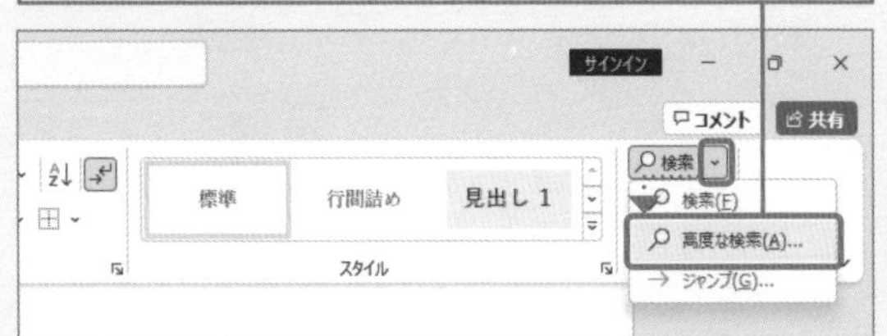

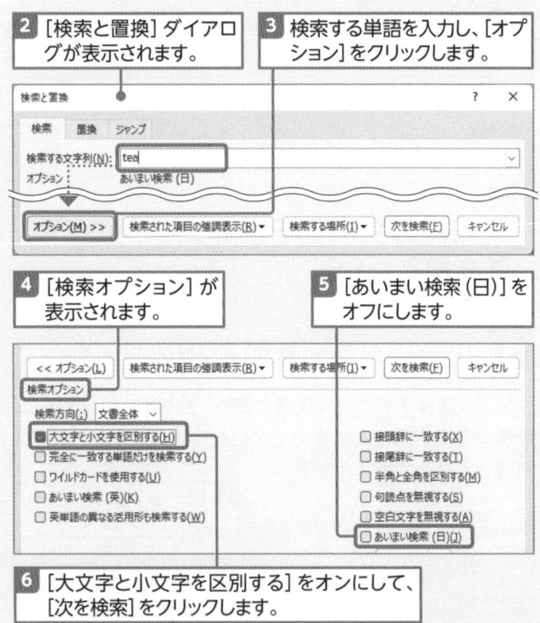

Q179 お役立ち度 ★★★ 編集全般

2021 2019 2016

部分的に一致する文字列を検索するには

A 検索条件にワイルドカードを使います。

ワイルドカードとは、文字列の代用となる半角の記号です。「*」は0字以上の任意の複数文字を代用し、「?」は任意の1文字の代用をします。例えば、「第??試合」とすると「第12試合」は検索され、「第1試合」は検索されません。

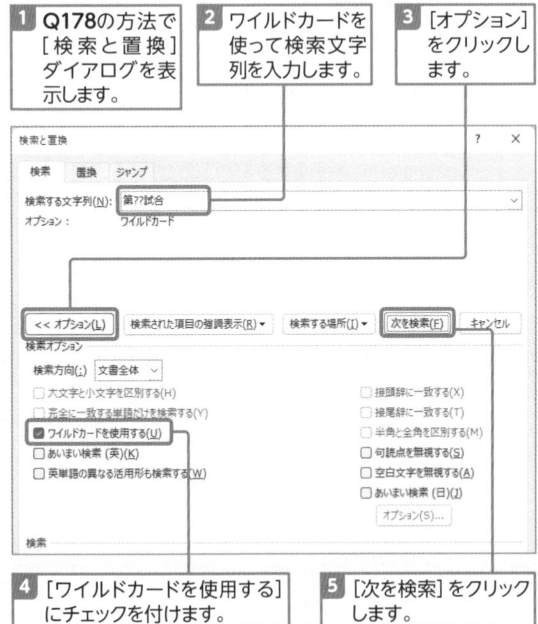

1 Q178の方法で[検索と置換]ダイアログを表示します。
2 ワイルドカードを使って検索文字列を入力します。
3 [オプション]をクリックします。
5 一覧から書式を選択(ここでは[蛍光ペン])します。
4 [ワイルドカードを使用する]にチェックを付けます。
5 [次を検索]をクリックします。

Q180 お役立ち度 ★★★ 編集全般

2021 2019 2016

書式も検索できるの?

A 検索条件に書式を追加できます。

蛍光ペンが設定されている文字列のように、書式を検索対象にするには、検索文字列を空欄にし、検索オプションで[書式]をクリックして検索対象とする書式を選択します。

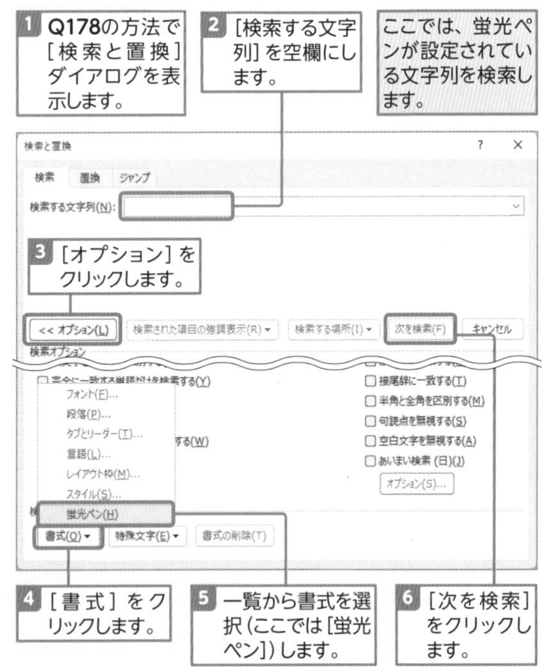

Q181 お役立ち度 ★★★ 編集全般

2021 2019 2016

文書内の文字列を別の文字列に置き換えたい!

A [ホーム]タブ→[置換]をクリックします。

文字列を置換するには、[検索と置換]ダイアログを表示し、検索する文字列と置換後の文字列を指定します。1つずつ確認しながら置換できます。

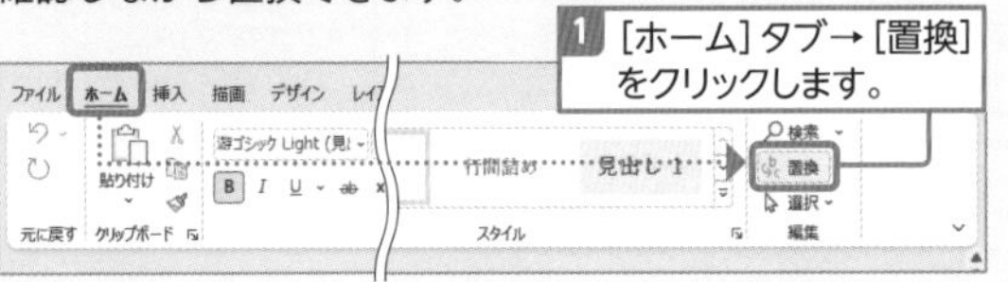

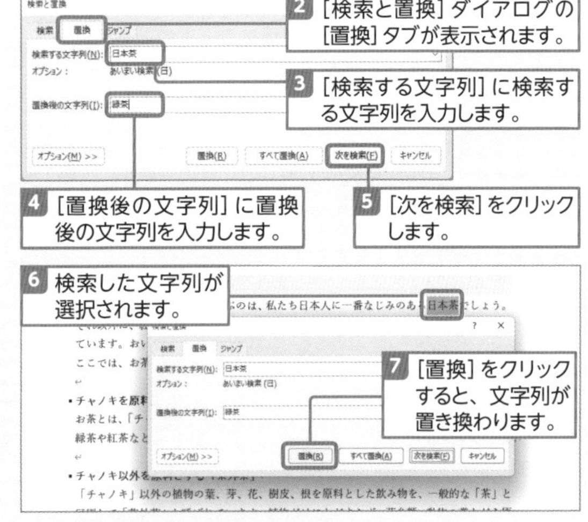

2 [検索と置換]ダイアログの[置換]タブが表示されます。
3 [検索する文字列]に検索する文字列を入力します。
4 [置換後の文字列]に置換後の文字列を入力します。
5 [次を検索]をクリックします。
6 検索した文字列が選択されます。
7 [置換]をクリックすると、文字列が置き換わります。

Q182 お役立ち度 ★★★ 編集全般 2021 2019 2016

余分な空白文字や指定した文字を一気に削除したい！

A 置換後の文字列を空欄にします。

文章内にある余分な空白や文字をまとめて削除するには、置換機能を使い、置換後の文字列を空欄にします。空白を削除するには、検索文字列に空白を入力します。ひらがなモードの状態で Space キーで全角の空白、Shift ＋ Space キーで半角の空白が入力できます。半角と全角を区別する場合は、検索オプションで［半角と全角を区別する］をオンにします。

全角空白の削除

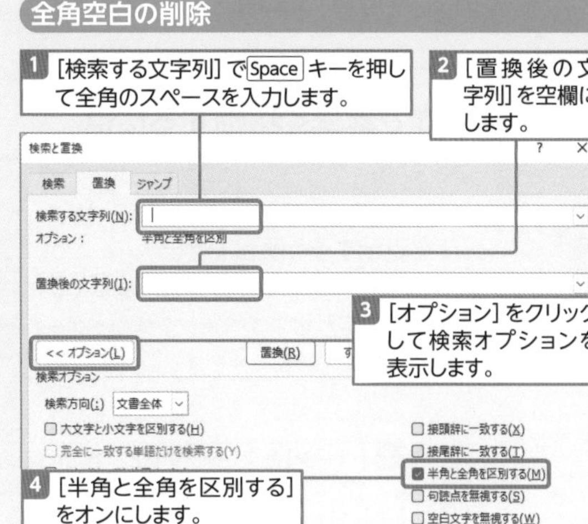

Q183 お役立ち度 ★★★ 編集全般 2021 2019 2016

タイトルと本文でページが分かれないようにするには

A ［次の段落と分離しない］をオンにします。

タイトルだけ前ページの末尾にきて、続く本文が次ページになるのは区切りが悪いです。このような場合、タイトルの段落を次にある本文の段落とページが分かれないように設定しておくと便利です。

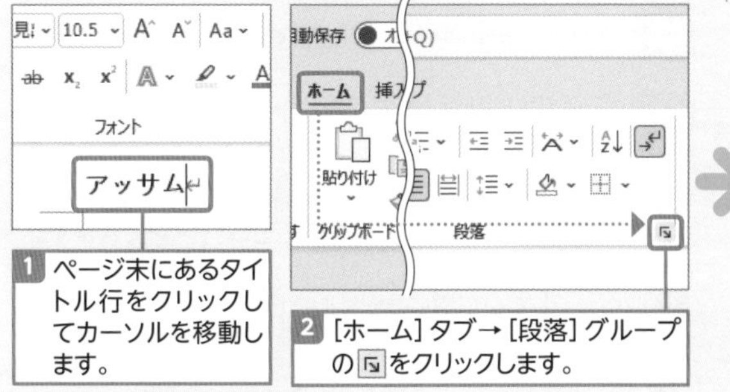

アッサム
フォント
ホーム
貼り付け
段落
1 ページ末にあるタイトル行をクリックしてカーソルを移動します。
2 ［ホーム］タブ→［段落］グループの をクリックします。

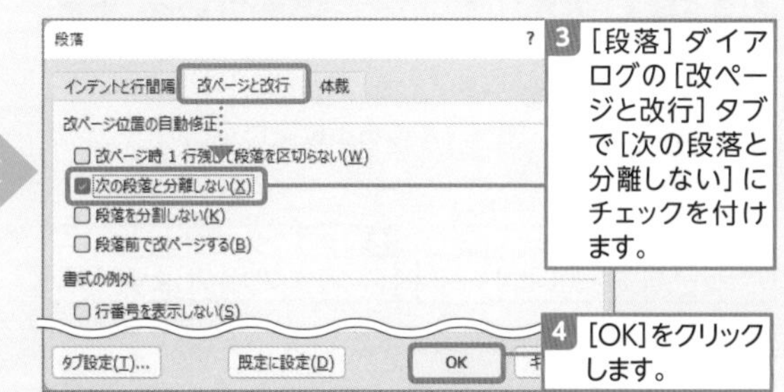

Q184 お役立ち度 ★★★ 編集全般 2021 2019 2016

次のページに1行だけはみ出さないようにするには

A ［改ページ時1行残して段落を区切らない］をオンにします。

段落の1行だけが次ページにはみ出してしまうと区切りがよくありません。［改ページ時1行残して段落を区切らない］にチェックを付けると、前ページの最終行が次ページに送られ、1行が2行になります。

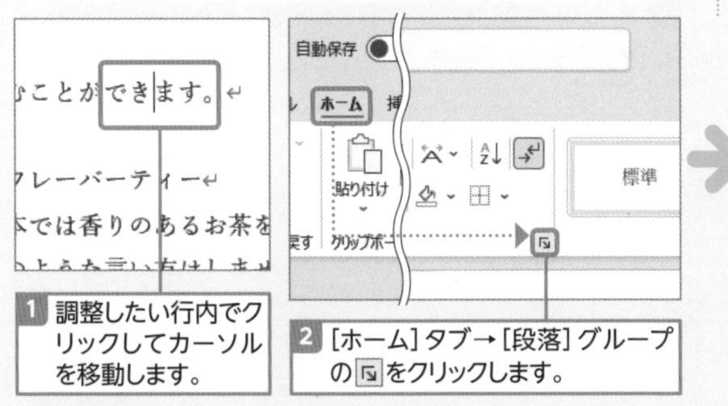

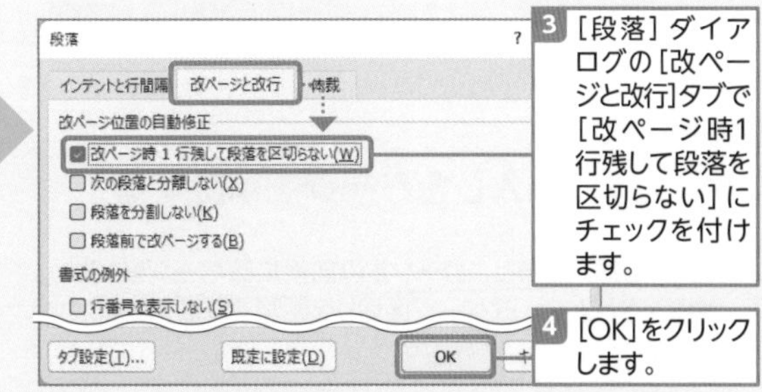

Q185 お役立ち度 ★★★ 編集全般

2021 2019 2016

ページ単位で素早く移動するには

A ナビゲーションウィンドウの[ページ]を表示すると便利です。

ナビゲーションウィンドウの[ページ]では、開いている文書の縮小ページが表示されます。ページ全体のイメージを確認し、クリックで素早く移動できます。

1 [表示]タブ→[ナビゲーションウィンドウ]をクリックしてチェックを付けます。

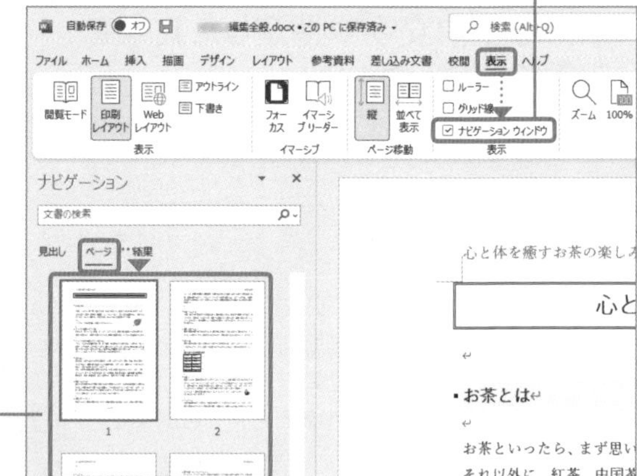

2 [ページ]をクリックすると、縮小されたページ一覧が表示されるので、移動したいページをクリックします。

Q186 お役立ち度 ★★★ 編集全般

2021 2019 2016

空白のページを挿入するには

A [挿入]タブ→[空白のページ]をクリックします。

ページの途中に1ページ挿入したいときは、[空白のページ]をクリックします。カーソルのある位置に空白のページが追加されます。

1 ページを挿入する位置にカーソルを移動します。

2 [挿入]タブ→[空白のページ]をクリックします。

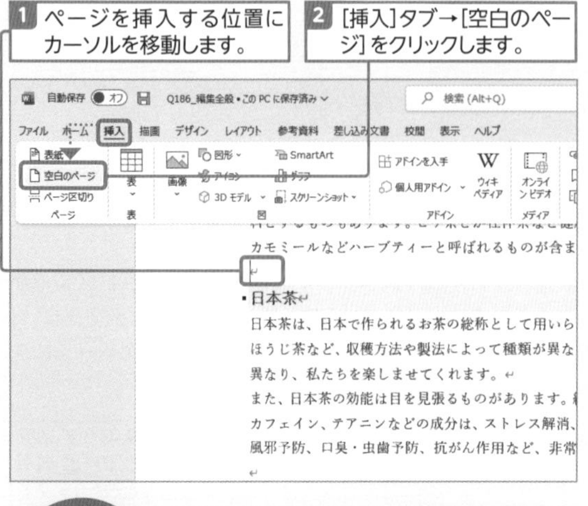

おトクな情報 挿入したページを削除する

ページを挿入すると、カーソルの前後に改ページ区切りが挿入されます。改ページ区切りを削除すればページが削除されます。

Q187 お役立ち度 ★★★ 編集全般

2021 2019 2016

任意の位置から強制的にページを改めるには

A Ctrl + Enter キーを押します。

ページの区切りのいいところでページを改めたいときは、Ctrl + Enter キーを押します。ページ区切りが挿入され、ページが改められます。または、[レイアウト]タブ→[区切り]→[改ページ]をクリックしても改ページできます。

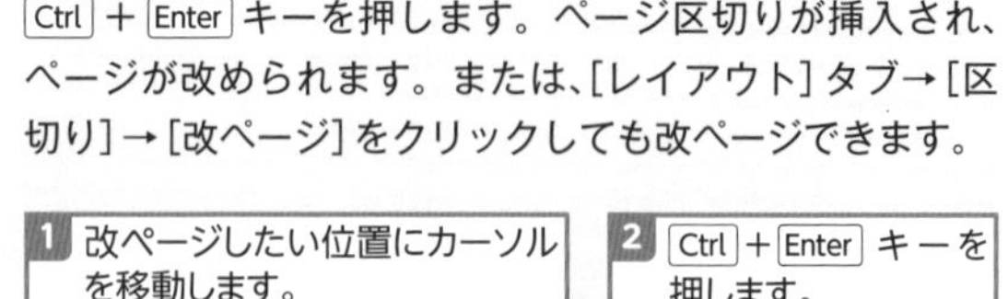

1 改ページしたい位置にカーソルを移動します。

2 Ctrl + Enter キーを押します。

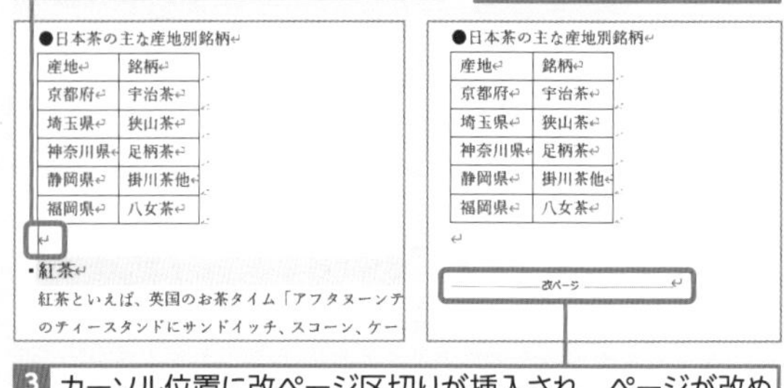

3 カーソル位置に改ページ区切りが挿入され、ページが改められます。

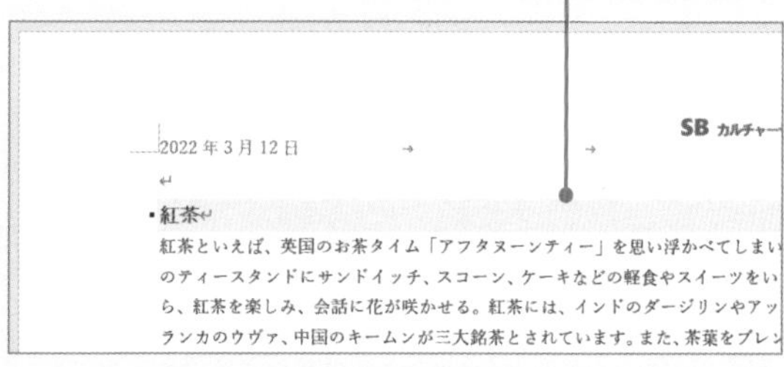

Q188 お役立ち度 ★★★ 文字書式

文字書式って?

A 文字列単位で設定する書式です。

文字書式とは、フォント、フォントサイズ、太字、色などの文字列単位で設定される書式です。

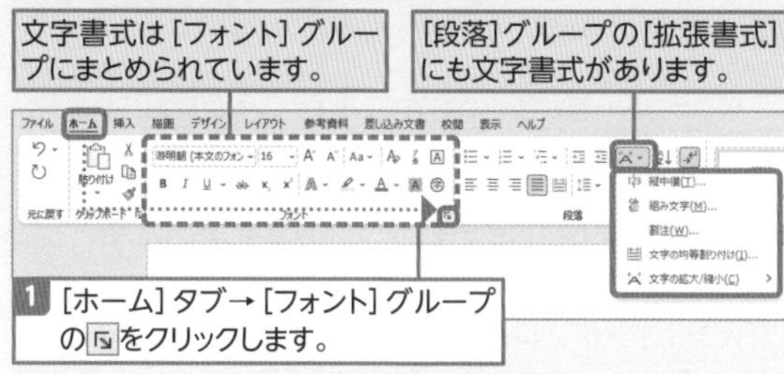

文字書式は[フォント]グループにまとめられています。
[段落]グループの[拡張書式]にも文字書式があります。
1 [ホーム]タブ→[フォント]グループの をクリックします。

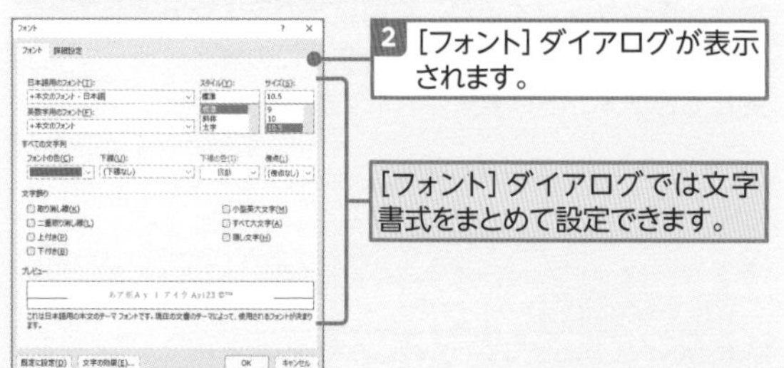

2 [フォント]ダイアログが表示されます。
[フォント]ダイアログでは文字書式をまとめて設定できます。

Q189 お役立ち度 ★★★ 文字書式

2021
2019
2016

文字の書体を変更したい!

A [ホーム]タブ→[フォント]から選択します。

書体は文字の種類のことで、「フォント」と呼びます。作成する文書の内容や構成に合わせてフォントを変更しましょう。

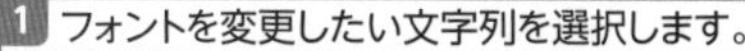

1 フォントを変更したい文字列を選択します。

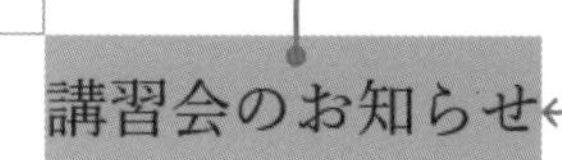

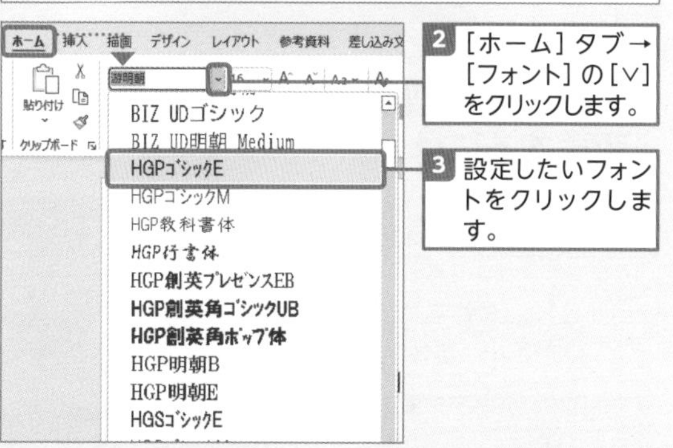

2021
2019
2016

設定できるフォントについて教えて!

● フォント一覧に表示されるフォント

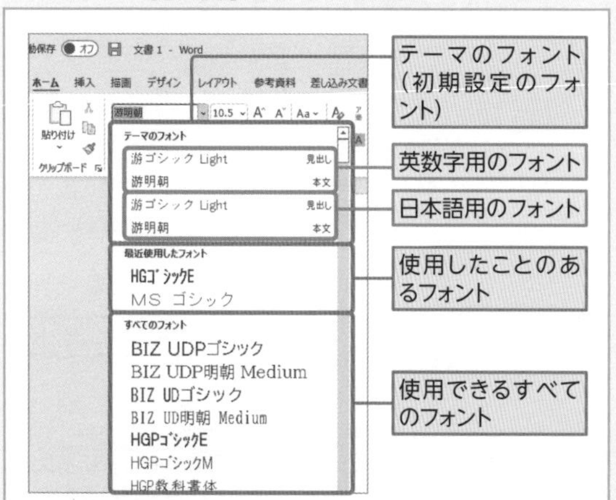

A フォントにはいろいろあります。種類を覚えておくと便利です。

フォント一覧に表示されるフォントについてまとめます。設定できるフォントについて理解を深めましょう。

● 明朝体とゴシック体

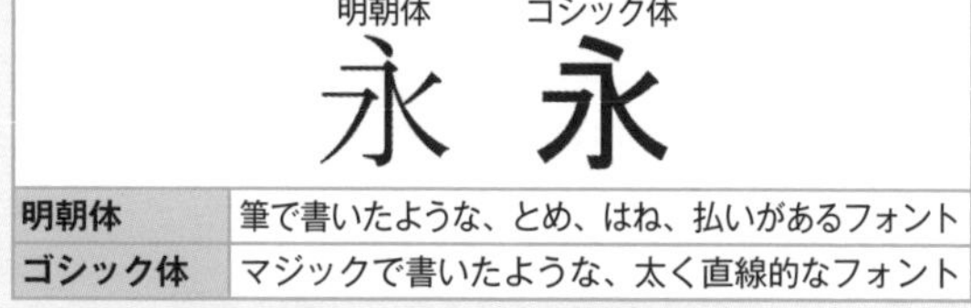

明朝体	筆で書いたような、とめ、はね、払いがあるフォント
ゴシック体	マジックで書いたような、太く直線的なフォント

● 等倍フォントとプロポーショナルフォント

等倍フォント(MS明朝)　English
プロポーショナルフォント(MS P 明朝)　English

等倍フォント	文字と文字が同じ間隔で並ぶフォント。1ページの文字数を指定する場合は、等倍フォントを使用
プロポーショナルフォント	文字の幅によって間隔が自動調整されるフォント。フォント名には「P」が付加されている

Q191 お役立ち度 ★★★ 文字書式

2021 2019 2016

文書全体のフォントを一気に変えたい!

A [デザイン] タブ→[テーマのフォント] をクリックします。

初期設定では**Q190**で解説した[テーマのフォント]が設定されています。このテーマのフォントを変更すれば、文書全体のフォントを一括して変更できます。

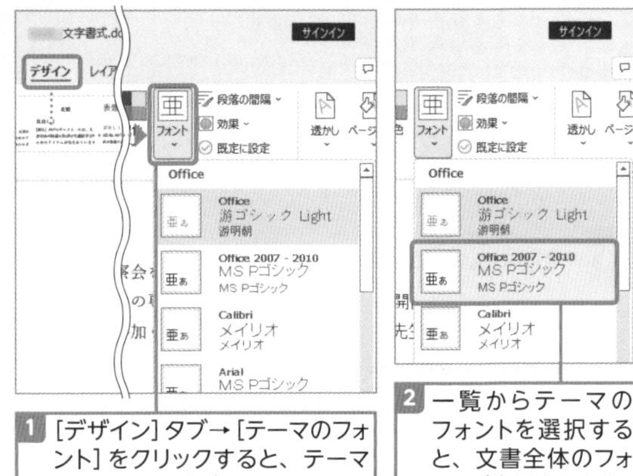

1 [デザイン] タブ→[テーマのフォント] をクリックすると、テーマのフォント一覧が表示されます。

2 一覧からテーマのフォントを選択すると、文書全体のフォントが変更されます。

Q192 お役立ち度 ★★★ 文字書式

2021 2019 2016

文書全体の既定のフォントを変更するには

A [フォント] ダイアログで [既定に設定] をクリックします。

[フォント] ダイアログでフォントを変更し、[既定に設定] ボタンをクリックすると、初期設定のフォントとして、文書全体のフォントが変更されます。この場合、テーマを変更してもフォントは変更されなくなります。

1 Q188の方法で [フォント] ダイアログを表示します。

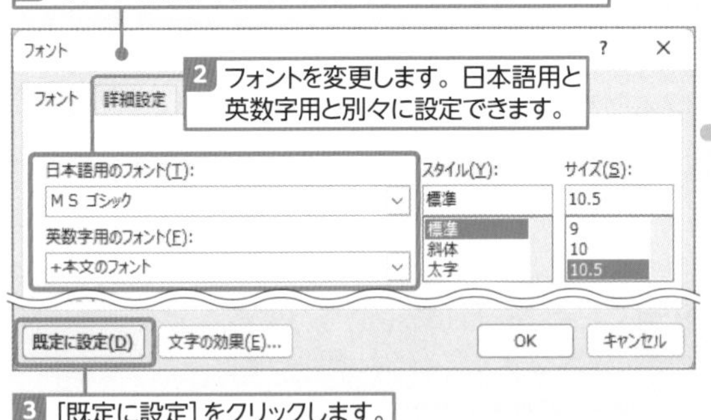

2 フォントを変更します。日本語用と英数字用と別々に設定できます。

3 [既定に設定] をクリックします。

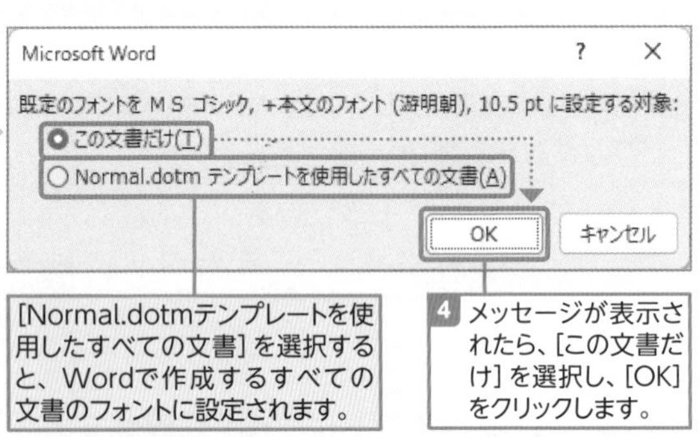

[Normal.dotmテンプレートを使用したすべての文書] を選択すると、Wordで作成するすべての文書のフォントに設定されます。

4 メッセージが表示されたら、[この文書だけ] を選択し、[OK] をクリックします。

Q193 お役立ち度 ★★★ 文字書式

2021 2019 2016

文字の大きさを変更するには

A [ホーム] タブ→[フォントサイズ] から選択します。

文字サイズの初期設定は、10.5ポイントです。1ポイントは約0.35ミリです。一覧から選択するか、[フォントサイズ] ボックスに直接数値を入力して指定できます。設定可能範囲は、1～1638ポイントです。

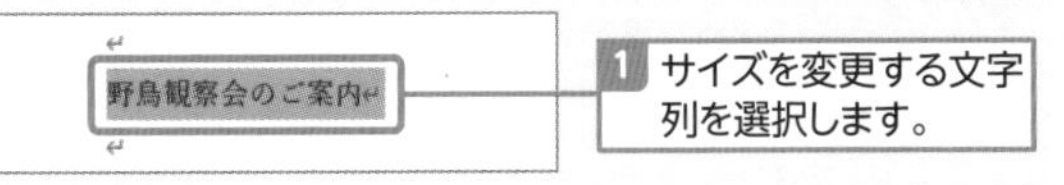

1 サイズを変更する文字列を選択します。

2 [ホーム] タブ→[フォントサイズ] の [∨] をクリックし、一覧からフォントサイズをクリックします。

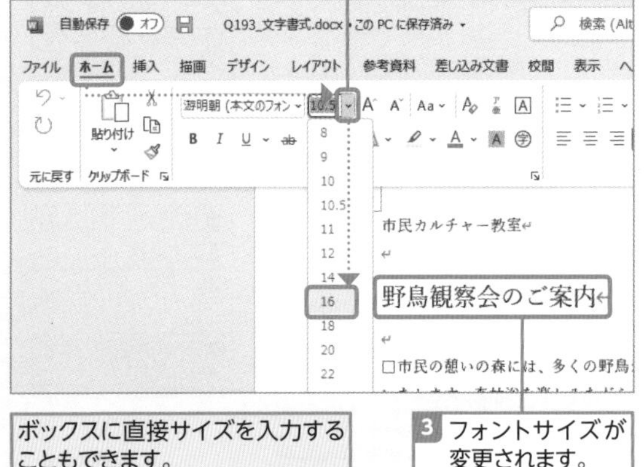

ボックスに直接サイズを入力することもできます。

3 フォントサイズが変更されます。

Q194 お役立ち度 ★★★ 文字書式 2021 2019 2016

文字の大きさをボタンで少しずつ拡大／縮小するには

A [ホーム] タブ→ [フォントサイズの拡大]、[フォントサイズの縮小] をクリックします。

[フォントサイズの拡大]、[フォントサイズの縮小] を使うと、文字サイズを少しずつ大きくしたり、小さくしたりできるので、少しずつ調整したいときに便利です。

1 文字列を選択しておきます。

2 [ホーム] タブ→ [フォントサイズの拡大] をクリックすると文字が大きくなります。

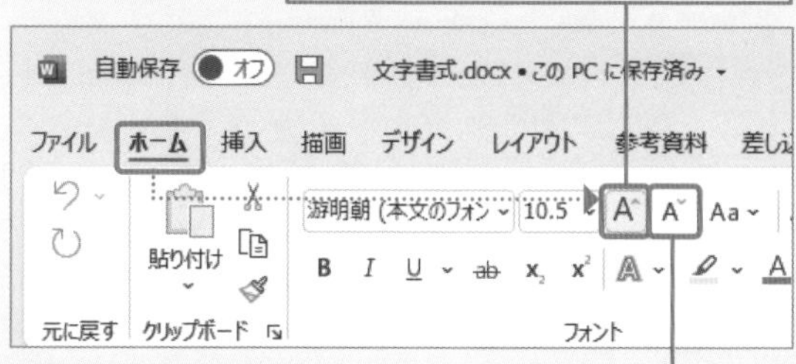

3 [フォントサイズの縮小] をクリックすると文字サイズが小さくなります。

Q195 お役立ち度 ★★★ 文字書式 2021 2019 2016

文字に色を設定するには

A [ホーム] タブ→ [フォントの色] で選択します。

[フォントの色] の横の [∨] をクリックし、カラーパレットから色を選択します。一覧にない色を設定したい場合は、[その他の色] をクリックして色を選択できます (**Q876**)。

1 文字列を選択しておきます。

2 [ホーム] タブ→ [フォントの色] の [∨] をクリックします。

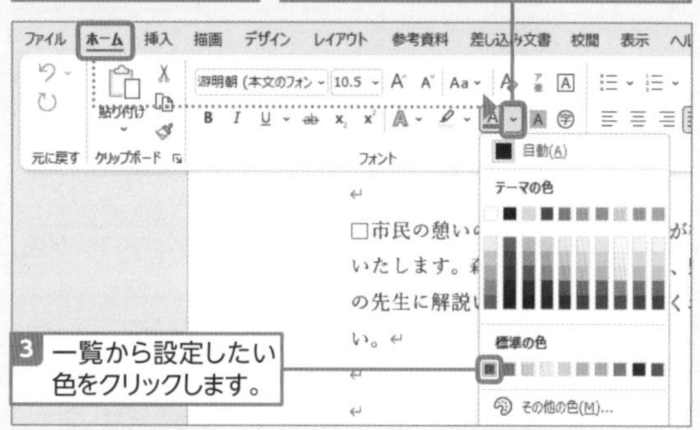

3 一覧から設定したい色をクリックします。

Q196 お役立ち度 ★★★ 文字書式 2021 2019 2016

文字に太字、斜体、下線を設定するには

A [ホーム] タブ→ [太字]、[斜体]、[下線] をクリックします。

太字、斜体、下線で文字を強調できます。ボタンをクリックするごとに設定と解除を切り替えられます。また、下線は種類を選択できます。

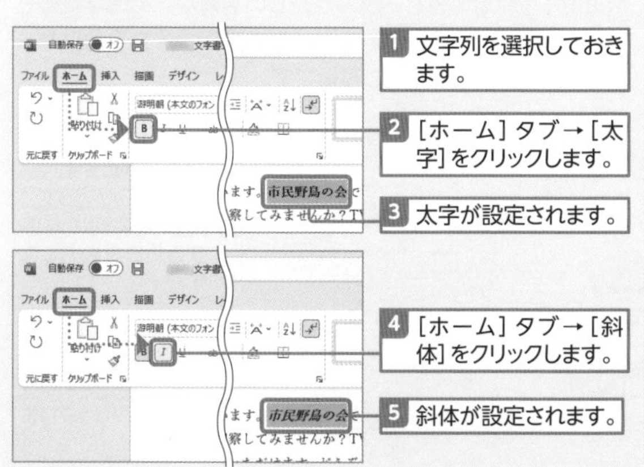

1 文字列を選択しておきます。

2 [ホーム] タブ→ [太字] をクリックします。

3 太字が設定されます。

4 [ホーム] タブ→ [斜体] をクリックします。

5 斜体が設定されます。

6 [ホーム] タブ→ [下線] の [∨] をクリックします。

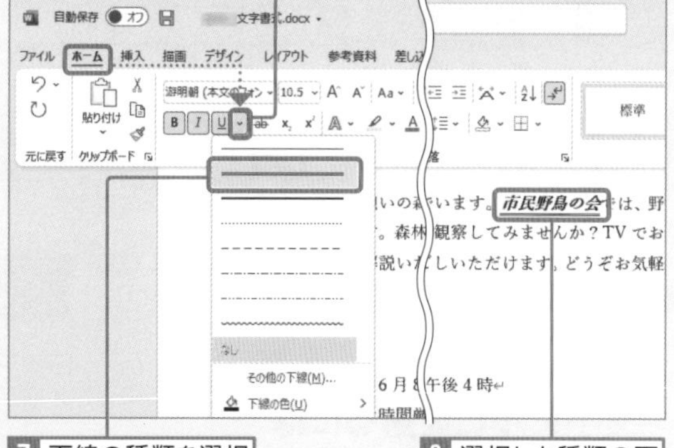

7 下線の種類を選択します。

8 選択した種類の下線が設定されます。

● [フォント] グループのその他の主な文字書式

文字書式	説明
取り消し線	取り消し線を1本線で引く
下付き	文字を縮小して下付きに変換
上付き	文字を縮小して上付きに変換
囲み線	文字列を□で囲む
文字の網かけ	文字列に灰色の網かけを設定
文字種の変換	文字を選択した文字種（全角、半角、すべて大文字にする等）に変換

Q197 お役立ち度 ★★★ 文字書式

2021 2019 2016

文字を○や△で囲むには

A [ホーム] タブ→ [囲い文字] をクリックします。

[囲い文字] を利用すると、全角1文字、半角2文字を○や△で囲むことができます。「㊙」「㊞」「㊿」のような文字を入力したいときに使えます。

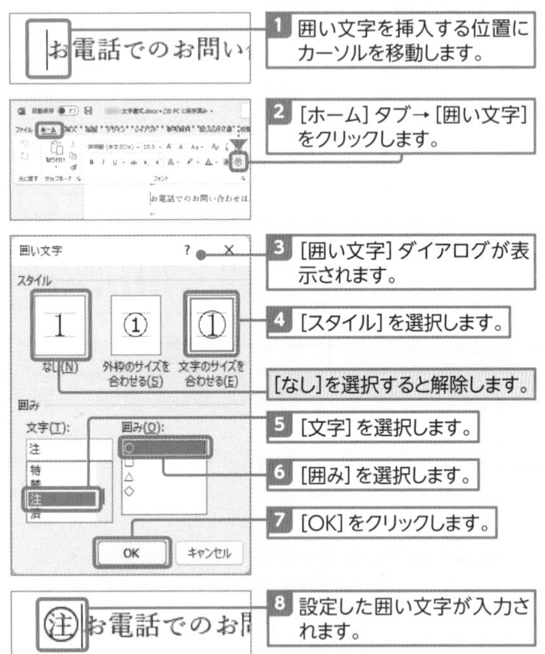

1 囲い文字を挿入する位置にカーソルを移動します。
2 [ホーム] タブ→ [囲い文字] をクリックします。
3 [囲い文字] ダイアログが表示されます。
4 [スタイル] を選択します。
[なし] を選択すると解除します。
5 [文字] を選択します。
6 [囲み] を選択します。
7 [OK] をクリックします。
お電話でのお問い
囲い文字
スタイル
なし(N)
外枠のサイズを合わせる(S)
文字のサイズを合わせる(E)
囲み
文字(T):
囲み(O):
OK
キャンセル

Q198 お役立ち度 ★★★ 文字書式

2021 2019 2016

文字列にマーカーを引きたい!

A [ホーム] タブ→ [蛍光ペンの色] をクリックします。

[蛍光ペン] を使うと、文字列にマーカーを引いたようなイメージで色を付けることができます。蛍光色の黄色や水色などの目立つ色だけでなく濃い色を付けることもできます。

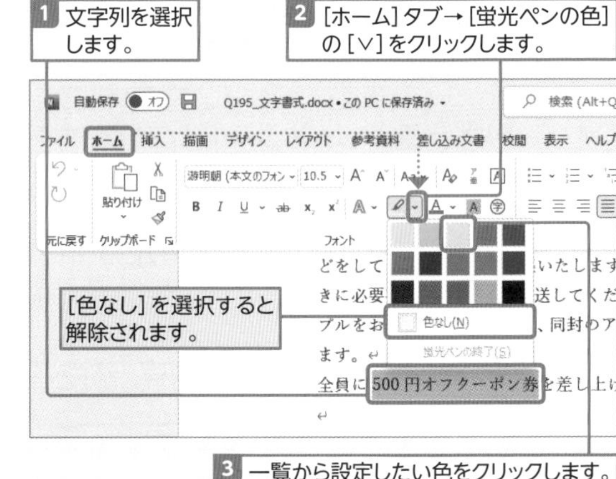

プルをお届けいたしますので、同封のアンケート用紙にご記入
ます。
全員に500円オフクーポン券を差し上げます。よろしくご協

4 蛍光ペンの色が設定されます。

Q199 お役立ち度 ★★★ 文字書式

2021 2019 2016

文字にルビを振るには

A [ホーム] タブ→ [ルビ] をクリックします。

[ルビ] を利用すると、読みが難しい名前などの漢字にルビを振ることができます。ルビとして表示する文字列はひらがな、カタカナどちらも可能です。

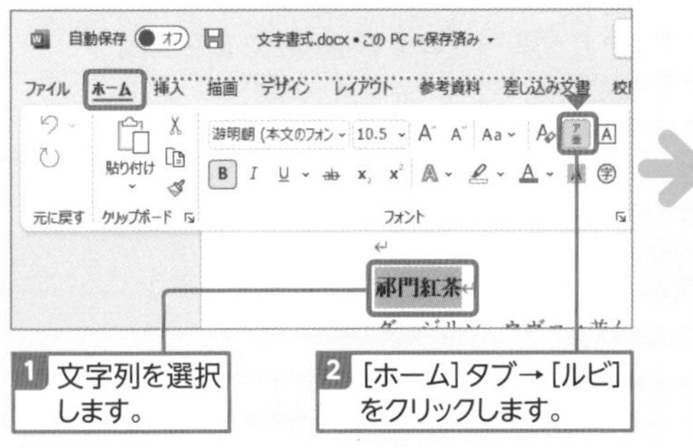

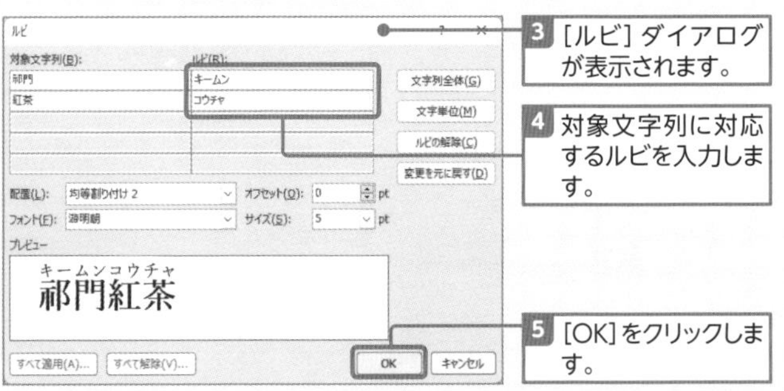

お役立ち度 ★★★　文字書式　2021 2019 2016

文字に影や光彩、反射などの視覚効果を付けるには

A [ホーム] タブ→ [文字の効果と体裁] をクリックします。

[文字の効果と体裁] を利用すると、文字に影や光彩、反射などさまざまな視覚効果を付けられます。いくつかの効果が組み合わされたスタイルのセットが用意されているので、クリックするだけで素早く効果を付けられます。

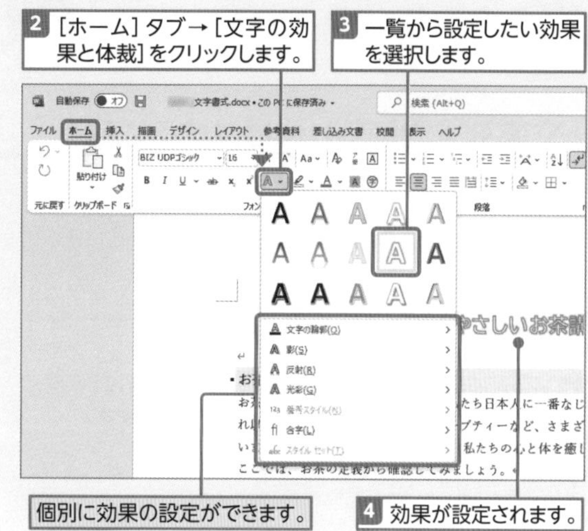

お役立ち度 ★★★　文字書式　2021 2019 2016

「株式会社」を1文字で表示するには

A 組み文字を設定します。

[組み文字] を設定すると、最大6文字までの文字列を1文字の大きさで組み込むことができます。

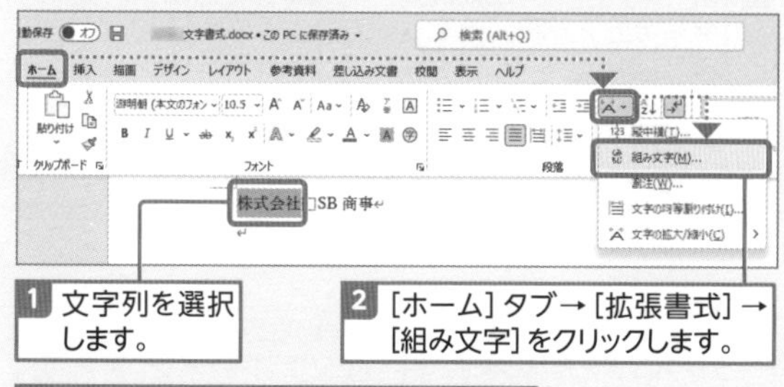

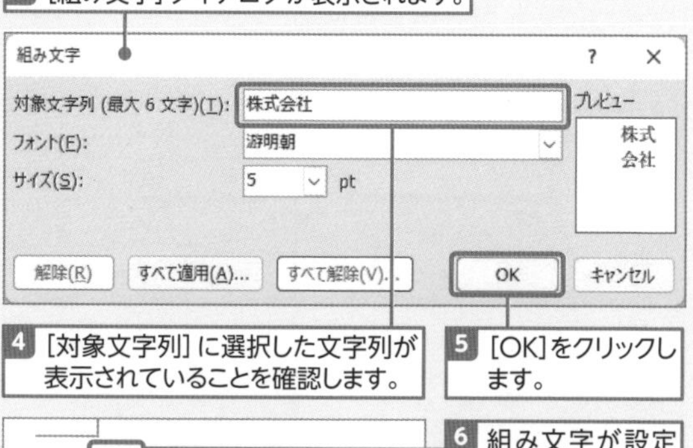

お役立ち度 ★★★　文字書式　2021 2019 2016

縦書きにしたときに横になった文字を縦にするには

A [縦中横] を設定します。

文字方向を縦書きに変更すると、半角英数字は横になってしまいます。半角英数字を縦に戻すには全角に変換します。「200」のように複数文字を縦向きにしたい場合は、[縦中横] を設定します。

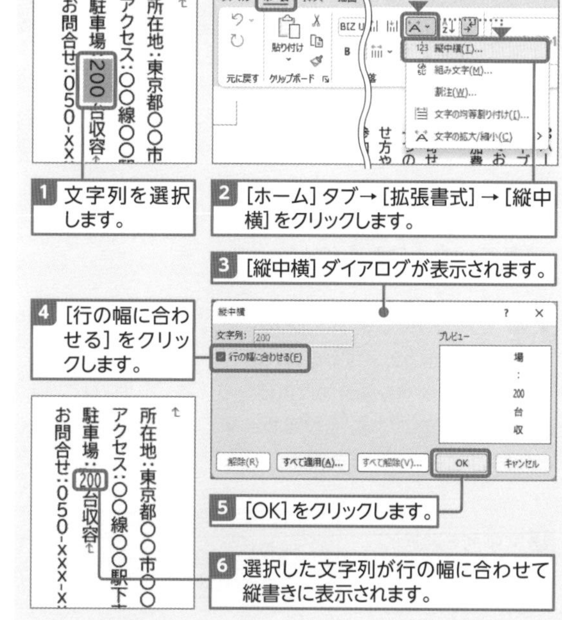

Q203 お役立ち度 ★★★ 文字書式

2021 2019 2016

文字列を均等割り付けにするには

A 文字の均等割り付けを設定します。

指定した幅になるように文字列の文字を均等に配置するには、[文字の均等割り付け] を利用します。

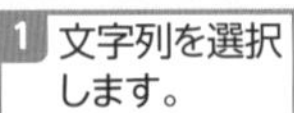

1 文字列を選択します。

2 [ホーム] タブ→ [拡張書式] → [文字の均等割り付け] をクリックします。

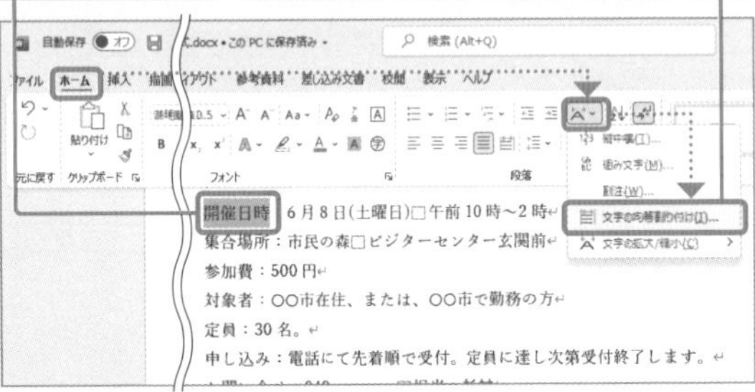

3 [文字の均等割り付け] ダイアログが表示されます。

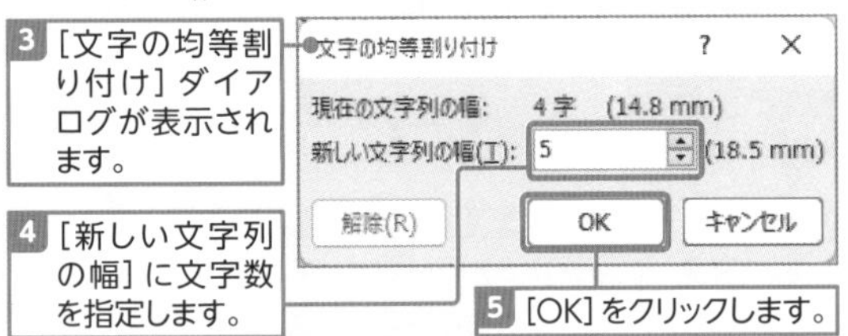

4 [新しい文字列の幅] に文字数を指定します。

5 [OK] をクリックします。

開催日時 6月8日(土曜日)□午前10時～2時
集合場所：市民の森□ビジターセンター玄関前

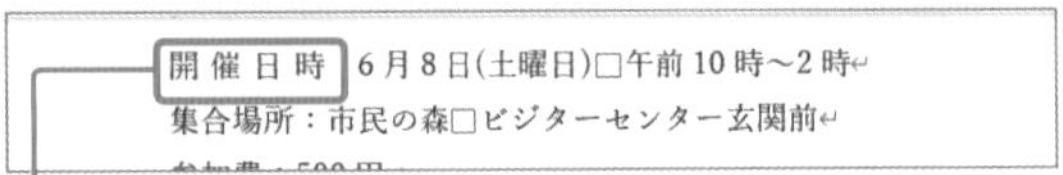

6 指定した文字幅に均等割り付けされます。

Q204 お役立ち度 ★★★ 文字書式

2021 2019 2016

文字の幅だけを2倍に変更するには

A 文字の拡大／縮小で200%を選択します。

[文字の拡大／縮小] を使うと、文字列の横幅を変更できます。2倍にするには200%、1/2倍にするには50%に設定します。この方法で、漢字やひらがなも半角（1/2倍）に変換できます。

1 文字列を選択します。

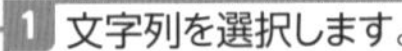

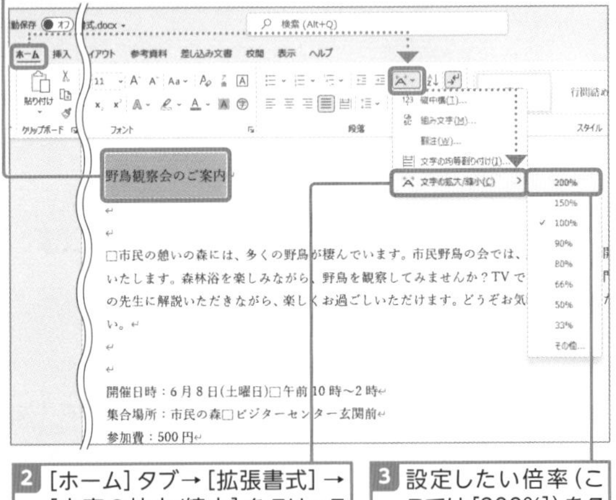

2 [ホーム] タブ→ [拡張書式] → [文字の拡大/縮小] をクリックします。

3 設定したい倍率（ここでは [200%]）をクリックします。

野鳥観察会のご案内

4 横幅が指定した倍率に変更されます。

Q205 お役立ち度 ★★★ 文字書式

2021 2019 2016

文字間隔を広げたり、狭くしたりするには

A [フォント] ダイアログの [文字間隔] で設定します。

文字と文字の間隔を部分的に広げたり、狭くしたりして調整するには [文字間隔] を設定します。文字間隔は、[フォント] ダイアログで設定します。

1 文字列を選択しておきます。

2 Q188の方法で [フォント] ダイアログを表示します。

3 [詳細設定] タブの [文字間隔] で文字間隔を変更します。

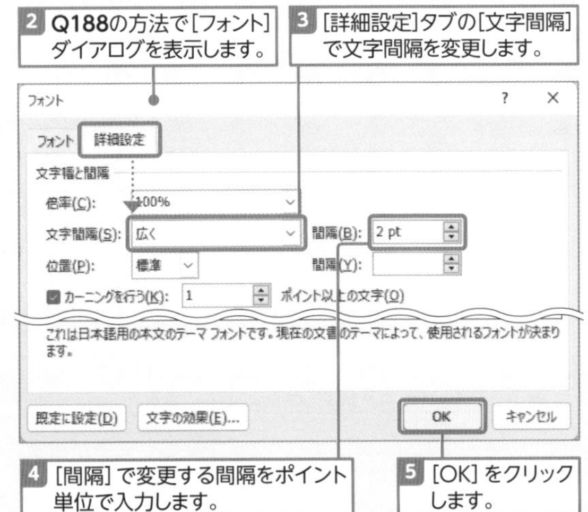

4 [間隔] で変更する間隔をポイント単位で入力します。

5 [OK] をクリックします。

Q206 お役立ち度 ★★★ 文字書式

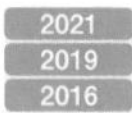

2021 2019 2016

印刷したくない文字がある

A [フォント] ダイアログの[隠し文字] を設定します。

印刷したくない文字列がある場合、その文字列に[隠し文字]を設定しておけば印刷されません。覚書のような、印刷しないけれど情報は残しておきたい場合に利用できます。

1 文字列を選択しておきます。

2 Q188の手順で [フォント] ダイアログを表示します。

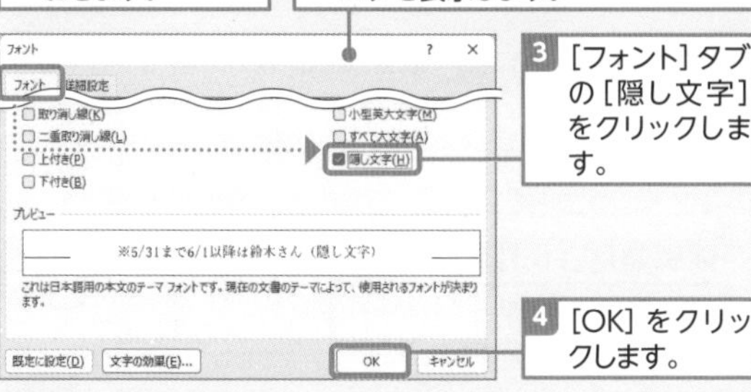

3 [フォント] タブの [隠し文字] をクリックします。

4 [OK] をクリックします。

5 隠し文字の設定がされます。印刷プレビューで文字列が表示されないことを確認してください (**Q412**)。

Q207 お役立ち度 ★★★ 文字書式

2021 2019 2016

文字列の上に「・」を付けて強調したい

A [フォント] ダイアログで「傍点」を選択します。

文字の上に「・」を付けて強調したいときは [傍点] を設定します。[フォント] ダイアログで設定できます。

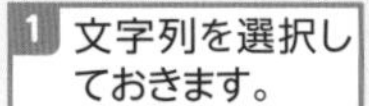

1 文字列を選択しておきます。

2 Q188の手順で [フォント] ダイアログを表示します。

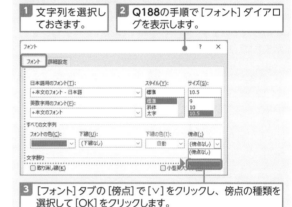

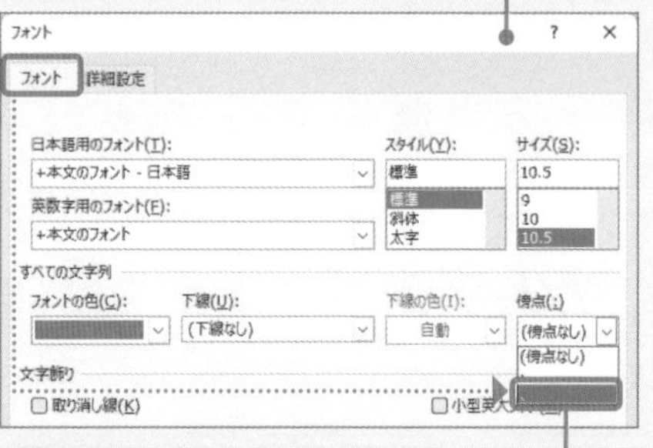

3 [フォント] タブの [傍点] で [∨] をクリックし、傍点の種類を選択して [OK] をクリックします。

Q208 お役立ち度 ★★★ 文字書式

2021 2019 2016

文字に設定した書式を解除するには

A Ctrl + Space キーを押します。

文字書式のみ解除するには、文字書式を削除したい文字列を選択し、Ctrl + Space キーを押します。ただし、蛍光ペンやルビ、拡張書式など、このキー操作で解除できないものは、それぞれの機能で解除してください。

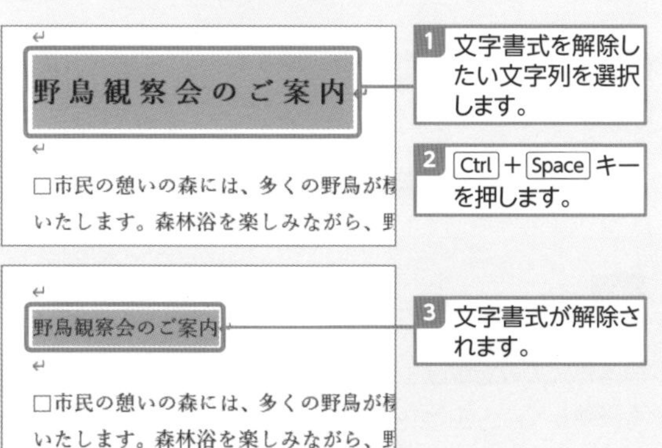

1 文字書式を解除したい文字列を選択します。

2 Ctrl + Space キーを押します。

3 文字書式が解除されます。

Q209 お役立ち度 ★★★ 文字書式

2021 2019 2016

すべての書式を解除するには

A [ホーム] タブ→ [すべての書式をクリア] をクリックします。

[すべての書式をクリア] を利用すると、選択範囲の文字書式と段落書式をまとめて削除できます。蛍光ペンやルビ、拡張書式など解除できないものは、それぞれの機能で解除してください。

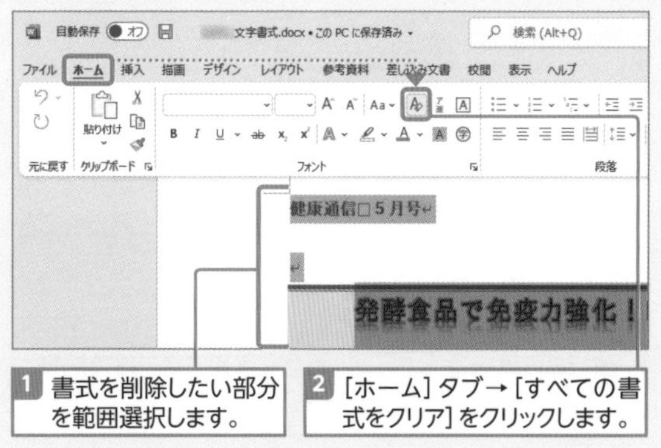

1 書式を削除したい部分を範囲選択します。

2 [ホーム] タブ→ [すべての書式をクリア] をクリックします。

Q210 お役立ち度 ★★★ 段落書式

2021 2019 2016

段落書式って?

A 段落全体に対して設定する書式です。

段落書式とは、行揃えや箇条書きなど段落全体に対して設定する書式です。段落書式を設定するには、対象とする段落全体または一部を選択するか、段落内にカーソルを移動します。段落書式は、[ホーム] タブの [段落] グループにまとめられています。以下の手順で [段落] ダイアログを表示すれば、主な段落書式を一度に設定できます。

段落書式は [段落] グループにまとめられています。

1 [ホーム] タブ→[段落] グループの をクリックします。

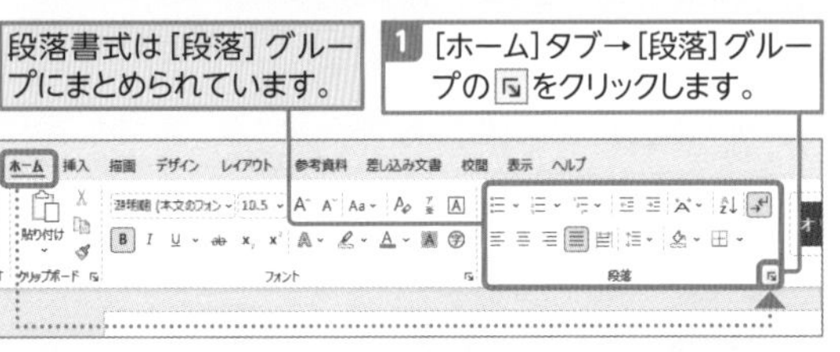

2 [段落] ダイアログが表示されます。

[段落] ダイアログでは段落書式をまとめて設定できます。

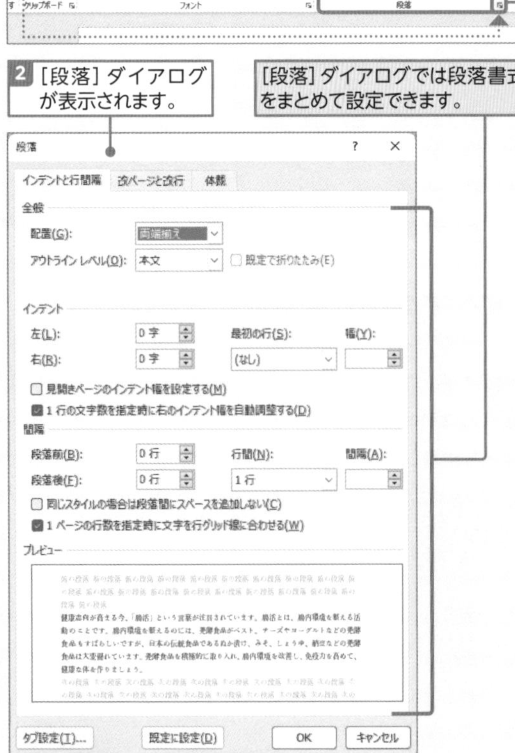

おトクな情報 段落とは

改行の段落記号 で区切られた文字列です。段落記号だけの空行も1段落と数えます。

Q211 お役立ち度 ★★★ 段落書式

2021 2019 2016

改行すると、上の行の文字書式が引き継がれてしまう!

A 行の先頭で Ctrl + Space キーで文字書式を解除します。

Enter キーを押して改行し、新しい段落で文字の入力を始めると、上の行の行末に設定していた文字書式が引き継がれてしまいます。その場合は、改行後の行頭で Ctrl + Space キーを押して文字書式を解除すれば、上の行の文字書式は解除されます。

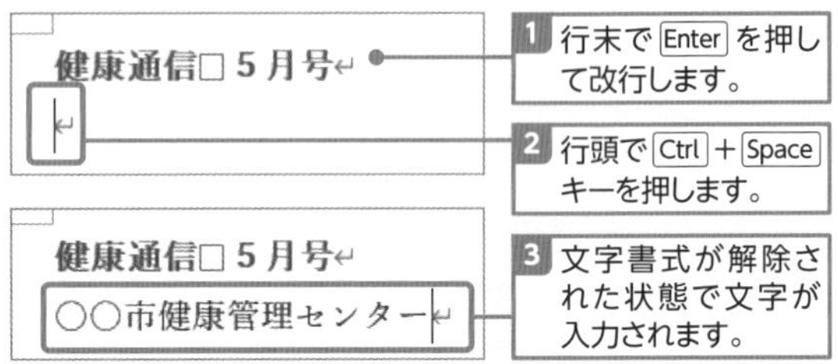
健康通信□ 5 月号
1 行末で Enter を押して改行します。
2 行頭で Ctrl + Space キーを押します。
健康通信□ 5 月号
○○市健康管理センター
3 文字書式が解除された状態で文字が入力されます。

Q212 お役立ち度 ★★★ 段落書式

2021 2019 2016

改行すると、上の行の段落書式が引き継がれてしまう!

A BackSpace キーを押して解除します。

中央揃えの段落書式が設定されている行の行末で Enter キーを押すと、上の行の段落書式が引き継がれて、次の行も中央揃えの位置にカーソルが表示されます。設定された段落書式を解除するには、改行した直後であれば、BackSpace キーを押します。なお、右揃えについては、BackSpace キーにより右インデントが設定されるため、**Q213**、または**Q215**の方法で解除してください。

Q213 お役立ち度 ★★★ 段落書式

2021 2019 2016

段落書式を解除するには

A Ctrl + Q キーを押します。

段落書式のみを解除するには、解除したい段落にカーソルを移動して、Ctrl + Q キーを押します。

Q214 お役立ち度 ★★★ 段落書式 2021 2019 2016

段落を分けずに改行するには

A Shift ＋ Enter キーを押します。

行末で Enter キーを押すと、別の段落になります。段落は分けたくないけれど、行を改めたい場合は、Shift ＋ Enter キーを押して改行します。この場合、段落記号↵ではなく、改行記号↓が表示されます。改行を解除したい場合は、改行記号の前にカーソルを移動し、Delete キーを押します。

日本では香りのあるお茶を「フレーバーティー」といいます語ではこのような言い方はしません。英国では、香りのあるおフレーバード・ティー、センティッド・ティーの2つに分類す。↵

1 段落を区切らないで改行したい位置にカーソルを移動します。

2 Shift ＋ Enter キーを押します。

日本では香りのあるお茶を「フレーバーティー」といいます語ではこのような言い方はしません。↓
英国では、香りのあるお茶は、フレーバード・ティー、センド・ティーの2つに分類されます。↵

3 改行され、段落を区切らない改行記号が表示されます。

Q215 お役立ち度 ★★★ 段落書式 2021 2019 2016

段落の配置を変更するには

A ［ホーム］タブ→［中央揃え］［右揃え］などをクリックします。

段落を選択し、［中央揃え］をクリックすると段落全体が中央揃えになります。再度［中央揃え］をクリックしてオフにすると解除され、［両端揃え］に戻ります。右揃えについても同様です。

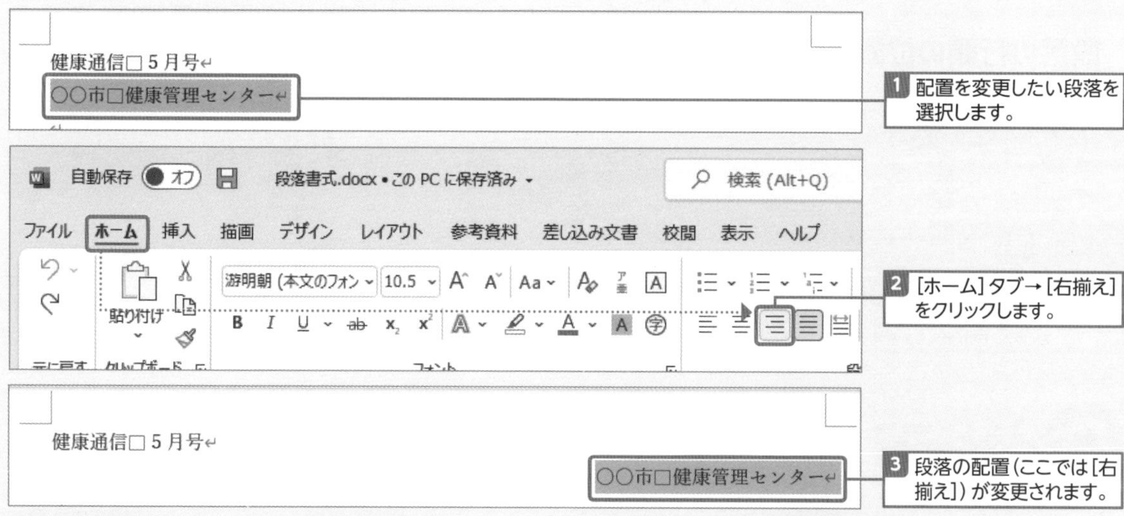

● **段落の配置**

ボタン	名前	内容
	左揃え	段落の文字列が行の左端に合わせて配置される。そのため、行末の右端が揃わない場合があるが、文字の間隔は揃う
	中央揃え	段落全体を中央に揃える。主にタイトル行に設定する
	右揃え	段落の文字列が行の右端に合わせて配置される。主に発信者名や日付行に設定する
	両端揃え	初期設定の配置。段落の文字列が行の左端と右端に合わせて配置される。そのため行によっては文字の間隔が広がる場合がある
	均等割り付け	文字列が各行ごとに均等に配置される

おトクな情報　キー操作で実行

左揃え：Ctrl ＋ L キー
中央揃え：Ctrl ＋ E キー
右揃え：Ctrl ＋ R キー
両端揃え：Ctrl ＋ J キー
均等割り付け：Ctrl ＋ Shift ＋ J キー

Q216 お役立ち度 ★★★ 段落書式 2021 2019 2016

文章の行頭や行末の位置を揃えるには

A インデントを設定します。

インデントを使うと、文章の左右の幅を段落単位で調整できます。インデントは「左インデント」「1行目のインデント」「ぶら下げインデント」「右インデント」の4種類あり、現在カーソルのある段落のインデントの状態はルーラー上にあるインデントマーカーで確認、設定できます。なお、ルーラーは［表示］タブ→［ルーラー］のチェックボックスをオンにして表示します（**Q078**）。

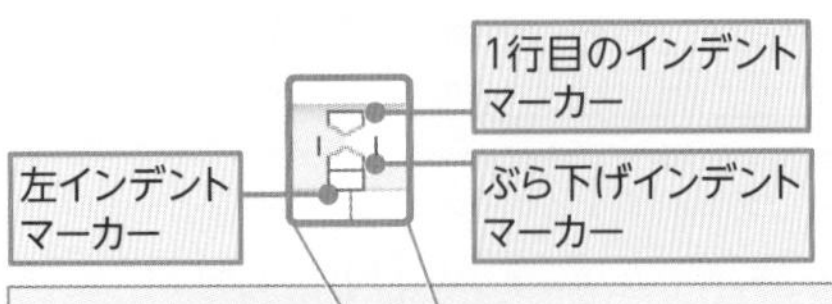

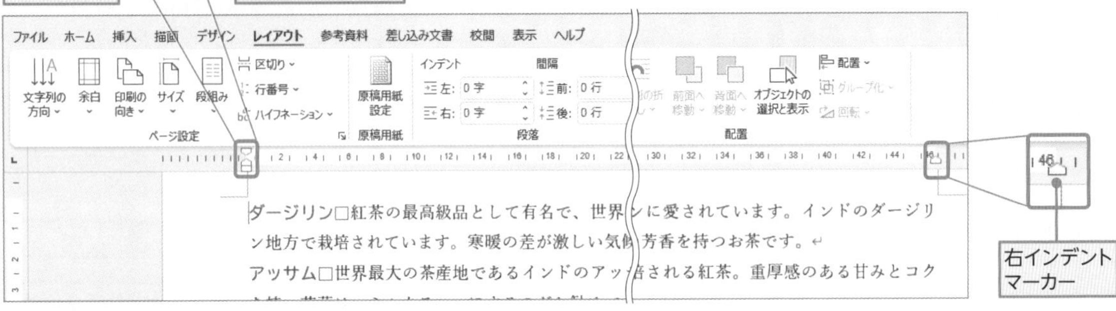

Q217 お役立ち度 ★★★ 段落書式 2021 2019 2016

段落の行頭の位置を変更するには

A 左インデントの位置を変更します。

左インデントは、段落全体の行頭の位置を設定します。行頭の位置を変更したい段落を選択し、［レイアウト］タブの［左インデント］で0.5文字単位で変更できます。

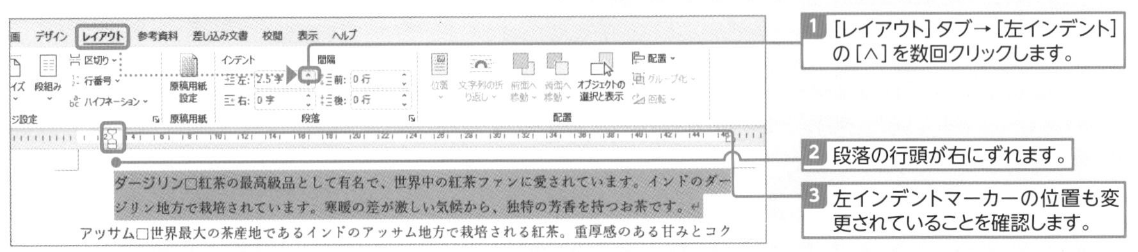
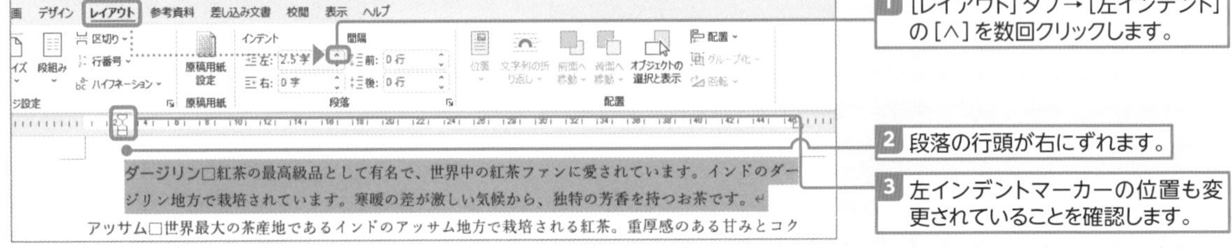

1 ［レイアウト］タブ→［左インデント］の［∧］を数回クリックします。
2 段落の行頭が右にずれます。
3 左インデントマーカーの位置も変更されていることを確認します。

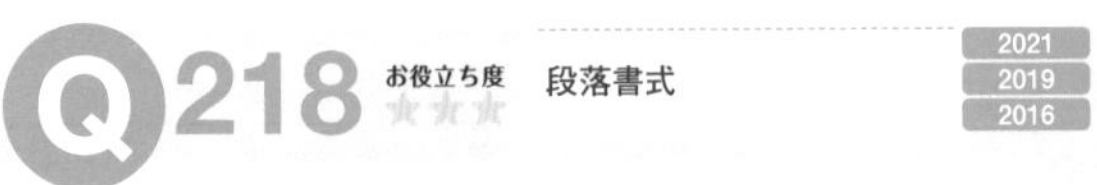

Q218 お役立ち度 ★★★ 段落書式 2021 2019 2016

段落の行末の位置を変更するには

A 右インデントの位置を変更します。

右インデントは、段落全体の行末の位置を設定します。行末の位置を変更したい段落を選択し、［レイアウト］タブの［右インデント］で0.5文字単位で変更できます。

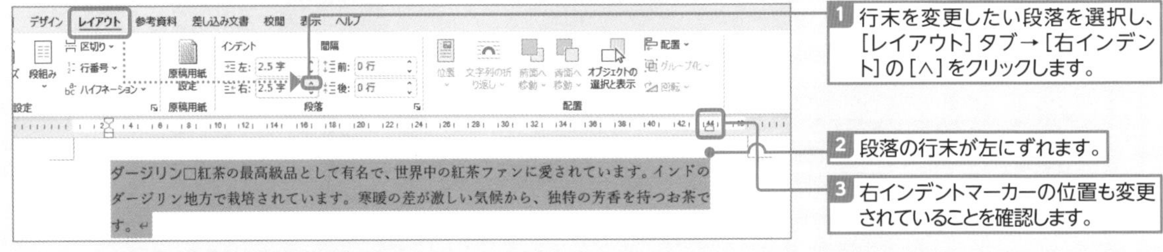

1 行末を変更したい段落を選択し、［レイアウト］タブ→［右インデント］の［∧］をクリックします。
2 段落の行末が左にずれます。
3 右インデントマーカーの位置も変更されていることを確認します。

Q219 お役立ち度 ★★★ 段落書式 2021 2019 2016

1行目だけ字下げするには

A 1行目のインデントの位置を変更します。

段落の1行目の行頭で Space キーを押すと1文字ずつ字下げされます。また、Tab キーを押すと初期設定で4文字分字下げされます。なお、何も入力されていない新規行で Space キーを押した場合は、空白のスペースが入力され、インデントは変更されません。

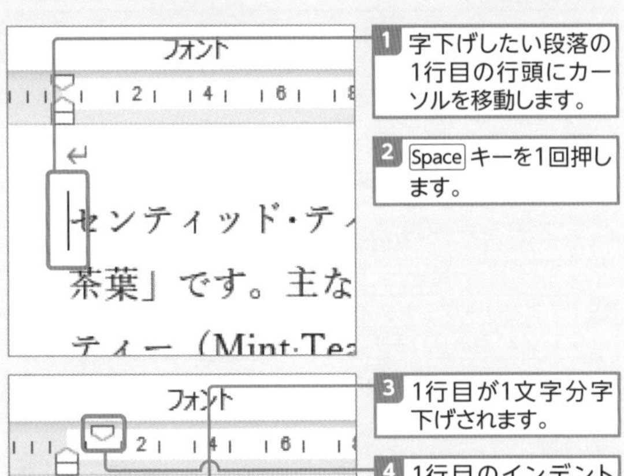

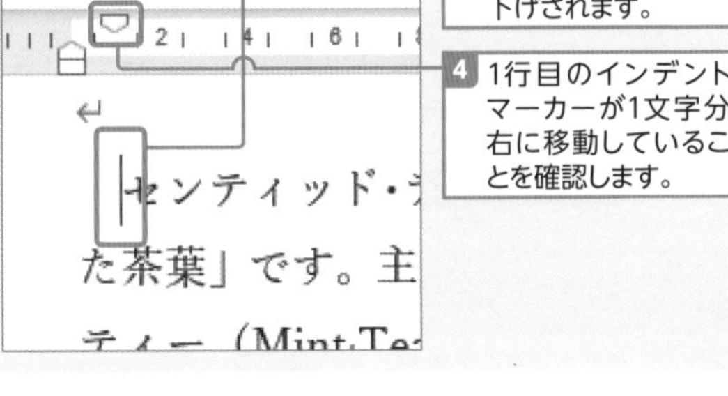

Q220 お役立ち度 ★★★ 段落書式 2021 2019 2016

2行目以降の開始位置を変更するには

A ぶら下げインデントの位置を変更します。

段落の2行目以降を字下げするには、段落の2行目の行頭で Space キーを押すと1文字ずつ字下げされます。

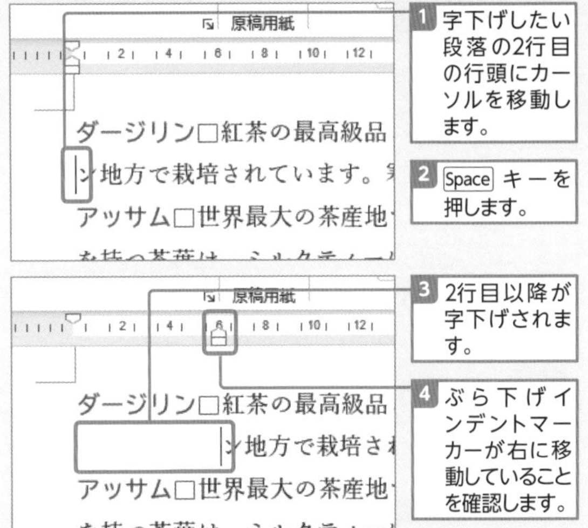

原稿用紙
ダージリン□紅茶の最高級品
ン地方で栽培されています。
アッサム□世界最大の茶産地
1 字下げしたい段落の2行目の行頭にカーソルを移動します。
2 Space キーを押します。
3 2行目以降が字下げされます。
4 ぶら下げインデントマーカーが右に移動していることを確認します。

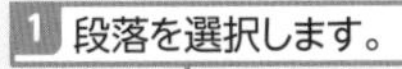

おトクな情報 ［段落］ダイアログでインデントを変更する

Q210の方法で［段落］ダイアログを表示し、［インデントと行間隔］タブの［インデント］欄で設定できます。

Q221 お役立ち度 ★★★ 段落書式 2021 2019 2016

インデントマーカーを使ってインデント位置を微調整するには

A インデントマーカーを Alt ＋ドラッグします。

インデントマーカーをドラッグしてもインデント位置を変更できますが、普通にドラッグするときれいに揃わないことがあります。Alt キーを押しながらドラッグすると、数値で位置を確認しながら微調整できます。

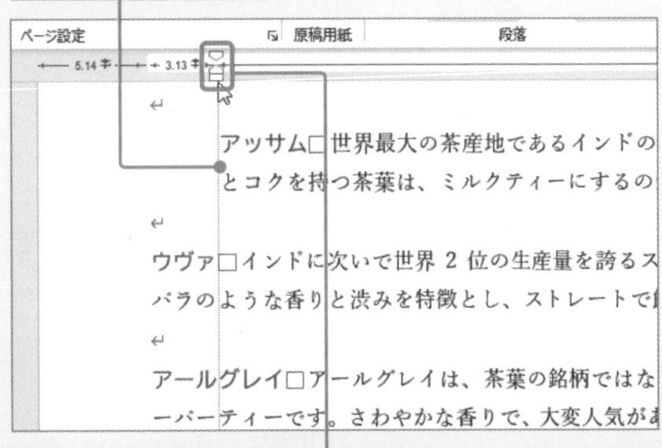

お役立ち度 ★★★ 段落書式

2021 2019 2016

タブを設定するには

A Tab キーを押します。

行の途中の文字位置を揃えたいときは、Tab キーを押すと、既定のタブ位置に文字が揃います。既定では4文字間隔で設定されています。文字列が既定のタブ位置より長い場合は、一番近い次のタブ位置に揃います。

曜日 → ランチ
月曜日パスタ
3 最初のタブ位置（ここでは4文字目）に文字位置が揃います。

Q224 お役立ち度 ★★★ 段落書式

2021 2019 2016

任意の位置に文字列を揃えたい!

A ルーラー上でクリックします。

任意の位置にタブを追加するには、タブ位置を揃えたい段落を選択しておき、ルーラー上のタブを追加したい位置でクリックします。

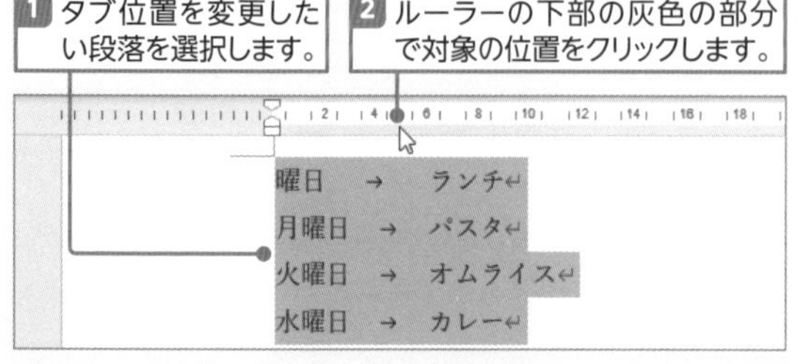

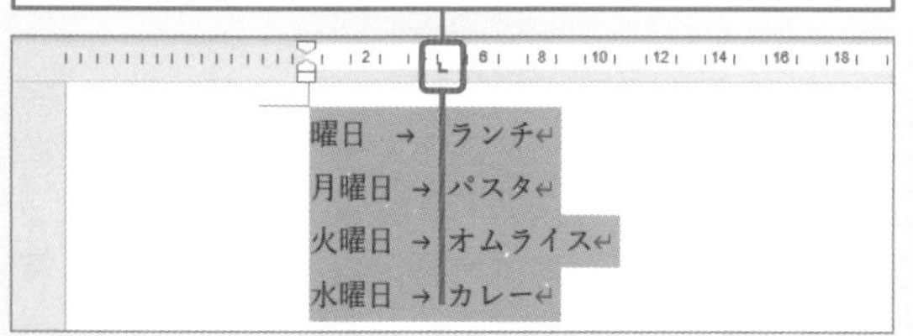

Q223 お役立ち度 ★★★ 段落書式

2021 2019 2016

Tab キーで移動する既定の間隔を変更するには

A [タブとリーダー] ダイアログで設定します。

タブの挿入間隔を変更するには、[タブとリーダー] ダイアログを表示します。この変更は、作業中の文書のみに有効です。

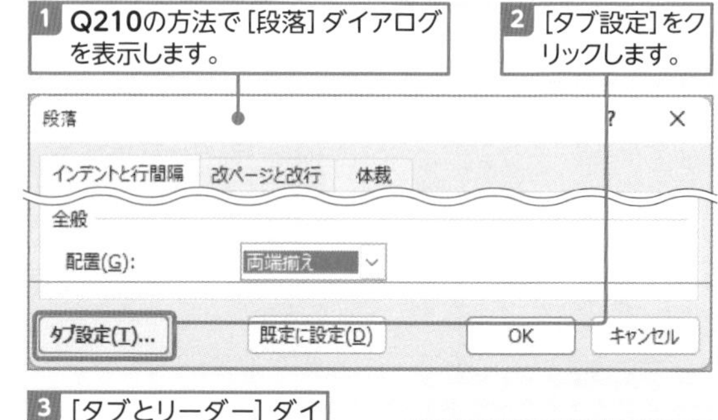

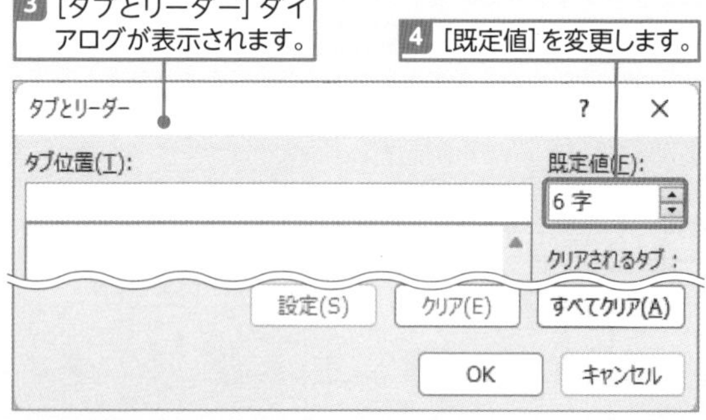

Q225 お役立ち度 ★★★ 段落書式

2021 2019 2016

タブ位置を間違えたので削除したい!

A タブマーカーをルーラーの外にドラッグします。

タブを削除するには、タブが設定されている段落を選択し、タブマーカーをルーラーの外にドラッグします。

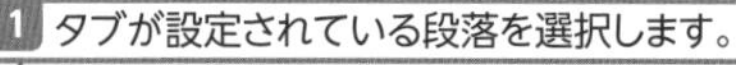

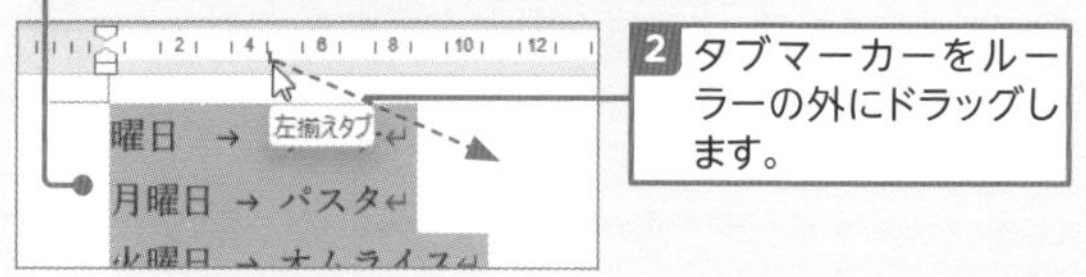

Q226 お役立ち度 ★★★ 段落書式 2021 2019 2016

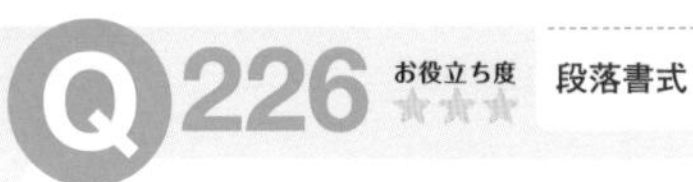

タブの種類を変更したい!

A ルーラーの左端の「└」をクリックして変更します。

初期設定は、任意の位置に追加されるタブは左揃えタブです。ルーラーの左端にある[タブの種類]をクリックすると、追加されるタブの種類を変更できます。

1 「タブの種類」をクリックして種類変更ができます。
2 ルーラーをクリックしてタブの追加ができます。
左揃え
中央揃え
右揃え
小数点揃え
縦棒
1 → 田中 → ジュニア → 5回目 → 12.45 →
2 → 斎藤 → シニア → 10回目 → 123.4 →

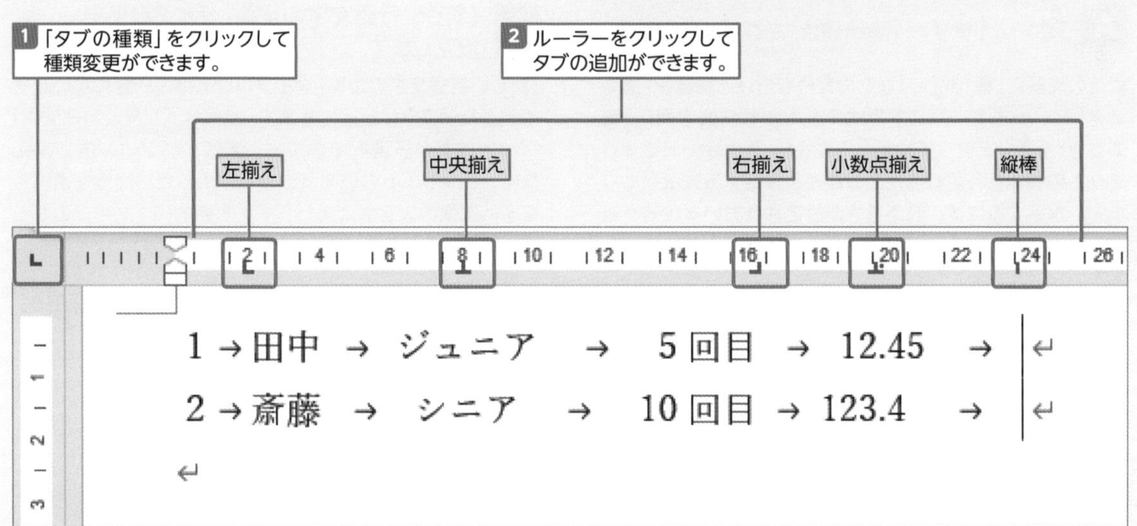

Q227 お役立ち度 ★★★ 段落書式 2021 2019 2016

文字と文字の間を「‥‥」で埋めたい!

A [リーダー]を設定します。

タブによって挿入された空間を埋める点線のことを「リーダー」といいます。リーダーは、既定のタブではなく、タブマーカーによってタブが設定されている場合に表示できます。

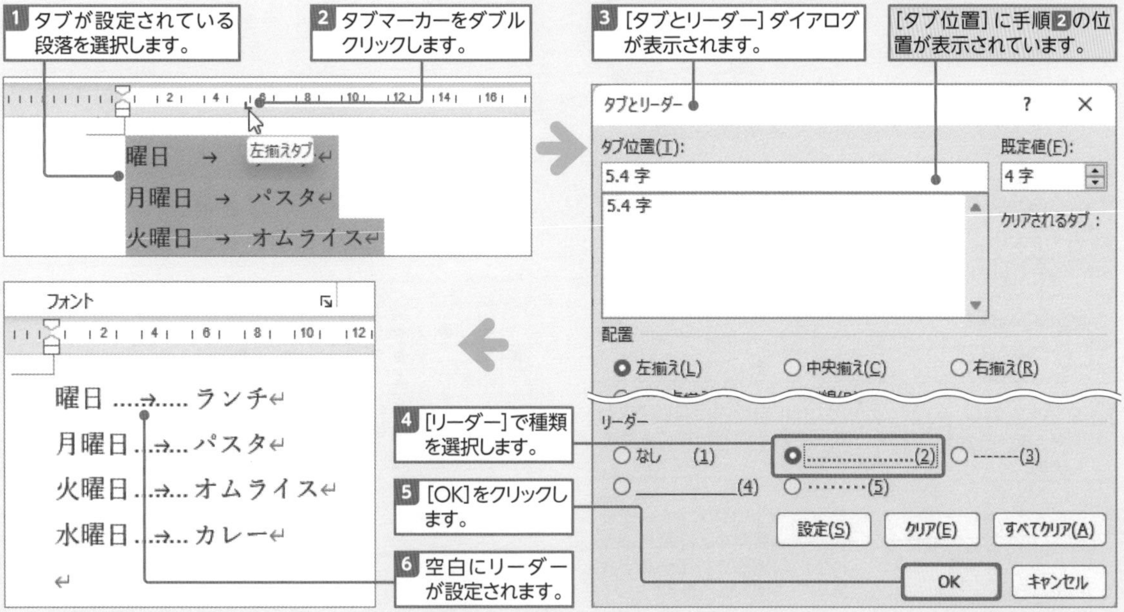

1 タブが設定されている段落を選択します。
2 タブマーカーをダブルクリックします。
左揃えタブ
曜日 →
月曜日 → パスタ
火曜日 → オムライス
3 [タブとリーダー]ダイアログが表示されます。
[タブ位置]に手順2の位置が表示されています。
タブとリーダー
タブ位置(T):
5.4 字
既定値(F):
4 字
クリアされるタブ:
配置
左揃え(L)
中央揃え(C)
右揃え(R)
リーダー
なし (1)
(2)
(3)
(4)
(5)
設定(S)
クリア(E)
すべてクリア(A)
OK
キャンセル
4 [リーダー]で種類を選択します。
5 [OK]をクリックします。
6 空白にリーダーが設定されます。
フォント
曜日 ……→…… ランチ
月曜日 …→… パスタ
火曜日 …→… オムライス
水曜日 …→… カレー

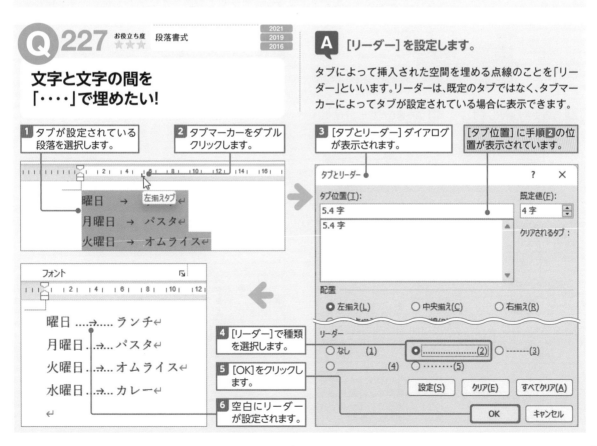

Q228 お役立ち度 ★★★ 段落書式

2021 2019 2016

箇条書きを設定するには

A [ホーム] タブ→ [箇条書き] をクリックします。

段落の先頭に「●」や「◇」などの記号を付ける機能を「箇条書き」といいます。リスト形式で入力された文字列に[箇条書き]ボタンを使って設定する方法と、入力オートフォーマットの機能を利用して入力しながら設定する方法があります。解除するには、箇条書きが設定されている段落を選択し、[ホーム] タブ→ [箇条書き] をクリックしてオフにします。

[箇条書き] ボタンを使う方法

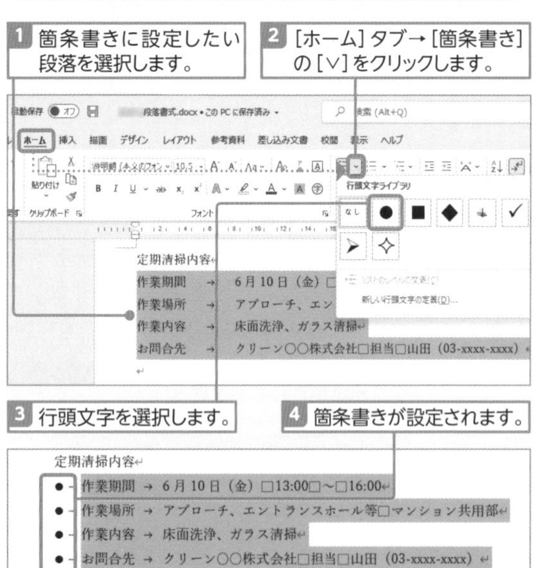

入力オートフォーマットを使う方法

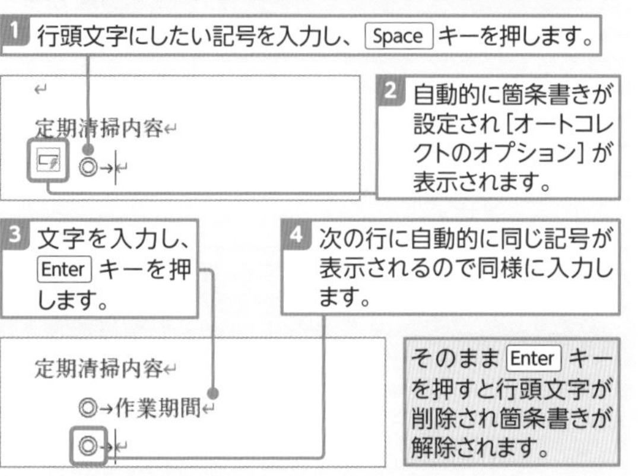

1 行頭文字にしたい記号を入力し、Space キーを押します。
2 自動的に箇条書きが設定され [オートコレクトのオプション] が表示されます。
3 文字を入力し、Enter キーを押します。
4 次の行に自動的に同じ記号が表示されるので同様に入力します。
そのまま Enter キーを押すと行頭文字が削除され箇条書きが解除されます。
定期清掃内容
◎→作業期間

Q229 お役立ち度 ★★★ 段落書式

2021 2019 2016

一覧にない記号や図を行頭文字にするには

A [新しい行頭文字の定義] ダイアログで設定します。

[新しい行頭文字の定義] ダイアログでは、一覧にない記号や図を行頭文字に設定できます。記号は、[記号と特殊文字] ダイアログから選択できます。図は、パソコン内、Web検索、OneDriveのいずれかから使用したい画像を選択します。画像の大きさに関わらず、自動的に1文字分のサイズに縮小されて行頭文字に設定されます。

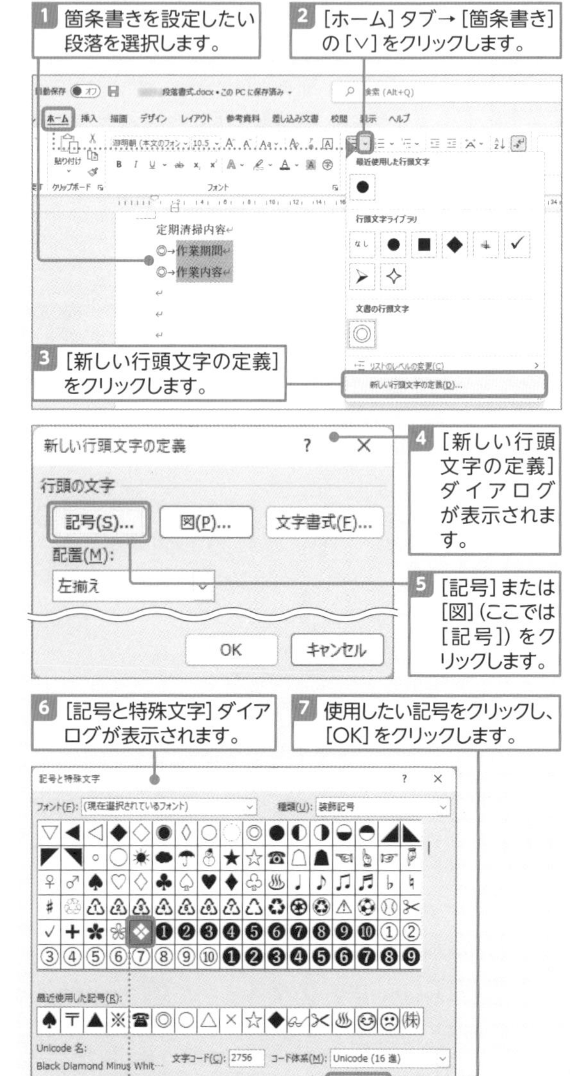

1 箇条書きを設定したい段落を選択します。
2 [ホーム] タブ→ [箇条書き] の [∨] をクリックします。
3 [新しい行頭文字の定義] をクリックします。
4 [新しい行頭文字の定義] ダイアログが表示されます。
5 [記号] または [図] (ここでは [記号]) をクリックします。
6 [記号と特殊文字] ダイアログが表示されます。
7 使用したい記号をクリックし、[OK] をクリックします。
新しい行頭文字の定義
行頭の文字
記号(S)...
図(P)...
文字書式(F)...
配置(M):
左揃え
OK
キャンセル
記号と特殊文字
Unicode 名:
Black Diamond Minus White...
文字コード(C): 2756

Q230 お役立ち度 ★★★ 段落書式 2021 2019 2016

段落番号を設定するには

A [ホーム]タブ→[段落番号]をクリックします。

段落の先頭に「1.」や「①」などの番号を付ける機能を「段落番号」といいます。数字だけでなく「A) B) C)」や「(あ) (い) (う)」といった文字列も段落番号に設定できます。リスト形式で入力された文字列に[段落番号]ボタンを使って設定する方法と、入力オートフォーマットの機能を利用して入力しながら設定する方法があります。

[段落番号] ボタンを使う方法

1 段落番号に設定したい段落を選択します。

2 [ホーム]タブ→[段落番号]の[∨]をクリックします。

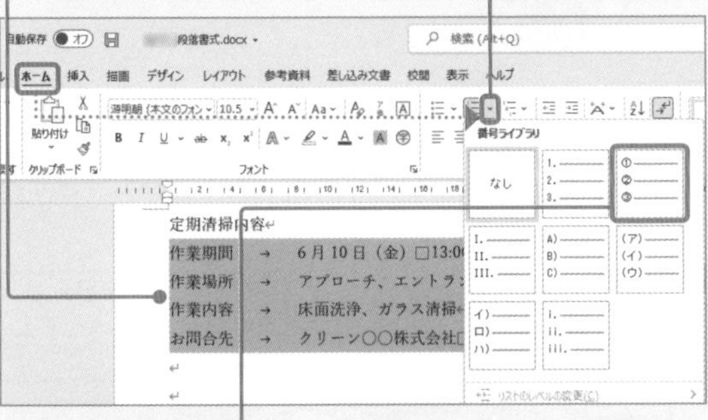

3 番号を選択します。

4 段落番号が設定されます。

定期清掃内容
①→作業期間 → 6月10日（金）□13:00□～□16:00
②→作業場所 → アプローチ、エントランスホール等□マンション共用部
③→作業内容 → 床面洗浄、ガラス清掃
④→お問合先 → クリーン○○株式会社□担当□山田（03-xxxx-xxxx）

入力オートフォーマットを使う方法

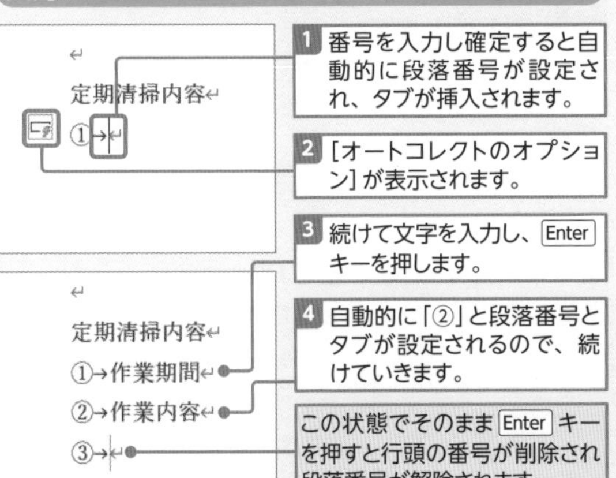

1 番号を入力し確定すると自動的に段落番号が設定され、タブが挿入されます。

2 [オートコレクトのオプション]が表示されます。

3 続けて文字を入力し、Enter キーを押します。

4 自動的に「②」と段落番号とタブが設定されるので、続けていきます。

この状態でそのまま Enter キーを押すと行頭の番号が削除され段落番号が解除されます。

Q231 お役立ち度 ★★★ 段落書式 2021 2019 2016

一覧にない段落番号を作れないの?

A [新しい番号書式の定義]ダイアログで作成できます。

[新しい番号書式の定義]ダイアログを表示すると、一覧にない番号を段落番号に設定できます。ダイアログの[番号書式]欄に「1月　」のように、番号に加えて表示したい文字を追加すれば、オリジナルの表示形式を指定できます。

1 番号の種類を変更したい段落を選択します。

2 [ホーム]タブ→[段落番号]の[∨]をクリックします。

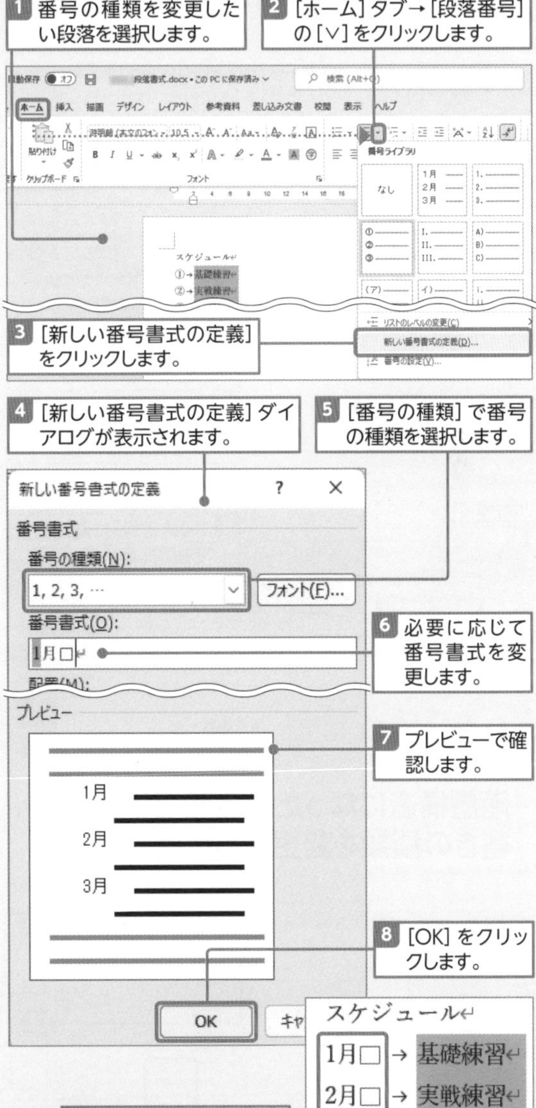

3 [新しい番号書式の定義]をクリックします。

4 [新しい番号書式の定義]ダイアログが表示されます。

5 [番号の種類]で番号の種類を選択します。

6 必要に応じて番号書式を変更します。

7 プレビューで確認します。

8 [OK]をクリックします。

9 選択した行頭文字が設定されます。

Q232 お役立ち度 ★★★ 段落書式

2021
2019
2016

段落番号の開始番号を変更したい!

A [番号の設定] ダイアログで設定します。

[番号の設定] ダイアログを利用すれば、段落番号の開始番号を任意の番号に変更できます。

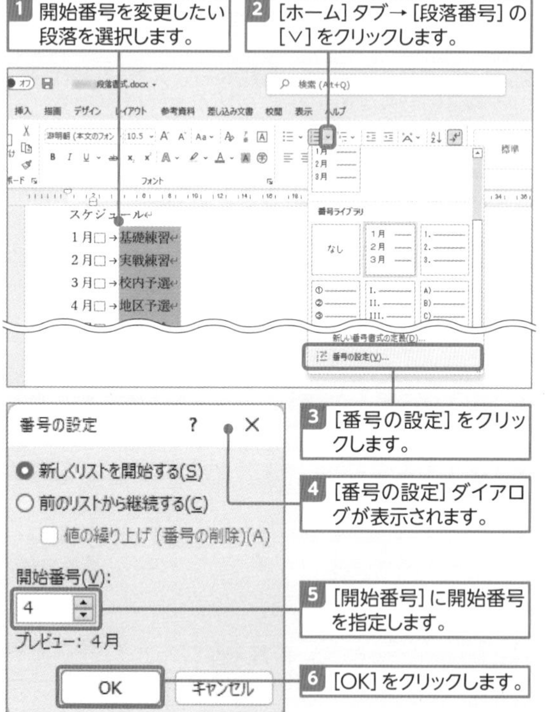
1 開始番号を変更したい段落を選択します。
2 [ホーム] タブ→ [段落番号] の [∨] をクリックします。
スケジュール
1月□→基礎練習
2月□→実戦練習
3月□→校内予選
4月□→地区予選
番号ライブラリ
なし
新しい番号書式の定義(D)...
番号の設定(V)...
3 [番号の設定] をクリックします。
番号の設定
新しくリストを開始する(S)
前のリストから継続する(C)
値の繰り上げ (番号の削除)(A)
開始番号(V):
4
プレビュー: 4月
OK
キャンセル
4 [番号の設定] ダイアログが表示されます。
5 [開始番号] に開始番号を指定します。
6 [OK] をクリックします。

Q233 お役立ち度 ★★★ 段落書式

2021
2019
2016

段落番号や箇条書きにレベルを付けたい!

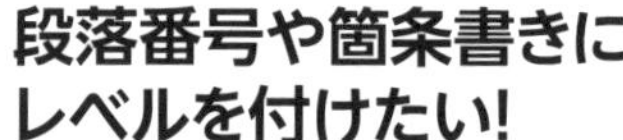

A Tab キーでレベル下げ、Shift + Tab キーでレベル上げを設定します。

段落番号や箇条書きを階層構造にするには、レベルを変更します。レベルを変更すると、段落が字下げされ、記号や行番号の種類が変わります。なお、[ホーム] タブの [インデントを増やす] 、[インデントを減らす] でもレベルを変更できます。

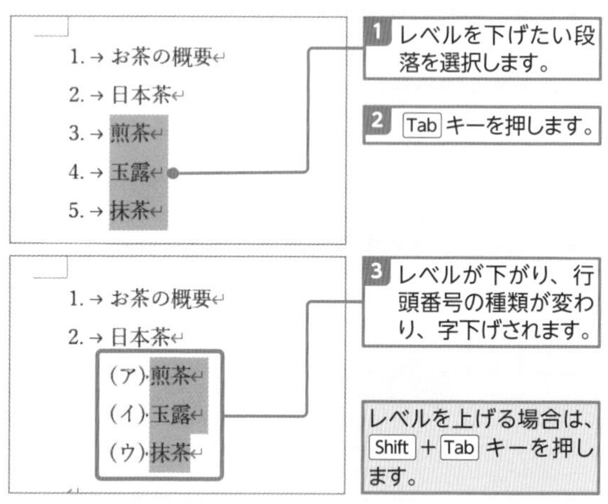
1. → お茶の概要
2. → 日本茶
3. → 煎茶
4. → 玉露
5. → 抹茶
1 レベルを下げたい段落を選択します。
2 Tab キーを押します。
1. → お茶の概要
2. → 日本茶
(ア) 煎茶
(イ) 玉露
(ウ) 抹茶
3 レベルが下がり、行頭番号の種類が変わり、字下げされます。
レベルを上げる場合は、Shift + Tab キーを押します。

おトクな情報 段落番号を設定しないで改行したい

Shift + Enter キーを押して、段落を分けずに改行すれば、段落番号は表示されません (Q214)

Q234 お役立ち度 ★★★ 段落書式

2021
2019
2016

階層構造になった段落番号や箇条書きの種類を変更するには

A [ホーム] タブ→ [アウトライン] をクリックします。

[アウトライン] には、階層構造になっている段落番号や箇条書きの種類が用意されています。一覧から選択するだけで簡単に変更できます。

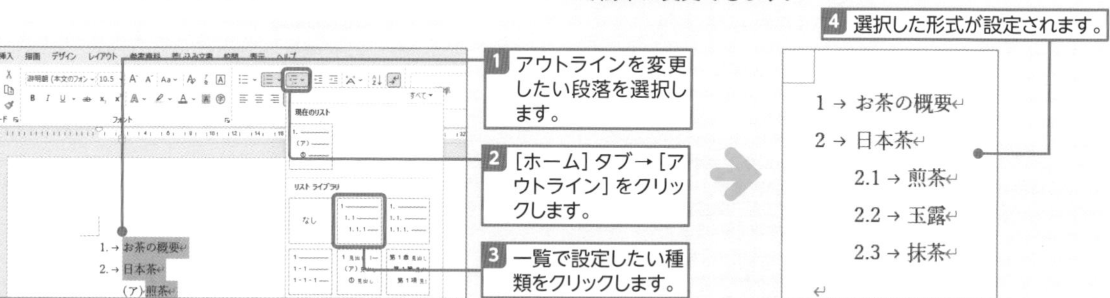
1 アウトラインを変更したい段落を選択します。
2 [ホーム] タブ→ [アウトライン] をクリックします。
3 一覧で設定したい種類をクリックします。
1.→お茶の概要
2.→日本茶
(ア) 煎茶
4 選択した形式が設定されます。
1 → お茶の概要
2 → 日本茶
2.1 → 煎茶
2.2 → 玉露
2.3 → 抹茶

Q235 お役立ち度 ★★★ 段落書式 2021 2019 2016

段落を罫線で囲みたい!

A [線種とページ罫線と網かけの設定] ダイアログで [囲む] を選択します。

段落を対象に罫線を設定すると、左端から右端までの横幅いっぱいに罫線で囲めます。[線種とページ罫線と網かけの設定] ダイアログで [囲む] を選択し、線種、色、太さを指定します。

1 段落を選択します。

2 [ホーム] タブの [罫線] の [∨] をクリックします。

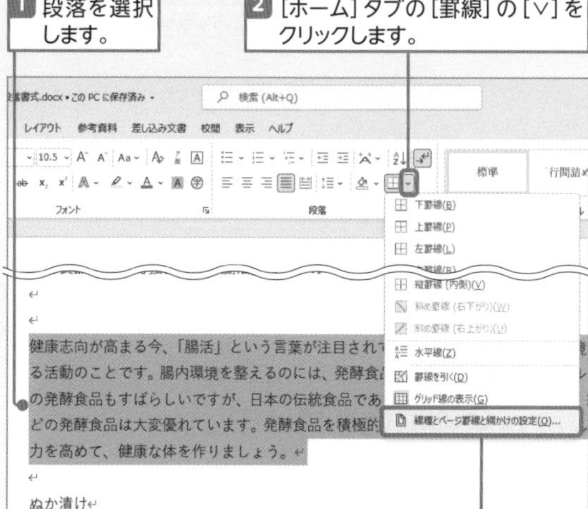

3 [線種とページ罫線と網かけの設定] をクリックします。

4 [線種とページ罫線と網かけの設定] ダイアログが表示されます。

5 [囲む] をクリックします。

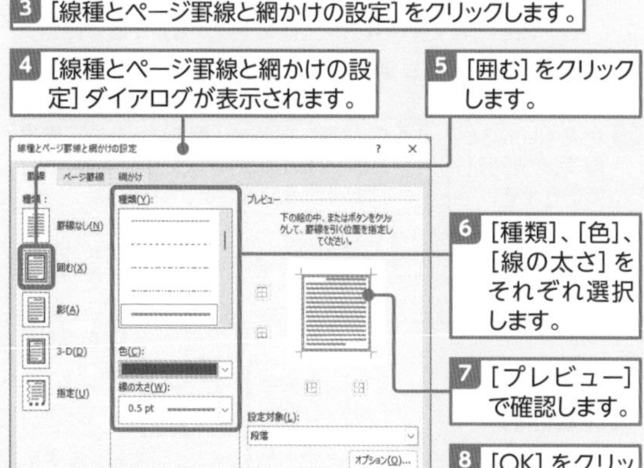

6 [種類]、[色]、[線の太さ] をそれぞれ選択します。

7 [プレビュー] で確認します。

8 [OK] をクリックします。

9 段落の周囲に指定した罫線が設定されます。

健康志向が高まる今、「腸活」という言葉が注目されています。腸活とは、腸内環境を整える活動のことです。腸内環境を整えるのには、発酵食品がベスト。チーズやヨーグルトなどの発酵食品もすばらしいですが、日本の伝統食品であるぬか漬け、みそ、しょうゆ、納豆などの発酵食品は大変優れています。発酵食品を積極的に取り入れ、腸内環境を改善し、免疫力を高めて、健康な体を作りましょう。

Q236 お役立ち度 ★★★ 段落書式 2021 2019 2016

段落の上と下に罫線を引きたい!

A [線種とページ罫線と網かけの設定] ダイアログで [指定] を選択します。

段落罫線は、段落の上、下、左、右にそれぞれ異なる罫線を設定できます。罫線の種類や設定する位置を変更するだけで文書のタイトルや見出しをきれいに見せることができます。

1 段落を選択します。

2 Q235の方法で [線種とページ罫線と網かけの設定] ダイアログを表示します。

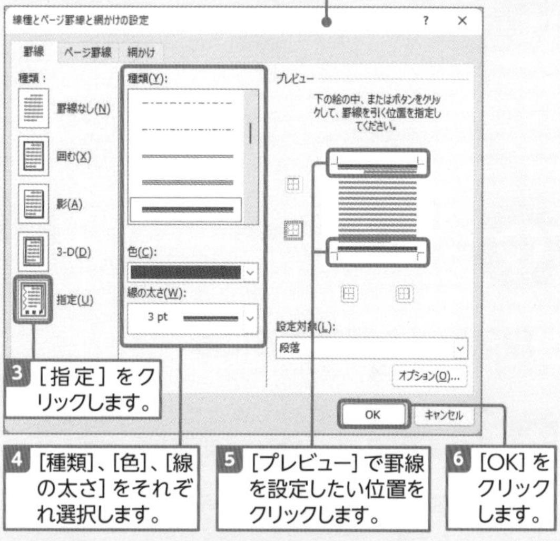

3 [指定] をクリックします。

4 [種類]、[色]、[線の太さ] をそれぞれ選択します。

5 [プレビュー] で罫線を設定したい位置をクリックします。

6 [OK] をクリックします。

7 段落の上と下に指定した罫線が設定されます。

発酵食品で免疫力強化!□「腸活」のすすめ

Q237 お役立ち度 ★★★ 段落書式 2021 2019 2016

いろいろな水平線を簡単に設定するには

A 入力オートフォーマット機能を使います。

入力オートフォーマット機能により、「-」「=」「*」「_」「#」などの半角記号を3文字以上入力して Enter キーを押すと、カーソルのある行の上に横幅全体に段落罫線が引かれます。解除したい場合は、設定された直後に Ctrl + Z キーか BackSpace キーを押します。

点線の切り取り線を引くには

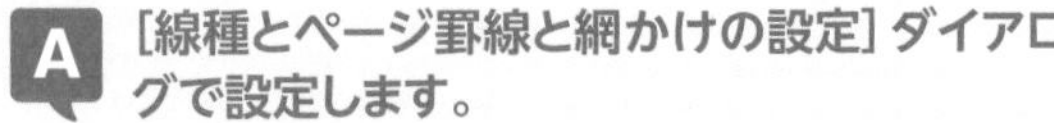

[線種とページ罫線と網かけの設定] ダイアログで設定します。

Q237の方法では切り取り線のような細い点線は設定されませんので、[線種とページ罫線と網かけの設定] ダイアログを利用します。

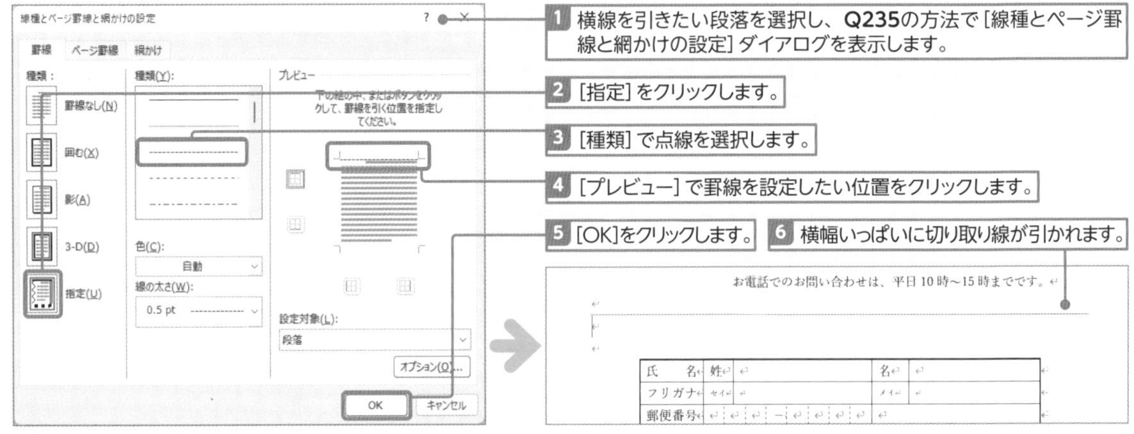

段落罫線を削除するには

A 段落を選択して、[枠なし] を選択します。

[枠なし] を選択すると、段落に設定されているすべての罫線が解除されます。

1 罫線を解除したい段落を選択します。

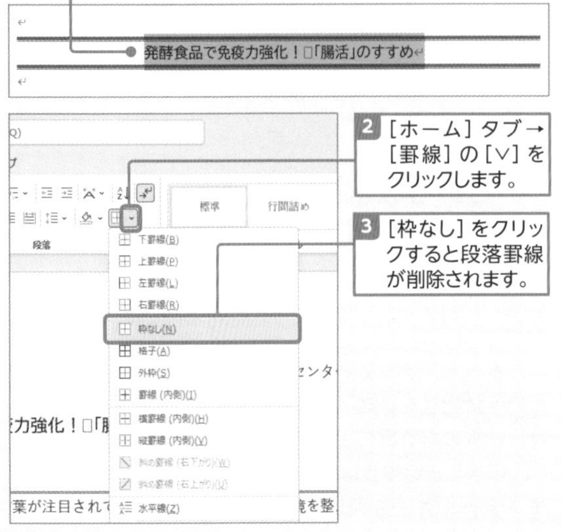

段落全体に色を付けるには

A [線種とページ罫線と網かけの設定] ダイアログの [網かけ] タブで設定します。

タイトルや見出しの行の段落全体に色を付けると、見栄えが良くなり、強調できます。

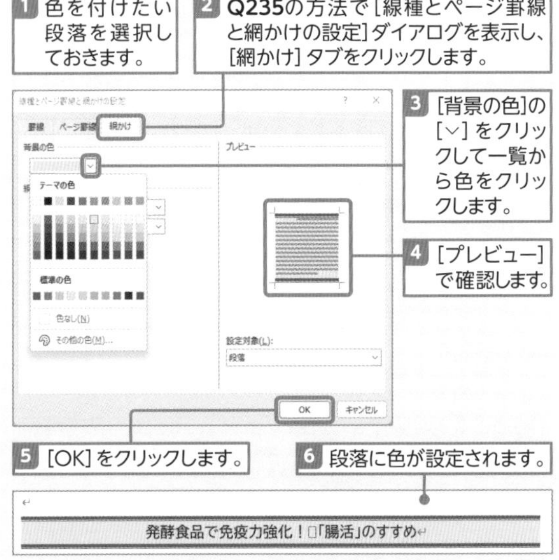

Q241 お役立ち度 ★★★ 段落書式 2021 2019 2016

行間を変更するには

A [ホーム] タブ→ [行と段落の間隔] をクリックします。

行間とは、行の上側から次の行の上側までの間隔です。通常の行間は1行です。段落単位で設定され、使用されているフォントやフォントサイズ、行数によって自動調整されます。また、[段落] ダイアログで細かな指定ができます。

1 行間を変更したい段落を選択します。

2 [ホーム] タブ→ [行と段落の間隔] をクリックします。

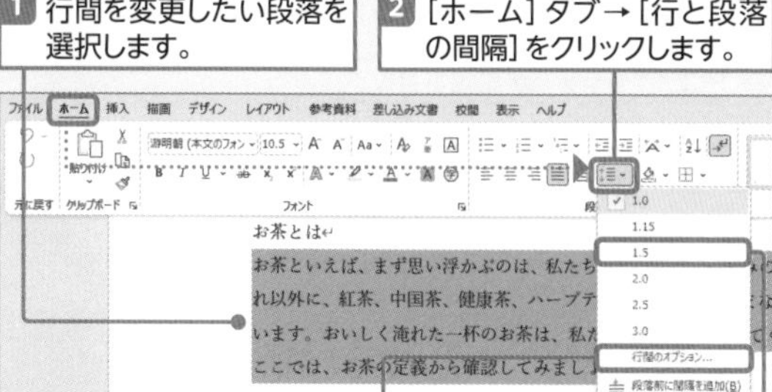

[行間のオプション]をクリックすると、[段落] ダイアログが表示されます。

3 行間隔を選択します。

[段落] ダイアログでの行間の設定変更

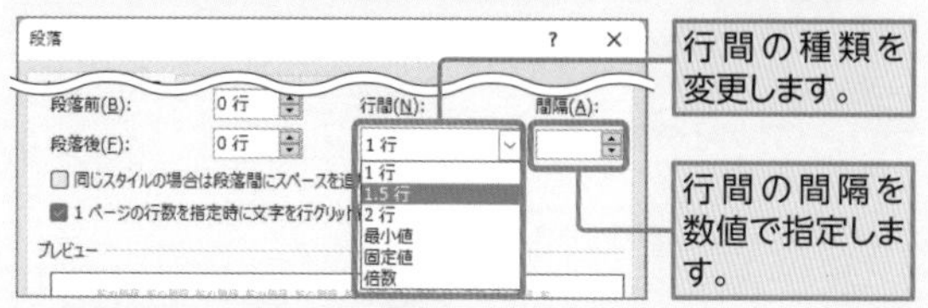

行間の種類を変更します。

行間の間隔を数値で指定します。

Q242 お役立ち度 ★★★ 段落書式 2021 2019 2016

フォントサイズに合わせて行間隔を自動調整するには

A [1ページの行数を指定時に文字を行グリッド線に合わせる] をオフにします。

初期設定では、文字列はグリッド線に沿っているため、フォントサイズを小さくしても行間隔は変わりません。文字サイズに合わせて行間を変更したい場合は以下の操作をします。**Q075**の方法でグリッド線を表示するとわかりやすいです。

1 行間隔を調整したい段落を選択しておきます。

2 Q210の方法で [段落] ダイアログを表示します。

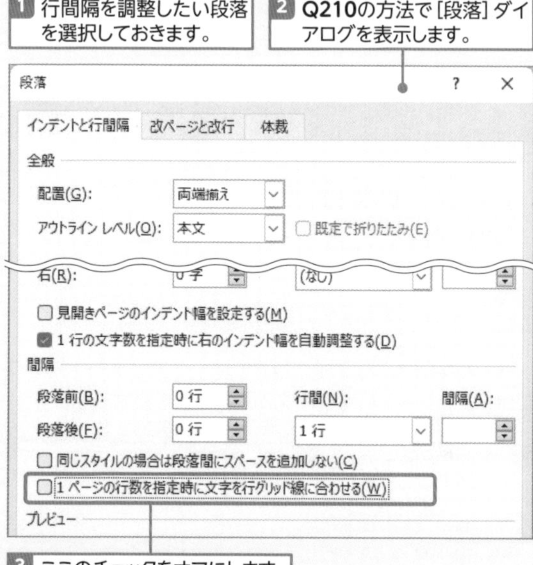

3 ここのチェックをオフにします。

Q243 お役立ち度 ★★★ 段落書式 2021 2019 2016

段落の前後の間隔を変更するには

A [ホーム] タブ→ [行と段落の間隔] をクリックします。

段落と段落の間隔は、選択している段落の前と後の両方で指定できます。[ホーム] タブ→ [行と段落の間隔] で簡単に変更できます。なお、[レイアウト] タブ→ [前の間隔]、[後の間隔] を使うと数値で指定できます。

[行と段落の間隔] で変更する

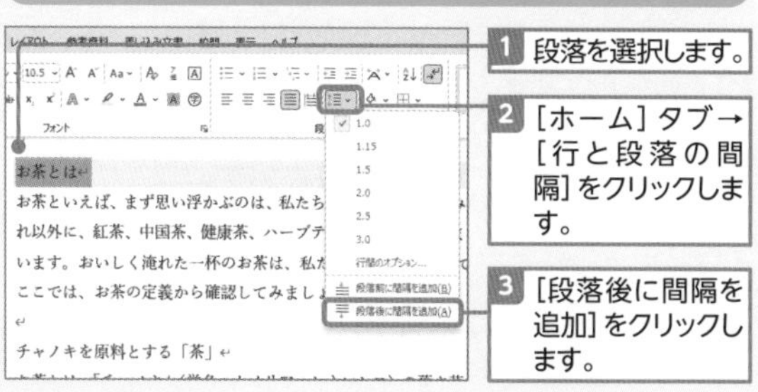

1 段落を選択します。

2 [ホーム] タブ→ [行と段落の間隔] をクリックします。

3 [段落後に間隔を追加] をクリックします。

数値で指定する

「∧」「∨」をクリックして0.5行 (またはpt) 単位で変更できます。

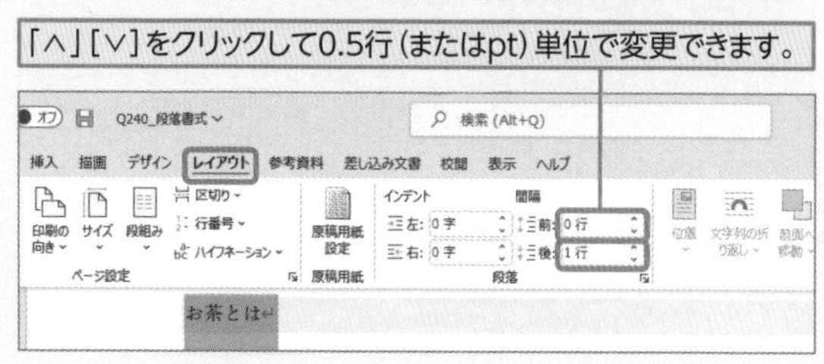

段落の先頭文字を大きく表示するには

A ドロップキャップを設定します。

「ドロップキャップ」とは段落の先頭の文字を大きく表示することです。ドロップキャップする文字は段落の先頭の1文字だけです。ドロップキャップは本文内または余白に表示できます。

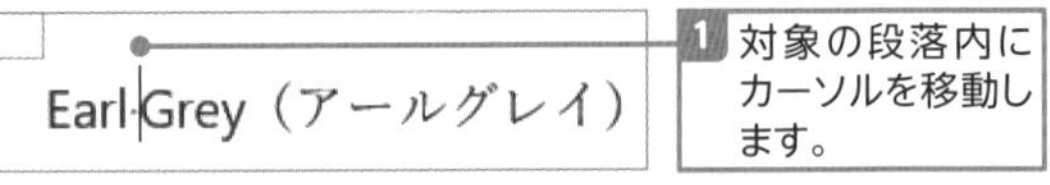

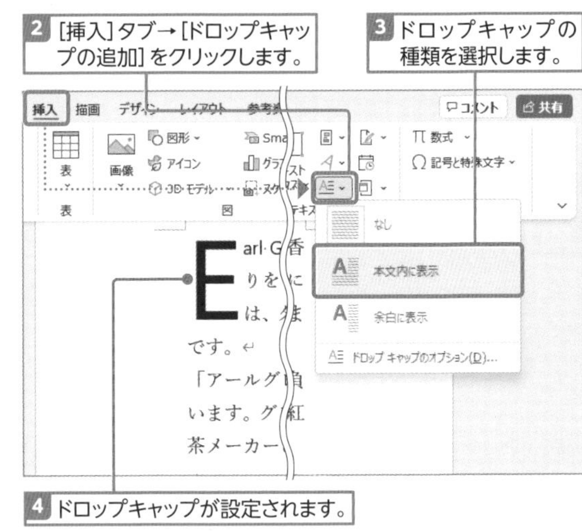

ドロップする行数やフォントを変更するには

A [ドロップキャップ] ダイアログで変更します。

[ドロップキャップ] ダイアログでは、ドロップキャップの位置、フォント、行数、本文からの距離を変更できます。

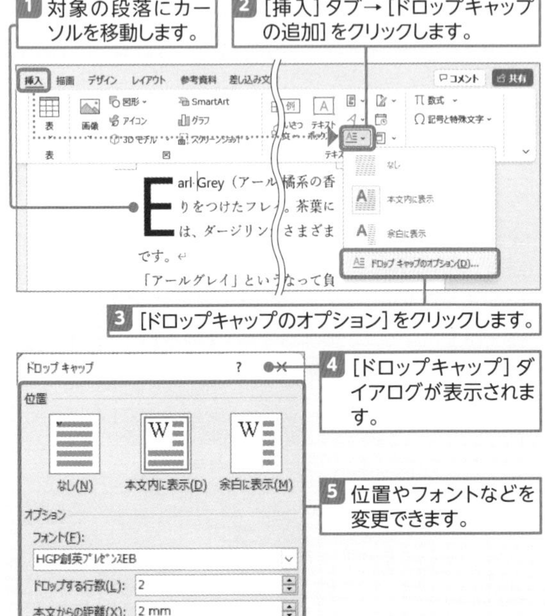

文書を複数の段に分けるには

A 段組みを設定します。

「段組み」とは、新聞や雑誌のように、文書を複数の段に分けて配置することです。段組みを設定するには、[レイアウト] タブの [段組み] をクリックして段数を選択します。

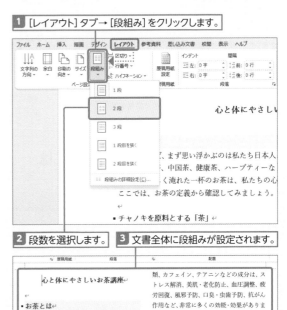

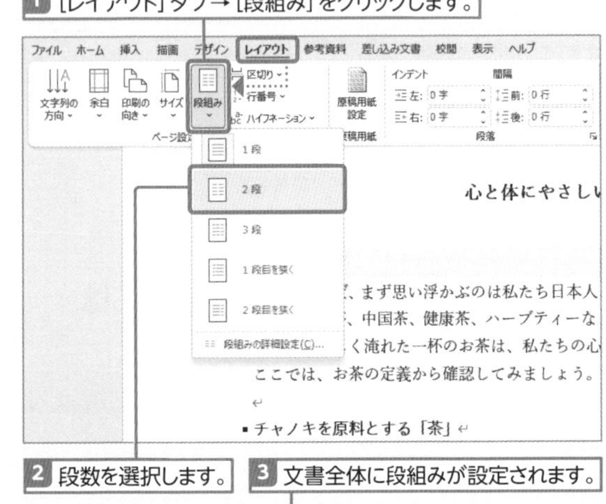

Q247 お役立ち度 ★★★ 段組みとセクション 2021 2019 2016

文書の一部分だけ段組みにするには

A 範囲選択してから段組みを設定します。

範囲選択してから段組みの設定をすると、開始位置と終了位置にセクション区切りが挿入され、文書の前後がセクションで区切られます（**Q250**）。

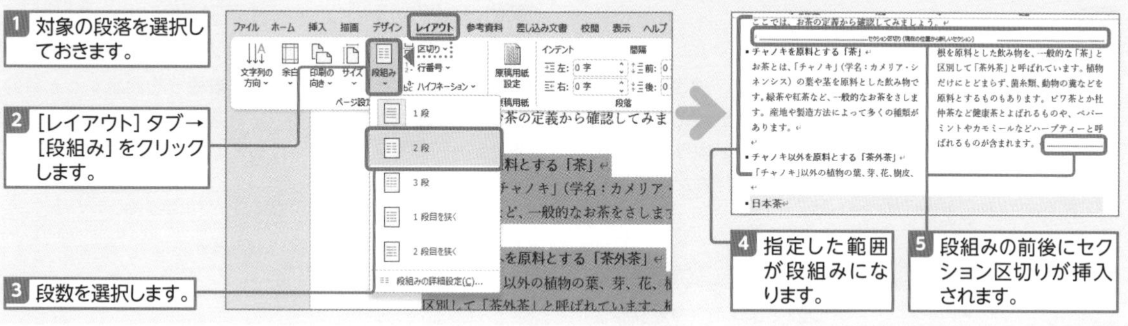

1 対象の段落を選択しておきます。
2 [レイアウト] タブ→[段組み] をクリックします。
4 指定した範囲が段組みになります。
5 段組みの前後にセクション区切りが挿入されます。

Q248 お役立ち度 ★★★ 段組みとセクション 2021 2019 2016

任意の位置で段を改めるには

A 段区切りを挿入します。

中途半端な位置で文章が次の段に分かれるとレイアウトがきれいではありません。区切りのいい位置で段を改めるには、段区切りを挿入します。

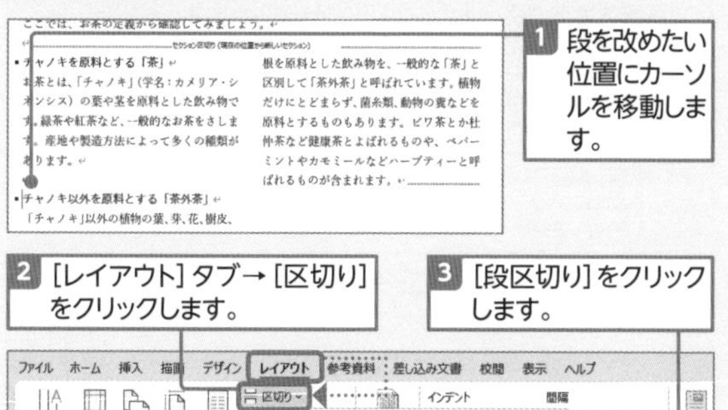

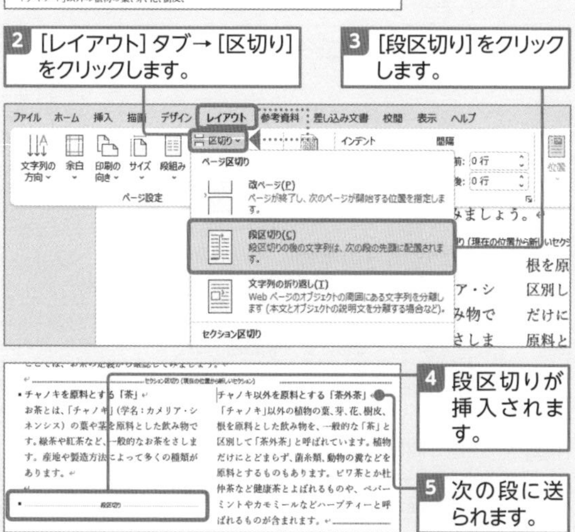

Q249 お役立ち度 ★★★ 段組みとセクション 2021 2019 2016

段の幅の変更や境界線を表示するには

A [段組み] ダイアログで変更できます。

[段組み] ダイアログでは、段数の変更や段の幅、間隔、段と段の間の境界線など、段組みについて詳細設定ができます。

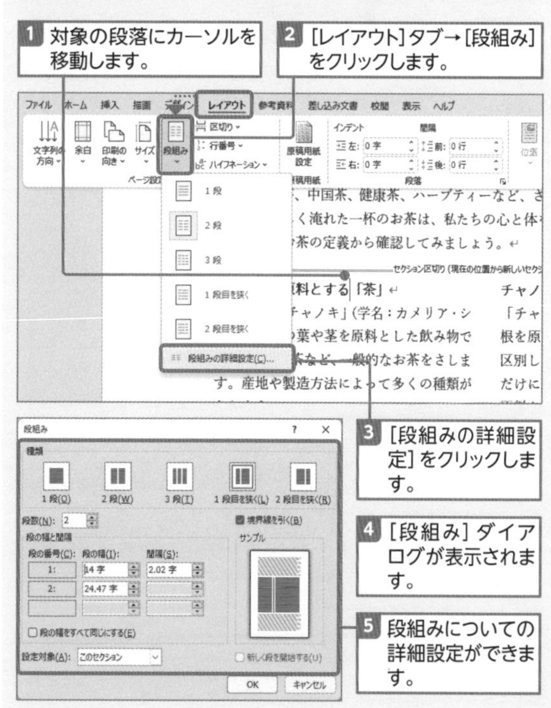

Q250 セクションって何?

お役立ち度 ★★★ 段組みとセクション 2021 2019 2016

A ページ設定の単位です。

「セクション」とは、ページ設定の単位です。通常、1つの文章は1つのセクションで構成されています。文書内にセクション区切りを挿入すると、セクション区切りの前と後でセクションが分けられ、それぞれのセクションで異なるページ設定ができます。

通常の文書

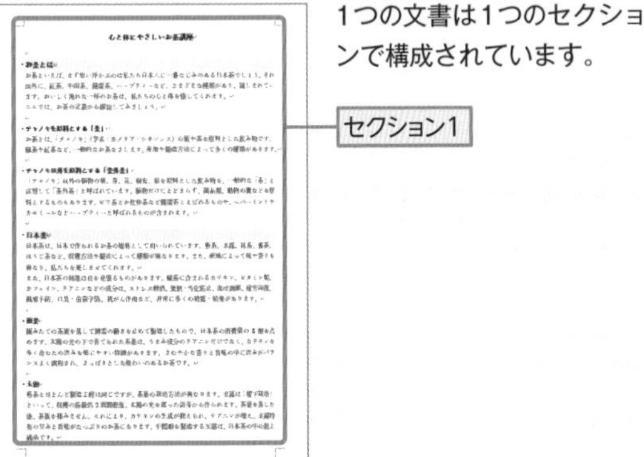
1つの文書は1つのセクションで構成されています。
セクション1

セクション区切りが挿入されている文書

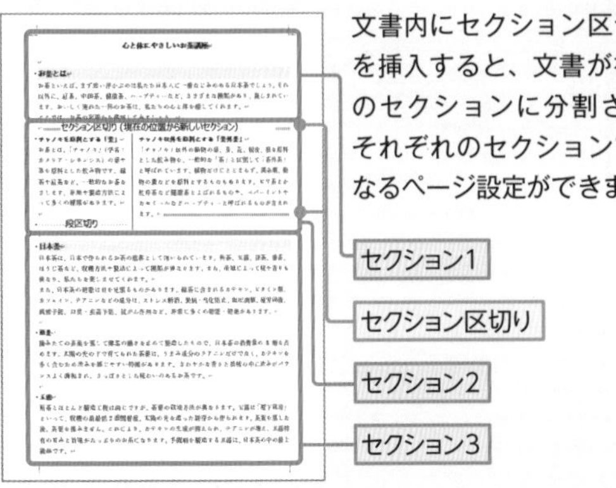
文書内にセクション区切りを挿入すると、文書が複数のセクションに分割され、それぞれのセクションで異なるページ設定ができます。
セクション1
セクション区切り
セクション2
セクション3

ステータスバーにセクションを表示する

Q064の方法で[セクション]をクリックしてチェックを付けると、ステータスバーに現在のカーソルのセクション位置が表示されます。

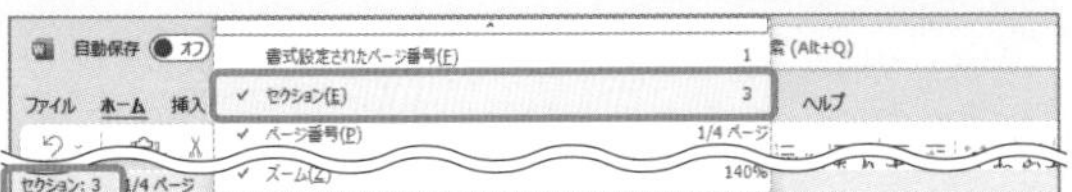

Q251 セクション区切りを挿入するには

お役立ち度 ★★★ 段組みとセクション 2021 2019 2016

A [レイアウト]タブ→[区切り]→[セクション区切り]をクリックします。

Q247のように文書内の1部分に段組みを設定すると自動的にセクション区切りが挿入されますが、任意の位置にセクション区切りを挿入することもできます。

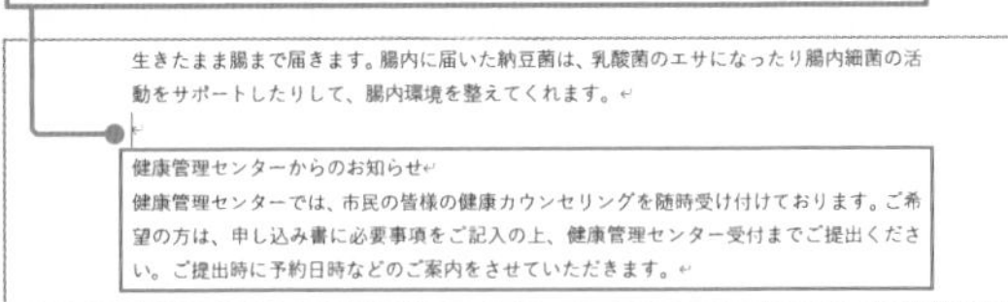
1 セクションを区切りたい位置にカーソルを移動します。

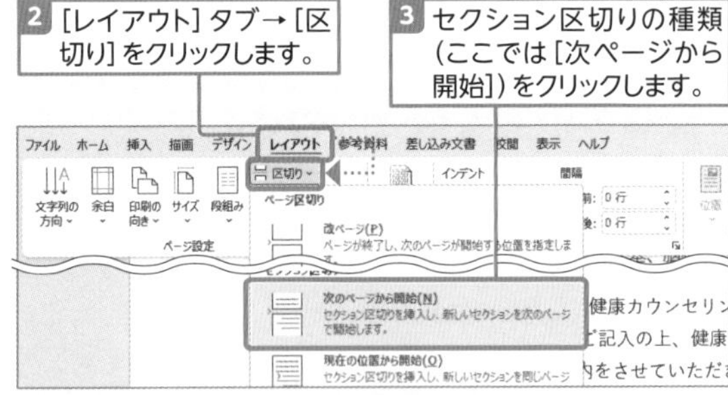
2 [レイアウト]タブ→[区切り]をクリックします。
3 セクション区切りの種類(ここでは[次ページから開始])をクリックします。

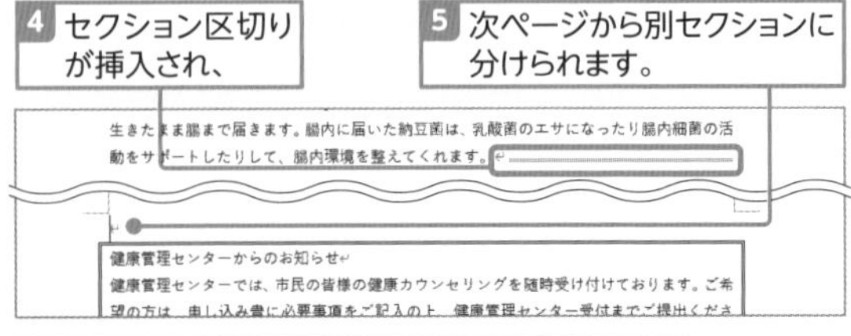
4 セクション区切りが挿入され、
5 次ページから別セクションに分けられます。

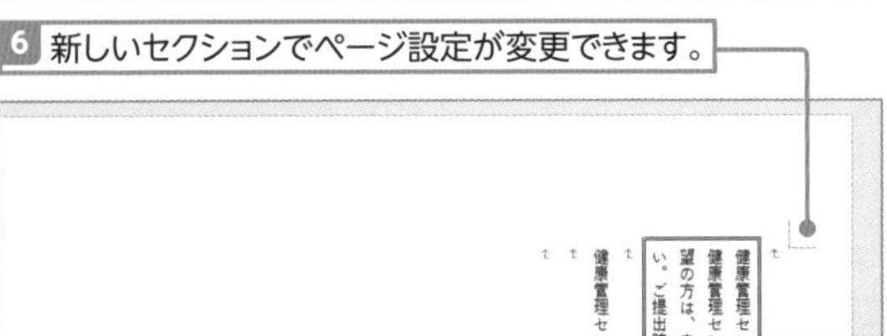
6 新しいセクションでページ設定が変更できます。

● セクション区切りの種類

セクション区切り	説明
次のページから開始	改ページし、次のページの先頭から新しいセクションを開始する
現在の位置から開始	改ページしないで、現在カーソルがある位置から新しいセクションを開始する
偶数ページから開始	次の偶数ページから新しいセクションを開始する
奇数ページから開始	次の奇数ページから新しいセクションを開始する

お役立ち度 ★★★　スタイル　2021 2019 2016

Q252 文字書式や段落書式を素早くまとめて設定するには

A スタイルを使います。

「スタイル」とは、フォントやフォントサイズ、下線などの文字書式や配置などの段落書式を組み合わせた書式のセットです。初期設定では、標準スタイルが設定されています。組み込みスタイルを使えば、素早く文書内の複数箇所に同じ書式を設定できます。設定したスタイルを解除するには、標準スタイルを設定します。

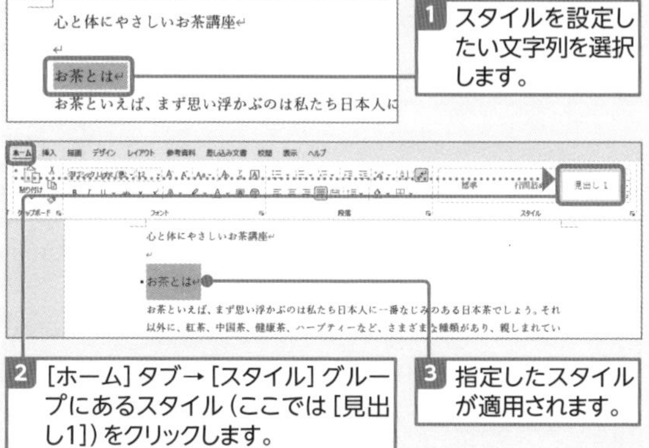

1 スタイルを設定したい文字列を選択します。
2 [ホーム]タブ→[スタイル]グループにあるスタイル(ここでは[見出し1])をクリックします。
3 指定したスタイルが適用されます。

お役立ち度 ★★★　スタイル　2021 2019 2016

Q253 作成したスタイルを利用するには

A [ホーム]タブ→[スタイル]でスタイルを選択します。

作成したスタイルを他の箇所に適用するには、適用先となる段落を選択し、スタイルの一覧からクリックします。

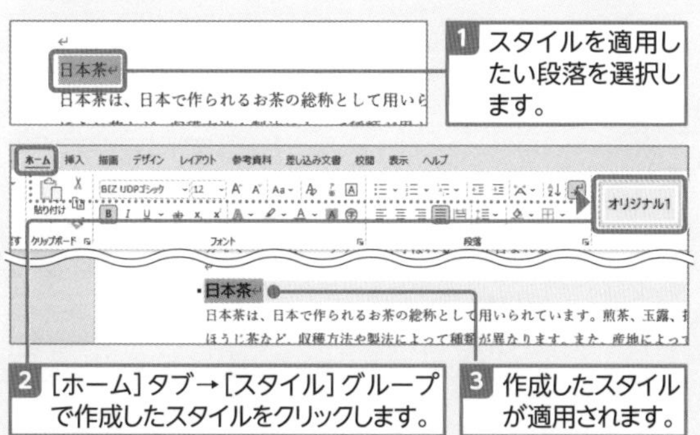

お役立ち度 ★★★　スタイル　2021 2019 2016

Q254 書式の組み合わせをスタイルに登録するには

A [書式から新しいスタイルを作成]ダイアログで追加します。

いろいろな書式を組み合わせてスタイルとして登録しておけば、文書内で素早く目的の書式を設定できます。スタイルは、現在選択されているスタイルを基準のスタイルとして作成されます。

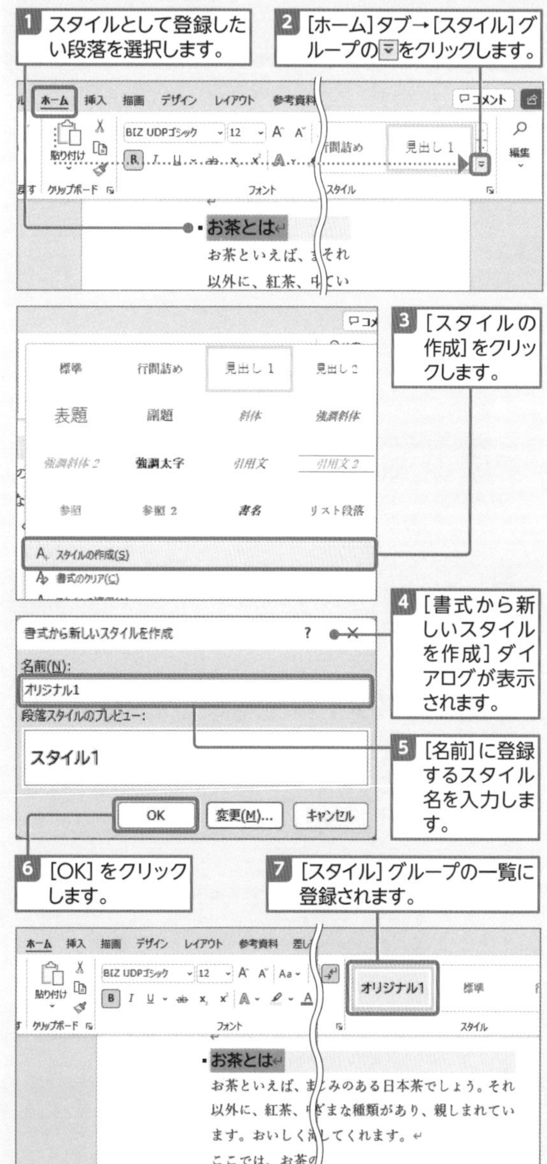

1 スタイルとして登録したい段落を選択します。
2 [ホーム]タブ→[スタイル]グループの▽をクリックします。
3 [スタイルの作成]をクリックします。
4 [書式から新しいスタイルを作成]ダイアログが表示されます。
5 [名前]に登録するスタイル名を入力します。
6 [OK]をクリックします。
7 [スタイル]グループの一覧に登録されます。

Q255 お役立ち度 ★★★ スタイル

2021 2019 2016

作成したスタイルを変更するには

A スタイルを変更し、反映します。

作成したスタイルの書式を変更して更新すると、そのスタイルが適用されている箇所は自動的に変更が反映されます。文書内でスタイルの書式を直接変更する方法と、[スタイルの変更] ダイアログを表示して変更する方法があります。

文書内で変更する

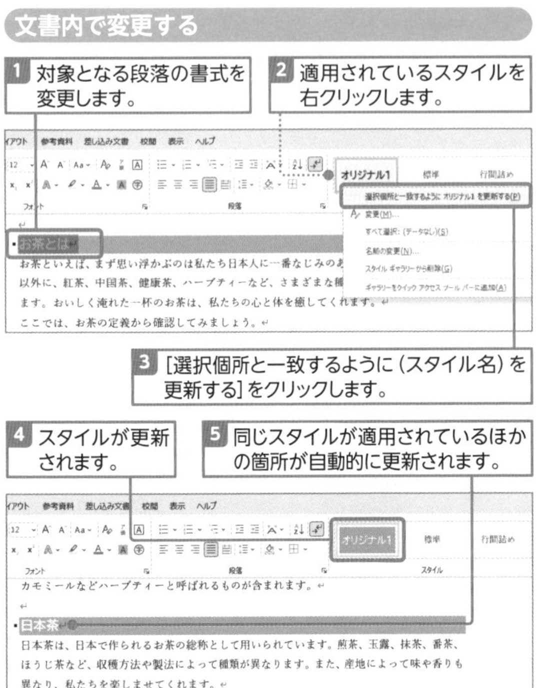

1 対象となる段落の書式を変更します。

2 適用されているスタイルを右クリックします。

3 [選択個所と一致するように (スタイル名) を更新する] をクリックします。

4 スタイルが更新されます。

5 同じスタイルが適用されているほかの箇所が自動的に更新されます。

[スタイルの変更] ダイアログで変更する

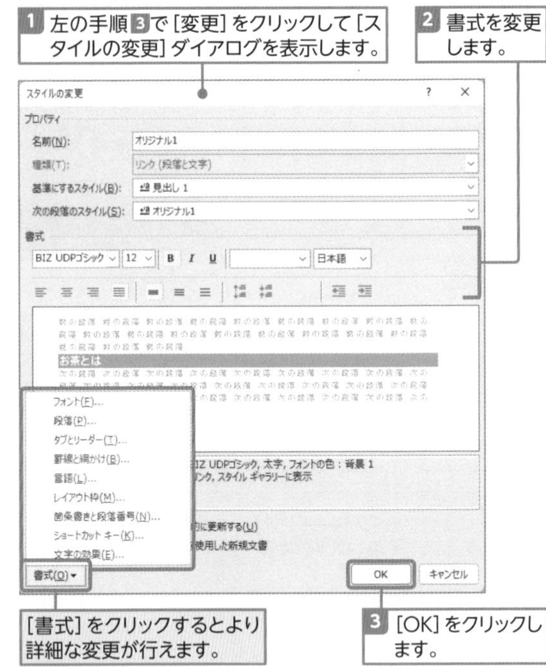

1 左の手順3で [変更] をクリックして [スタイルの変更] ダイアログを表示します。

2 書式を変更します。

[書式] をクリックするとより詳細な変更が行えます。

3 [OK] をクリックします。

Q256 お役立ち度 ★★★ スタイル

2021 2019 2016

追加したスタイルを削除したい!

A [スタイル] 作業ウィンドウで削除します。

[スタイル] 作業ウィンドウには、すべてのスタイルが一覧表示されます。この作業ウィンドウでスタイルを削除します。「標準」や「見出し 1」のような組み込みスタイルは削除できません。スタイルを削除すると、そのスタイルが適用されている箇所の書式は基準のスタイルに戻ります。

1 削除したいスタイルが適用されている段落を選択します。

2 [ホーム] タブ→ [スタイル] の をクリックします。

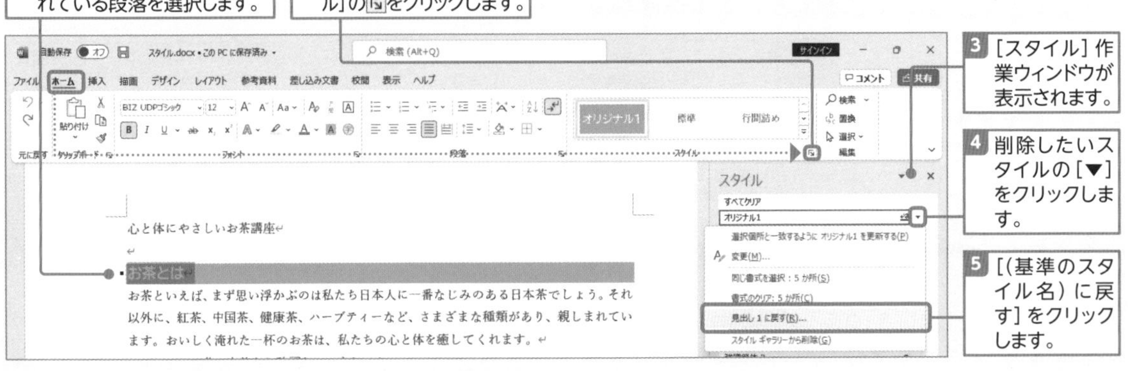

3 [スタイル] 作業ウィンドウが表示されます。

4 削除したいスタイルの [▼] をクリックします。

5 [(基準のスタイル名) に戻す] をクリックします。

Q257 お役立ち度 ★★★ クイックパーツとテーマ 2021 2019 2016

よく使う文書パーツを一発で入力できるようにしたい!

A クイックパーツを利用すると便利です。

ロゴ付きの署名やお問い合わせ先など、文字列や画像の組み合わせのセットをクイックパーツに登録しておくと、いつでも簡単に文書内に挿入できます。

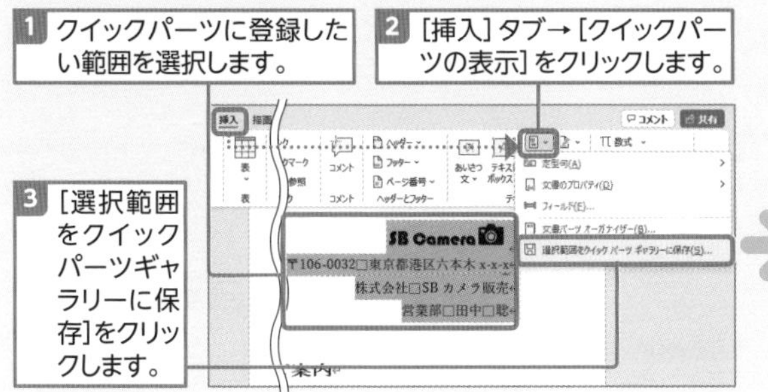

Q258 お役立ち度 ★★★ クイックパーツとテーマ 2021 2019 2016

登録したクイックパーツを使うには

A [挿入] → [クイックパーツの表示] をクリックします。

登録したクイックパーツは、[挿入] タブの [クイックパーツの表示] をクリックすると一覧に縮小イメージが表示されます。使用するクイックパーツをクリックして文書内に挿入します。

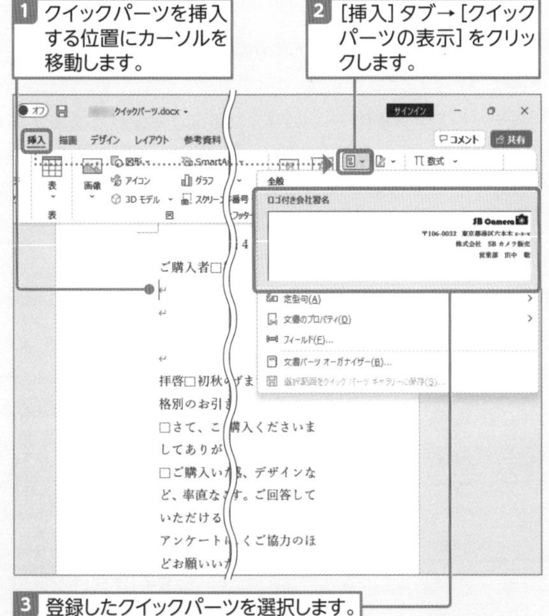

1 クイックパーツを挿入する位置にカーソルを移動します。
2 [挿入] タブ→ [クイックパーツの表示] をクリックします。
全般
ロゴ付き会社署名
定型句(A)
文書のプロパティ(D)
フィールド(F)...
文書パーツ オーガナイザー(B)...
3 登録したクイックパーツを選択します。

Q259 お役立ち度 ★★★ クイックパーツとテーマ 2021 2019 2016

クイックパーツを削除したい!

A [文書パーツオーガナイザー] ダイアログで削除します。

[文書パーツオーガナイザー] ダイアログには、Word内のすべての文書パーツが表示されます。一覧から文書パーツを選択するとプレビューが表示されるので、内容を確認してから削除します。

Q260 お役立ち度 ★★★ クイックパーツとテーマ 2021 2019 2016

文書全体のデザインを一括で変更するには

A [デザイン] タブ→ [テーマ] をクリックします。

「テーマ」は、フォント、配色、効果の組み合わせです。さまざまな種類が用意されています。テーマを変更するだけで、文書全体のデザインを一気に変更できます。Wordの既定のテーマは「Office」です。

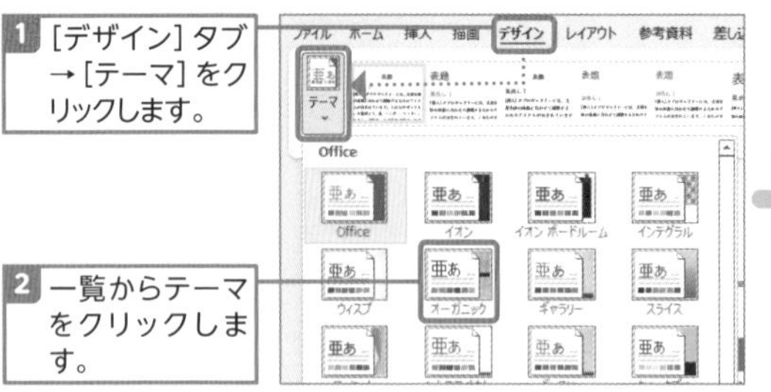

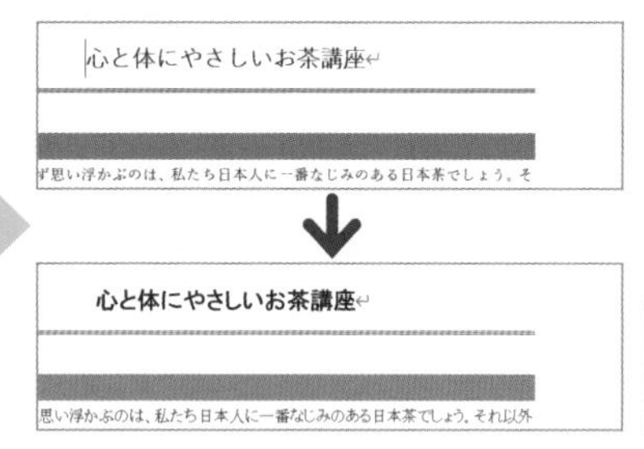

Q261 お役立ち度 ★★★ クイックパーツとテーマ 2021 2019 2016

テーマの配色だけを変更するには

A [デザイン] タブ→ [テーマの色] をクリックします。

テーマは、フォント、配色、効果を個別に変更することができます。色合いだけを変更したい場合は、[デザイン] タブの [テーマの色] をクリックして配色を選択します。元に戻すには [Office] を選択します。

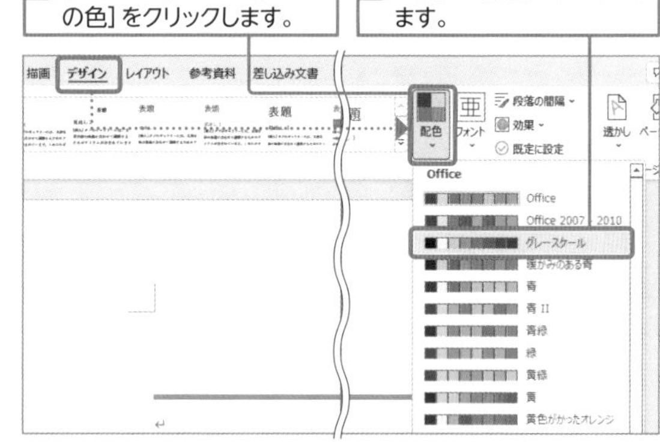

Q262 お役立ち度 ★★★ クイックパーツとテーマ 2021 2019 2016

テーマのフォントに使いたいフォントの組み合わせがない!

A オリジナルのフォントの組み合わせを登録できます。

[デザイン] タブの [テーマのフォント] で一覧からフォントを選択すると、文書全体のフォントを一気に変更できます (**Q191**)。使いたいフォントの組み合わせが見つからない場合は、フォントの組み合わせを登録すると便利です。

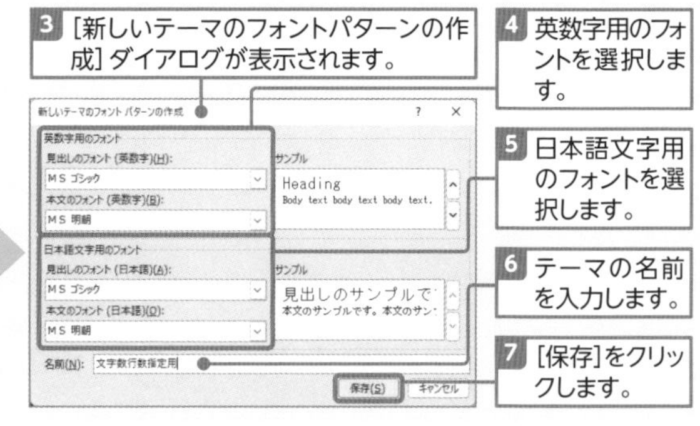

3 [新しいテーマのフォントパターンの作成] ダイアログが表示されます。
4 英数字用のフォントを選択します。
5 日本語文字用のフォントを選択します。
6 テーマの名前を入力します。
7 [保存] をクリックします。

説得力のある図表やグラフの作り方

ここでは、文書内に表を作成・編集する方法から表内のデータの並べ替えや計算式の設定まで、表について基礎から応用までを説明しています。また、図形、写真などの画像、スクリーンショット、ワードアート、SmartArt、グラフ、アイコン、3Dモデル、インクと、文書内に配置できるオブジェクトの紹介と解説をしています。

表を作成するには

A [挿入] タブ→ [表の追加] をクリックします。

[表の追加] をクリックするとマス目が表示されます。作成したい行数と列数の位置にマウスポインターを合わせてクリックするだけで素早く表が挿入できます。8行×10列までの表が作成できます。

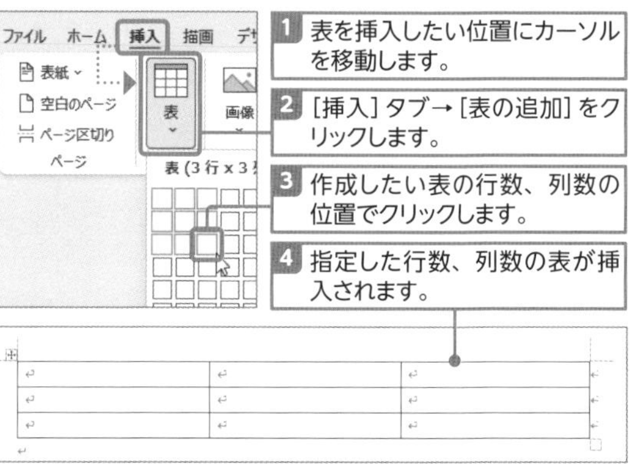

1 表を挿入したい位置にカーソルを移動します。
2 [挿入] タブ→ [表の追加] をクリックします。
3 作成したい表の行数、列数の位置でクリックします。
4 指定した行数、列数の表が挿入されます。
ファイル
ホーム
挿入
描画
表紙
空白のページ
ページ区切り
ページ
表
画像
表 (3 行 x 3

行数や列数を指定して表を作成したい!

A [表の挿入] ダイアログで設定します。

[表の挿入] ダイアログでは、行数と列数を数字で指定し、列の幅を自動調整するかどうかの選択をして表を作成できます。ここでは､8行×10列を超える表を作成できます。

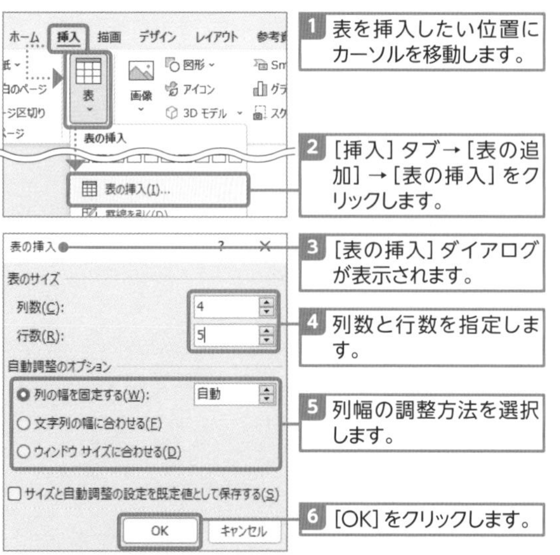

● 列の自動調整のオプション

列の幅を固定する	指定した列幅で表が作成される。[自動] の場合は文書の横幅に合わせた列幅で表が作成される
文字列の幅に合わせる	最小の列幅で表が作成され、文字列が入力されると、文字長に合わせて列幅が広がる
ウィンドウサイズに合わせる	文書の横幅に合わせた列幅で表が作成される

ドラッグで表を作成できないの?

A [罫線を引く] をクリックすればドラッグで罫線が引けます。

[表の追加] メニューの [罫線を引く] をクリックすると、マウスポインターの形が鉛筆になります。この状態で斜めにドラッグして外枠を作成し、続いて左右にドラッグして横罫線、上下にドラッグして縦罫線を引いて表を作成できます。なお、ESC キーを押すと罫線モードが終了します。

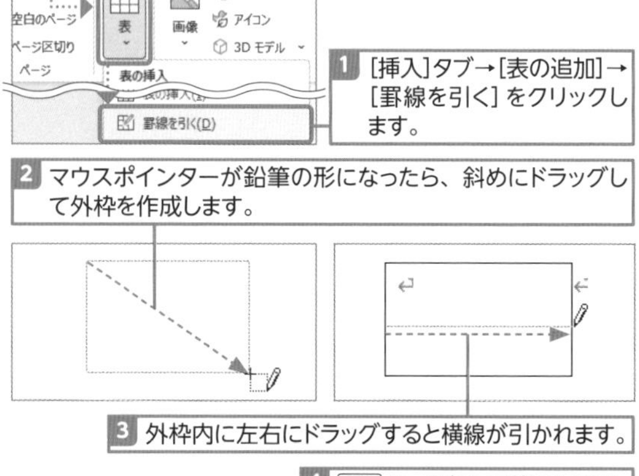

1 [挿入]タブ→[表の追加]→[罫線を引く] をクリックします。
2 マウスポインターが鉛筆の形になったら、斜めにドラッグして外枠を作成します。
3 外枠内に左右にドラッグすると横線が引かれます。
4 ESC キーを押して終了します。
ホーム
挿入
描画
デザイン
レイアウト
表
画像
図形
アイコン
3D モデル
表の挿入
罫線を引く(D)

おトクな情報　罫線を削除する

マウスポインターが鉛筆のときに、Shift キーを押すと消しゴムになります。この状態で罫線上をクリックするか、ドラッグすると罫線を削除できます。

Q266 お役立ち度 ★★★ 表の作成 2021 2019 2016

文字列を表に変換したい!

A タブやカンマで区切った文字列は表に変換できます。

[文字列を表にする] ダイアログを利用して、タブやカンマなどの記号を列の区切り、段落記号を行の区切りとして文字列を表に変換できます。指定した列数よりタブの数が少なくても自動的に補われ、指定した列数で変換されます。

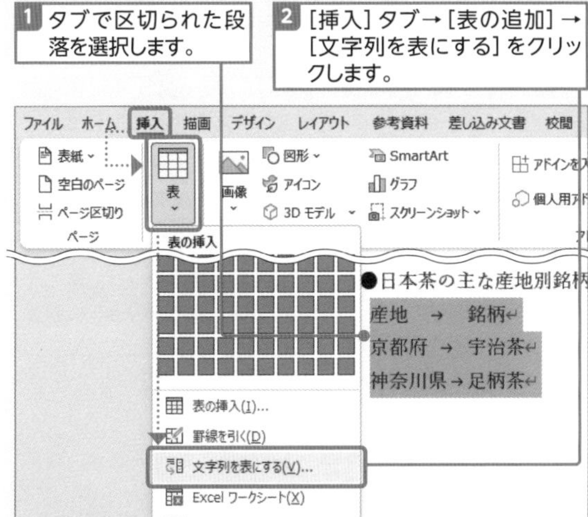

3 [文字列を表にする] ダイアログが表示されます。

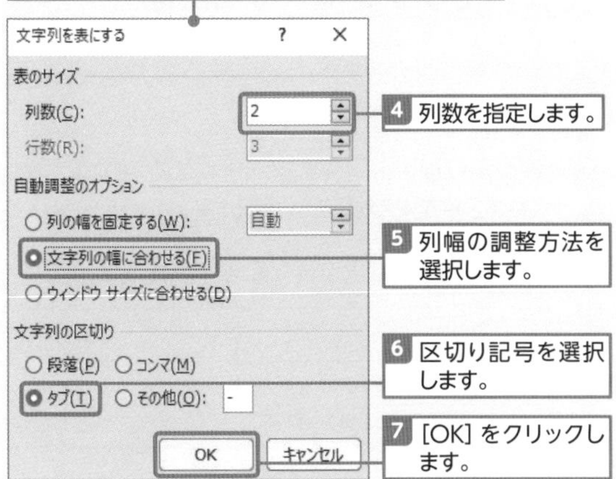

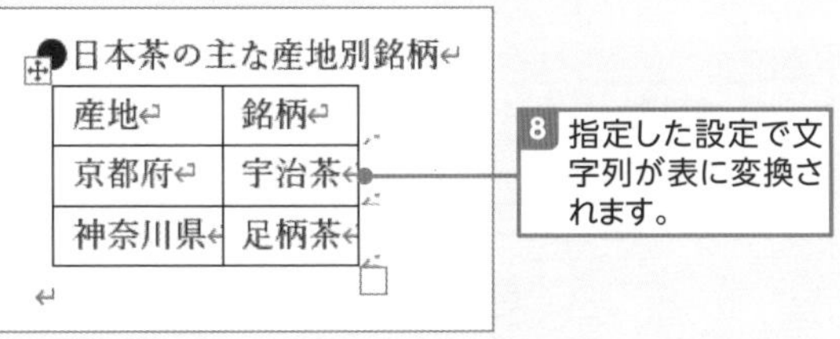

Q267 お役立ち度 ★★★ 表の作成 2021 2019 2016

文書の中でExcelの表を作りたい!

A Excelのワークシートを文書内に挿入します。

[表の追加] メニューで [Excelワークシート] を選択すると、Word内でExcelが起動し、文書内にワークシートが表示されます。ワークシートで表を作成して、文書内に挿入できます。なお、Excelで別途作成した表を文書にコピーする方法もあります (Q1148)。

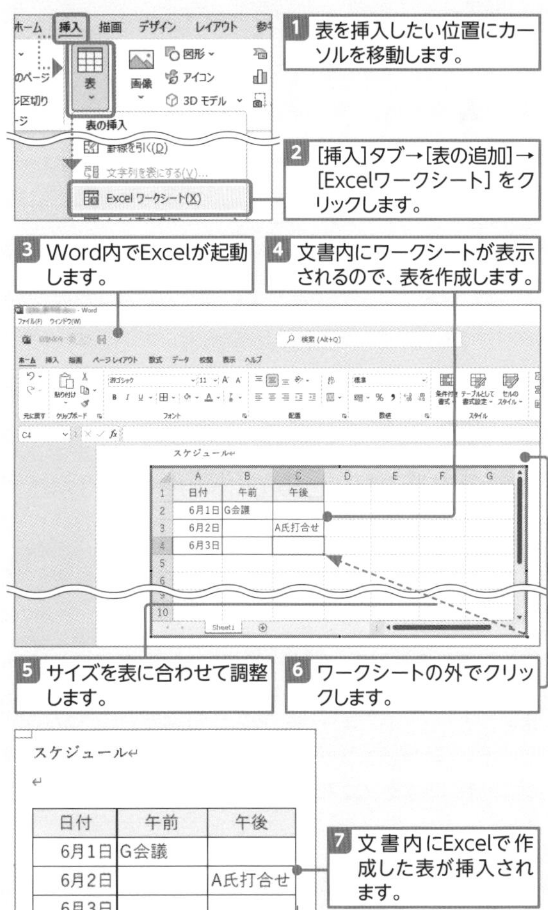

おトクな情報 作成した表を編集する

表の中でダブルクリックすると、Word内でExcelが起動し、ワークシートが表示されます。Excelで編集するように編集できます。

Q268 お役立ち度 ★★★ 表の編集 2021 2019 2016

表の上に空行を挿入するには

A 表の左上角のセルで Enter キーを押します。

文書の1行目から表を作成したときに、表の上に空行を挿入して文書の1行目に文字を入力したい場合は、この方法で表を1行下げることができます。

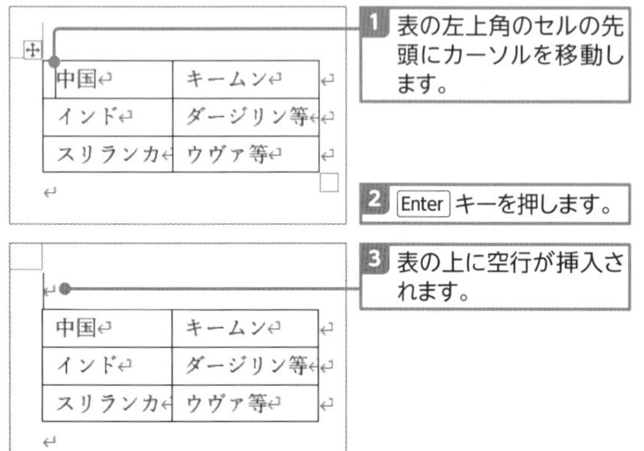

1 表の左上角のセルの先頭にカーソルを移動します。
2 Enter キーを押します。
3 表の上に空行が挿入されます。
中国 キームン
インド ダージリン等
スリランカ ウヴァ等

Q269 お役立ち度 ★★★ 表の編集 2021 2019 2016

表内を移動しながら文字を入力したい!

A Tab キーまたは矢印キーを使ってセル間を移動します。

表内で Tab キーを押すと、右のセルにカーソルが移動します。右端のセルで Tab キーを押すと次の行の左端のセルに移動します。そのため、表に文字を順番に入力する場合に Tab キーが便利です。Shift + Tab キーを押すと逆方向に移動します。矢印キーを押すと上下左右のセルに移動できます。

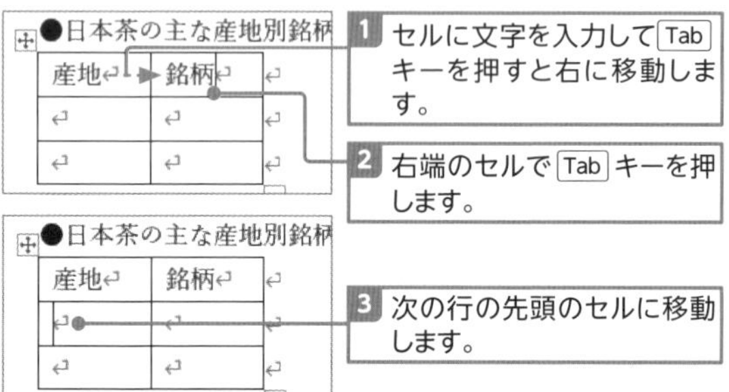

1 セルに文字を入力して Tab キーを押すと右に移動します。
2 右端のセルで Tab キーを押します。
3 次の行の先頭のセルに移動します。
●日本茶の主な産地別銘柄
産地 銘柄

Q270 お役立ち度 ★★★ 表の編集 2021 2019 2016

表の右下角のセルで Tab キーを押したら行が増えた!

A Ctrl + Z キーで取り消せます。

表の右下角のセルで Tab キーを押すと、自動的に下に1行追加されます。続けてデータを入力する場合は便利です。不要な場合は、Ctrl + Z キーまたは、[ホーム] タブ(もしくはクイックアクセスツールバー)の[元に戻す]をクリックして取り消すか、**Q279** を参考に行を削除してください。

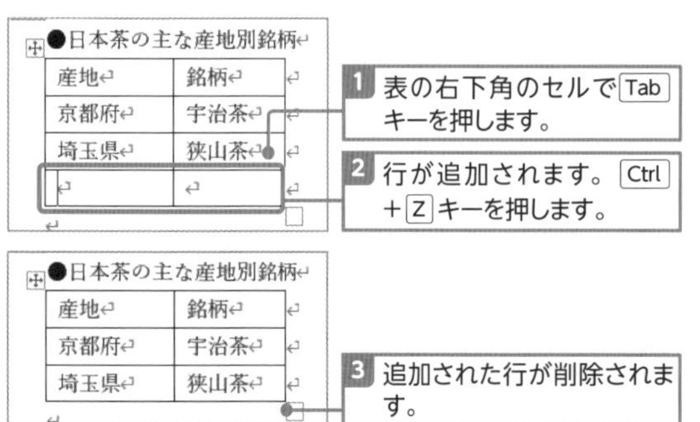

1 表の右下角のセルで Tab キーを押します。
2 行が追加されます。Ctrl + Z キーを押します。
3 追加された行が削除されます。
●日本茶の主な産地別銘柄
産地 銘柄
京都府 宇治茶
埼玉県 狭山茶

Q271 お役立ち度 ★★★ 表の編集 2021 2019 2016

セル内でタブを挿入するには

A Ctrl + Tab キーを押します。

セル内で Ctrl + Tab キーを押すと、セル内にタブが挿入されます。セル内で文字を揃えたいときに使えます。

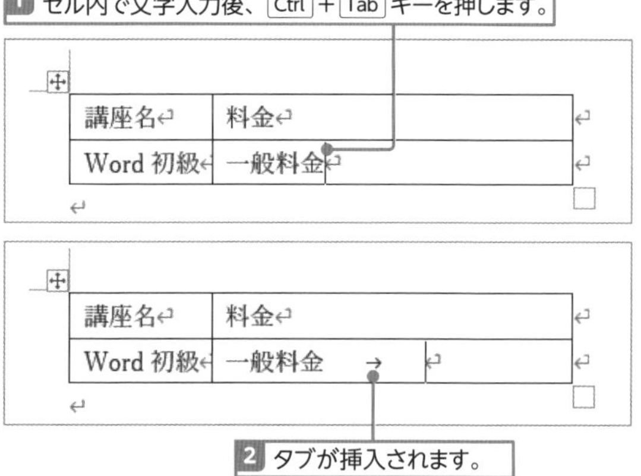

Q272 お役立ち度 ★★★ 表の編集 2021 2019 2016

表を選択する方法を教えて!

A セル、列、行、表全体それぞれの選択方法があります。

表内のセル、列、行、表全体を選択する場合、クリックする箇所とマウスポインターの形がポイントです。選択を解除するには、表以外の場所をクリックします。離れた複数の箇所を選択する場合は、2箇所目以降は Ctrl キーを押しながらクリックします。

セルを選択

セルの左端にポインターを合わせ、↗の形でクリックします。ドラッグすると複数セルを選択できます。

産地	銘柄
京都府	宇治茶
埼玉県	狭山茶

列を選択

列の上端にポインターを合わせ、⬇の形でクリックします。ドラッグすると複数列を選択できます。

産地	銘柄
京都府	宇治茶
埼玉県	狭山茶

行を選択

行の左余白にポインターを合わせ、↗の形でクリックします。ドラッグすると複数行を選択できます。

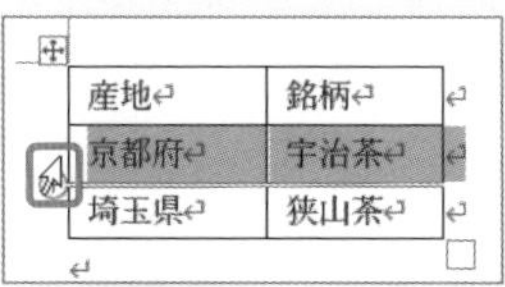

表を選択

表の左上角にある⊞(表の移動ハンドル)にポインターを合わせ、✥の形でクリックします。

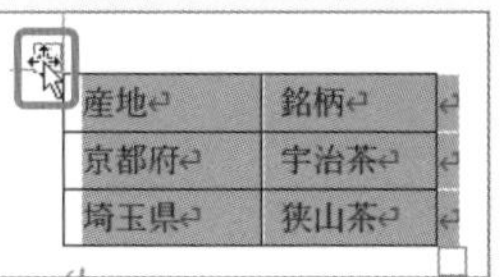

おトクな情報 メニューを使って選択する

表内の選択したい位置にカーソルを移動し、コンテキストタブの[レイアウト]タブで[表の選択]をクリックして表示されるメニューを使っても選択できます。

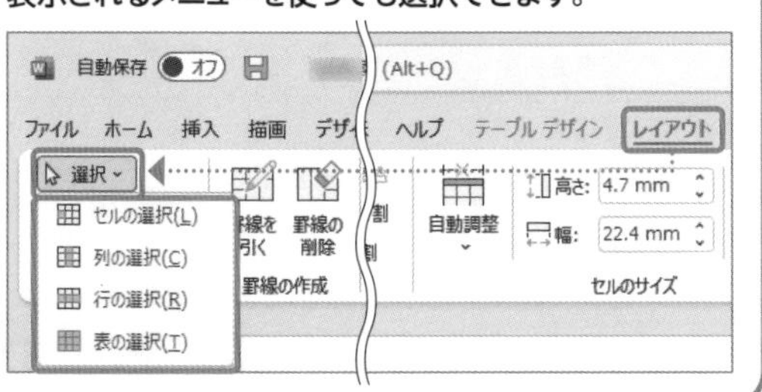

Q273 お役立ち度 ★★★ 表の編集 2021 2019 2016

表に罫線を追加したい!

A [罫線を引く]をクリックし、表内でドラッグします。

表作成後に罫線を1本引きたいときは、ドラッグで簡単にできます。[罫線を引く]をクリックし、鉛筆の形になったらドラッグを開始します。罫線モードを終了するには ESC キーを押します。

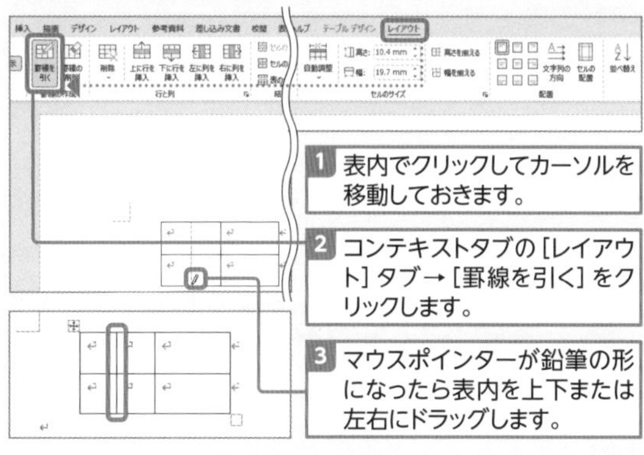

1 表内でクリックしてカーソルを移動しておきます。
2 コンテキストタブの[レイアウト]タブ→[罫線を引く]をクリックします。
3 マウスポインターが鉛筆の形になったら表内を上下または左右にドラッグします。

Q274 お役立ち度 ★★★ 表の編集 2021 2019 2016

表の罫線を削除したい!

A [罫線の削除]をクリックし、表内でドラッグします。

不要な罫線を1本ずつ消したいときは、ドラッグが便利です。[罫線の削除]をクリックし、消しゴムの形になったら不要な罫線上をドラッグします。罫線の削除モードを終了するには ESC キーを押します。

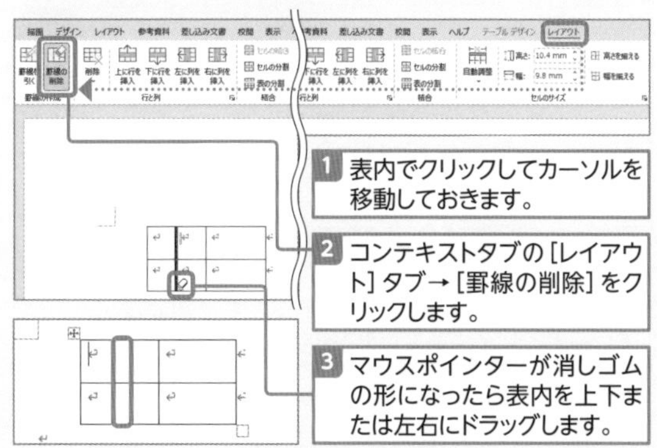

1 表内でクリックしてカーソルを移動しておきます。
2 コンテキストタブの[レイアウト]タブ→[罫線の削除]をクリックします。
3 マウスポインターが消しゴムの形になったら表内を上下または左右にドラッグします。

Q275 お役立ち度 ★★★ 表の編集 2021 2019 2016

罫線を消去しても表示される点線は何?

A セルの境界線を示すグリッド線です。

罫線を削除した後、表示される点線は「グリッド線」と呼ばれるセルの境界線です。印刷はされません。表は、実際にはグリッド線という枠で構成され、グリッド線の上に罫線が引かれています。罫線を削除したとき、セルのマス目が四角にならない場合は、グリッド線が残ります。グリッド線は、コンテキストタブの[レイアウト]タブ→[グリッド線の表示]でオン／オフを切り替えられます。

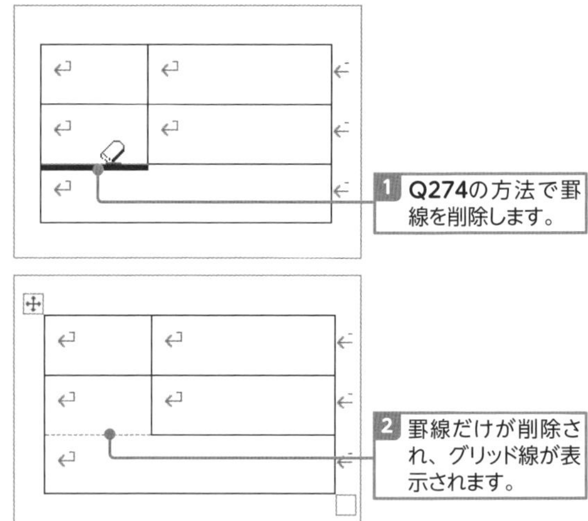

1 Q274の方法で罫線を削除します。
2 罫線だけが削除され、グリッド線が表示されます。

Q276 お役立ち度 ★★★ 表の編集 2021 2019 2016

表の罫線だけを消去したい!

A [枠なし]をクリックします。

コンテキストタブの[テーブルデザイン]タブ→[罫線]の[∨]をクリックし、一覧から[枠なし]をクリックすると、表の枠組みだけ残して、罫線だけを消去できます。罫線の消去後、グリッド線が残ります。

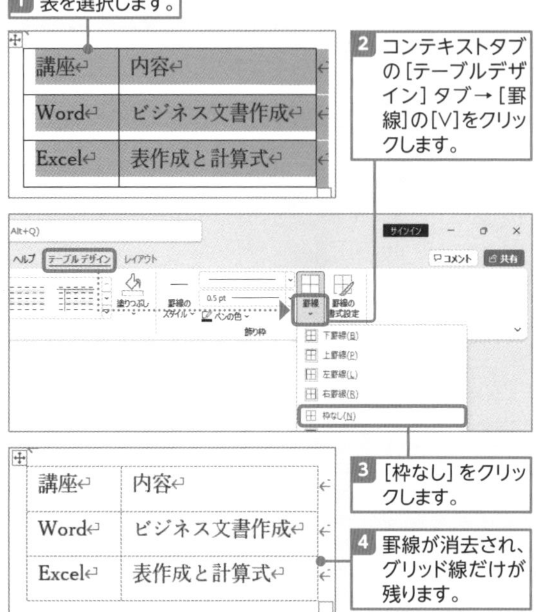

1 表を選択します。
講座 内容
Word ビジネス文書作成
Excel 表作成と計算式
2 コンテキストタブの[テーブルデザイン]タブ→[罫線]の[∨]をクリックします。
テーブルデザイン
レイアウト
罫線
枠なし(N)
3 [枠なし]をクリックします。
4 罫線が消去され、グリッド線だけが残ります。

Q277 お役立ち度 ★★★ 表の編集 2021 2019 2016

行や列を挿入するには

A 行や列の境界に表示される[+]をクリックします。

表の左端の行の境界や上端の列の境界にマウスポインターを合わせると表示される⊕をクリックするとその位置に行や列が挿入されます。

行の挿入

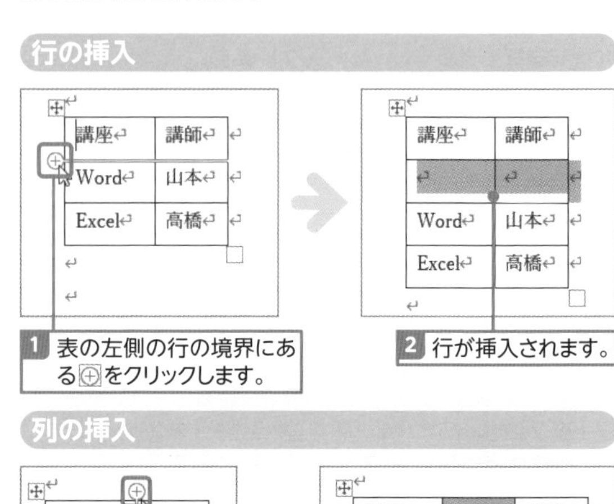

講座 講師
Word 山本
Excel 高橋
1 表の左側の行の境界にある⊕をクリックします。
2 行が挿入されます。

列の挿入

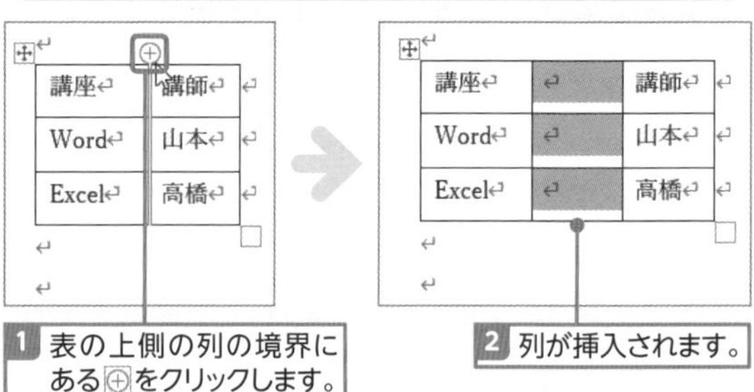

講座 講師
Word 山本
Excel 高橋
1 表の上側の列の境界にある⊕をクリックします。
2 列が挿入されます。

Q278 お役立ち度 ★★★ 表の編集 2021 2019 2016

1行目や1列目に行や列を追加したい!

A [上に行を挿入] または [左に列を挿入] をクリックします。

表の1行目の上や1列目の左には⊕が表示されません。この場合、コンテキストタブの[レイアウト]タブ→[上に行を挿入]、[左に列を挿入]を使って追加します。

1行目の上に行を追加

1 表の1行目にカーソルを移動します。

2 コンテキストタブの[レイアウト]タブ→[上に行を挿入]をクリックします。

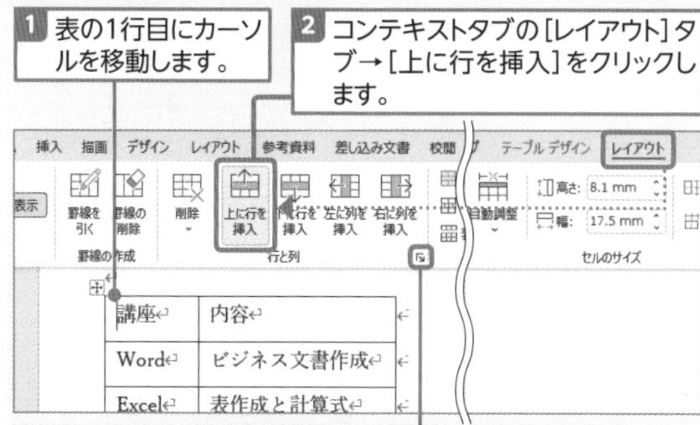

ここをクリックすると、[表の行/列/セルの挿入]ダイアログが表示されます(本項下部の[おトクな情報]を参照)。

3 1行目の上に行が挿入されます。

1列目の左に列を追加

1 表の1列目にカーソルを移動します。

2 コンテキストタブの[レイアウト]タブ→[左に列を挿入]をクリックします。

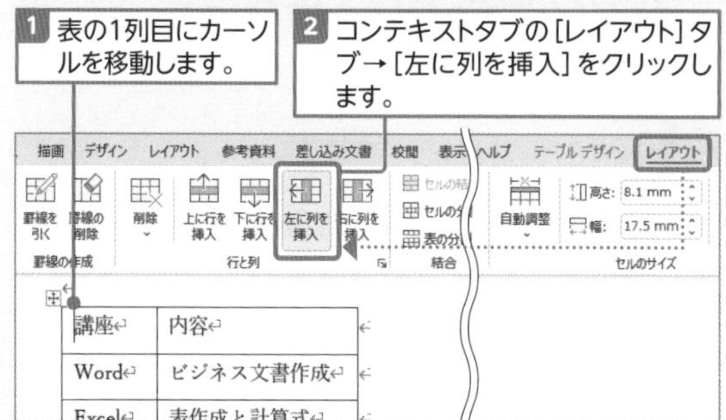

3 1列目の左側に列が追加されます。

おトクな情報 ダイアログで追加する

[行と列]グループの右端にある↘をクリックすると表示される[表の行/列/セルの挿入]ダイアログを利用すれば、セルを挿入したり、挿入後のシフト方向を指定したりできます。

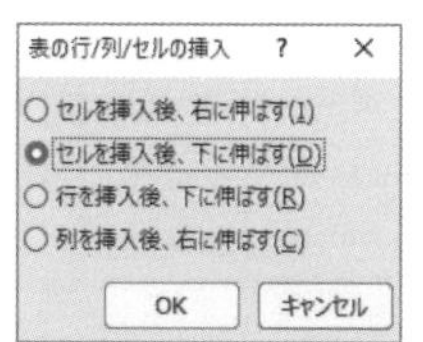

Q279 お役立ち度 ★★★ 表の編集 2021 2019 2016

行や列や表を削除するには

A BackSpace キーを押します。

BackSpace キーを押すと、選択した行、列、表全体が削除されます。このとき、文字列も一緒に削除されます。Delete キーを押した場合は文字列のみ削除されます。また、削除したいセル、行、列にカーソルを移動し、コンテキストタブの[レイアウト]タブ→[削除]をクリックしてメニューを選択して削除することもできます。

BackSpace キーを使って削除

1 削除したい行を選択し、BackSpace キーを押します。

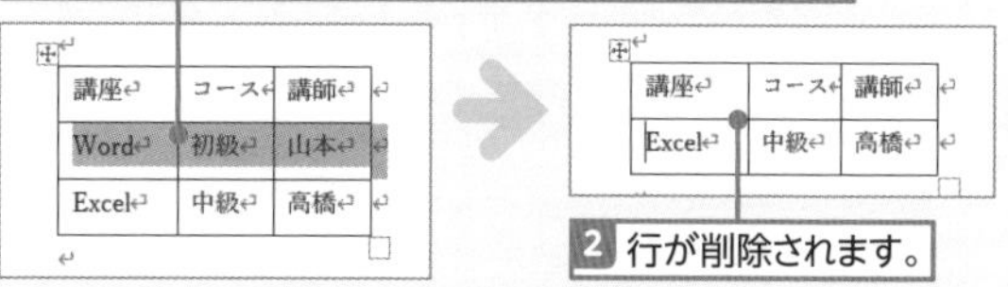

2 行が削除されます。

3 同様に列や表全体の削除もできます。

メニューを使って削除

1 削除したいセル、行、列にカーソルを移動します。

2 コンテキストタブの[レイアウト]タブ→[削除]をクリックします。

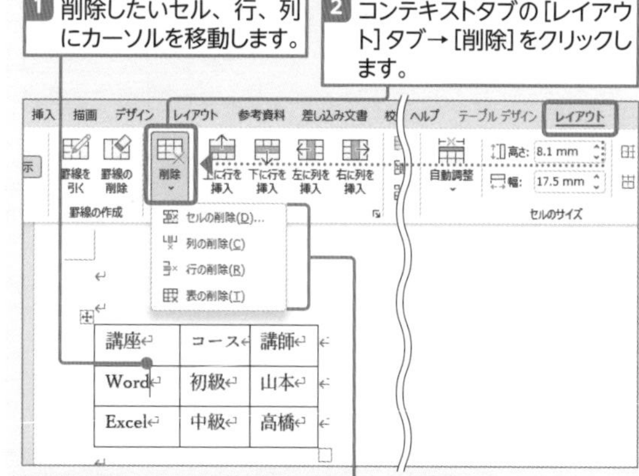

3 メニューから削除する対象をクリックします。

おトクな情報 ダイアログで削除する

上記の手順3で[セルの削除]をクリックすると、[表の行/列/セルの削除]ダイアログが表示され、削除後に表を詰める方法を指定できます。

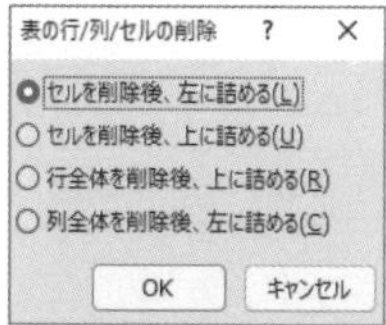

Q280 お役立ち度 ★★★ 表の編集

2021
2019
2016

表を解除したい!

A [レイアウト] タブ→ [表の解除] をクリックします。

表を削除すると文字列も含めてすべて削除されてしまいます。[表の解除] を利用すると、表だけ削除して、文字列は残せます。列の区切りにタブなどの記号が挿入されます。

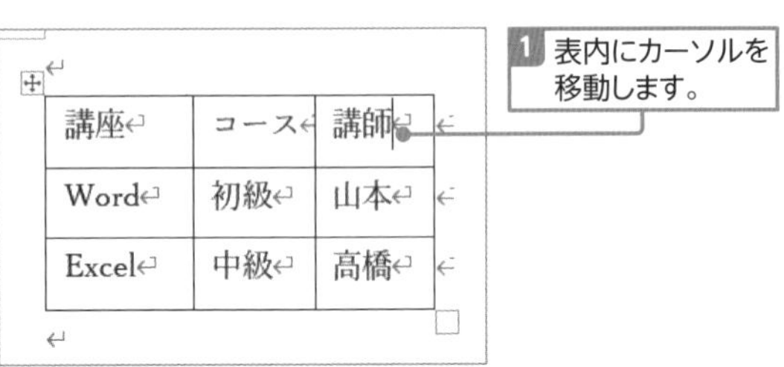
講座
コース
講師
Word
初級
山本
Excel
中級
高橋
1 表内にカーソルを移動します。

サインイン
テーブル デザイン
レイアウト
コメント
高さ: 8.1 mm
高さを揃える
幅: 14.4 mm
幅を揃える
セルのサイズ
並べ替え
タイトル行の繰り返し
表の解除
fx 計算式
データ

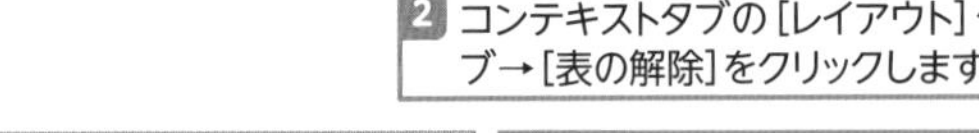
2 コンテキストタブの [レイアウト] タブ→ [表の解除] をクリックします。

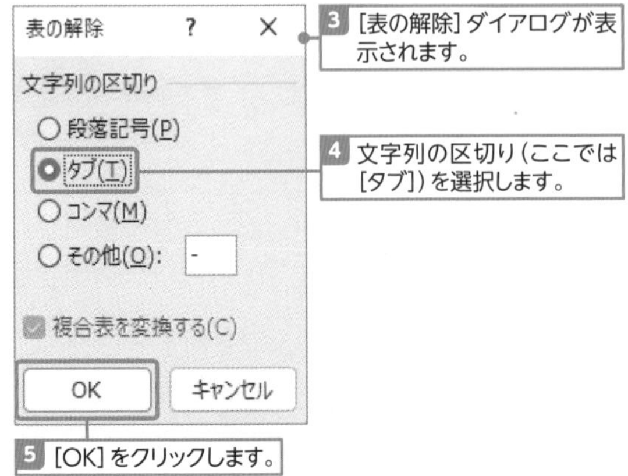
表の解除 ? ×
文字列の区切り
段落記号(P)
タブ(T)
コンマ(M)
その他(O): -
複合表を変換する(C)
OK
キャンセル
3 [表の解除] ダイアログが表示されます。
4 文字列の区切り (ここでは [タブ]) を選択します。
5 [OK] をクリックします。
6 表が解除され、列の区切りに記号 (ここではタブ) が挿入されます。

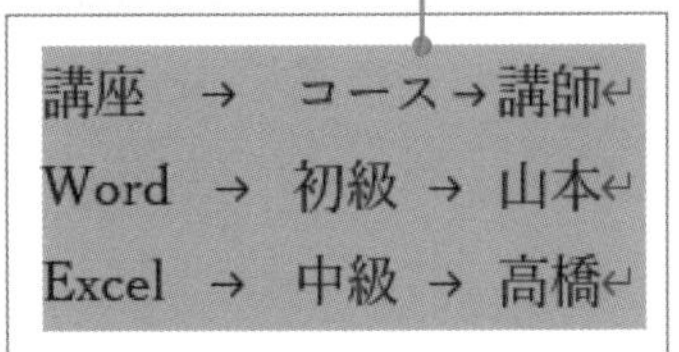
講座 → コース → 講師
Word → 初級 → 山本
Excel → 中級 → 高橋

Q281 お役立ち度 ★★★ 表の編集

2021
2019
2016

列の幅や行の高さを変更するには

A 表の列や行の境界線をドラッグします。

列の右側の境界線をドラッグすると、列幅が変更されます。この場合、表全体の幅は変わりません。ダブルクリックすると、列内の最長の文字列に合わせて列幅が自動調整されます。この場合、表全体の幅も変更されます。行の高さは行の下の境界線をドラッグして変更します。

列の幅を変更

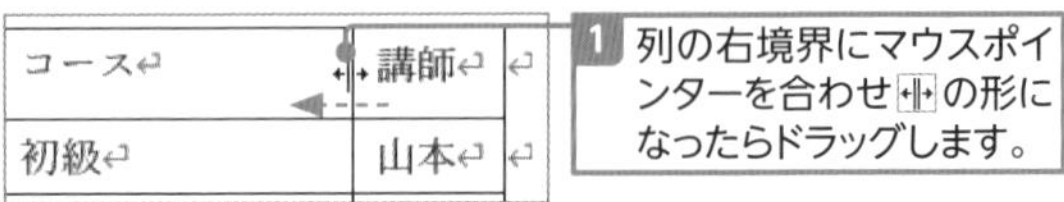
コース
講師
初級
山本
1 列の右境界にマウスポインターを合わせ の形になったらドラッグします。

行の高さを変更

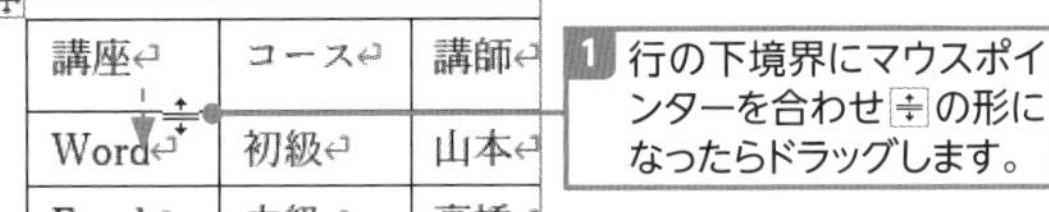
講座
コース
講師
Word
初級
山本
1 行の下境界にマウスポインターを合わせ の形になったらドラッグします。

Q282 お役立ち度 ★★★ 表の編集

2021
2019
2016

右側の列幅を変えずに列幅を変更するには

A Shift キーを押しながらドラッグします。

列の境界をドラッグしたときに右の列幅が変更されないようにするには Shift キーを押しながらドラッグします。表全体の幅は変わります。

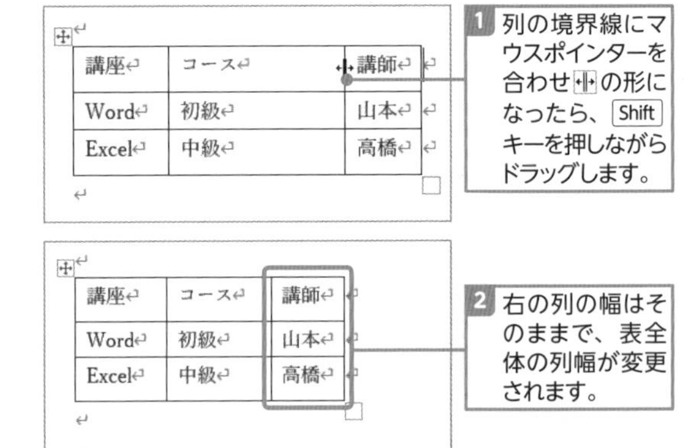
講座
コース
講師
Word
初級
山本
Excel
中級
高橋
1 列の境界線にマウスポインターを合わせ の形になったら、Shift キーを押しながらドラッグします。
2 右の列の幅はそのままで、表全体の列幅が変更されます。

Q283 お役立ち度 ★★★ 表の編集 2021 2019 2016

列の幅や行の高さを微調整したい!

A Alt キーを押しながらドラッグします。

Alt キーを押しながら、列や行の境界線をドラッグすると列の幅や行の高さを微調整しながら変更できます。Q078 の方法でルーラーを表示しておくと、ドラッグ中に数値で幅や高さを確認できます。

列の幅を微調整する

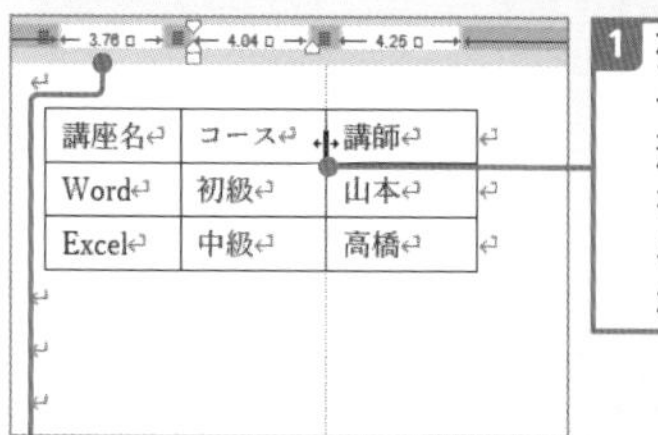

1 列の境界線にマウスポインターを合わせ の形になったら、Alt キーを押しながらドラッグすると、列幅が微調整されます。

2 ルーラーに数値が表示されます。

行の高さを微調整する

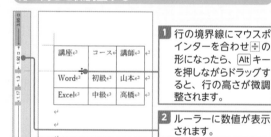

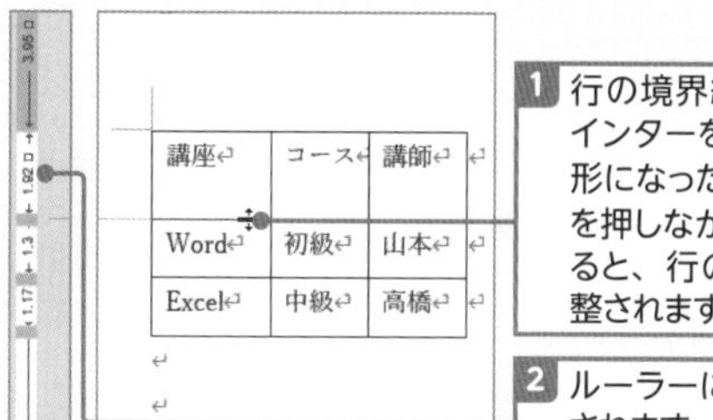

1 行の境界線にマウスポインターを合わせ の形になったら、Alt キーを押しながらドラッグすると、行の高さが微調整されます。

2 ルーラーに数値が表示されます。

Q284 お役立ち度 ★★★ 表の編集 2021 2019 2016

列の幅や行の高さをミリ単位で正確に指定したい!

A [レイアウト] タブの [行の高さの設定] と [列の幅の設定] で数値入力できます。

数値はミリ単位で変更できます。変更したい行内または列内にカーソルを移動し、数値を指定します。複数列や複数行を選択して数値を指定すると、同じ幅や高さに揃えられます。

1 行の高さ、列の幅を変更したいセルにカーソルを移動します。

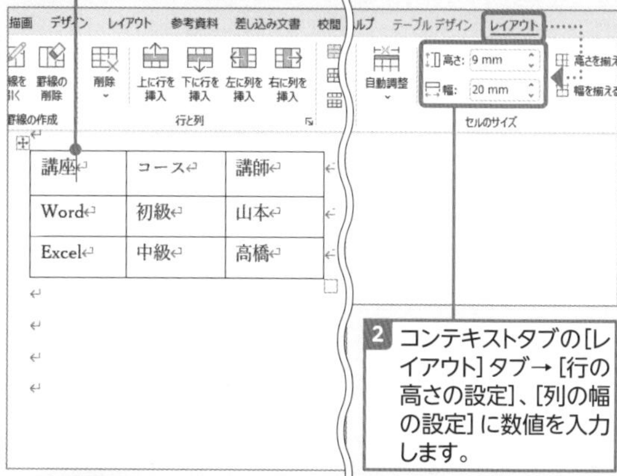

2 コンテキストタブの[レイアウト] タブ→ [行の高さの設定]、[列の幅の設定] に数値を入力します。

おトクな情報　セルの幅を変更する

セルを選択して、[列の幅の設定] で数値を指定すると、選択したセルの幅が変更されます。

Q285 お役立ち度 ★★★ 表の編集 2021 2019 2016

行の高さが自動で広がらないようにしたい!

A [表のプロパティ] ダイアログで高さを固定にします。

セル内で改行したり、セル幅以上の文字が入力されたりすると行の高さは自動的に広がります。行が広がらないようにするには、行の高さを固定します。なお、固定してもドラッグによって行の高さは変更できます。

1 高さを変更したくない行内のセルにカーソルを移動します。

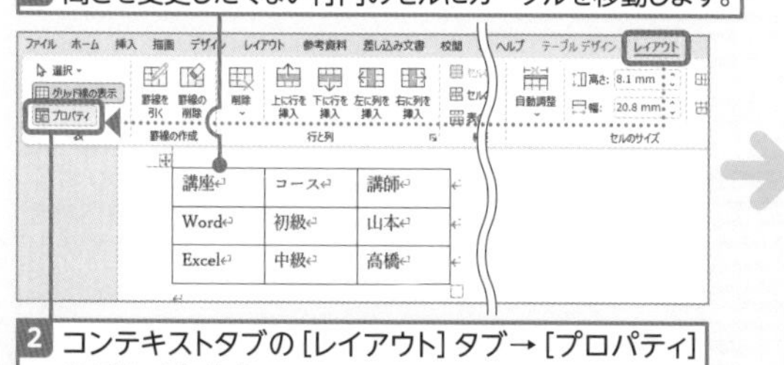

2 コンテキストタブの [レイアウト] タブ→ [プロパティ] をクリックします。

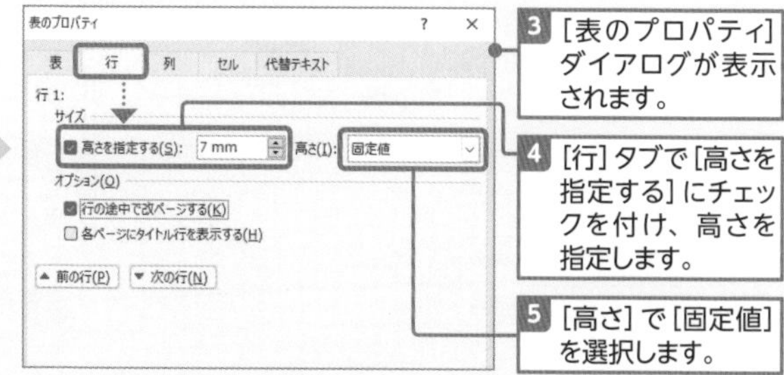

3 [表のプロパティ] ダイアログが表示されます。

4 [行] タブで [高さを指定する] にチェックを付け、高さを指定します。

5 [高さ] で [固定値] を選択します。

Q286 お役立ち度 ★★★ 表の編集 2021 2019 2016

列の幅、行の高さを均等にするには

A [レイアウト] タブ→ [幅を揃える]、[高さを揃える] をクリックします。

[幅を揃える] [高さを揃える] を利用すると、連続した複数の列の幅や行の高さを均等に揃えられます。不揃いな列の幅や行の高さをきれいに整えるのに使えます。

列の幅を揃える

1 幅を揃えたい列を選択しておきます。

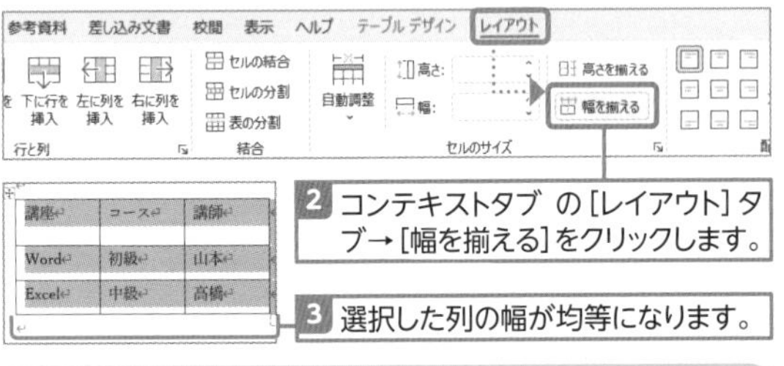

2 コンテキストタブ の [レイアウト] タブ→ [幅を揃える] をクリックします。

3 選択した列の幅が均等になります。

行の高さを揃える

1 高さを揃えたい行を選択しておきます。

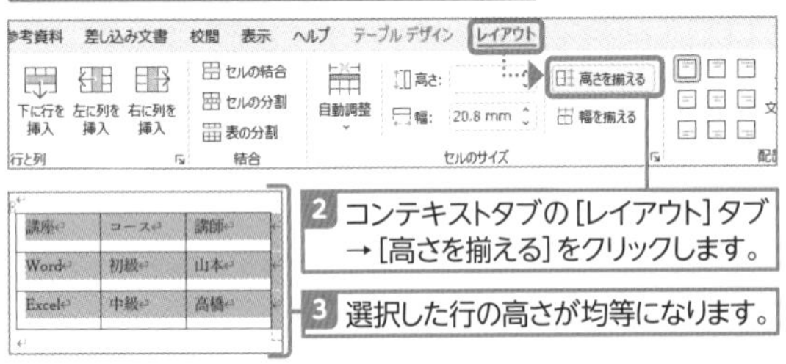

2 コンテキストタブの [レイアウト] タブ→ [高さを揃える] をクリックします。

3 選択した行の高さが均等になります。

Q287 お役立ち度 ★★★ 表の編集 2021 2019 2016

表内の文字長に合わせて列幅を自動調整したい!

A [文字列の幅に自動調整] を選択します。

[文字列の幅に自動調整] を利用すると、表内にある文字長に合わせて列幅が自動調整されるようになります。文字長が小さくなれば、その分列幅が自動で狭くなります。なお、1つの列だけ列幅を自動調整したい場合は、調整したい列の右境界線でダブルクリックします。

1 表の中にカーソルを移動します。

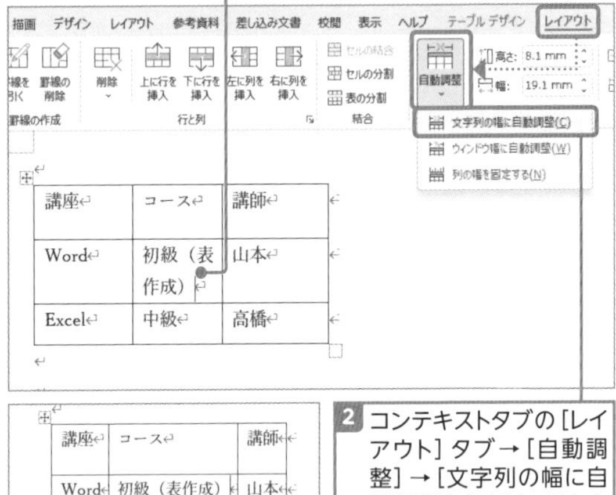

2 コンテキストタブの [レイアウト] タブ→ [自動調整] → [文字列の幅に自動調整] をクリックします。

3 表内の文字長に合わせて列幅が自動調整されます。

Q288 お役立ち度 ★★★ 表の編集 2021 2019 2016

文書の横幅いっぱいに表を広げたい!

A [ウィンドウ幅に自動調整] を選択します。

[ウィンドウ幅に自動調整] を利用すると文書の横幅に合わせて、表全体の幅が自動で調整されます。

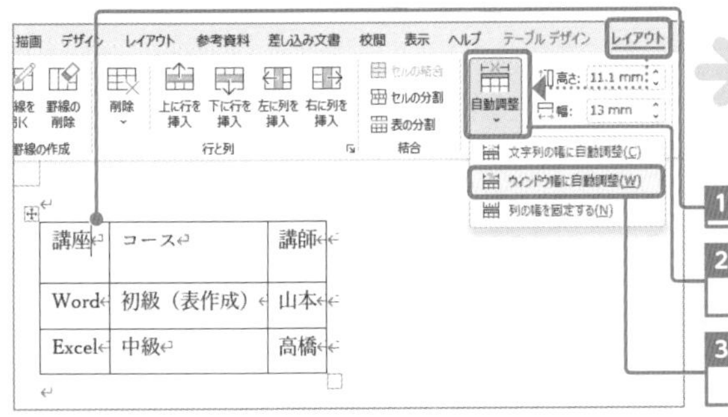

1 表内にカーソルを移動します。

2 コンテキストタブの [レイアウト] タブ→ [自動調整] をクリックします。

3 [ウィンドウ幅に自動調整] をクリックします。

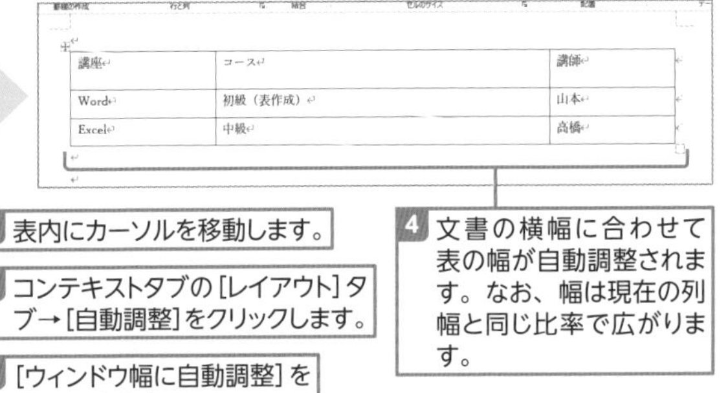

4 文書の横幅に合わせて表の幅が自動調整されます。なお、幅は現在の列幅と同じ比率で広がります。

表全体のサイズを変更したい!

A 表の右下角の□をドラッグします。

表の中にカーソルが表示されているときに、表の右下角に表示される□を「表のサイズ変更ハンドル」といいます。このハンドルをドラッグすると、表全体を任意の大きさに変更できます。

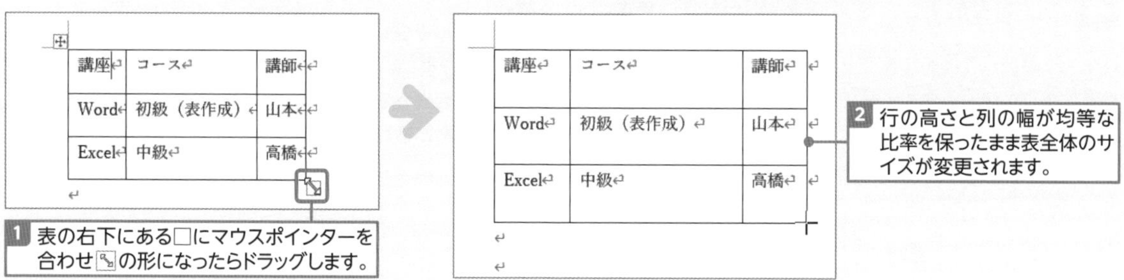

行の途中で改ページしたくない!

A ［行の途中で改ページする］をオフにします。

表の行の途中で改ページされるとデータが見づらくなります。行の途中でページが切り替わらないようにするには、［表のプロパティ］ダイアログで［行の途中で改ページする］をオフにします。

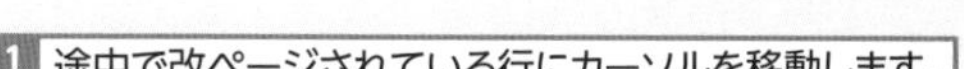

1 途中で改ページされている行にカーソルを移動します。

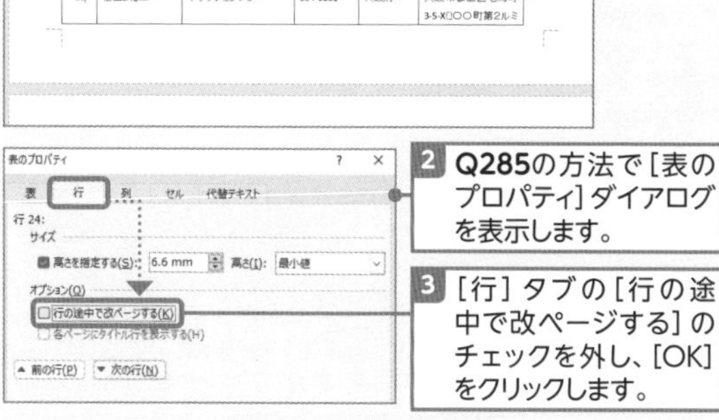

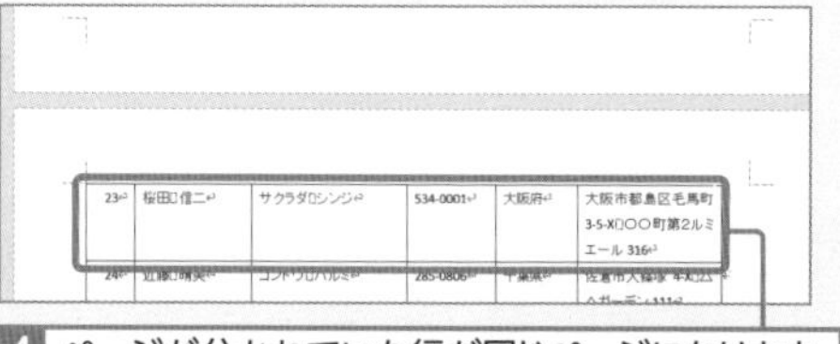

4 ページが分かれていた行が同じページになります。

Q291 お役立ち度 ★★★ 表の編集 2021 2019 2016

複数ページの表でページごとに表の項目名を表示するには?

A ［タイトル行の繰り返し］をオンにします。

［タイトル行の繰り返し］をオンにすると、名簿や商品リストなど、行数の多い表でページが分かれても毎ページに表の項目名が表示されるようになります。

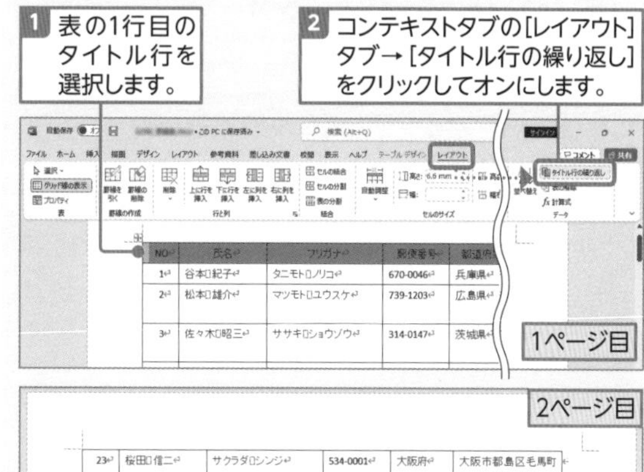

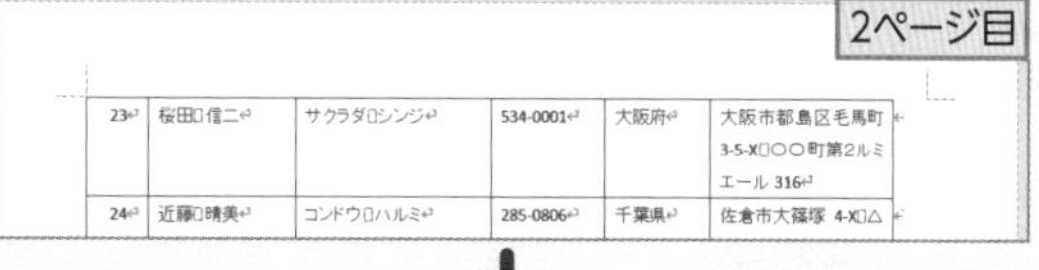

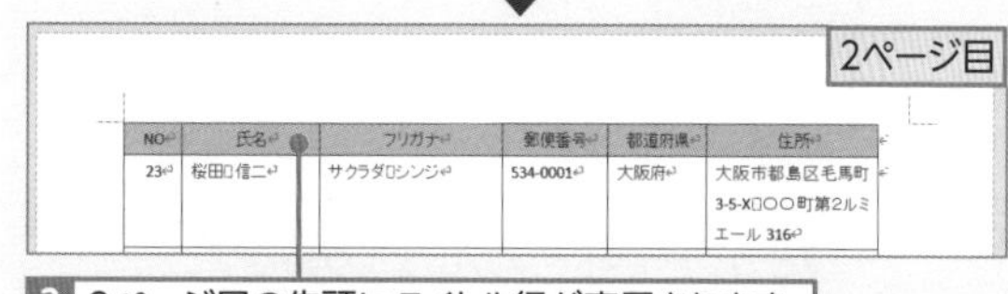

2ページ目
3 2ページ目の先頭にタイトル行が表示されます。

お役立ち度 ★★★ 表の編集

列や行の順番を入れ替えたい!

A 列や行を選択し、移動先までドラッグします。

行や列を選択して移動先までドラッグするだけで順番を入れ替えることができます。移動した後、列の幅や行の高さの調整が必要になる場合があります。

列の順番を入れ替える

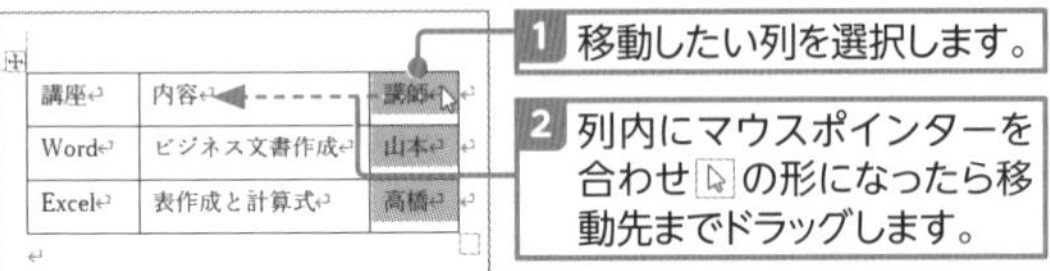
1 移動したい列を選択します。
2 列内にマウスポインターを合わせ の形になったら移動先までドラッグします。

行の順番を入れ替える

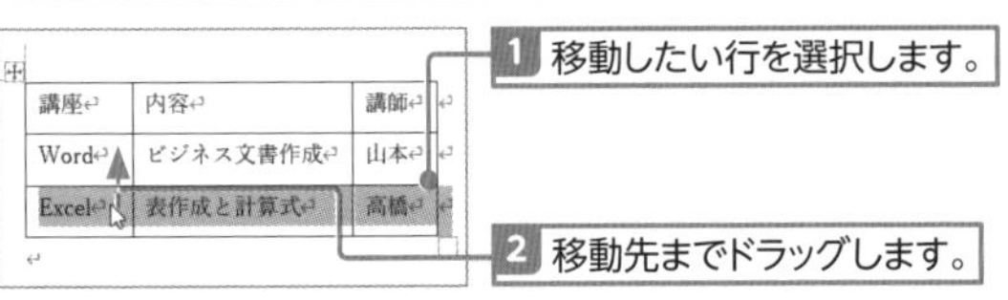
1 移動したい行を選択します。
2 移動先までドラッグします。

お役立ち度 ★★★ 表の編集

隣り合った複数のセルを1つにまとめるには

A [レイアウト] タブ→ [セルの結合] をクリックします。

[セルの結合] を利用します。なお、各セルの文字列は1つのセルにまとめられます。罫線を1本ずつ削除しても同様にセルを結合できます(**Q274**)。

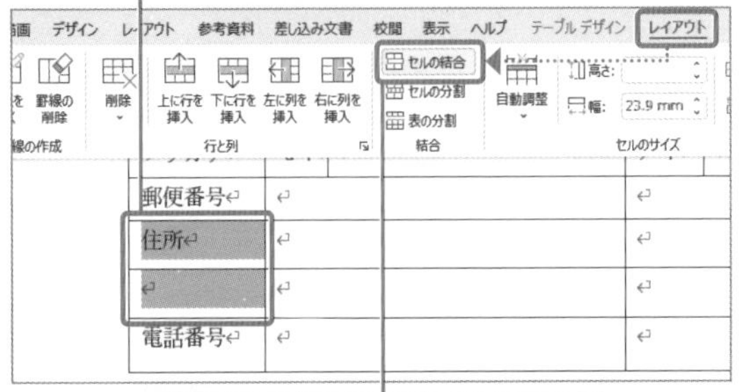
1 結合したいセルを選択します。
2 コンテキストタブの [レイアウト] タブ→ [セルの結合] をクリックします。

お役立ち度 ★★★ 表の編集

指定したセルを複数のセルに分割するには

A [レイアウト] タブ→ [セルの分割] をクリックします。

[セルの分割] をクリックすると [セルの分割] ダイアログが表示され、指定した行数、列数に分割できます。選択した1つまたは複数のセルを対象にして分割できます。

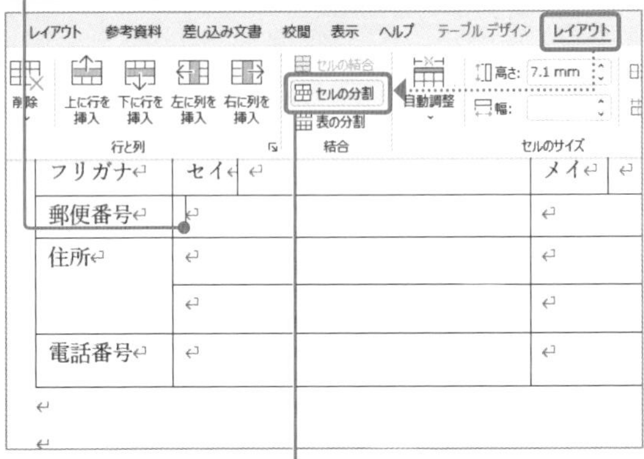
1 分割したいセルにカーソルを移動します。
2 コンテキストタブの [レイアウト] タブ→ [セルの分割] をクリックします。

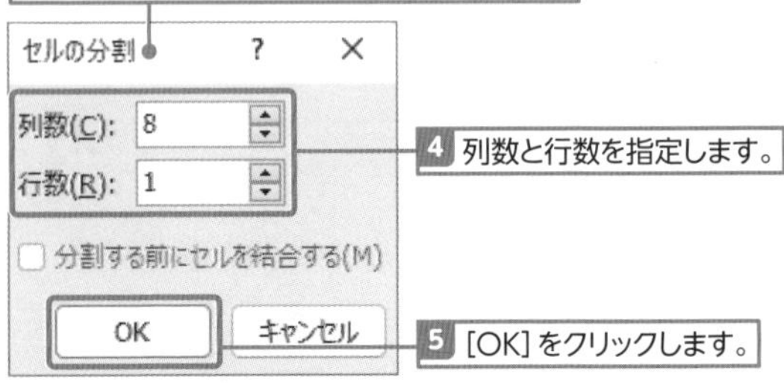
3 [セルの分割] ダイアログが表示されます。
4 列数と行数を指定します。
5 [OK] をクリックします。

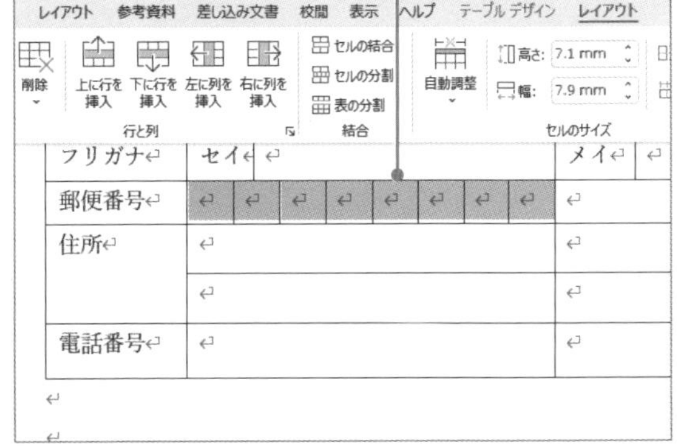
6 指定した列数、行数にセルが分割されます。

お役立ち度 ★★★ 表の編集

2021 2019 2016

表を上下で2つに分割するには

A [レイアウト] タブ→ [表の分割] をクリックします。

[表の分割] をクリックするだけで、上下に分かれた表を素早く作成することができます。

1 分割したい行内のセルにカーソルを移動します。

2 コンテキストタブの [レイアウト] タブ→ [表の分割] をクリックします。

氏名	姓		名	
フリガナ	セイ		メイ	

郵便番号									
住所									

3 表が上下に分割されます。

お役立ち度 ★★★ 表の編集

表を左右で2つに分けられるの?

A 分割位置に空白列を挿入し、横罫線を削除します。

表を左右で分割するには、表2つ分の列数に1を加えた列数で表を挿入し、表の境界となる列の横罫線を削除します。横罫線を削除しても完全に分割できず、グリッド線でつながれている状態になりますが、グリッド線は印刷されないので2つ並んでいるように見えます。

種類	銘柄		種類	銘柄
緑茶	龍井茶		青茶	凍頂烏龍茶
白茶	白牡丹		紅茶	祁門紅茶
黄茶	君山銀針		黒茶	普洱茶

1 表2つ分の列数に1を加えた列数で表を作成し、それぞれの表にデータを入力します。

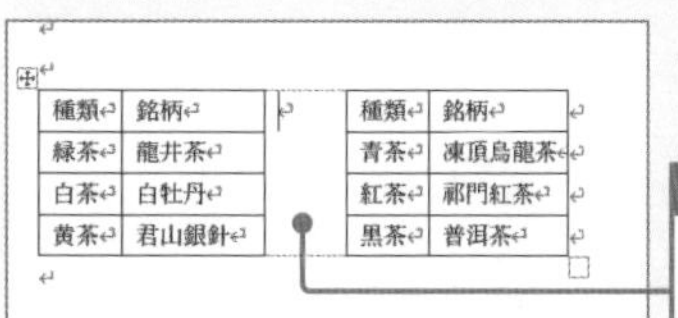

2 Q274の方法で分割する列の横罫線を削除します。

Q297 お役立ち度 ★★★ 表の編集

2021 2019 2016

セル内の文字の配置を変更したい!

A セル内の上下と左右で配置を変更できます。

セル内の文字は、初期設定では [上揃え (左)] に配置されています。コンテキストタブの [レイアウト] タブの [配置] グループにあるボタンを使って配置変更します。

1 配置を変更したいセルを選択します。

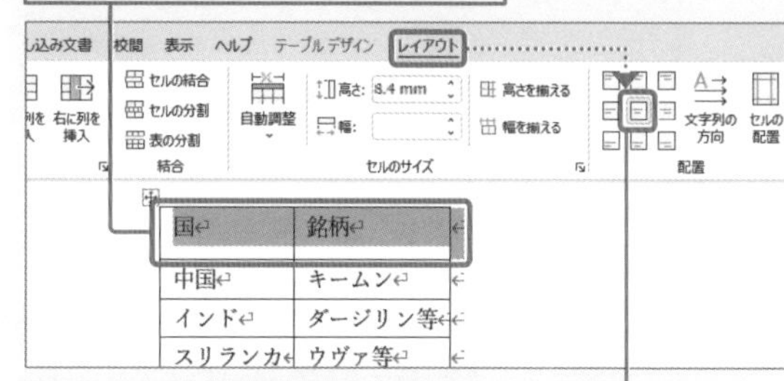

2 コンテキストタブの [レイアウト] タブ→ [中央揃え] をクリックします。

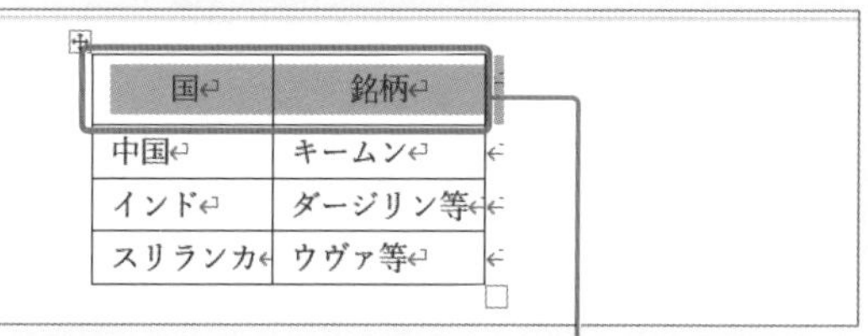

国	銘柄
中国	キームン
インド	ダージリン等
スリランカ	ウヴァ等

3 選択したセル内の文字が上下、左右で中央に揃います。

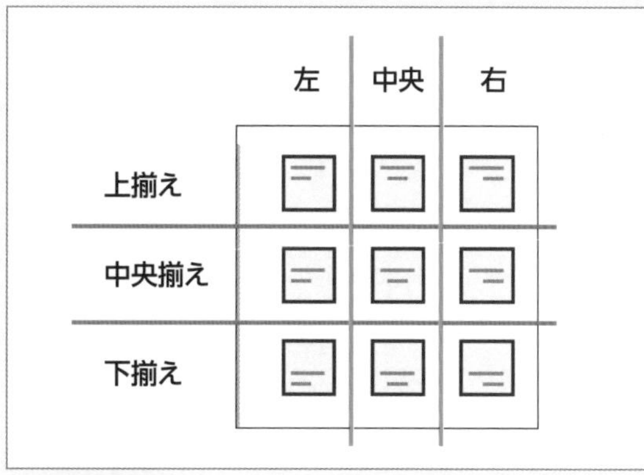

セル内の配置ボタン

[ホーム] タブのボタンを使う

左右の配置は、[ホーム] タブにある [左揃え]、[中央揃え]、[右揃え] でも変更できます (Q215)。

Q298 お役立ち度 ★★★ 表の編集 2021 2019 2016

セル内で文字列を均等割り付けするには

A [ホーム] タブ→ [均等割り付け] をクリックします。

セル内の文字列をセル幅に均等に配置する場合は、[ホーム] タブ→ [均等割り付け] をクリックします。

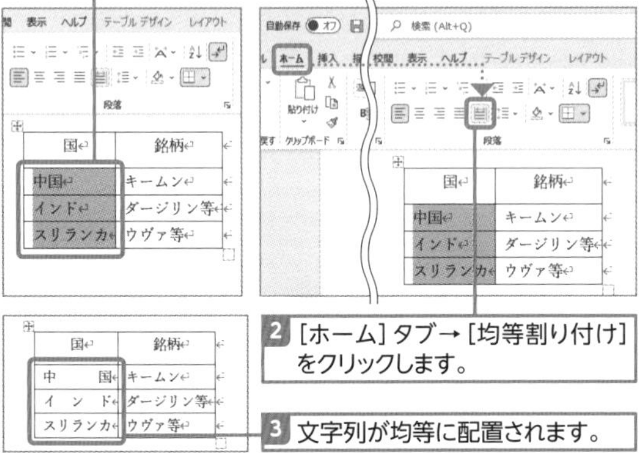
1 均等割り付けしたいセルを選択します。
2 [ホーム] タブ→ [均等割り付け] をクリックします。

3 文字列が均等に配置されます。

Q299 お役立ち度 ★★★ 表の編集 2021 2019 2016

表全体を横方向の中央に配置したい!

A 表全体を選択後、[ホーム] タブ→ [中央揃え] をクリックします。

表全体を選択すれば、[右揃え]、[中央揃え]、[左揃え] で素早く配置変更できます。なお、表の左上角にある⊞をドラッグすると、表全体を任意の位置に移動できます。

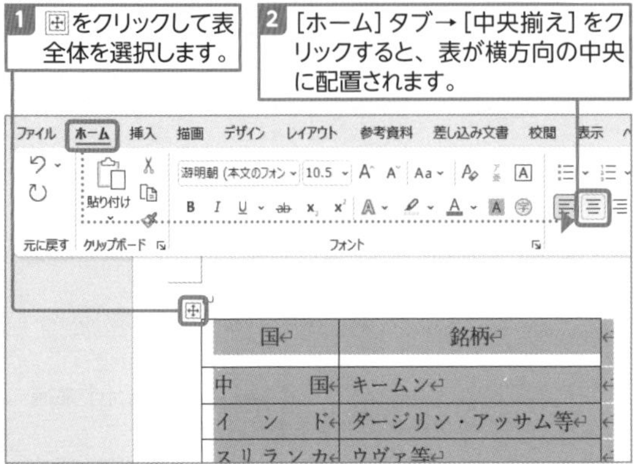
1 ⊞をクリックして表全体を選択します。
2 [ホーム] タブ→ [中央揃え] をクリックすると、表が横方向の中央に配置されます。

Q300 お役立ち度 ★★★ 表の編集 2021 2019 2016

セル内で文字列を折り返さずに全体を表示したい

A [文字列をセル幅に均等に割り付ける] をオンにします。

[セルのオプション] ダイアログの [文字列をセル幅に均等に割り付ける] をオンにすると、セル内の文字列が1行に収まるように文字列が縮小されます。設定後、列幅を変更すると幅に合わせて縮小率が変わります。

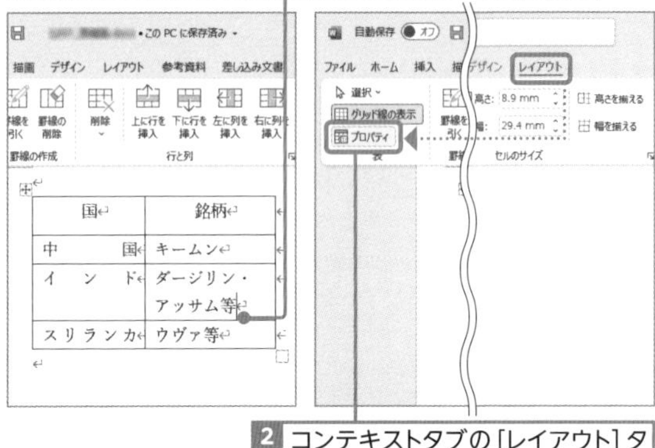
1 文字列を1行で納めたいセルにカーソルを移動します。
2 コンテキストタブの [レイアウト] タブ→ [プロパティ] をクリックします。

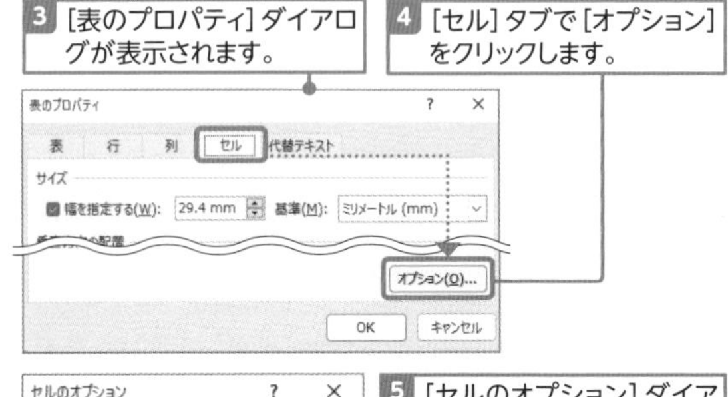
3 [表のプロパティ] ダイアログが表示されます。
4 [セル] タブで [オプション] をクリックします。

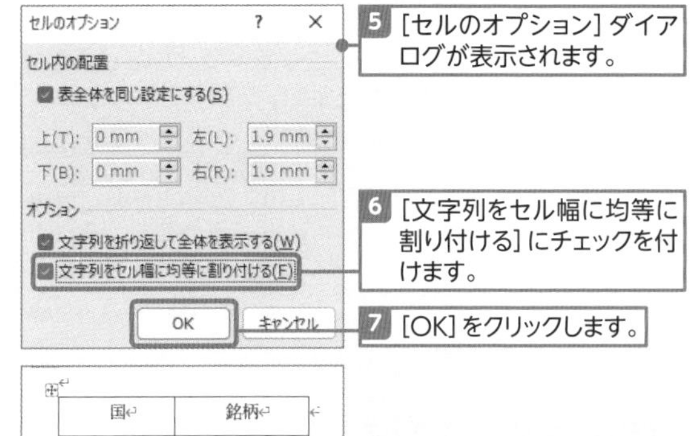
5 [セルのオプション] ダイアログが表示されます。
6 [文字列をセル幅に均等に割り付ける] にチェックを付けます。
7 [OK] をクリックします。
8 セル内の文字が1行に収まるように縮小されます。

Q301 お役立ち度 ★★★ 表の編集

2021 2019 2016

表の横に文字が回り込むようにしたい!

A [表のプロパティ] ダイアログで文字列の折り返しの設定をします。

初期設定では、表の左右に文字が回り込みません。文字列の折り返しの設定をすれば、表の横に文字が回り込むようになります。

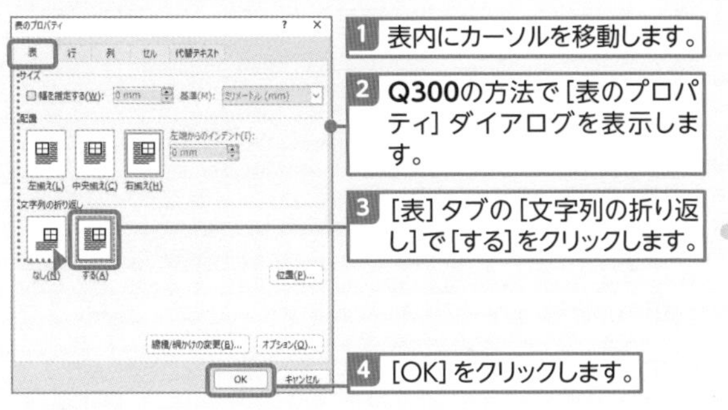

1 表内にカーソルを移動します。

2 Q300の方法で [表のプロパティ] ダイアログを表示します。

3 [表] タブの [文字列の折り返し] で [する] をクリックします。

4 [OK] をクリックします。

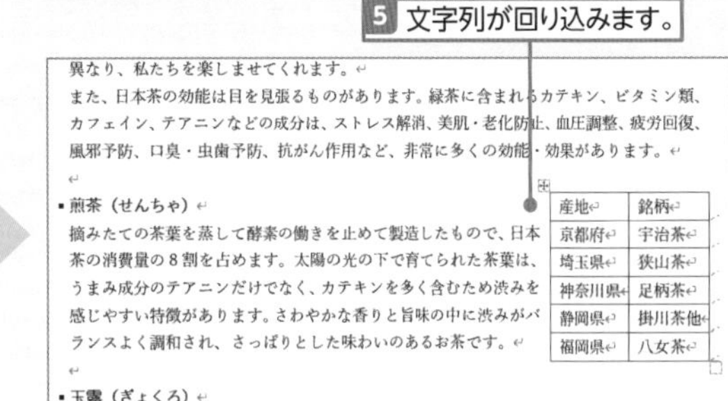

5 文字列が回り込みます。

Q302 お役立ち度 ★★★ 表の編集

2021 2019 2016

文章が減っても表が上に移動しないように固定できないの?

A [表の位置] ダイアログで [文字列を一緒に移動する] をオフにします。

[文字列を一緒に移動する] をオフにすると、文書内の文字列の増減に関わらず表の位置が変わらなくなります。

1 移動したくない表内にカーソルを移動し、Q300の方法で [表のプロパティ] ダイアログを表示します。

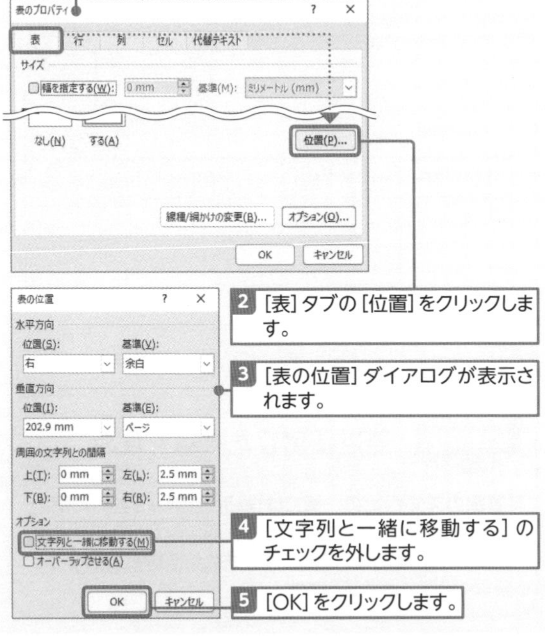

2 [表] タブの [位置] をクリックします。

3 [表の位置] ダイアログが表示されます。

4 [文字列と一緒に移動する] のチェックを外します。

5 [OK] をクリックします。

Q303 お役立ち度 ★★★ 表の編集

2021 2019 2016

セルに斜めの線を引くには

A [テーブルデザイン] タブ→ [罫線] で斜め罫線を選択します。

[罫線] のメニューにある [斜め罫線 (右上がり)] または [斜め罫線 (右下がり)] を利用すると簡単に斜線が引けます。なお、コンテキストタブの [レイアウト] タブ→ [罫線を引く] をクリックして、ドラッグで斜線を引くこともできます (Q273)。

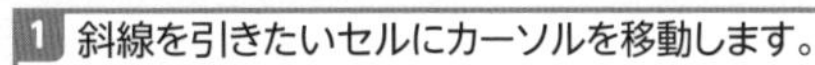

1 斜線を引きたいセルにカーソルを移動します。

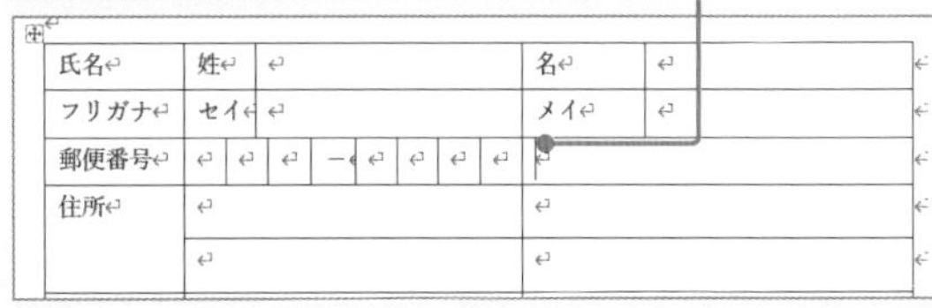

2 コンテキストタブの [テーブルデザイン] タブ→ [罫線] の [∨] → [斜め罫線] をクリックします。

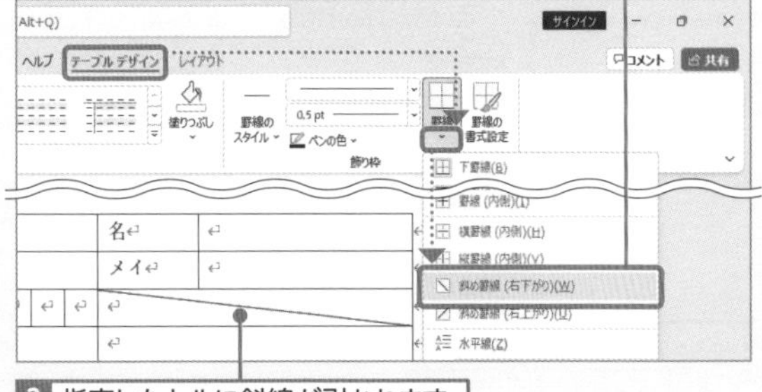

3 指定したセルに斜線が引かれます。

Q304 お役立ち度 ★★★ 表の編集

ドラッグで表の線の種類や太さを変更したい!

A [テーブルデザイン] タブ→ [罫線の書式設定] をクリックします。

コンテキストタブの [テーブルデザイン] タブ→ [罫線の書式設定] をオンにすると、マウスポインターがペンの形になり、ドラッグで1本ずつ罫線を変更できます。変更内容は、[ペンのスタイル]、[ペンの太さ]、[ペンの色] で設定するか、罫線のスタイルから罫線を選択します。なお、[ペンのスタイル]、[ペンの太さ]、[ペンの色] を設定すると、自動的に [罫線の書式設定] がオンになります。罫線の変更が終了したら、ESC キーを押すか、[罫線の書式設定] をクリックしてオフにします。

1 コンテキストタブの [テーブルデザイン] タブ→ [ペンのスタイル] の [∨] をクリックし、罫線の種類を選択します。

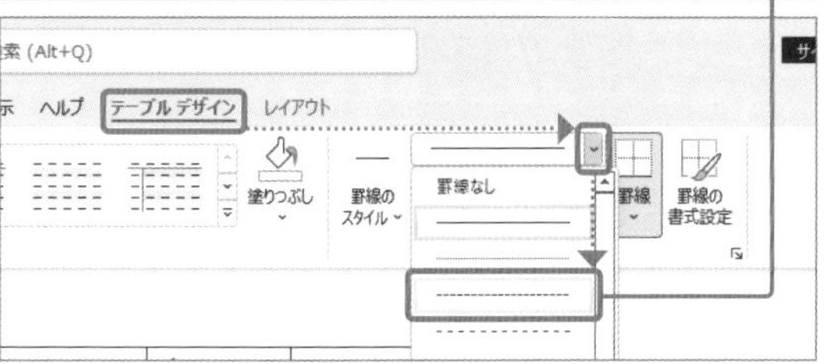

2 同様に [ペンの太さ] の [∨] をクリックし、罫線の太さを選択します。

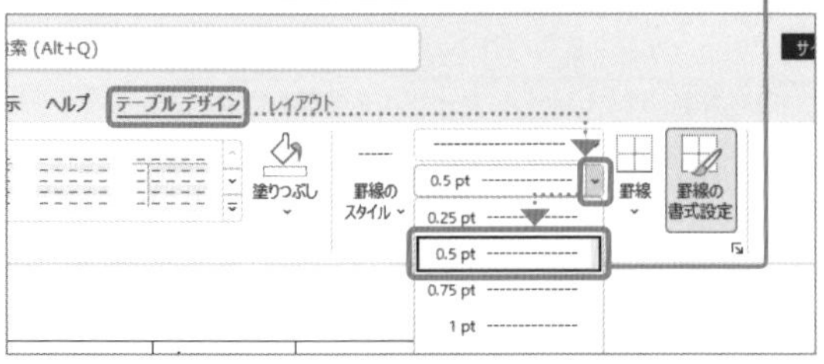

3 [ペンの色] をクリックし、罫線の色を選択します。

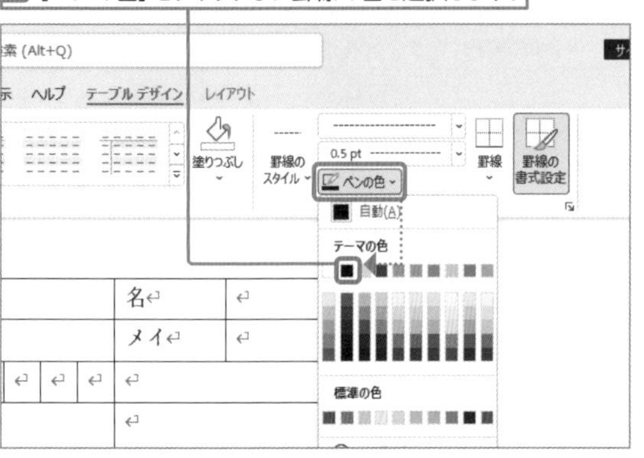

4 変更したい罫線上をクリックまたはドラッグして変更します。

氏名	姓		名
フリガナ	セイ		メイ
郵便番号			
住所			

5 ESC キーを押して終了します。

罫線のスタイルを使って変更する

1 コンテキストタブの [テーブルデザイン] タブ→ [罫線のスタイル] の [∨] をクリックします。

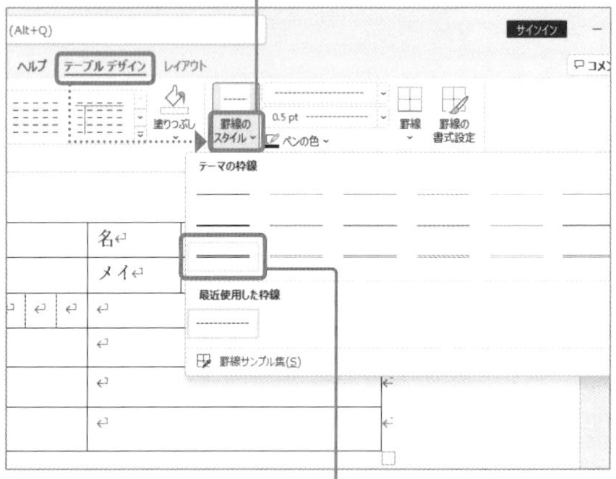

2 種類、太さ、色がセットになった罫線のスタイル一覧から使用するものをクリックします。

3 変更したい罫線上をクリックまたはドラッグして変更します。

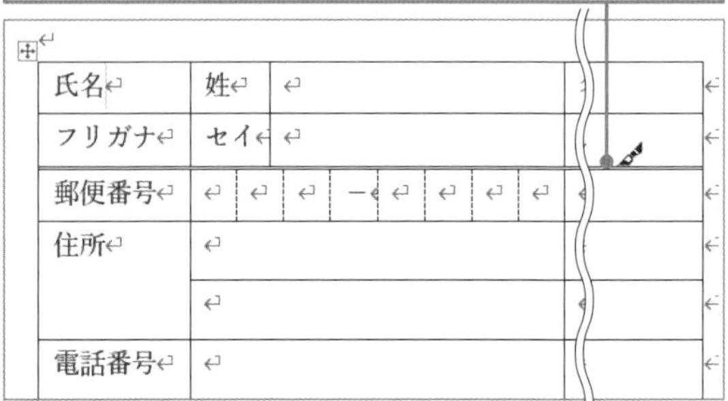

4 ESC キーを押して終了します。

おトクな情報 最近使用した罫線を使う

[罫線のスタイル] の一覧には [最近使用した枠線] に使用した罫線の履歴が表示されます。前に設定した罫線を再び使いたい場合は、ここに表示される罫線を選択すると素早く設定できて便利です。

設定箇所を指定して表の線の種類や太さを変更したい!

A [罫線] メニューまたは [線種とページ罫線と網かけの設定] ダイアログを使って設定します。

[罫線] メニューでは、いくつかの罫線パターンが用意されています。クリックするだけで素早く罫線の種類を変更できます。また、[線種とページ罫線と網かけの設定] ダイアログの [罫線] タブで外枠、内側の縦罫線、横罫線をまとめて変更できます。ダイアログで設定した線種、太さ、色は、[テーブルデザイン] タブの [ペンのスタイル]、[ペンの太さ]、[ペンの色] と [罫線] メニューの罫線の設定パターンに反映されます。

1 Q304を参照してペンのスタイル、太さ、色を選択して変更したい罫線を設定しておきます。

2 表を選択します。

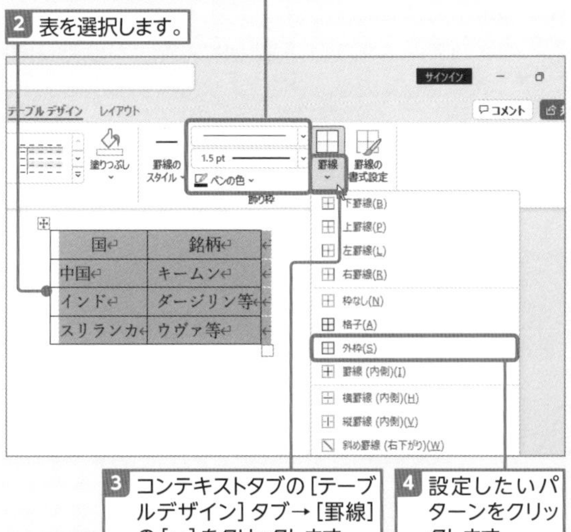

3 コンテキストタブの [テーブルデザイン] タブ→ [罫線] の [∨] をクリックします。

4 設定したいパターンをクリックします。

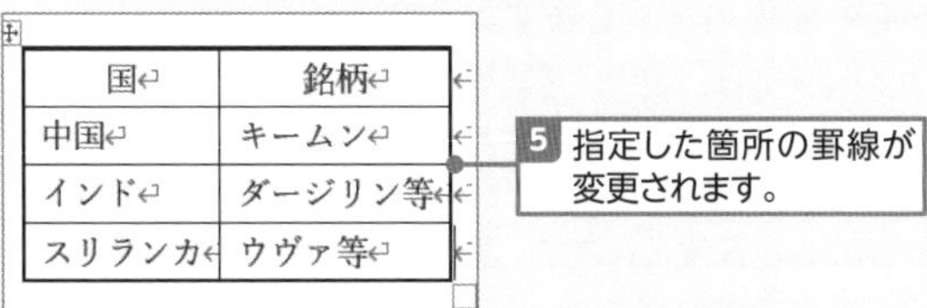

国	銘柄
中国	キームン
インド	ダージリン等
スリランカ	ウヴァ等

5 指定した箇所の罫線が変更されます。

おトクな情報 [罫線] メニューの便利なボタン

[罫線]メニューにある[外枠]では表の外枠の罫線を一気に変更できます。[格子]を使うと、セルすべてに同じ罫線を引くことができます。また、[枠なし]を利用すれば、セルすべての罫線を消去できます。この3つは大変便利なのでぜひ活用してください。

[線種とページ罫線と網かけの設定] を使う

ここでは、表の外枠を太線、内側の横罫線を点線、内側の縦罫線をなしに設定します。

1 表を選択します。

2 コンテキストタブの [テーブルデザイン] タブ→ [罫線] の [∨] をクリックします。

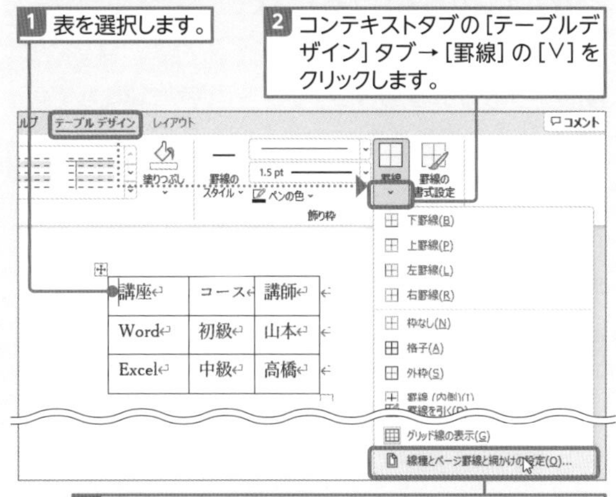

講座	コース	講師
Word	初級	山本
Excel	中級	高橋

3 [線種とページ罫線と網かけの設定] をクリックします。

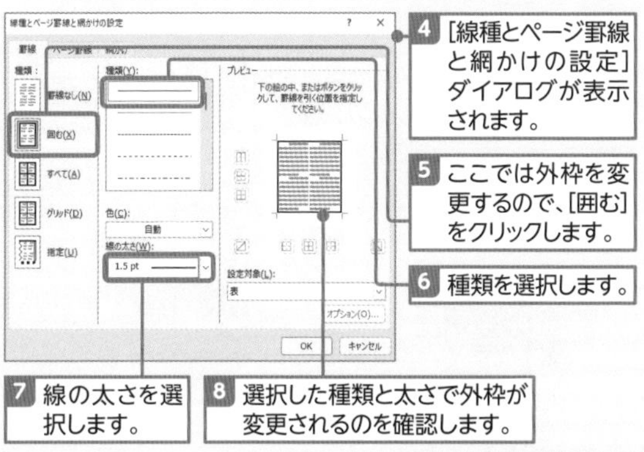

4 [線種とページ罫線と網かけの設定] ダイアログが表示されます。

5 ここでは外枠を変更するので、[囲む] をクリックします。

6 種類を選択します。

7 線の太さを選択します。

8 選択した種類と太さで外枠が変更されるのを確認します。

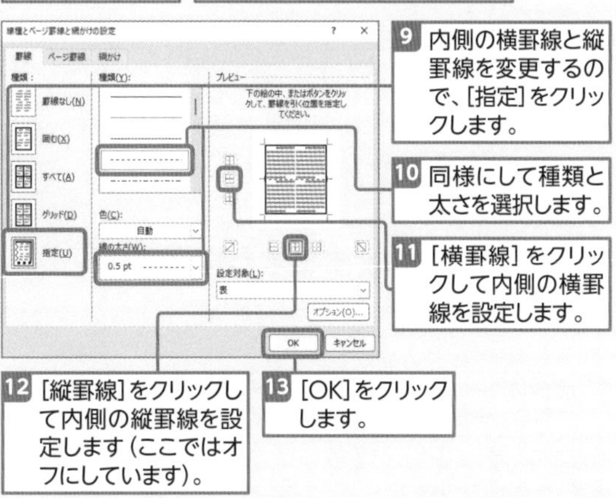

9 内側の横罫線と縦罫線を変更するので、[指定] をクリックします。

10 同様にして種類と太さを選択します。

11 [横罫線] をクリックして内側の横罫線を設定します。

12 [縦罫線] をクリックして内側の縦罫線を設定します (ここではオフにしています)。

13 [OK] をクリックします。

講座	コース	講師
Word	初級	山本
Excel	中級	高橋

14 指定した罫線に変更されます。

Q306 お役立ち度 ★★★ 表の編集

2021 2019 2016

セルに色を付けるには

A [テーブルデザイン] タブ→ [塗りつぶし] で色を選択します。

[塗りつぶし] をクリックして表示されるカラーパレットで色をクリックするだけで簡単にセルに色を付けられます。[線種とページ罫線と網かけの設定] ダイアログの [網かけ] タブでは、網掛けのパターンを設定することもできます。

1 色を付けたいセルを選択します。

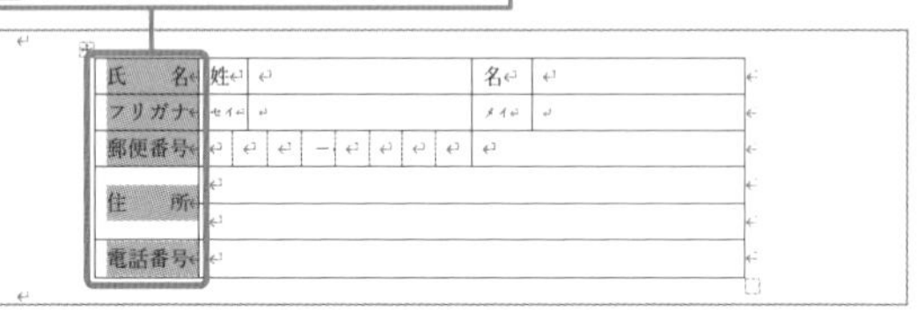

2 コンテキストタブの [テーブルデザイン] タブ→ [塗りつぶし] の [∨] をクリックします。

3 設定したい色をクリックします。

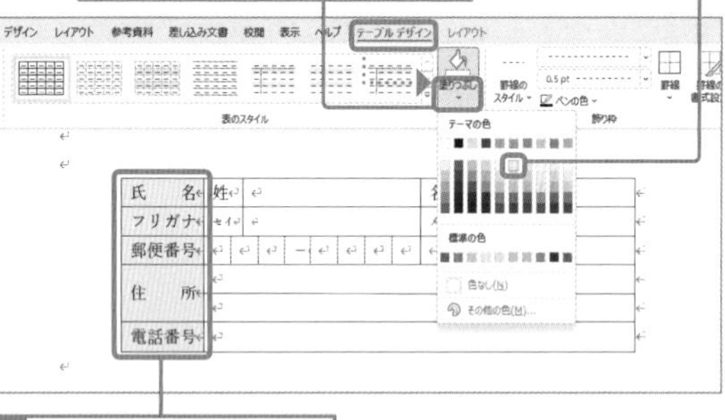

4 セルに色が設定されます。

Q307 お役立ち度 ★★★ 表の編集

2021 2019 2016

表の見栄えを素早く整えるには

A 表のスタイルを利用しましょう。

表のスタイルは、表全体に対して罫線、塗りつぶしの色などの書式を組み合わせたものです。一覧からクリックするだけで、表全体の見栄えを一気に整えることができます。

1 表の中にカーソルを移動しておきます。

2 コンテキストタブの [テーブルデザイン] タブ→ [表のスタイル] グループの [その他] をクリックします。

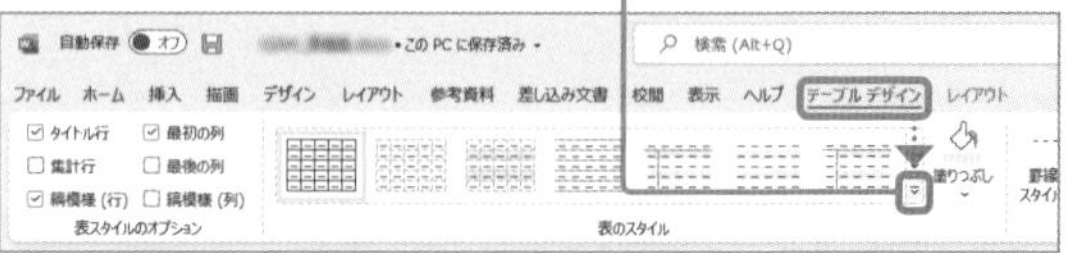

3 一覧からスタイルを選択します。

4 表にスタイルが設定されます。

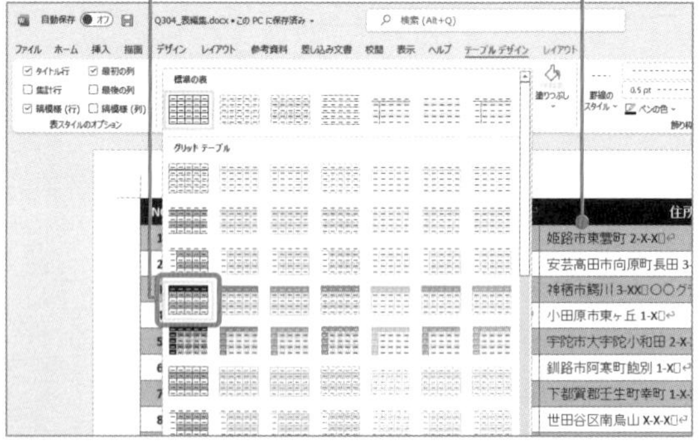

Q308 お役立ち度 ★★★ 表の編集

2021 2019 2016

セルにうまく収まるように写真を挿入するには

A [列の幅を固定する] を選択してから画像を挿入します。

初期設定では、表内に写真を挿入すると、写真のサイズに合わせて列幅が自動調整されてしまいます。列の幅を固定してから写真を挿入すると、列幅に収まるように写真のサイズが自動調整されます。写真の挿入手順は**Q326** を参照してください。

1 表内にカーソルを移動します。

2 コンテキストタブの [レイアウト] タブ→ [自動調整] をクリックします。

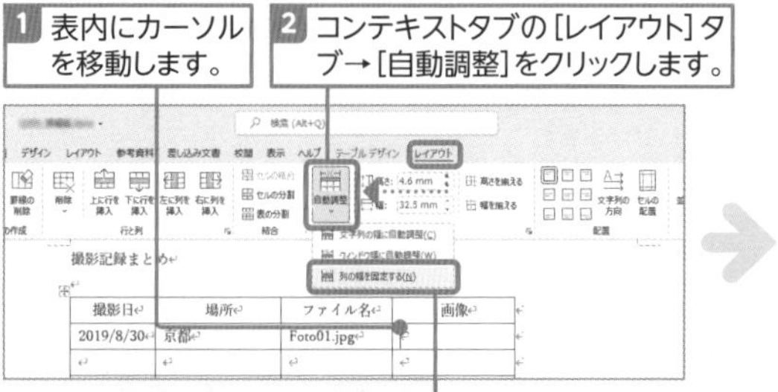

3 [列の幅を固定する] をクリックします。

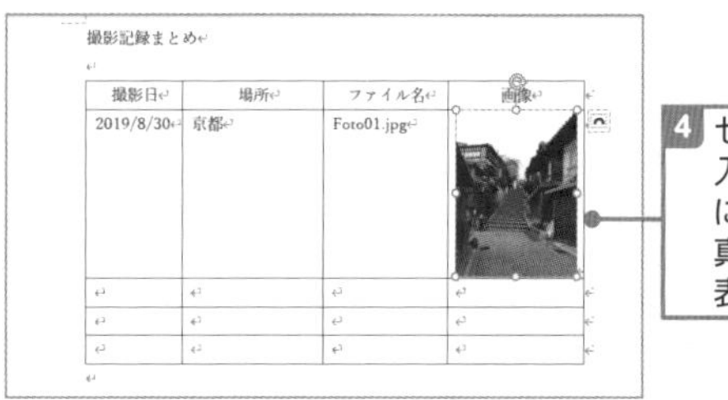

4 セルに写真を挿入すると、列幅に収まるように写真が縮小されて表示されます。

Q309 お役立ち度 ★★★ 表の編集 2021 2019 2016

表を並べ替えるには

A ［並べ替え］ダイアログで並べ替えの設定をします。

表内のデータを数値の小さい順、50音順などで並べ替えられます。並べ替えの基準とする列を指定して、表を行方向に並べ替えます。表内にカーソルがある状態では、表全体が並べ替えの対象になります。部分的に並べ替えをする場合は、並べ替えたい範囲を選択して行います。

ここではフリガナを50音順に並べ替えます。

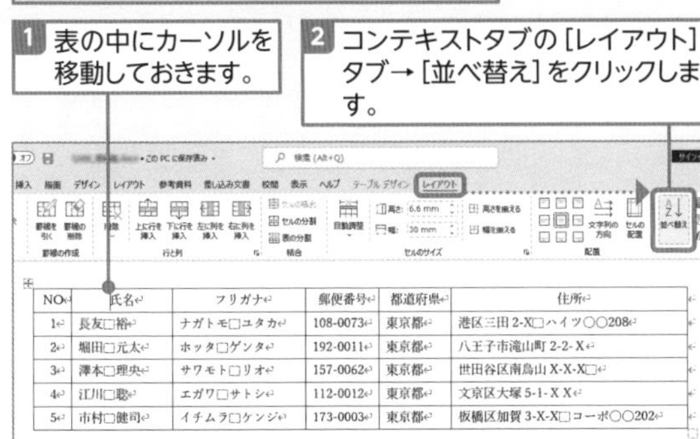

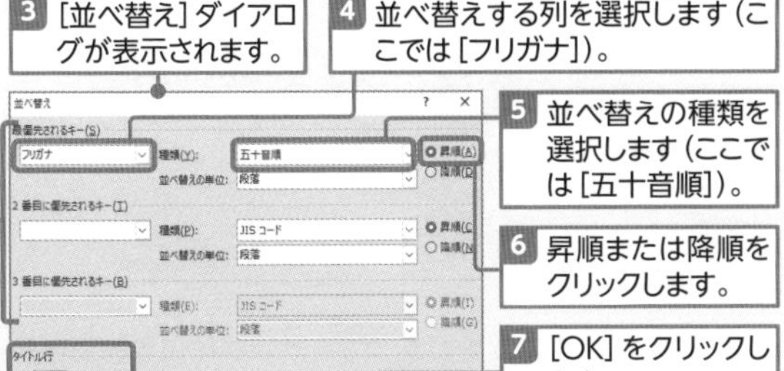

3 ［並べ替え］ダイアログが表示されます。
4 並べ替えする列を選択します（ここでは［フリガナ］）。
5 並べ替えの種類を選択します（ここでは［五十音順］）。
6 昇順または降順をクリックします。
7 ［OK］をクリックします。

並べ替えの基準の優先順位は3つまで付けられます。

表の1行目に列見出しがある場合は「あり」、ない場合は「なし」にします。

NO	氏名	フリガナ	郵便番号	都道府県	住所
5	市村□健司	イチムラ□ケンジ	173-0003	東京都	板橋区加賀3-X-X□コーポ○○202
4	江川□聡	エガワ□サトシ	112-0012	東京都	文京区大塚5-1-XX
3	澤本□理央	サワモト□リオ	157-0062	東京都	世田谷区南烏山X-X-X□
1	長友□裕	ナガトモ□ユタカ	108-0073	東京都	港区三田2-X□ハイツ○○208
2	堀田□元太	ホッタ□ゲンタ	192-0011	東京都	八王子市滝山町2-2-X

8 設定（フリガナを50音順）したように並べ替えが実行されます。

Q310 お役立ち度 ★★★ 表の編集 2021 2019 2016

数量×単価の計算ができるの?

A ［計算式］ダイアログでセル番地を指定して計算式を設定します。

セルの座標（下表参照）を使って、結果を表示したい列に「=C2*D2」のようにセルの座標と算術演算子を使って計算式を設定できます。計算式の設定方法はExcelとほぼ同じです（**Q733**）。なお、Wordの計算式はExcelのようにコピーしても座標は変更されないので、1つずつ設定してください。

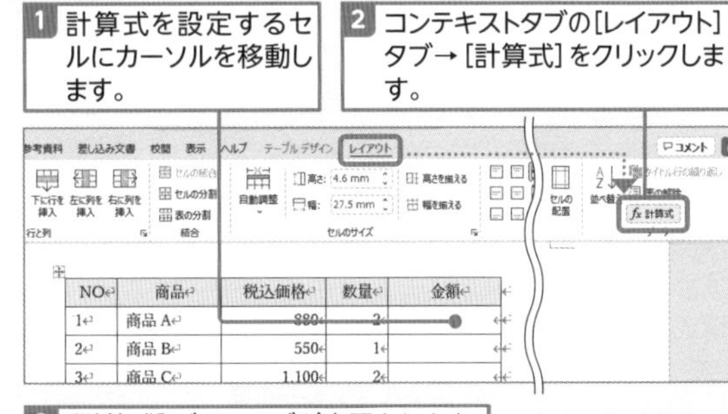

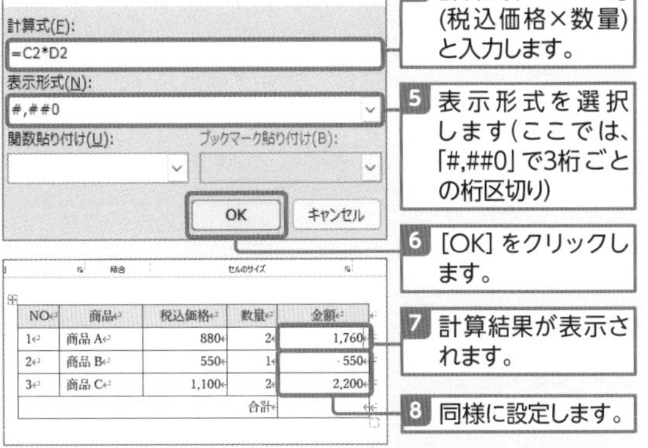

4 計算式「=C2*D2」（税込価格×数量）と入力します。

セルの座標

セルは、表の左の列からA、B、C…、上から1、2、3…と座標が設定されています。セルは行と列の組み合わせで指定します。手順の税込価格「880」はC2、数量「2」はD2となります。

	A	B	C	D
1	NO	商品	税込価格	数量
2	1	商品A	880	2
3	2	商品B	550	1

C2　D2

Q311 お役立ち度 ★★★ 表の編集

表の数値を合計するには

A [計算式]ダイアログで合計の関数(SUM)を使います。

表に入力された数値を合計するには、[計算式]ダイアログでSUM関数を使って求めます。[計算式]ダイアログを表示すると、標準で合計を求めるSUM関数が表示され、セルの上部か左にある半角数値の合計が計算されます。

1 合計を表示するセルにカーソルを移動します。

2 Q310の手順で[計算式]ダイアログを表示します。

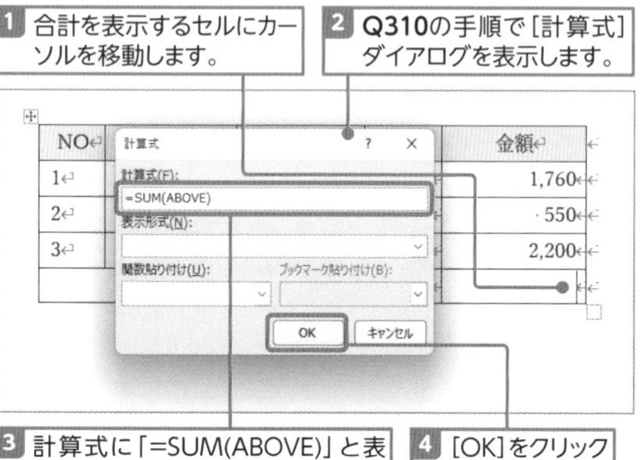

3 計算式に「=SUM(ABOVE)」と表示されていることを確認します。

4 [OK]をクリックします。

NO	商品	税込価格	数量	金額
1	商品A	880	2	1,760
2	商品B	550	1	550
3	商品C	1,100	2	2,200
			合計	4,510

5 上部にある数値の合計が表示されます。

範囲の指定

SUM関数の書式は「=SUM(範囲)」です。範囲には以下のような文字を使って指定します。

範囲	対象
ABOVE	上方向にあるセル
LEFT	左方向にあるセル
RIGHT	右方向にあるセル
BELOW	下方向にあるセル

おトクな情報 Wordで使える主な関数

WordではSUM関数のほかに、AVERAGE(平均値)、COUNT(個数)、MAX(最大値)、MIN(最小値)などの関数が使用できます。

Q312 お役立ち度 ★★★ 表の編集

計算式が入力されているセルはどうなっているの?

A フィールドが設定されています。

計算式が設定されているセルには、フィールドと呼ばれる条件によって結果を表示する枠組みが設定され、その中にフィールドコードといわれる式が挿入されています。計算式内をクリックして、Shift＋F9キーを押すとフィールドコードが表示され、内容を確認、修正できます。

1 セルをクリックし、Shift＋F9キーを押すと、フィールドコードが表示され、計算式と表示形式が表示されます。

商品	税込価格	数量	金額
A	880	2	{ =C2*D2 ¥# "#,##0" }
B	550	1	550

2 再度Shift＋F9キーを押して非表示にします。

Q313 お役立ち度 ★★★ 表の編集

表の数値を変更しても計算結果が変わらない!

A F9キーを押してフィールドを更新します。

Wordでは、数値に変更があっても計算式は自動的に再計算されません。数値の変更があった場合は、フィールドを更新して再計算します。計算式のセルをクリックしてF9キーを押すと、再計算された結果が表示されます。また、計算式が設定されているセルをまとめて選択し、F9キーを押して複数の計算式をまとめて更新することもできます。

商品	税込価格	数量	金額
品A	880	2	1,760
品B	550	2	550
品C	1,100	2	2,200
		合計	4,510

1 数値を変更します。

2 計算式が設定されているセル範囲を選択し、F9キーを押します。

商品	税込価格	数量	金額
品A	880	2	1,760
品B	550	2	1,100
品C	1,100	2	2,200
		合計	5,060

3 フィールドが更新され、再計算された結果が表示されます。

Q314 お役立ち度 ★★★ ページ罫線

2021 2019 2016

ページの周りを罫線で囲みたい!

A [デザイン] タブ→ [ページ罫線] をクリックします。

[ページ罫線] をクリックすると、[線種とページ罫線と網かけの設定] ダイアログの [ページ罫線] タブが表示されます。ここでページの周囲に表示したい線種、色、太さを指定します。

1 [デザイン] タブ→ [ページ罫線] をクリックします。

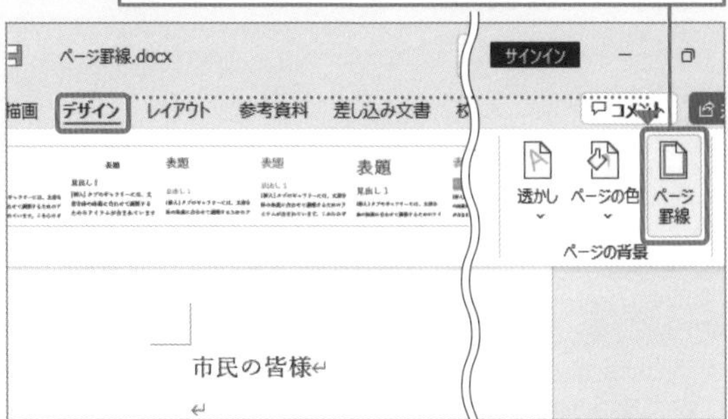

2 [線種とページ罫線と網かけの設定] ダイアログの [ページ罫線] タブが表示されます。

3 [囲む] を選択します。

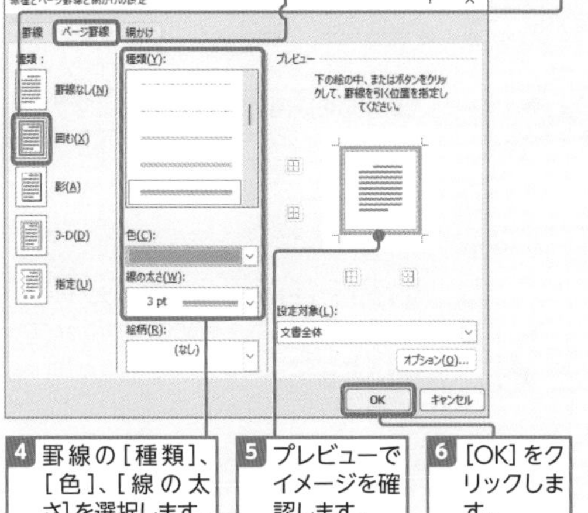

4 罫線の [種類]、[色]、[線の太さ] を選択します。

5 プレビューでイメージを確認します。

6 [OK] をクリックします。

7 ページ罫線が設定されます。

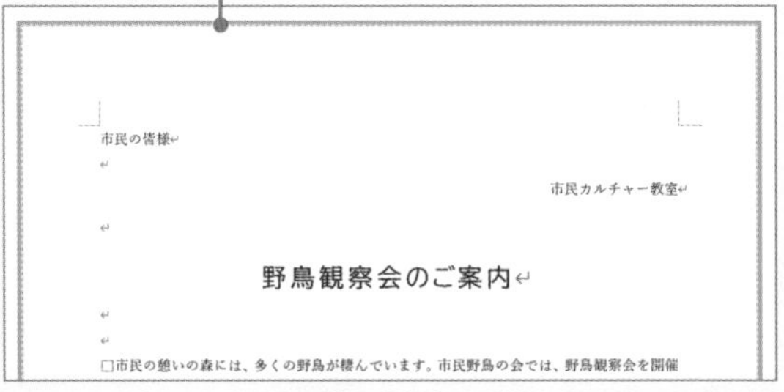

Q315 お役立ち度 ★★★ ページ罫線

2021 2019 2016

ページ罫線をイラストで囲みたい!

A ページ罫線で絵柄を選択します。

ページ罫線では、あらかじめ用意されている絵柄を使ってイラストで囲むことができます。絵柄には、カラーのものとモノクロのものがあり、モノクロのものは色の変更ができます。

1 Q314の方法で [線種とページ罫線と網かけの設定] ダイアログの [ページ罫線] タブを表示します。

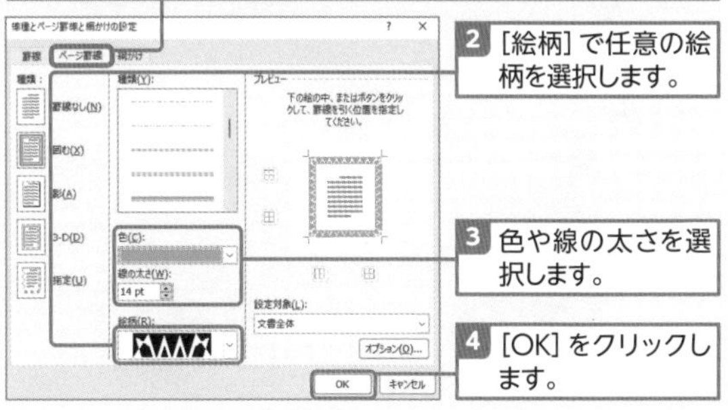

2 [絵柄] で任意の絵柄を選択します。

3 色や線の太さを選択します。

4 [OK] をクリックします。

Q316 お役立ち度 ★★★ ページ罫線

2021 2019 2016

1ページ目の表紙だけページ罫線で囲みたい!

A 設定対象で [このセクション-1ページ目のみ] を選択します。

ページ罫線は、セクション単位で設定できます。設定対象で、セクションの中でも1ページ目だけに限定したり、1ページ目以外に設定したりと選択が可能です。なお、セクションとはページ設定の単位です(Q250)。

1 Q314の方法で[線種とページ罫線と網かけの設定]ダイアログの[ページ罫線]タブを表示し、ページ罫線の設定をします。

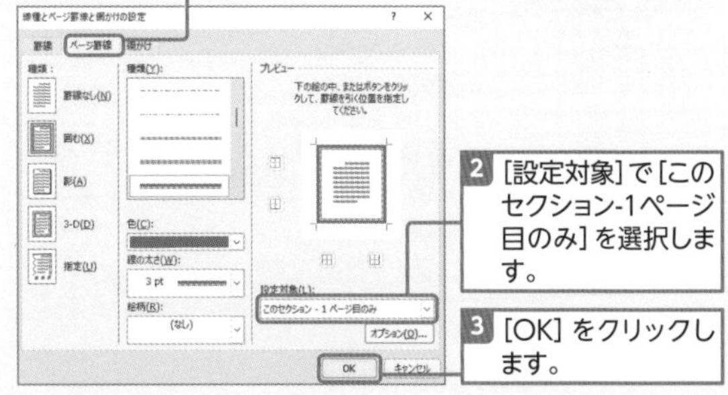

2 [設定対象] で [このセクション-1ページ目のみ] を選択します。

3 [OK] をクリックします。

Q317 お役立ち度 ★★★ 図形 2021 2019 2016

図形を作成するには

A [挿入] タブ→ [図形の作成] をクリックし図形を選択してドラッグします。

文書内に四角形や直線などの図形を追加できます。なお、この節(**Q317~Q325**)では、Word特有の図形の扱いを中心に紹介します。図形の詳細な操作については、10章で解説しています(**Q862~Q895**)。

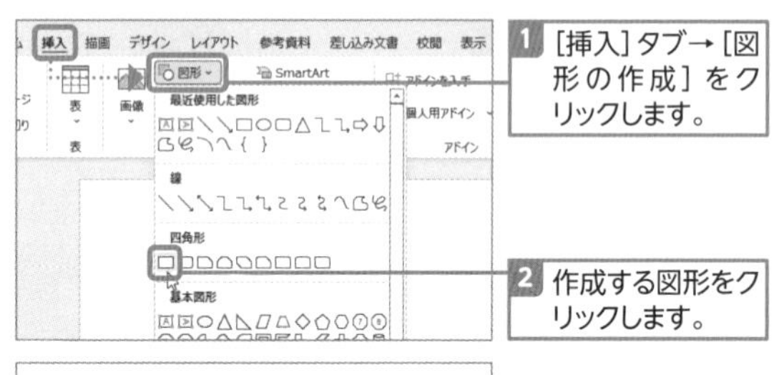

1 [挿入] タブ→ [図形の作成] をクリックします。

2 作成する図形をクリックします。

3 文書中でドラッグします。

Q318 お役立ち度 ★★★ 図形 2021 2019 2016

図形の右上に表示されるマークは何?

A レイアウトオプションといいます。

レイアウトオプションは、オブジェクト(文書内に作成された図形)が選択されているときに表示されます。クリックするとメニューが表示され、文字列の折り返しなどの設定ができます。詳細は**Q333**を参照してください。

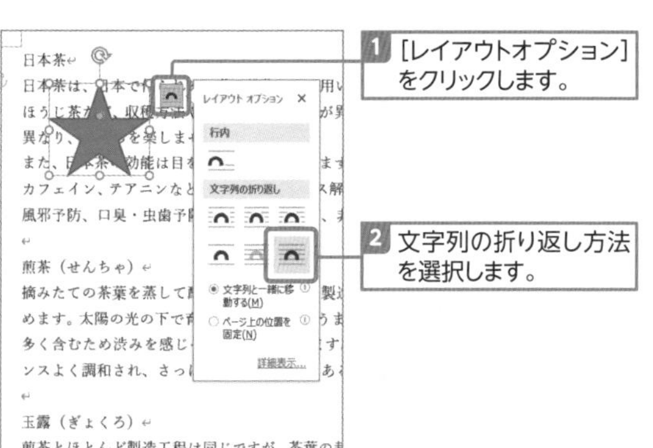

1 [レイアウトオプション] をクリックします。

2 文字列の折り返し方法を選択します。

Q319 お役立ち度 ★★★ 図形 2021 2019 2016

図形の基本操作を知りたい!

A ドラッグだけで移動、サイズ変更、回転、変形できます。

図形内部または、境界線をクリックすると、図形が選択され、周囲に白いハンドルが表示されます。図形を選択して、図形の位置や大きさを調整します。Delete キーを押すと図形を削除できます。図形の基本操作のポイントは、マウスポインターを合わせる位置と形です。

移動:

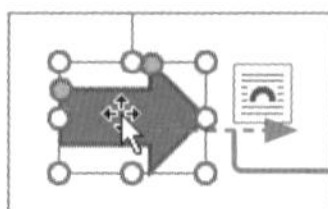

1 図形内または境界線にマウスポインターを合わせ、の形になったらドラッグします。

コピー:

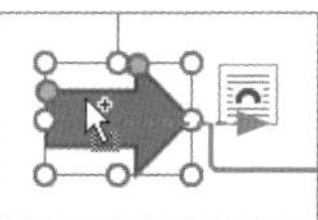

1 Ctrl キーを押しながら図形内または境界線にマウスポインターを合わせ、の形になったらドラッグします。

サイズ変更:

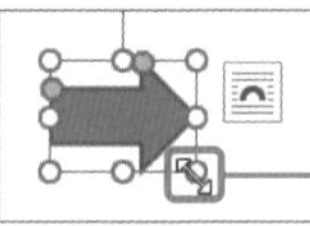

1 図形の周囲にある白い「○」にマウスポインターを合わせ、の形になったらドラッグします。

回転:

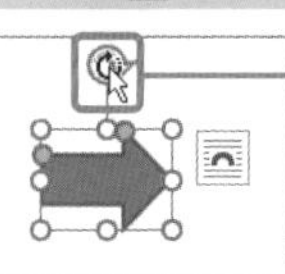

1 図形の上部にあるにマウスポインターを合わせ、の形になったらドラッグします。

変形:

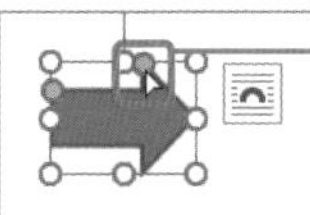

1 図形に表示されるにマウスポインターを合わせ、の形になったらドラッグします。

おトクな情報 複数の図形を選択する

複数の図形を選択する場合は、1つ目の図形をクリックして選択後、2つ目以降の図形を Shift キーまたは Ctrl キーを押しながらクリックします。

Q320 お役立ち度 ★★★ 図形

2021 2019 2016

図形を選択すると表示される錨マークは何?

A アンカーといいます。

図形が選択されているときに、段落の先頭に錨のマーク⚓が表示されます。これはアンカーといい、図形がこの段落に結合していることを表しています。図形が挿入されると、一番近くの段落に結合されます。図形を移動すると、一番近くの段落に再結合されます。段落を移動すると図形も一緒に移動し、削除すると一緒に削除されます。なお、レイアウトオプションが[行内](**Q333**)のときは表示されません。

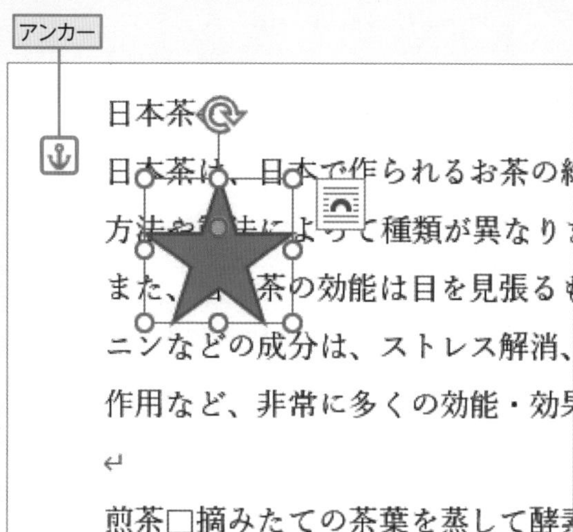

Q321 お役立ち度 ★★★ 図形

2021 2019 2016

図形を文字列の[背面]に配置したら選択できない!

A [オブジェクトの選択]を利用します。

[オブジェクトの選択]をクリックすると、オブジェクトの選択モードになります。文字列の背面にある図形をクリックで選択できるようになります。複数のオブジェクトを選択するには、図形を囲むようにドラッグします。オブジェクトの選択モードを終了するには、ESCキーを押します。

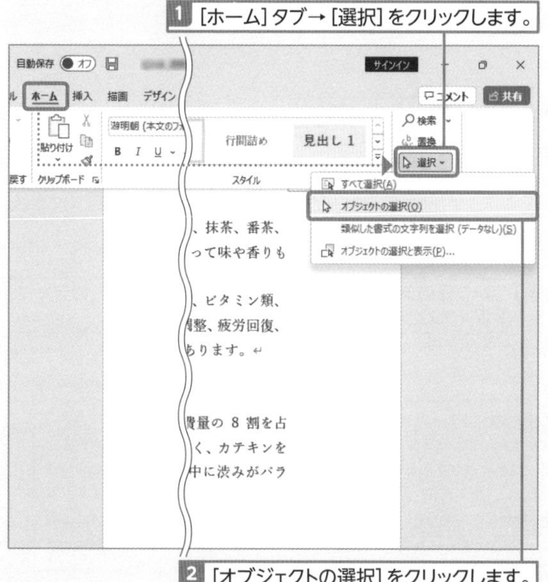

Q322 お役立ち度 ★★★ 図形

2021 2019 2016

複数の図形をきれいに揃えたい!

A [図形の書式]タブ→[配置]で設定します。

[配置]メニューでは、複数の図形を揃える方法と、整列させる方法と、配置の基準を選択できます。配置の基準は、初期設定では[選択したオブジェクトを揃える]にチェックが付いており、選択している図形を基準に図形が揃います。

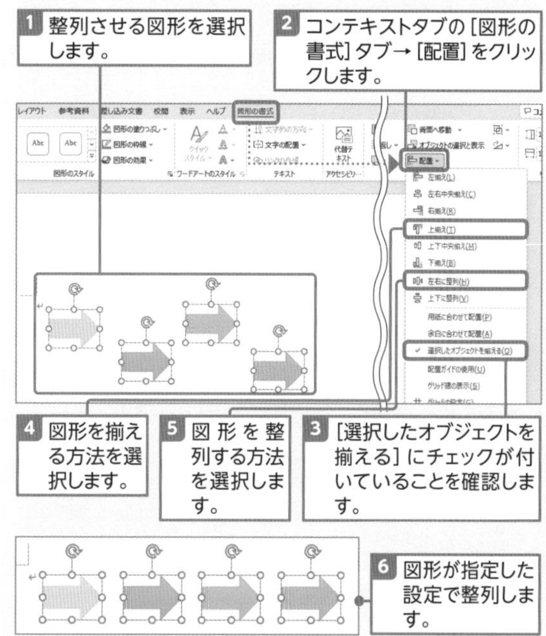

1 整列させる図形を選択します。
2 コンテキストタブの[図形の書式]タブ→[配置]をクリックします。
3 [選択したオブジェクトを揃える]にチェックが付いていることを確認します。
4 図形を揃える方法を選択します。
5 図形を整列する方法を選択します。
6 図形が指定した設定で整列します。

Q323 お役立ち度 ★★★ 図形

2021 2019 2016

ページの横幅を基準に複数の図形を揃えたい!

A [余白に合わせて配置]を選択してから整列させます。

[配置]メニューの配置で、[余白に合わせて配置]を選択すると、ページの編集領域を基準に整列します。横幅いっぱいに図形をきれいに揃えたい場合に便利です。なお、[用紙に合わせて配置]を選択すると、余白も含めた用紙全体が基準になります。

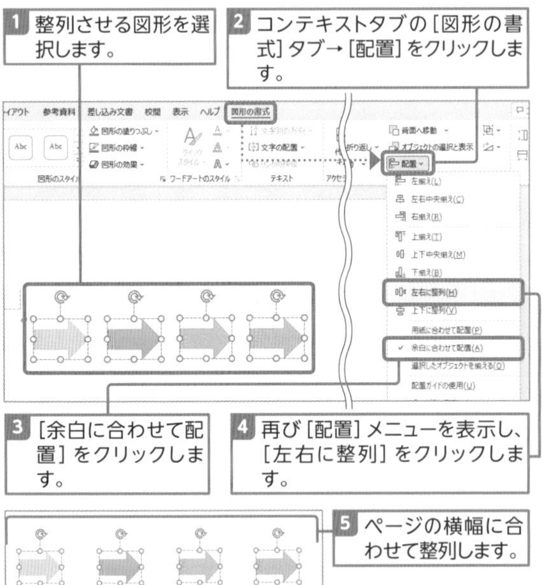

5 ページの横幅に合わせて整列します。

Q324 お役立ち度 ★★★ 図形

2021 2019 2016

文書中で自由な位置に文字を配置するには

A テキストボックスを使います。

「テキストボックス」は、文字列を入力するための図形で、横書きと縦書きがあります。チラシやパンフレット、年賀状など自由な位置に文字を配置したい場合に便利です。

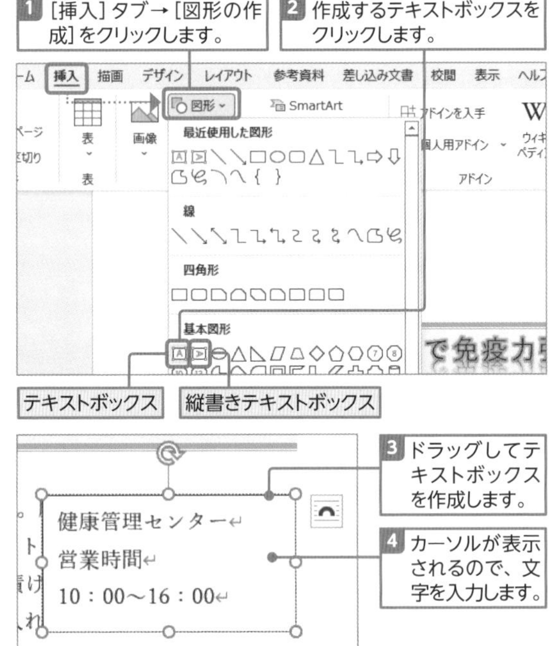

1 [挿入]タブ→[図形の作成]をクリックします。
2 作成するテキストボックスをクリックします。
テキストボックス
縦書きテキストボックス
3 ドラッグしてテキストボックスを作成します。
4 カーソルが表示されるので、文字を入力します。
健康管理センター
営業時間
10：00～16：00

Q325 お役立ち度 ★★★ 図形

2021 2019 2016

複数のテキストボックスで1つの文章を表示するには

A [図形の書式]タブ→[リンクの作成]をクリックします。

テキストボックスをリンクすると、複数のテキストボックスに文章を分けて配置できます。

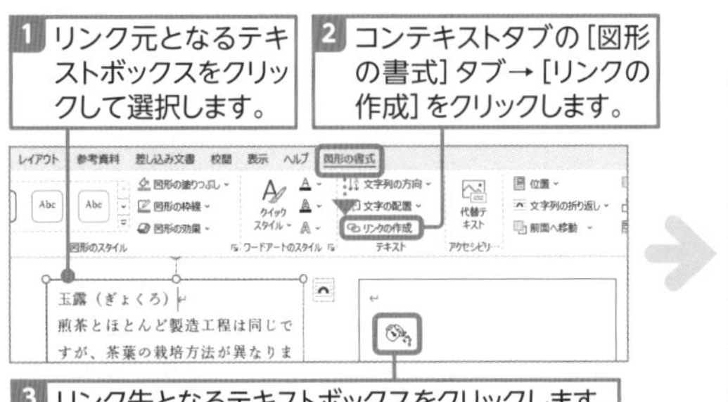

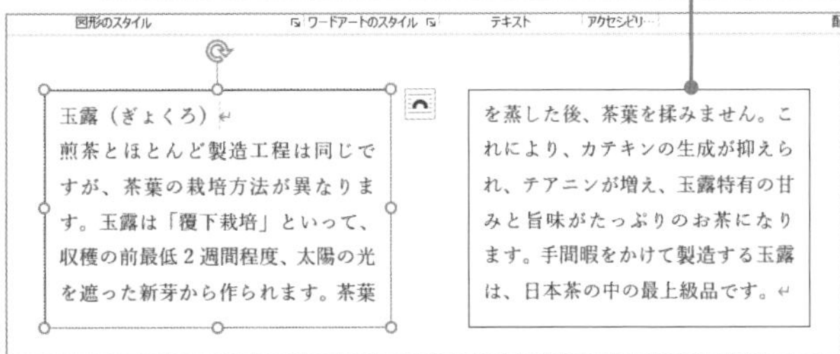

Q326
お役立ち度
画像
2021
2019
2016

画像を挿入する

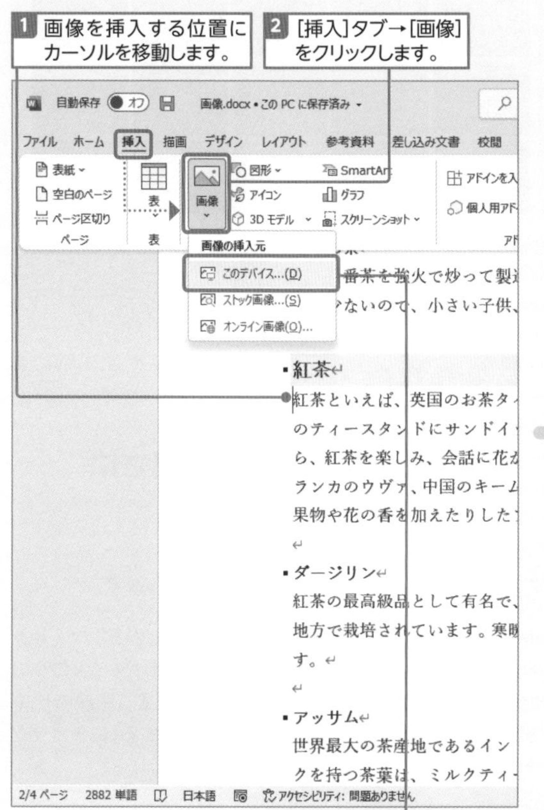

1 画像を挿入する位置にカーソルを移動します。
2 [挿入]タブ→[画像]をクリックします。
3 画像の挿入元を選択します。

A ［挿入］タブ→［画像］をクリックします。

パソコン内または、インターネットから検索をした画像やイラストなどの画像を文書内に挿入できます。［画像］メニューの［このデバイス］（ファイルから）を選択するとパソコン内の画像ファイル、［ストック画像］を選択するとロイヤリティフリーで使用できる画像（**Q327**）、［オンライン画像］を選択するとインターネット上で検索された画像が選択できます（**Q328**）。挿入した画像は、図形と同じ操作でサイズ変更、移動、回転できます（**Q319**）。

4 [図の挿入]ダイアログが表示されます。
5 挿入する画像を選択します。
6 [挿入]をクリックします。

Q327
お役立ち度
画像
2021
2019
2016

ストック画像って何？

A ロイヤリティフリーで使用できる画像です。

ストック画像は、マイクロソフト社が提供するロイヤリティフリーの画像です。マイクロソフトの利用規約の元、無料で使用できます。画像だけでなく、アイコンや人物の切り抜き、イラストなど多くのコンテンツが用意されています。Microsoft 365のサブスクリプション契約のユーザーにはより多くのコンテンツが提供されます。

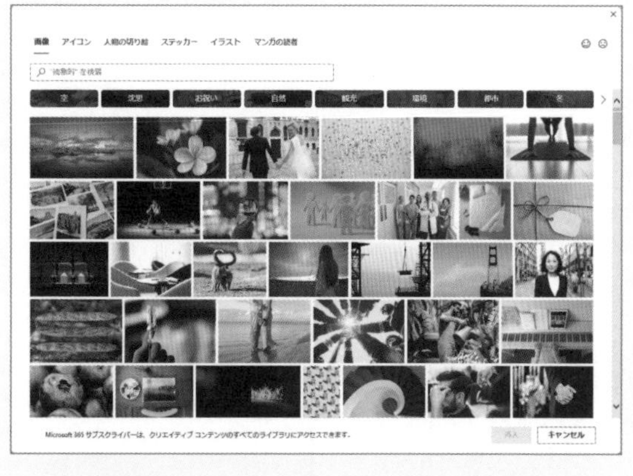

Q328 お役立ち度 ★★★ 画像 2021 2019 2016

オンライン画像の使用上の注意点を教えて

A 使用許可などが必要になる場合があります。

オンライン画像は、Bingという検索エンジンによりインターネットから画像を検索して表示します。著作権フリーで自由に使える画像もありますが、著作権により守られているもの、使用に際して制限があるものも含まれます。商用利用など対外的に使用したい場合は、画像の提供元において利用規約などの使用条件を確認し、使用許可をとるなどの必要な対応をしてください。

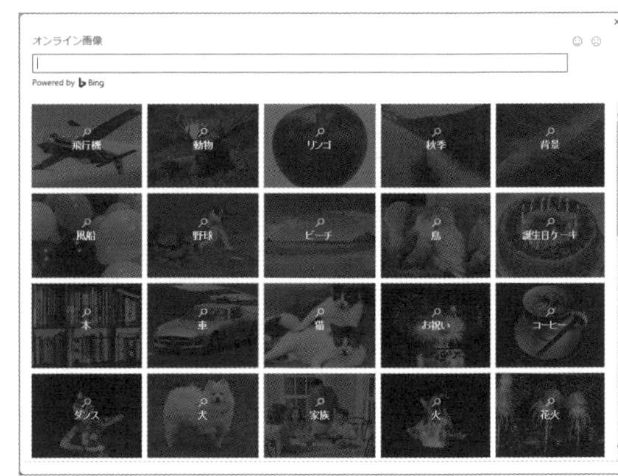

Q329 お役立ち度 ★★★ 画像 2021 2019 2016

画像のサイズを数値で指定したい

A ［図の形式］タブ→［図形の高さ］、［図形の幅］で数値を指定します。

文書に挿入された写真はサイズが大きすぎてドラッグではサイズ変更が難しい場合があります。数値でサイズを指定すればドラッグの必要はありません。初期設定では、［図形の高さ］または［図形の幅］に数値を入力すると同じ比率になるようにもう一方のサイズが自動的に変更されます。

Q330 お役立ち度 ★★★ 画像 2021 2019 2016

画像を25パーセントの大きさに縮小するには

A ［レイアウト］ダイアログで設定します。

画像を現在の大きさを元に25パーセントとか50パーセントとかの大きさにしたい場合は、［レイアウト］ダイアログの［サイズ］タブで倍率をパーセント指定します。縦横の比率が崩れないようにするには、［縦横比を固定する］にチェックを付けます。

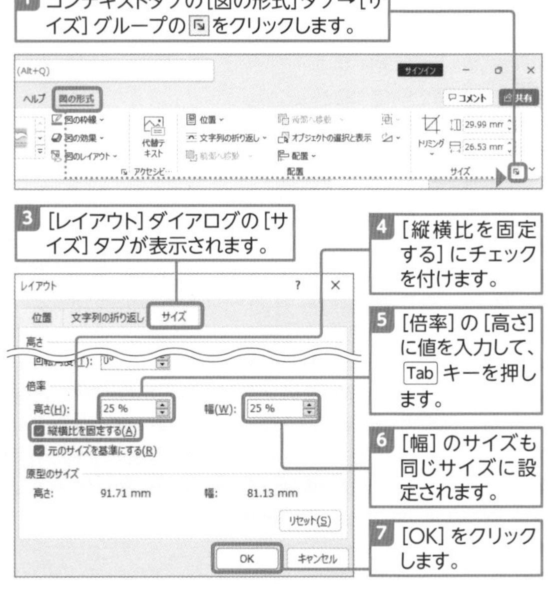

Q331 お役立ち度 ★★★ 画像

2021 2019 2016

画像の周囲に文字が回り込むようにするには

A [レイアウトオプション] で [四角形] を選択します。

画像を挿入した直後は、レイアウトオプションが[行内]に設定されています。[四角形]に変更すれば画像の周囲に文字が回り込み、自由な位置に配置できるようになります(**Q333**)。

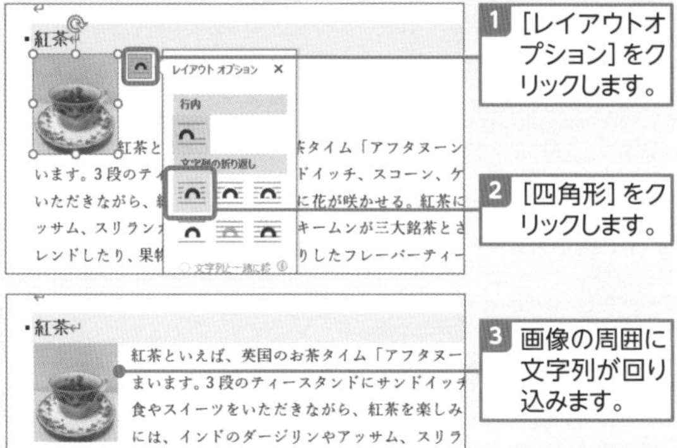

Q332 お役立ち度 ★★★ 画像

2021 2019 2016

文字列の増減で画像の位置がずれないようにするには?

A [レイアウトオプション] で [ページ上の位置を固定] をオンにします。

[レイアウトオプション]で[ページ上の位置を固定]をオンにすると、現在の画像の位置を固定することができます。

1 [レイアウトオプション] をクリックします。
2 [ページ上の位置を固定] をクリックしてオンにします。

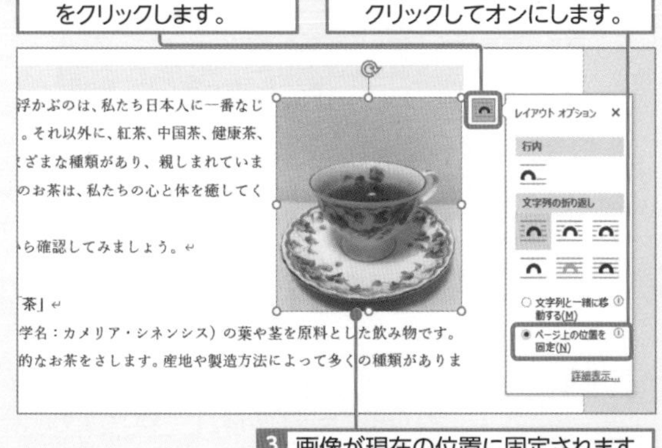

Q333 お役立ち度 ★★★ 画像

2021 2019 2016

画像と文字列の折り返しにはどんな種類があるの?

A 行内、四角形、前面など、7種類の配置方法があります。

文書に挿入された画像や図形などのオブジェクトは、選択すると右上に[レイアウトオプション]が表示されます。クリックしてオブジェクトと文字の折り返しの設定を変更できます。ここでそれぞれの違いをまとめます。

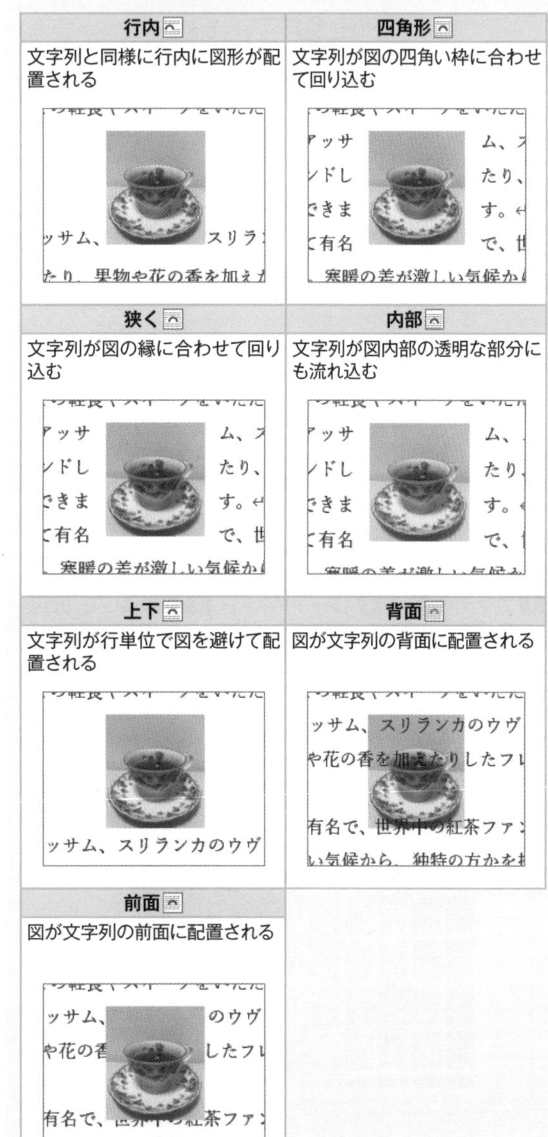

行内	四角形
文字列と同様に行内に図形が配置される	文字列が図の四角い枠に合わせて回り込む
狭く	**内部**
文字列が図の縁に合わせて回り込む	文字列が図内部の透明な部分にも流れ込む
上下	**背面**
文字列が行単位で図を避けて配置される	図が文字列の背面に配置される
前面	
図が文字列の前面に配置される	

2021 2019 2016

画像をページの右下隅に固定したい!

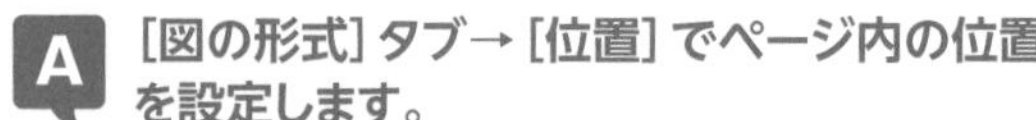

A [図の形式] タブ→ [位置] でページ内の位置を設定します。

画像をページに対して、左上角とか右下隅のように決まった位置に固定したい場合は、[図の形式] タブの [位置] で配置を指定します。

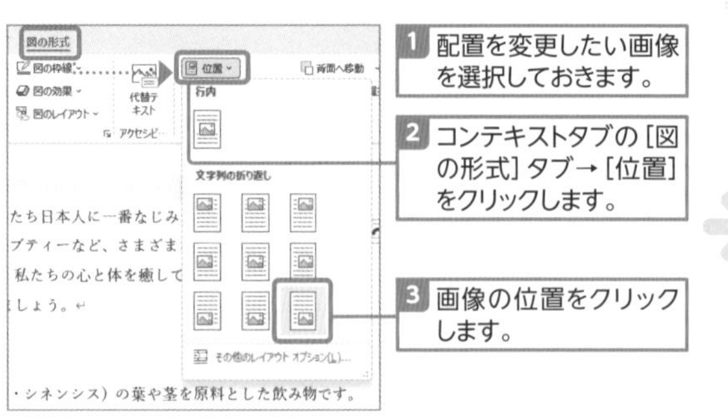

1 配置を変更したい画像を選択しておきます。

2 コンテキストタブの [図の形式] タブ→ [位置] をクリックします。

3 画像の位置をクリックします。

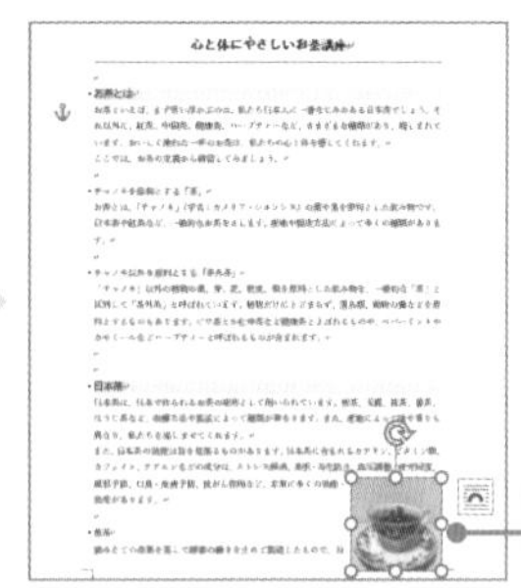

4 画像がページ内の指定した位置に配置されます。

Q335 お役立ち度 ★★★ 画像 2021 2019 2016

画像の明るさやコントラストを変更するには

A [図の形式] タブ→ [修整] で変更します。

[修整] メニューでは [シャープネス] (鮮明度) と [明るさ/コントラスト] (明るさとコントラストの組み合わせ) を選択できます。それぞれ一覧から任意のものをクリックして設定します。元に戻すには、[シャープネス:0%]、[明るさ:0% (標準) コントラスト:0% (標準)] を選択します。

1 コンテキストタブの [図の形式] タブ→ [修整] をクリックします。

2 [シャープネス] の中から目的の画像をクリックします。

3 同様にして、[明るさ/コントラスト] の中から目的の画像をクリックします。

シャープネス:0%

明るさ:0% (標準) コントラスト:0% (標準)

4 写真の鮮明度と明るさ/コントラストが変更されます。

Q336 お役立ち度 ★★★ 画像 2021 2019 2016

画像の色を調整するには

A [図の形式] タブ→ [色] で変更します。

画像の色は、[色の彩度] (鮮やかさ)、[色のトーン] (温度)、[色の変更] を選択できます。元に戻すには [彩度:100%]、[温度:6500K]、[色変更なし] を選択します。
ここでは、色の彩度と色のトーンのみ変更しています。

1 コンテキストタブの [図の形式] タブ→ [色] をクリックします。

2 [色の彩度] の中から目的の画像をクリックします。

彩度:100%

色変更なし

温度:6500K

3 同様にして [色のトーン] の中から目的の画像をクリックします。

4 画像の色が変更されます。

Q337 お役立ち度 ★★★ 画像 2021 2019 2016

画像にアート効果を追加するには

A [図の形式]タブ→[アート効果]で変更します。

[アート効果]メニューでは、鉛筆書き、ペイント、ぼかしなど、画像に効果を設定できます。クリックだけで簡単に画像に効果を付けられます。なお、効果を取り消すには、[なし]を選択します。

1 コンテキストタブの[図の形式]タブ→[アート効果]をクリックします。

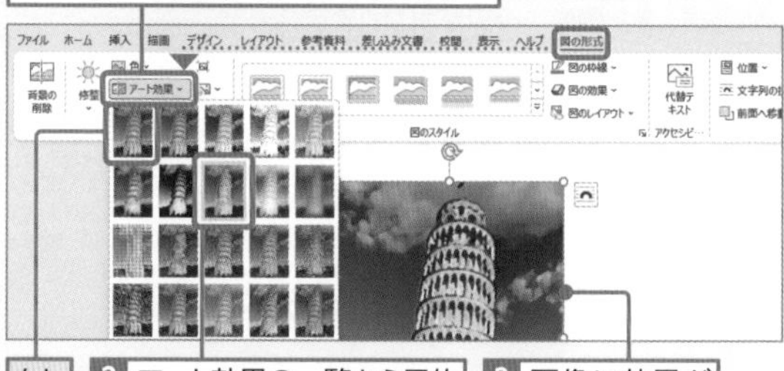

なし

2 アート効果の一覧から目的の効果をクリックします。

3 画像に効果が設定されます。

Q338 お役立ち度 ★★★ 画像 2021 2019 2016

画像に枠線や効果を簡単に設定したい!

A 図のスタイルから設定します。

「図のスタイル」は、図に影や枠線などさまざまな効果を組み合わせたものです。一覧からクリックするだけで、画像に素早く効果を設定できます。

1 コンテキストタブの[図の形式]タブ→[図のスタイル]グループの[その他]をクリックします。

2 一覧からスタイルをクリックします。

3 画像にスタイルが設定されます。

Q339 お役立ち度 ★★★ 画像 2021 2019 2016

画像の上に文字列を表示するには

A テキストボックスを配置します。

画像の上に文字列を表示したいとき、テキストボックスを図形の上に配置して、文字を入力し、テキストボックスの塗りつぶしの色と枠線をなしに設定します。

1 Q324の方法で画像の上に文字を入力します。

2 コンテキストタブの[図形の書式]タブ→[図形の塗りつぶし]で[塗りつぶしなし]をクリックします。

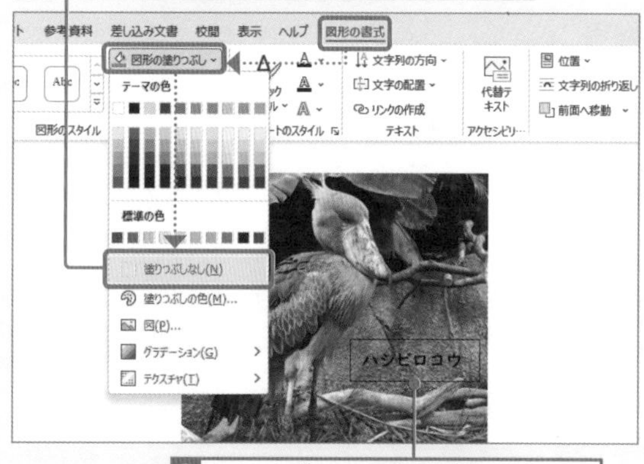

3 テキストボックスの色が透明になります。

4 コンテキストタブの[図形の書式]タブ→[図形の枠線]で[枠線なし]をクリックします。

5 テキストボックスの枠線がなくなり文字だけが表示されます。

Q340 お役立ち度 ★★★ 画像

2021 2019 2016

画像の周囲に枠線を表示したい!

A [図の形式] タブ→ [図の枠線] をクリックします。

[図の枠線] を利用すると、画像の周囲に色や太さなどを指定して枠線を設定できます。枠線を付けると、画像が引き締まり、メリハリがつきます。

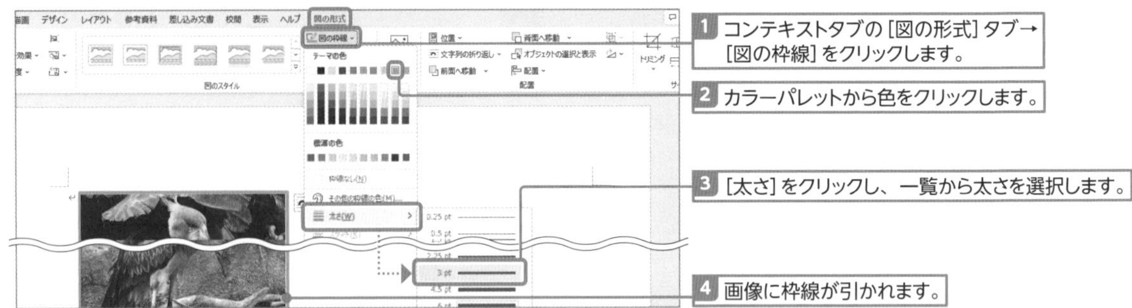

Q341 お役立ち度 ★★★ 画像

2021 2019 2016

画像を部分的に切り取るには

A [図の形式] タブ→ [トリミング] で設定します。

画像で不要な部分を取り除きたいときは、トリミング機能を使います。[トリミング] をクリックすると画像の周囲に表示される黒いマークをドラッグして表示する部分を指定できます。

1 コンテキストタブの [図の形式] タブ→[トリミング]をクリックします。
2 画像の周囲に黒いマークが表示されます。
3 左側の黒いマークにマウスポインターを合わせると、形が⊣に変わります。
4 右にドラッグすると、画像の左部分がトリミングされ、非表示になる部分が灰色になります。
5 画像の外をクリックすると、トリミングが確定します。
差し込み文書
校閲
表示
ヘルプ
図の形式
図の枠線
図の効果
図のレイアウト
代替テキスト
位置
文字列の折り返し
前面へ移動
トリミング
図のスタイル

Q342 お役立ち度 ★★★ 画像

2021 2019 2016

画像を図形の形に切り抜くには

A [図形に合わせてトリミング] で設定します。

[図形に合わせてトリミング] を利用すると、画像を雲や星など図形の形に切り取ってトリミングできます。図形を選択すると、画像のサイズに合わせて自動的にトリミングされます。

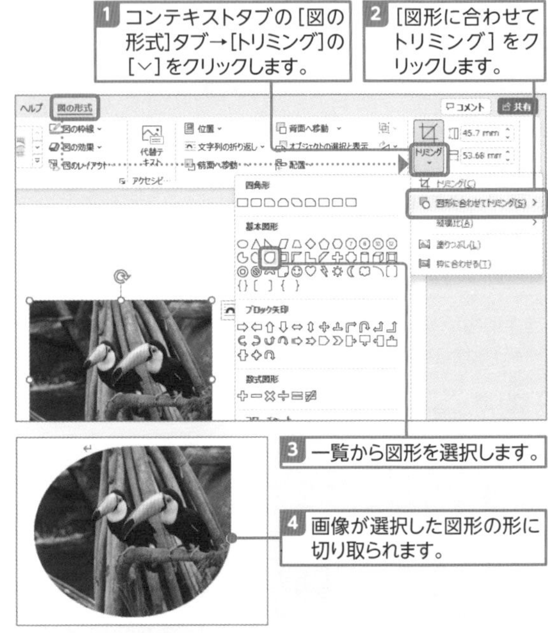

Q343 お役立ち度 ★★★ 画像 2021 2019 2016

画像の背景を削除するには

A [図の形式] タブ→ [背景の削除] をクリックします。

[背景の削除] を使うと、写真の背景に写っている不要な部分を削除して、必要な部分だけを残せます。削除される背景は自動認識されて紫色で表示され、領域を調整することもできます。

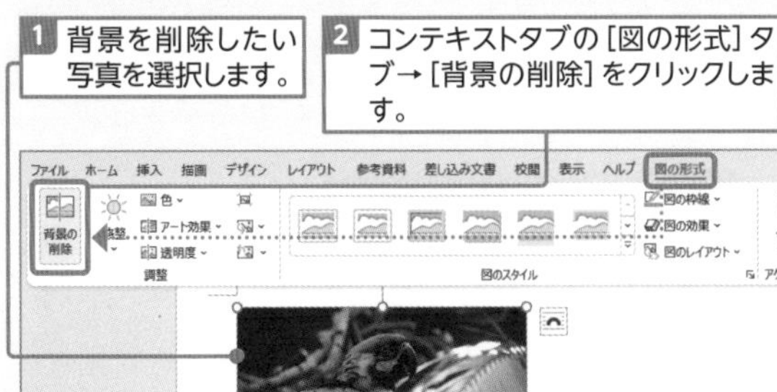

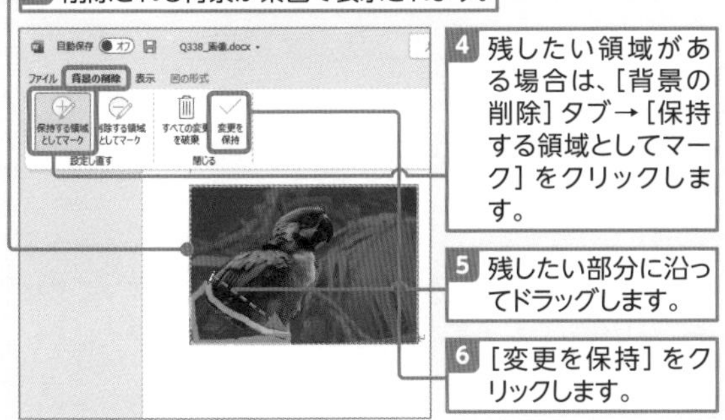

3 削除される背景が紫色で表示されます。
ファイル 背景の削除 表示 図の形式
保持する領域としてマーク
削除する領域としてマーク
すべての変更を破棄
変更を保持
4 残したい領域がある場合は、[背景の削除] タブ→ [保持する領域としてマーク] をクリックします。
5 残したい部分に沿ってドラッグします。
6 [変更を保持] をクリックします。

Q344 お役立ち度 ★★★ 画像 2021 2019 2016

別の画像に差し替えたい!

A [図の形式] タブ→ [図の変更] で差し替える画像を選択します。

別の画像に差し替えたいときは、わざわざ画像を削除して挿入し直す必要はありません。[図の変更] を使えば画像だけを入れ替えることができます。

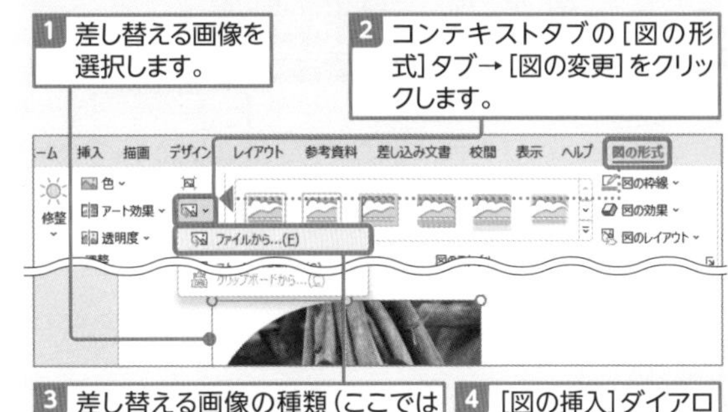

1 差し替える画像を選択します。
2 コンテキストタブの [図の形式] タブ→ [図の変更] をクリックします。
挿入 描画 デザイン レイアウト 参考資料 差し込み文書 校閲 表示 ヘルプ 図の形式
ファイルから...(F)
クリップボードから...(C)
3 差し替える画像の種類 (ここでは [ファイルから]) を選択します。
4 [図の挿入] ダイアログが表示されます。

Q345 お役立ち度 ★★★ 画像 2021 2019 2016

画像を最初の状態に戻したい!

A [図の形式] タブ→ [図のリセット] をクリックします。

[図のリセット] を使うと、画像に行ったいろいろな変更を一度に解除できます。[図のリセット] メニューで [図とサイズのリセット] をクリックすると画像のサイズも元の大きさに戻ります。

Q346 お役立ち度 ★★★ 画像

2021 2019 2016

アプリケーションの画面全体を貼り付けるには

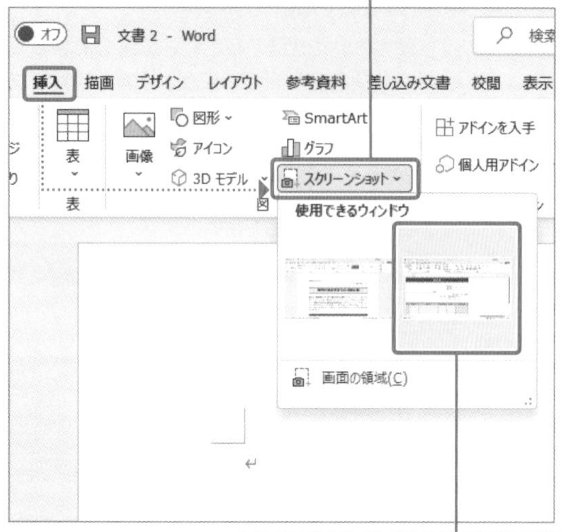

2 一覧からウィンドウを選択します。

A スクリーンショットを使います。

「スクリーンショット」は、ディスプレイに表示されている全体または一部分を映した画像のことです。[スクリーンショット] 機能を使うと、開いているウィンドウ全体の画面を文書内に貼り付けられます。なお、最小化されているウィンドウは、スクリーンショットで貼り付けられるウィンドウの一覧から除かれます。

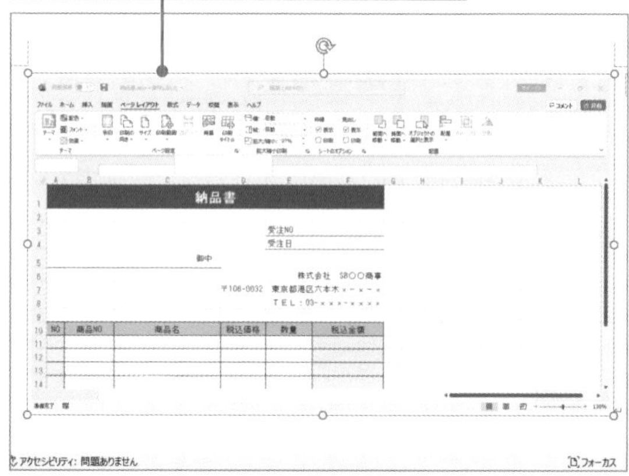

アクセシビリティ: 問題ありません

Q347 お役立ち度 ★★★ 画像

2021 2019 2016

Web上の地図データを文書に貼り付けたい!

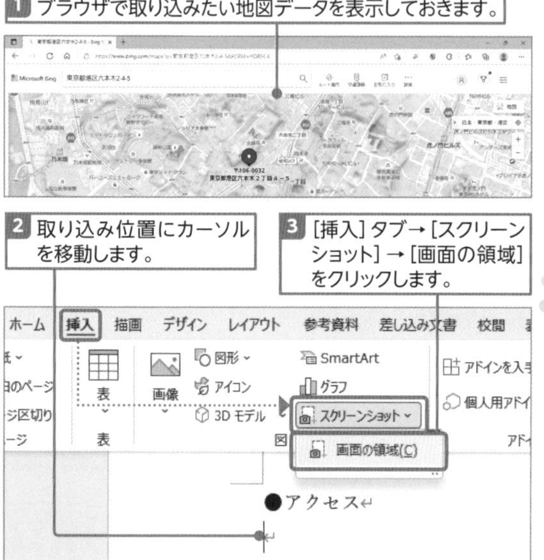

1 ブラウザで取り込みたい地図データを表示しておきます。

A スクリーンショットで [画面の領域] を選択します。

スクリーンショットの [画面の領域] を使えば、ブラウザで開いている地図データの必要な部分だけ切り取って文書内に貼り付けられます。文書のすぐ後ろにあるウィンドウが対象となります。

4 画面が切り替わったら、使用する領域をドラッグします。

Q348 お役立ち度 ★★★ ワードアート

2021 2019 2016

ワードアートって何?

A さまざまな効果を付けてデザインされた文字です。

「ワードアート」を使用すると、文字列にフォント、大きさ、色、形、効果を付けてデザインされた文字を作成できます。図形として扱うことができるので、自由な位置に配置できます。

Q349 お役立ち度 ★★★ ワードアート

2021 2019 2016

ワードアートのスタイルを簡単に変更するには

A [クイックスタイル] で変更できます。

[クイックスタイル] を使えば、ワードアートのスタイルを簡単に別のスタイルに変えられます。

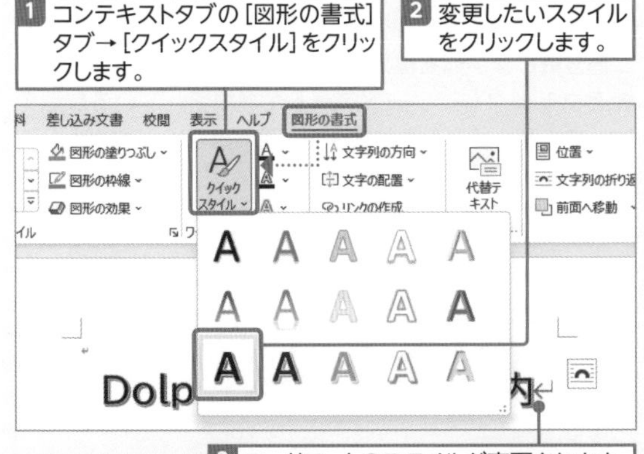

1 コンテキストタブの [図形の書式] タブ→ [クイックスタイル] をクリックします。
2 変更したいスタイルをクリックします。
3 ワードアートのスタイルが変更されます。

Q350 お役立ち度 ★★★ ワードアート

2021 2019 2016

ワードアートを作成するには

A [挿入] タブ→ [ワードアートの挿入] をクリックします。

文字列を選択してから [ワードアートの挿入] をクリックすると、選択した文字列をワードアートに変換できます。本文とは別のオブジェクトになります。

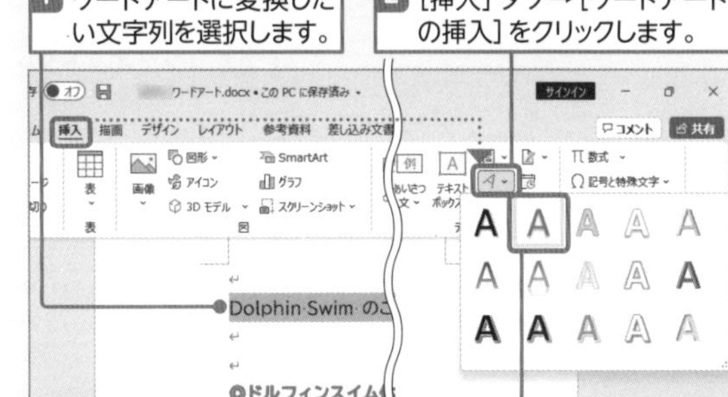

1 ワードアートに変換したい文字列を選択します。
2 [挿入] タブ→ [ワードアートの挿入] をクリックします。
3 使用するスタイルをクリックします。

4 文字列がワードアートに変換されます。
Dolphin·Swim· のご案内

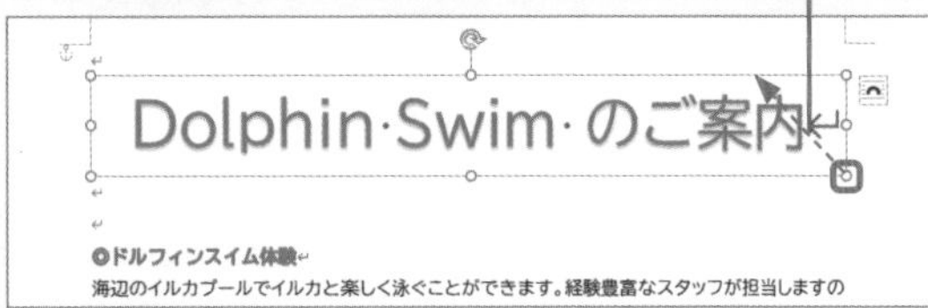

5 文字サイズを変更して1行になるように調整し、ワードアートの周囲にあるサイズ変更ハンドル「○」をドラッグしてサイズを整えます。
Dolphin·Swim· のご案内

おトクな情報 ワードアート全体の編集

ワードアートは、図形と同様に移動、サイズ変更、回転などの操作ができます。ワードアートの外枠をクリックしてワードアートを選択し、フォントサイズやフォントを変更すると、文字列全体を対象に変更できます。

Q351 お役立ち度 ★★★ ワードアート

2021 2019 2016

ワードアートの塗りつぶしや輪郭の色を変更したい!

A [図形の書式] タブ→ [文字の塗りつぶし]、[文字の輪郭] を使います。

ワードアート内の文字は、内側の色と枠線の色を別々に設定できます。それぞれ[文字の塗りつぶし]、[文字の輪郭]で色を選択します。

文字の塗りつぶしを変更する

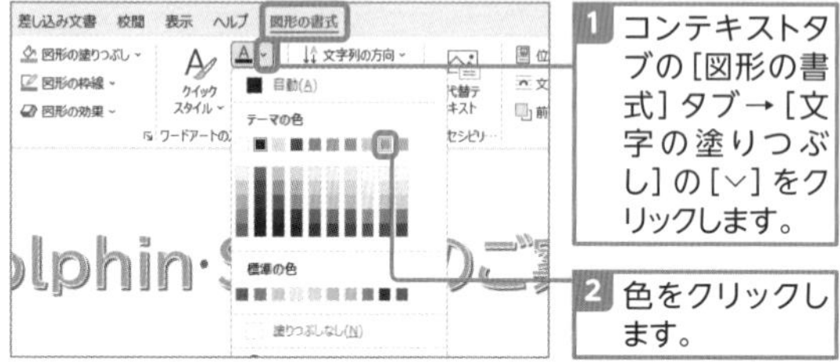

文字の輪郭を変更する

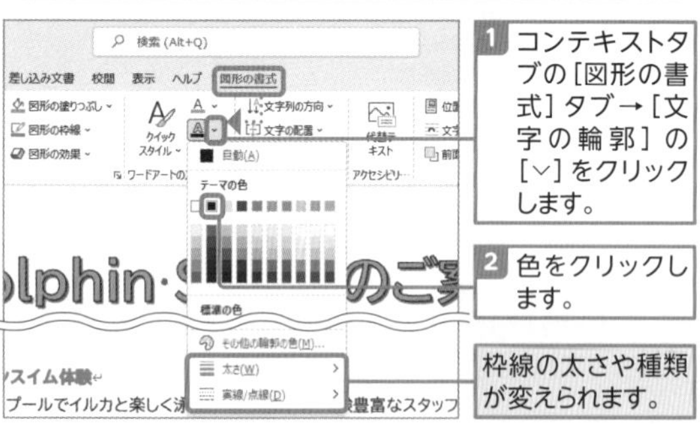

1 コンテキストタブの[図形の書式]タブ→[文字の輪郭]の[∨]をクリックします。
2 色をクリックします。
枠線の太さや種類が変えられます。

Q352 お役立ち度 ★★★ ワードアート

2021 2019 2016

ワードアートの効果を変更するには

A [図形の書式] タブ→ [文字の効果] で効果を選択します。

ワードアートには、影、反射、光彩、面取り、3-D回転、変形(**Q354**)など複数の効果を個別に設定できます。効果を解除するには、それぞれの効果の一覧で[(効果名)なし]を選択します。

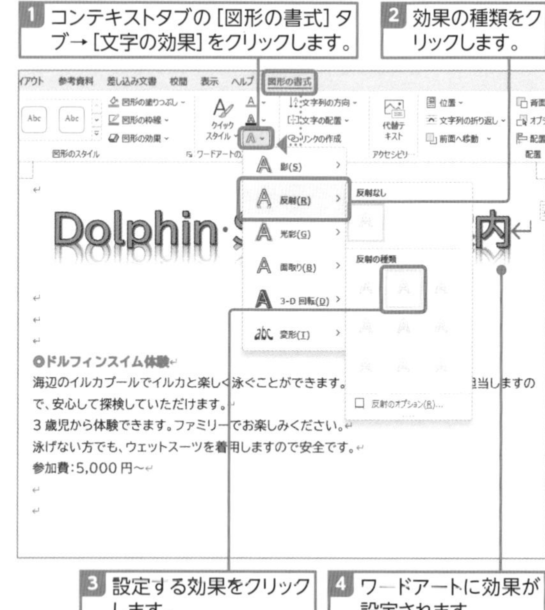

Q353 お役立ち度 ★★★ ワードアート

2021 2019 2016

ワードアートの文字列を部分的に編集するには?

1 変更したい文字列をドラッグで選択します。

2 Q189の方法で、文字列のフォントを変更します。

A 文字列を選択してから変更します。

ワードアート内の文字を範囲選択してから書式を変更すると部分的に文字列を編集できます。なお、ワードアートの枠をクリックしてワードアートが選択されている状態では、文字列全体を対象に書式が変更されます(**Q349**)。

3 Q351の方法で、文字列単位で文字の塗りつぶしの色も変更できます。

Q354 お役立ち度 ★★★ ワードアート 2021 2019 2016

ワードアートの形を変形するには

A [文字の効果] → [変形] を選択します。

ワードアートは、アーチ型やカーブ、波型などいろいろな形に変更できます。

1 コンテキストタブの[図形の書式]タブ(2019/2016は[描画ツール]の[書式]タブ)→[文字の効果]をクリックします。

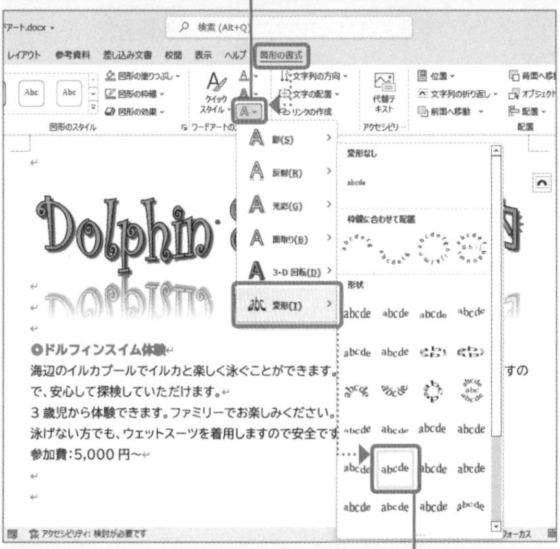

2 [変形]をクリックし、使用したい変形をクリックします。

3 選択した効果が設定されます。

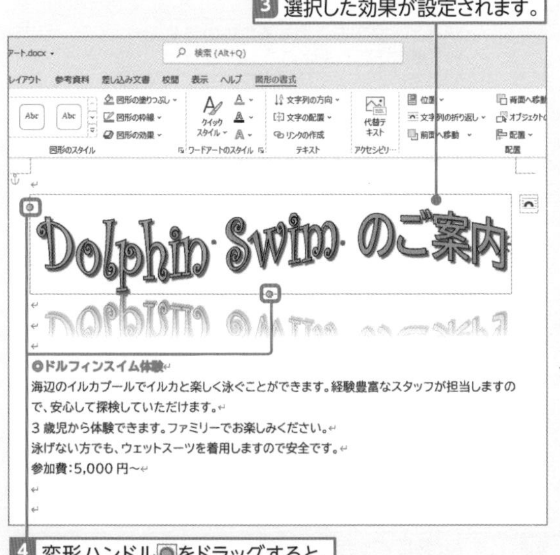

4 変形ハンドル◎をドラッグすると、さらに変形させることができます。

Q355 お役立ち度 ★★★ ワードアート 2021 2019 2016

ワードアートを縦書きにしたい!

A [図形の書式] タブ→[文字列の方向] で縦書きにします。

[文字列の方向]を使うとワードアートを縦書きにできます。文字を縦書きにするだけでなく、右や左に90度回転させて縦書きにすることもできます。

1 コンテキストタブの[図形の書式]タブ(2019/2016は[描画ツール]の[書式]タブ)→[文字列の方向]をクリックします。

2 [縦書き]をクリックします。

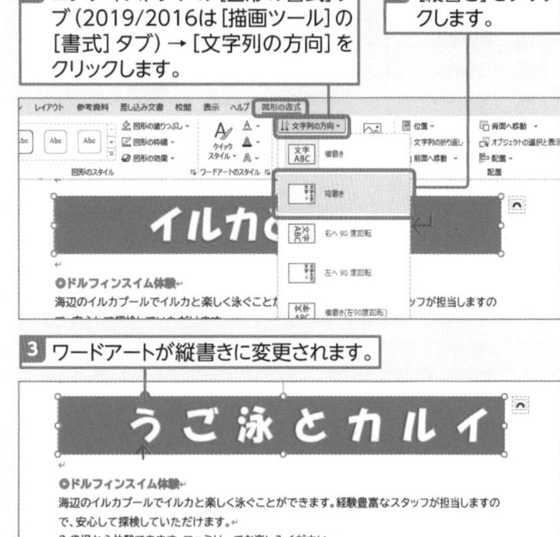

3 ワードアートが縦書きに変更されます。

4 サイズ変更ハンドル[○]をドラッグしてサイズを調整します。

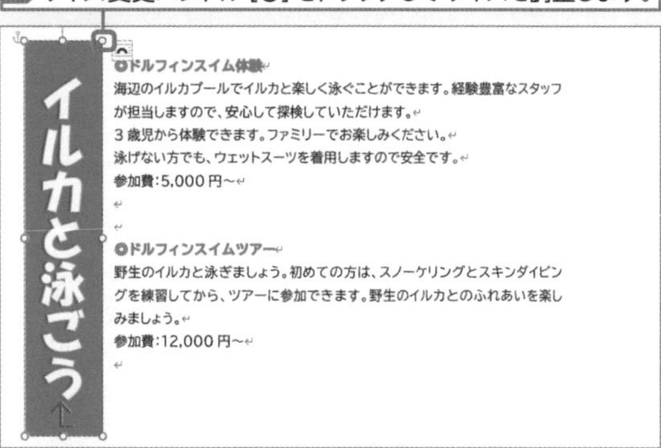

ワードアート内の文字間隔を広げる

ワードアート内で文字列を選択し、Q205の方法で[フォント]ダイアログの[詳細設定]タブにある[文字間隔]で[広く]を選択し、間隔を調整します。

SmartArtって何?

2021 2019 2016

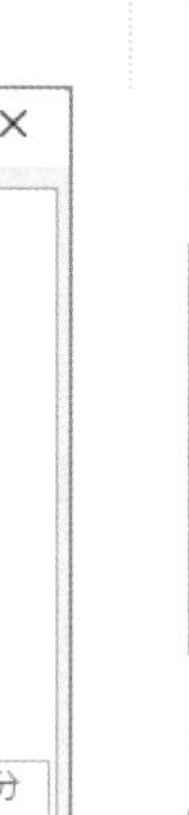

8つのカテゴリーが用意されています。

A 説明用の図の組み合わせです。

SmartArtを使うと、図形を使って流れ図や組織図、相関関係などをわかりやすく説明できます。8つのカテゴリーの中から目的に合ったものを選択し、文字を入力するだけで素早く作成できます。

流れ図

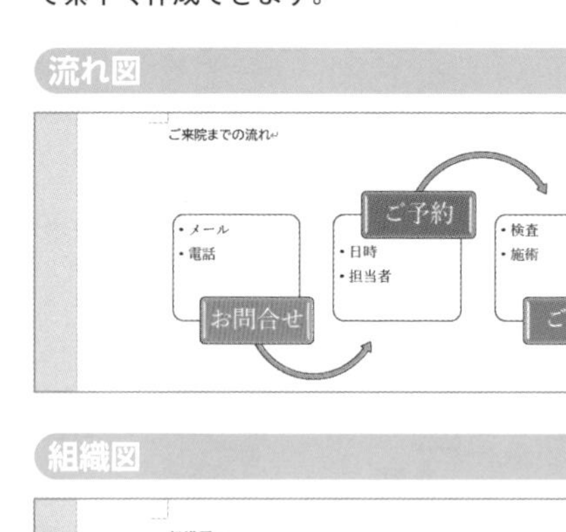

組織図

組織図
管理部
人事
法務室
経理部
社長
営業部
開発部

SmartArtを挿入するには

2021 2019 2016

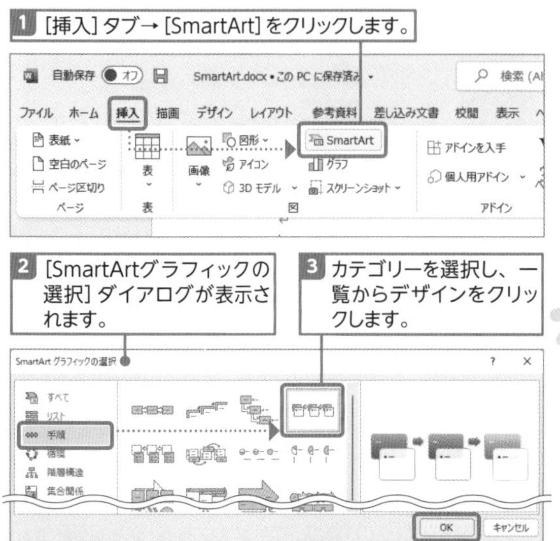

A [挿入] タブ→ [SmartArt] をクリックします。

[SmartArtグラフィックの選択] ダイアログで使用したいデザインを選択して挿入すると、空のSmartArtが追加されます。テキストウィンドウに文字を入力していきます。

5 SmartArtと、文字を入力するためのテキストウィンドウが表示されます。

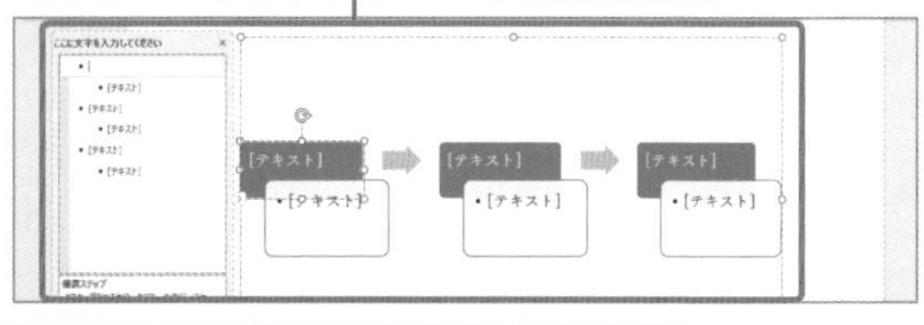

6 テキストウィンドウに文字を入力すると、図形パーツに自動的に文字が入力されます。

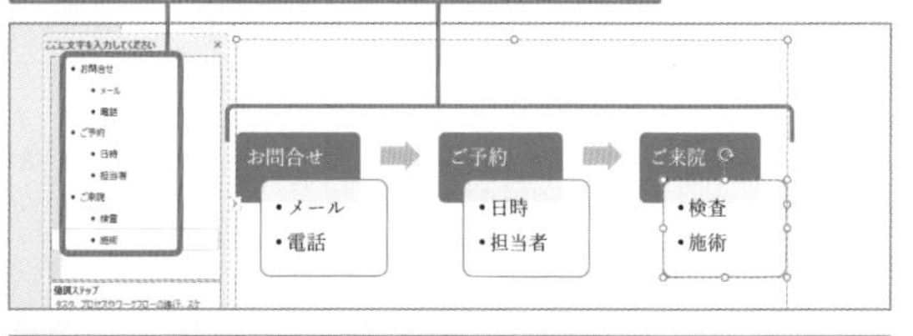

7 ↓ キーを押して次の行に移動し、順番に文字を入力します。同じレベルの項目を追加する場合は Enter キーを押します。

Q358 お役立ち度 ★★★ SmartArt 2021 2019 2016

同じレベルに図形を追加するには

A [SmartArtのデザイン] タブ→ [図形の追加] から追加場所を選択します。

選択した図形パーツと同じレベルの図形を追加するには、[図形の追加] メニューで [後に図形を追加] または [前に図形を追加] をクリックします。

1 基準となる図形パーツを選択します。

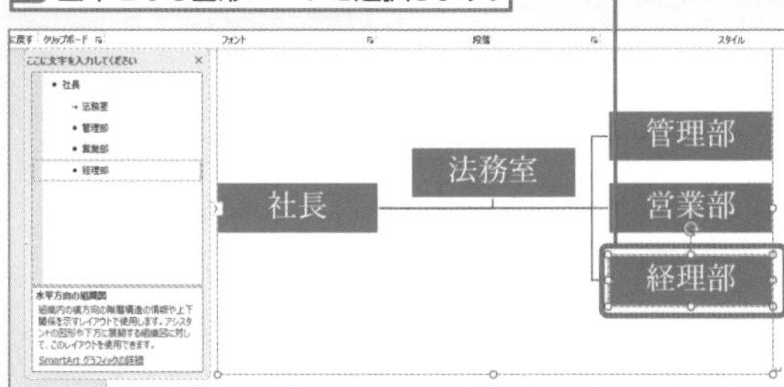
社長
法務室
管理部
営業部
経理部

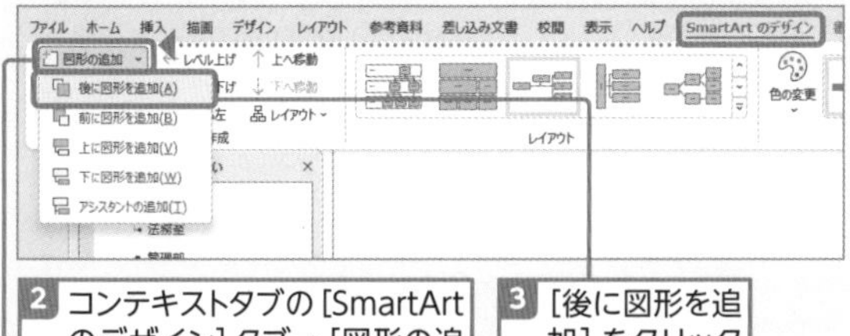
2 コンテキストタブの [SmartArtのデザイン] タブ→ [図形の追加] の [∨] をクリックします。
3 [後に図形を追加] をクリックします。

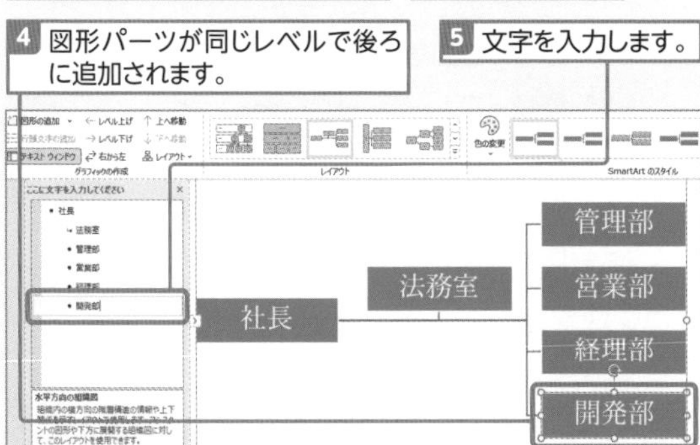
4 図形パーツが同じレベルで後ろに追加されます。
5 文字を入力します。
社長
法務室
管理部
営業部
経理部
開発部

おトクな情報　Enter キーで追加する

テキストウィンドウで箇条書きで文字を入力後、Enter キーを押すと、同じレベルの箇条書きの行が追加されると同時に、同じレベルの図形が後に追加されます。間違えて追加した場合は、BackSpace キーを数回押して追加した行を削除すると図形も削除されます。

Q359 お役立ち度 ★★★ SmartArt 2021 2019 2016

下のレベルに図形を追加するには

A [図形の追加] メニューで [下に図形を追加] を選択します。

選択した図形パーツの下のレベルの図形を追加するには、[図形の追加] メニューで [下に図形を追加] をクリックします。

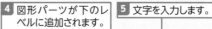

1 基準となる図形パーツを選択します。

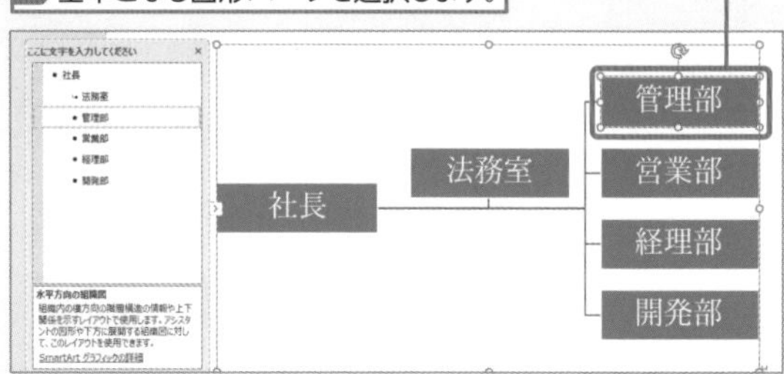
社長
法務室
管理部
営業部
経理部
開発部

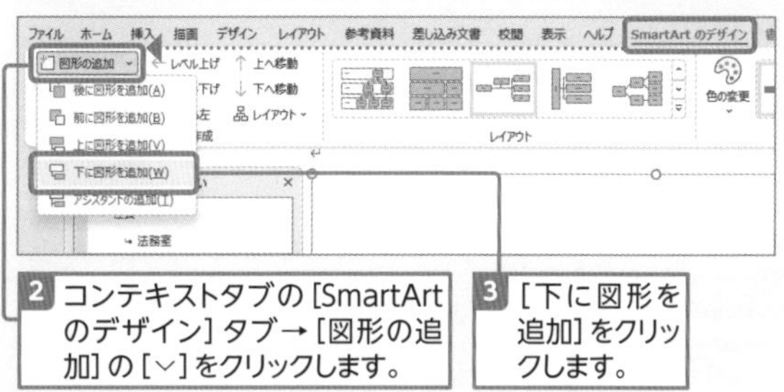
2 コンテキストタブの [SmartArtのデザイン] タブ→ [図形の追加] の [∨] をクリックします。
3 [下に図形を追加] をクリックします。

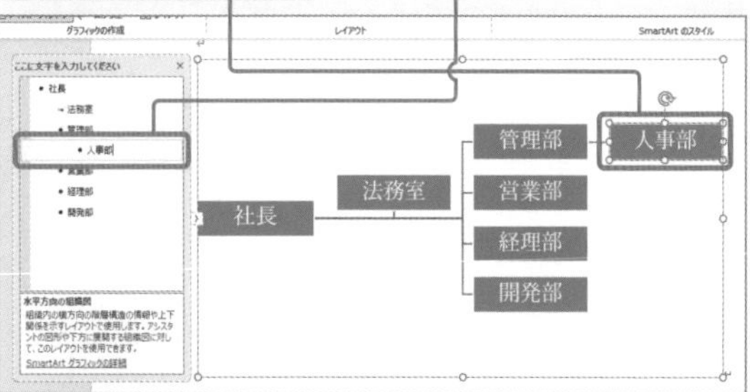
4 図形パーツが下のレベルに追加されます。
5 文字を入力します。
社長
法務室
管理部
人事部
営業部
経理部
開発部

おトクな情報　Tab キーで下のレベルを追加する

テキストウィンドウで箇条書き入力後、Enter キーを押して同じレベルの箇条書きの行が追加された後、Tab キーを押すと、箇条書きのレベルが下がると同時に、下のレベルの図形が追加されます。また、BackSpace キーまたは Shift ＋ Tab キーを押すと、レベルが上がり、上のレベルの図形に変わります。

Q360 お役立ち度 ★★★ SmartArt 2021 2019 2016

図形の順番を入れ替えるには

A [SmartArtのデザイン] タブ→ [上へ移動] または [下へ移動] をクリックします。

[上へ移動] をクリックすると、選択した図形パースが上と入れ替わり、[下へ移動] をクリックすると下と入れ替わります。

1 入れ替えたい図形パーツをクリックします。

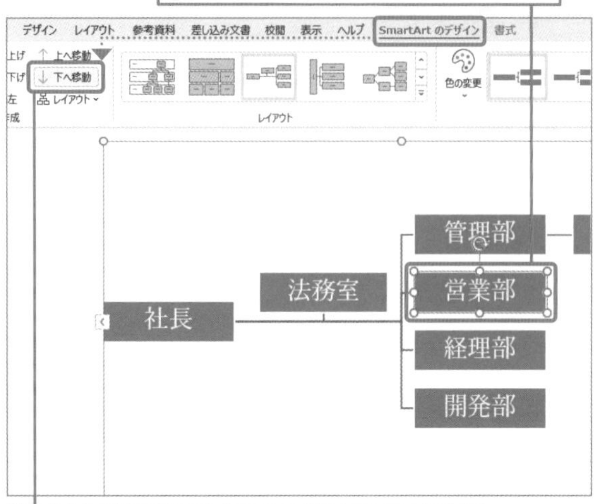

2 コンテキストタブの [SmartArtのデザイン] タブ→ [下へ移動] をクリックします。

3 選択した図形パーツが下に移動します。

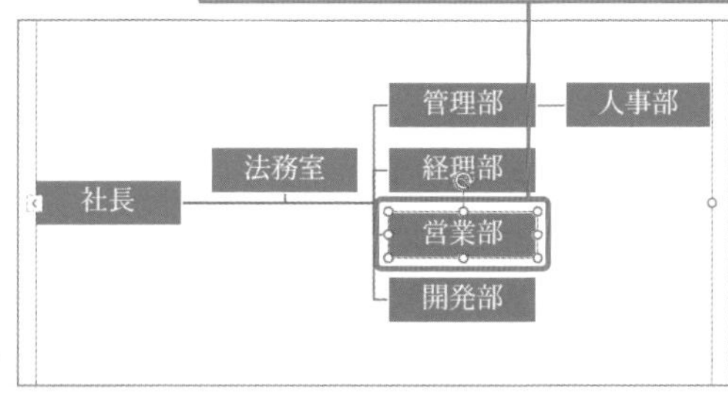

おトクな情報 テキストウィンドウの表示／非表示を切り替える

SmartArtの左辺にある [>] をクリックすると非表示、[<] をクリックすると表示にできます。または、コンテキストタブの [SmartArtのデザイン] タブ (2019/2016は [SmartArtツール] の [デザイン] タブ) の [テキストウィンドウ] をクリックしても切り替えられます。

Q361 お役立ち度 ★★★ SmartArt 2021 2019 2016

SmartArtのレイアウトを変更するには?

A [SmartArtのデザイン] タブ→ [レイアウト] で変更できます。

[レイアウト] を利用すると、SmartArtを同じカテゴリーの中の別のレイアウトに変更できます。入力されている文字列はそのままでレイアウトだけ変更されるので文字を入力し直す必要はありません。

1 コンテキストタブの [SmartArtのデザイン] タブ→ [レイアウト] グループで [その他] [▽] をクリックします。

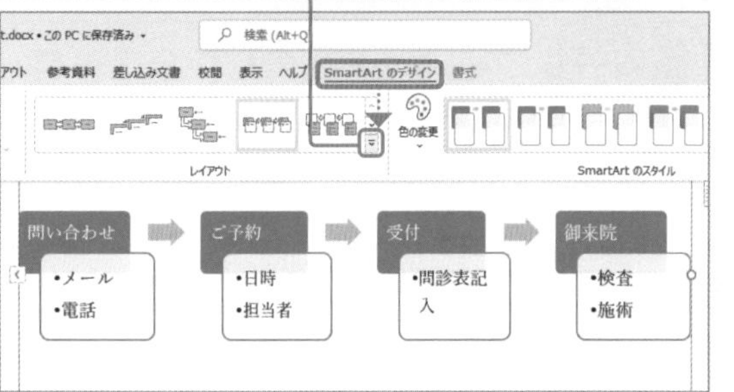

2 同じカテゴリーのレイアウト一覧から使用したいレイアウトをクリックします。

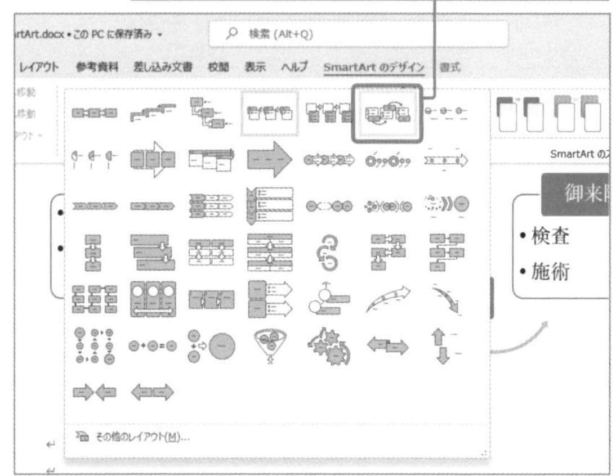

3 レイアウトが変更されます。

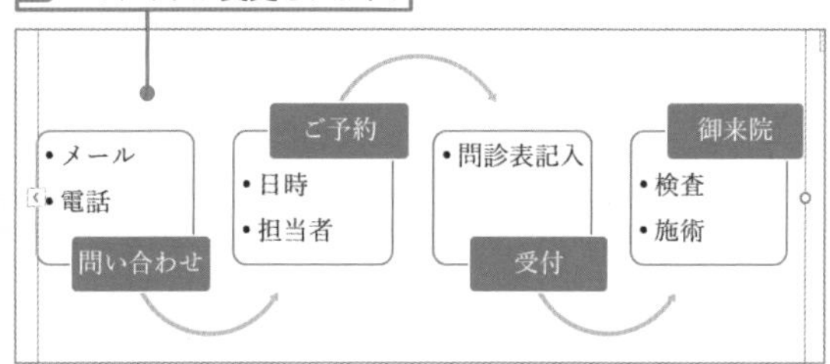

Q362 お役立ち度  SmartArt

2021 2019 2016

SmartArtの色合いを変更するには

A [SmartArtのデザイン] タブ→ [色の変更] からカラーパターンを選択します。

[色の変更] を利用すると、さまざまなカラーパターンの中からSmartArtの色合いを瞬時に変更できます。

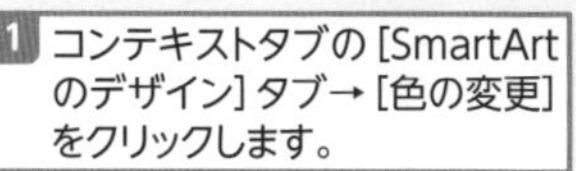

1 コンテキストタブの [SmartArtのデザイン] タブ→ [色の変更] をクリックします。

2 変更したいカラーパターンをクリックします。

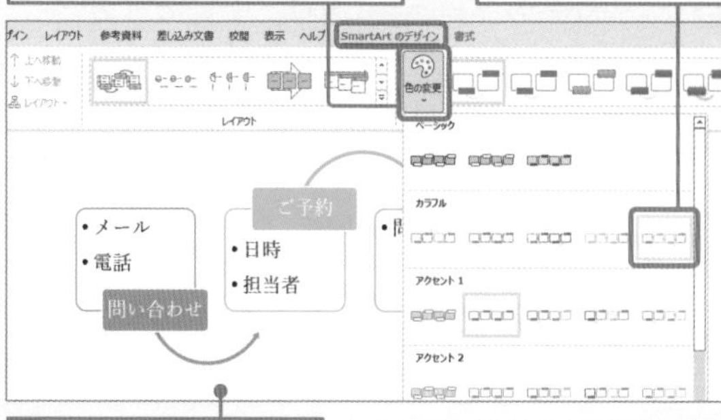

3 色合いが変更されます。

Q363 お役立ち度 SmartArt

2021 2019 2016

SmartArtのデザインを変更するには

A [SmartArtのデザイン] タブ→ [SmartArtのスタイル] で変更できます。

[SmartArtのスタイル] では、SmartArtの色の濃淡や立体感などのデザインが変更でき、簡単に見栄えを変えられます。

1 コンテキストタブの [SmartArtのデザイン] タブ→ [SmartArtのスタイル] グループの [その他] をクリックします。

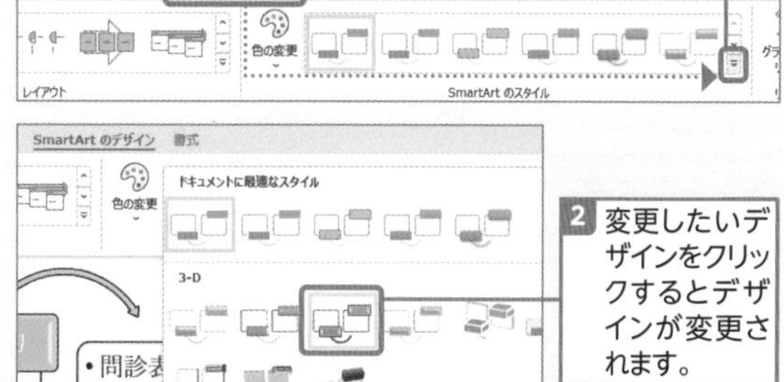

2 変更したいデザインをクリックするとデザインが変更されます。

Q364 お役立ち度  SmartArt

2021 2019 2016

SmartArt内のフォントを変更したい!

A [ホーム] タブ→ [フォント] からフォントを選択します。

SmartArtの周囲の枠をクリックして選択し、フォントを変更すると、SmartArt内のすべての文字列を同じフォントに変更できます。

1 SmartArtの枠をクリックして選択します。

2 [ホーム] タブ→ [フォント] の [∨] をクリックします。

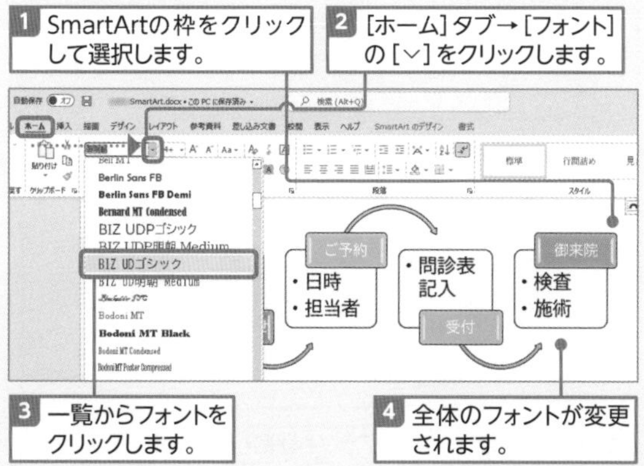

3 一覧からフォントをクリックします。

4 全体のフォントが変更されます。

Q365 お役立ち度  SmartArt

2021 2019 2016

SmartArtの書式変更を元に戻したい!

A [SmartArtのデザイン] タブ→ [グラフィックのリセット] をクリックします。

[グラフィックのリセット] を使うと、SmartArtに対して色合いやデザイン、フォントなどの変更をまとめてリセットできます。

1 コンテキストタブの [SmartArtのデザイン] タブ→ [グラフィックのリセット] をクリックします。

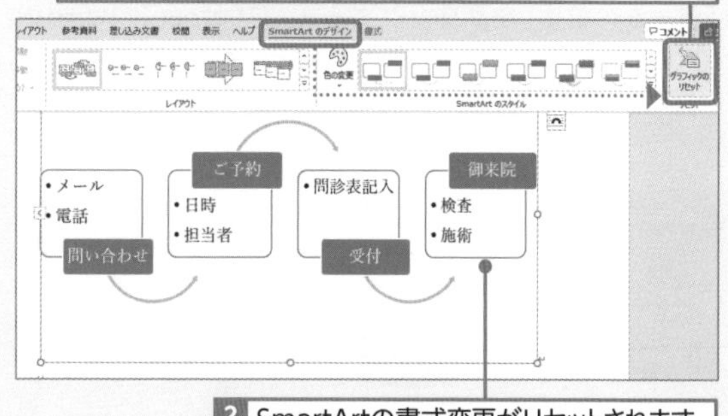

2 SmartArtの書式変更がリセットされます。

Q366 お役立ち度 ★★★ グラフ 2021 2019 2016

Wordでグラフを作成するには

A [挿入] タブ→ [グラフ] をクリックします。

Wordに用意されているグラフ機能を使えば、Excelを使うことなく文書中にグラフを作成できます。グラフを挿入すると、[Microsoft Word内のグラフ] ウィンドウ内のデータシートにダミーデータが表示されるので、データを書き換えて目的のグラフを作成します。

1 [挿入] タブ→ [グラフ] をクリックします。

2 [グラフの挿入] ダイアログが表示されます。

3 作成したいグラフをクリックします。

4 [OK] をクリックします。

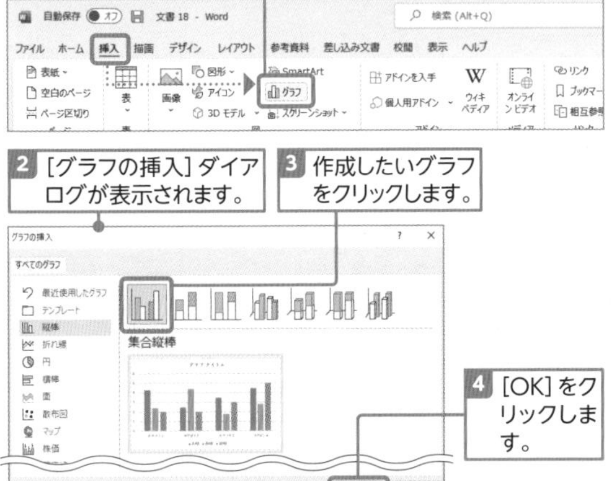

5 グラフが挿入されます。

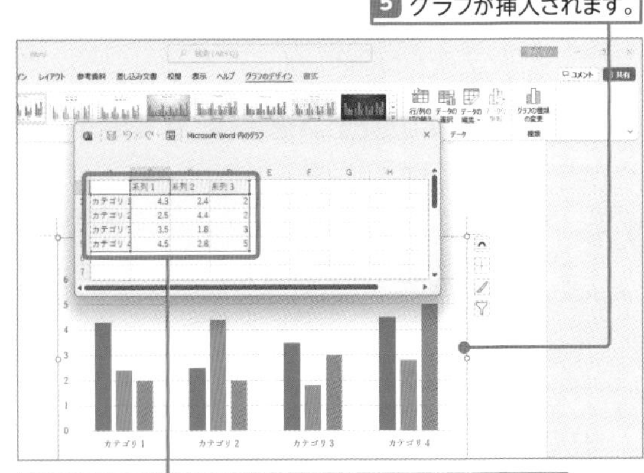

6 [Microsoft Word内のグラフ] ウィンドウにグラフの元となっているダミーデータが入力されています。

7 データを書き換えます。

8 グラフが修正されます。

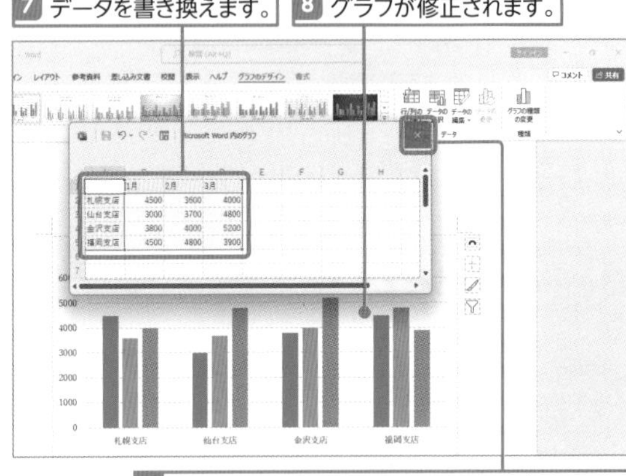

9 [閉じる] をクリックするとウィンドウが閉じます。

Q367 お役立ち度 ★★★ グラフ 2021 2019 2016

グラフのデータを編集するには

A [グラフのデザイン] タブ→ [データの編集] をクリックして修正します。

[データの編集] をクリックすると、[Microsoft Word内のグラフ] ウィンドウが表示され、データを編集できます。

1 コンテキストタブの [グラフのデザイン] タブ→ [データの編集] をクリックします。

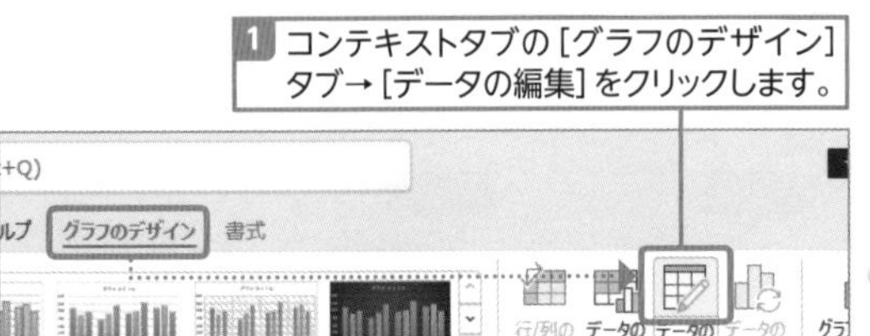

2 [Microsoft Word内のグラフ] ウィンドウが表示されます。

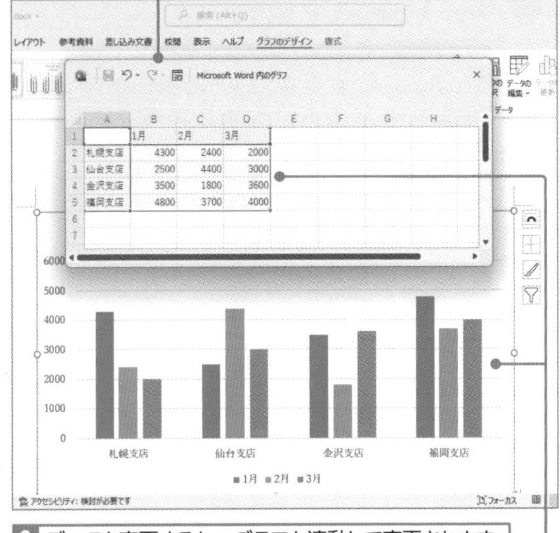

3 データを変更すると、グラフも連動して変更されます。

Q368 グラフのデータはExcelを起動して編集できるの?

お役立ち度 ★★★ グラフ 2021 2019 2016

A [Microsoft Excelでデータを編集]をクリックします。

Wordの中でExcelを起動して、データ編集が可能です。Excelの機能を使って関数などを設定したい場合に便利です。

1 コンテキストタブの[グラフのデザイン]タブ→[データの編集]の[∨]をクリックします。

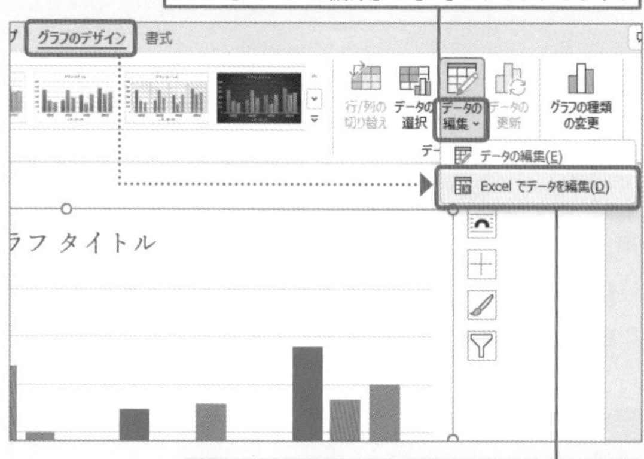

2 [Excelでデータを編集]をクリックします。

3 Excelが起動し、ワークシートにグラフのデータが表示されます。Excelの機能を使ってデータを編集できます。

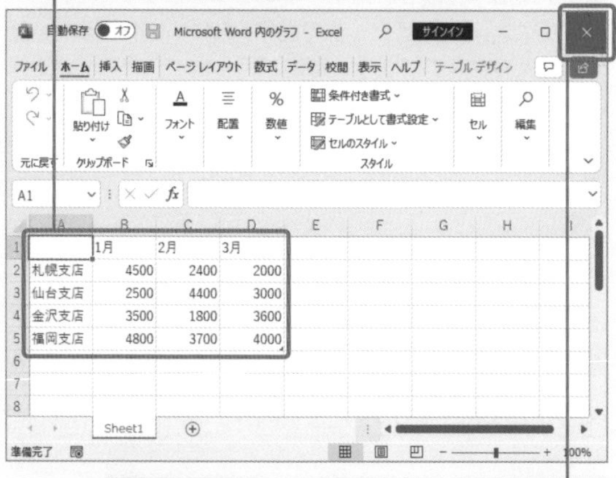

4 編集が終了したら[閉じる]をクリックして閉じます。

おトクな情報 [Microsoft Word内のグラフ]ウィンドウから切り替える

[Microsoft Word内のグラフ]ウィンドウのタイトルバーに表示されている▦をクリックすると、Excelのウィンドウに切り替わります。▦が表示されていない場合はウィンドウサイズを大きくすると表示されます。

Q369 Wordの表をグラフにするには

お役立ち度 ★★★ グラフ 2021 2019 2016

A 表のデータをグラフのシートにコピーします。

文書内の表にあるデータをもとにグラフを作成したい場合は、表のデータを[Microsoft Wordのグラフ]ウィンドウにコピーします。

1 Q367の方法で[Microsoft Word内のグラフ]ウィンドウを表示しておきます。

2 文書内の表でグラフにしたい範囲を選択し、Ctrl+Cキーを押してコピーします。

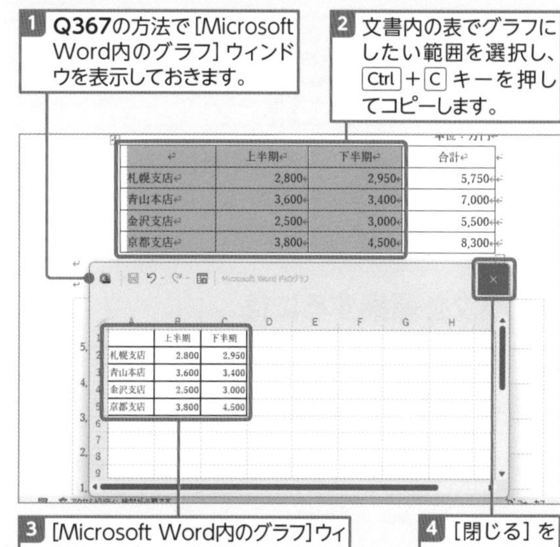

3 [Microsoft Word内のグラフ]ウィンドウのデータを削除し、セルA1をクリックしてCtrl+Vキーを押して、表のデータを貼り付けます。

4 [閉じる]をクリックしてウィンドウを閉じます。

5 Wordのデータをもとにグラフが作成されます。

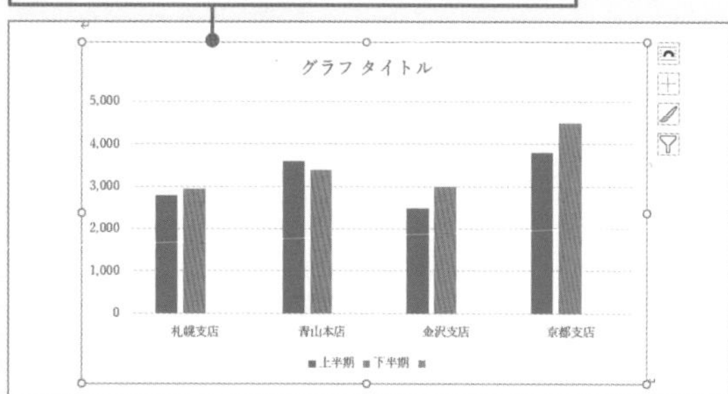

おトクな情報 罫線が貼り付けられないようにする

手順3でWordの表を貼り付けると、罫線も一緒に貼り付けられます。罫線を貼り付けたくない場合は、セルA1で右クリックし、ショートカットメニューから[貼り付け先の書式に合わせる]をクリックするとデータのみ貼り付けられます。

Q370 お役立ち度 ★★★ グラフ

2021 2019 2016

グラフのデータ範囲を修正するには

A Word内のグラフウィンドウで修正できます。

[Microsoft Word内のグラフ]ウィンドウでデータを入力したり、Wordの表をコピーしたりしてデータを編集した場合、グラフのデータ範囲の修正が必要な場合があります。グラフのデータ範囲に表示されている青枠の右下角にマウスポインターを合わせ、ドラッグして修正します。

1 Q367の方法で[Microsoft Word内のグラフ]ウィンドウを表示しておきます。

2 グラフ範囲の青枠の右下角にマウスポインターを合わせ、正しい位置までドラッグします。

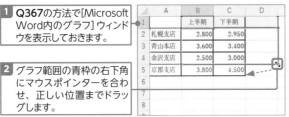

	A	B	C	D
1		上半期	下半期	
2	札幌支店	2,800	2,950	
3	青山本店	3,600	3,400	
4	金沢支店	2,500	3,000	
5	京都支店	3,800	4,500	
6				
7				
8				

3 範囲が正しく修正されます。

	A	B	C	D
1		上半期	下半期	
2	札幌支店	2,800	2,950	
3	青山本店	3,600	3,400	
4	金沢支店	2,500	3,000	
5	京都支店	3,800	4,500	
6				
7				
8				

Q371 お役立ち度 ★★★ グラフ

2021 2019 2016

グラフを編集するには

A Excelのグラフと同様に編集できます。

グラフを選択すると、グラフのコンテキストタブが表示されます。[グラフのデザイン]タブにあるボタンを使って、グラフの種類の変更や、スタイルの変更など、グラフについてさまざまな編集が行えます。また、[書式]タブにあるボタンを使って、グラフの色やサイズなどの書式設定が行えます。どちらもExcelのグラフと同じ操作でグラフの編集が行えます。

[グラフのデザイン] タブ

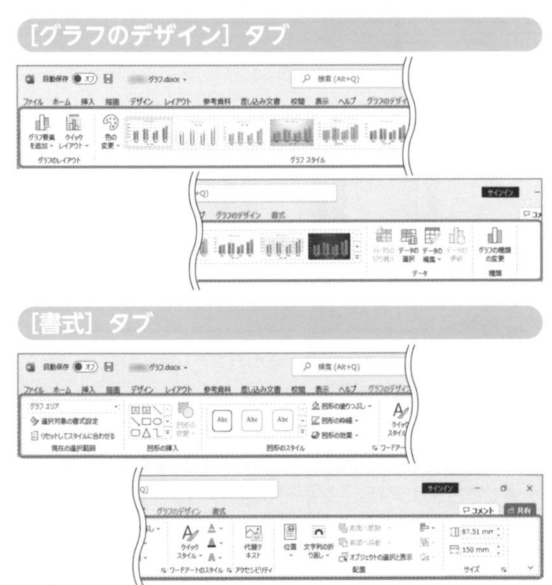

[書式] タブ

Q372 お役立ち度 ★★★ グラフ

2021 2019 2016

Excelのグラフを文書に貼り付けられるの?

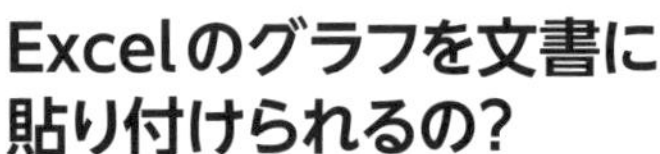

A 通常のコピー、貼り付け操作で貼り付けられます。

Excelのブックで作成したグラフをコピーして、Wordの文書で貼り付けると、元のExcelブックとリンクした状態でグラフが貼り付けられます。コンテキストタブの[グラフのデザイン]タブ→[データの編集]をクリックすると、元のExcelのブックが開き、編集が行えます。データの連携については、**Q1162**を参照してください。

1 Excelのグラフをクリックし、[ホーム]タブの[コピー]をクリックします。

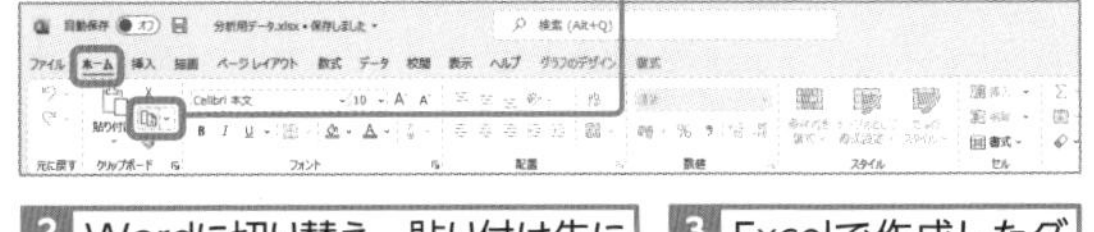

2 Wordに切り替え、貼り付け先にカーソルを移動して、[ホーム]タブの[貼り付け]をクリックします。

3 Excelで作成したグラフがWord文書に貼り付けられます。

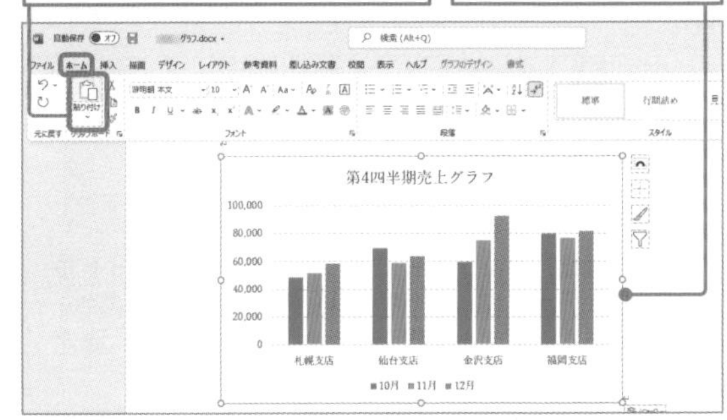

Q373 お役立ち度 ★★★ アイコン

アイコンを挿入するには

A [挿入] タブ→ [アイコン] をクリックします。

アイコンは、事象や物などをシンプルに表すイラストです。文書内のアクセントに使用したり、絵文字の代わりにしたりして使用することができます。アイコンはオブジェクトの1つなので、サイズ変更、移動、回転などの基本操作は図形と同じです。利用するにはインターネットに接続している必要があります。

1 アイコンを挿入する位置にカーソルを移動します。

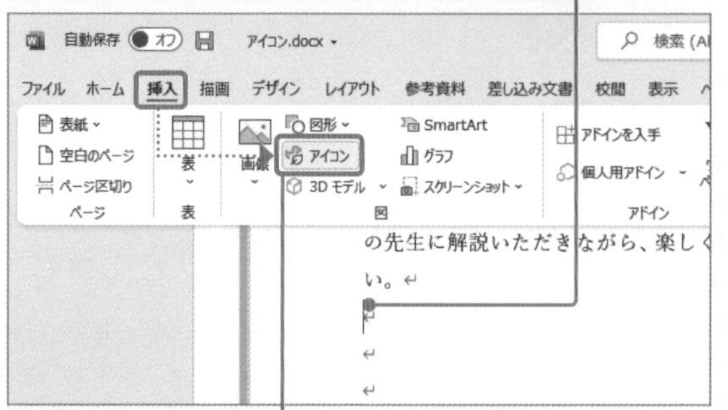

2 [挿入] タブ→ [アイコン] をクリックします。

3 アイコン一覧のダイアログが表示されます。

4 分類をクリックし、挿入したいアイコンをクリックします。

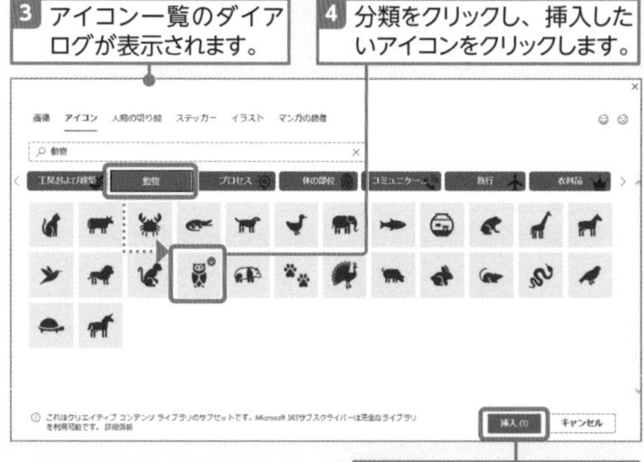

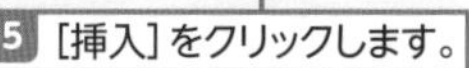

5 [挿入] をクリックします。

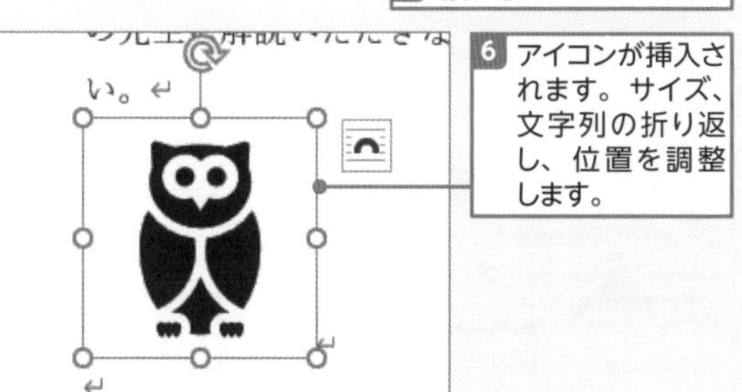

6 アイコンが挿入されます。サイズ、文字列の折り返し、位置を調整します。

Q374 お役立ち度 ★★★ アイコン

アイコンの色を変更できるの?

A 枠線や塗りつぶしで変更できます。

アイコンの色は、内側の色を[グラフィックの塗りつぶし]、輪郭の色を[グラフィックの枠線]で変更できます。

1 コンテキストタブの [グラフィックス形式] タブ→ [グラフィックの塗りつぶし] をクリックし、一覧から色をクリックします。

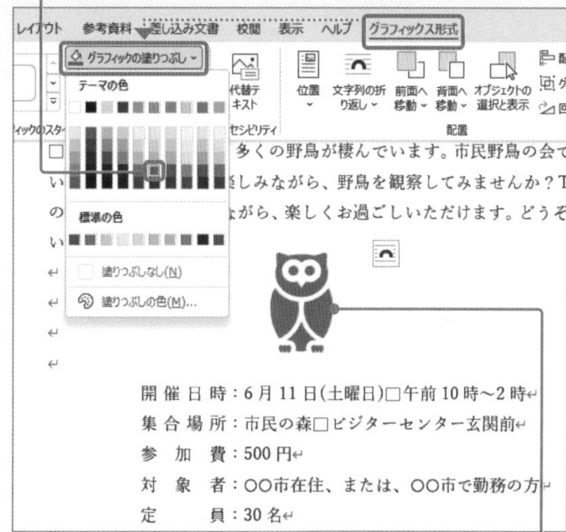

2 塗りつぶしの色が設定されます。

3 コンテキストタブの [グラフィックス形式] タブ→ [グラフィックの枠線] をクリックし、一覧から色をクリックします。

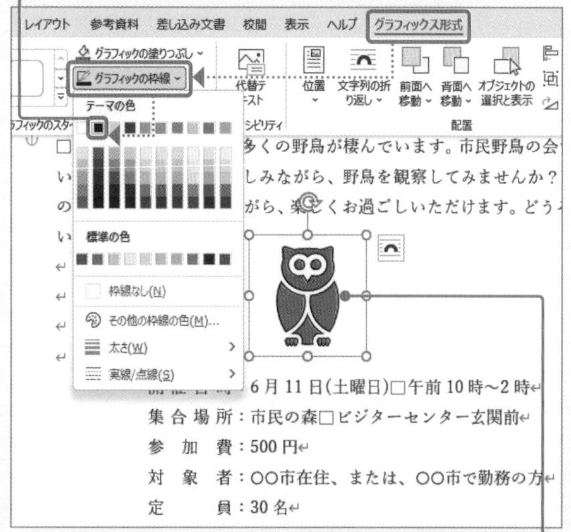

4 輪郭の色が設定されます。

Q375 お役立ち度 ★★★ アイコン 2021 2019 2016

アイコンの一部分の色を変えたい

A アイコンを図形に変換します。

コンテキストタブの[グラフィックス形式]タブ→[図形に変換]をクリックすると、アイコンが図形に変換され、アイコンが分解されて、部品ごとに色を変更することができます。

1 コンテキストタブの[グラフィックスの形式]タブ→[図形に変換]をクリックします。

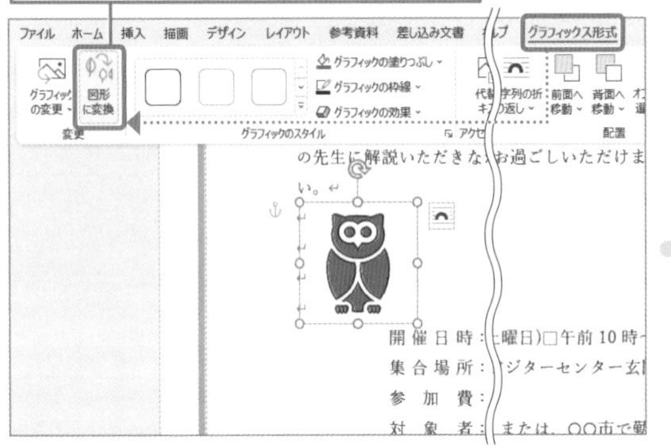

2 図形に変換されます。部品をクリックして選択します。

3 コンテキストタブの[図形の書式]タブ→[図形の塗りつぶし]で色を変更します。

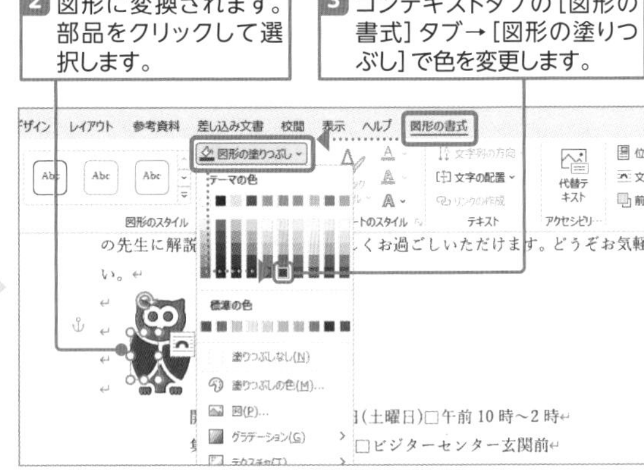

Q376 お役立ち度 ★★★ 3Dモデル 2021 2019 2016

3Dモデルを挿入するには

A [挿入]タブ→[3Dモデル]をクリックします。

「3Dモデル」とは、画像を360度回転させてさまざまな角度から表示できる3次元の立体型のイラストです。ドラッグだけで見る角度を変えることができます。3Dモデルの挿入時は文字の折り返しの種類が[前面]であるため文字列の上に表示されます。必要に応じで文字列の折り返しを変更します(**Q333**)。利用するにはインターネットに接続している必要があります。

1 3Dモデルを挿入する位置にカーソルを移動します。

2 [挿入]タブ→[3Dモデル]をクリックします。

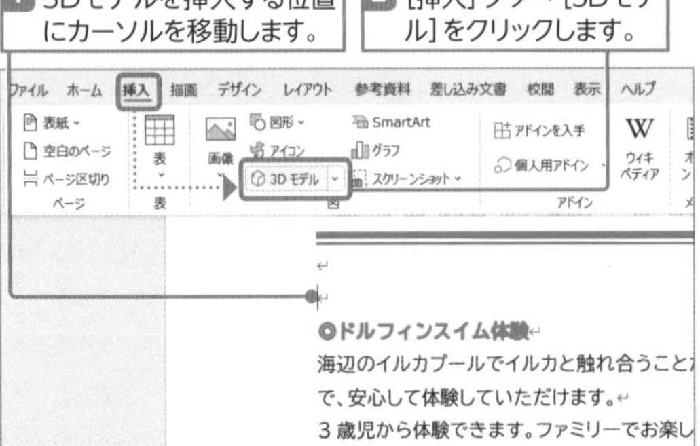

3 [オンライン3Dモデル]ダイアログが表示されます。

4 カテゴリーをクリックします。

5 一覧の中から3Dモデルをクリックします。

6 [挿入]をクリックします。

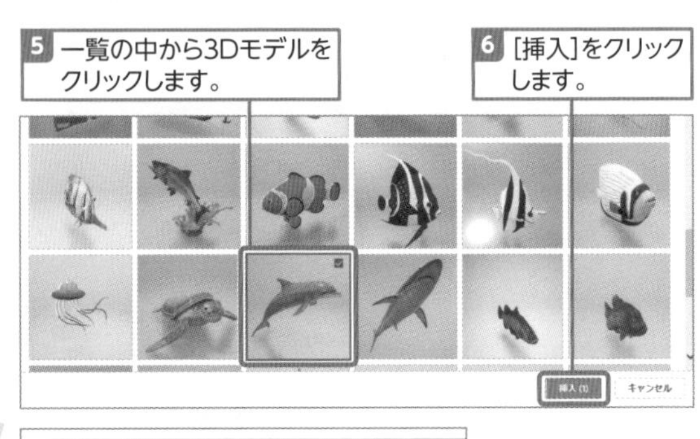

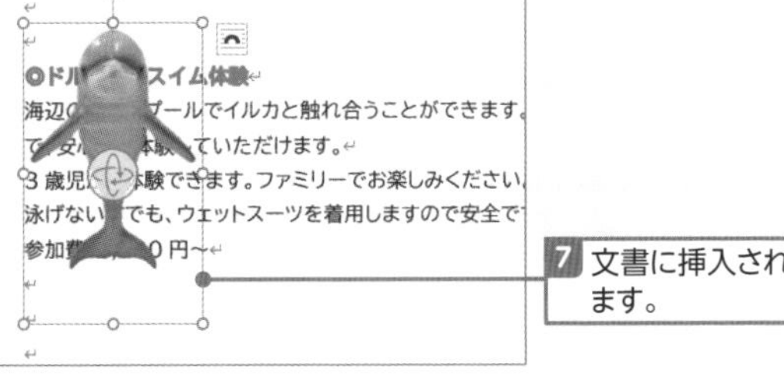

7 文書に挿入されます。

Q377 お役立ち度 ★★★ 3Dモデル 2021 2019 2016

3Dモデルを回転するには

A 中央のマークをドラッグします。

文書に挿入した3Dモデルの中央にあるマークをドラッグするだけで、360度自由な角度に変更できます。

1 3Dモデルの中央にある にマウスポインターを合わせて、ドラッグします。

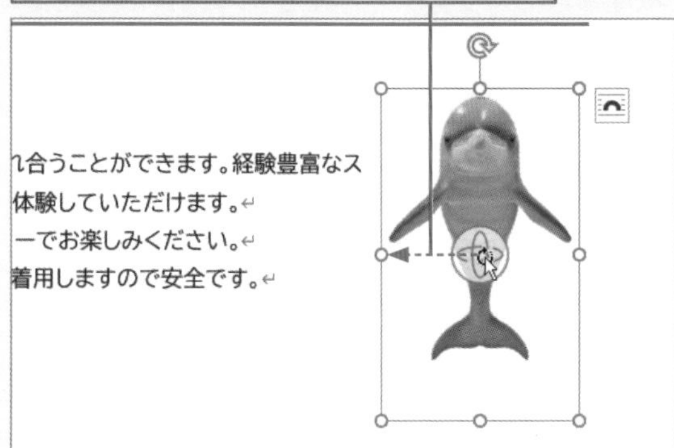

Q378 お役立ち度 ★★★ 3Dモデル 2021 2019 2016

3Dモデルを最初の状態に戻したい!

A [3Dモデル]タブ→[3Dモデルのリセット]をクリックします。

[3Dモデルのリセット]では、3Dモデルを挿入時の状態に戻せます。サイズ変更も含めてリセットするかどうかをメニューから選択できます。

1 コンテキストタブの[3Dモデル]タブ→[3Dモデルのリセット]の[∨]をクリックします。

2 リセットの方法を選択して、3Dモデルをリセットします。

Q379 お役立ち度 ★★★ 3Dモデル 2021 2019 2016

3Dモデルを拡大／縮小したい

A [3Dモデル]タブ→[パンとズーム]を利用します。

[パンとズーム]をクリックすると、3Dモデルの右辺に虫眼鏡のアイコンが表示されます。このアイコンを上にドラッグすると領域内で拡大され、下にドラッグすると縮小されます。

1 コンテキストタブの[3Dモデル]タブ→[パンとズーム]をクリックします。

2 虫眼鏡のアイコンが表示されます。

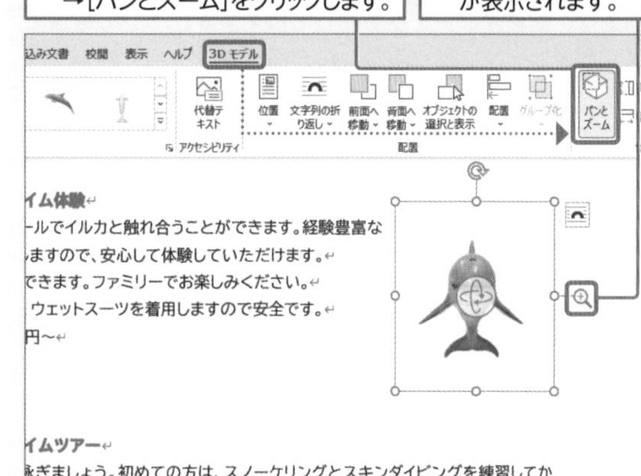

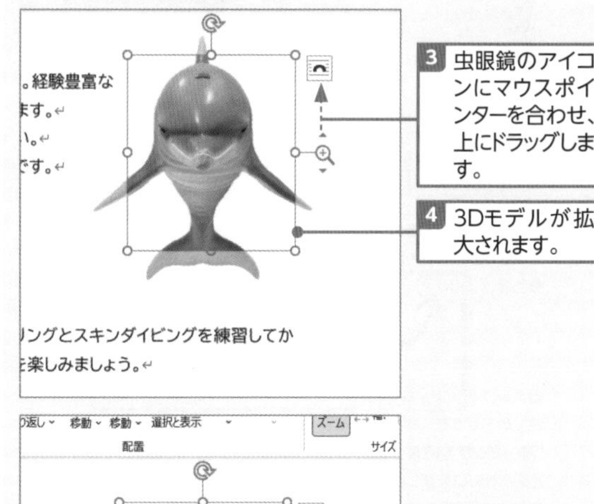

3 虫眼鏡のアイコンにマウスポインターを合わせ、上にドラッグします。

4 3Dモデルが拡大されます。

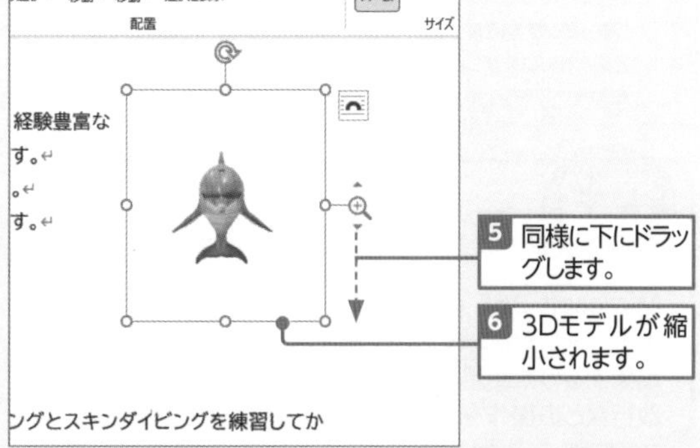

5 同様に下にドラッグします。

6 3Dモデルが縮小されます。

Q380 お役立ち度 ★★★ インク 

文書内に手書きで文字を描けるの?

A インク機能を使うと描けます。

インク機能は、[描画] タブのボタンを使います。表示されていない場合は、**Q028**の方法で表示しておきます。[描画] タブをクリックし、描画ツールの中でペンを選択すると、描画モードになり、ドラッグで文書上に線を描けます。描画を終了するには、ESC キーを押します。描いたインク描画は、図形オブジェクトとして扱えます。ペンの種類には、サインペンで書くような線が描ける「ペン」、鉛筆で書くような細くて少しかすれた線が描ける「鉛筆書き」、蛍光ペンで書くような蛍光色の太い線が描ける「蛍光ペン」があります。

1 [描画] タブをクリックします。
2 使用するペンをクリックします。

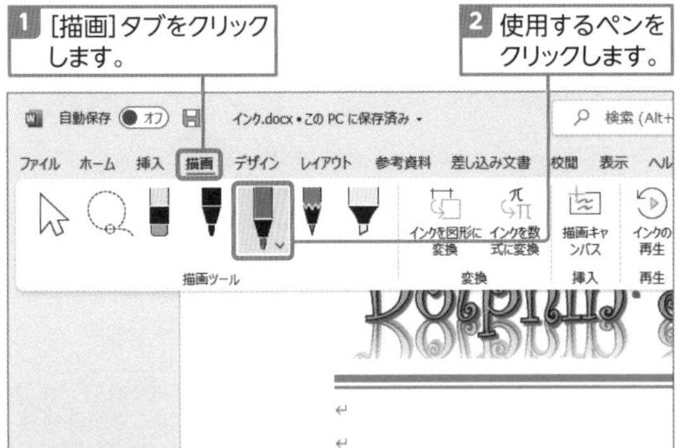

3 ドラッグして文字を描きます。
4 ESC キーを押して終了します。

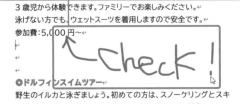

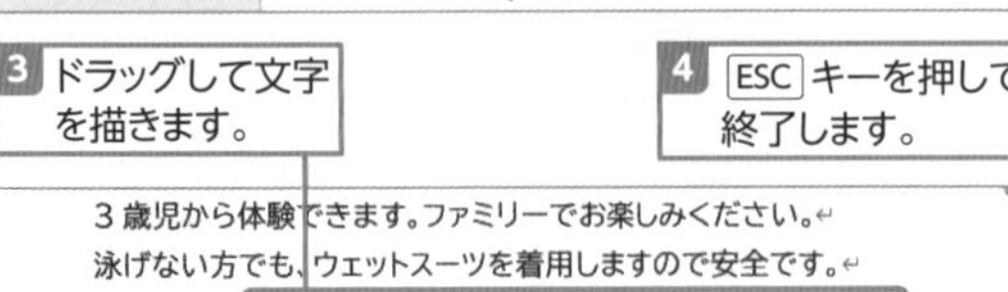

おトクな情報 アクションペン

Microsoft 365では、アクションペンが用意されています。アクションペンは、線を描くのではなく、文書を編集するのに使用します。例えば、単語の選択、削除、改行などの操作をアクションペンを使って行えます。

Q381 お役立ち度 ★★★ インク 

ペンを追加したい!

A 種類と太さと色を指定して追加します。

Office 2021/Microsoft 365の場合は、追加したい種類のペンの上で右クリックし、ショートカットメニューから[別の(ペンの種類)を追加] をクリックして、追加されたペンの太さや色を選択します。2019/2016の場合は、[ペンの追加] をクリックし、追加するペンの種類を選択して、ペンの太さや色を選択します。

1 追加したい種類のペン上で右クリックします。
2 [別のペンを追加] をクリックします。

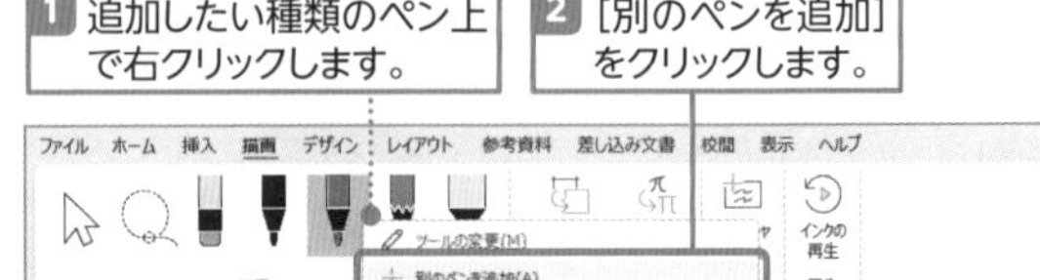

3 太さを選択します。
4 色を選択します。

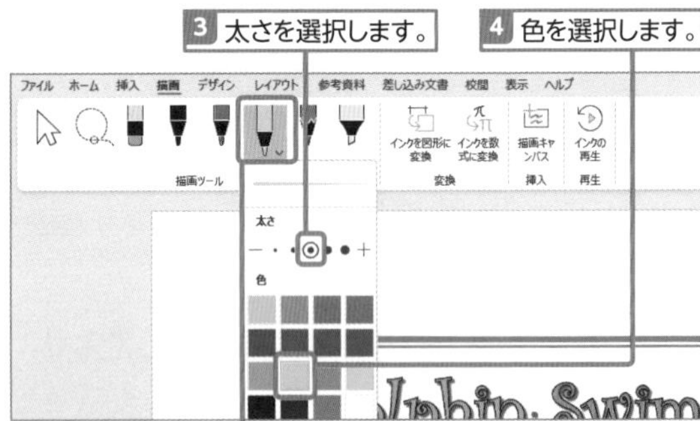

5 ペンをクリックしてメニューを閉じます。

2019/2016 の場合

1 [描画] タブ→[ペンの追加] をクリックします。
2 ペンの種類を選択します。

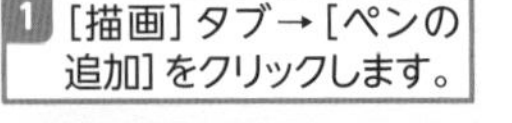

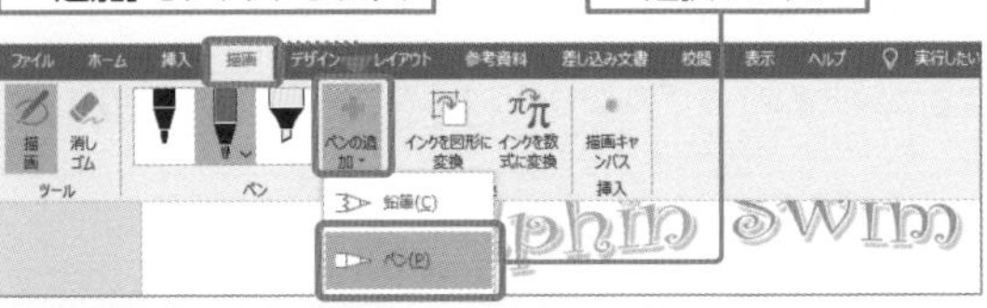

3 ペンが追加されたら、上の2021/365の手順3〜5と同様にして太さと色を選択します。

おトクな情報 不要なペンを削除する

削除したいペン上で右クリックし、[ペンの削除] をクリックします。

Q382 ペンの色や太さを変更できるの?

お役立ち度 ★★★ インク 2021 2019 2016

A ペンを2回クリックしてメニューから変更できます。

ペンの色や太さは後から変更できます。メニューの上部にあるプレビューで太さや色を確認しながら変更できます。

1 ペンを2回クリックします。
2 メニューが表示されたら、太さや色をクリックします。
3 ペンをクリックして変更を確定します。
挿入 描画 デザイン レイアウト 参考資料 差し込み文書 校閲 表示 ヘルプ
描画ツール
太さ
色
その他の色(M)...

Q383 ペンで描いた文字を削除したい!

お役立ち度 ★★★ インク 2021 2019 2016

A [描画] タブ→ [消しゴム] をクリックして削除します。

[消しゴム] をクリックすると、消去モードになり、描画したインクをクリックするか、ドラッグして削除できます。終了するには、再度 [消しゴム] をクリックするか ESC キーを押します。

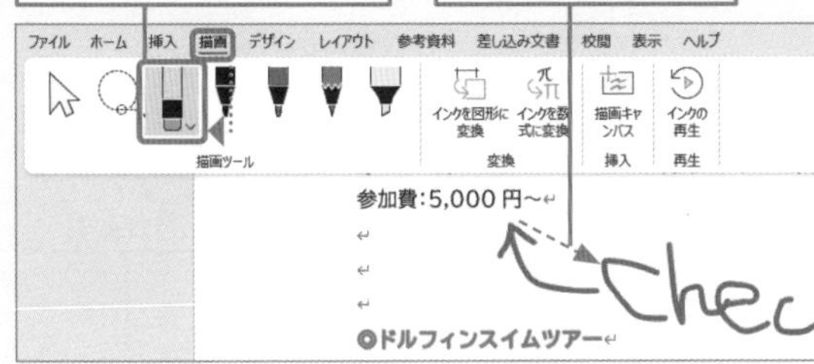

1 [描画] タブ→ [消しゴム] をクリックします。
2 消去したいインクをドラッグします。
ファイル ホーム 挿入 描画 デザイン レイアウト 参考資料 差し込み文書 校閲 表示 ヘルプ
参加費:5,000 円~
●ドルフィンスイムツアー

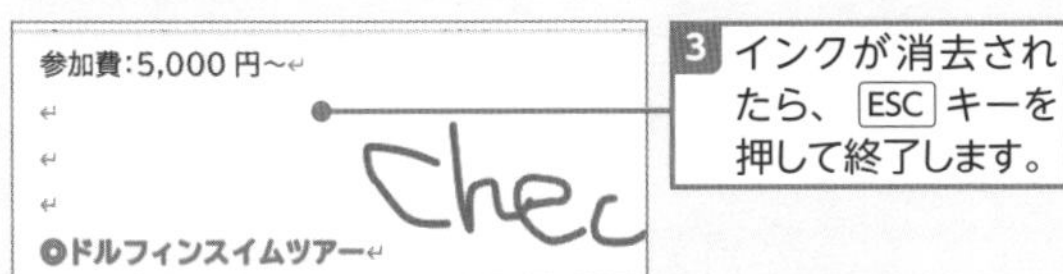

参加費:5,000 円~
●ドルフィンスイムツアー
3 インクが消去されたら、ESC キーを押して終了します。

おトクな情報 確定後の文字を削除する

描画モード終了後は、図形オブジェクトとして扱われます。クリックで選択し、Delete キーで削除できます。

Q384 手書きの文字を部分的に削除したい

お役立ち度 ★★★ インク 2021 2019 2016

A [消しゴム (ポイント)] を選択します。

消しゴムの初期設定は [消しゴム] で、ドラッグまたはクリックすると1つのインク描画オブジェクト単位で削除されます。[消しゴム (ポイント)] を選択すると、インク描画オブジェクト内のドラッグした箇所だけ部分的に削除することができます。

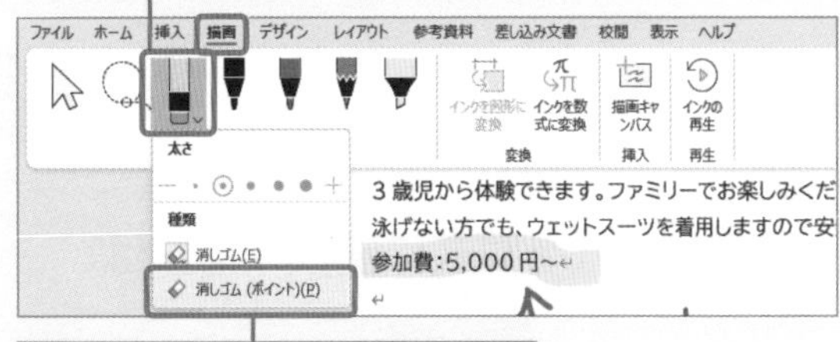

1 [描画] タブ→ [消しゴム] を2回クリックしてメニューを表示します。
ファイル ホーム 挿入 描画 デザイン レイアウト 参考資料 差し込み文書 校閲 表示 ヘルプ
太さ
種類
消しゴム(E)
消しゴム (ポイント)(P)
3 歳児から体験できます。ファミリーでお楽しみくだ
泳げない方でも、ウェットスーツを着用しますので安
参加費:5,000 円~

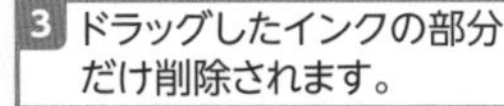

2 [消しゴム (ポイント)] を選択します。

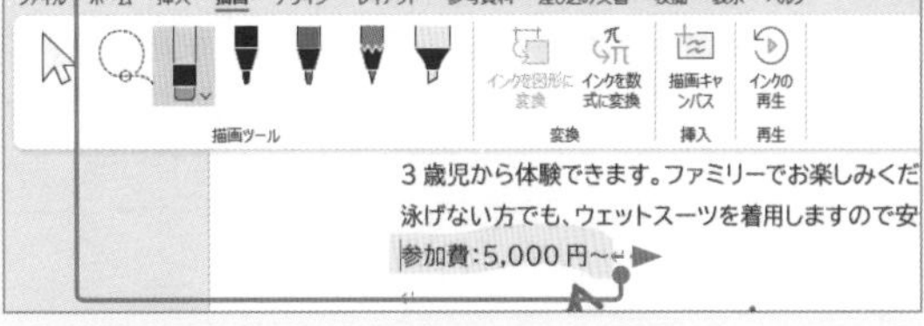

3 ドラッグしたインクの部分だけ削除されます。
4 ESC キーを押して終了します。
ファイル ホーム 挿入 描画 デザイン レイアウト 参考資料 差し込み文書 校閲 表示 ヘルプ
描画ツール
3 歳児から体験できます。ファミリーでお楽しみくだ
泳げない方でも、ウェットスーツを着用しますので安
参加費:5,000 円~

Q385 お役立ち度 ★★★ インク

2021 2019 2016

描画した複数のインクをまとめて選択するには

A [なげなわ] を使うと便利です。

描画したインクは、他の図形と同様にクリックで選択できます。[なげなわ] を使用すると複数のインクをまとめて選択できます。例えば、複数のインクをまとめて削除するとか、色や太さなどの書式をまとめて設定したいときなどに便利です。なお、図形に変換されたインクは選択されません。

1 [描画] タブ→ [なげなわ] をクリックします。

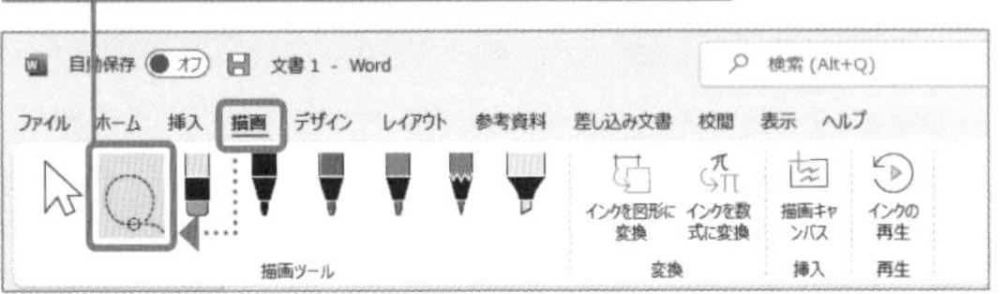

2 選択したいインクを囲むようにドラッグします。

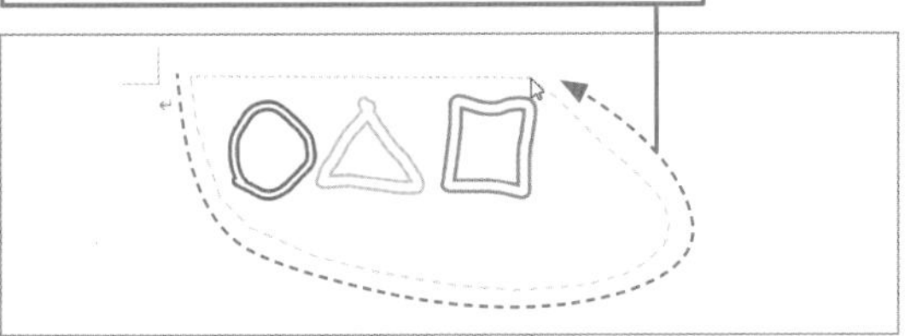

3 複数のインクが選択されます。

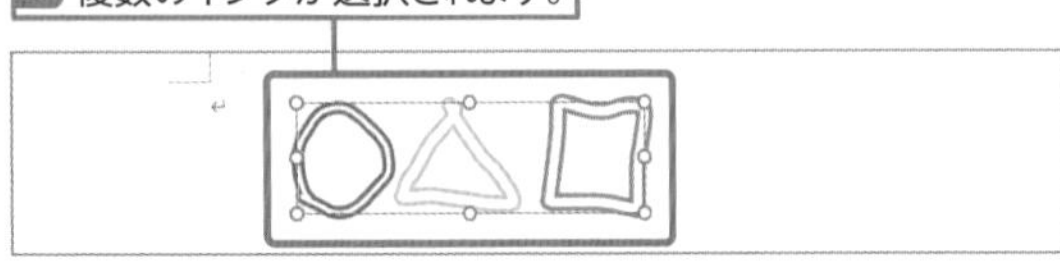

Q386 お役立ち度 ★★★ インク

2021 2019 2016

手書きで描いたものを図形に変換できるの?

A [描画] タブ→ [インクを図形に変換] をオンにします。

種類が [鉛筆] または [ペン] のとき [インクを図形に変換] をオンにすると、手書きで描画した四角形や円などが図形に変換されます。変換後は、移動、回転、サイズ変更、塗りつぶしや枠線の色など、通常の図形と同様に編集できます。

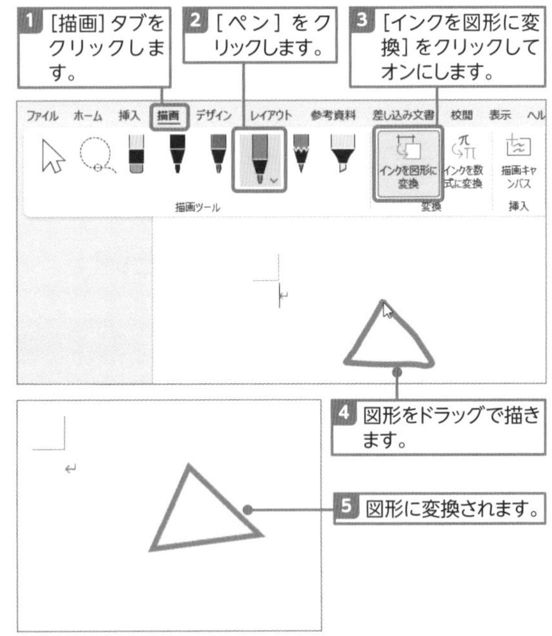

1 [描画] タブをクリックします。

2 [ペン] をクリックします。

3 [インクを図形に変換] をクリックしてオンにします。

4 図形をドラッグで描きます。

5 図形に変換されます。

Q387 お役立ち度 ★★★ インク

2021 2019 2016

手書きの式を数式に変換するには

A [描画] タブ→ [インクを数式に変換] をオンにします。

Word 2021/2019とMicrosoft 365では、[インクを数式に変換] をオンにすると、[数式入力コントロール] ダイアログが表示され、手書き文字を数式に変換できます。また、[数式入力コントロール] ダイアログは、[挿入] タブ→ [数式] → [インク数式] をクリックしても表示できます (2016でも可能)。詳細は、Q133を参照してください。

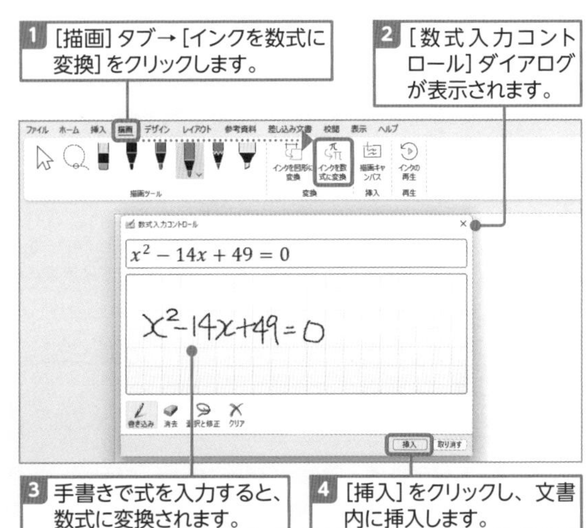

1 [描画] タブ→ [インクを数式に変換] をクリックします。

2 [数式入力コントロール] ダイアログが表示されます。

3 手書きで式を入力すると、数式に変換されます。

4 [挿入] をクリックし、文書内に挿入します。

第5章

長文作成と文章校正の基本操作と便利ワザ

論文などの長文を作成する場合は、ページ数が多いほど内容の確認と編集作業に手間がかかります。Wordでは、見出しスタイルを設定するだけで、文章全体の構成の確認や順番の入れ替え、目次作成などの編集作業が非常に簡単になります。誤字・脱字、文法の誤りや表記の揺れの修正機能や変更履歴の記録の機能があり、文章を校正する上で非常に便利な機能が用意されています。ここでは、これらの機能の使い方やコツを紹介します。

Q388 お役立ち度 ★★★ 見出しの設定 2021 2019 2016

見出しを設定して文書を構成するには

A [スタイル]グループで[見出し1][見出し2]…を選択します。

論文やレポートなど大見出し、中見出し、小見出しなどのタイトルを付けた長文を作成する場合、タイトル部分に見出しスタイルを設定しておくと、構成の確認や入れ替え、目次の作成など、文書の整理に便利な機能が使えるようになります。なお、見出しスタイルを設定すると、行頭に「・」が表示されますが、これは編集記号で印刷されません。

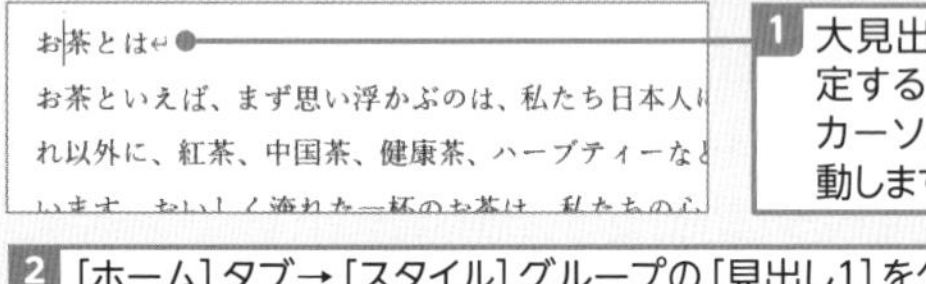

1 大見出しを設定する段落にカーソルを移動します。

2 [ホーム]タブ→[スタイル]グループの[見出し1]をクリックします。

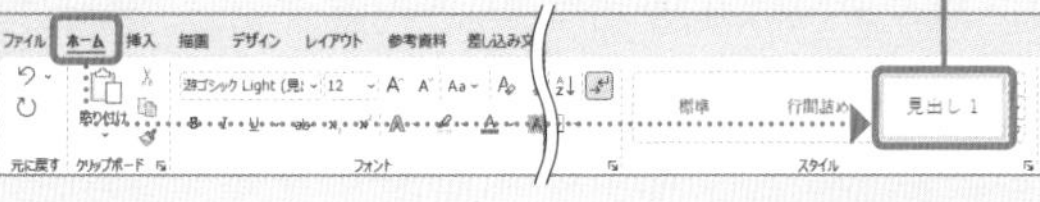

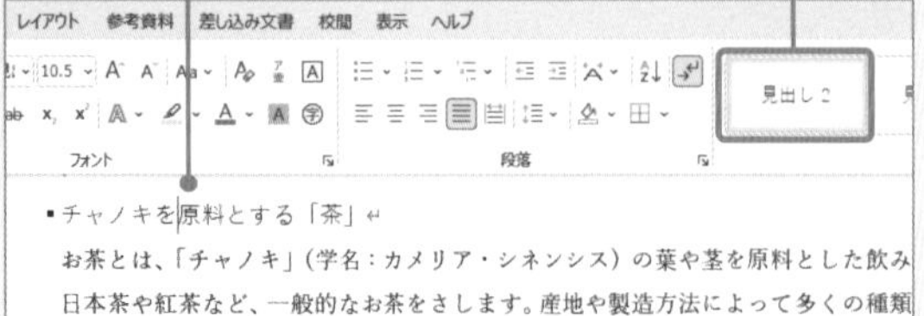

3 段落に見出し1が設定されます。

4 同様にして、中見出しを設定したい段落に見出し2を設定します。

Q389 お役立ち度 ★★★ 見出しの設定 2021 2019 2016

文書内の指定した見出しに移動するには

A ナビゲーションウィンドウで見出しをクリックするだけです。

ナビゲーションウィンドウには、見出しスタイルが設定されている段落が階層構造で一覧表示されます。移動したい見出しをクリックするだけで目的の位置に素早く移動できます。

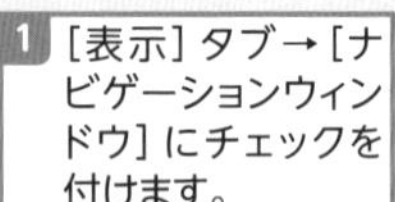

1 [表示]タブ→[ナビゲーションウィンドウ]にチェックを付けます。

2 ナビゲーションウィンドウが表示され、[見出し]タブで見出しスタイルが設定されている段落が階層表示されます。

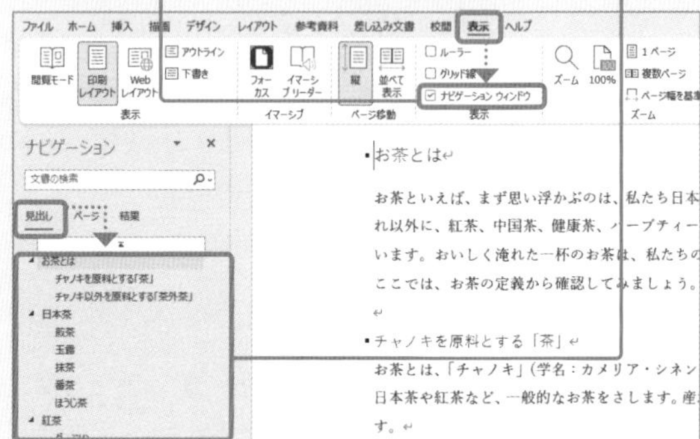

3 見出しをクリックします。

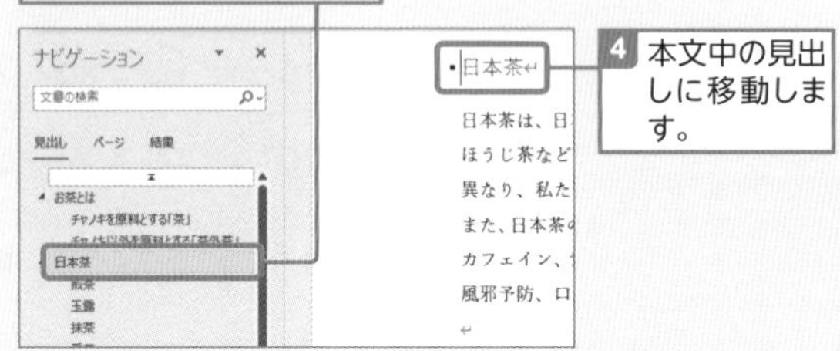

4 本文中の見出しに移動します。

Q390 お役立ち度 ★★★ 見出しの設定 2021 2019 2016

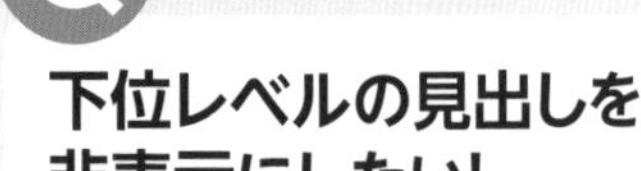

下位レベルの見出しを非表示にしたい!

A 見出しの行頭にあるマークをクリックします。

ナビゲーションウィンドウに表示されている見出しの左側にあるマーク◢をクリックすると下位レベルの見出しが非表示になり、▷に代わります。▷をクリックすると再表示できます。

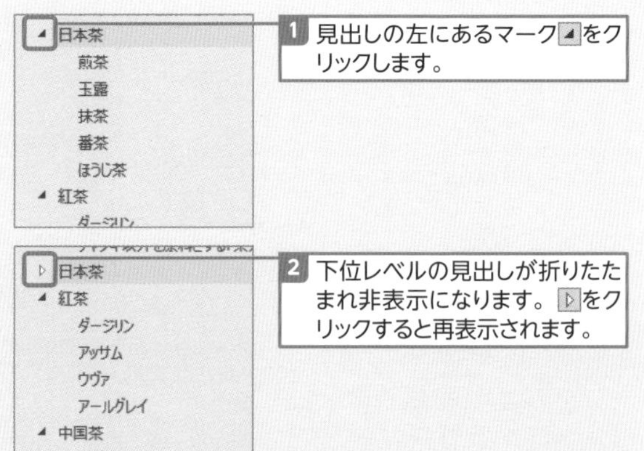

1 見出しの左にあるマーク◢をクリックします。

2 下位レベルの見出しが折りたたまれ非表示になります。▷をクリックすると再表示されます。

Q391 お役立ち度 ★★★ 見出しの設定 2021 2019 2016

見出しを入れ替えたい!

A ナビゲーションウィンドウで見出しをドラッグします。

ナビゲーションウィンドウに表示されている見出しをドラッグすると、下位レベルの見出しや本文も一緒に入れ替わります。

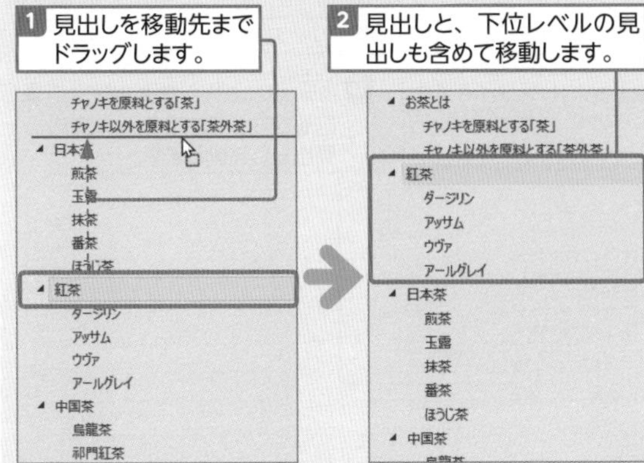

Q392 お役立ち度 ★★★ 見出しの設定 2021 2019 2016

見出しスタイルを解除するには

A 標準スタイルを選択します。

見出しスタイルを解除するには、[スタイル] グループで [標準] を選択します。標準スタイルは、初期設定のスタイルで、通常入力する文字には標準スタイルが設定されています。

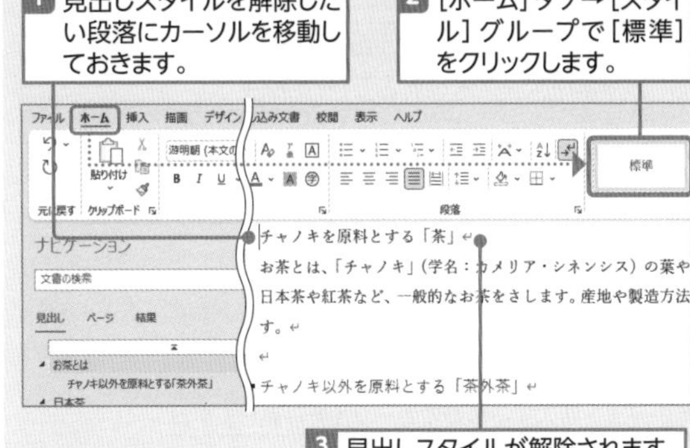

Q393 お役立ち度 ★★★ 表紙と目次 2021 2019 2016

表紙を付けるには

A [挿入] タブ→ [表紙] をクリックします。

[表紙] を利用すると、デザインされた表紙を1ページ目に挿入できます。表紙には、「コンテンツコントロール」という日付やタイトルなどの入力欄が用意されており、選択したり、入力したりするだけで表紙が作成できます。使わないコンテンツコントロールは、クリックして選択し、Delete キーで削除できます。

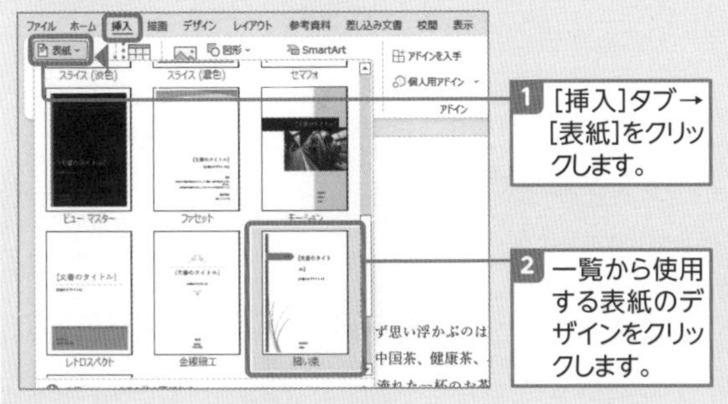

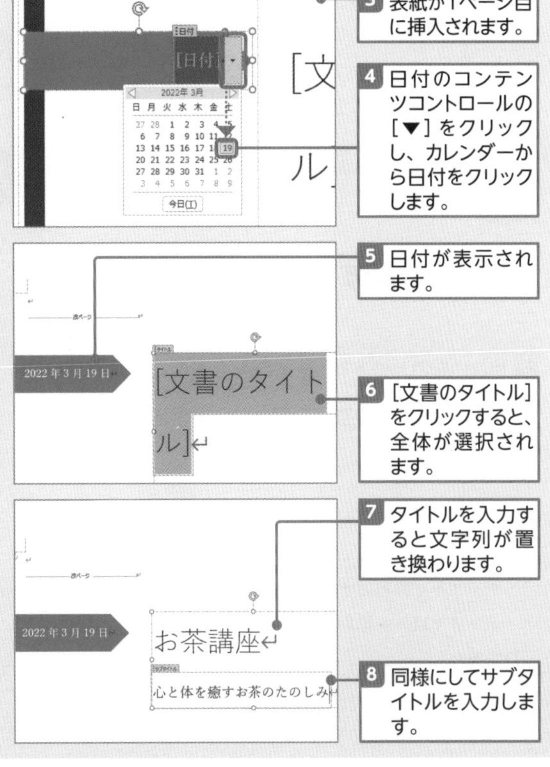

Q394 お役立ち度 ★★★ 表紙と目次 2021 2019 2016

目次を作るには

A [参考資料] タブ→ [目次] をクリックします。

見出しスタイルが設定されていると、それを利用して目次を自動作成できます。作成された目次の領域は「目次フィールド」といいます。Ctrl キーを押しながら目次の項目をクリックすると、本文中の見出しに移動できます。

1 本文の始まりとなる1行目にカーソルを移動し、Ctrl + Enter キーを押して改ページします。

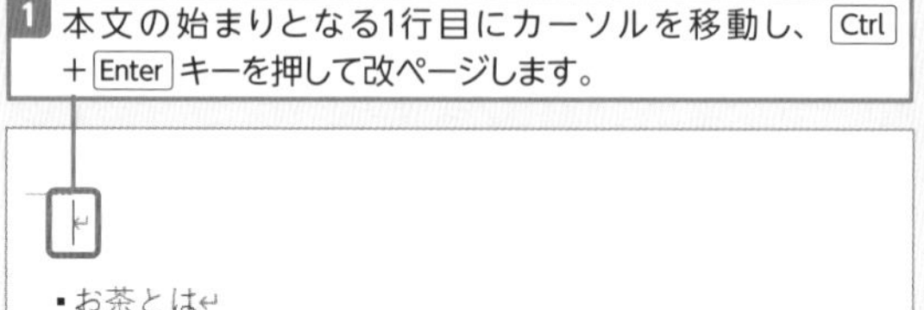

お茶とは
お茶といえば、まず思い浮かぶのは、私たち日本人に一番なじみのあ
れ以外に、紅茶、中国茶、健康茶、ハーブティーなど、さまざまな種

2 目次を挿入する位置にカーソルを移動します。

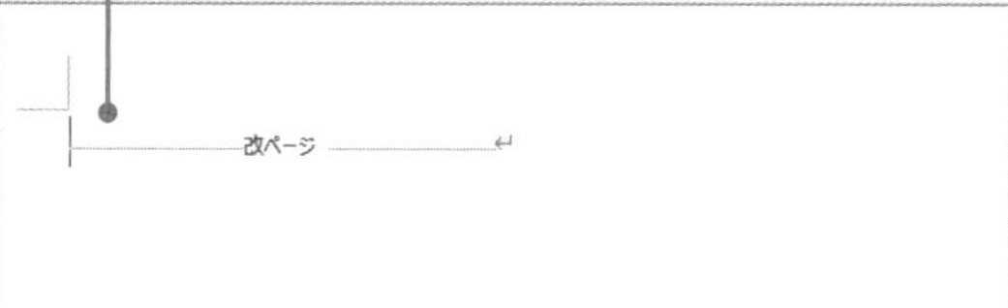

3 [参考資料] タブ→ [目次] をクリックします。

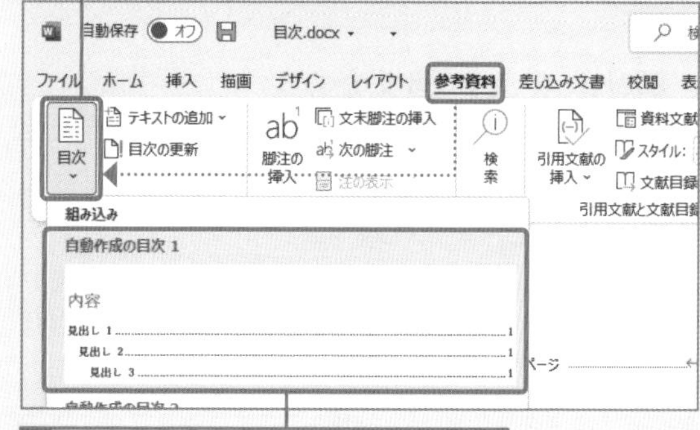

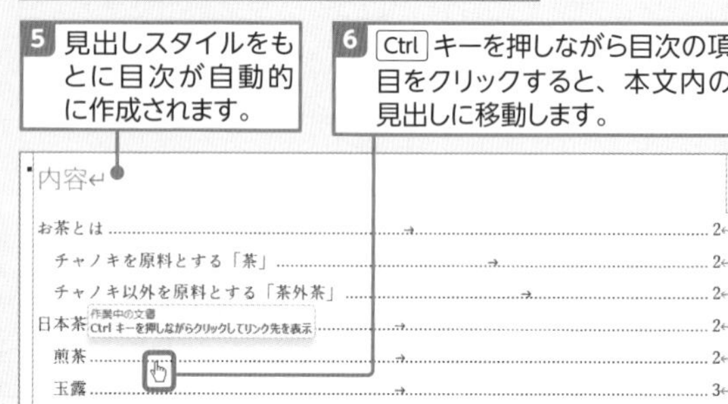

4 一覧から目次のスタイルをクリックします。

5 見出しスタイルをもとに目次が自動的に作成されます。

6 Ctrl キーを押しながら目次の項目をクリックすると、本文内の見出しに移動します。

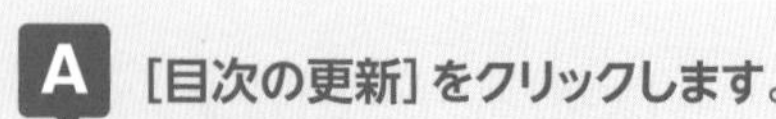

おトクな情報 目次を削除する

[参考資料] タブ→ [目次] をクリックし、メニューから [目次の削除] をクリックします。

Q395 お役立ち度 ★★★ 表紙と目次 2021 2019 2016

目次を更新するには

A [目次の更新] をクリックします。

本文に変更が生じてページの増減があったり、見出しの内容に変更があったりした場合、[目次の更新] ダイアログを利用して目次の更新ができます。ページ番号だけを更新するか、目次すべてを更新するかのどちらかを選択できます。

1 目次内をクリックすると左上に表示される [目次の更新] をクリックします。

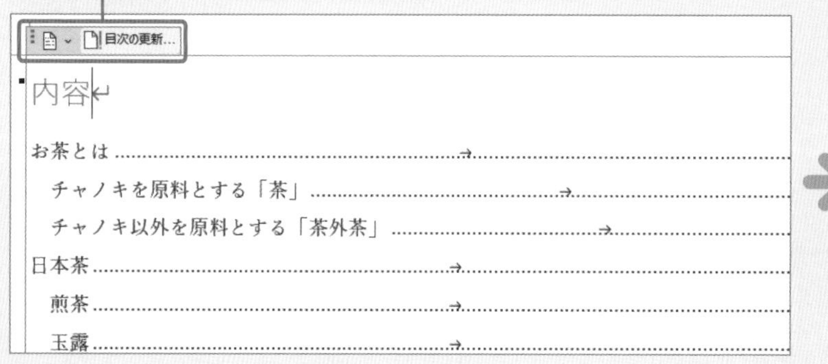

2 [目次の更新] ダイアログが表示されます。

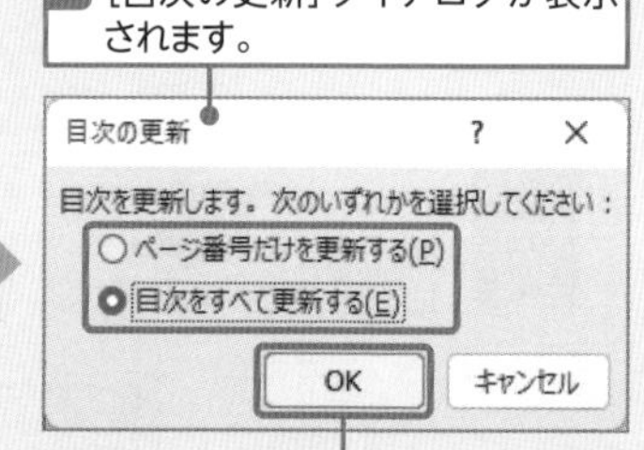

3 更新の方法を選択して [OK] をクリックします。

Q396 お役立ち度 ★★★ 文章校正 2021 2019 2016

スペルチェックや文章校正を1つずつ修正したい!

A 赤線や青線を右クリックして修正します。

Wordでは、初期設定で文書内に入力された文字列に誤字、脱字、い抜き言葉、ら抜き言葉などを校正する機能が用意されています。英単語の入力ミスや句読点の連続入力など用法が間違っていると赤の波線、文法が間違っていると青の二重下線が表示されます。これらを右クリックして表示される修正候補の一覧から選択し、1つずつ修正できます。「無視」や「すべて無視」を選択すると下線のみ消去され、修正されません。なお、直接入力し直してエラーがなくなれば下線は消えます。

スペルミスを修正する

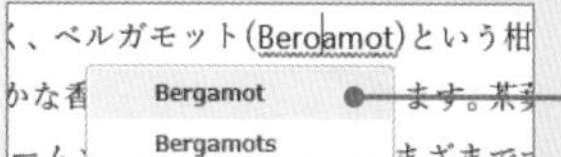

1 赤の波線を右クリックし、メニューから修正候補をクリックします。

文法エラーを修正する

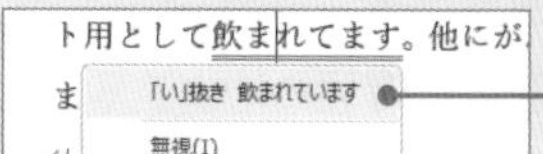

1 青い二重下線を右クリックし、メニューから修正候補をクリックします。

おトクな情報 「い」抜きや「ら」抜き言葉がチェックされない場合

Q027の方法で[Wordのオプション]ダイアログを開き、[文章校正]の[文書のスタイル]で「通常の文」を選択します。

Q397 お役立ち度 ★★★ 文章校正 2021 2019 2016

表記ゆれだけをチェックするには

A [校閲]タブ→[表記ゆれチェック]をクリックします。

文書内で「ティー」と「ティ」のように表記が統一されていない場合は、青の二重下線が表示されます。Q396の方法で1つずつ修正できますが、[表記ゆれチェック]を使用すると一気に修正できます。

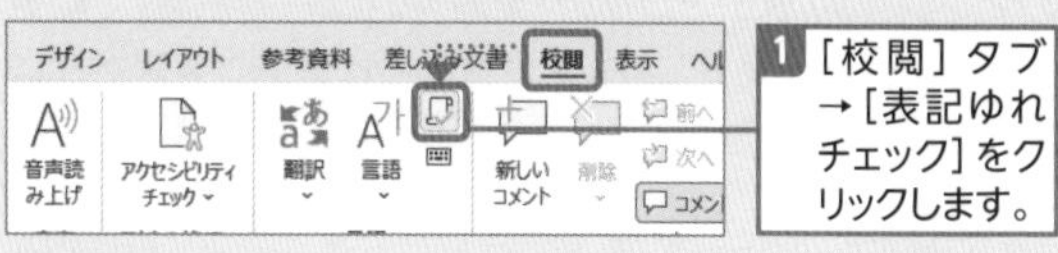

1 [校閲]タブ→[表記ゆれチェック]をクリックします。

2 [表記ゆれチェック]ダイアログが表示され、[対象となる表記の一覧]に表記のゆれを含む文章が一覧で表示されます。

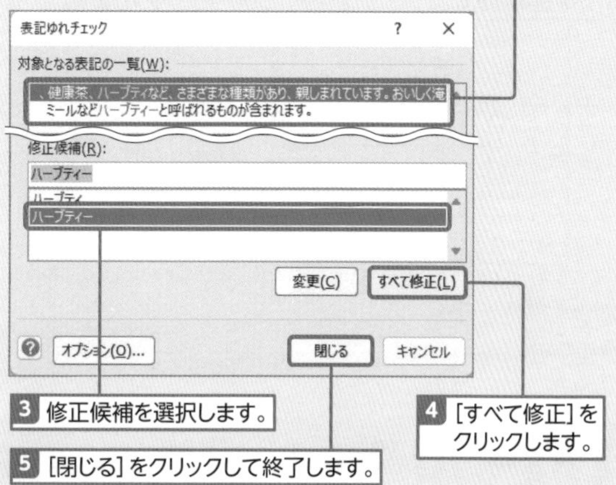

3 修正候補を選択します。

4 [すべて修正]をクリックします。

5 [閉じる]をクリックして終了します。

Q398 お役立ち度 ★★★ 文章校正 2021 2019 2016

誤字脱字や表記の揺れをまとめてチェックしたい!

A [校閲]タブ→[スペルチェックと文章校正]をクリックします。

[スペルチェックと文章校正]をクリックすると、[文章校正]作業ウィンドウが表示され、スペルチェック、文章校正、表記ゆれが順番に実行され、一気にチェック、修正できます。

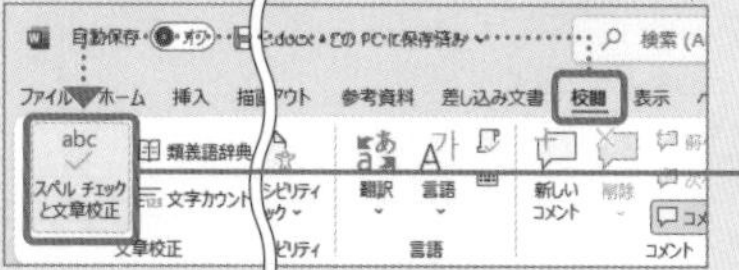

1 [校閲]タブ→[スペルチェックと文章校正]をクリックします。

2 [文章校正]作業ウィンドウが表示され、修正候補が表示されます。

3 修正候補をクリックします。

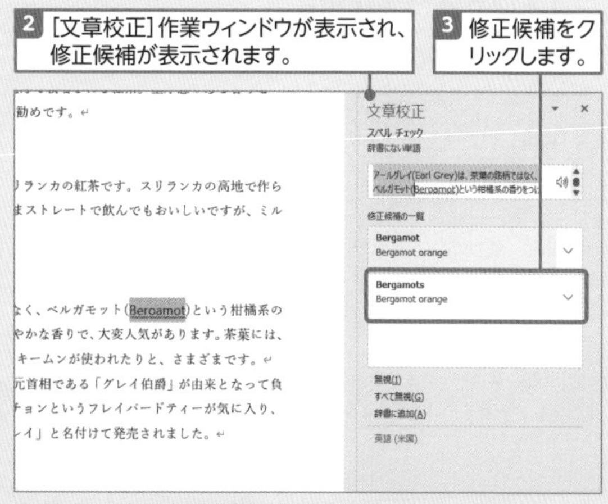

4 次の修正候補が表示されたら、同様に修正候補をクリックするか、文書を直接修正します。

Q399 お役立ち度 ★★★ コメントと変更履歴 2021 2019 2016

文書にコメントを追加したい!

A [校閲] タブ→ [新しいコメント] をクリックします。

[コメント] を使うと、文書内の任意の場所にメモ書きや、他の人へのメッセージを残すことができるので、文書を共有し、複数人で校正する場合に便利です。コメントを挿入すると、ユーザー名が表示されます。ユーザー名は、[Wordのオプション] ダイアログの [全般] の [ユーザー名] で変更できます。コメントに対して返信するには、コメント欄に表示される [返信] をクリックして書き込みます。

コメントを送信する

1 コメントを挿入する箇所を選択します。

2 [校閲] タブ→ [新しいコメント] をクリックします。

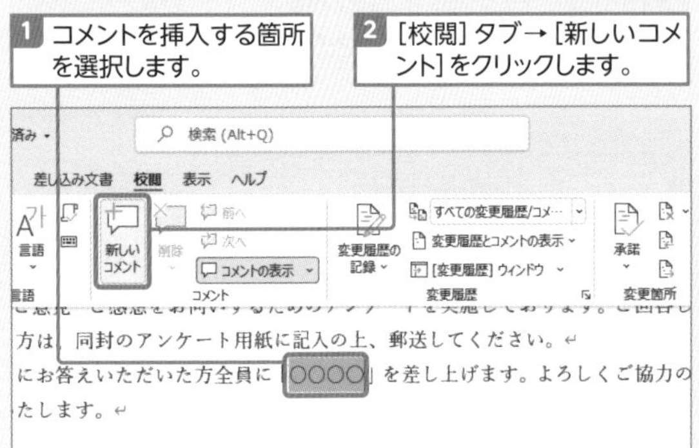

3 右側にコメントウィンドウが表示されたら、コメントを入力します。

4 [コメントを投稿する] (▶) をクリックして投稿します。

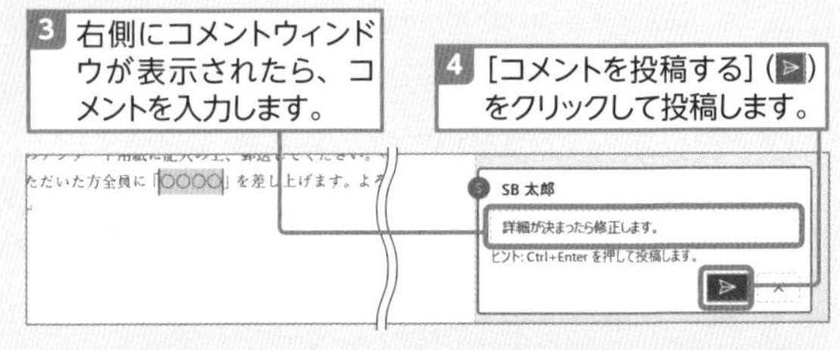

コメントに返信する

1 返信ボックスに返信用のコメントを入力します。

2 [返信を投稿する] (▶) をクリックします。

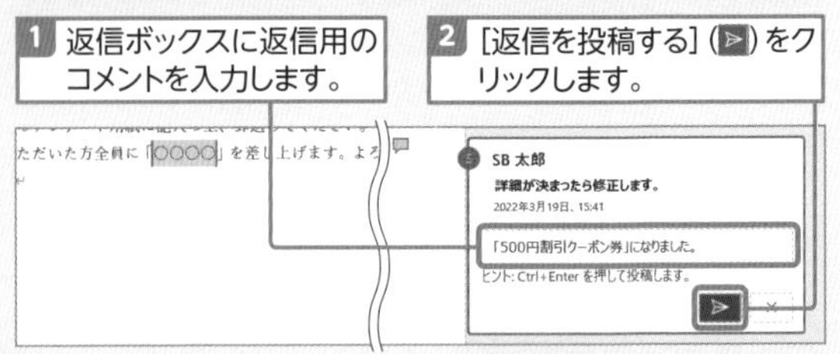

3 返信が投稿されます。

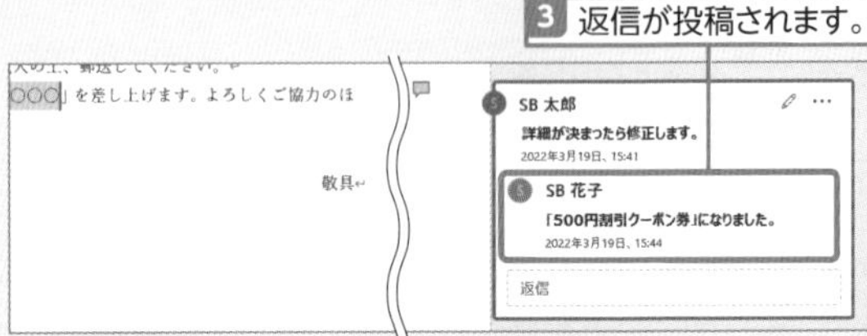

おトクな情報　コメントを削除する

削除したいコメントをクリックし、[校閲] タブ→ [コメントの削除] をクリックします。

Q400 お役立ち度 ★★★ コメントと変更履歴 2021 2019 2016

コメントを一時的に非表示にしたい!

A [校閲] タブ→ [コメントの表示] をオフにします。

[コメントの表示] をオフにすると、コメントが非表示になり、コメント位置に吹き出しの記号が表示されます。吹き出しをクリックすると、コメントが表示され、編集できます。なお、Word 2019/2016では、[コメントの表示] は [変更内容の表示] が [シンプルな変更履歴 / コメント] が選択されている場合に有効です。

1 [校閲] タブ→ [コメントの表示] をクリックしてオフにします。

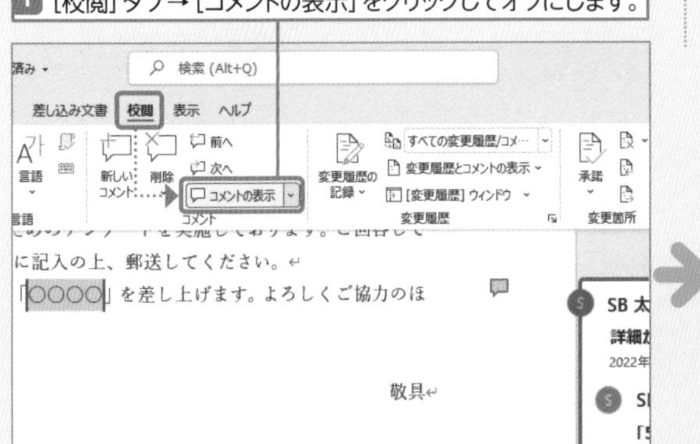

2 コメントが非表示になり、吹き出しのみ表示されます。

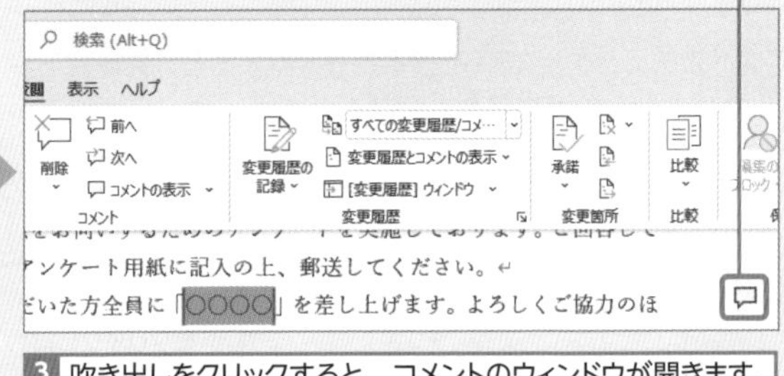

3 吹き出しをクリックすると、コメントのウィンドウが開きます。

Q401 お役立ち度 ★★★ コメントと変更履歴 2021 2019 2016

変更履歴を記録するには

A [校閲] タブ→ [変更履歴の記録] をオンにします。

「変更履歴」を使うと、文書の変更内容を記録できます。変更履歴には、変更内容、変更日時、ユーザー名が残ります。文書を共有し、複数人で校正をする場合、だれがどのような修正を行ったのか確認するのに便利です。

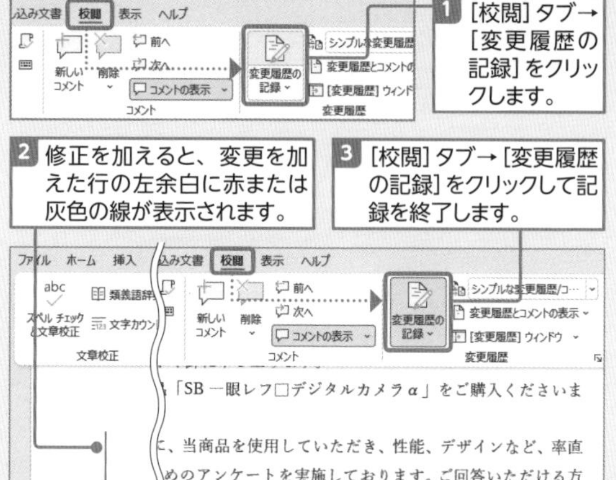

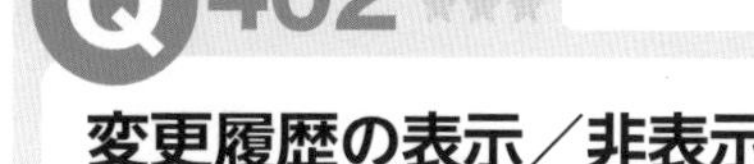

Q402 お役立ち度 ★★★ コメントと変更履歴 2021 2019 2016

変更履歴の表示／非表示を切り替えるには

A 左余白の線をクリックします。

変更履歴の記録中に文書に変更を加えると、左余白に赤または灰色の線が表示されます。[変更内容の表示] が [シンプルな変更履歴／コメント] の場合は赤色、[すべての変更履歴／コメント] の場合は灰色の線です。この線をクリックするたびに、[変更内容の表示] の項目と変更内容の表示／非表示が切り替わります。

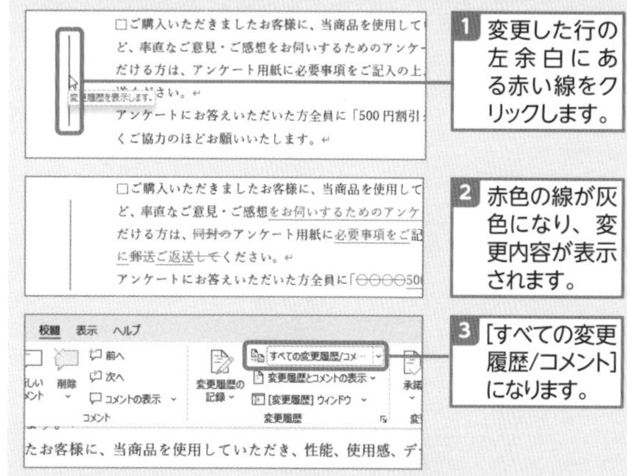

Q403 お役立ち度 ★★★ コメントと変更履歴 2021 2019 2016

変更履歴を文書に反映したい！

A [校閲] タブ→ [承諾して次へ進む] をクリックします。

変更履歴を1つずつ確認しながら、変更を承諾したり、取り消したりできます。

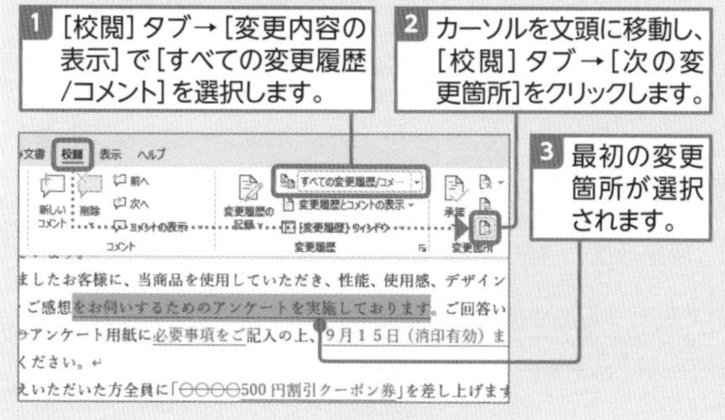

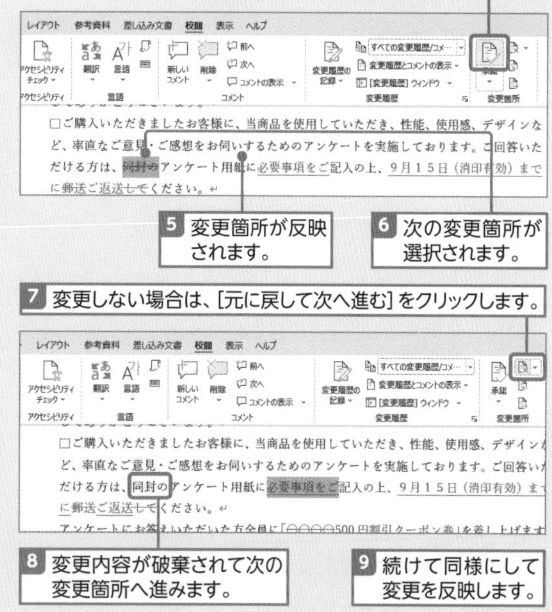

Q404 お役立ち度 ★★★ コメントと変更履歴

2021 2019 2016

変更履歴を一覧で表示したい!

A [変更履歴] ウィンドウを表示します。

[変更履歴] ウィンドウを表示すると、文書内のすべての変更内容が一覧で表示されます。一覧内の変更内容をクリックすると、文書内の変更箇所が表示されます。

1 [校閲] タブ→ [変更履歴] ウィンドウをクリックします。

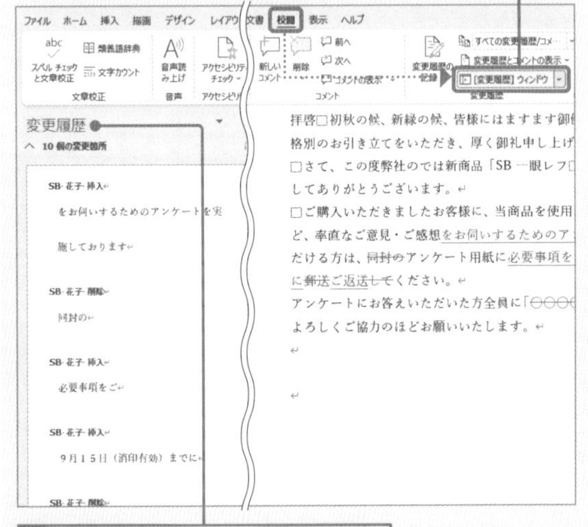

2 [変更履歴] ウィンドウが表示されます。

Q405 お役立ち度 ★★★ コメントと変更履歴

2021 2019 2016

特定の校閲者の変更履歴だけ表示したい!

A [校閲] タブ→ [変更履歴とコメントの表示] をクリックします。

[変更履歴とコメントの表示] メニューでは、文書内に表示する変更履歴の内容や校閲者を選択できます。特定の校閲者の変更履歴だけを表示するなど、表示内容を絞り込んで確認したいときに利用できます。

1 [校閲] タブ→ [変更履歴とコメントの表示] をクリックします。

文書内に表示する変更内容の表示／非表示を切り替えられます。

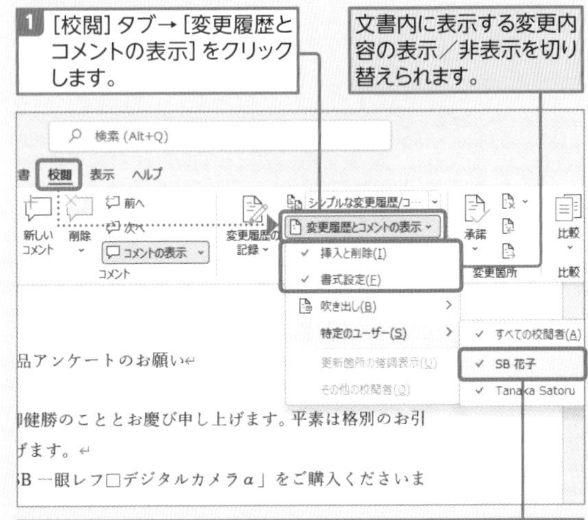

2 [特定のユーザー] をクリックし、非表示にする校閲者をクリックしてチェックを外します。

Q406 お役立ち度 ★★★ コメントと変更履歴

2021 2019 2016

変更履歴の設定を確認するには

A [変更履歴オプション] ダイアログを表示します。

変更履歴で表示する項目、色、校閲者など変更履歴の設定を確認、変更するには [変更履歴オプション] ダイアログを表示します。

1 [校閲] タブ→ [変更履歴] グループの◻をクリックします。

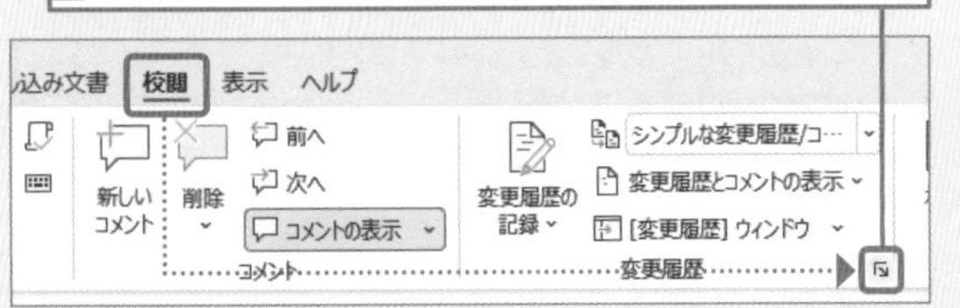

2 [変更履歴オプション] ダイアログが表示されます。

3 変更履歴に表示する内容の確認と変更ができます。

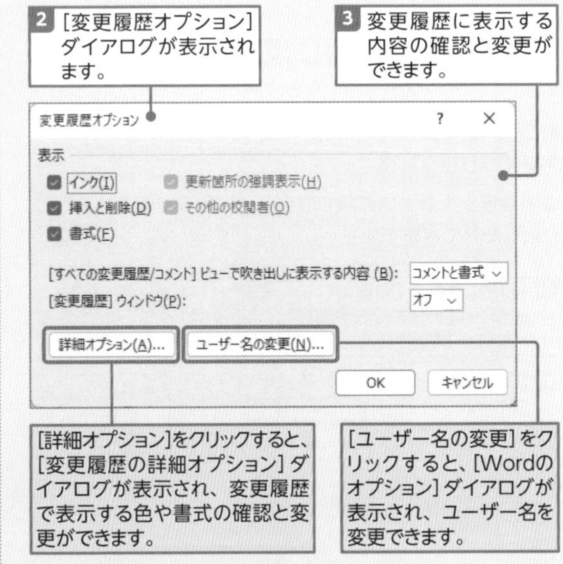

[詳細オプション] をクリックすると、[変更履歴の詳細オプション] ダイアログが表示され、変更履歴で表示する色や書式の確認と変更ができます。

[ユーザー名の変更] をクリックすると、[Wordのオプション] ダイアログが表示され、ユーザー名を変更できます。

Q407 お役立ち度 ★★★ 脚注と図表番号 2021 2019 2016

ページの下に注釈を追加するには

A [参考資料] タブ→ [脚注の挿入] をクリックします。

「脚注」とは、文書内の単語に注釈を加えたい場合、その単語の後ろに数字を付け、ページの下部に説明文を追加したものです。単語の後ろに振られる番号や記号を「脚注記号」、その説明文を「脚注内容」といいます。

1 注釈を付けたい単語の後ろにカーソルを移動します。

▪ウヴァ↵
インドに次いで世界２位の生産量を誇るスリランカの紅茶です。

2 [参考資料] タブ→ [脚注の挿入] をクリックします。

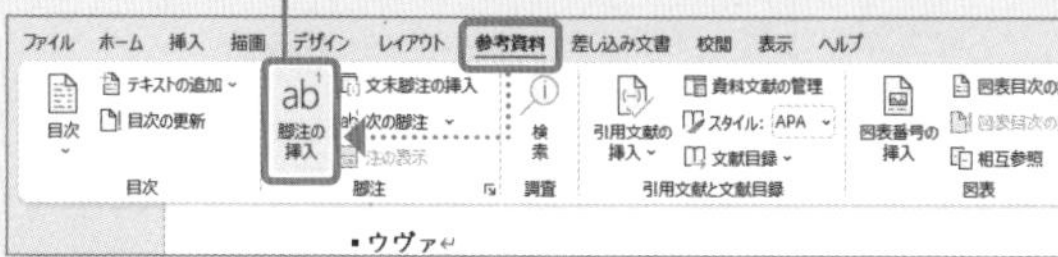

3 カーソル位置に脚注記号が挿入されます。

▪ウヴァ↵
インドに次いで世界２位の生産量を誇るスリランカ¹の紅茶です。スリ

¹ スリランカの古い呼び名を「セイロン」ということから、スリランカ製の紅茶は「セイロンティー」として親しまれています。

4 ページの下部の領域に脚注記号とカーソルが表示されるので、注釈を入力します。

Q408 お役立ち度 ★★★ 脚注と図表番号 2021 2019 2016

注釈を文末にまとめて表示したい!

A [参考資料] タブ→ [文末脚注の挿入] をクリックします。

「文末脚注」とは、文書内の単語に注釈を加えたい場合、その単語の後ろに数字を付け、文書またはセクションの末尾にまとめて説明文を追加したものです。脚注は注釈を付けたい単語があるページの末尾に表示されるのに対して、文末脚注は文書やセクションの最後にまとめて表示するという違いがあります。

1 注釈を付けたい単語の後ろにカーソルを移動します。

▪ウヴァ↵
インドに次いで世界２位の生産量を誇るスリランカの紅茶です。
れ、バラのような香りと渋みが特徴。そのままストレートで飲ん

2 [参考資料] タブ→ [文末脚注の挿入] をクリックします。

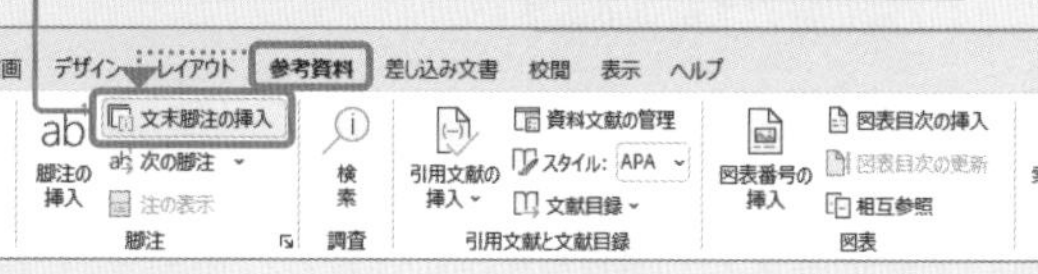

3 文書の末尾に脚注記号とカーソルが表示されたら、注釈を入力します。

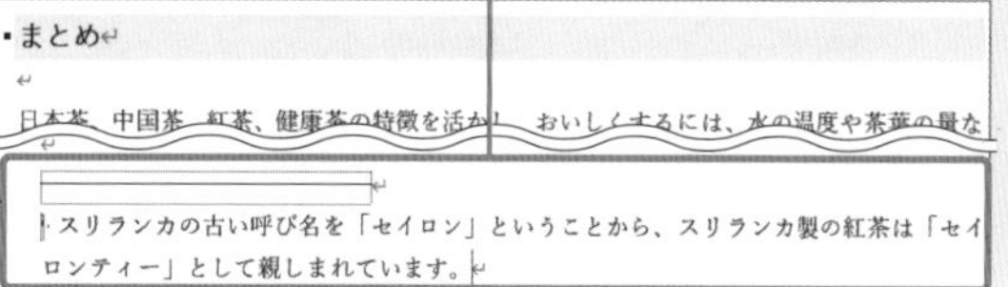

Q409 お役立ち度 ★★★ 脚注と図表番号 2021 2019 2016

脚注を文末脚注に変更できないの?

A [脚注の変更] ダイアログで変更できます。

脚注は、ページの末尾に表示されるので、ページごとに表示されることになります。作成済みの脚注を文末にまとめて文末脚注にしたい場合は、[脚注の変更] ダイアログで変更できます。ダイアログを開くときに、文書内に脚注、文末脚注が作成されているかどうかが自動で判別され、変更の選択肢は自動で設定されます。

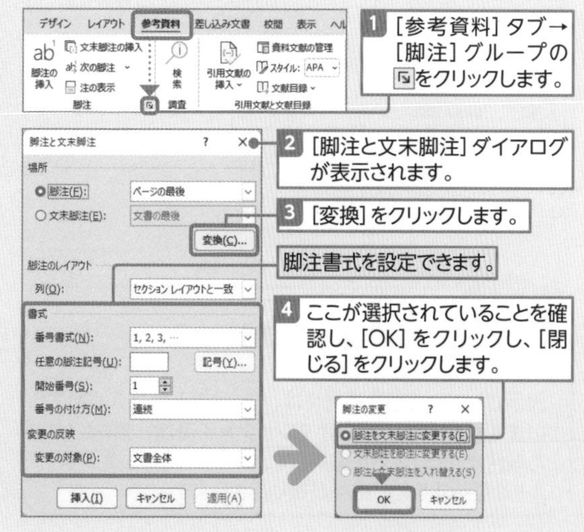

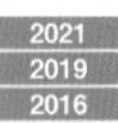

Q410 お役立ち度 ★★★ 脚注と図表番号 2021 2019 2016

図や表に自動で番号を振るには

A [参考資料] タブ→ [図表番号の挿入] を使います。

[図表番号] とは、文書内の表や画像などのオブジェクトに対して自動で番号を振る機能です。表やオブジェクトに図表番号を振っておくと、表やオブジェクトを追加、削除したり、順番を入れ替えたりしたときに、連番を自動で振り直せます。

1 図表番号を振りたい表内にカーソルを移動します。

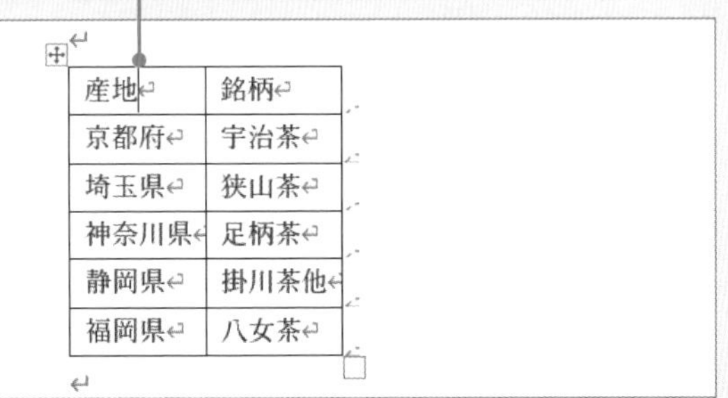

産地	銘柄
京都府	宇治茶
埼玉県	狭山茶
神奈川県	足柄茶
静岡県	掛川茶他
福岡県	八女茶

2 [参考資料] タブ→ [図表番号の挿入] をクリックします。

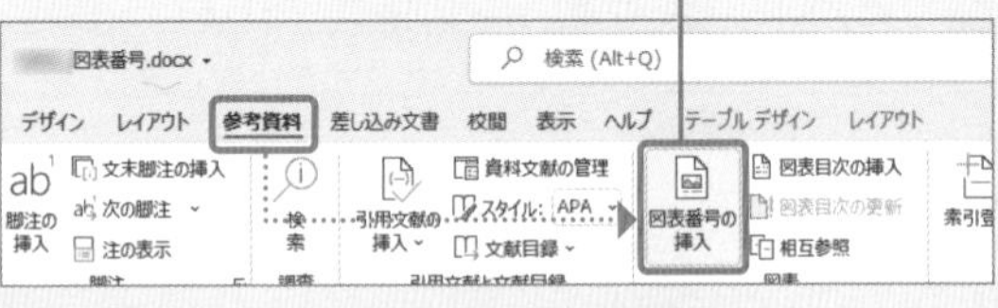

3 [図表番号] ダイアログが表示されます。

図表番号 ? ×
図表番号(C):
表 1
オプション
ラベル(L): 表
位置(P): 選択した項目の上
ラベルを図表番号から除外する(E)
ラベル名(N)... ラベル削除(D) 番号付け(U)...
自動設定(A)... OK キャンセル

4 ラベルと表示位置を選択します。

5 [図表番号] に表示されているラベルと番号に続けて表示したいタイトルを入力します。

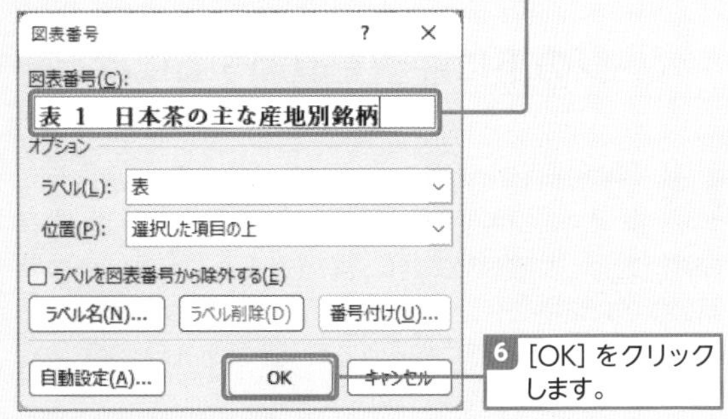

6 [OK] をクリックします。

7 指定した設定で図表番号が表示されます。

表 1 日本茶の主な産地別銘柄

産地	銘柄
京都府	宇治茶
埼玉県	狭山茶
神奈川県	足柄茶
静岡県	掛川茶他
福岡県	八女茶

8 同様にして別の表に図表番号を挿入すると、文書の上から順番に番号が振られます。

表 2 紅茶の主な産地別銘柄

国	銘柄
中国	キームン
インド	ダージリン等
スリランカ	ウヴァ等

表 3 中国茶の種類と主な銘柄

種類	銘柄
緑茶	龍井茶
白茶	白牡丹
黄茶	君山銀針
青茶	凍頂烏龍茶
紅茶	祁門紅茶
黒茶	普洱茶

おトクな情報 図表番号を更新する

表示されている図表番号には、フィールドが挿入されています (Q312)。表やオブジェクトが追加、削除された場合は、図表番号を選択して、F9 キーを押してフィールドを更新すると、番号が振り直されます。

第6章 Wordの印刷を完璧にマスターする

ここでは、Wordの印刷機能を紹介します。基本的な印刷手順に加え、困ったときに使える設定や、ヘッダー／フッター、はがき宛名印刷、差し込み印刷など、覚えておくと便利な印刷機能についてもまとめています。

Q411 お役立ち度 ★★★ 印刷

2021 2019 2016

印刷画面を素早く表示したい!

A クイックアクセスツールバーに[印刷プレビューと印刷]を追加します。

クイックアクセスツールバーに[印刷プレビューと印刷]を追加しておけば、1回クリックするだけで素早く印刷画面を表示できます。または、ショートカットキーでCtrl+Pキーを押しても印刷画面を表示できます。

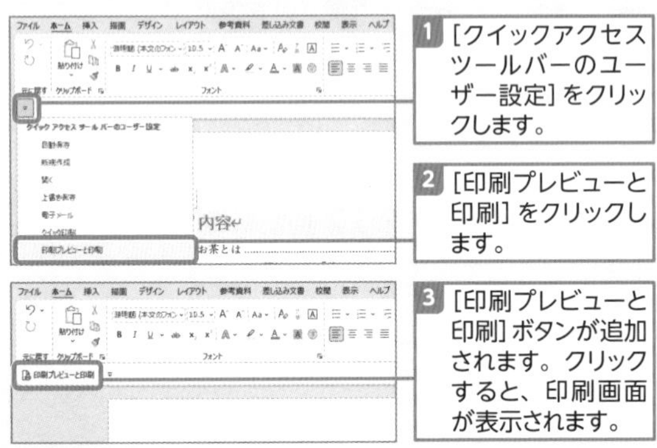

1 [クイックアクセスツールバーのユーザー設定]をクリックします。
2 [印刷プレビューと印刷]をクリックします。
3 [印刷プレビューと印刷]ボタンが追加されます。クリックすると、印刷画面が表示されます。

Q413 お役立ち度 ★★★ 印刷

2021 2019 2016

印刷プレビューで表示を拡大/縮小するには

A ズームスライダーで調節します。

印刷プレビューの右下にあるズームスライダーを左右にドラッグすると、印刷プレビューのサイズを拡大/縮小できます。左右にある[拡大]、[縮小]をクリックすると10%単位で表示が拡大/縮小されます。また、左端にあるパーセント数値(80%)をクリックすると[ズーム]ダイアログが表示され、倍率を数値で指定できます。

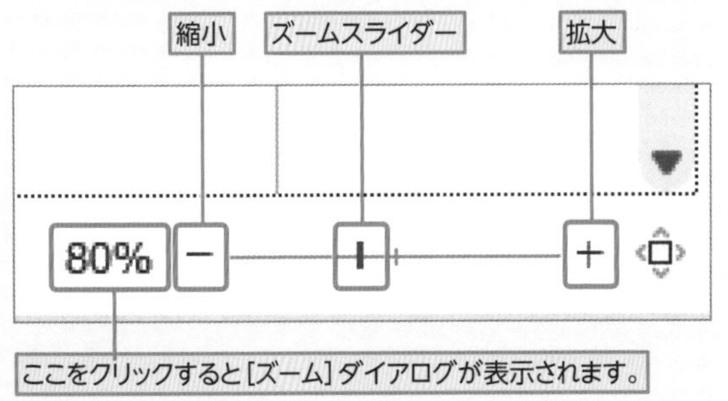

Q412 お役立ち度 ★★★ 印刷

2021 2019 2016

印刷を実行するには

A 印刷画面で[印刷]をクリックします。

印刷画面から印刷を実行する場合、[印刷]をクリックします。現在の設定で印刷が開始されます。

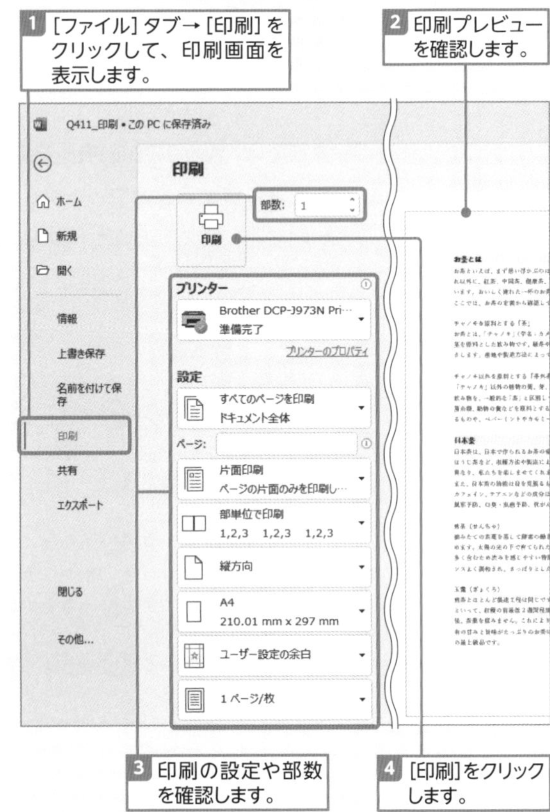

Q414 お役立ち度 ★★★ 印刷

2021 2019 2016

印刷画面から編集画面に素早く戻りたい!

A ESCキーを押します。

印刷画面から編集画面に戻るとき、通常は画面左上にある⊖をクリックします。ESCキーで戻れることを覚えておけば、わざわざマウスを持つ必要がありません。

Q415 お役立ち度 ★★★ 印刷 2021 2019 2016

印刷プレビューで複数ページを一度に見たい!

A [縮小]をクリックして表示を縮小します。

文書が複数ページある場合、[縮小]を数回クリックして倍率を小さくすると、印刷プレビューに複数ページ表示されます。全体の構成を一画面で確認したいときに便利です。

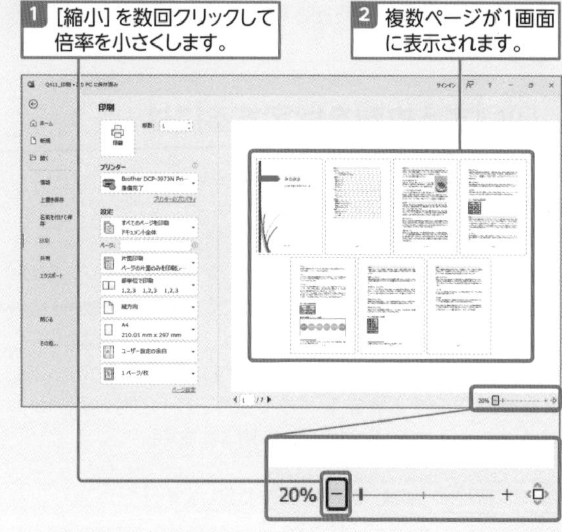
1 [縮小]を数回クリックして倍率を小さくします。
2 複数ページが1画面に表示されます。
20%

Q416 お役立ち度 ★★★ 印刷 2021 2019 2016

印刷プレビューの画面サイズを最初の状態に戻したい!

A [ページに合わせる]をクリックします。

印刷プレビューは最初の状態では1ページ全体が表示されています。表示を拡大/縮小した後で最初の状態に戻したいときは、ズームスライダーの右端にある[ページに合わせる]をクリックします。

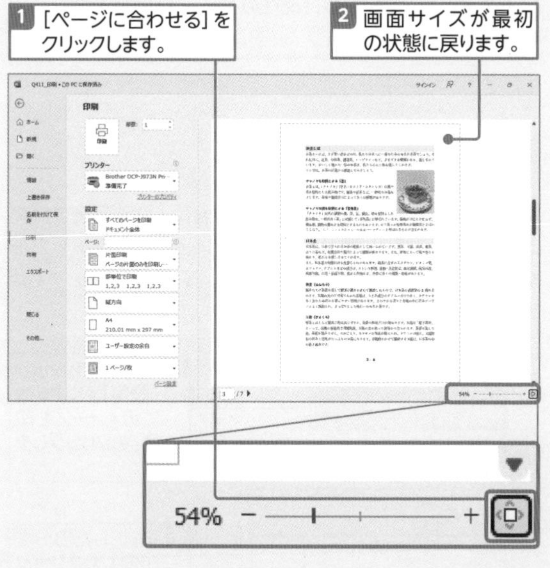
1 [ページに合わせる]をクリックします。
2 画面サイズが最初の状態に戻ります。
54%

Q417 お役立ち度 ★★★ 印刷 2021 2019 2016

印刷プレビューのページを移動するには

A [前のページ]、[次のページ]をクリックします。

印刷プレビューでページを移動して表示するには、画面左下にある[前のページ]、[次のページ]をクリックします。中央にある[現在のページ]に直接移動先のページ番号を入力して Enter キーを押すと指定したページを表示できます。

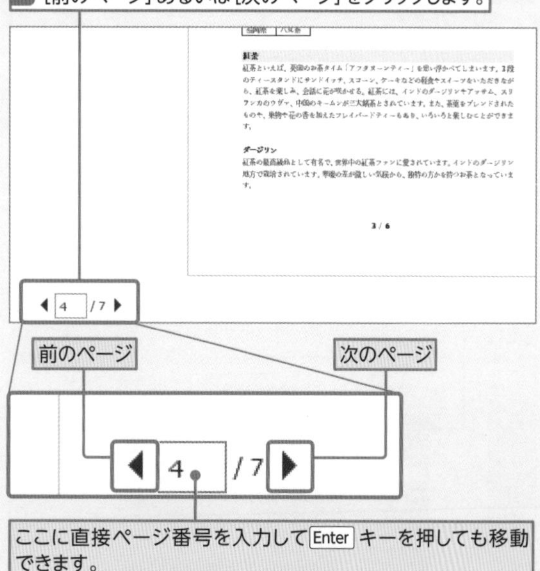
1 [前のページ]あるいは[次のページ]をクリックします。
前のページ
次のページ
4 / 7
ここに直接ページ番号を入力して Enter キーを押しても移動できます。

Q418 お役立ち度 ★★★ 印刷 2021 2019 2016

印刷する枚数を指定するには

A [部数]で枚数を指定し、印刷単位を選択します。

印刷する枚数は[部数]で指定します。文書が1ページのみの場合は、部数を指定し印刷を実行してください。複数ページの文書で、部数を2以上にする場合は、[設定]で印刷単位を「部単位」か「ページ単位」を選択します。例えば3ページの文書を2部印刷する場合、部単位では「1,2,3,1,2,3」の順、ページ単位では「1,1,2,2,3,3」の順で印刷されます。

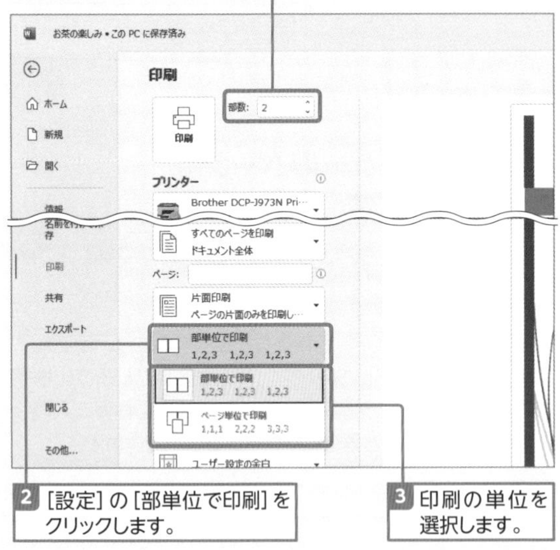

Q419 お役立ち度 ★★★ 印刷 2021 2019 2016

印刷ページを指定するには

A 「-」または「,」を使って印刷ページを指定します。

印刷するページを指定する場合は、[設定]の[ページ]欄で印刷ページを指定します。例えば、「2ページから5ページまで」のように連続したページの場合は、「2-5」とハイフンで区切って指定します。「1ページと3ページ」の場合は、「1,3」のようにカンマで区切って指定します。これらを組み合わせて「1-3,6」のように指定できます。また、「5ページから最後まで」の場合は、「5-」のように指定します。

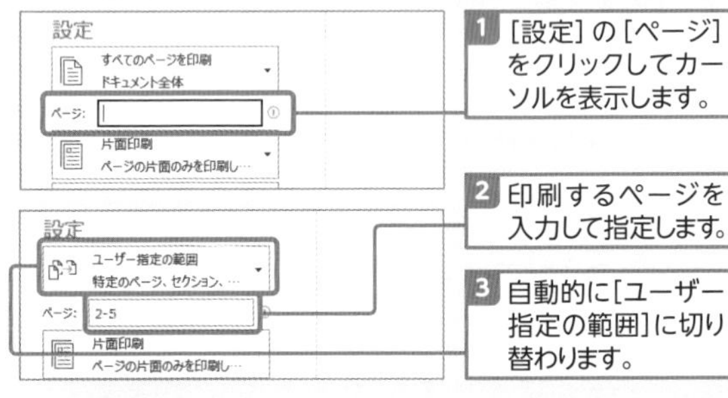

おトクな情報 現在のページのみ印刷する

印刷プレビューで表示しているページだけを印刷したい場合は、手順1で[すべてのページを印刷]をクリックしてメニューを表示し、[現在のページを印刷]を選択します。

Q420 お役立ち度 ★★★ 印刷 2021 2019 2016

部分的に印刷するには

A 印刷したい範囲を選択し、[選択した部分を印刷]を選択します。

文書内のある部分だけ印刷したい場合は、編集画面で印刷したい部分を範囲選択してから、印刷画面で[選択した部分を印刷]を選択します。この場合、印刷プレビューでは確認できません。

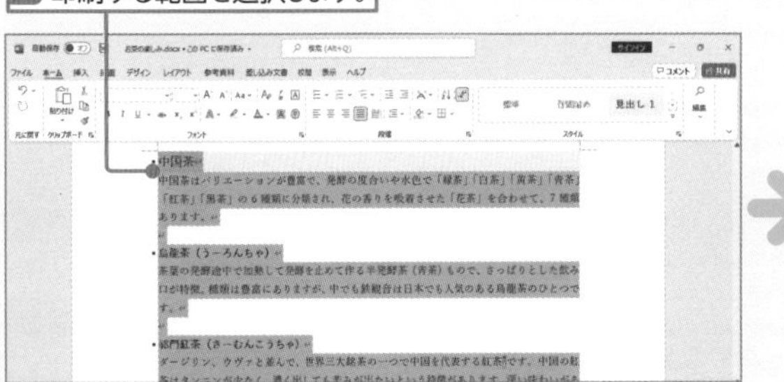

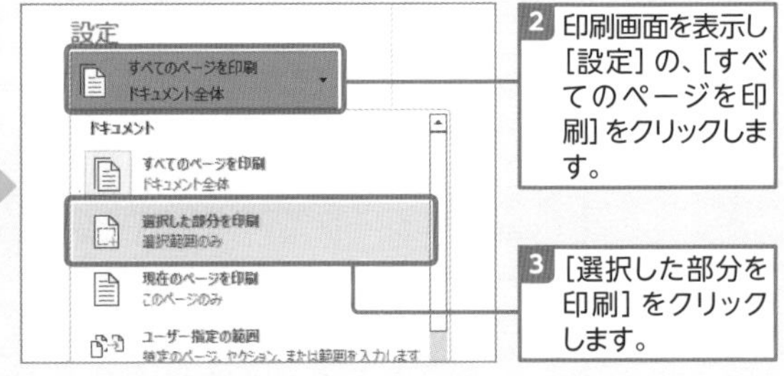

Q421 お役立ち度 ★★★ 印刷 2021 2019 2016

指定した文字列を印刷しないようにするには

A 対象範囲を隠し文字にします。

印刷したくない文字列を選択し、**Q206**の方法で隠し文字の書式を設定します。隠し文字の書式を設定すると点線の下線が表示されますが、これは隠し文字が設定されている編集記号で、印刷はされません。

1 印刷したくない文字列を選択し、**Q206**の方法で隠し文字の書式を設定します。

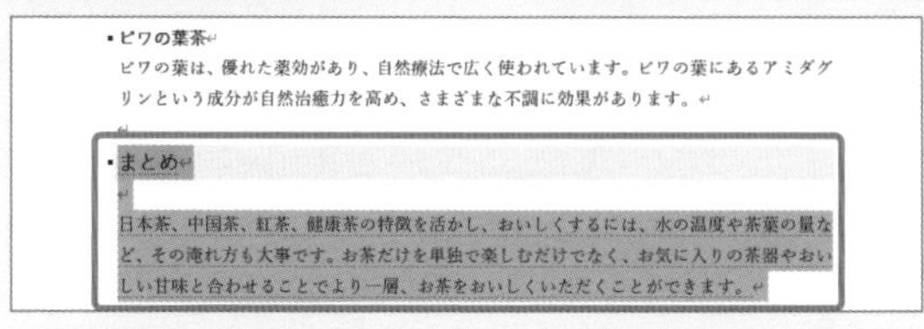

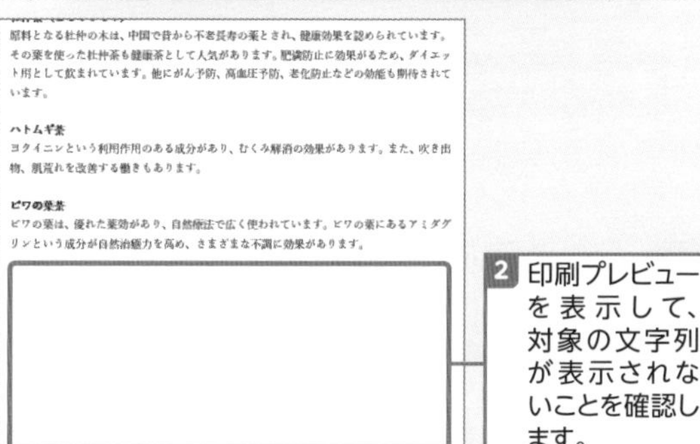

2 印刷プレビューを表示して、対象の文字列が表示されないことを確認します。

Q422 お役立ち度 ★★★ 印刷 2021 2019 2016

コメントや変更履歴が印刷されてしまう!

A [変更履歴/コメントの印刷]のチェックを外します。

コメントや変更履歴が表示されている文書を印刷すると、そのままコメントや変更履歴が印刷されます。印刷したくない場合は次の手順で[変更履歴/コメントの印刷]のチェックを外します。

1 印刷画面の[設定]で[すべてのページを印刷]をクリックします。

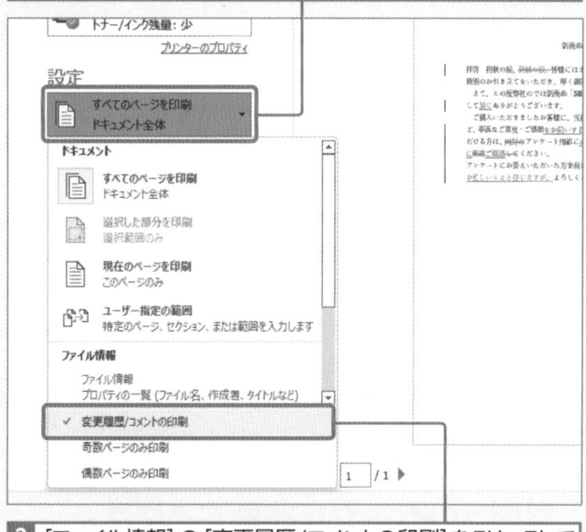

2 [ファイル情報]の[変更履歴/コメントの印刷]をクリックしてチェックを外します。

Q423 お役立ち度 ★★★ 印刷 2021 2019 2016

両面印刷するには

A [両面印刷]を選択します。

用紙の表と裏の両面に印刷したいときは、[両面印刷]を選択します。両面印刷には右表の3種類があります。使用するプリンターが両面印刷用の自動給紙ができるかどうかを確かめておきましょう。

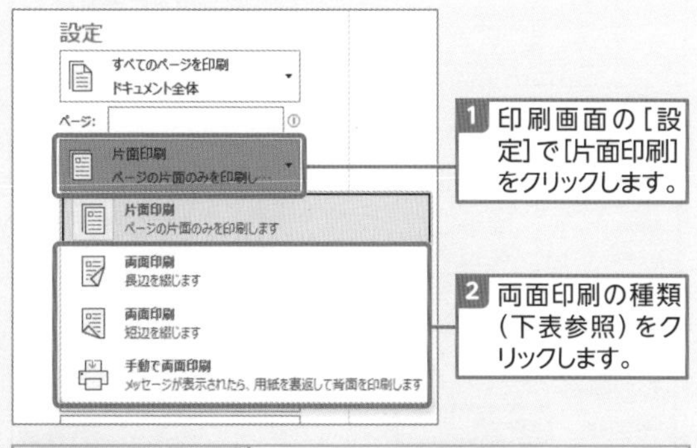

1 印刷画面の[設定]で[片面印刷]をクリックします。

2 両面印刷の種類(下表参照)をクリックします。

両面印刷(長辺を綴じます)	プリンターが両面印刷対応。長辺を綴じ代にする
両面印刷(短辺を綴じます)	プリンターが両面印刷対応。短辺を綴じ代にする
手動で両面印刷	プリンターが両面印刷非対応。片面を印刷したら、メッセージが表示され、手差しで用紙を裏返し、セットして印刷する

Q424 お役立ち度 ★★★ 印刷

2021 2019 2016

文書を用紙に合わせて拡大／縮小して印刷するには

A [用紙サイズの指定]で印刷する用紙サイズを選択します。

[用紙サイズの指定]を使うと、文書作成時のページ設定の用紙サイズとは異なるサイズの用紙に合わせて拡大･縮小して印刷できます。例えば、用紙サイズをA4にして作成した文書を、印刷時にB5サイズに縮小して印刷したいときに[用紙サイズの指定]で印刷する用紙をB5に指定します。

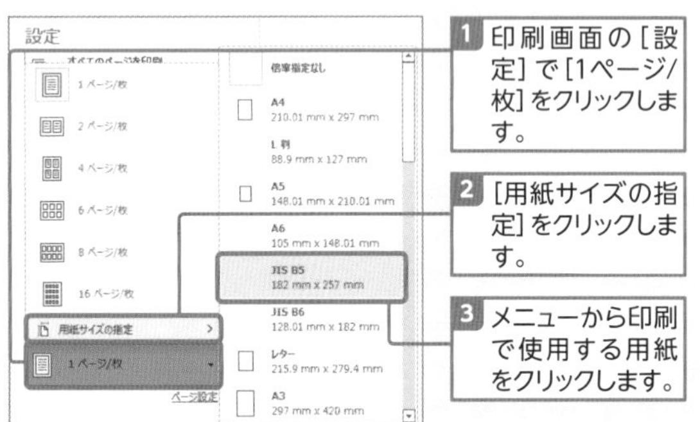

Q425 お役立ち度 ★★★ 印刷

2021 2019 2016

1枚の用紙に2ページ分印刷するには

A [2ページ／枚]を選択します。

1枚の用紙に2ページや4ページなど複数ページをまとめて印刷できます。1枚に収まるように各ページが縮小されて印刷されます。テスト印刷やチェック用など用紙を節約したいときに便利です。

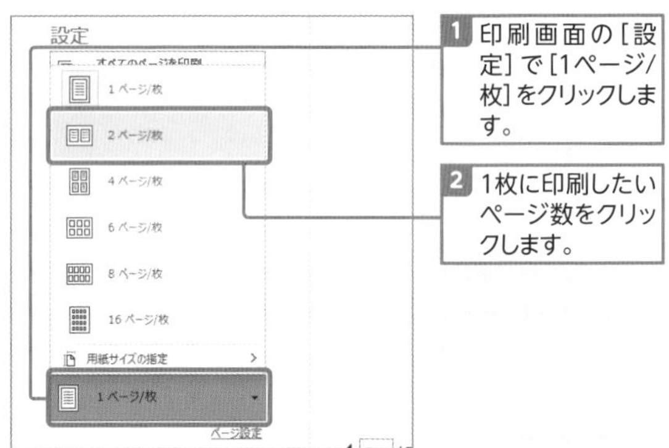

Q426 お役立ち度 ★★★ 印刷

2021 2019 2016

見開きのページを印刷するには

A [ページ設定]ダイアログの[印刷の形式]で[見開きページ]を選択します。

本のような見開きの形式で印刷して冊子にしたい場合は、[ページ設定]ダイアログの[余白]タブで[印刷の形式]を[見開きページ]にします。1枚に1ページ印刷しますが、余白が左右対称になるように印刷されます。とじしろの部分は内側に設定されます。

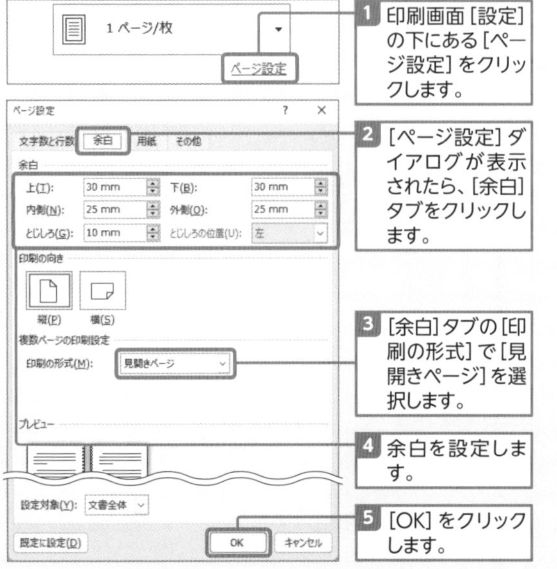

見開きページの余白の設定

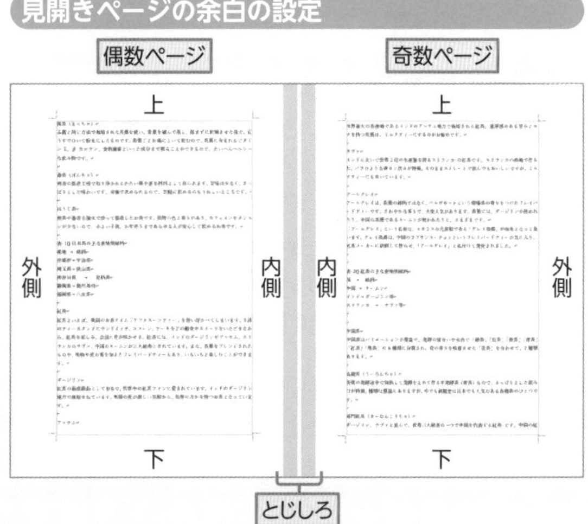

Q427 お役立ち度 ★★★ 印刷 2021 2019 2016

袋とじ印刷をするには

A ［ページ設定］ダイアログの［印刷の形式］で［袋とじ］を選択します。

1枚の用紙に2ページ分印刷し、二つ折りにして冊子にしたいときは、袋とじ印刷をします。袋とじの設定にするには、［ページ設定］ダイアログの［余白］タブで［印刷の形式］を［袋とじ］にします。袋とじに変更したら、用紙の向き、サイズを変更します。

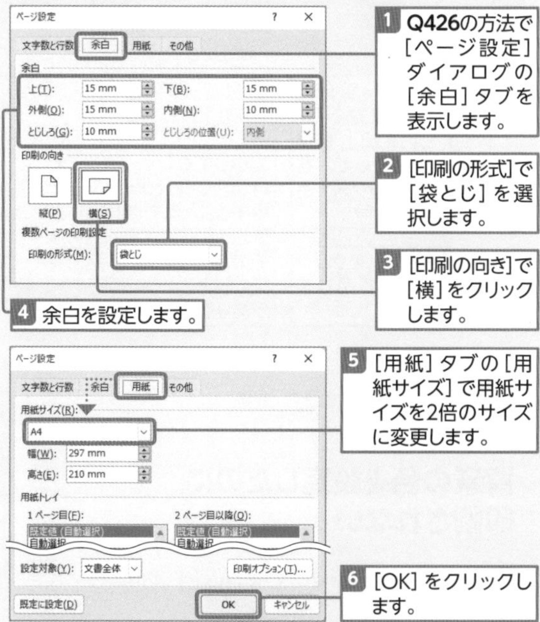

1 Q426の方法で［ページ設定］ダイアログの［余白］タブを表示します。
2 ［印刷の形式］で［袋とじ］を選択します。
3 ［印刷の向き］で［横］をクリックします。
4 余白を設定します。
5 ［用紙］タブの［用紙サイズ］で用紙サイズを2倍のサイズに変更します。
6 ［OK］をクリックします。

袋とじの余白の設定

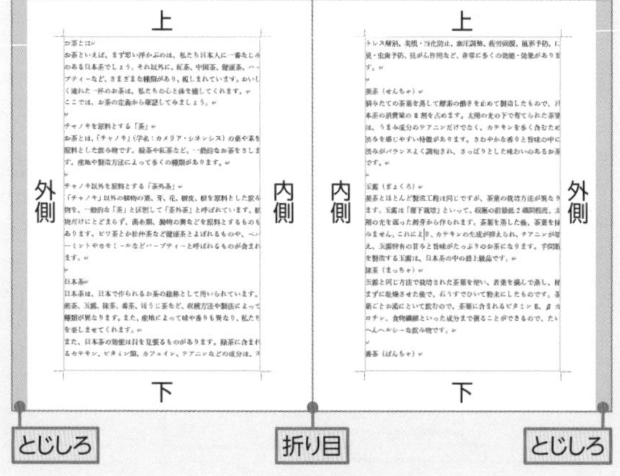

Q428 お役立ち度 ★★★ 印刷 2021 2019 2016

ページ下の余白を残さずに自動で間隔を広げられるの？

A ［ページ設定］ダイアログの［垂直方向の配置］で［上下揃え］を選択します。

［ページ設定］ダイアログの［その他］タブ→［垂直方向の配置］では、ページ内の垂直方向の文字の配置を変更できます。通常は［上寄せ］ですが、［上下揃え］にすると、ページ全体にバランスよく収まるように行間が自動調整されます。

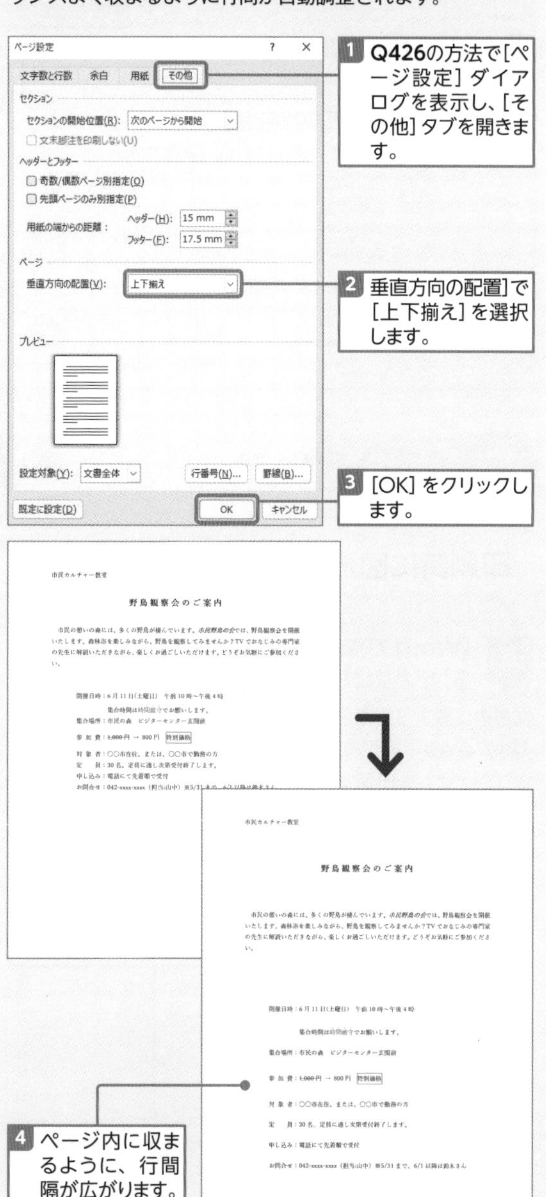

Q429
お役立ち度 ★★★
印刷

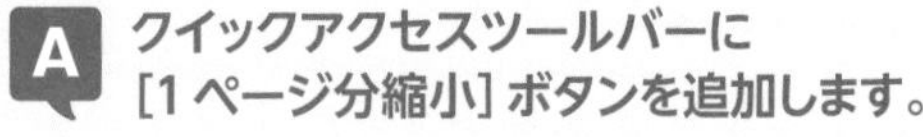
2021
2019
2016

1ページに圧縮して印刷したい!

A クイックアクセスツールバーに[1ページ分縮小]ボタンを追加します。

[1ページ分縮小]ボタンは自動的に文字サイズと間隔を小さくして、2ページ目にあふれてしまった文字列を1ページに収めます。リボンに表示されていないボタンなので、クイックアクセスツールバーにボタンを追加して利用します。

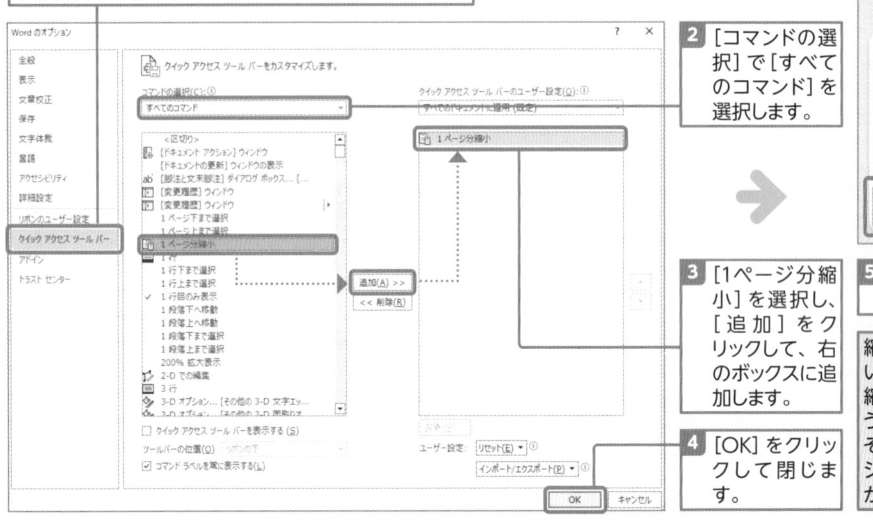
1 Q029の方法で[Wordのオプション]ダイアログの[クイックアクセスツールバー]を表示します。
2 [コマンドの選択]で[すべてのコマンド]を選択します。
3 [1ページ分縮小]を選択し、[追加]をクリックして、右のボックスに追加します。
4 [OK]をクリックして閉じます。

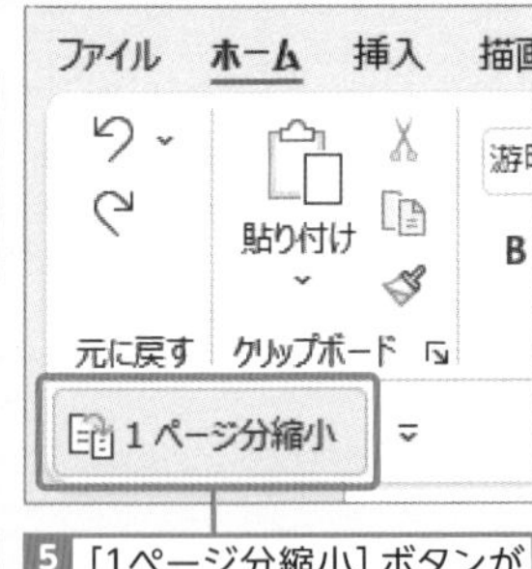
ファイル
ホーム
挿入
元に戻す
貼り付け
クリップボード
1ページ分縮小
5 [1ページ分縮小]ボタンが追加されます。

縮小しても1ページに収まらない場合は「これ以上ページを圧縮することはできません。」というメッセージが表示されます。その場合は、手作業で1ページに収まるように調整する必要があります。

Q430 お役立ち度 ★★★ 印刷 2021 2019 2016

印刷時に図形や画像を省略したい!

A [Wordで作成した描画オブジェクトを印刷する]をオフにします。

文書内に挿入した画像や図形を印刷したくない場合、[Wordのオプション]ダイアログの[表示]で[Wordで作成した描画オブジェクトを印刷する]をオフにします。なお、すべての文書について適用されるので、印刷が終わったら必ずオンに戻すようにしましょう。

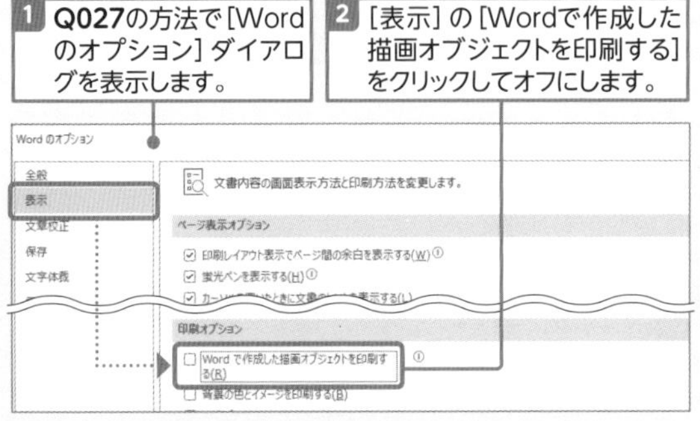
1 Q027の方法で[Wordのオプション]ダイアログを表示します。
2 [表示]の[Wordで作成した描画オブジェクトを印刷する]をクリックしてオフにします。

Q431 お役立ち度 ★★★ 印刷 2021 2019 2016

背景の色を設定したのに印刷されない

A [背景の色とイメージを印刷する]をオンにします。

[デザイン]タブの[ページの色]でページの背景に色を設定した場合、初期設定では背景の色は印刷されません。背景の色も印刷したい場合は、[Wordのオプション]ダイアログの[表示]で[背景の色とイメージを印刷する]をオンにします。

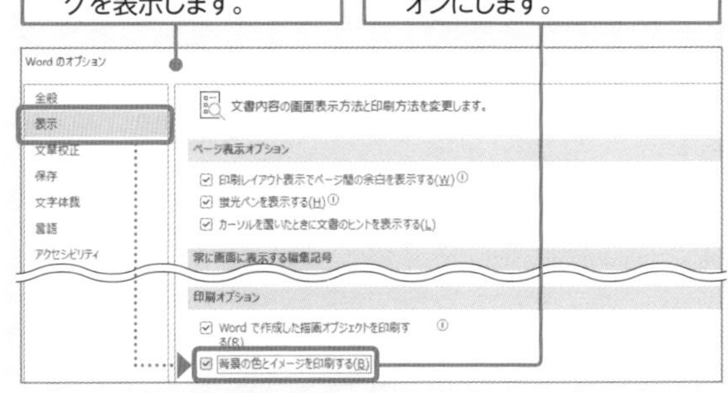
1 Q027の方法で[Wordのオプション]ダイアログを表示します。
2 [表示]の[背景の色とイメージを印刷する]をクリックしてオンにします。

Q432 お役立ち度 ★★★ ヘッダー／フッター 2021 2019 2016

ヘッダー／フッターとは

A ページの上余白／下余白にある領域です。

ヘッダーはページの上部、フッターはページの下部にある余白の領域です。会社名、日付、ページ番号、ロゴなどを挿入でき、すべてのページに共通して印刷されます。

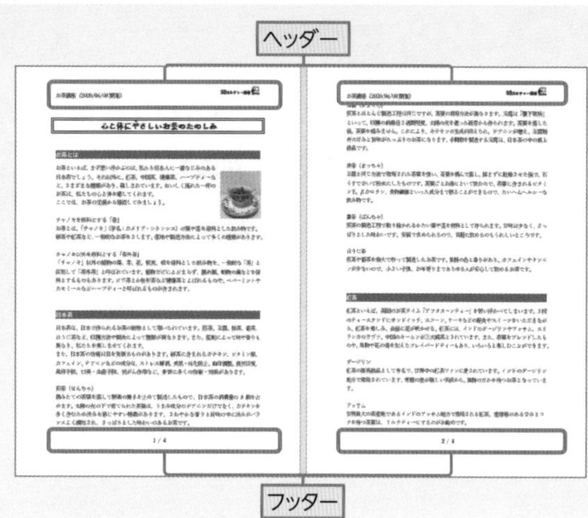

Q433 お役立ち度 ★★★ ヘッダー／フッター 2021 2019 2016

ヘッダーの左端にタイトルなど任意の文字を表示するには

A [挿入] タブ→ [ヘッダー] で [ヘッダーの編集] を選択します。

[ヘッダー] メニューで [ヘッダーの編集] を選択すると、ヘッダーの編集領域が表示され、左端にカーソルが表示されます。そのまま文字を入力するだけで設定できます。

1 [挿入] タブ→ [ヘッダー] をクリックします。

2 [ヘッダーの編集] をクリックします。

3 カーソルが表示されたら、ヘッダーに表示したい文字を入力します。

4 コンテキストタブの [ヘッダーとフッター] タブ→ [ヘッダーとフッターを閉じる] をクリックします。

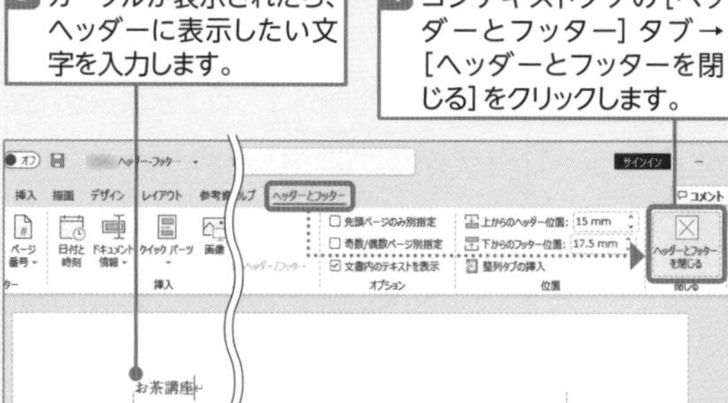

Q434 お役立ち度 ★★★ ヘッダー／フッター 2021 2019 2016

ヘッダーの左、中央、右に分けて文字を配置するには

A Tab キーを押してカーソルを移動しながら設定します。

ヘッダー領域には、初期設定で中央揃えと右揃えのタブが設定されています。Tab キーを押すと中央にカーソルが移動し、再度 Tab キーを押すと右端にカーソルが移動します。それぞれの位置で表示したい文字列を入力して設定できます。

1 Q433の方法でヘッダー領域を表示します。

2 左端に表示したい文字列を入力し、Tab キーを押します。

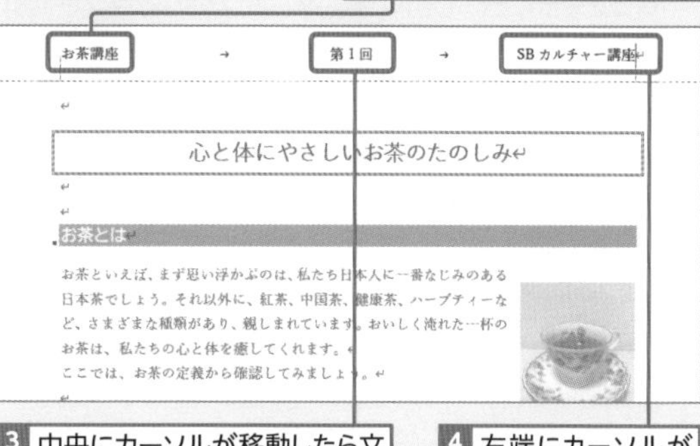

3 中央にカーソルが移動したら文字を入力し、Tab キーを押します。

4 右端にカーソルが移動したら文字を入力します。

おトクな情報 ヘッダーの文字に書式を設定したい！

ヘッダー領域でも、本文の文字列と同じ手順で太字、段落罫線など、文字書式や段落書式を設定できます。

Q435 お役立ち度 ★★★ ヘッダー／フッター 2021 2019 2016

編集画面とヘッダー／フッター領域を素早く切り替えたい!

A 切り替えたい領域をダブルクリックするだけです。

ヘッダーまたはフッター領域が表示されている状態で本文が表示されている位置をダブルクリックすると、本文の編集画面に戻ります。また、本文の編集画面が表示されている状態で、ヘッダーまたはフッターのあるページの上、下余白をダブルクリックすると、ヘッダー／フッター領域が表示されます。

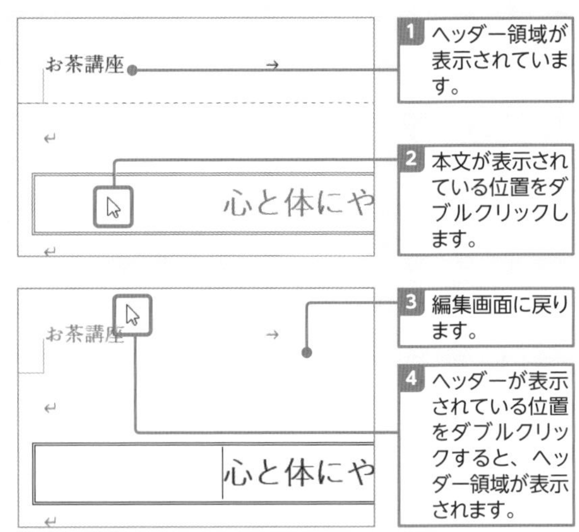

お茶講座
心と体にや
1 ヘッダー領域が表示されています。
2 本文が表示されている位置をダブルクリックします。
3 編集画面に戻ります。
4 ヘッダーが表示されている位置をダブルクリックすると、ヘッダー領域が表示されます。

Q436 お役立ち度 ★★★ ヘッダー／フッター 2021 2019 2016

ヘッダーに会社のロゴなどの図を挿入するには

A [ヘッダーとフッター] タブ→ [画像] から画像を選択します。

ヘッダーにロゴなどの画像を挿入するには、コンテキストタブの[ヘッダーとフッター] タブ→[画像] をクリックして画像ファイルを選択します。挿入された画像は、本文で挿入する画像と同様にサイズ変更などの編集ができます。

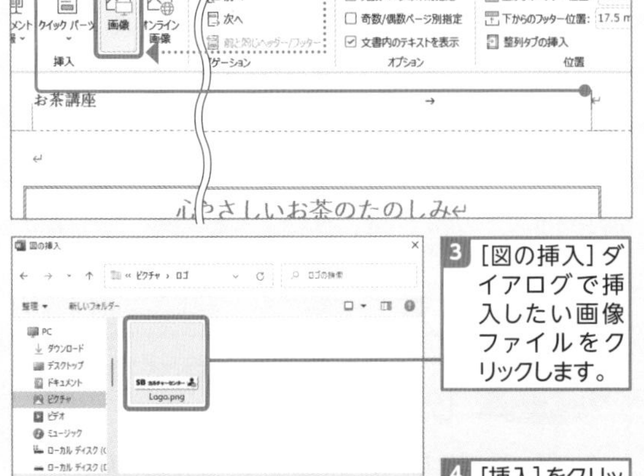

Q437 お役立ち度 ★★★ ヘッダー／フッター 2021 2019 2016

ヘッダーに今日の日付を簡単に入力したい!

A [ヘッダーとフッター] タブ→ [日付と時刻] から選択できます。

ヘッダーに現在の日付を挿入するには、コンテキストタブの[ヘッダーとフッター] タブ→[日付と時刻] をクリックして、[日付と時刻] ダイアログを表示します。和暦または西暦でさまざまな表示形式の中から日付を選択できます。

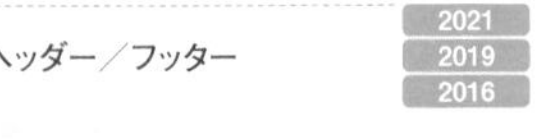

Q438 お役立ち度 ★★★ ヘッダー／フッター 2021 2019 2016

ヘッダーに作成者の名前やファイル名を表示するには

A [ヘッダーとフッター] タブ→[ドキュメント情報] から選択します。

コンテキストタブの[ヘッダーとフッター] タブ→[ドキュメント情報] をクリックすると、作成者やファイル名など、文書のプロパティの値を挿入できます。

1 ヘッダー領域を表示し、挿入位置にカーソルを移動します。

2 コンテキストタブの[ヘッダーとフッター] タブ→[ドキュメント情報] をクリックします。

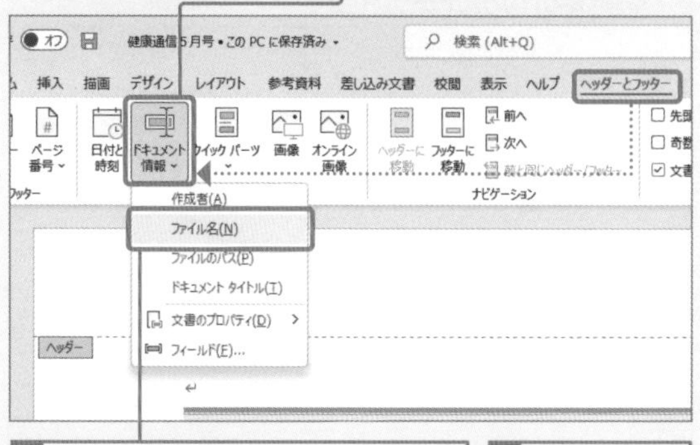

3 挿入したい値(ここでは[ファイル名])をクリックします。

4 ファイル名が挿入されます。

Q439 お役立ち度 ★★★ ヘッダー／フッター 2021 2019 2016

ヘッダーからフッターに移動するには

A [ヘッダーとフッター] タブ→[フッターに移動] をクリックします。

ヘッダー領域が表示されているときに、コンテキストタブの[ヘッダーとフッター] タブ→[フッターに移動] をクリックすると、フッター領域に移動し、フッターの設定ができます。

1 ヘッダー領域を表示し、挿入位置にカーソルを移動します。

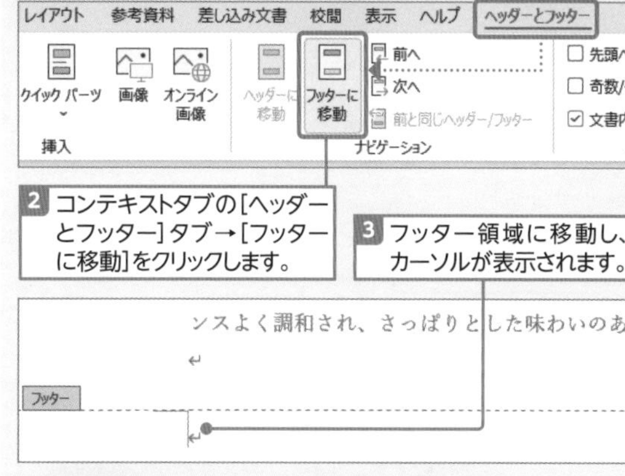

2 コンテキストタブの[ヘッダーとフッター] タブ→[フッターに移動] をクリックします。

3 フッター領域に移動し、カーソルが表示されます。

おトクな情報 本文の編集画面からフッター領域を表示する

[挿入] タブ→[フッター] →[フッターの編集] をクリックするか、ページの下余白の部分をダブルクリックします。

Q440 お役立ち度 ★★★ ヘッダー／フッター 2021 2019 2016

フッターにページ番号を表示するには

A [ヘッダーとフッター] タブ→[ページ番号] をクリックします。

[ページ番号] のメニューの[ページの上部] はヘッダー、[ページの下部] はフッターにページ番号を表示します。これらを選択すると、すでに設定されているヘッダーまたはフッターの内容がページ番号のみに置き換わりますので注意してください。[現在の位置] から選択すると現在のカーソル位置にページ番号が挿入され、すでに設定されているものについては削除されません。なお、編集画面の[挿入] タブ→[ページ番号] をクリックしても設定できます。

1 ヘッダーまたはフッター領域が表示されている状態で、コンテキストタブの[ヘッダーとフッター] タブ→[ページ番号] をクリックします。

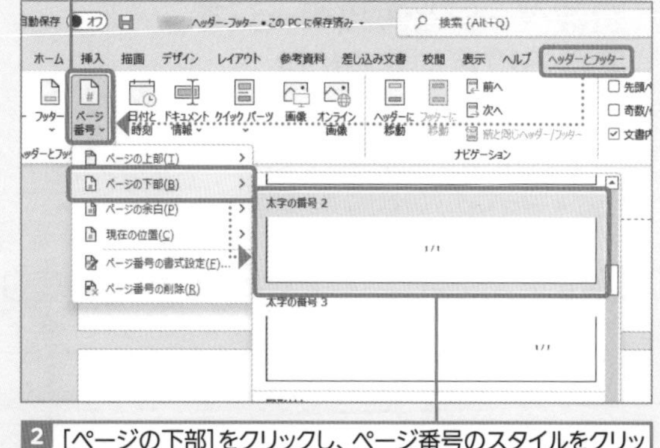

2 [ページの下部] をクリックし、ページ番号のスタイルをクリックします。

Q441 お役立ち度 ★★★ ヘッダー／フッター 2021 2019 2016

ページ番号の書式や開始ページを変更するには

A ［ページ番号の書式設定］ダイアログで変更できます。

［ページ番号の書式設定］ダイアログでは、ページ番号の書式を「1、2、3」「-1-、-2-、-3-」「Ⅰ、Ⅱ、Ⅲ」のように変更したり、開始番号を変更したりできます。

1 ヘッダー／フッター領域が表示されている状態で、コンテキストタブの［ヘッダーとフッター］タブ→［ページ番号］をクリックします。

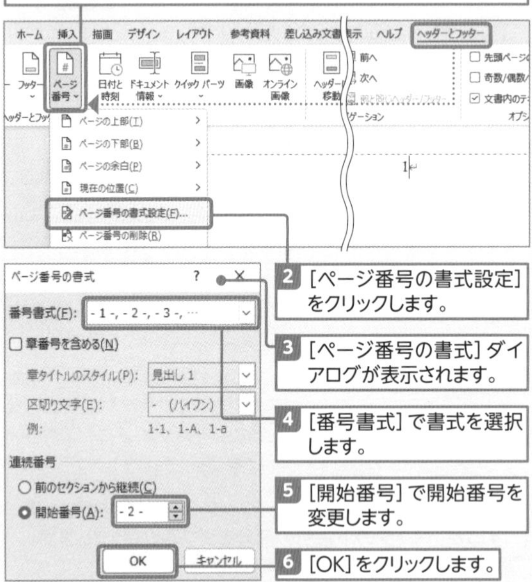

2 ［ページ番号の書式設定］をクリックします。

3 ［ページ番号の書式］ダイアログが表示されます。

4 ［番号書式］で書式を選択します。

5 ［開始番号］で開始番号を変更します。

6 ［OK］をクリックします。

Q442 お役立ち度 ★★★ ヘッダー／フッター 2021 2019 2016

先頭ページのみヘッダー／フッターを表示したくない

A ［ヘッダーとフッター］タブ→［先頭ページのみ別指定］をオンにします。

1ページ目にはタイトルや作成者の名前のみで、2ページ目から本文になっているような場合、1ページ目にヘッダーやフッターを表示したくないときは、［先頭ページのみ別指定］をオンにします。

1 ヘッダー／フッター領域が表示されている状態で、コンテキストタブの［ヘッダーとフッター］タブ→［先頭ページのみ別指定］をクリックしてオンにします。

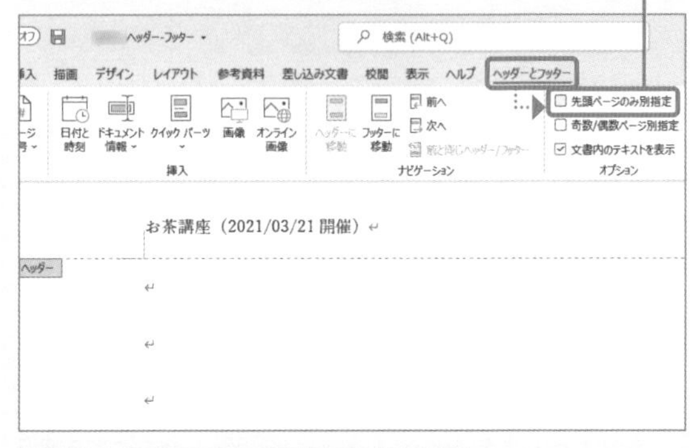

2 1ページ目のヘッダーが削除されます。

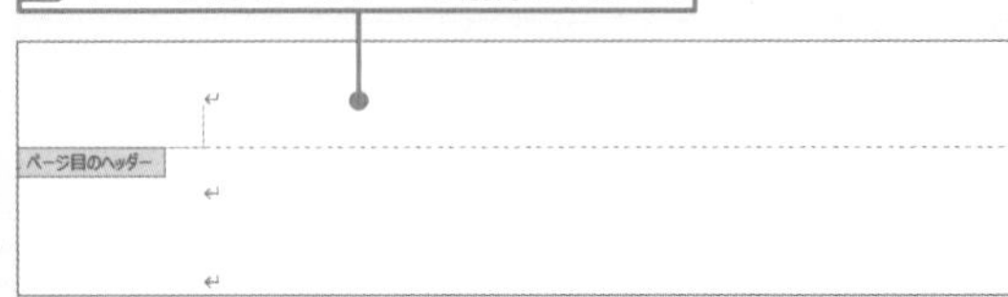

Q443 お役立ち度 ★★★ ヘッダー／フッター 2021 2019 2016

奇数ページと偶数ページで異なる設定にするには

A ［ヘッダーとフッター］タブ→［奇数／偶数ページ別指定］をオンにします。

奇数ページの左ヘッダーにファイル名、偶数ページの右ヘッダーに日付を表示したい場合は、［奇数／偶数ページ別指定］をオンにし、奇数ページ、偶数ページでそれぞれヘッダーを設定します。フッターについても同様です。

1 Q433の方法でヘッダー領域を表示します。

2 コンテキストタブの［ヘッダーとフッター］タブ→［奇数/偶数ページ別指定］をクリックしてチェックを付けます。

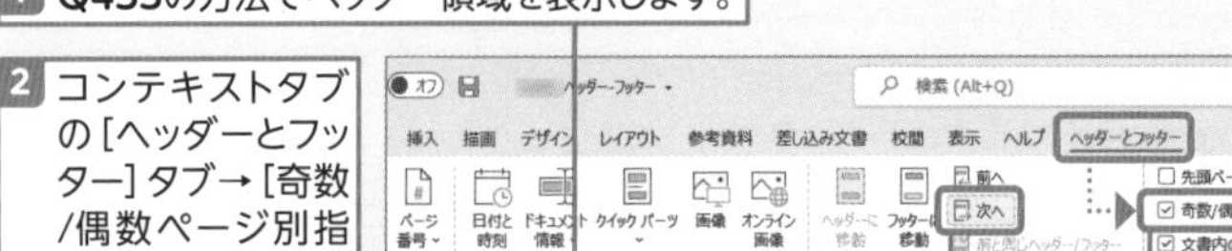

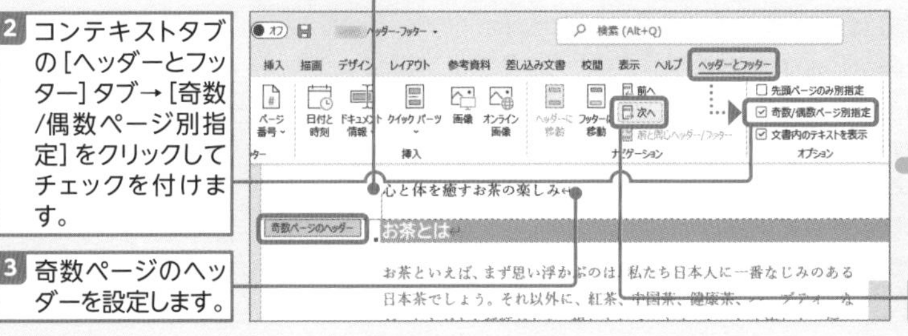

3 奇数ページのヘッダーを設定します。

4 ［次へ］をクリックします。

5 偶数ページのヘッダーを設定します。

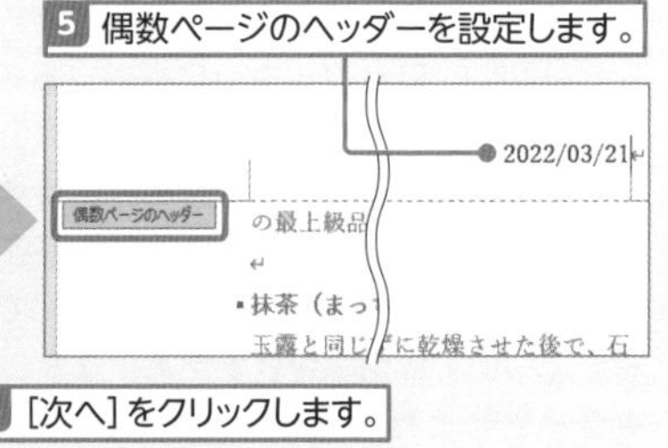

Q444 お役立ち度 ★★★ ヘッダー／フッター 2021 2019 2016

任意のページから ページ番号を表示するには

A セクションを挿入し、[前と同じヘッダー／フッター]をオフにします。

ページ番号を3ページ目から表示したいなど、任意のページからページ番号を表示するには、ページ番号を表示しないページと表示するページでセクション（Q250）を分けます。[前と同じヘッダー／フッター]をオフにして、前のセクションと別設定にし、ページ番号を挿入して、開始番号を「1」に設定します。

1 ページ番号を表示したいページの先頭にカーソルを移動します。

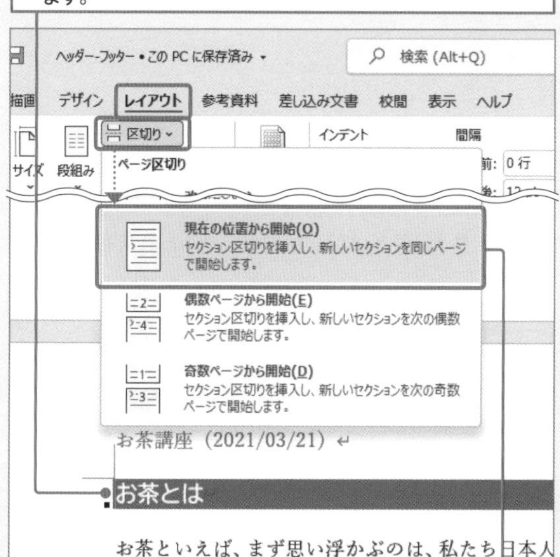

2 [レイアウト]タブ→[区切り]→[現在の位置から開始]をクリックしてセクションを分けます。

3 現在の位置からページ番号を挿入します。[挿入]タブ→[ページ番号]をクリックします。

4 ページ番号を設定します（ここでは[ページの下部]→[番号のみ2]）。

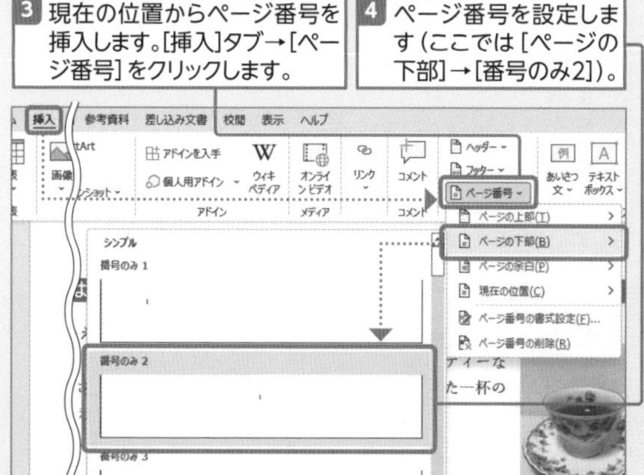

5 ヘッダー／フッター領域が表示され、ページ番号が表示されます。

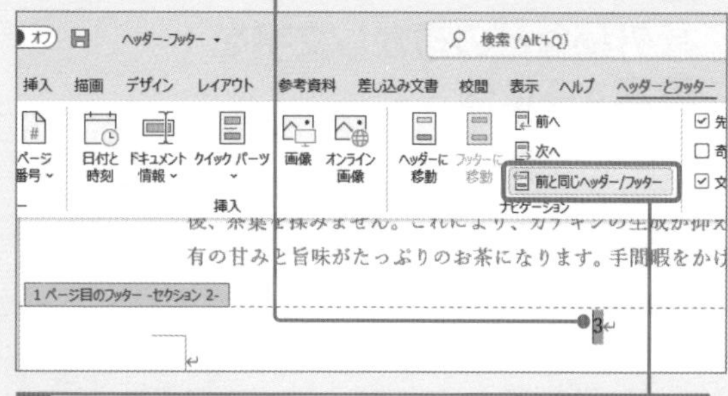

6 [前と同じヘッダー/フッター]をクリックしてオフにします。

7 Q441の方法で[ページ番号の書式]ダイアログを表示し、開始番号を[1]に変更します。

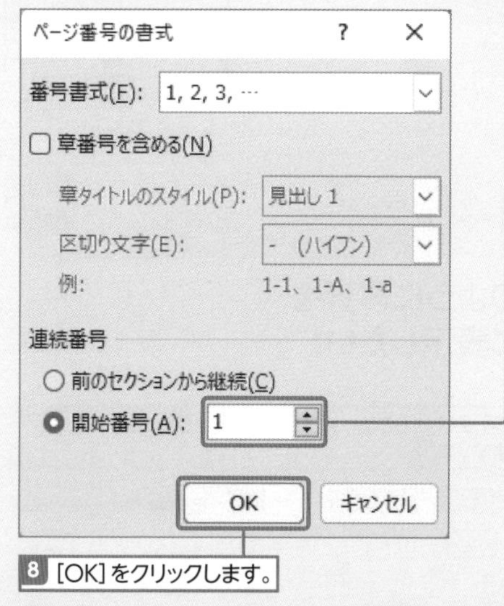

8 [OK]をクリックします。

9 現在のセクションに指定した開始番号でページ番号が表示されます。

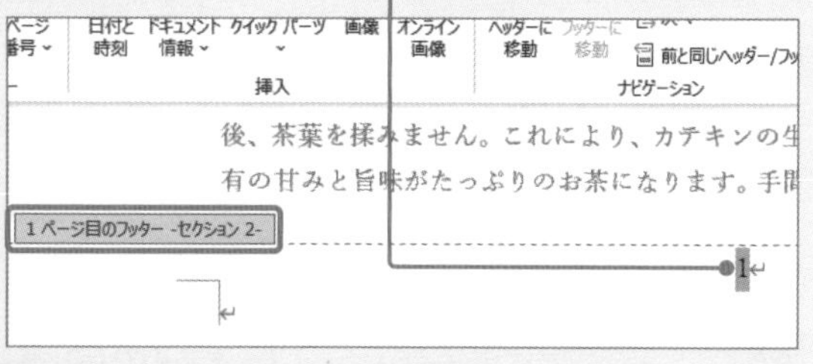

10 前のセクションにはページ番号は表示されません。

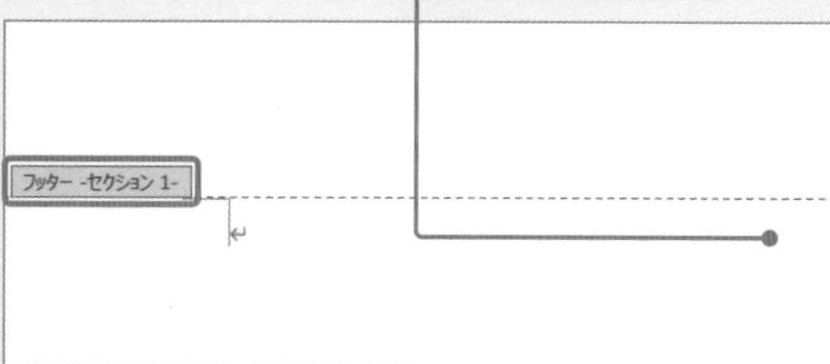

Q445 お役立ち度 ★★★ 透かし

2021 2019 2016

社外秘などの透かし文字を設定するには

A [デザイン]タブ→[透かし]をクリックします。

[透かし]は、文章の背面に表示する文字列で、「社外秘」や「複製を禁ず」のような取り扱いに注意が必要な文書に設定します。あらかじめ用意されている文字列を選択する以外に、任意の文字列や画像を設定することもできます(Q446)。

1 [デザイン]タブ→[透かし]をクリックします。

2 一覧から使用する透かしをクリックします。

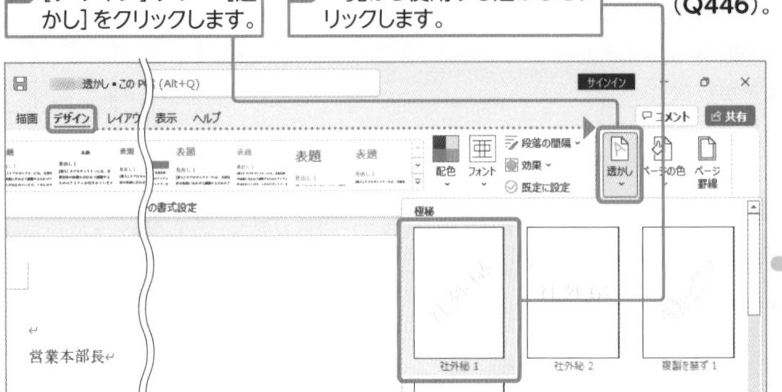

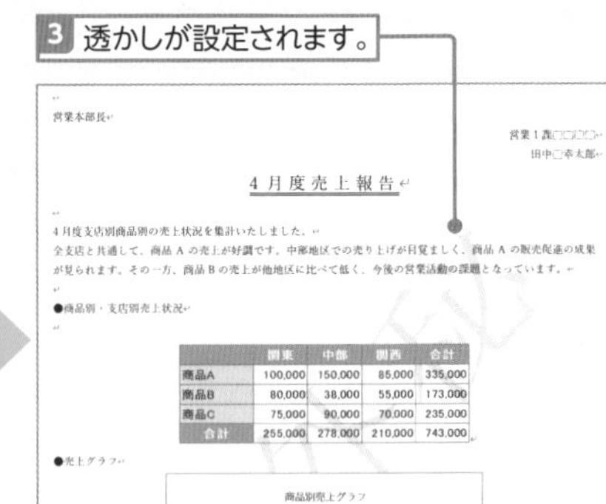

3 透かしが設定されます。

Q446 お役立ち度 ★★★ 透かし

2021 2019 2016

便箋のように写真を背景に表示したい!

A 写真を透かしに設定します。

透かしには、文字以外に画像を設定できます。画像を挿入すると、サイズや色合いが自動的に調整されます。

1 [デザイン]タブ→[透かし]→[ユーザー設定の透かし]をクリックします。

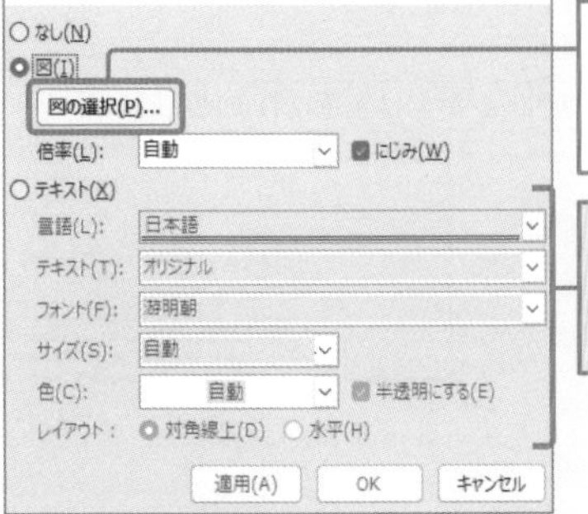

2 [透かし]ダイアログが表示されるので[図]→[図の選択]をクリックします。

[テキスト]→[テキスト]欄で任意の文字を透かしに指定できます。

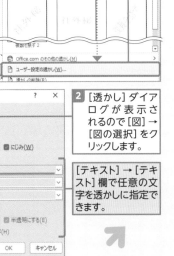

3 [ファイルから]をクリックします。

4 使用する画像を選択します。

5 [挿入]をクリックします。

6 [倍率]が[自動]、[にじみ]がオンであることを確認します。

7 [OK]をクリックすると、画像が透かしに設定されます。

お役立ち度 

はがき宛名印刷

2021 2019 2016

はがき宛名面を簡単に作成したい!

A はがき宛名面印刷ウィザードを使います。

[はがき宛名面印刷ウィザード] を使うと、対話形式で順番に設定するだけで、新規のはがきサイズの文書が作成され、はがきの宛名面に宛先や差出人住所を表示することができます。なお、次ページの手順15の宛名の住所録を指定する画面で、[標準の住所録ファイル] または [既存の住所録ファイル] を選択すると、選択された住所録ファイルが作成された新規のはがき文書に関連付けられます。

1 [差し込み文書] タブ→ [はがき印刷] → [宛名面の作成] をクリックします。

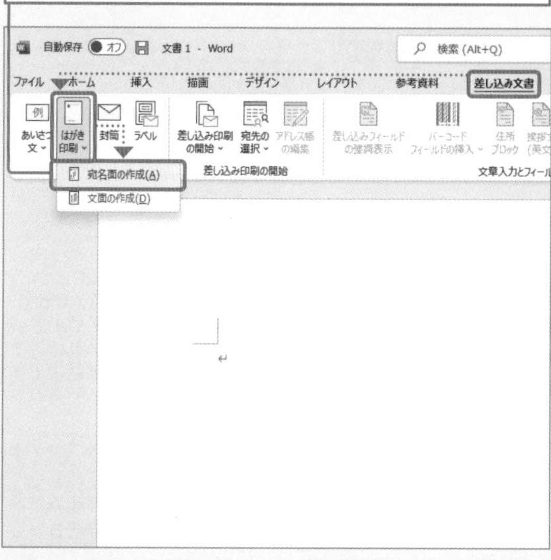

2 [はがき宛名面印刷ウィザード] が起動します。

3 [次へ] をクリックします。

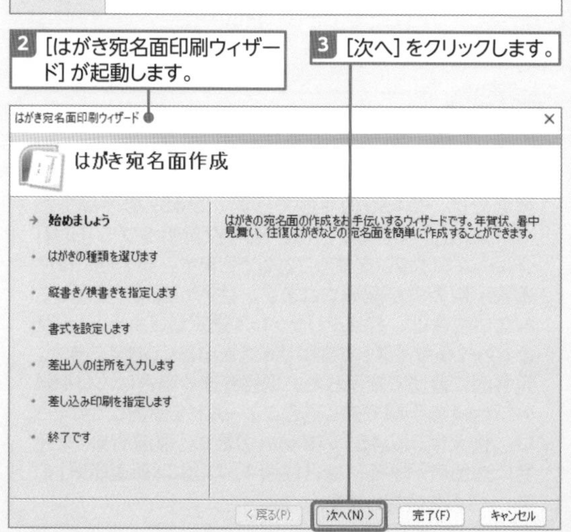

4 はがきの種類を選択します。

5 [次へ] をクリックします。

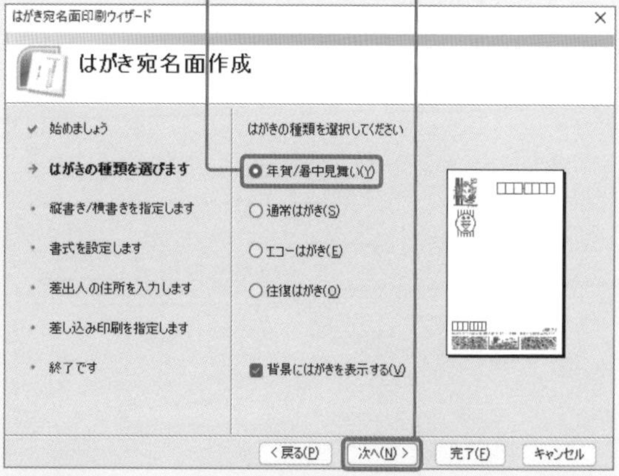

6 縦書きまたは横書きを選択します。

7 ここがオフのとき、住所の下に郵便番号が表示されます。

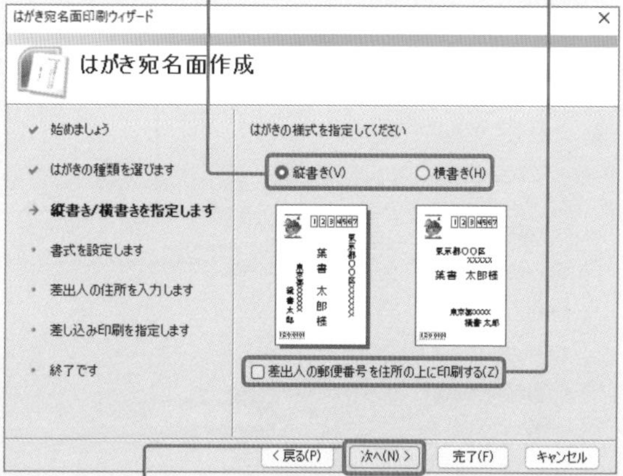

8 [次へ] をクリックします。

9 フォントの種類を選択します。

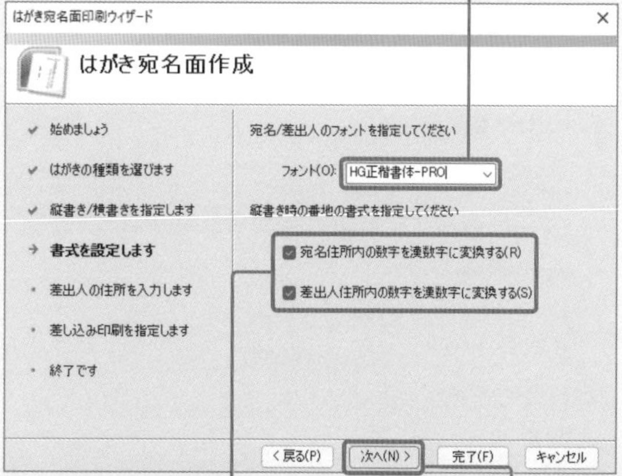

10 ここにチェックが付いていると、宛先住所や差出人住所の半角数字が漢数字に変換されます。

11 [次へ] をクリックします。

12 差出人の住所を印刷する場合は、チェックを付けます。

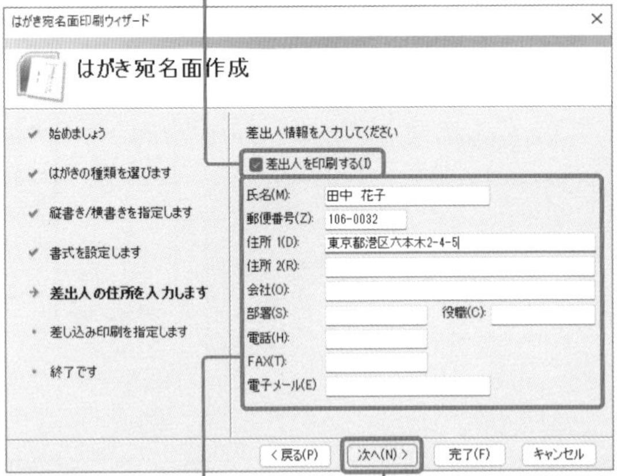

はがき宛名面印刷ウィザード

はがき宛名面作成

- 始めましょう
- はがきの種類を選びます
- 縦書き/横書きを指定します
- 書式を設定します
- 差出人の住所を入力します
- 差し込み印刷を指定します
- 終了です

差出人情報を入力してください

差出人を印刷する(I)

氏名(M): 田中 花子
郵便番号(Z): 106-0032
住所 1(D): 東京都港区六本木2-4-5
住所 2(R):
会社(O):
部署(S): 役職(C):
電話(H):
FAX(T):
電子メール(E)

< 戻る(P) 次へ(N) > 完了(F) キャンセル

13 差出人の住所を入力します。

14 [次へ] をクリックします。

15 宛名に差し込む住所録を選択します（右表参照）。

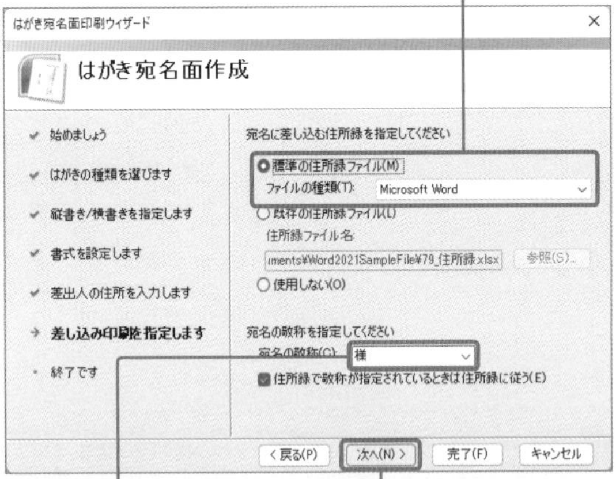

はがき宛名面印刷ウィザード

はがき宛名面作成

- 始めましょう
- はがきの種類を選びます
- 縦書き/横書きを指定します
- 書式を設定します
- 差出人の住所を入力します
- 差し込み印刷を指定します
- 終了です

宛名に差し込む住所録を指定してください

標準の住所録ファイル(M)
ファイルの種類(T): Microsoft Word
既存の住所録ファイル(L)
住所録ファイル名:
iments¥Word2021SampleFile¥79_住所録.xlsx 参照(S)...
使用しない(O)

宛名の敬称を指定してください
宛名の敬称(C): 様
住所録で敬称が指定されているときは住所録に従う(E)

< 戻る(P) 次へ(N) > 完了(F) キャンセル

16 敬称を選択します。

17 [次へ] をクリックします。

はがき宛名面印刷ウィザード

はがき宛名面作成

- 始めましょう
- はがきの種類を選びます
- 縦書き/横書きを指定します
- 書式を設定します
- 差出人の住所を入力します
- 差し込み印刷を指定します
- 終了です

設定は終了しました。

はがきへの印刷位置がずれてしまう場合は、[はがき宛名面印刷]タブの[編集]グループから[レイアウトの微調整]コマンドを使用して調整してください。

< 戻る(P) 次へ(N) > 完了(F) キャンセル

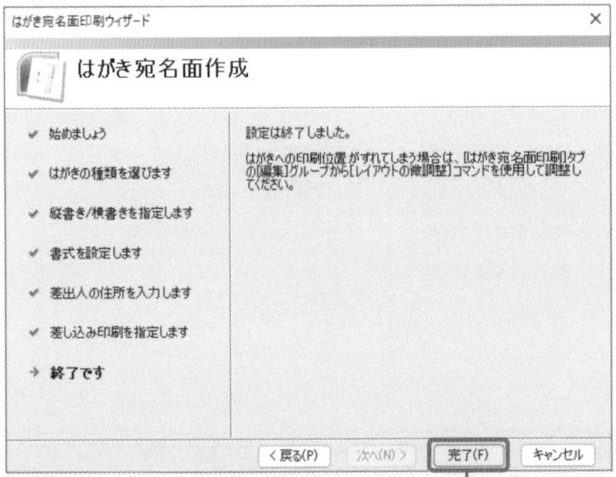

18 [完了] をクリックします。

19 差出人の住所の入ったはがき宛名面が作成されました。

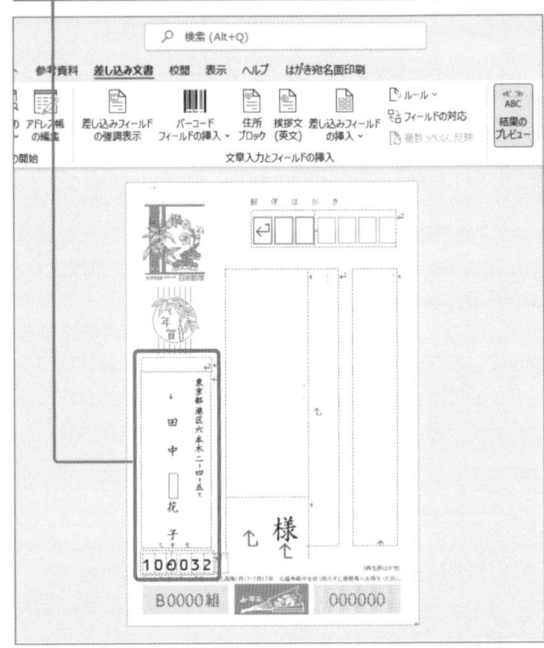

20 Q057の手順で名前を付けて保存しておきます。

●宛名に差し込む住所録の種類

標準の住所録ファイル	ユーザーの［ドキュメント］フォルダー内の［My Data Sources］にAddress20という名前の住所録ファイルを作成する。Word、Excel、Accessのいずれかのファイル形式を選択できる。すでに作成されていれば、そのデータが読み込まれ、ない場合は新規で作成される。新規で作成した場合は、別途宛名データを入力する（**Q448**）
既存の住所録ファイル	別に用意したExcelなどの住所録のファイルを使用する場合に選択する（**Q451**）
使用しない	宛先用のファイルを指定せずに、枠組みだけを作成する。後で宛先ファイルと関連付けることができる（**Q450**）

おトクな情報

宛名面の印刷と編集

宛名面は、**Q456**の手順で印刷、**Q457**の手順で各ページに出力できます。[はがき宛名印刷] タブの [印刷] グループのボタンを使うこともできます。宛名面には住所表示用の枠が配置されます。住所が長くて表示しきれない場合は、枠をクリックして選択し、[ホーム] タブの [フォントサイズ] で文字サイズを小さくします。また、宛名面に追加で表示したい項目がある場合は、**Q454**のStep4の手順で差し込みフィールドを追加してください。例えば、**Q451**のExcelの表の [都道府県] を宛名に追加表示するには、[住所 1] の上に [都道府県] のフィールドを追加します。

はがき宛名印刷

2021
2019
2016

標準の住所録ファイルにデータを入力するには

A 入力用フォームを使って入力できます。

はがき宛名印刷ウィザードで、宛先の住所録を[標準の住所録ファイル]でファイルの種類を[Word]にした場合、住所録にデータを追加するときに入力フォームが使えます。

1 Q447で作成した文書を開き、[差し込み文書]タブ→[アドレス帳の編集]をクリックします。

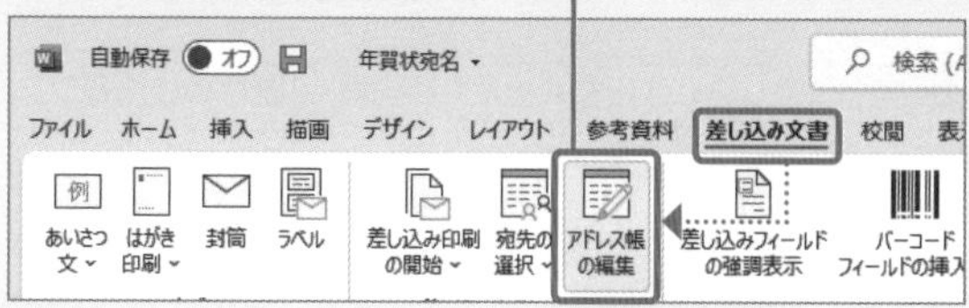

2 [差し込み印刷の宛先]ダイアログが表示されます。

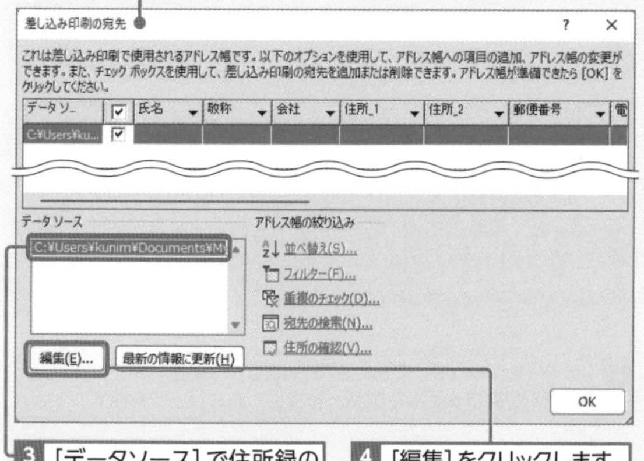

3 [データソース]で住所録のファイルをクリックします。

4 [編集]をクリックします。

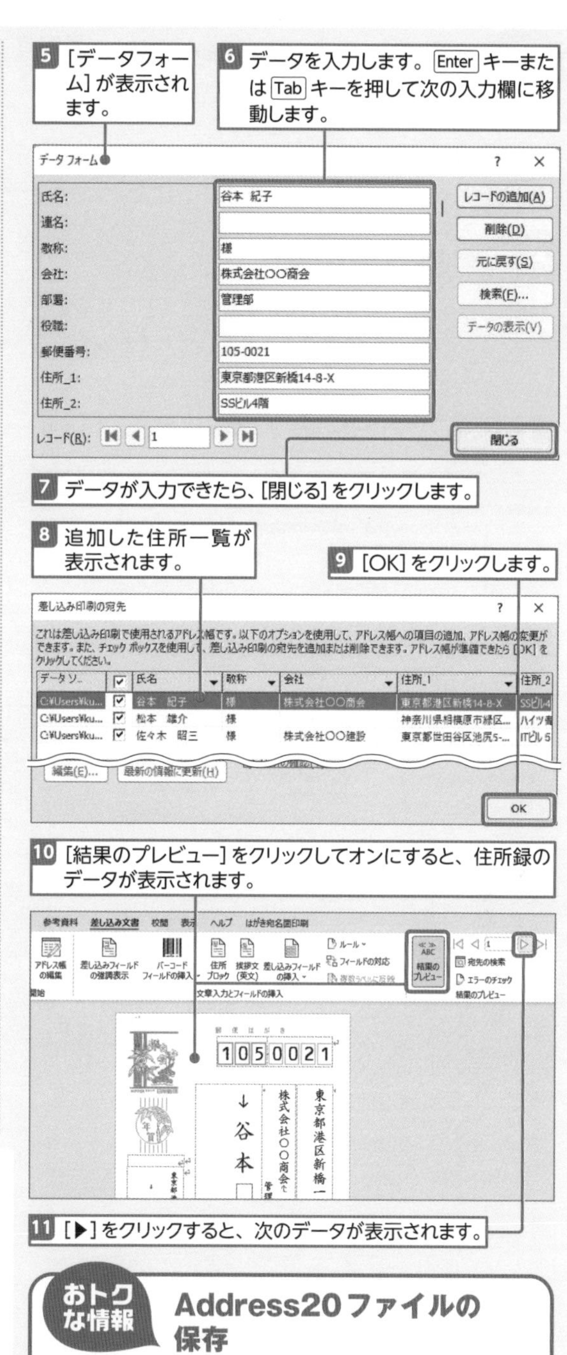

5 [データフォーム]が表示されます。

6 データを入力します。Enter キーまたは Tab キーを押して次の入力欄に移動します。

7 データが入力できたら、[閉じる]をクリックします。

8 追加した住所一覧が表示されます。

9 [OK]をクリックします。

10 [結果のプレビュー]をクリックしてオンにすると、住所録のデータが表示されます。

11 [▶]をクリックすると、次のデータが表示されます。

Q449 お役立ち度 はがき宛名印刷

2021
2019
2016

作成した住所録をWordで直接編集したい!

A Address20.docxを開きます。

はがき宛名面作成ウィザードで標準の住所録ファイルでWordを選択した場合は、ユーザーの[ドキュメント]フォルダー内の[My Data Sources]フォルダーに[Address20.docx]という名前で住所録ファイルが作成されます。直接このファイルを開き、データを直接入力、修正できます。

おトクな情報 Address20ファイルの保存

Q448の手順でデータを追加、修正した場合、Address20ファイルに修正が保存されるタイミングは、宛名面の文書を閉じるときです。文書を閉じるときに、Address20の保存を確認するメッセージが表示されるので、[はい]をクリックして保存してください。

Q450 お役立ち度 ★★★ はがき宛名印刷 2021 2019 2016

住所を1件だけ印刷したい

A 画面に直接入力します。

Q447の手順15で[使用しない]を選択すると、テキストボックスの枠組みだけが作成されます。それぞれのテキストボックスに直接住所を入力してください。

1 宛名に差し込む住所録を指定する画面で[使用しない]を選択します。

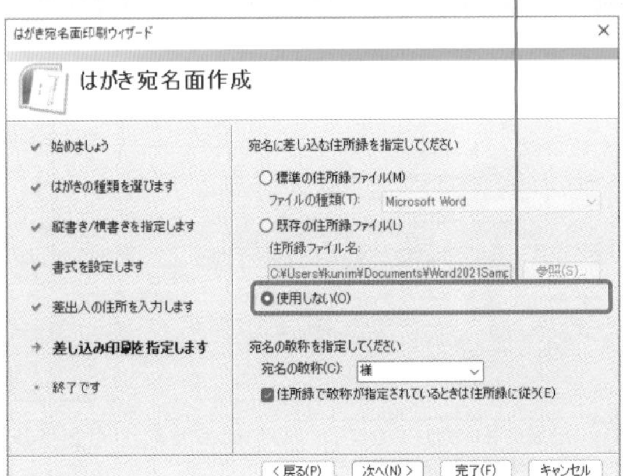

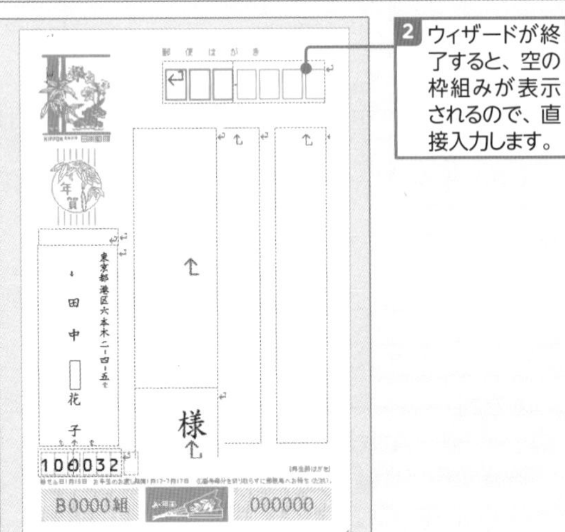

2 ウィザードが終了すると、空の枠組みが表示されるので、直接入力します。

おトクな情報 郵便番号の位置がずれる場合

郵便番号を入力したときに枠とずれる場合は、[はがき宛名面印刷]タブ→[レイアウトの微調整]をクリックし、表示される[レイアウト]ダイアログで位置調整できます。

Q451 お役立ち度 ★★★ はがき宛名印刷 2021 2019 2016

Excelで作成した住所録も使えるの？

A [既存の住所録ファイル]でExcelのファイルを指定できます。

Q447の手順15で[既存の住所録ファイル]を選択すると、Excel、Wordなどで作成されている住所録ファイルを指定できます。この場合は、任意の場所にある任意のファイル名の住所録ファイルを選択できます。ExcelやWordで使える住所録のファイルは1行目が項目名で2行目以降にデータが入力されている表です（**Q453**）。

1 宛名に差し込む住所録を指定する画面で[既存の住所録ファイル]を選択します。

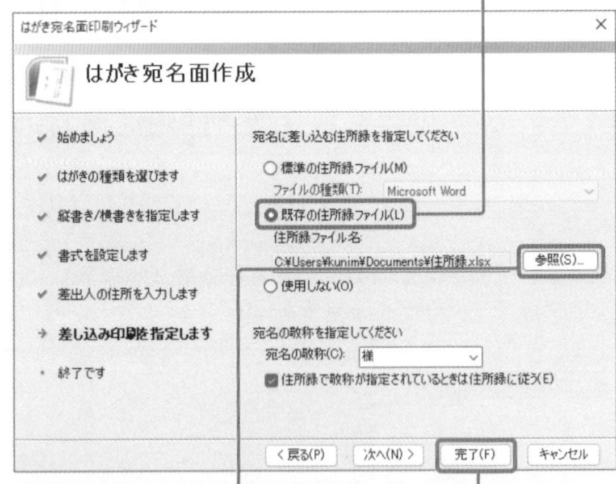

2 [参照]をクリックしてExcelで作成した住所録のファイルを選択します。

3 [完了]をクリックします。

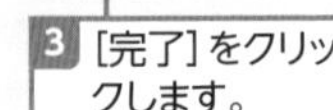

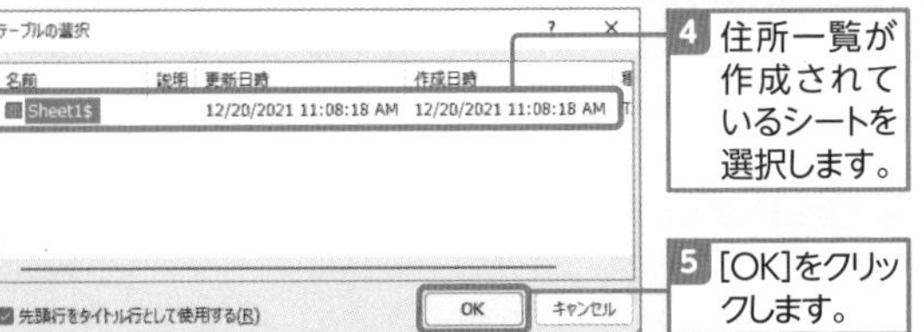

4 住所一覧が作成されているシートを選択します。

5 [OK]をクリックします。

6 Excelのファイルにある住所録のデータが表示されます。

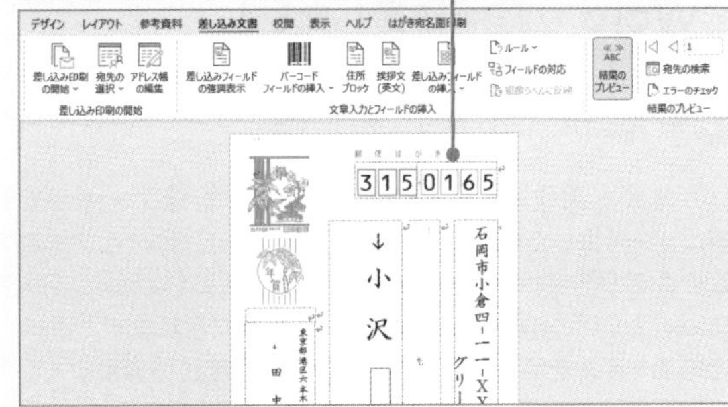

Q452 お役立ち度 ★★★ 差し込み印刷 2021 2019 2016

差し込み印刷とは

A 別ファイルのデータを文書に差し込んで印刷する機能です。

案内文や配布資料などの文書に一部ずつ宛先を変えて印刷するには、[差し込み印刷] 機能を使います。差し込み印刷を行うには、①データを差し込む文書（案内文など）と②宛先データ（住所録など）が必要です。先に2つのデータを用意し、③文書に宛先データを差し込みます。

差し込み印刷の概念

データを差し込む文書　　宛先データ

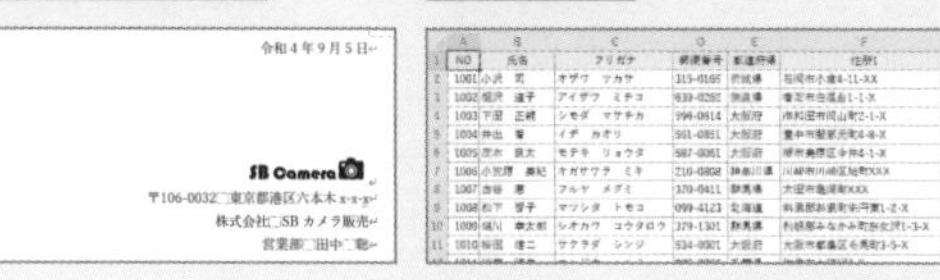

文書に宛先データを差し込む

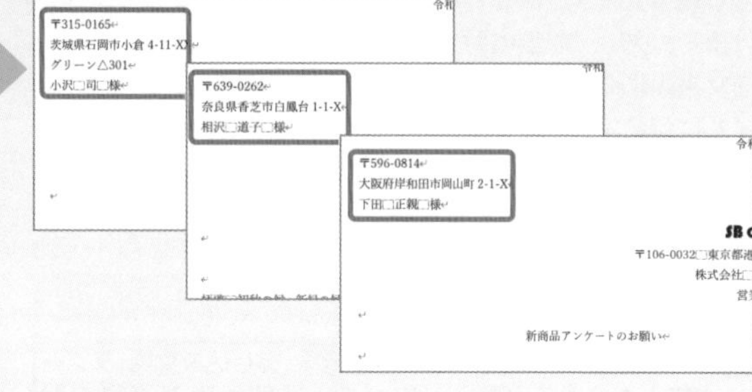

差し込み印刷の基本手順

①データ差し込み用の文書を用意する

▼

②差し込むデータ（宛先）を用意する

▼

③文書にデータを差し込む
- Step1 差し込み印刷の開始ⓐ
- Step2 宛先の選択ⓑ
- Step3 アドレス帳の編集ⓒ
- Step4 差し込みフィールドの挿入ⓓ
- Step5 結果のプレビューⓔ

▼

④完了と差し込みⓕ
- プリンターに差し込み
- 新規文書への差し込み

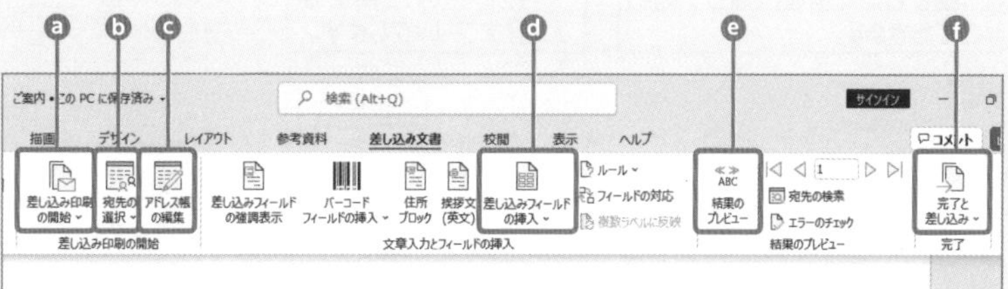

それぞれの操作を行うには、[差し込み文書] タブのⓐ～ⓕのボタンを使用します。

Q453 お役立ち度 ★★★ 差し込み印刷 2021 2019 2016

差し込み用のデータを用意するには

A WordやExcelの表が使えます。

差し込み用のデータは、WordやExcelで作成した表を使えます。また、**Q447**のはがき宛名印刷ウィザードで作成する標準の住所録ファイル（Addressファイル）を使用することもできます。データの作成方法は、差し込みたい項目が含まれる表を作成し、保存しておきます。Word、Excelのどちらで作成する場合も、1行目から表を作成し、タイトルなど表以外の文字列は入力しないでください。表の1行目は項目名（フィールド名）、2行目以降にデータ（レコード）を入力します。

宛名リストのデータファイルの構成と用語

	A	B	C	D	E	F	G
1	NO	氏名	フリガナ	郵便番号	都道府県	住所1	住所2
2	1001	小沢　司	オザワ　ツカサ	315-0165	茨城県	石岡市小倉4-11-XX	グリーン△301
3	1002	相沢　道子	アイザワ　ミチコ	639-0262	奈良県	香芝市白鳳台1-1-X	
4	1003	下田　正親	シモダ　マサチカ	596-0814	大阪府	岸和田市岡山町2-1-X	
5	1004	井出　香	イデ　カオリ	561-0851	大阪府	豊中市服部元町4-8-X	
6	1005	茂木　良太	モテキ　リョウタ	587-0061	大阪府	堺市美原区今井4-1-X	ハイツ○○313
7	1006	小笠原　美紀	オガサワラ　ミキ	210-0808	神奈川県	川崎市川崎区旭町XXX	
8	1007	古谷　恵	フルヤ　メグミ	370-0411	群馬県	太田市亀岡町XXX	
9	1008	松下　智子	マツシタ　トモコ	099-4123	北海道	斜里郡斜里町朱円東1-2-X	
10	1009	塩川　幸太郎	シオカワ　コウタロウ	379-1301	群馬県	利根郡みなかみ町奈女沢1-3-X	プラザ○○105
11	1010	桜田　信二	サクラダ　シンジ	534-0001	大阪府	大阪市都島区毛馬町3-5-X	○町アパート316

❶（1行目）　❷（3行目）　❸（住所1の列）

❶フィールド名	1行目の項目名
❷レコード	1件のデータ。 1行でデータ1件分
❸フィールド	列ごとに入力されている同じ種類のデータ

文書にデータを差し込むには

A 宛先のデータファイルと関連付けてフィールドを挿入します。

文書にデータを差し込むには、Wordの文書を開いておき、差し込むデータが保存されているファイルを選択して関連付けます。次に、関連付けたデータファイルの項目(フィールド)を文書内に挿入します。フィールドを挿入すると、データファイルに対応する項目のデータが文書内に表示されます。
ここでは、Excelで作成した顧客リストの表のデータを使って、ビジネス文書に住所と氏名を挿入する手順を例に説明します。

Step1. 差し込み印刷の開始(差し込み文書の選択)

1 データを差し込む箇所だけ空欄にした文書を用意し、開いておきます。

2 [差し込み文書]タブ→[差し込み印刷の開始]をクリックします。

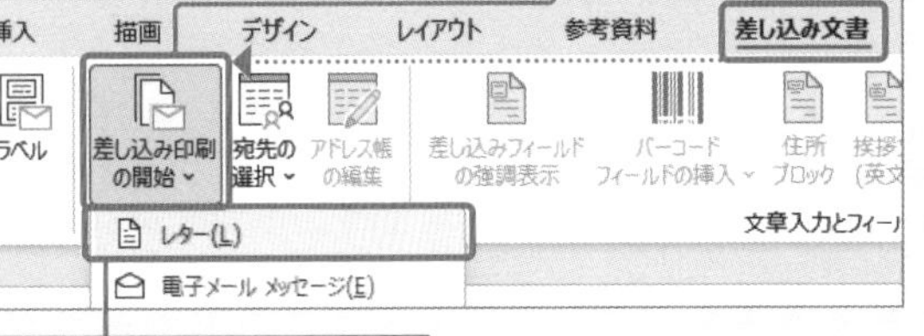

3 [レター]をクリックします。

Step2. 宛先の選択(データファイルとの関連付け)

1 [差し込み文書]タブ→[宛先の選択]をクリックします。

2 [既存のリストを使用]をクリックします。

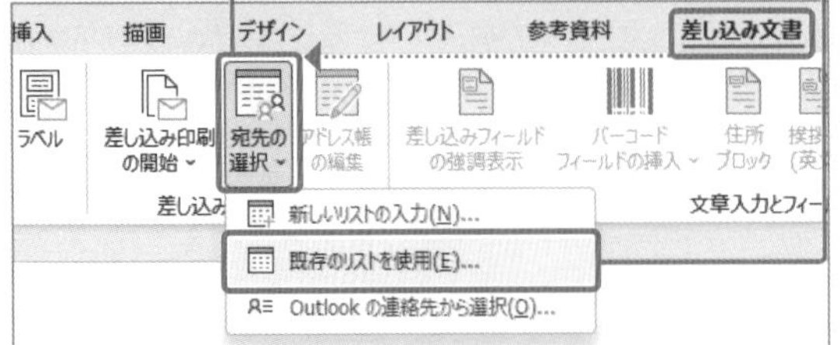

3 [データファイルの選択]ダイアログが表示されます。

4 使用するデータファイルをクリックします。

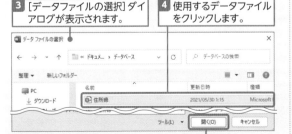

5 [開く]をクリックします。

6 [テーブルの選択]ダイアログが表示されます。

7 データの表が作成されているシートを選択します。

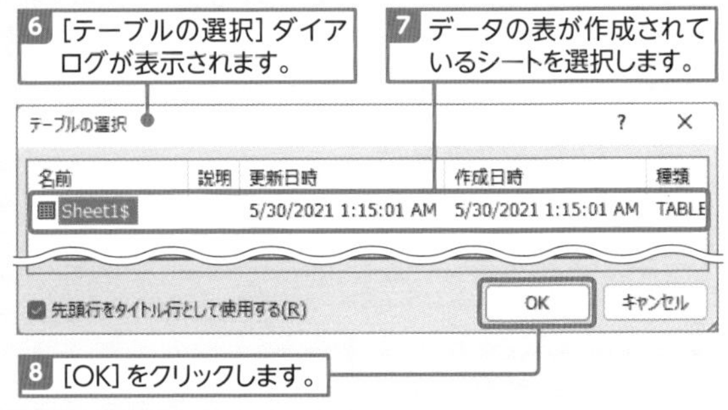

8 [OK]をクリックします。

Step3. アドレス帳の編集(データの確認と編集)

1 [差し込み文書]タブ→[アドレス帳の編集]をクリックします。

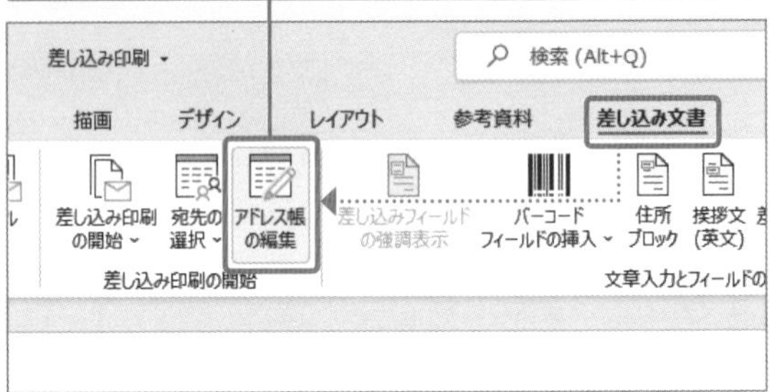

2 [差し込み印刷の宛先]ダイアログが表示されます。

チェックが付いているデータが差し込まれます。

列見出しの[▼]をクリックし、並べ替えやデータの抽出ができます。

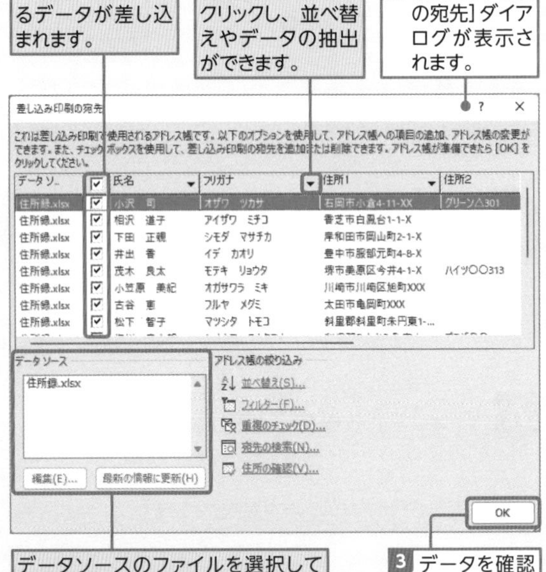

データソースのファイルを選択して[編集]をクリックすると、データの修正ができます。

3 データを確認し[OK]をクリックします。

おトクな情報 データの並べ替え、抽出、編集ができる

[差し込み印刷の宛先]ダイアログでは、データの確認をすると同時に、差し込むデータを並べ替えたり、絞り込んだり、データの修正ができます。

Step4. 差し込みフィールドの挿入

1 データの挿入位置にカーソルを移動します。

2 [差し込み文書] タブ→[差し込みフィールドの挿入] をクリックします。

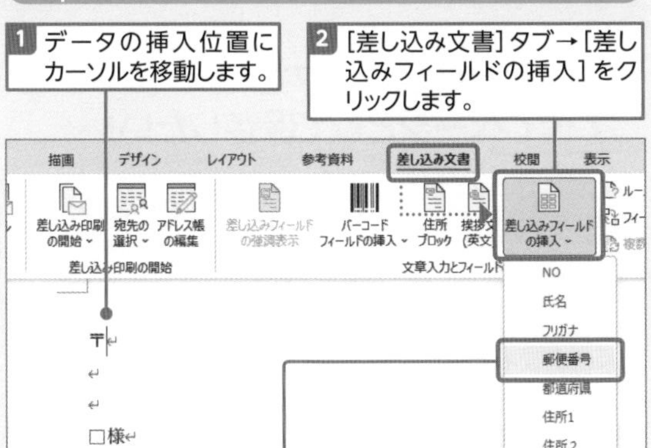

3 表示するデータの項目名(フィールド) を選択します。

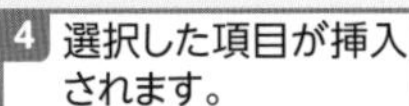

4 選択した項目が挿入されます。

5 同様にして項目を挿入します。

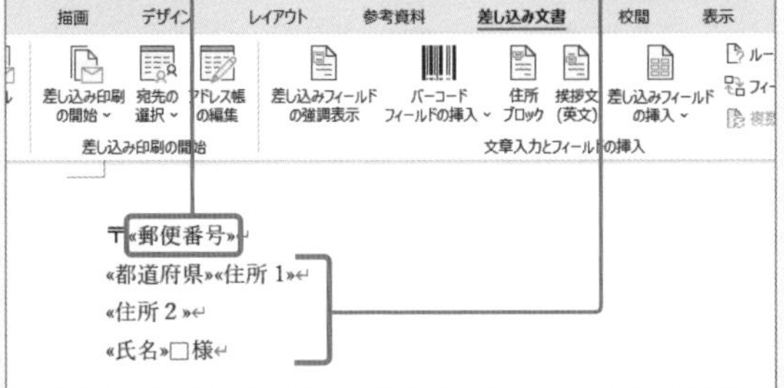

おトクな情報 差し込みフィールド

手順**4**で挿入された「<<郵便番号>>」のような記号を「差し込みフィールド」と呼びます。差し込みフィールドにはデータファイルとのリンク式が設定されています。

Step5. 結果のプレビュー (データを表示)

1 [差し込み文書] タブ→[結果のプレビュー] をクリックします。

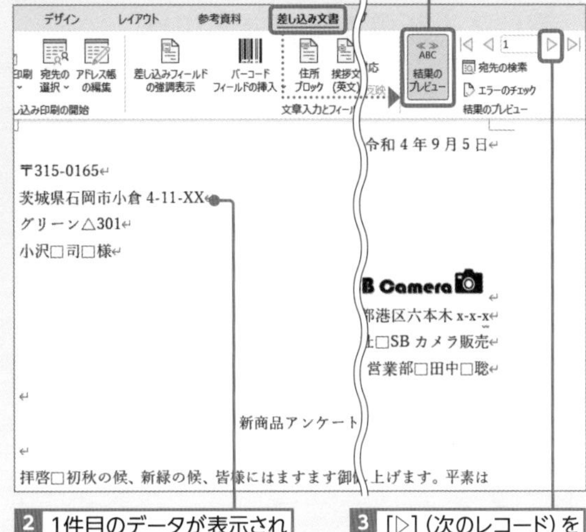

2 1件目のデータが表示されます。

3 [▷] (次のレコード) をクリックします。

4 2件目のデータが表示されます。

〒639-0262
奈良県香芝市白鳳台 1-1-X
相沢□道子□様

おトクな情報 関連付けるデータファイルを変更する

関連付けたデータファイルを別のファイルに変更したいときは、Step2の手順で宛先を選択し直します。挿入するフィールド名が変わる場合は、差し込みフィールドを削除し、Step4の手順で挿入し直します。

Q 455 お役立ち度 ★★★ 差し込み印刷 2021 2019 2016

保存した差し込み文書を開いたらメッセージが表示された!

A 関連付けられたデータファイルを読み込むための確認です。

差し込みフィールドを追加した差し込み文書は、宛先リストのデータファイルと関連付いています。差し込み文書を保存して閉じた後に再度開くと、確認メッセージが表示されます。[はい] をクリックすると、関連付けているデータファイルが読み込まれます。[いいえ] をクリックした場合は、再度データファイルを関連付けます。

1 差し込み文書を保存し閉じた後、再度開きます。

2 メッセージが表示されます。

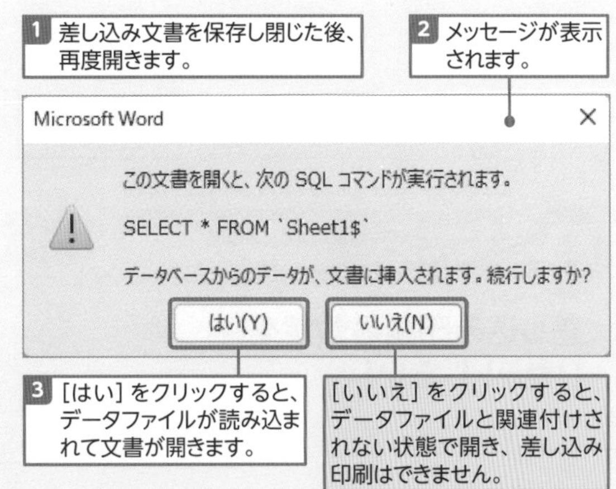

3 [はい] をクリックすると、データファイルが読み込まれて文書が開きます。

[いいえ] をクリックすると、データファイルと関連付けされない状態で開き、差し込み印刷はできません。

Q456 お役立ち度 ★★★ 差し込み印刷

2021 2019 2016

差し込み印刷を実行するには

A [差し込み文書]タブ→[完了と差し込み]をクリックします。

データを差し込んで印刷を実行するには、[差し込み文書]タブ→[完了と差し込み]から[文書の印刷]をクリックします。表示されるダイアログで印刷するレコードを指定することもできます。

1 [差し込み文書]タブ→[完了と差し込み]をクリックします。

2 [文書の印刷]をクリックします。

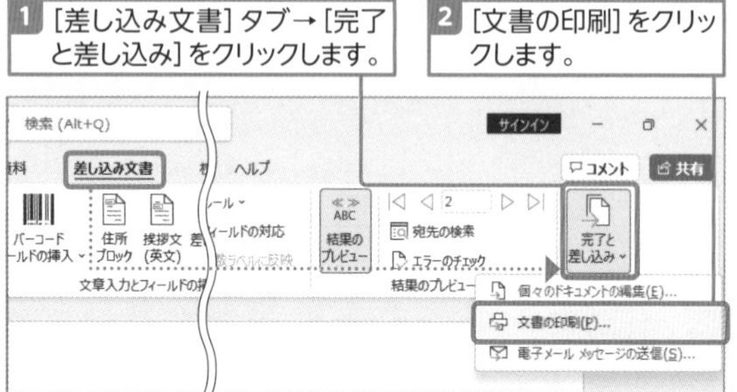

3 [プリンターに差し込み]ダイアログが表示されます。

4 印刷するレコードを選択します。

5 [OK]をクリックします。

6 [印刷]ダイアログが表示されます。

7 設定を確認し、[OK]をクリックします。

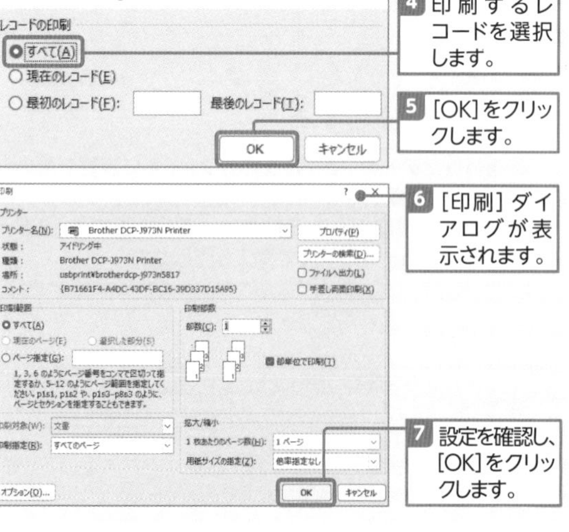

Q457 お役立ち度 ★★★ 差し込み印刷

2021 2019 2016

差し込んだ全データをすべてページとして保存したい!

A [差し込み文書]タブ→[完了と差し込み]をクリックします。

[差し込み文書]タブ→[完了と差し込み]から[個々のドキュメントの編集]をクリックすると、新規文書に宛名リストのデータを差し込み、データの件数分だけのページが作成されます。宛先ごとに個別に編集できます。

1 [差し込み文書]タブ→[完了と差し込み]をクリックします。

2 [個々のドキュメントの編集]をクリックします。

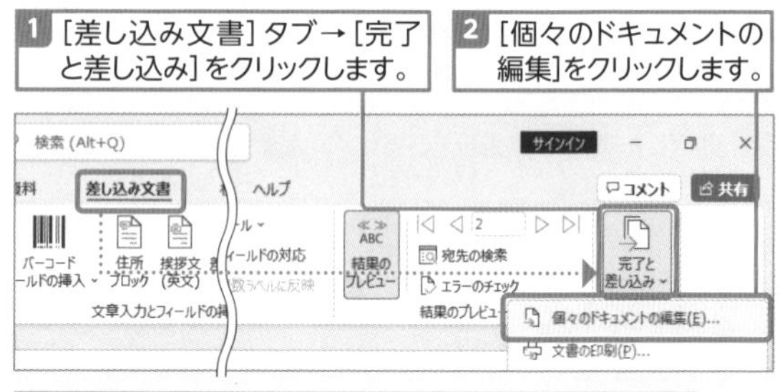

3 [新規文書への差し込み]ダイアログが表示されます。

4 文書に差し込むレコードの範囲を選択します。

5 [OK]をクリックします。

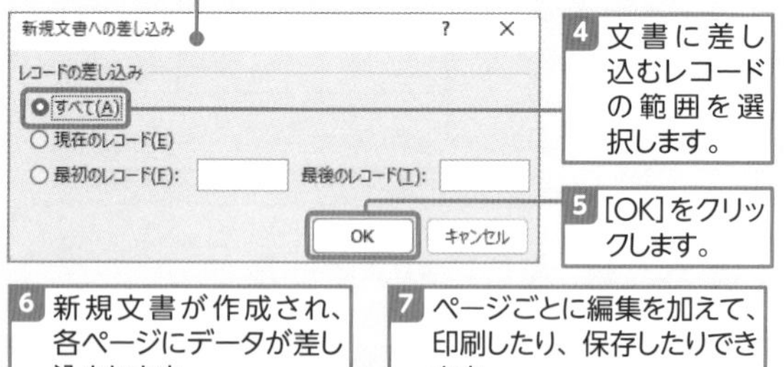

6 新規文書が作成され、各ページにデータが差し込まれます。

7 ページごとに編集を加えて、印刷したり、保存したりできます。

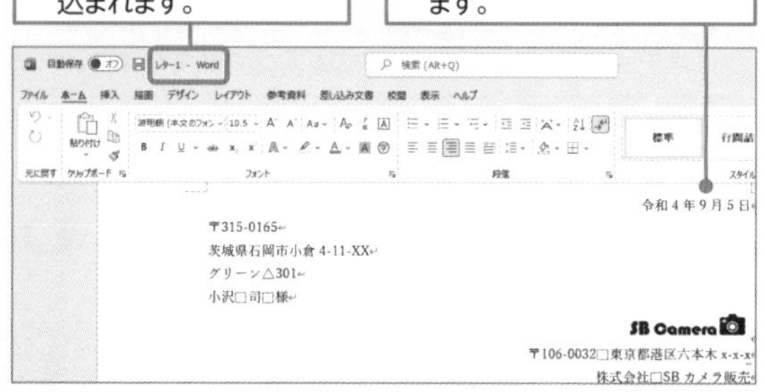

Q458 お役立ち度 ★★★ 差し込み印刷

2021 2019 2016

差し込み印刷の設定をリセットしたい!

A [差し込み印刷の開始]で[標準のWord文書]を選択します。

差し込み印刷の設定をした文書は、データファイルと連結しています。連結を解除して、通常の文書に戻すには、[差し込み文書]タブ→[差し込み印刷の開始]で[標準のWord文書]を選択してください。文書に差し込んだフィールドは別途削除します。差し込みフィールドをクリックして選択し、Delete キーを2回押して削除します。

第7章

Excelの基本操作

ここでは、Excelの起動と終了、ブック、シート、セルの基本操作を最初に解説し、Excelにおける文字入力の方法やオートフィル、データの入力規則など入力を支援する機能を紹介します。また、セル・行・列を操作する方法から印刷まで、幅広く基本の解説を行います。また、よくある疑問に答えます。

Q459 お役立ち度 ★★★ Excelの基礎 2021 2019 2016

Excelとは

A 計算、集計、分析などさまざまな機能を持つ表計算ソフトです。

Excelは、表計算ソフトの1つで、計算や表作成を得意とします。さらに、グラフ·図形機能に加え、データの並べ替え·抽出·集計機能も用意されており、大量データの整理や分析ができます。

表の作成

	A	B	C	D	E	F
1	商品別支店別売上					
2		4月	5月	6月	7月	合計
3	商品1	100,000	150,000	85,000	45,000	380,000
4	商品2	80,000	38,000	55,000	76,000	249,000
5	商品3	75,000	90,000	70,000	120,000	355,000
6	合計	255,000	278,000	210,000	241,000	984,000
7	平均	85,000	92,667	70,000	80,333	82,000
8	最大	100,000	150,000	85,000	120,000	150,000
9	最小	75,000	38,000	55,000	45,000	38,000
10						

文字や数値を入力し、書式や数式を設定してさまざまな表が作成できます。

表のデータを元にしたグラフや図形

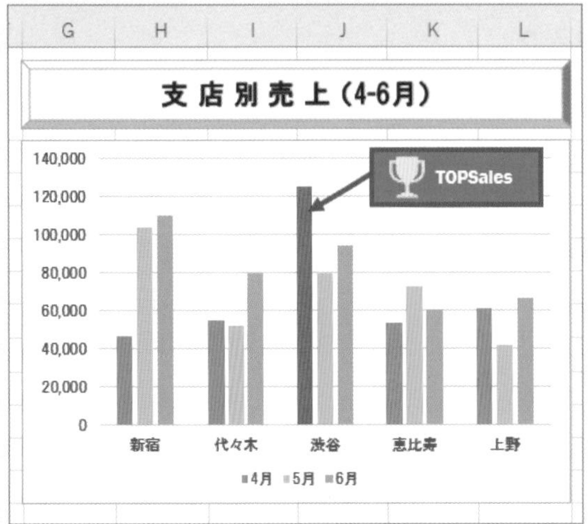

表のデータを元にグラフを作成してデータを視覚化し、図形を追加して見栄えの良い資料が作成できます。

データの並べ替え

	A	B	C	D	E
1	申込者一覧				
2	NO	氏名	フリガナ	部署	入社年
3	5	相川　亮太	アイカワ　リョウタ	企画部	2008年
4	6	遠藤　慎吾	エンドウ　シンゴ	開発部	2016年
5	1	岡田　健介	オカダ　ケンスケ	営業部	1993年
6	2	佐藤　司	サトウ　ツカサ	総務部	2003年
7	4	清水　杏	シミズ　アンズ	営業部	1998年
8	3	山本　希海	ヤマモト　ノゾミ	経理部	2015年

同じ文字列の値でまとめたり、数値や日付を大きい順、小さい順に並べ替えたりしてデータを見やすく整えられます。

特定の値を持つデータの抽出

	A	B	C	D	E
1	申込者一覧				
2	NO	氏名	フリガナ	部署	入社年
3	1	岡田　健介	オカダ　ケンスケ	営業部	1993年
6	4	清水　杏	シミズ　アンズ	営業部	1998年

特定の値を持つデータだけを表示できます。

関数や集計機能を使ったデータの集計

=SUMIF($D$2:$D$33,I3,$G$2:$G$33)

商品	単価	数量	金額
コーヒーセット	1,200	4	4,800
ジュースセット	1,300	5	6,500
コーヒーセット	1,200	2	2,400
チョコ詰め合わせ	1,200	4	4,800
コーヒーセット	1,200	2	2,400
マドレーヌ	1,400	4	5,600
チョコ詰め合わせ	1,200	3	3,600
クッキーセット	1,000	2	2,000
コーヒーセット	1,200	4	4,800
チョコ詰め合わせ	1,200	2	2,400
マドレーヌ	1,400	2	2,800
紅茶セット	1,500	4	6,000
チョコ詰め合わせ	1,200	5	6,000
クッキーセット	1,000	1	1,000

商品別売上金額

商品	売上合計
クッキーセット	16,000
コーヒーセット	19,200
チョコ詰め合わせ	30,000
マドレーヌ	19,600
ジュースセット	10,400
紅茶セット	25,500

関数を使って、データの集計ができます。

	A	B	C	D	E
1					
2	合計 / 金額	列ラベル			
3	行ラベル	6月	7月	8月	総計
4	クッキーセット	16,000	15,000	24,000	55,000
5	コーヒーセット	19,200	4,800	2,400	26,400
6	ジュースセット	10,400	31,200	19,500	61,100
7	チョコ詰め合わせ	30,000	22,800	21,600	74,400
8	マドレーヌ	19,600	22,400	15,400	57,400
9	紅茶セット	24,000	25,500	18,000	67,500
10	総計	119,200	121,700	100,900	341,800
11					

集計機能を使ってデータの集計ができます。

Q460 お役立ち度 ★★★ Excelの基礎 2021 2019 2016

Excelで新規ブックを作成するには

A [空白のブック]を選択します。

Excel起動時のスタート画面で表示される[空白のブック]をクリックします。

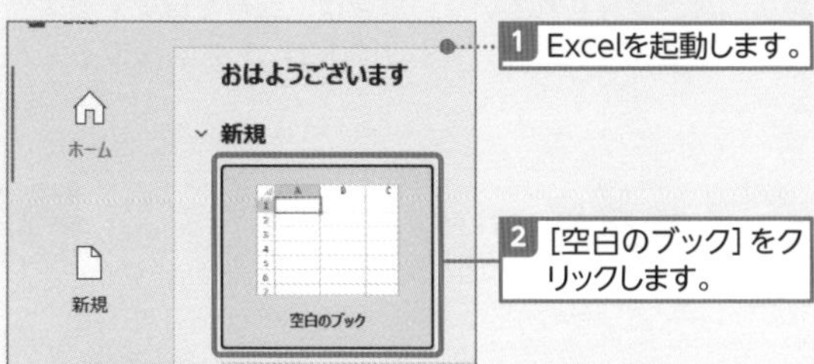

おトクな情報
すでに別のブックを開いている場合

[ファイル]タブ→[新規]をクリックし、[空白のブック]をクリックします。または、Ctrl + N キーを押します。

Q461 お役立ち度 ★★★ Excelの基礎 2021 2019 2016

Excelの基本要素を覚えたい!

A ブック、ワークシート、セルで構成されています。

Excelでは、ファイルのことを「ブック」と呼びます。「ワークシート」は作業用のシートで、ブック内に複数追加できます。ワークシートは行と列で区切られており、1つ1つのマス目のことを「セル」といいます。

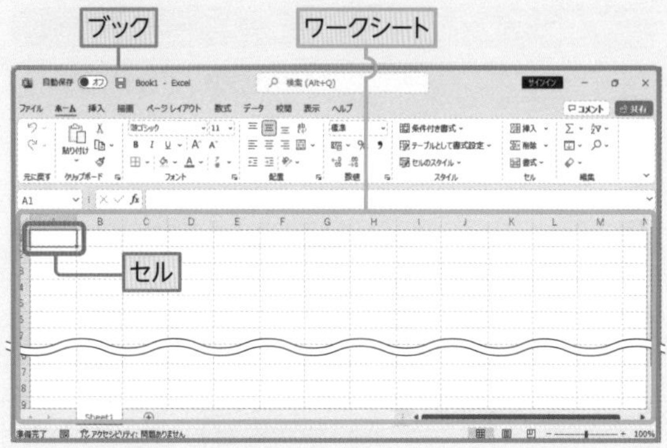

Q462 お役立ち度 ★★★ Excelの基礎 2021 2019 2016

Excelの画面構成はどうなっているの?

A 操作で迷ったときはここに戻って確認しましょう。

Excelで覚えておきたい基本的な構成要素をまとめます。名称と位置を確認してください。ここではExcel 2021の画面で説明します。

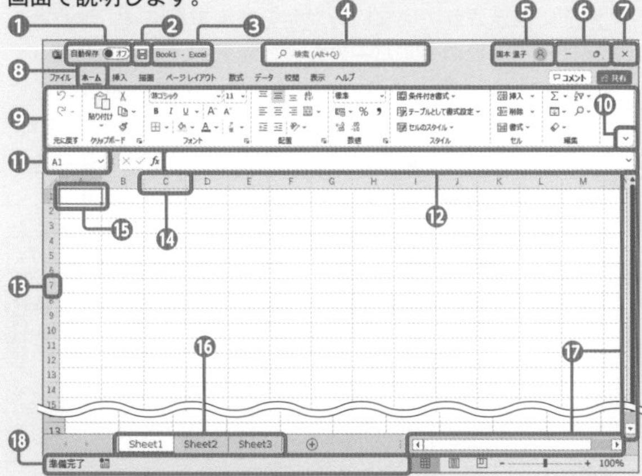

●各部の名称と機能

NO	名称	機能
❶	自動保存	Microsoftアカウントでサインインしているときに有効になる。オンのとき文書が変更されると自動保存される
❷	[上書き保存]	現在開いている文書を上書き保存する
❸	タイトルバー	開いている文書名が表示される
❹	Microsoft Search	入力したキーワードに対応した機能やヘルプが表示される
❺	Microsoftアカウント	サインインしているMicrosoftアカウントが表示される
❻	[最小化][最大化/元に戻す(縮小)]	[最小化]で画面をタスクバーにしまい、[最大化]で画面をデスクトップ一杯に表示する。最大化になっていると[元に戻す(縮小)]に変わる
❼	[閉じる]	現在表示されているウィンドウを閉じる
❽	タブ	リボンを切り替えるための見出し
❾	リボン	操作するボタンが表示される領域。上のタブをクリックするとリボンの内容が切り替わる。リボンのボタンは機能ごとにグループにまとめられている
❿	リボンの表示オプション	リボンの表示/非表示など表示方法を設定する
⓫	名前ボックス	アクティブセルのセル番地やセル範囲に付けた名前が表示される
⓬	数式バー	アクティブセルに入力されたデータや数式が表示される
⓭	行番号	行の位置を示す数字
⓮	列番号	列の位置を示すアルファベット
⓯	セル/アクティブセル	ワークシート内の1つ1つのマス目。現在選択されているセルを「アクティブセル」という
⓰	シート見出し	ブックに含まれるワークシート名が表示される。クリックしてワークシートを切り替える
⓱	スクロールバー	バーをドラッグして画面に表示する領域を移動する
⓲	ステータスバー	エクセルの現在の状態が表示される

Q463 お役立ち度 ★★★ Excelの基礎 2021 2019 2016

ブックを保存するには

A [上書き保存] ボタンをクリックします。

保存済みのブックの場合は、上書きで保存されます。新規ブックの場合は、[名前を付けて保存] 画面が表示され、場所と名前を指定して保存します。なお、自動保存など操作の詳細は12章を参照してください。

保存済みブックの場合

1 [上書き保存] をクリックします。

新規ブックの場合

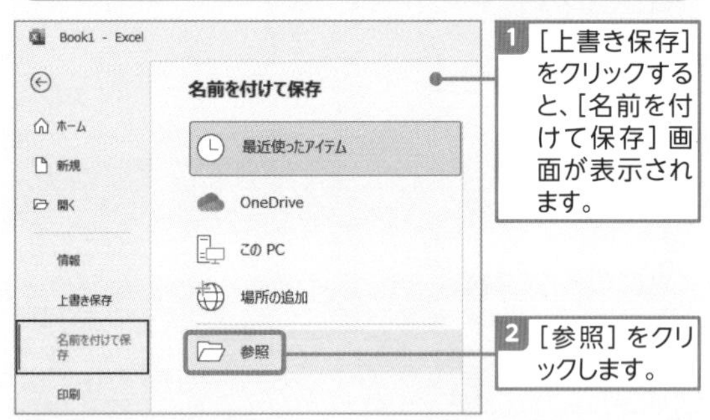

1 [上書き保存] をクリックすると、[名前を付けて保存] 画面が表示されます。

2 [参照] をクリックします。

3 [名前を付けて保存] ダイアログが表示されます。

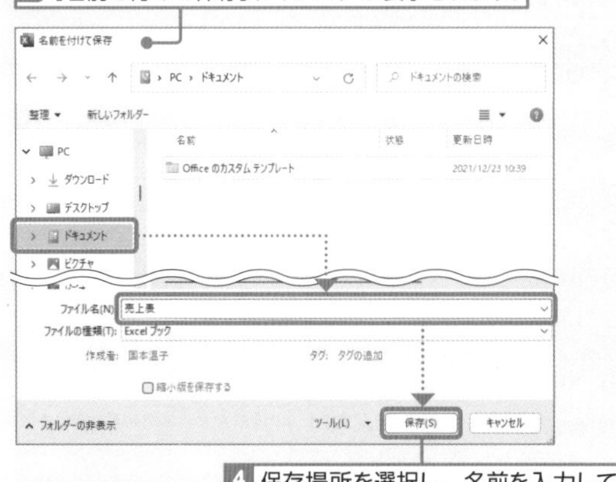

4 保存場所を選択し、名前を入力して、[保存] をクリックします。

おトクな情報　キー操作で実行

上書き保存：Ctrl ＋ S キー

Q464 お役立ち度 ★★★ Excelの基礎 2021 2019 2016

ブックを閉じるには

A [ファイル] タブ→ [閉じる] をクリックします。

[ファイル] タブ→ [閉じる] をクリックすると、Excelを終了せずに、現在開いているブックだけを閉じます。操作後、編集内容が保存されていない場合は、保存を確認するメッセージが表示されます。操作の詳細は12章を参照してください。

Q465 お役立ち度 ★★★ Excelの基礎 2021 2019 2016

ワークシートには何行、何列あるの？

A 行数は1,048,576行、列数は16,384列です。

ワークシートには、多くの行、列が用意されているため、余裕をもって大きな表を作成したり、複数の表を作成したりできます。表を効率的に管理するには、扱いやすい大きさの表を複数のシートに分けて作成するとよいでしょう。

Q466 お役立ち度 ★★★ Excelの基礎 2021 2019 2016

ワークシートの画面を移動するには

A スクロールバーを使うか、マウスホイールを回転させます。

画面に表示されていない行や列を表示するには、垂直あるいは水平スクロールバーのつまみを上下／左右にドラッグします。スクロールバーの両端にある三角のボタンをクリックすると、1行ずつ、1列ずつ画面が移動します。また、マウスホイールを回転させると、画面を上下に移動できます。画面を移動することを「スクロール」といいます。

1 下にドラッグすると、画面が移動します。

	A	B	C	D	E	F	G
1	売上表						
2	No	日付	商品NO	商品	単価	数量	金額
3	1	3月1日	A1002	コーヒーセット	1,200	4	4,800
4	2	3月2日	C3001	ジュースセット	1,300	5	6,500
5	3	3月3日	A1002	コーヒーセット	1,200	2	2,400
6	4	3月4日	B2001	チョコ詰め合わせ	1,200	4	4,800
7	5	3月5日	A1002	コーヒーセット	1,200	2	2,400
8	6	3月6日	B2002	マドレーヌ	1,400	4	5,600

Q467 お役立ち度 ★★★ Excelの基礎 2021 2019 2016

ブックを開くには

A [ファイル] タブ→ [開く] をクリックします。

Excelでは、起動中に複数のブックを開くことができます。[ファイルを開く] ダイアログで場所と名前を指定して開きます。操作の詳細は12章を参照してください。

1 [ファイル] タブ→ [開く] をクリックします。
2 [参照] をクリックします。
3 [ファイルを開く] ダイアログが表示されます。
4 保存場所とファイルを選択し、[開く] ボタンをクリックします。

Q469 お役立ち度 ★★★ Excelの基礎 2021 2019 2016

Excelを終了するには

A [閉じる] ボタンをクリックします。

[閉じる] ボタンをクリックすると現在開いているブックを閉じると同時にExcelも終了します。複数ブックを開いている場合は1つのブックが閉じます。なお、Shift キーを押しながら [閉じる] ボタンをクリックすると、開いているすべてのブックが閉じられて、Excelが終了します。

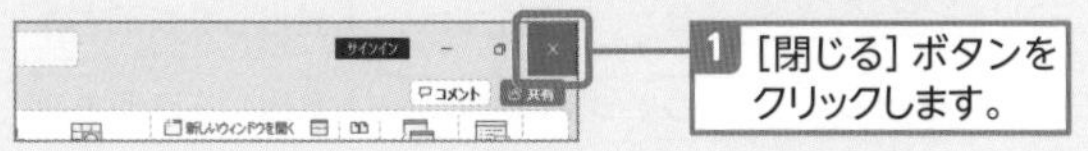

1 [閉じる] ボタンをクリックします。

Q468 お役立ち度 ★★★ Excelの基礎 2021 2019 2016

どんな表示モードがあるの?

A 「標準」「改ページプレビュー」「ページレイアウト」を覚えておきましょう。

文字入力、表やグラフなどを作成する場合などに使用する「標準」、印刷結果をイメージしながら作業できる「ページレイアウト」、改ページや印刷範囲を調整するための「改ページプレビュー」があります。

標準

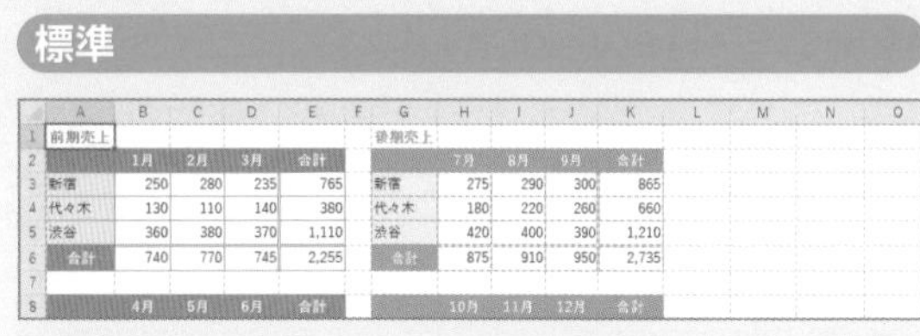

ページレイアウト

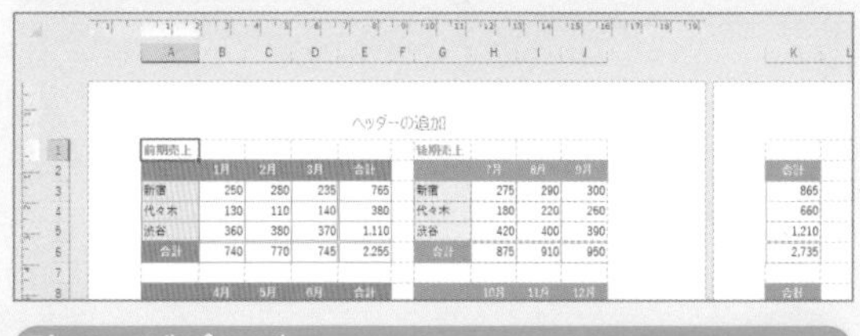

改ページプレビュー

印刷範囲
改ページ位置

Q470 お役立ち度 ★★★ Excelの基礎 2021 2019 2016

表示モードを切り替えるには

A ステータスバー右下の表示選択のボタンをクリックします。

[表示] タブの [標準]、[改ページプレビュー]、[ページレイアウト] ボタンでも切り替えられます。

標準
ページレイアウト
改ページプレビュー
100%

Q471 お役立ち度 ★★★ シート／ウィンドウの操作

新しいシートを追加するには

A ［新しいシート］ボタンをクリックします。

シート見出しの右にある［新しいシート］ボタンをクリックすると、作業中のシートの後ろにワークシートが1枚追加されます。また、Shift＋F11キーを押すと作業中のシートの前に1枚追加されます。

1 ［新しいシート］をクリックします。

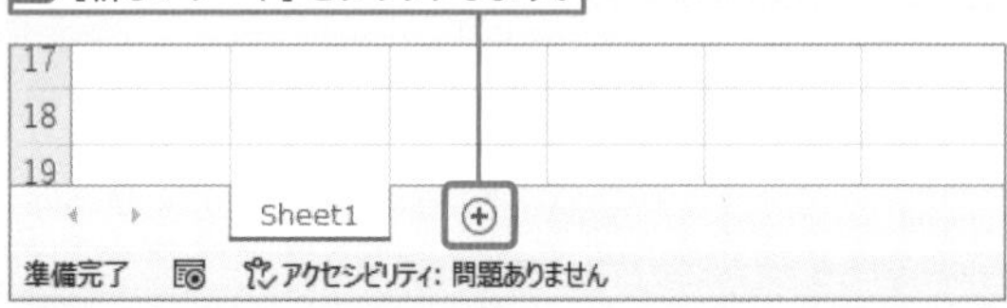

2 ワークシートが追加されます。

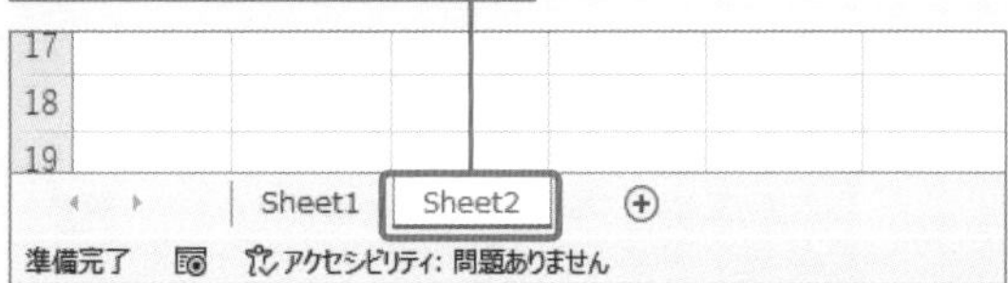

Q473 お役立ち度 ★★★ シート／ウィンドウの操作

シートの名前を変更するには

A シート見出しをダブルクリックしてシート名を入力します。

シート見出しをダブルクリックすると、シート見出しが編集可能な状態になります。この状態でシート名を変更します。なお、コロン「:」、円マーク「¥」、スラッシュ「/」、疑問符「?」、アスタリスク「*」、左角かっこ「[」、右角かっこ「]」といった記号は使えません。また、シート名は空欄にできません。

1 シート見出しをダブルクリックして編集可能になったら、シート名を入力します。

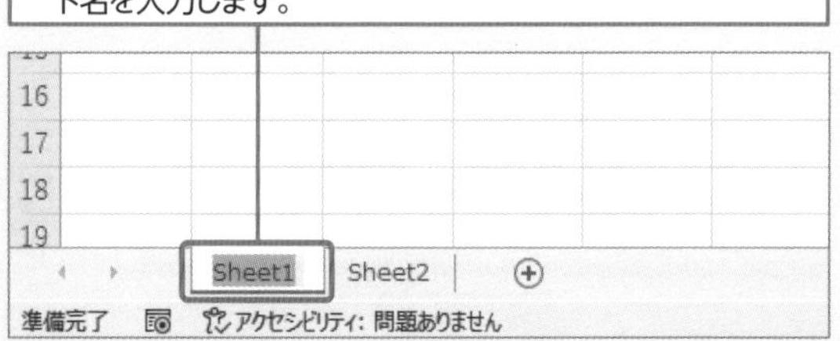

Q472 お役立ち度 ★★★ シート／ウィンドウの操作

シートを切り替えるには

A シート見出しをクリックします。

シートを切り替えるには、シート見出しをクリックします。切り替えられ、最前面にある作業対象のシートを「アクティブシート」といいます。

1 シート見出しをクリックしてシートを切り替えます。

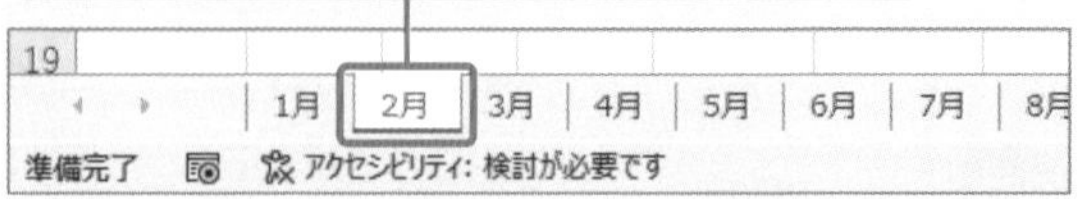

Q474 お役立ち度 ★★★ シート／ウィンドウの操作

シートがたくさんあるときにシートを切り替えるには

A ［シートの選択］ダイアログを表示すると便利です。

シートの数が多く、シート見出しが表示しきれない場合、シート見出しの左にある［◀］［▶］ボタンを右クリックして［シートの選択］ダイアログを表示すると簡単に切り替えられます。

1 ［◀］または［▶］を右クリックします。

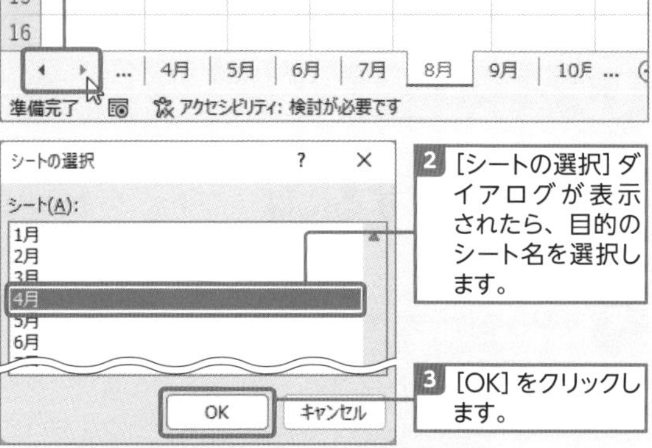

● 切り替え操作と表示される見出しの種類

操作	内容
◀、▶をクリック	1つずつ左、右のシート見出しを表示する
Ctrl＋◀、▶をクリック	一番左、一番右のシート見出しを表示する
…をクリック	1つずつ左、右のシート見出しを表示する

Q475 お役立ち度 ★★★ シート／ウィンドウの操作 2021 2019 2016

シートの順番を入れ替えるには

A シート見出しをドラッグします。

シート見出しをドラッグするだけで簡単に移動できます。移動先を確認しながらドラッグしましょう。

1 移動するシート見出しを移動先までドラッグします。

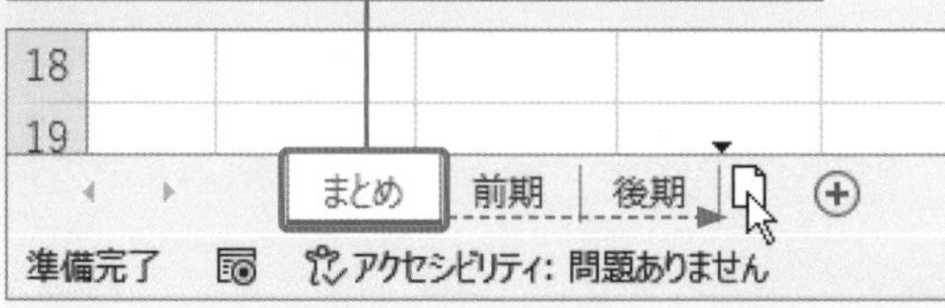

2 シートが移動します。

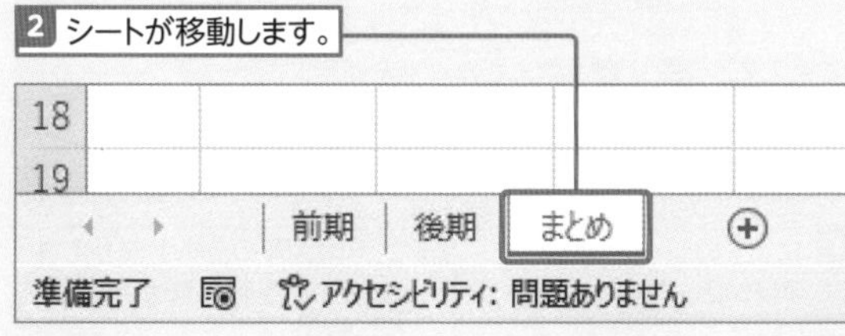

Q476 お役立ち度 ★★★ シート／ウィンドウの操作 2021 2019 2016

シート見出しに色を付けるには

A シート見出しを右クリックして［シート見出しの色］を選択します。

シート見出しに色を付けると、他のシートと区別しやすくなります。色を解除するには、一覧から［色なし］を選択します。

1 シート見出しを右クリックします。

2 ［シート見出しの色］にマウスポインターを合わせ、色を選択します。

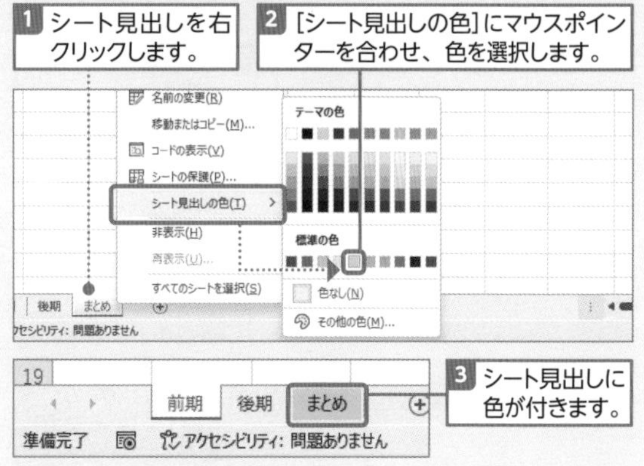

3 シート見出しに色が付きます。

Q477 お役立ち度 ★★★ シート／ウィンドウの操作 2021 2019 2016

シートを削除するには

A シート見出しを右クリックして［削除］を選択します。

不要なシートは削除できます。削除したシートは完全に削除され、元に戻すことはできませんので気をつけてください。

1 シート見出しを右クリックします。

2 ［削除］をクリックします。

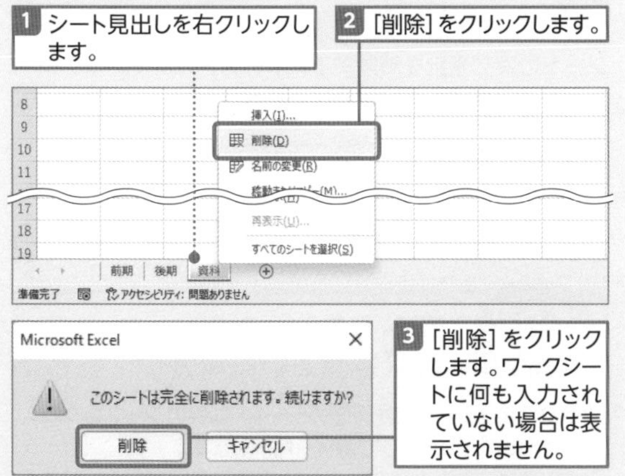

3 ［削除］をクリックします。ワークシートに何も入力されていない場合は表示されません。

Q478 お役立ち度 ★★★ シート／ウィンドウの操作 2021 2019 2016

シートを非表示にするには

A シート見出しを右クリックして［非表示］を選択します。

表示する必要のないシートは非表示にできます。すぐには使用しないけれど後で使用する可能性のあるシートは一時的に非表示にしておくと便利です。

1 シート見出しを右クリックします。

2 ［非表示］をクリックします。

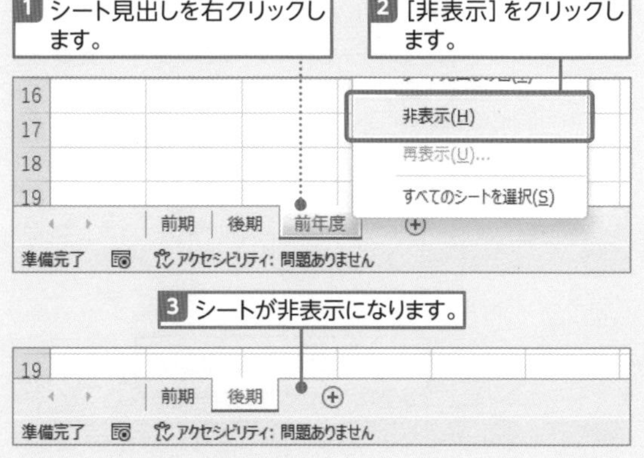

3 シートが非表示になります。

Q479 お役立ち度 ★★★ シート／ウィンドウの操作

非表示のシートを再表示するには

A シート見出しを右クリックして［再表示］を選択します。

任意のシートのシート見出しを右クリックして、［再表示］をクリックすると、［再表示］ダイアログが表示され、再表示するシートを選択できます。Excel 2021/Microsoft 365では、複数のシートをまとめて再表示できます。

1 任意のシート見出しを右クリックします。

2 ［再表示］をクリックします。

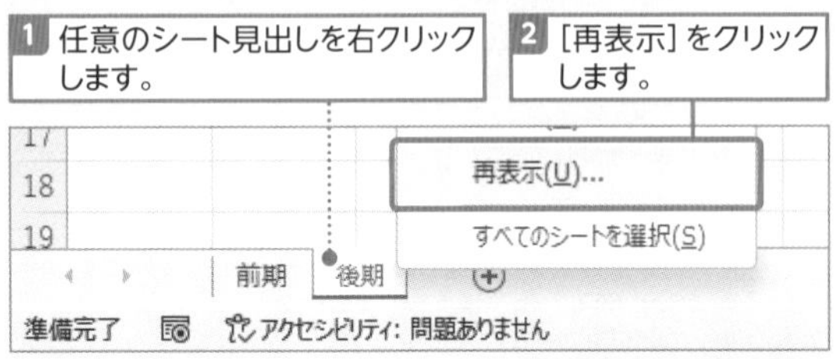

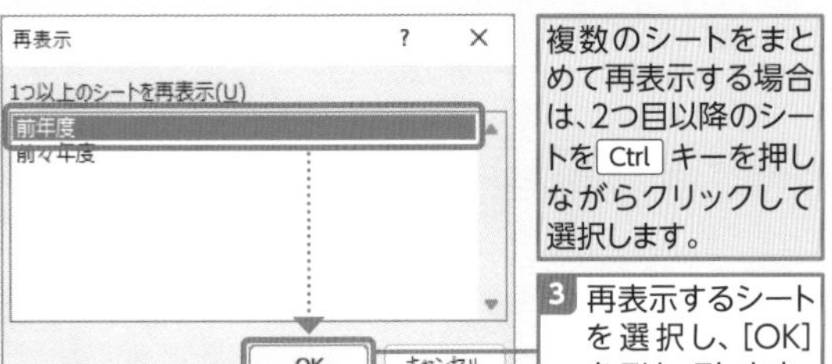

複数のシートをまとめて再表示する場合は、2つ目以降のシートを Ctrl キーを押しながらクリックして選択します。

3 再表示するシートを選択し、［OK］をクリックします。

Q480 お役立ち度 ★★★ シート／ウィンドウの操作

複数のシートを選択するには

A Shift キーや Ctrl キーを使ってシート見出しをクリックします。

連続した複数のシートを選択する場合は Shift キー、離れた複数のシートを選択する場合は Ctrl キーを使います。それぞれの選択方法の違いを覚えておきましょう。

連続したシートの選択

1 始点となるシート見出しをクリックします。

2 終点となるシート見出しを Shift キーを押しながらクリックします。

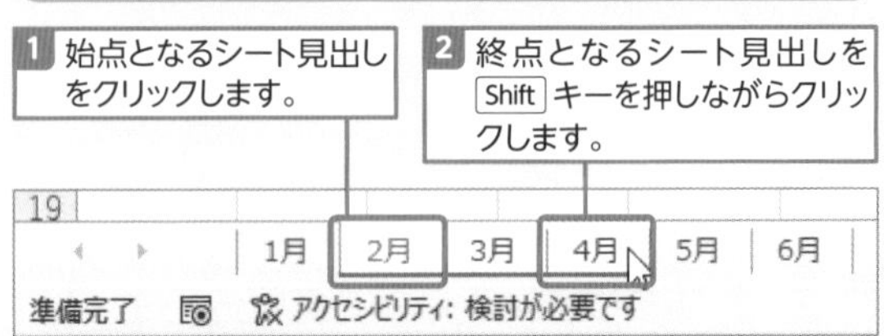

離れたシートの選択

1 1つ目のシート見出しをクリックします。

2 2つ目以降のシート見出しを Ctrl キーを押しながらクリックします。

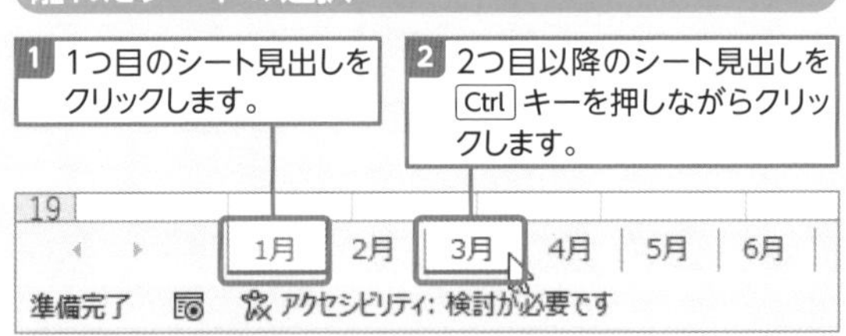

Q481 お役立ち度 ★★★ シート／ウィンドウの操作 2021 2019 2016

すべてのシートを選択するには

A ［すべてのシートを選択］を選択します。

ブック内のすべてのシートをまとめて選択したい場合は、シート見出しを右クリックして［すべてのシートを選択］をクリックすれば、素早く簡単に選択できます。

1 シート見出しを右クリックします。

2 ［すべてのシートを選択］をクリックします。

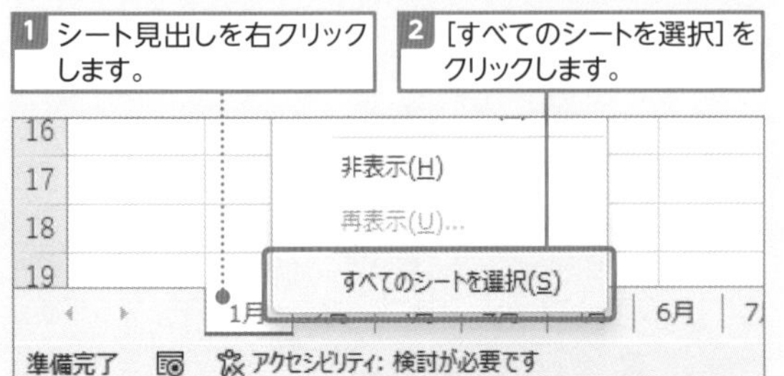

Q482 お役立ち度 ★★★ シート／ウィンドウの操作 2021 2019 2016

シートの複数選択を解除するには

A 選択されていないシートのシート見出しをクリックします。

シートの複数選択を解除するには、選択されていないシートのシート見出しをクリックするだけです。

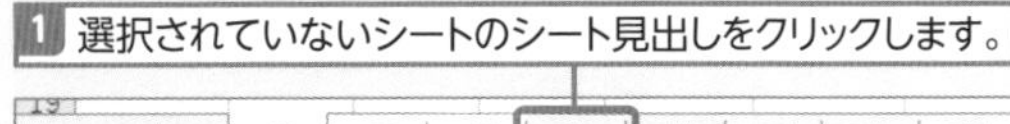

1 選択されていないシートのシート見出しをクリックします。

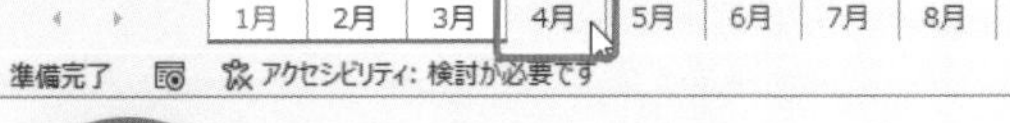

おトクな情報 すべてのシートが選択されている場合

アクティブシート（最前面のシート）以外のシートのシート見出しをクリックして選択を解除します。

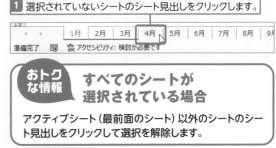

Q483 お役立ち度 ★★★ シート／ウィンドウの操作 2021 2019 2016

シートをコピーするには

A シート見出しを Ctrl キーを押しながらドラッグします。

既に作成済みの表に手を加えるときのバックアップとして残したい場合や、同じ形式の表を使いたい場合などは、シートをコピーして利用しましょう。Ctrl キーを押しながらシート見出しをドラッグするだけです。コピー後、シート名を適切なものに変更しておきます（**Q473**）。

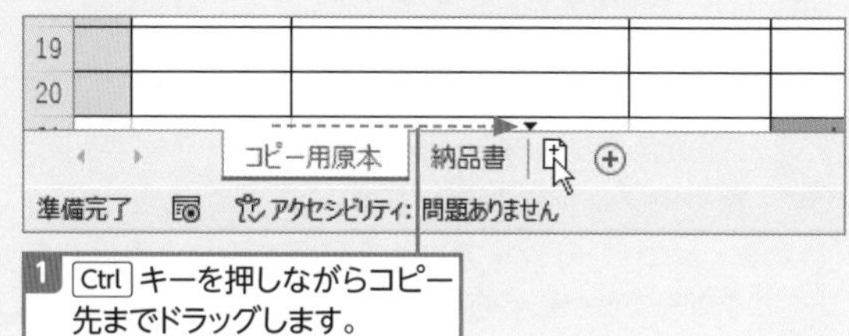

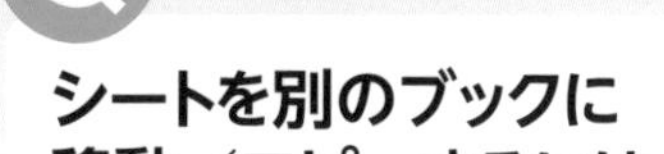

1 Ctrl キーを押しながらコピー先までドラッグします。

Q484 お役立ち度 ★★★ シート／ウィンドウの操作 2021 2019 2016

複数のシートを同じブック内で移動／コピーするには

A ［移動またはコピー］ダイアログが利用できます。

［移動またはコピー］ダイアログを使うと、選択したシートを任意の位置に移動またはコピーできます。複数のシートをまとめて移動、コピーしたい場合に利用すると便利です。

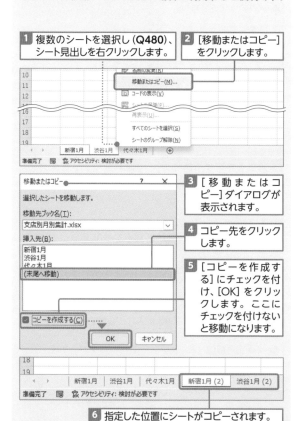

1 複数のシートを選択し（**Q480**）、シート見出しを右クリックします。

2 ［移動またはコピー］をクリックします。

3 ［移動またはコピー］ダイアログが表示されます。

4 コピー先をクリックします。

5 ［コピーを作成する］にチェックを付け、［OK］をクリックします。ここにチェックを付けないと移動になります。

6 指定した位置にシートがコピーされます。

Q485 お役立ち度 ★★★ シート／ウィンドウの操作 2021 2019 2016

シートを別のブックに移動／コピーするには

A ［移動またはコピー］ダイアログで別ブックを選択します。

［移動またはコピー］ダイアログを使うと、開いている別ブックの指定した場所にシートを移動またはコピーできます。

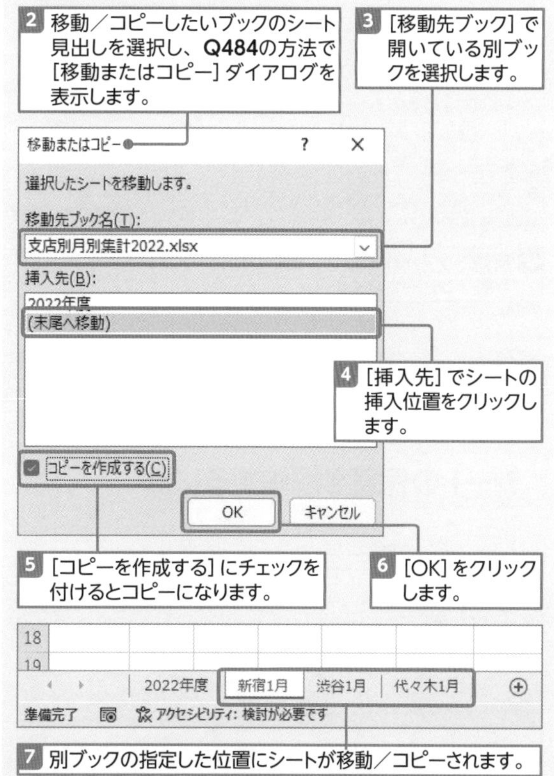

1 別ブックを開いておきます。
2 移動／コピーしたいブックのシート見出しを選択し、Q484の方法で［移動またはコピー］ダイアログを表示します。
3 ［移動先ブック］で開いている別ブックを選択します。
移動またはコピー
選択したシートを移動します。
移動先ブック名(T):
支店別月別集計2022.xlsx
挿入先(B):
2022年度
(末尾へ移動)
4 ［挿入先］でシートの挿入位置をクリックします。
コピーを作成する(C)
OK
キャンセル
5 ［コピーを作成する］にチェックを付けるとコピーになります。
6 ［OK］をクリックします。
2022年度
新宿1月
渋谷1月
代々木1月
準備完了
アクセシビリティ: 検討が必要です
7 別ブックの指定した位置にシートが移動／コピーされます。

Q486 お役立ち度 ★★★ シート／ウィンドウの操作 2021 2019 2016

シートを新しいブックに移動／コピーするには

A [移動またはコピー] ダイアログで新しいブックを選択します。

[移動またはコピー] ダイアログを利用すると、選択したシートを新規ブックに移動／コピーできます。新しいブックに関連シートをまとめるなど、データの管理や整理の際に使えます。

1 移動／コピーしたいシートを選択しておきます。

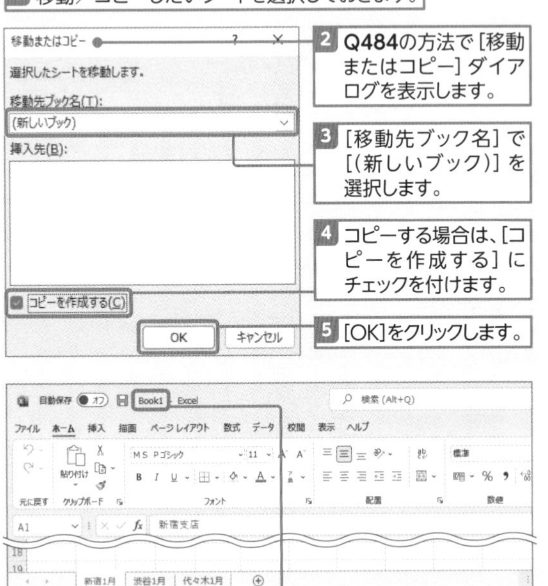

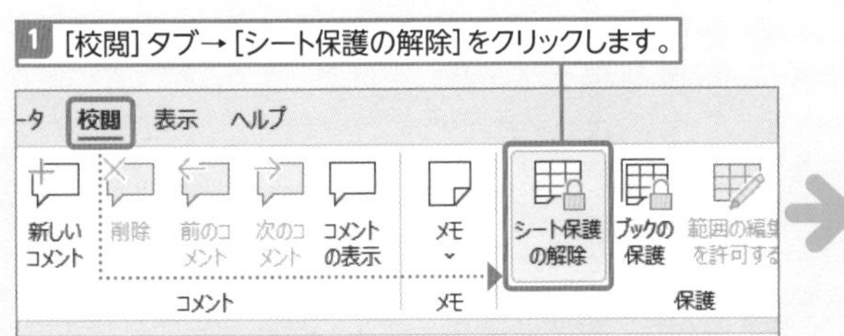

Q487 お役立ち度 ★★★ シート／ウィンドウの操作 2021 2019 2016

誤ってデータが削除されないようにするには

A シートを保護します。

シートを保護すると、セルに入力された文字や数値、数式などが誤って削除されないようにできます。

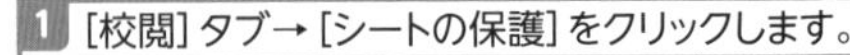

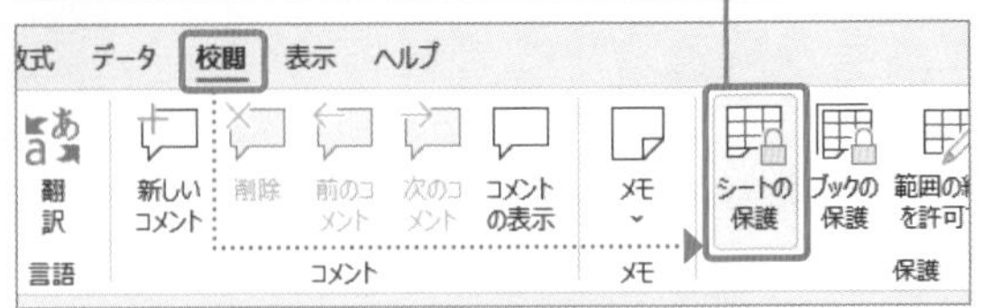

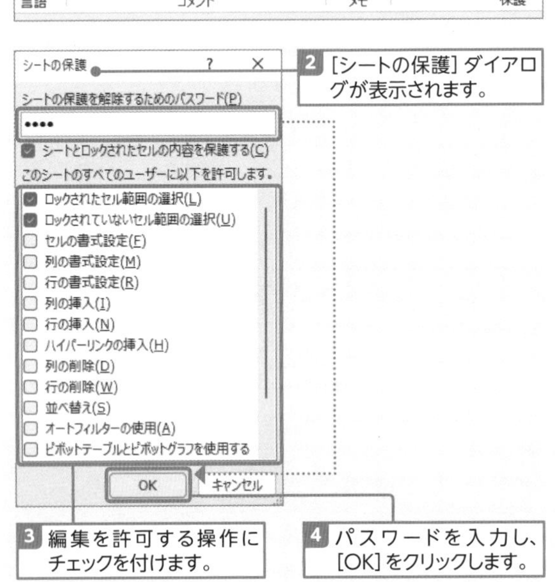

Q488 お役立ち度 ★★★ シート／ウィンドウの操作 2021 2019 2016

シートの保護を解除するには

A [校閲] タブ→ [シート保護の解除] をクリックし、パスワードを入力します。

シート保護の解除には、[校閲] タブ→ [シート保護の解除] をクリックし、設定したパスワードを入力します。

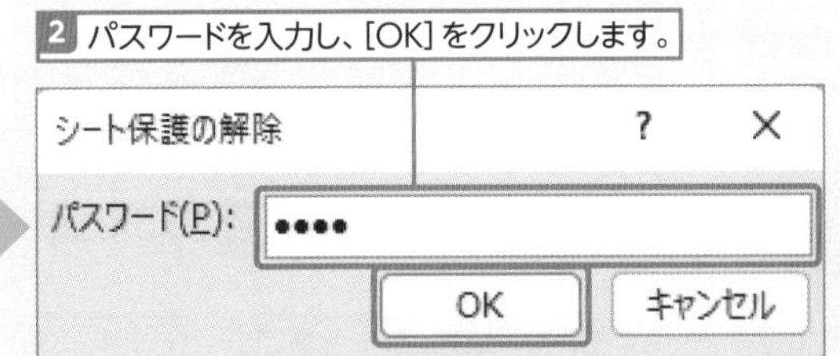

Q489 お役立ち度 ★★★ シート/ウィンドウの操作 2021 2019 2016

一部のセルだけ編集できるようにするには

A 編集するセルだけロックを解除してからシートを保護します。

シートをロックしても一部のセルだけ入力できるようにするには、編集する可能性のあるセルのロックを解除してから、シートを保護します。数値など必要なデータの入力はしたいけど、数式や書式が設定されているセルは保護したいという場合に便利です。

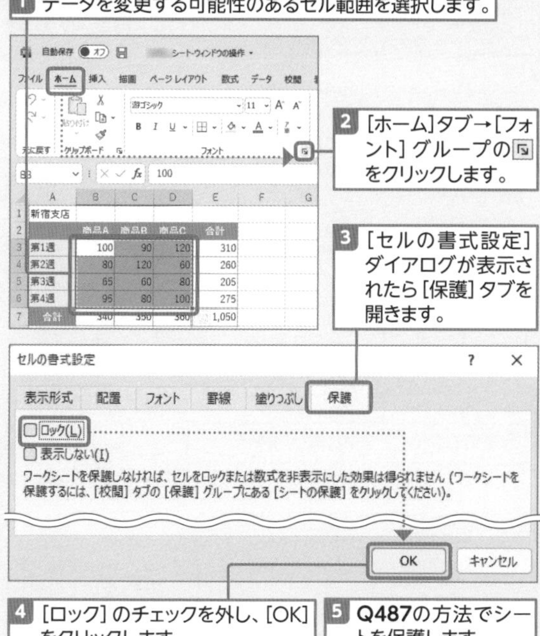

Q490 お役立ち度 ★★★ シート/ウィンドウの操作 2021 2019 2016

シートを保護したら数式も見えなくしたい!

A 数式を非表示にしたいセルの[表示しない]をオンにします。

シートを保護したときに、セルに設定されている数式の内容も見えないようにしたいときは、セルの[表示しない]をオンにしてから、シートを保護します。

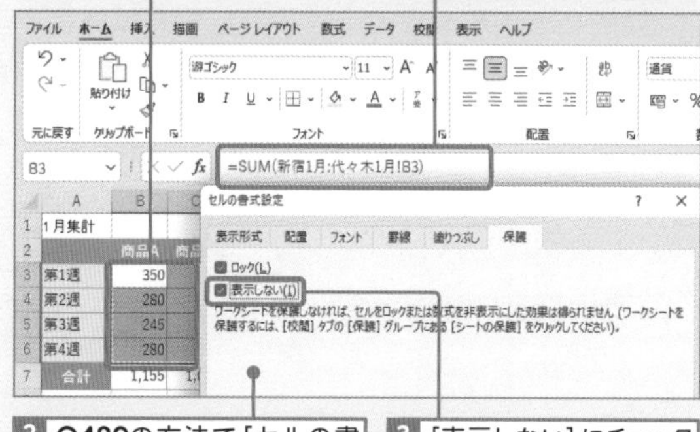

1 非表示にしたい数式が設定されているセルを選択します。
選択したセルに設定されている数式が表示されます。
2 Q489の方法で[セルの書式設定]ダイアログを表示します。
3 [表示しない]にチェックを付け、[OK]をクリックします。

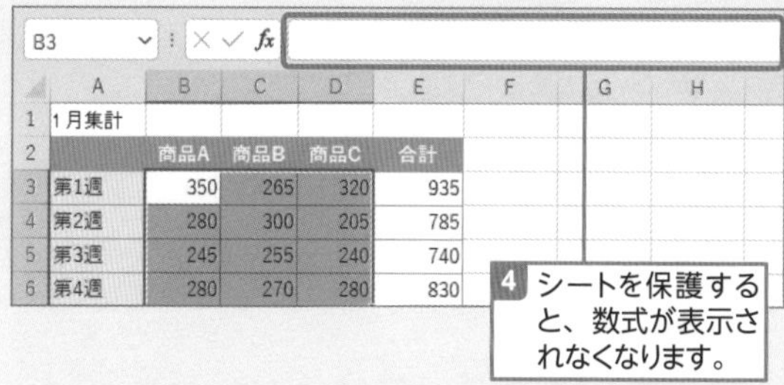

Q491 お役立ち度 ★★★ シート/ウィンドウの操作 2021 2019 2016

シート保護解除のパスワードを忘れてしまった!

A シート全体を別シートにコピーします。

[シートの保護]ダイアログでは、初期設定で[ロックされたセル範囲の選択]と[ロックされていないセル範囲の選択]にチェックが付いています。この状態で保護していれば、シート全体をコピーし、別シートに貼り付けることでデータの編集が可能になります。

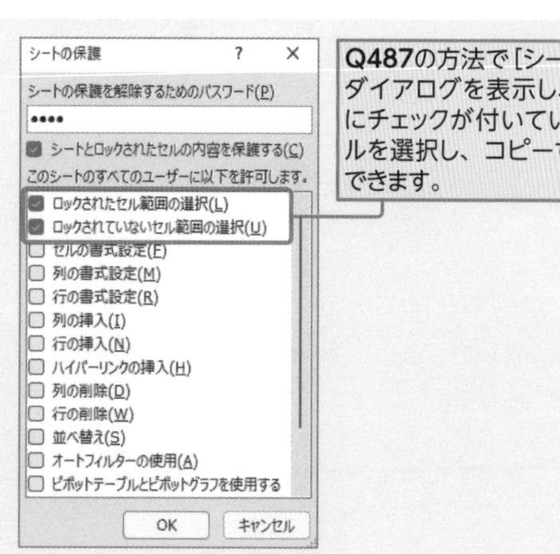

Q487の方法で[シートの保護]ダイアログを表示し、この2つにチェックが付いていれば全セルを選択し、コピーすることができます。

Q492 お役立ち度 ★★★ シート／ウィンドウの操作 2021 2019 2016

パスワードを知っている人だけセル編集を許可したい！

A 編集可能範囲にパスワードを設定し、シートを保護します。

編集する可能性のあるセルのロックを解除してからシート保護した場合は、ロックを解除したセルはすべてのユーザーが編集可能です（**Q489**）。しかし、編集できるユーザーを制限したい場合は、編集可能なセル範囲にパスワードを設定して、パスワードを知っているユーザーのみ編集ができるようにします。

1 セル範囲を選択します。

2 ［校閲］タブ→［範囲の編集を許可する］をクリックします。

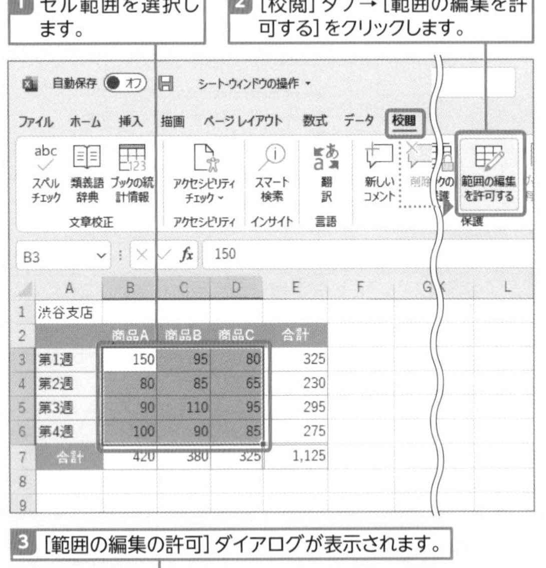

3 ［範囲の編集の許可］ダイアログが表示されます。

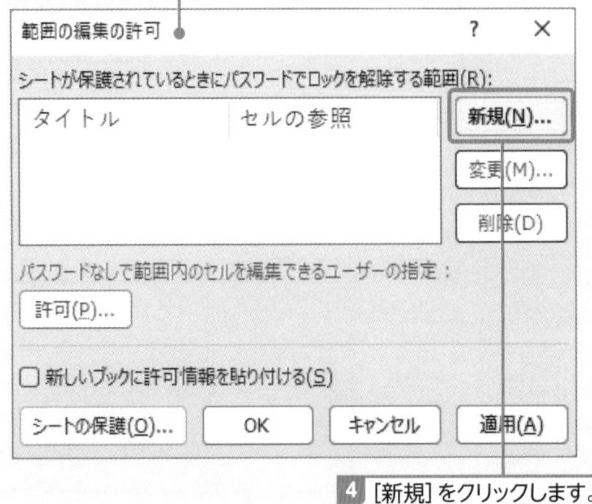

4 ［新規］をクリックします。

5 タイトルを入力します。

6 手順1で選択したセル範囲が表示されていることを確認します。

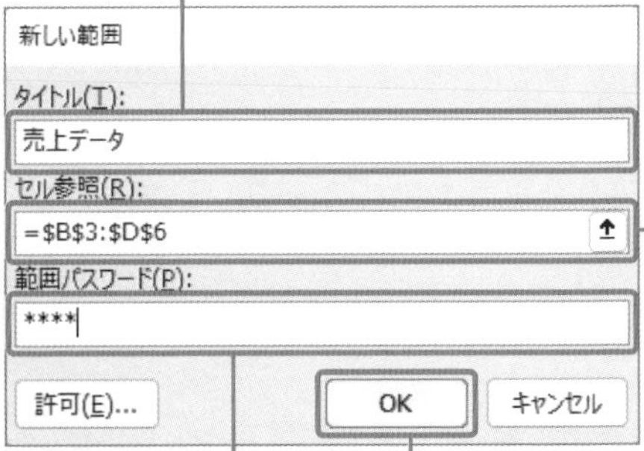

7 パスワードを入力します。

8 ［OK］をクリックします。

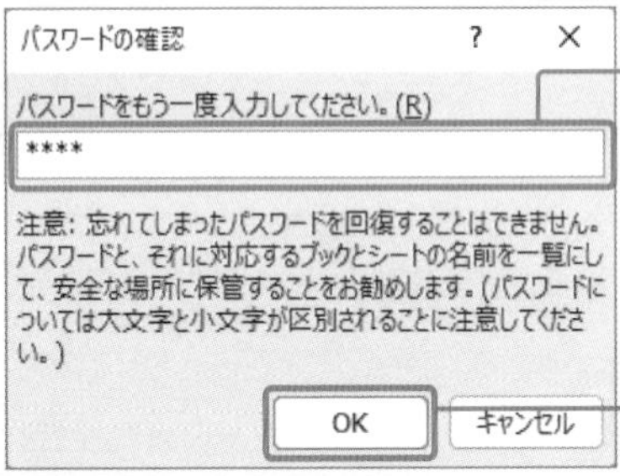

9 パスワードを再度入力します。

10 ［OK］をクリックします。

11 設定内容を確認します。

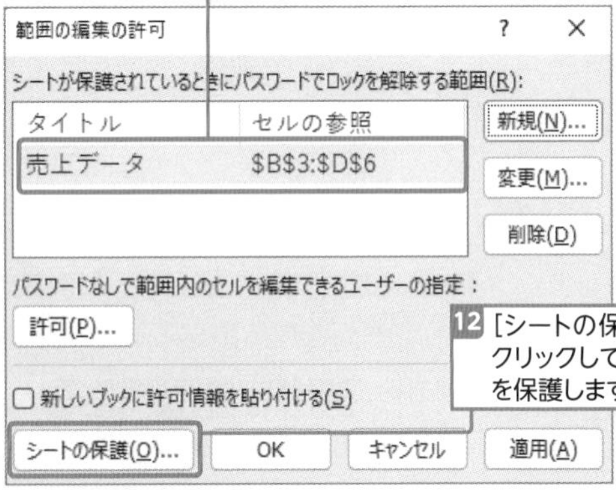

12 ［シートの保護］をクリックしてシートを保護します。

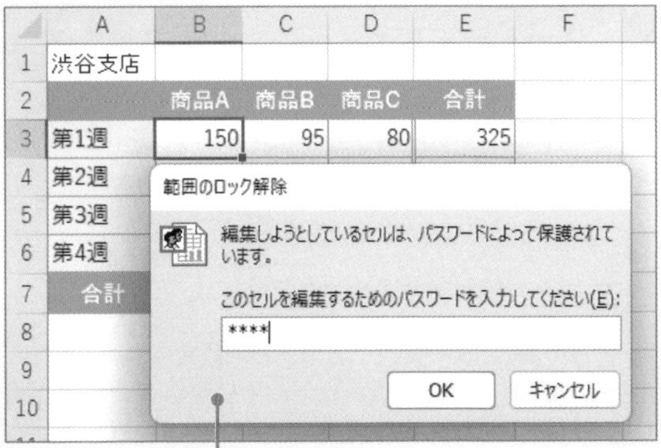

13 編集を許可したセルのデータを編集しようとすると、パスワードの入力を求められます。

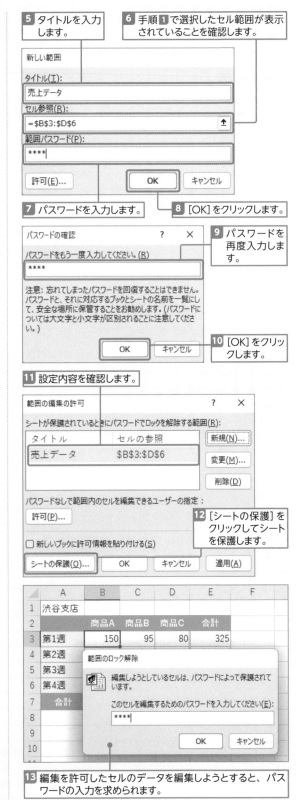

Q493 お役立ち度 ★★★ シート/ウィンドウの操作 2021 2019 2016

シートが誤って削除されないようにするには

A ブックを保護します。

ブックを保護すると、シートの追加や削除などのワークシート関連の操作ができなくなるので、誤ってシートが削除されてしまうことを防げます。

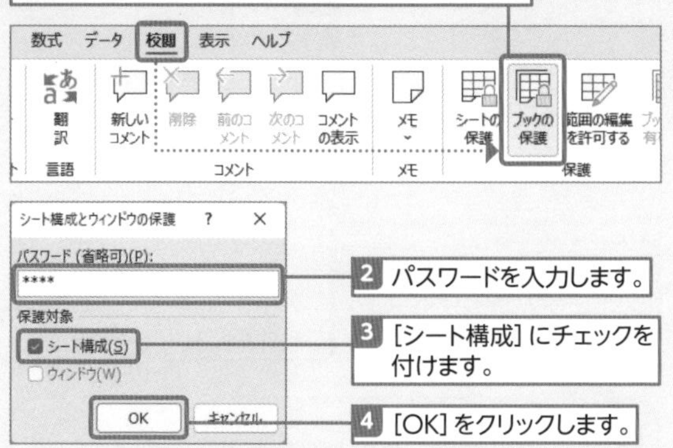

Q494 お役立ち度 ★★★ シート/ウィンドウの操作 2021 2019 2016

ブックの保護を解除するには

A [校閲] タブ→ [ブックの保護] をクリックします。

ブックが保護されている状態で、ワークシートの操作が必要な場合は、ブックの保護を解除します。

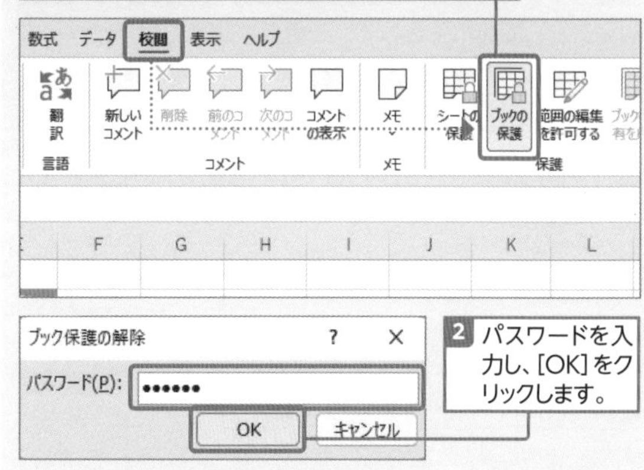

Q495 お役立ち度 ★★★ シート/ウィンドウの操作 2021 2019 2016

枠線を消して白い用紙のように表示したい!

A [表示] タブ→ [目盛線] でオン/オフを切り替えます。

[目盛線] をオフにすると、セルの区切りを表す枠線が非表示になるので、白い用紙のように表示することができます。

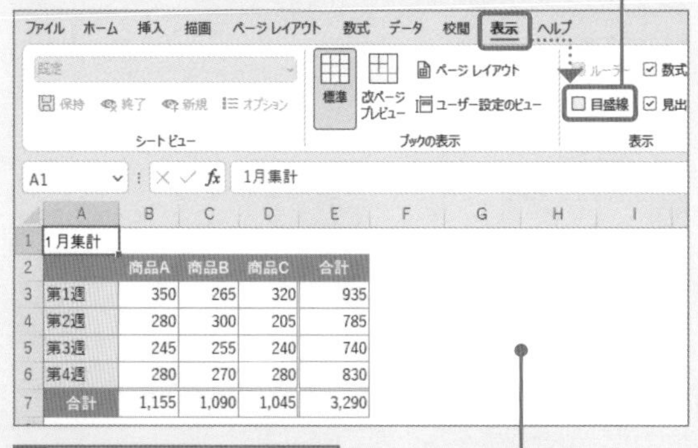

	商品A	商品B	商品C	合計
第1週	350	265	320	935
第2週	280	300	205	785
第3週	245	255	240	740
第4週	280	270	280	830
合計	1,155	1,090	1,045	3,290

Q496 お役立ち度 ★★★ シート/ウィンドウの操作 2021 2019 2016

シートの行列番号の表示/非表示を切り替えるには

A [表示] タブ→ [見出し] でオン/オフを切り替えます。

行番号や列番号を非表示にするには、[見出し] をオフにします。[数式バー] も合わせてオフにすれば、セル番地や数式の表示を隠すことができます。

Q497 お役立ち度 ★★★ シート／ウィンドウの操作 2021 2019 2016

ブック内の複数のシートを並べて表示したい!

A 新しいウィンドウを開いて、整列します。

同じブック内の複数のシートを並べて表示したいときは、新しいウィンドウを開いてからウィンドウを整列します。同じブックのウィンドウを整列する場合は、[作業中のブックのウィンドウを整列する] にチェックを付けます。なお、ウィンドウが最小化されている場合は整列の対象になりません。また、Windows11の機能を使って整列させることもできます（**Q037**）。

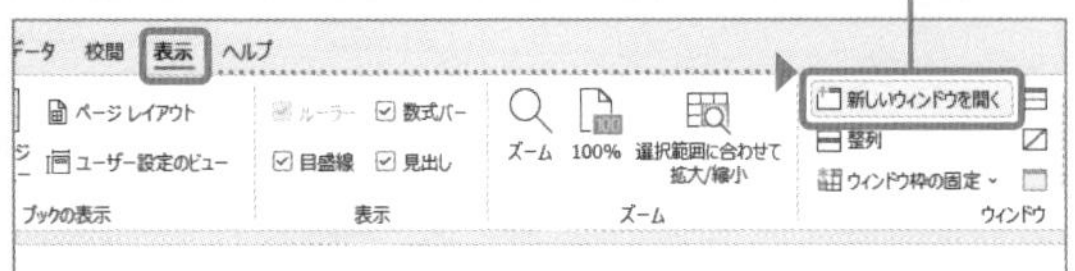

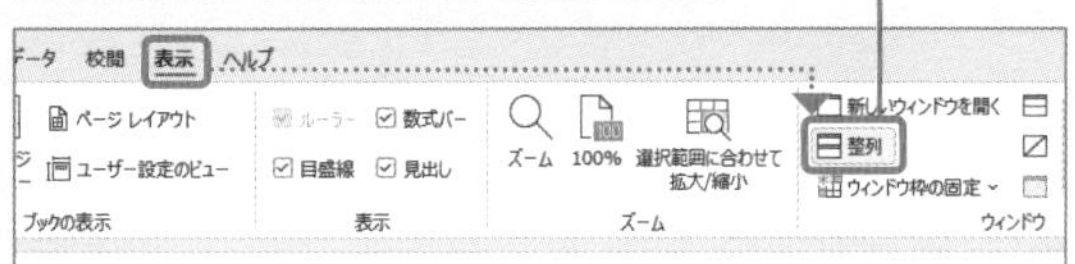

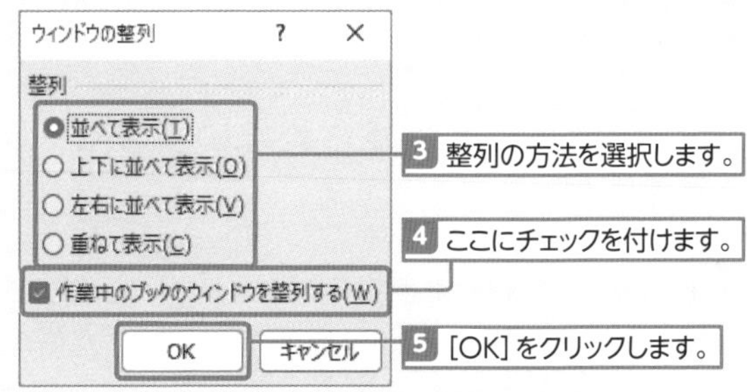

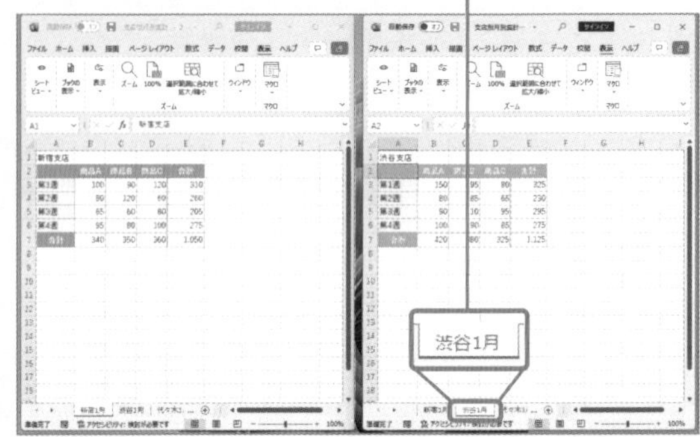

おトクな情報 ブックを整列する

複数のブックが開いている場合は、ブックのウィンドウを並べることができます。

Q498 お役立ち度 ★★★ シート／ウィンドウの操作 2021 2019 2016

2つのブックを並べて比較したい!

A [表示] タブ→ [並べて比較] をクリックします。

[並べて比較] でウィンドウを整列すると、2つのブックを上下または、左右に並べて、比較しながら作業できます。2つのブックを同時にスクロールできるので、同じ形式で作成された表を見比べやすいです。なお、左右に並ばなかった場合は、**Q497**の手順でウィンドウを左右に並べてください。解除するには、再度 [並べて比較] をクリックします。スクロールは、[表示] タブ→ [同時にスクロール] でオン／オフを切り替えられます。

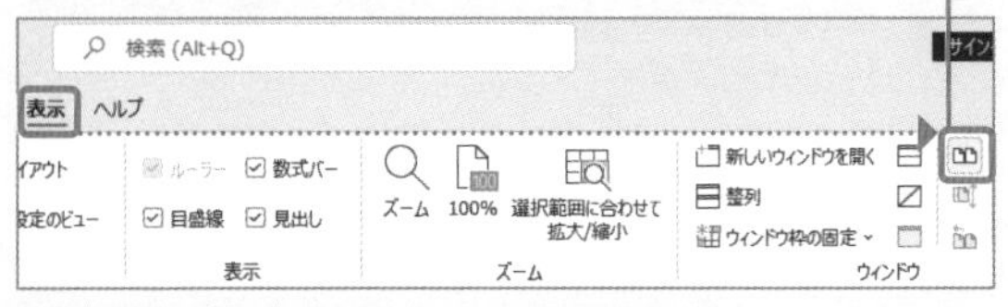

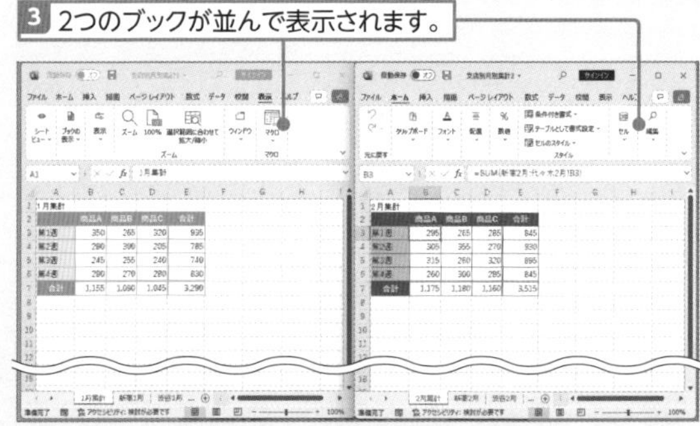

3 2つのブックが並んで表示されます。

一方のウィンドウをスクロールすると、もう一方のウィンドウも同時にスクロールされます。

Q499 お役立ち度 ★★★ セル移動 2021 2019 2016

アクティブセルって何?

A 作業対象となるセルのことです。

ワークシート上の太枠で囲まれているセルが「アクティブセル」です。クリックすると移動します。文字や数値、数式を入力するときは、入力位置でクリックしてアクティブセルを移動してから入力します。セル範囲が選択されている場合は、選択範囲内で白く表示されているセルがアクティブセルになります。

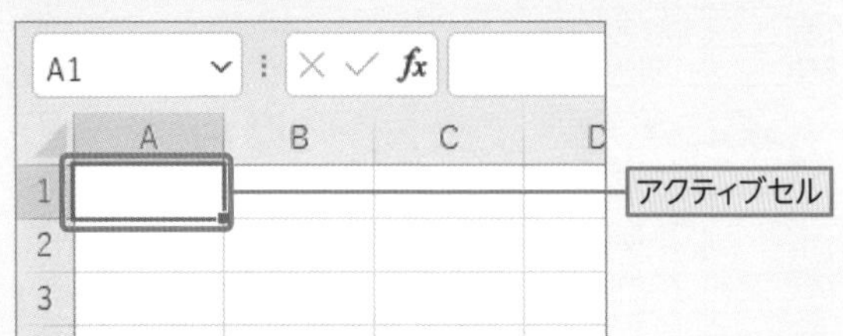

Q500 お役立ち度 ★★★ セル移動 2021 2019 2016

アクティブセルを一気にA1に戻すには

A Ctrl + Home キーを押します。

セルA1は、ワークシートの先頭にあり、基準となるセルです。Ctrl + Home を押せば、一気にセルA1に戻せます。なお、ウィンドウ枠を固定している場合（**Q626**）は、A1ではなく、スクロール可能な左上角のセルに移動します。

1 月集計
商品A 商品B 商品C 合計
第1週 350 265 320 935
第2週 280 300 205 785
1 ワークシートの任意の場所にアクティブセルがある状態で Ctrl + Home キーを押します。
2 アクティブセルがセルA1に移動します。

Q501 お役立ち度 ★★★ セル移動 2021 2019 2016

表の上下左右の端に瞬間で移動したい!

A Ctrl ＋矢印キーを押します。

表内にアクティブセルがあるときに、Ctrl キーを押しながら矢印キーを押すと、表内の上端、下端、左端、右端に移動できます。売上表のような大きな表内でセル移動したいときに活躍します。なお、この操作は空白セルの手前までの移動となります。表内に空白セルがある場合は、その空白セルの手前のセルが選択されます。

1 表内にアクティブセルがある状態で Ctrl キーを押しながら ↑ ↓ ← → キーを押します。

	A	B	C	D	E
1	新宿支店				
2		商品A	商品B	商品C	合計
3	第1週	100	90	120	310
4	第2週	80	120	60	260
5	第3週	65	60	80	205
6	第4週	95	80	100	275
7	合計	340	350	360	1,050

2 表の上端、下端、左端、右端のセルに移動します。

Q502 お役立ち度 ★★★ セル移動 2021 2019 2016

表の最後のセルに移動するには

A Ctrl + End キーを押します。

表の右下角のセルは、表の最後のセルです。このセルに一気にアクティブセルを移動するには、Ctrl + End キーを押します。なお、この操作は使用済みの最後のセルまでの移動になります。表より右の列や下の行で何らかのデータを入力したり書式などが設定されたりしている場合は、そのセルを含めた一番右下のセルが選択されます。

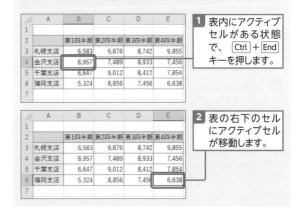

	A	B	C	D	E
1					
2		第1四半期	第2四半期	第3四半期	第4四半期
3	札幌支店	6,583	9,876	8,742	9,855
4	金沢支店	8,957	7,489	8,933	7,456
5	千葉支店	6,647	9,012	8,412	7,854
6	福岡支店	5,324	8,856	7,456	6,638
7					

1 表内にアクティブセルがある状態で、Ctrl + End キーを押します。

2 表の右下のセルにアクティブセルが移動します。

Q503 お役立ち度 ★★★ セル移動

2021 2019 2016

特定のセルに移動するには

A 名前ボックスにセル番号を入力します。

特定のセルに素早く移動するには、数式バーの左側にある名前ボックスを利用しましょう。名前ボックスに移動先となるセル番号を入力して Enter キーを押します。

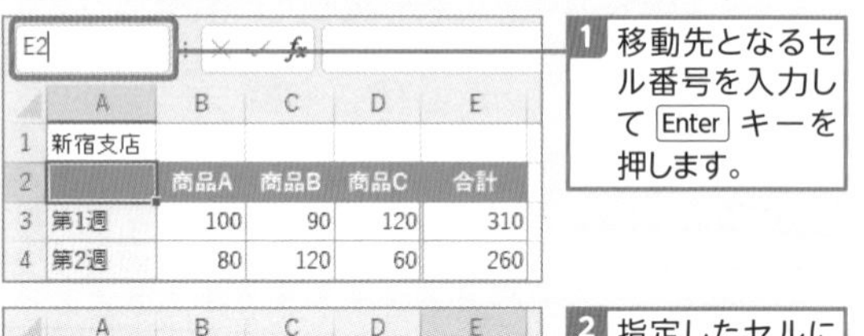

	A	B	C	D	E
1	新宿支店				
2		商品A	商品B	商品C	合計
3	第1週	100	90	120	310
4	第2週	80	120	60	260

Q504 お役立ち度 ★★★ セル移動

2021 2019 2016

1画面ずつ上下にセル移動するには

A PageUp 、 PageDown キーを押します。

PageUp キーを押すと1画面上、 PageDown キーを押すと1画面下に移動します。

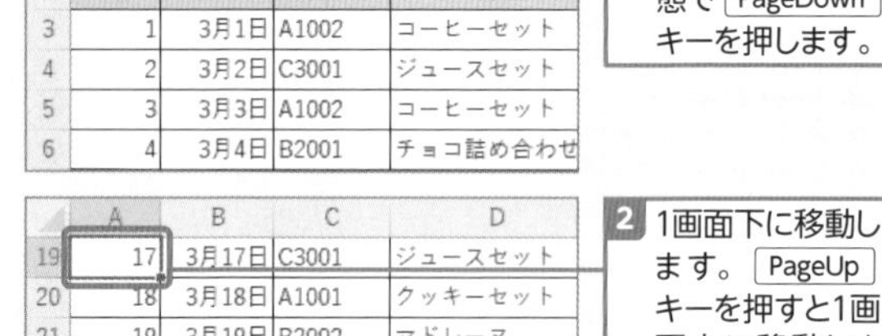

	A	B	C	D
1	売上表			
2	No	日付	商品NO	商品
3	1	3月1日	A1002	コーヒーセット
4	2	3月2日	C3001	ジュースセット
5	3	3月3日	A1002	コーヒーセット
6	4	3月4日	B2001	チョコ詰め合わせ

	A	B	C	D
19	17	3月17日	C3001	ジュースセット
20	18	3月18日	A1001	クッキーセット
21	19	3月19日	B2002	マドレーヌ
22	20	3月20日	B2001	チョコ詰め合わせ
23	21	3月21日	A1002	コーヒーセット

Q505 お役立ち度 ★★★ セル移動

2021 2019 2016

1画面ずつ左右にセル移動するには

A Alt ＋ PageUp ／ PageDown キーを押します。

Alt ＋ PageDown キーを押すと1画面右に、 Alt ＋ PageUp キーを押すと1画面左に移動します。

1 A列内にアクティブセルがある状態で Alt ＋ PageDown キーを押します。

	A	C	D	E	F	G	H	I
1		2020年						
2		1月	2月	3月	4月	5月	6月	7月
3		28,108	20,710	44,874	19,172	20,588	16,932	20,843
4		35,909	35,667	44,274	27,531	46,017	42,454	18,097
5	関東地区	16,705	46,936	26,729	26,307	27,285	45,347	27,920
6		25,379	16,727	20,871	33,199	42,787	36,887	43,340
7		[illegible]	[illegible]	[illegible]	[illegible]	[illegible]	[illegible]	[illegible]

2 1画面右に移動します。 Alt ＋ PageUp キーを押すと1画面左に移動します。

	J	K	L	M	N	O	P	Q
1							2021年	
2	8月	9月	10月	11月	12月	2020年計	1月	2月
3	18,075	19,256	29,657	41,635	33,877	313,727	35,127	23,088
4	34,494	36,034	42,772	44,998	32,197	440,444	16,144	39,115
5	26,055	29,985	28,085	40,800	43,209	385,363	33,342	33,769
6	23,298	15,863	29,398	44,917	32,239	364,905	45,868	38,737
7	101,922	101,138	129,912	172,350	141,522	1,504,439	130,481	134,709

Q506 お役立ち度 ★★★ セル移動

2021 2019 2016

Enter キーを押したときのセルの移動方向を変更するには

A [Excelのオプション] ダイアログで設定できます。

初期設定では、 Enter キーを押すとアクティブセルは下に移動します。[Excelのオプション] ダイアログの [詳細設定] にある [方向] で移動する方向を変えることができます。

1 Q027の方法で[Excelのオプション]ダイアログを表示し、[詳細設定]をクリックします。

2 [方向] の▼をクリックし、移動する方向を選択します。

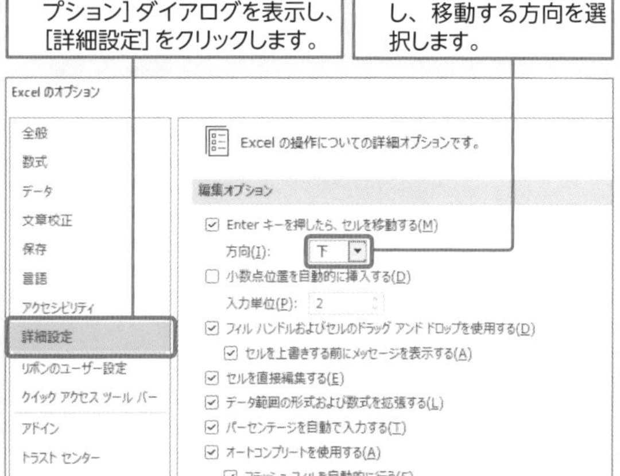

Q507 お役立ち度 ★★★ データ入力 2021 2019 2016

セルに入力するデータには どのような種類があるの？

A 大きく分けて、「文字列」と「数値」です。

「文字列」は、計算対象にならないデータで、入力するとセル内では左揃えで表示されます。一方「数値」は、計算対象となるデータで、セル内では右揃えで表示されます。結果が数値となる数式や日付は、数値に含まれます。

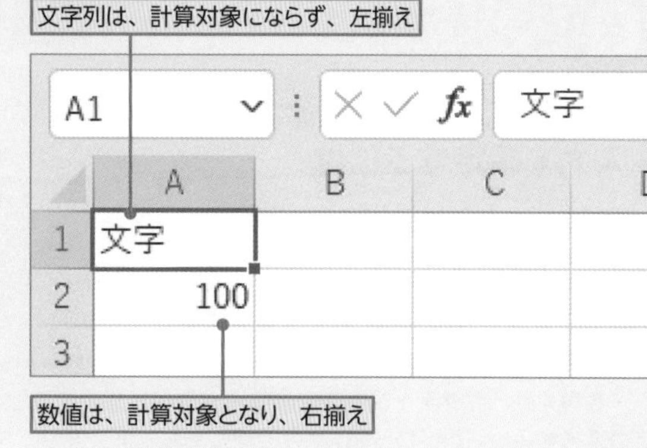

Q508 お役立ち度 ★★★ データ入力 2021 2019 2016

セルにデータを入力するには

A 最初に入力位置にアクティブセルを移動します。

まず入力するセルをクリックしてアクティブセルを移動し、データを入力して、Enter キーで入力を確定します。Excelは、入力モードの初期設定が [A]（半角英数モード）であるため、半角英数文字がすぐに入力できます。なお、日本語入力の変換方法の詳細は2章を参照してください。

半角の英字

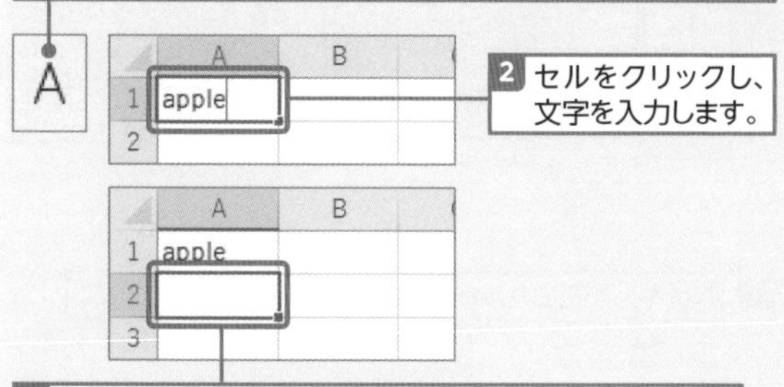

おトクな情報 全角の数値を入力した場合

入力モードが [あ] の状態で数値を全角で入力し、確定した場合、自動で数値と判断され、半角に変換されて右寄せで表示されます。

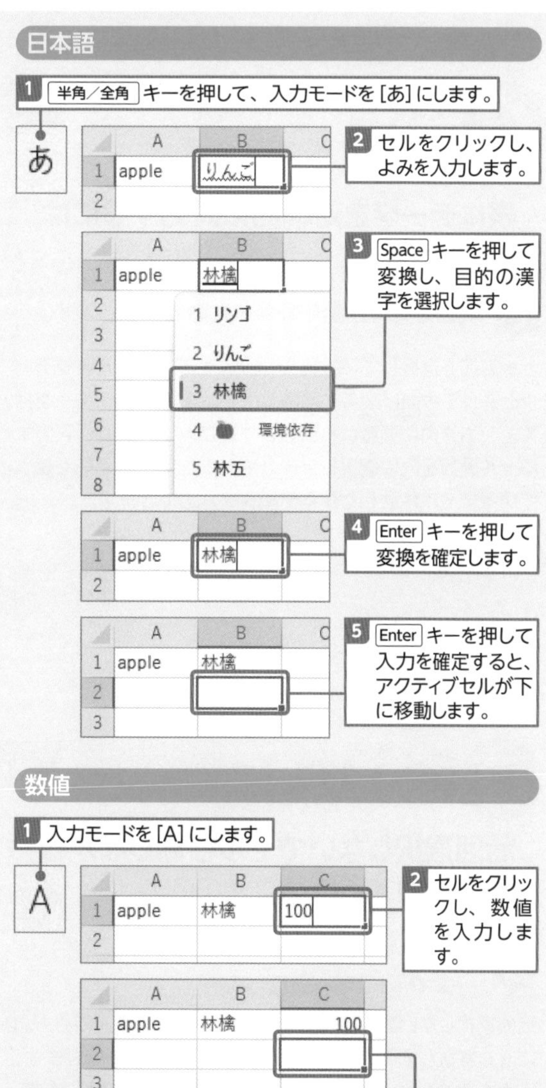

日本語
1 半角／全角 キーを押して、入力モードを [あ] にします。
あ
apple
りんご
2 セルをクリックし、よみを入力します。
apple
林檎
1 リンゴ
2 りんご
3 林檎
4 環境依存
5 林五
3 Space キーを押して変換し、目的の漢字を選択します。
apple
林檎
4 Enter キーを押して変換を確定します。
apple
林檎
5 Enter キーを押して入力を確定すると、アクティブセルが下に移動します。
数値
1 入力モードを [A] にします。
A
apple
林檎
100
2 セルをクリックし、数値を入力します。
apple
林檎
100
3 Enter キーを押して入力を確定すると、アクティブセルが下に移動します。

Q509 お役立ち度 ★★★ データ入力

2021 2019 2016

アクティブセルを移動させないで入力を確定するには

A Ctrl ＋ Enter キーを押します。

初期設定では、Enter キーで入力を確定すると、アクティブセルが下に移動します。Ctrl キーを押しながら Enter キーを押すと、アクティブセルを移動させないで入力を確定できます。よく使うキー操作なので覚えておきましょう。

1 セルに文字を入力し、Ctrl ＋ Enter キーを押します。

2 アクティブセルは移動しないで入力が確定されます。

おトクな情報 Ctrl ＋ Enter キーの別の機能

複数セルを選択して、データを入力し、Ctrl ＋ Enter キーで確定すると、同じデータを入力することができます（Q517）。

Q510 お役立ち度 ★★★ データ入力

2021 2019 2016

表にデータを効率的に入力するには

A 範囲を先に選択してから入力を開始します。

セル範囲を選択している場合、Enter キーを押すとアクティブセルは下方向に順番に移動します。また、Tab キーを押すと、右方向に順番に移動します。これを利用し、入力するセル範囲を先に選択し、Enter キーまたは Tab キーを使って順番にセル移動しながらデータを入力できます。

Enter キーでセル移動

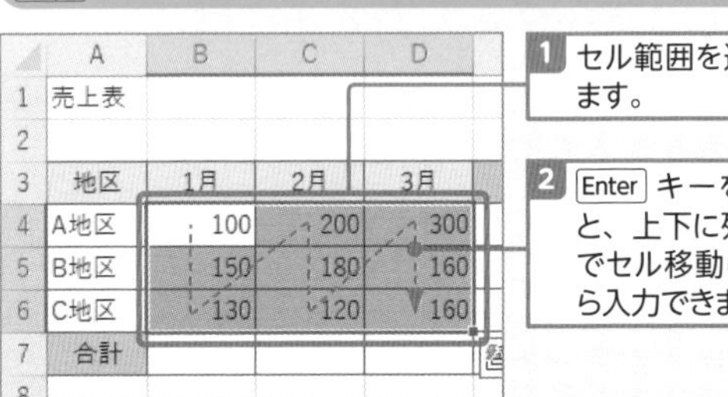

1 セル範囲を選択します。
2 Enter キーを押すと、上下に列単位でセル移動しながら入力できます。

Tab キーでセル移動

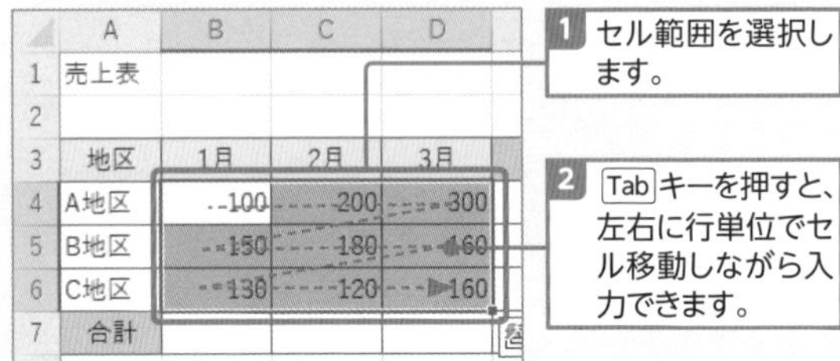

Q511 お役立ち度 ★★★ データ入力

2021 2019 2016

範囲選択しないでセル移動しながら表に入力するには

A Tab キーで横方向に入力し、行末で Enter キーを押します。

範囲選択しないでデータ入力を開始し、Tab キーで右方向にセル移動します。行末となるセルで Enter キーを押すと、入力を開始したセルの下にアクティブセルが移動します。住所録など1行ずつデータを入力するような表の場合に便利なセル移動方法です。

1 Tab キーで右にセル移動しながらデータを入力します。

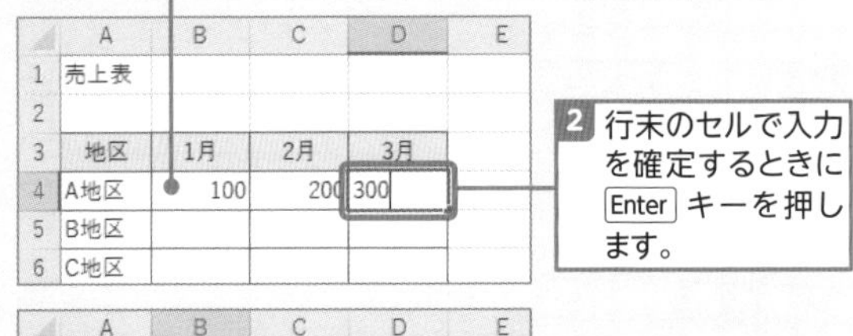

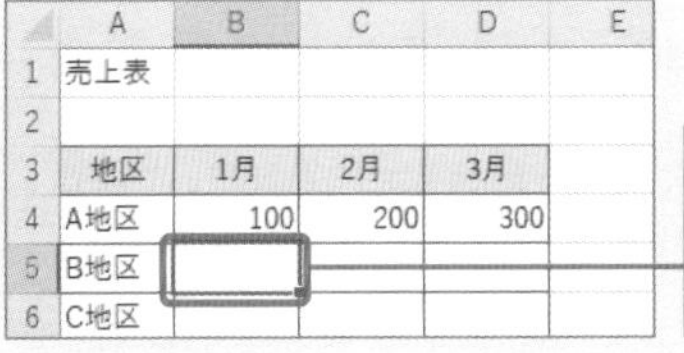

Q512 お役立ち度 ★★★ データ入力

2021 2019 2016

入力中のデータを取り消すには

A BackSpace キーまたはESC キーを押します。

入力途中にデータを取り消したい場合、BackSpace キーを押すと1文字ずつ前の文字が削除されます。ESC キーを押すと入力自体が取り消されます。

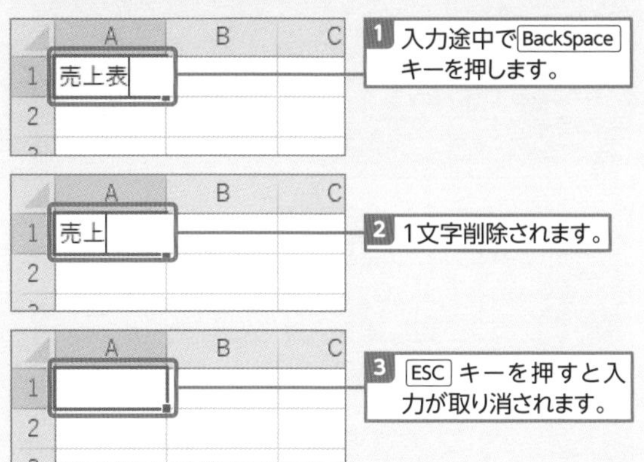
売上表
1 入力途中でBackSpace キーを押します。
売上
2 1文字削除されます。
3 ESC キーを押すと入力が取り消されます。

Q513 お役立ち度 ★★★ データ入力

2021 2019 2016

入力したデータを削除するには

A Delete キーを押します。

入力確定後のセルに入力されているデータを削除するには、Delete キーを押します。複数セルを選択して、Delete キーを押すと選択範囲内のすべてのデータがまとめて削除されます。

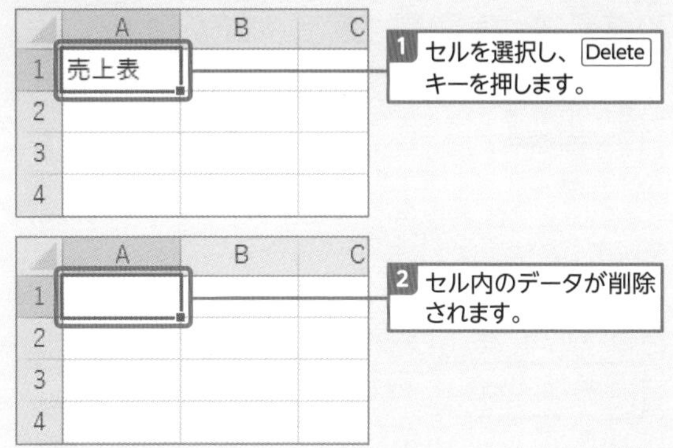
売上表
1 セルを選択し、Delete キーを押します。
2 セル内のデータが削除されます。

Q514 お役立ち度 ★★★ データ入力

2021 2019 2016

データを間違えて削除してしまった!

A Ctrl + Z キーで復活できます。

うっかりDelete キーを押してデータを削除してしまった場合は、すぐにCtrl + Z キーを押しましょう。直前の操作が取り消され、削除した文字が復活します。[ホーム] タブ(Excel 2019/2016の場合はクイックアクセスツールバー)の[元に戻す]をクリックしても同様に復活できます。

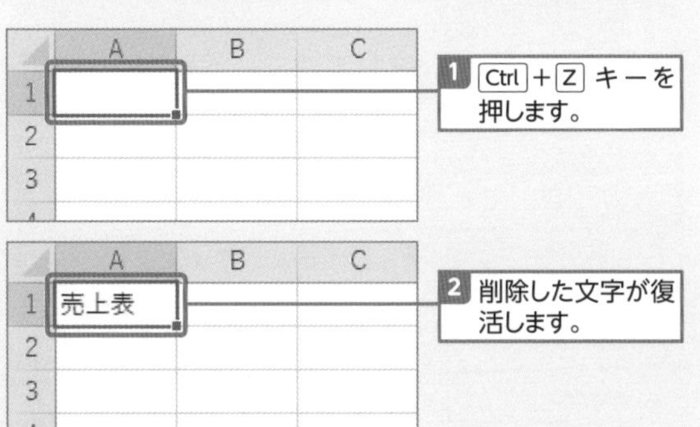
1 Ctrl + Z キーを押します。
売上表
2 削除した文字が復活します。

Q515 お役立ち度 ★★★ データ入力

2021 2019 2016

セルに入力したデータを修正するには

A ダブルクリックまたはF2 キーを押して部分的に修正します。

入力が確定されたセル内のデータを修正したい場合は、セル内をダブルクリックするか、F2 キーを押してカーソルを表示し、必要な修正を行います。ダブルクリックの場合は、ダブルクリックした位置にカーソルが表示されます。F2 キーの場合は、文字列の末尾に表示されます。

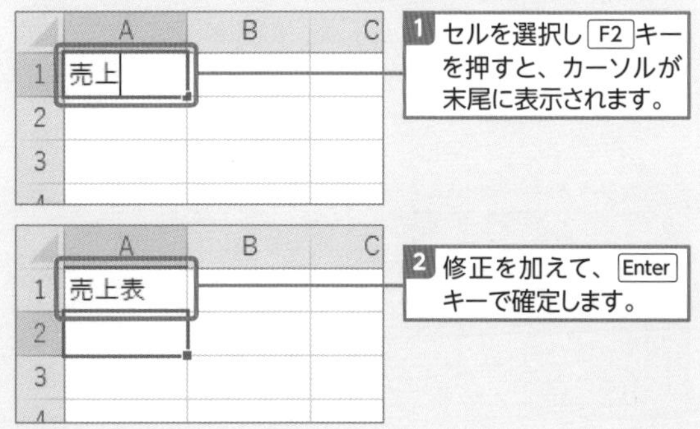
売上
1 セルを選択しF2 キーを押すと、カーソルが末尾に表示されます。
売上表
2 修正を加えて、Enter キーで確定します。

Q516 お役立ち度 ★★★ データ入力 2021 2019 2016

確定した文字を再変換するには

A 再変換したい文字にカーソルを移動し、変換キーを押します。

データが確定されたセルをダブルクリックしてカーソルを表示し、再変換したい文字にカーソルを移動するか、選択して変換キーを押すと、再変換できます。

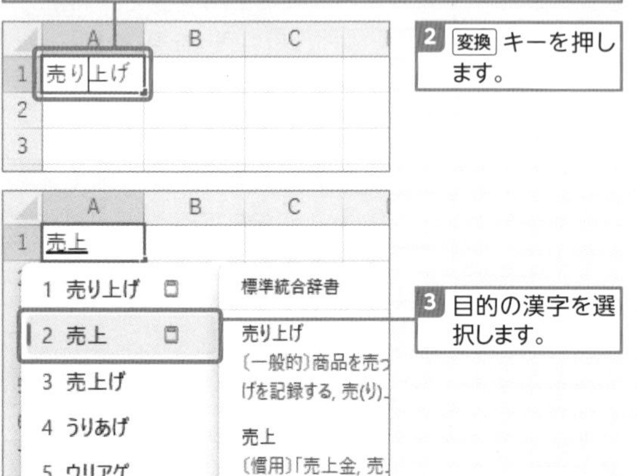

Q517 お役立ち度 ★★★ データ入力 2021 2019 2016

複数のセルに一気に同じデータを入力するには

A 文字確定時に、Ctrl + Enter キーを押します。

離れた複数のセルに同じデータを一気に入力したいときは、先に入力したいセルを選択し、データを入力して、確定時にCtrl キーを押しながらEnter キーを押します。何度も入力したり、データをコピーしたりする手間が省ける時短技です。

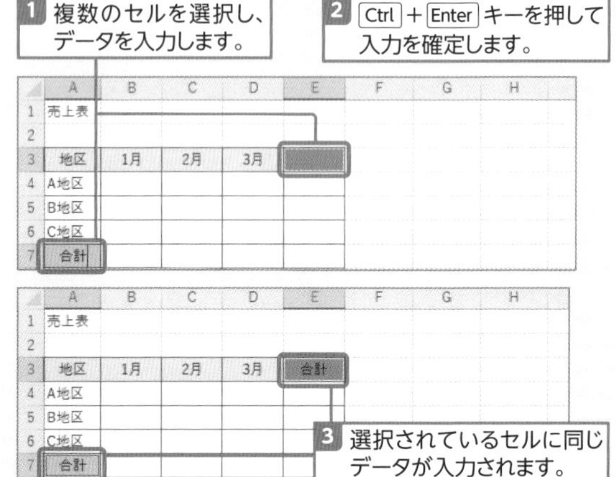

1 複数のセルを選択し、データを入力します。
2 Ctrl + Enter キーを押して入力を確定します。
売上表
地区
1月
2月
3月
A地区
B地区
C地区
合計
3 選択されているセルに同じデータが入力されます。

Q518 お役立ち度 ★★★ データ入力 2021 2019 2016

すぐ上のセルのデータを素早く入力するには

A Ctrl + D キーを押します。

すぐ上のセルと同じデータを入力したいときは、Ctrl キーを押しながらD キーを押します。入力の手間を省く時短技として覚えておくと便利です。

1 Ctrl + D キーを押すと、上のセルと同じデータが入力されます。

	A	B	C	D	E
1	おひさまベーカリー				
2	商品	価格	販売数	予約可否	地方発送
3	詰め合わせセット	¥3,000	50	×	○
4	食パン	¥950	100	○	×
5	胡桃パン	¥1,000	100	○	
6	葡萄パン	¥1,200	100		

Q519 お役立ち度 ★★★ データ入力 2021 2019 2016

すぐ左のセルのデータを素早く入力するには

A Ctrl + R キーを押します。

すぐ左のセルと同じデータを入力したいときは、Ctrl キーを押しながらR キーを押します。**Q518**と合わせて覚えておきたい時短技です。

1 Ctrl + R キーを押すと、左のセルと同じデータが入力されます。

	A	B	C	D	E
1	おひさまベーカリー				
2	商品	価格	販売数	予約可否	地方発送
3	詰め合わせセット	¥3,000	50	×	○
4	食パン	¥950	100	○	×
5	胡桃パン	¥1,000	100	○	○
6	葡萄パン	¥1,200	100		

Q520 お役立ち度 ★★★ データ入力 2021 2019 2016

同じ列にあるデータを素早く入力するには

A オートコンプリートを利用しましょう。

「オートコンプリート」とは、先頭の数文字を入力すると、同じ列内に入力されている同じ読みのデータを自動的に認識して表示する機能です。同じデータを繰り返し入力することのある表では、入力効率がアップします。

1 文字を入力すると、同じ列内にある同じ読みの文字列が自動で表示されます。

2	日付	講座名	開始時間	終了時間
3	6月15日	パソコン基礎		
4	6月16日	Word基礎		
5	6月17日	Excel基礎		
6	6月18日	ぱパソコン基礎		
7		1 パソコン		
8		2 パナソニック		
9				
10		3 パスワード		
11		4 パーティー		

2 Enter キーを押すと、表示された文字列が入力されます。

4	6月16日	Word基礎		
5	6月17日	Excel基礎		
6	6月18日	パソコン基礎		
7				

Q521 お役立ち度 ★★★ データ入力 2021 2019 2016

途中まで入力したら勝手に続きの文字列が表示された!

A Delete キーを押せば表示された文字を解除できます。

オートコンプリート機能により自動で表示された文字は、Enter キーを押すとセルに入力されてしまい削除が面倒なことがあります。Delete キーを押せばオートコンプリートで表示された文字を解除できます。

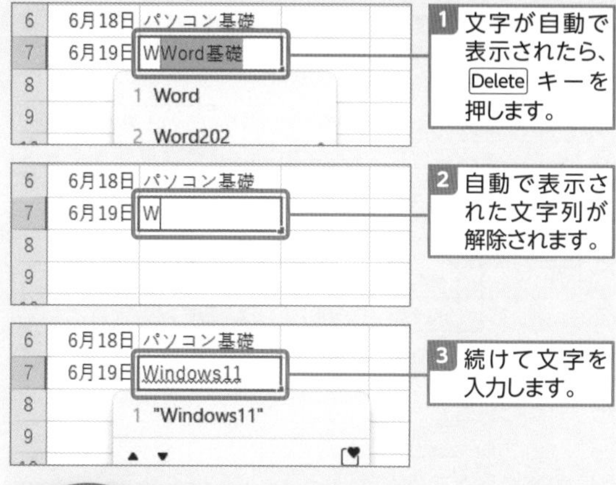

おトクな情報 オートコンプリートの機能を解除する

オートコンプリートで文字列が表示されないようにするには、[Excelのオプション] ダイアログで設定します(Q544)。

Q522 お役立ち度 ★★★ データ入力 2021 2019 2016

同じ列にあるデータを一覧から選択して入力できるの?

A Alt + ↓ キーを押してドロップダウンリストを表示します。

Alt + ↓ キーを押すと、同じ列内にあるデータを一覧で表示し、選択するだけで入力できます。入力の手間を省く便利な機能です。なお、一覧で選択できるのは、文字列のみです。数値、数式、日付は選択できません。

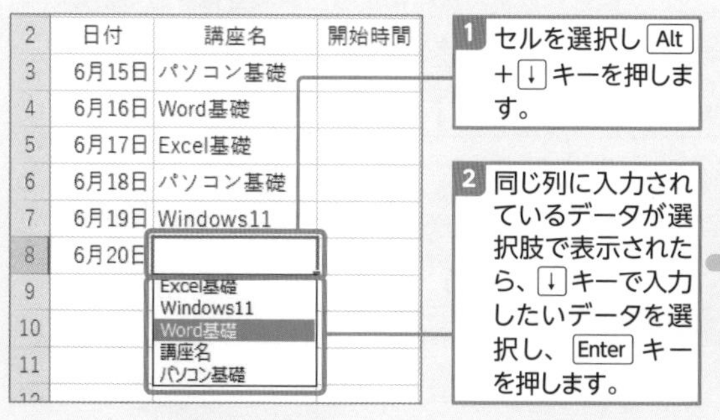

3 データが入力されます。

2	日付	講座名	開始時間	終了時間
3	6月15日	パソコン基礎		
4	6月16日	Word基礎		
5	6月17日	Excel基礎		
6	6月18日	パソコン基礎		
7	6月19日	Windows11		
8	6月20日	Word基礎		
9				

Q523 お役立ち度 ★★★ データ入力

セルより長いデータを入力すると表示がおかしくなる!

A 文字列は途中まで、数値は「#」が表示されます。

セルに入力した文字列がセルの幅より長い場合、右のセルに何も入力されていなければそのまま表示されますが、入力されている場合は文字列が途中までしか表示されません。また、数値や数式の場合は、「###」や「1.23E+10」のような記号が表示されることがあります。これを解決するには、列幅を変更するか（Q592）、セルの書式を変更します（Q593、Q678）。

	A	B	C	D
1	おひさまベーカリー			
2	商品	価格	販売数	予約可
3	詰め合わせ	####	50	×
4	食パン	¥950	100	○
5	胡桃パン	####	100	○
6	葡萄パン	####	100	
7				

右のセルが空欄の場合はそのまま文字列が表示されます。

右のセルにデータが入力されている場合は途中まで表示されます。

	A	B	C	D
1	おひさまベーカリー			
2	商品	価格	販売数	予約可
3	詰め合わせ	####	50	×
4	食パン	¥950	100	○
5	胡桃パン	####	100	○
6	葡萄パン	####	100	
7				

数値や数式の結果が表示しきれない場合は、「###」と表示されます。

Q524 お役立ち度 ★★★ データ入力

セル内で改行して2行で表示したい!

A 改行したい位置で Alt ＋ Enter キーを押します。

セル内の文字列の途中で改行して2行にしたい場合は、Alt ＋ Enter キーを押します。また、改行すると行の高さが自動的に調整されます。

1 文字列を入力し、Alt ＋ Enter キーを押します。

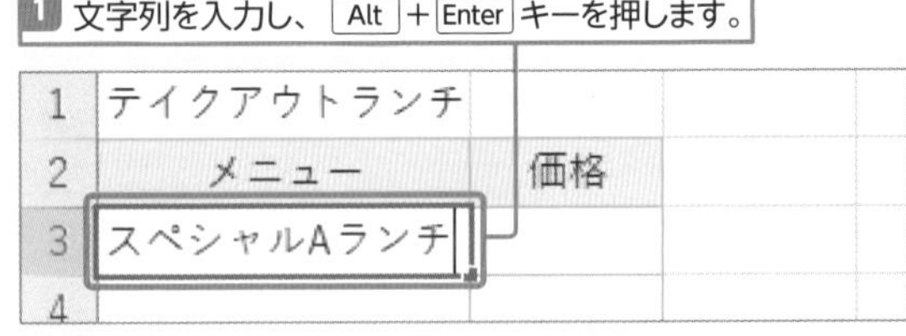

2 改行されるので、文字を入力します。

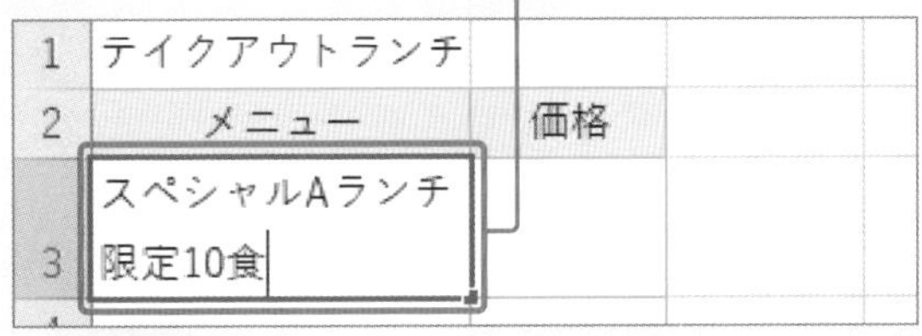

おトクな情報 自動的に折り返す方法

書式の［折り返して全体を表示する］を設定すると、現在のセル幅より文字列が長い場合は自動的に文字列が折り返され、複数行で表示されます（Q591）。

Q525 お役立ち度 ★★★ データ入力

2021
2019
2016

日付を入力するには

A 「5/14」のように「/」で区切って入力します。

数値を「/」または、「－」で区切って入力したときに日付と認識されると、自動的に日付データに変換され、日付の表示形式が設定されます。「月／日」の形式で入力すると今年の日付と認識されます。年を指定したい場合は、「2022/5/14」のように「年／月／日」の形式で入力します。

1 「5/14」と入力し、Enter キーを押します。

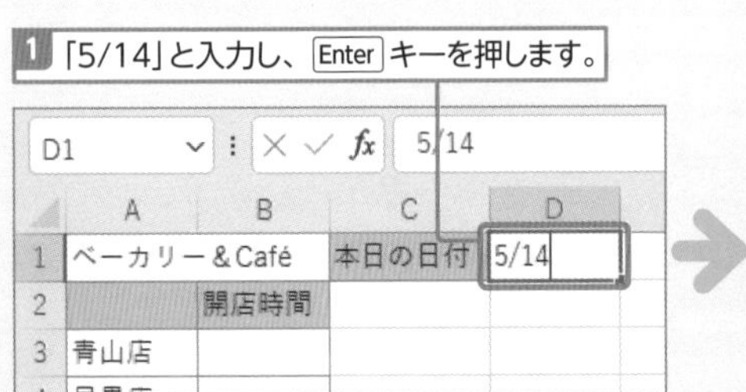

2 日付の表示形式が設定されます。

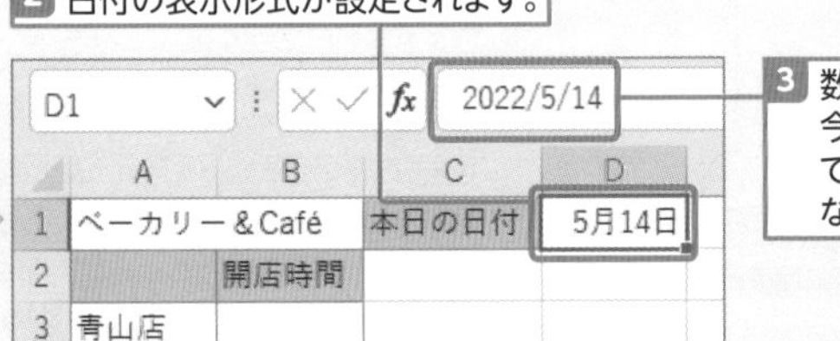

3 数式バーを見ると今年の年が補われて「2022/5/14」となっています。

Q526 時刻を入力するには

お役立ち度 ★★★　データ入力　2021 2019 2016

A 「11:30」のように「:」で区切って入力します。

数値を「時:分」または「時:分:秒」の形式で入力し、時刻と認識されると自動的に時刻データに変換され、時刻の表示形式が設定されます。また、「11時30分」のように入力しても、時刻と認識され、自動的に時刻データに変換され、表示形式が設定されます。

1 「11:30」と入力し、Enterキーを押すと時刻の表示形式が設定されます。

B3　11:30:00

	A	B	C	D	E	F
1	ベーカリー＆Café					
2		開店時間				
3	青山店	11:30				
4	目黒店					

2 数式バーを見ると秒が補われて「11:30:00」となっています。

Q527 今日の日付を一発で入力するには

お役立ち度 ★★★　データ入力　2021 2019 2016

A Ctrl＋;（セミコロン）キーを押します。

Ctrl＋;キーを押すと、パソコンの現在の日付が入力されます。

1 Ctrl＋;キーを押すと今日の日付が入力されます。

D1　2022/3/24

	A	B	C	D	E
1	予約電話受付表		受付日：	2022/3/24	
2	NO	受付時間	氏名	電話番号	
3	1	10:45	山崎　健司	090-xxxx-xxxx	

おトクな情報　常に現在の日付を表示する

ブックを開いたときに、その日の日付を表示するには、TODAY関数を使います（Q791）。

Q528 現在の時刻を一発で入力するには

お役立ち度 ★★★　データ入力　2021 2019 2016

A Ctrl＋:（コロン）キーを押します。

Ctrl＋:キーを押すと、パソコンの現在の時刻が入力されます。

1 Ctrl＋:キーを押すと現在の時刻が入力されます。

	A	B	C	D	E
1	予約電話受付表		受付日：	2022/3/24	
2	NO	受付時間	氏名	電話番号	
3	1	10:45	山崎　健司	090-xxxx-xxxx	
4	2	15:32			
5	3				

おトクな情報　常に現在の時刻を表示する

ブックを開いたときに、その日の時刻を表示するには、NOW関数を使います（Q791）。

Q529 「3/4」を文字列としてそのまま表示するには

お役立ち度 ★★★　データ入力　2021 2019 2016

A 「'」（アポストロフィ）を先に入力してから「3/4」と入力します。

たとえば「3/4」と入力すると、自動的に日付に認識されてしまいます。「3/4」を文字列として扱いたい場合は、先に半角で「'」（アポストロフィ）を入力してから「3/4」と入力します。先頭に「'」を入力すると、以降に入力した数値は文字列として扱われるようになります。また、表示形式を「文字列」に設定する方法もあります（Q533）。

1 「'」を入力してから「1/2」と入力します。入力を確定すると、文字列として扱われ、左揃えで表示されます。

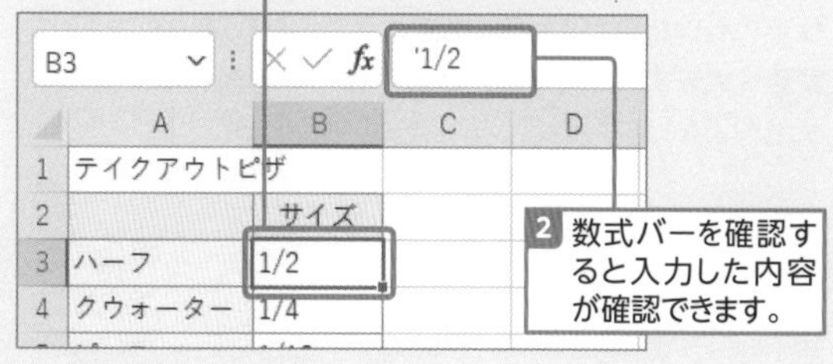

B3　'1/2

	A	B	C	D
1	テイクアウトピザ			
2		サイズ		
3	ハーフ	1/2		
4	クウォーター	1/4		

2 数式バーを確認すると入力した内容が確認できます。

Q530 お役立ち度 ★★★ データ入力

「3/4」を分数として表示するには

A 「0 3/4」と入力します。

「0 3/4」のように「0 分子/分母」の形式で入力すると、分数と認識され、表示形式が［分数］に設定されます。「3/4」は数値として扱われるので右揃えで表示され、数値の0.75として扱われます。

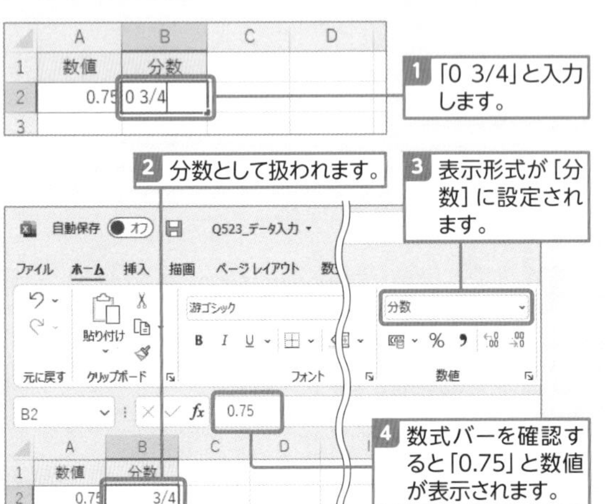

Q531 お役立ち度 ★★★ データ入力

「2-1」と入力したいのに「2月1日」になってしまう!

A 「'」（アポストロフィ）を先に入力してから「2-1」と入力します。

「2-1」と入力すると、自動的に日付に認識されてしまいます。「2-1」を文字列として扱いたい場合は、先に半角で「'」（アポストロフィ）を入力してから「2-1」と入力します。また、表示形式を「文字列」に設定する方法もあります（**Q533**）。

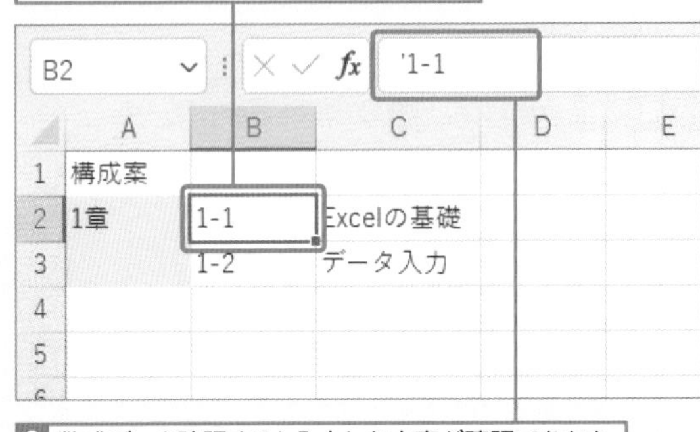

Q532 お役立ち度 ★★★ データ入力

2021
2019
2016

数字が「1.23E+35」のように表示されてしまう!

A 表示形式を「数値」に設定してください。

このように表示されるのは、表示形式が「標準」の場合は12桁以上の数値は指数表記になるためです。例えば12桁の数値「123456789012」を入力すると、「1.23457E+11」と表示されます。Eは指数を意味していて、「1.23457×10^{11}」という意味になります。数値をそのまま表示するには、表示形式を「数値」に変更してください（**Q690**）。また、Excelでは数値の有効桁数が15桁であるため、16桁以降の桁は「0」に変更されます。15桁を超える数字をそのまま表示するには、表示形式を「文字列」にしてください（**Q533**）。

表示形式が「標準」のとき、12桁以上になると、指数表記になります。

	A	B	C
1	表示形式	標準	数値
2	10桁	1234567890	1234567890
3	11桁	12345678901	12345678901
4	12桁	1.23457E+11	123456789012
5	13桁	1.23457E+12	1234567890123
6	14桁	1.23457E+13	12345678901234
7	15桁	1.23457E+14	123456789012345
8	16桁	1.23457E+15	1234567890123450
9	17桁	1.23457E+16	12345678901234500

有効桁数15桁を超えると、下位の桁は0に変更されます。

列幅が桁数より狭くても指数表記になる

12桁より桁数が小さくても、列幅が狭くて表示しきれない場合に指数表記になります。この場合は、列幅を広げれば解決します。

Q533 お役立ち度 ★★★ データ入力

「2^5」のように指数を入力するには

A 指数にしたい数値を「上付き文字」に設定します。

表示形式を「文字列」にし、指数にしたい数字の書式を「上付き」に設定します。または、数式ツールを使って入力することもできます（Q543）。

1 ［ホーム］タブ→［数値の書式］の［∨］→［文字列］をクリックします。

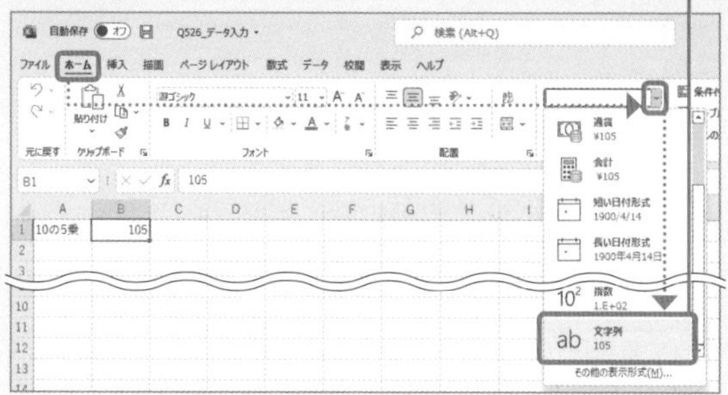

2 セル内でダブルクリックしてカーソルを表示し、上付きで表示したい数字をドラッグして選択します。

3 Ctrl＋1 キーを押して［セルの書式設定］ダイアログを表示します。

4 ［上付き］にチェックを付け、［OK］をクリックします。

5 上付き文字が設定されます。

Q534 お役立ち度 ★★★ データ入力

2021 2019 2016

kgや㎡のような単位を入力するには

A 「きろぐらむ」「へいほうめーとる」と読みを入力します。

「kg」や「㎡」のような一般的な単位は「きろぐらむ」「へいほうめーとる」のように読みを入力するだけで変換できます。

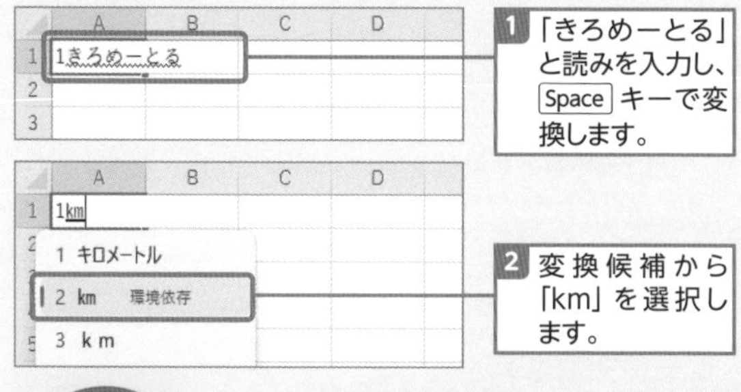

1 「きろめーとる」と読みを入力し、Space キーで変換します。

2 変換候補から「km」を選択します。

おトクな情報 「きごう」でも変換できる

主な記号は「きごう」でも変換できます（Q110）。

Q535 お役立ち度 ★★★ データ入力

2021 2019 2016

変換できない記号を入力するには

A ［記号と特殊文字］ダイアログから記号を選択します。

［記号と特殊文字］ダイアログを表示すると、記号の一覧からさまざまな記号を入力できます。

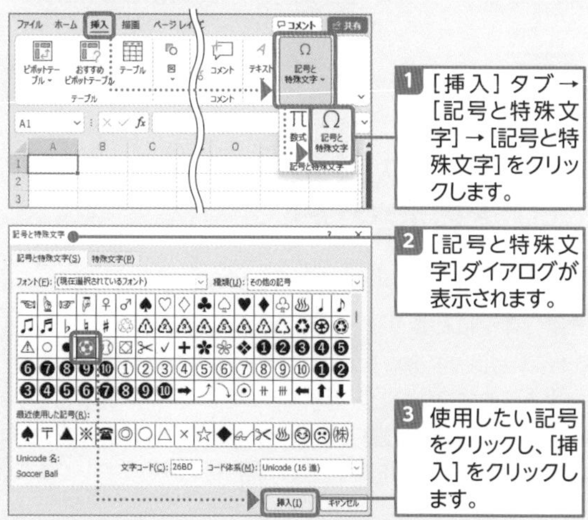

1 ［挿入］タブ→［記号と特殊文字］→［記号と特殊文字］をクリックします。

2 ［記号と特殊文字］ダイアログが表示されます。

3 使用したい記号をクリックし、［挿入］をクリックします。

Q536 お役立ち度 ★★★ データ入力

メールアドレスのリンクを解除したい！

A 右クリックして［ハイパーリンクの削除］をクリックします。

入力オートフォーマットの機能により、メールアドレスやURLを入力すると自動的にリンクが設定された場合、直後であれば Ctrl ＋ Z キーで解除できます。まとめてハイパーリンクを削除するには、範囲選択後、右クリックして［ハイパーリンクの削除］をクリックします。

1 メールアドレスのセルを範囲選択します。

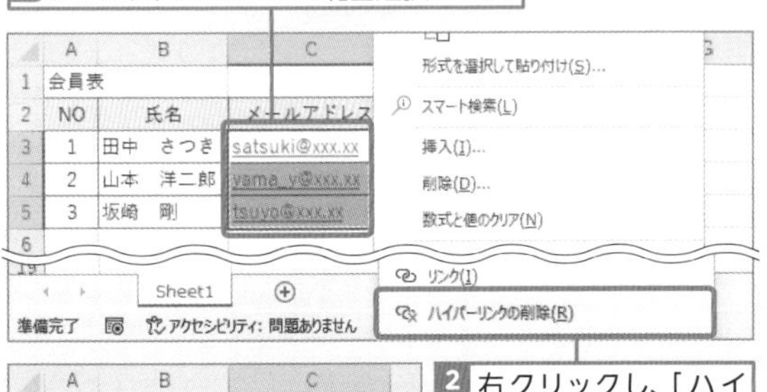

2 右クリックし、［ハイパーリンクの削除］をクリックします。

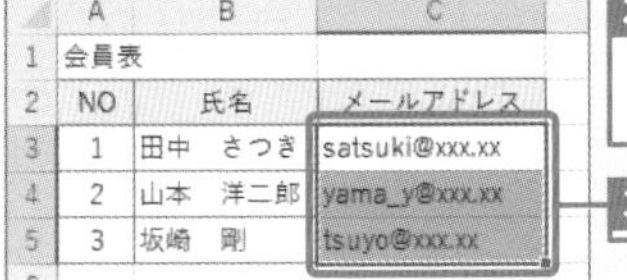

3 リンクが解除されます。

おトクな情報　メールアドレスのセルを選択する

メールアドレスにマウスポインターを合わせると の形になります。マウスボタンを押してしばらく待つと の形に変わります。この形に変わったら選択されます。また、このままドラッグすると範囲選択できます。

Q537 お役立ち度 ★★★ データ入力

2021
2019
2016

メールアドレスが自動でリンクされないようにしたい！

A 入力オートフォーマットの設定をオフにします。

メールアドレスやURLを入力しても自動でリンクが設定されないようにするには、［オートコレクト］ダイアログを表示し、［インターネットとネットワークのアドレスをハイパーリンクに変更する］をオフにします。

1 Q027の方法で［Excelのオプション］ダイアログを表示します。

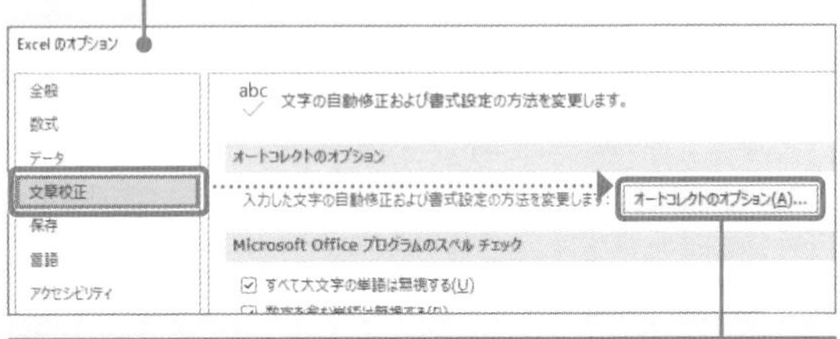

2 ［文章校正］の［オートコレクトのオプション］をクリックします。

3 ［オートコレクト］ダイアログが表示されます。

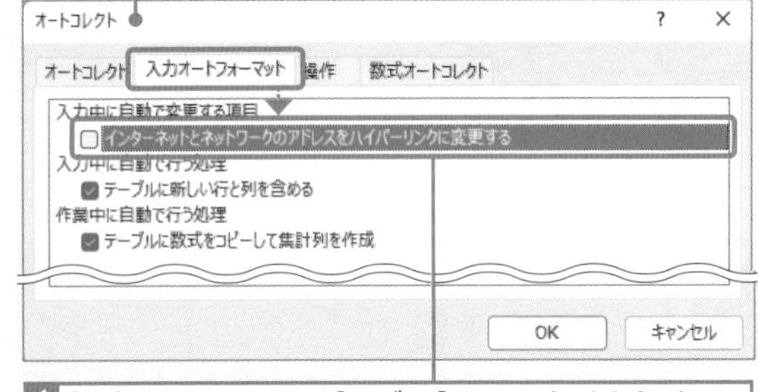

4 ［入力オートフォーマット］タブの［インターネットとネットワークのアドレスをハイパーリンクに変更する］をオフにします。

Q538 お役立ち度 ★★★ データ入力

2021
2019
2016

(c)や(r)と入力すると©、®と表示された！

A 自動修正するオートコレクトの機能をオフにします。

「オートコレクト機能」は、入力されたら自動的に文字を変換する機能で、「(c)」と入力するとコピーライトの記号「©」、「(r)」と入力すると登録商標マークの記号「®」に自動変換されます。入力どおりに表示したい場合は、オートコレクトの機能をオフにします。

1 Q537の方法で［オートコレクト］ダイアログを表示します。

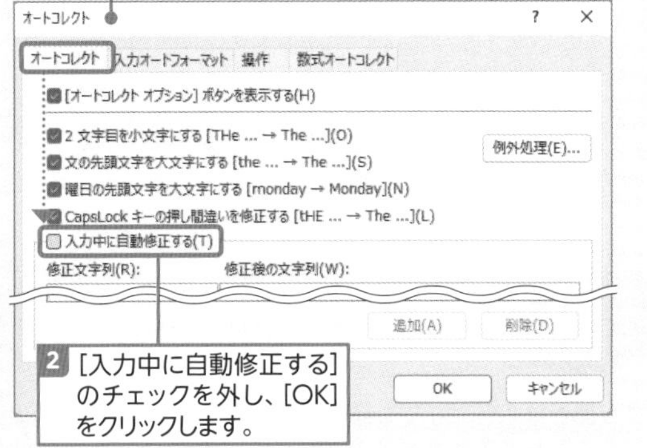

2 ［入力中に自動修正する］のチェックを外し、［OK］をクリックします。

Q539 郵便番号から住所を入力するには

お役立ち度 ★★★　データ入力　2021 2019 2016

A 「123-4567」の形式で入力して変換します。

住所は、郵便番号を「123-4567」の形式で入力して Space キーで変換できます。半角/全角 キーを押して入力モードを「A」（半角英数モード）以外にして、変換できるモードで入力してください。

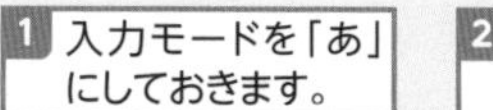

1 入力モードを「あ」にしておきます。

2 「106-0032」と入力し、Space キーを押して変換します。

2	NO	氏名	郵便番号	住所
3	1	山崎京子	106-0032	106-0032
4	2	加藤紀夫		
5	3	草野翔太		
6				
7				

3 変換候補から住所を選択します。

2	NO	氏名	郵便番号	住所
3	1	山崎京子	106-0032	東京都港区六本木
4	2	加藤紀夫		1 106-0032
5	3	草野翔太		2 １０６－００３２
6				
7				3 東京都港区六本木

Q540 姓と名を1つのセルにまとめるには

お役立ち度 ★★★　データ入力　2021 2019 2016

A 「&」を使ってセルのデータを連結します。

別々のセルに入力された値を1つのセルにまとめたい場合は、連結演算子の「&」を使って文字を連結させる式を設定します。連結したい文字が入力されているセルを参照して「=B3&C3」のように設定します。記号はすべて半角で入力します。

1 姓のセル（B3）と名のセル（C2）を連結する式「=B3&C3」を入力します。

	A	B	C	D	E
1	会員名簿				
2	NO	姓	名	氏名	
3	1	山崎	京子	=B3&C3	
4	2	加藤	紀夫		

2 姓と名のセルの値が連結された文字列が表示されます。

	A	B	C	D	E
1	会員名簿				
2	NO	姓	名	氏名	
3	1	山崎	京子	山崎京子	
4	2	加藤	紀夫		

おトクな情報　その他の連結方法

フラッシュフィルを利用する方法（Q560）とCONCAT関数を使う方法（Q806）があります。

Q541 小数点以下の表示桁数を変更するには

お役立ち度 ★★★　データ入力　2021 2019 2016

A 小数点以下の桁数を変更するボタンをクリックします。

小数点以下の桁数を変更して表示するには、[ホーム] タブの [小数点以下の表示桁数を増やす]、[小数点以下の表示桁数を減らす] を使います。このボタンをクリックすると表示したい桁数になるように四捨五入された数値が表示されます。表示を変更するだけで、実際の数値は元のままです。

1 表示桁数を揃えたいセルを選択します。

2 [ホーム] タブ→ [小数点以下の表示桁数を減らす] を数回クリックします。

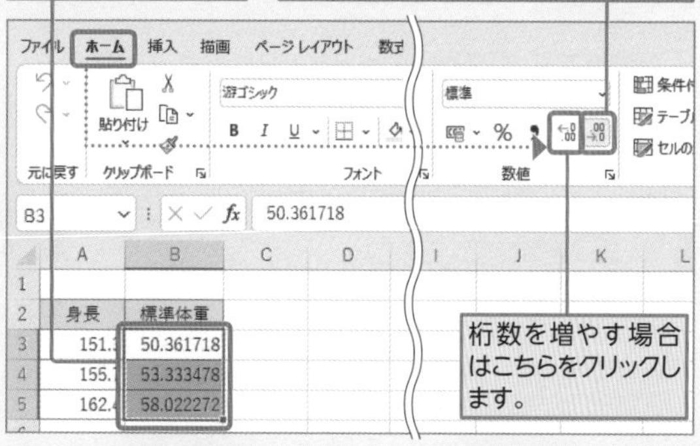

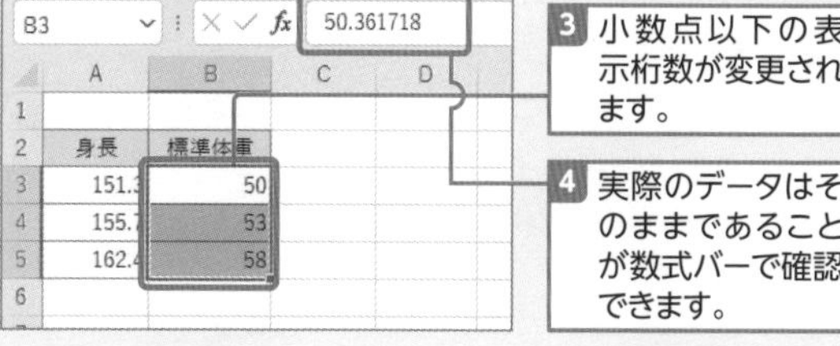

Q542 お役立ち度 ★★★ データ入力 2021 2019 2016

英語のスペルチェックをするには

A F7 キーを押します。

ワークシート内に入力されている英語のスペルをチェックするには、F7 キーを押します。ワークシート内の英単語の綴りがチェックされ、修正候補が見つかると、[スペルチェック] ダイアログに該当する単語と修正候補が表示されます。

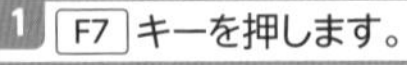

1 F7 キーを押します。

2 [スペルチェック] ダイアログが表示され、チェックされた単語が表示されます。

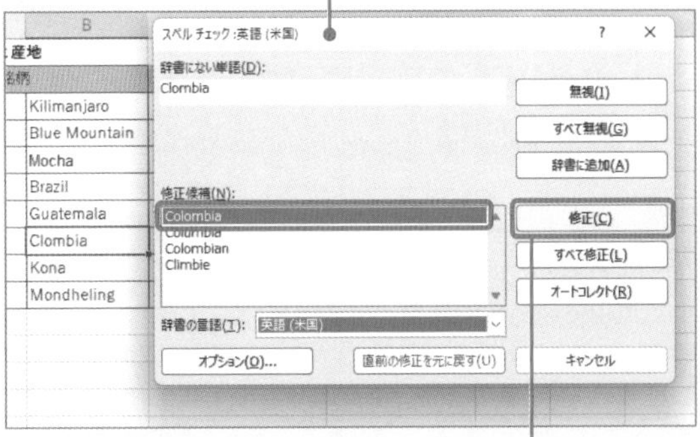

3 修正候補で修正する単語を選択し、[修正] をクリックします。

おトクな情報 メニューからスペルチェックする

[校閲] タブ→ [スペルチェック] をクリックしてもスペルチェックが実行されます。

Q543 お役立ち度 ★★★ データ入力 2021 2019 2016

いろいろな数式を入力するには

A [挿入] タブ→ [記号と特殊文字] → [数式] を選択します。

[挿入] タブ→ [記号と特殊文字] → [数式] をクリックすると、数式入力用の枠が表示され、コンテキストタブの [数式] タブに表示される数式の構造のパターンや記号を組み合わせて数式を作成できます。作成された数式は図形として扱われます。

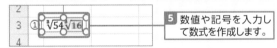

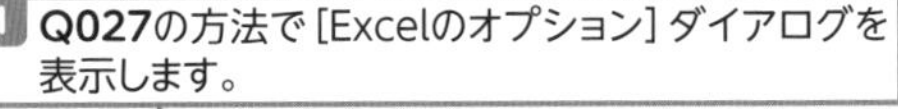

5 数値や記号を入力して数式を作成します。

Q544 お役立ち度 ★★★ データ入力 2021 2019 2016

オートコンプリートの機能を解除したい!

A [オートコンプリートを使用する] をオフにします。

Q520 で紹介したオートコンプリートが不要な場合は、[Excelのオプション] ダイアログで [オートコンプリートを利用する] をオフにすれば、表示されなくなります。

1 **Q027**の方法で [Excelのオプション] ダイアログを表示します。

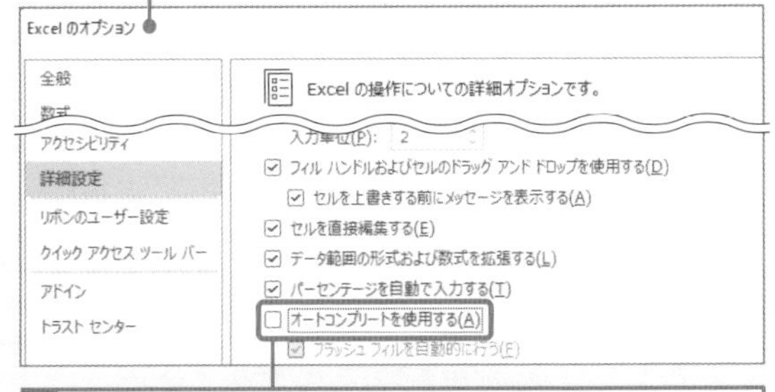

2 [詳細設定] にある [オートコンプリートを使用する] をクリックしてチェックを外し、[OK] をクリックします。

Q545 お役立ち度 ★★★ オートフィル

2021
2019
2016

オートフィル機能って何?

A 連続するセルにコピーしたり、連続データを入力したりする機能です。

「オートフィル」とは、アクティブセルや選択範囲の右下にある■（フィルハンドル）を使って連続するセルにデータを自動入力する機能です。選択しているデータによって、コピーされたり、連続データが入力されたりします。

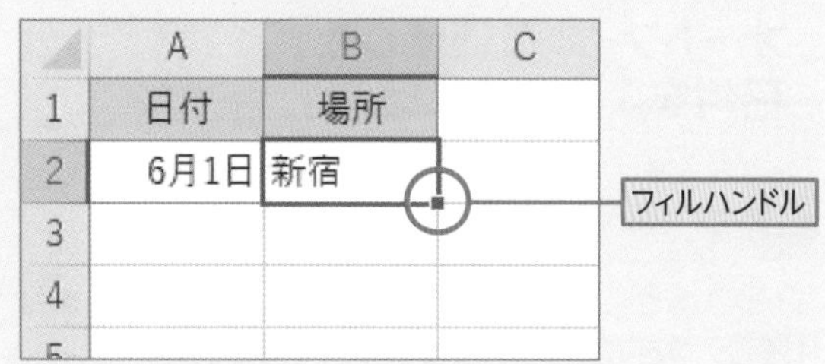
A
B
C
日付
場所
6月1日
新宿
フィルハンドル

Q546 お役立ち度 ★★★ オートフィル

2021
2019
2016

オートフィルで文字列や数値をコピーする

A コピー先までフィルハンドルをドラッグします。

コピーしたい文字や数値が入力されているセルを選択し、右下にある■（フィルハンドル）にマウスポインターを合わせ、╋の形になったらドラッグします。ドラッグした方向に同じ値がコピーされます。セルに書式が設定されているときは、書式もコピーされます。また、データが入力されているセル範囲を選択し、フィルハンドルを上または左方向にドラッグすると、データを削除できます。この場合は、データのみ削除され書式は残ります。

数値

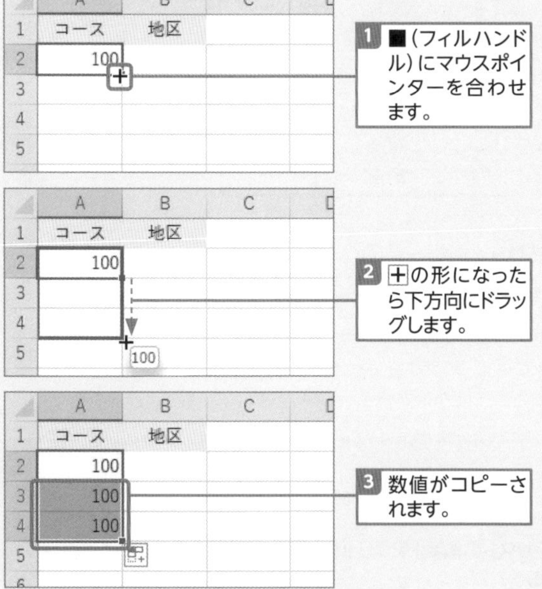
コース
地区
100
1 ■（フィルハンドル）にマウスポインターを合わせます。
2 ╋の形になったら下方向にドラッグします。
3 数値がコピーされます。

文字のコピー

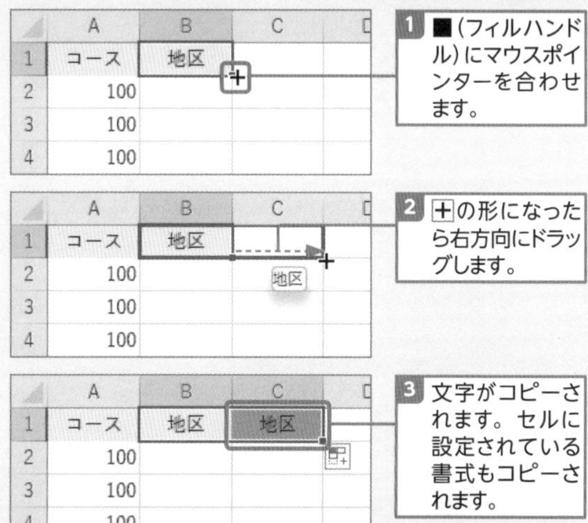
コース
地区
100
1 ■（フィルハンドル）にマウスポインターを合わせます。
2 ╋の形になったら右方向にドラッグします。
3 文字がコピーされます。セルに設定されている書式もコピーされます。

データの削除

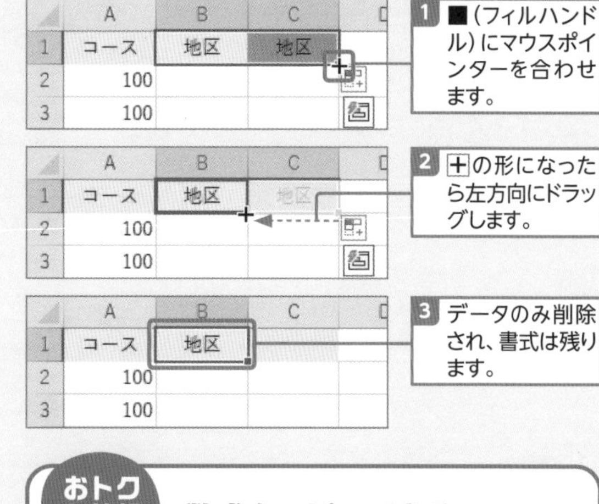
コース
地区
100
1 ■（フィルハンドル）にマウスポインターを合わせます。
2 ╋の形になったら左方向にドラッグします。
3 データのみ削除され、書式は残ります。

おトクな情報 数式もコピーできる

オートフィルを利用して数式のコピーもできます（Q740）。

Q547 お役立ち度 ★★★ オートフィル 2021 2019 2016

オートフィルで連続した日付を入力するには

A フィルハンドルをドラッグするだけです。

日付が入力されているセルを選択し、オートフィルを実行すると、コピーではなく連続した日付が入力されます。

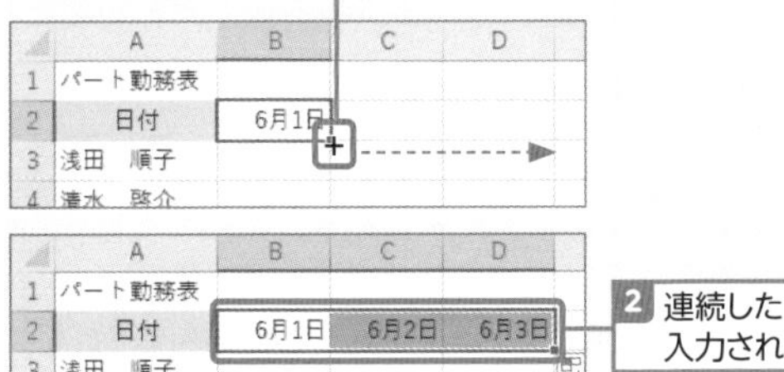

Q548 お役立ち度 ★★★ オートフィル 2021 2019 2016

「月」をオートフィルしたら「火」「水」…と曜日が入力された!

A 曜日の連続データが入力されるように登録されています。

月名、曜日名、干支、第1四半期など、あらかじめ連続入力されるデータが登録されています。例えば、「月」をオートフィルすると、曜日の「月」から「日」までの連続データが繰り返し入力されます。

登録されているデーター覧

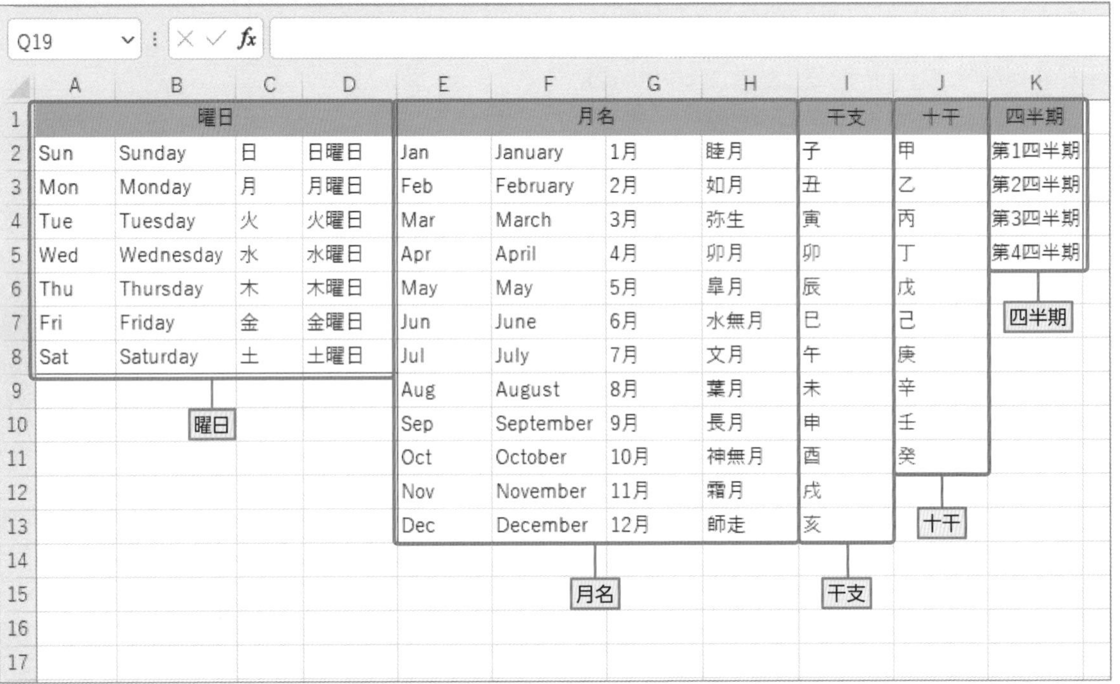

Q19

	A	B	C	D	E	F	G	H	I	J	K
1	曜日				月名				干支	十干	四半期
2	Sun	Sunday	日	日曜日	Jan	January	1月	睦月	子	甲	第1四半期
3	Mon	Monday	月	月曜日	Feb	February	2月	如月	丑	乙	第2四半期
4	Tue	Tuesday	火	火曜日	Mar	March	3月	弥生	寅	丙	第3四半期
5	Wed	Wednesday	水	水曜日	Apr	April	4月	卯月	卯	丁	第4四半期
6	Thu	Thursday	木	木曜日	May	May	5月	皐月	辰	戊	
7	Fri	Friday	金	金曜日	Jun	June	6月	水無月	巳	己	
8	Sat	Saturday	土	土曜日	Jul	July	7月	文月	午	庚	
9					Aug	August	8月	葉月	未	辛	
10					Sep	September	9月	長月	申	壬	
11					Oct	October	10月	神無月	酉	癸	
12					Nov	November	11月	霜月	戌		
13					Dec	December	12月	師走	亥		

おトクな情報 ユーザー設定リストで確認する

[Excelのオプション] ダイアログの [詳細設定] で [ユーザー設定リストの編集] をクリックすると表示される [ユーザー設定リスト] ダイアログで、登録されている一覧を確認できます (Q558)。

Q549 お役立ち度 ★★★ オートフィル 2021 2019 2016

同じ日付を連続入力したい!

A [オートフィルオプション]で[セルのコピー]を選択します。

日付をオートフィルで入力すると自動で連続した日付が入力されますが、オートフィル実行後に表示される[オートフィルオプション]をクリックし、メニューから[セルのコピー]をクリックするとコピーに変更されます。

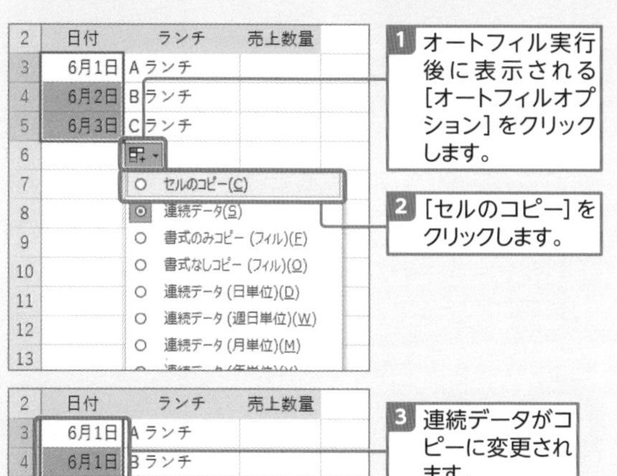

おトクな情報 Ctrl キーを押しながらドラッグ

日付のセルを Ctrl キーを押しながらフィルハンドルをドラッグしても、日付をコピーできます。

Q550 お役立ち度 ★★★ オートフィル 2021 2019 2016

日付を1か月間隔で連続入力するには

A [オートフィルオプション]で[連続データ(月単位)]を選択します。

日付の[オートフィルオプション]のメニューには、さまざまな項目があります。**Q549**のようにコピーするだけでなく、連続データの単位を週、月、年間隔に指定することができます。

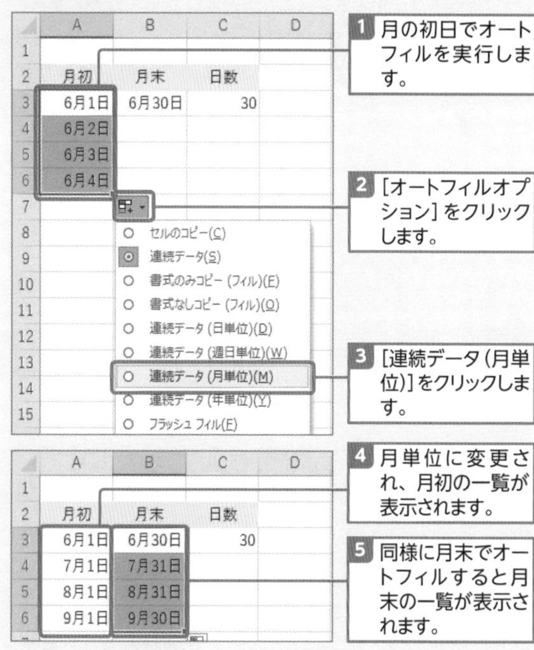

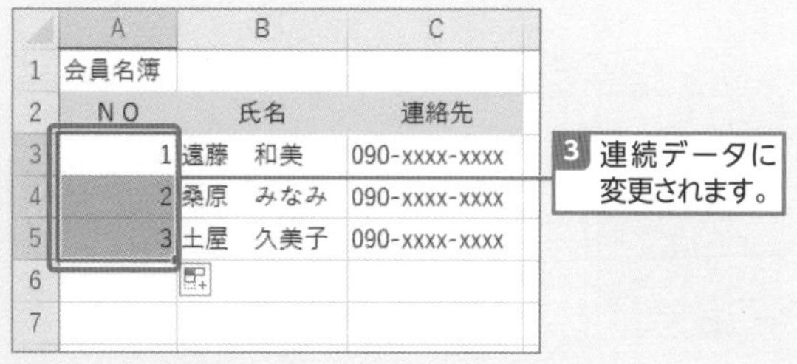

4 月単位に変更され、月初の一覧が表示されます。
5 同様に月末でオートフィルすると月末の一覧が表示されます。

Q551 お役立ち度 ★★★ オートフィル 2021 2019 2016

連続する数値を入力するには

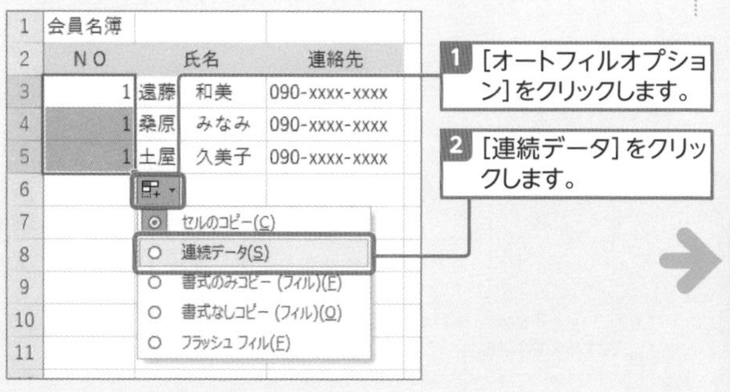

A [オートフィルオプション]で[連続データ]を選択します。

数値はオートフィルを実行するとコピーされますが、[オートフィルオプション]で[連続データ]を選択すれば連続データに変更できます。また、Ctrl キーを押しながらオートフィルを実行すると1ずつ増加する連続データが入力されます。

Q552 お役立ち度 ★★★ オートフィル 2021 2019 2016

データだけコピーして罫線などはコピーしたくない

A [オートフィルオプション]で[書式なしコピー(フィル)]を選択します。

書式が設定されているセルをオートフィルするとデータだけでなく、書式もコピーされます。書式をコピーしたくない場合は、[オートフィルオプション]で[書式なしコピー(フィル)]を選択します。

また、オートフィルするときに、右ボタンを押しながらドラッグすると、ドラッグを終了したときにメニューが表示されます。一覧から[書式なしコピー(フィル)]をクリックしても、データのみコピーすることができます。

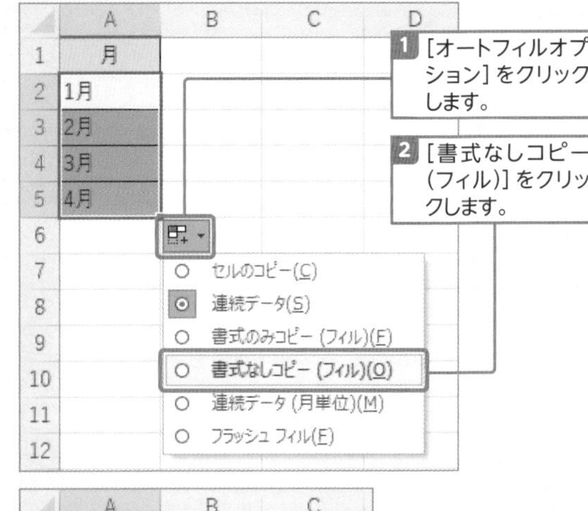

3 データのみオートフィルされます。

Q553 お役立ち度 ★★★ オートフィル 2021 2019 2016

「1組」「2組」と連続で入力したい!

A 算術数字と文字列の組み合わせで連続データを入力できます。

「1組」、「第1回」など算術数字を含む文字列は、フィルハンドルをドラッグするだけで連続データが入力されます。「一」などの漢数字は連続データの入力にはならずコピーされます。

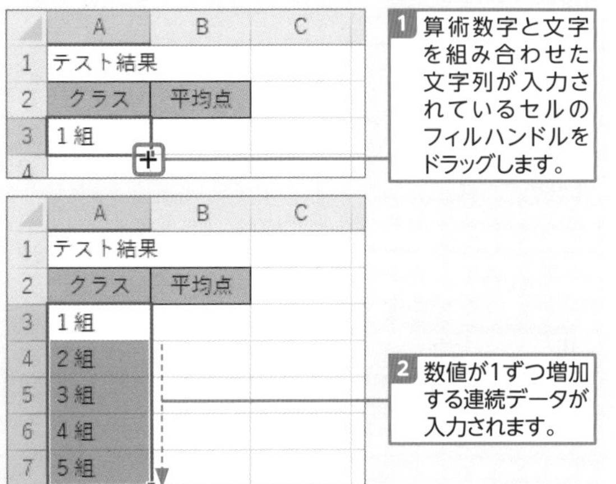

テスト結果
クラス
平均点
1組
2組
3組
4組
5組
1 算術数字と文字を組み合わせた文字列が入力されているセルのフィルハンドルをドラッグします。
2 数値が1ずつ増加する連続データが入力されます。

Q554 お役立ち度 ★★★ オートフィル 2021 2019 2016

「10」「20」「30」と同じ間隔で連続入力するには

A 2つの数値を入力してからオートフィルを実行します。

数値を入力した2つのセルを選択してオートフィルを実行すると、2つの数値の差分で連続データが入力されます。例えば、「10」「20」の差分は10なので、10ずつ増加する連続データが入力されます。

Q555 お役立ち度 ★★★ オートフィル

2021 2019 2016

入力したい行数が多くてドラッグが大変!

A フィルハンドルをダブルクリックする方法があります。

フィルハンドルにマウスポインターを合わせ、ダブルクリックすると、表内のデータの最終行まで自動的にオートフィルが実行されます。わざわざドラッグする必要がなく便利です。

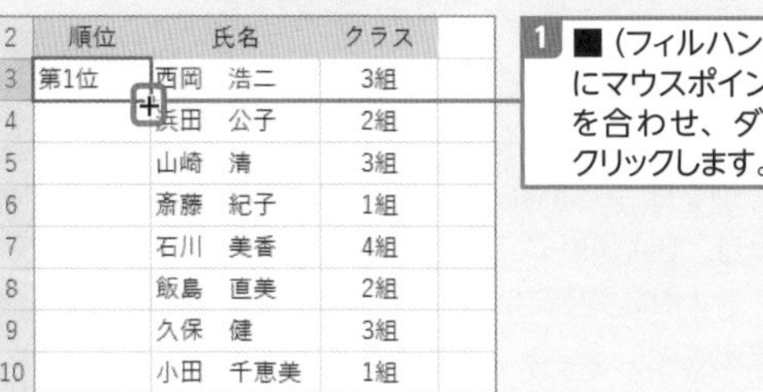

Q556 お役立ち度 ★★★ オートフィル

2021 2019 2016

入力方法を先に指定して自動入力するには

A [連続データ] ダイアログを活用しましょう。

[連続データ] ダイアログを利用すると、入力方向、種類、増分、最終値を指定して、連続データを入力できます。50行や100行などかなり大きな表に連番を入力したい場合に便利です。

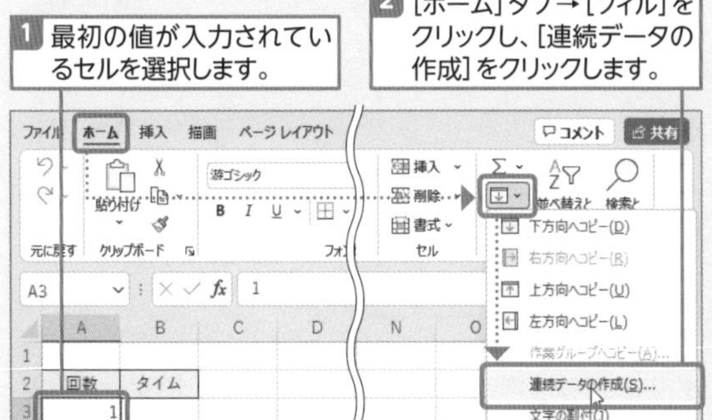

1 最初の値が入力されているセルを選択します。
2 [ホーム] タブ→[フィル] をクリックし、[連続データの作成] をクリックします。

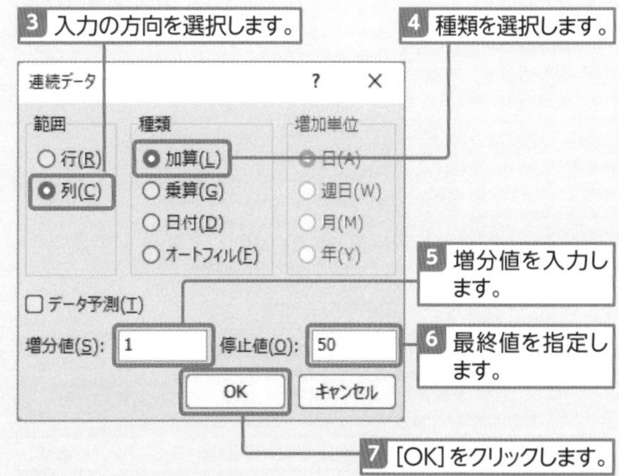

3 入力の方向を選択します。
4 種類を選択します。
5 増分値を入力します。
6 最終値を指定します。
7 [OK] をクリックします。

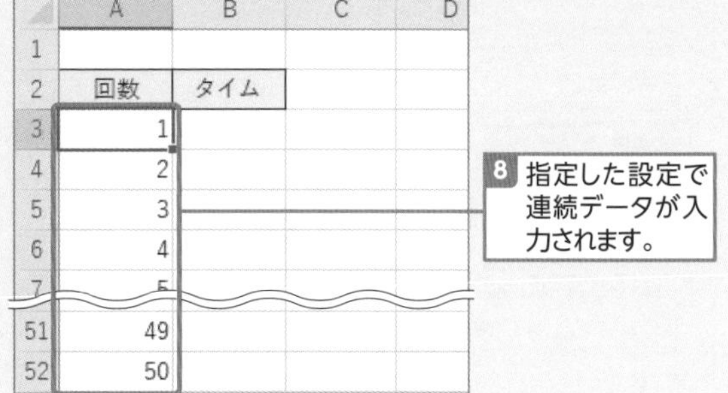

Q557 お役立ち度 ★★★ オートフィル

2021 2019 2016

オートフィルが実行できない!

A [Excelのオプション] ダイアログでオートフィルの設定を確認します。

Q027の方法で [Excelのオプション] ダイアログを表示して、フィルハンドルが使用できる状態になっているかどうかを確認します。[詳細設定] タブの [フィルハンドルおよびセルのドラッグアンドドロップを使用する] と、その下の [セルを上書きする前にメッセージを表示する] のそれぞれにチェックが付いているか確認します。

オリジナルの順番で連続入力したい!

A [ユーザー設定リスト] ダイアログで登録できます。

会社の部署名や商品名の一覧など、よく使用する一覧は、[ユーザー設定リスト] ダイアログにその順番を登録すれば、オートフィルで連続データとして入力できます。登録したら、別のブックでも使用できます。

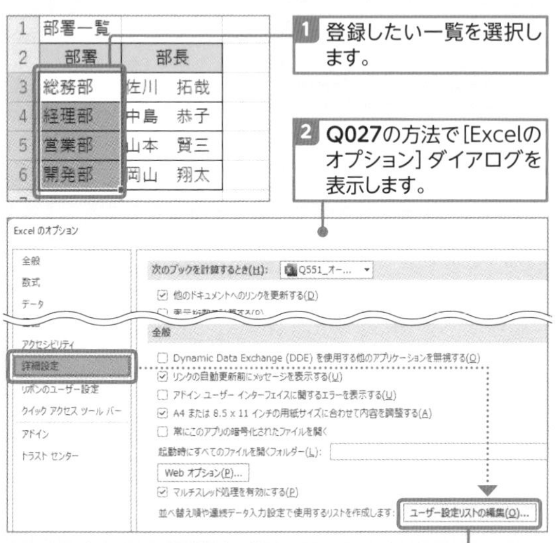

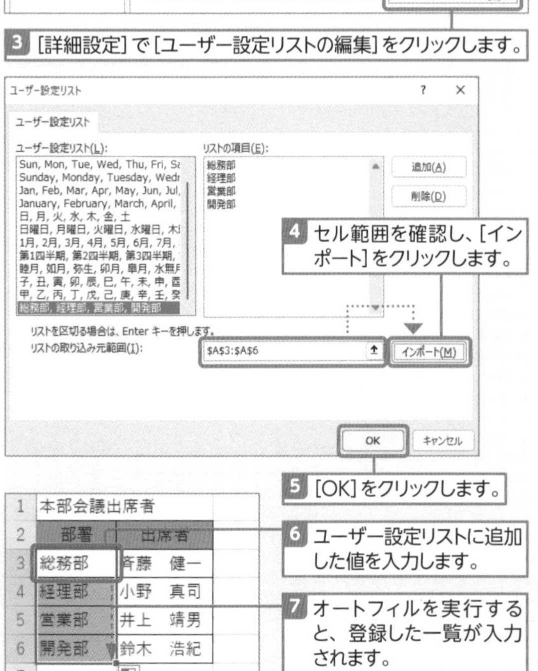

フラッシュフィルって何?

A データを一括入力する機能です。

フラッシュフィルとは、①入力済みのデータから入力パターンを分析し、②残りのセルに自動的にデータを入力する機能です。例えば、2つの列のデータを連結して1つの文字列を作ったり、セル内のデータの一部分を取り出したりできます。また、セル内の文字に別の文字や記号を組み合わせることもできます。

データを連結する

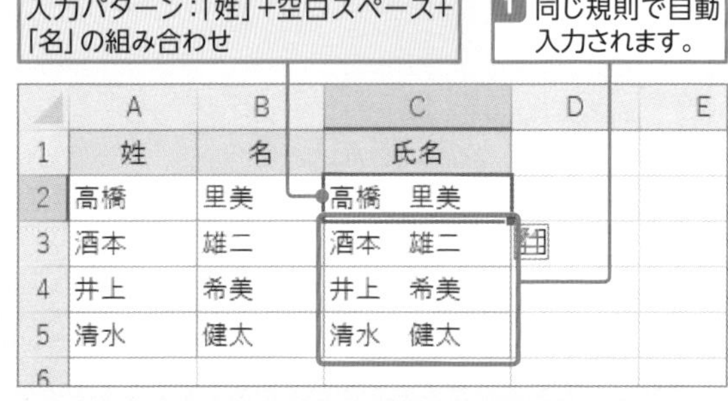

セル内のデータの一部分を取り出す

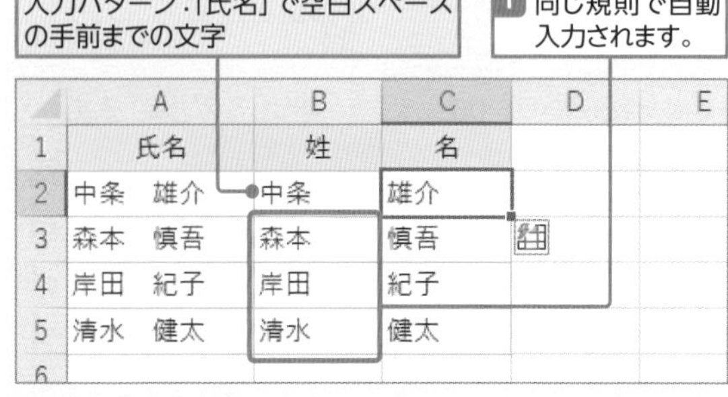

セルのデータと別の文字列を組み合わせる

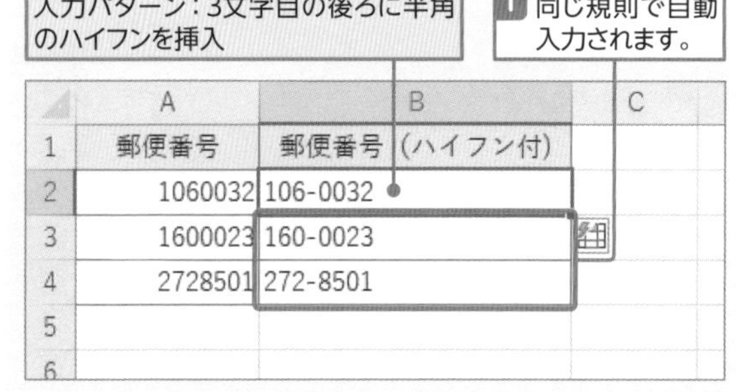

Q560 お役立ち度 ★★★ フラッシュフィル 2021 2019 2016

[姓]と[名]の値を連結して[氏名]列を作りたい!

A フラッシュフィルを使えば簡単に連結できます。

フラッシュフィル機能を使えば、2つの列の値を1つの文字列に連結できます。最初のセルに「姓」と「名」を組み合わせた値を入力して、フラッシュフィルを実行すれば、同じ入力パターンで残りのセルに入力され、その結果、氏名の列を作成できます。

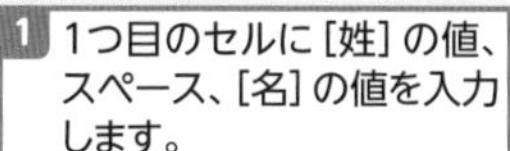

1 1つ目のセルに[姓]の値、スペース、[名]の値を入力します。

2 [データ]タブ→[フラッシュフィル]をクリックします。

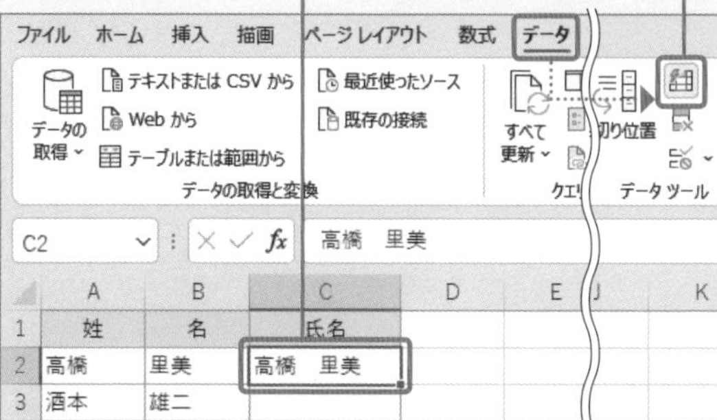

3 残りのセルに同じ規則でデータが自動で入力されます。

Q561 お役立ち度 ★★★ フラッシュフィル 2021 2019 2016

[氏名]を[姓]と[名]に分割したい!

A フラッシュフィルを使えば簡単に分割できます。

フラッシュフィル機能を使えば、セル内のデータの一部分を取り出すこともできます。例えば、氏名のデータは姓と名の間に全角のスペースが入力されていれば、スペースの前の部分の姓とスペースの後ろの部分の名を別々に取り出すことが可能です。

1 1つ目のセルに[氏名]の姓の部分を入力します。

2 [データ]タブ→[フラッシュフィル]をクリックします。

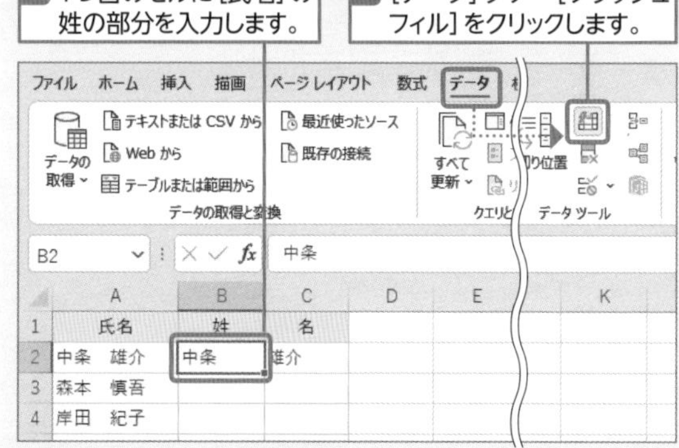

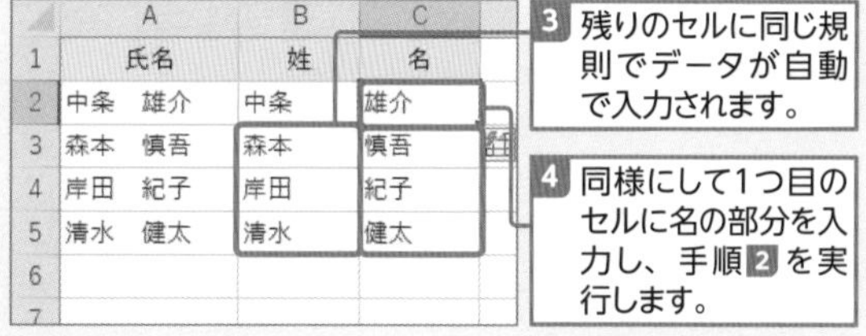

3 残りのセルに同じ規則でデータが自動で入力されます。

4 同様にして1つ目のセルに名の部分を入力し、手順2を実行します。

Q562 お役立ち度 ★★★ フラッシュフィル 2021 2019 2016

ハイフンのない郵便番号にハイフンを付けたい!

A フラッシュフィル機能を使って作成できます。

フラッシュフィル機能を使うと、セルのデータと別の文字を組み合わせて別の文字列を作成できます。これを利用して、数字だけの郵便番号の3文字目の後ろに「-」を挿入してハイフン付きの郵便番号を作成できます。

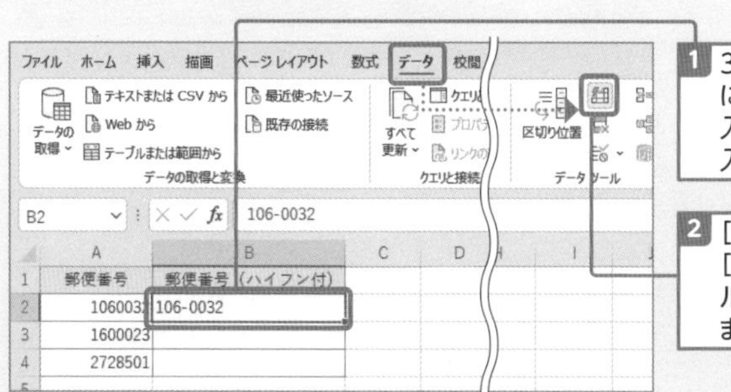

1 3文字目の後ろにハイフンを挿入したデータを入力します。

2 [データ]タブ→[フラッシュフィル]をクリックします。

3 残りのセルに同じ規則でデータが自動で入力されます。

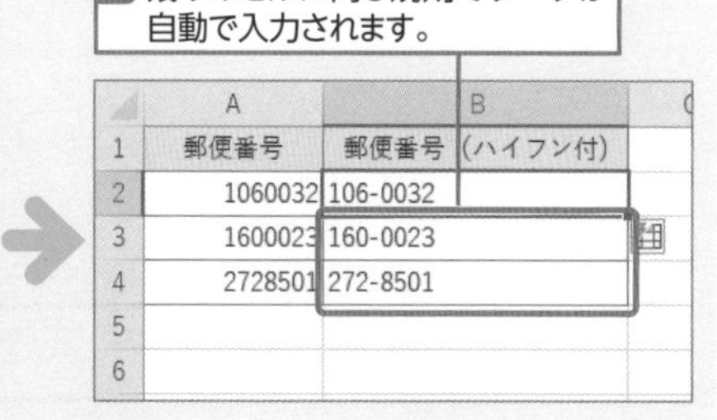

Q563 お役立ち度 ★★★ データの入力規則 2021 2019 2016

入力できるデータの種類や範囲を指定できるの?

A [データの入力規則] で入力値の種類を設定します。

[データの入力規則] を使うと、セルに入力するデータの種類や範囲を指定できます。例えば、数値で1～10までの整数に限定するとか、今日以降の日付を入力させるなどの設定をして、正しい値が入力されるように設定できます。なお、入力規則は、入力済みのセルの値を制限することができないため、データを入力する前に設定するようにしてください。

1 データの入力規則を設定したいセルを選択します。

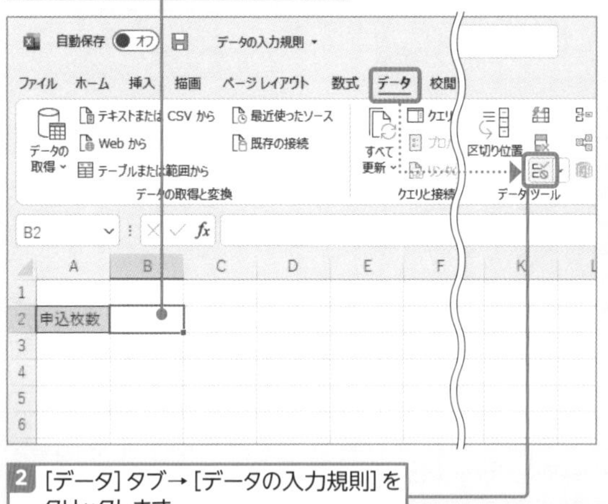

2 [データ] タブ→ [データの入力規則] をクリックします。

3 [データの入力規則] ダイアログが表示されます。

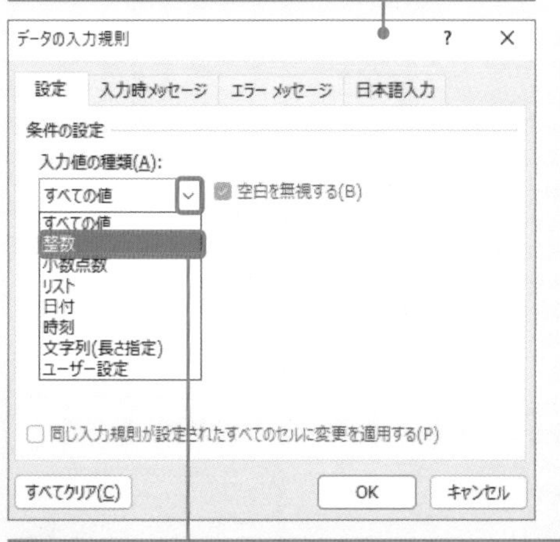

4 [設定] タブの [入力値の種類] で☐をクリックし、種類を選択します (右表参照)。

5 [データ] を選択します。

6 [データ] に設定した条件の範囲を指定します。

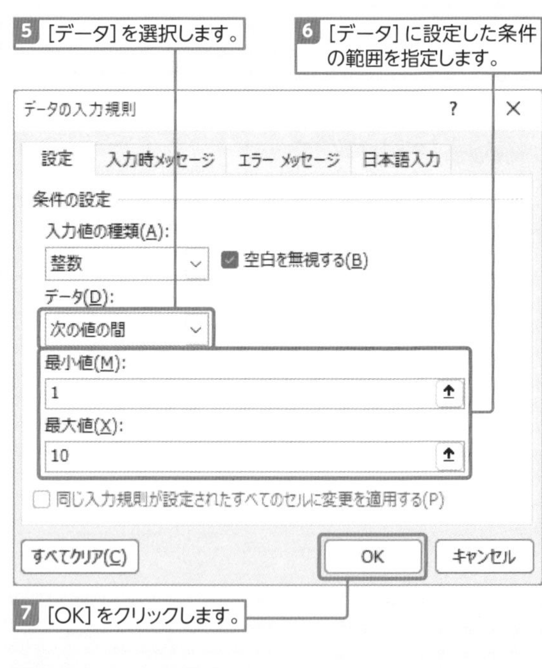

7 [OK] をクリックします。

8 設定した入力規則に反するデータを入力しようとすると、メッセージが表示されます。

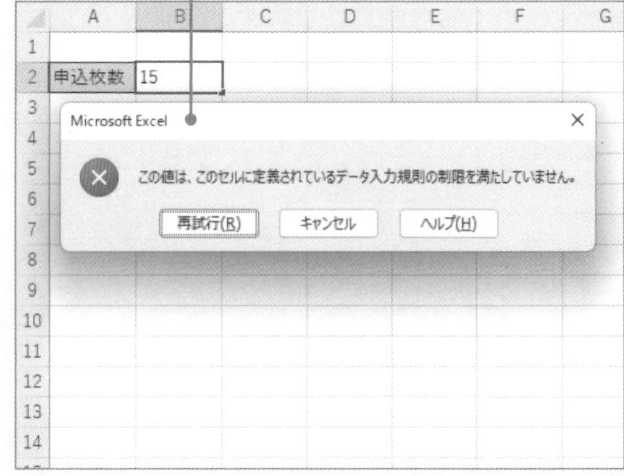

入力値の種類

入力値の種類	内容
すべての値	制限なし
整数	指定範囲の整数
小数点数	指定範囲の小数点数
リスト	指定した選択肢
日付	指定範囲の日付
時刻	指定範囲の時刻
文字列 (長さ指定)	指定の長さの文字列
ユーザー設定	指定した数式に合致する値

Q564 お役立ち度 ★★★ データの入力規則 2021 2019 2016

選択肢を表示してデータを入力するには

A [入力値の種類]を[リスト]にします。

[データの入力規則]で入力値の種類を[リスト]にすると、セルに選択肢を表示できるようになります。[元の値]に選択肢となる項目を半角の「,」(カンマ)で区切って指定します。例えば、「男性,女性」のように指定します。

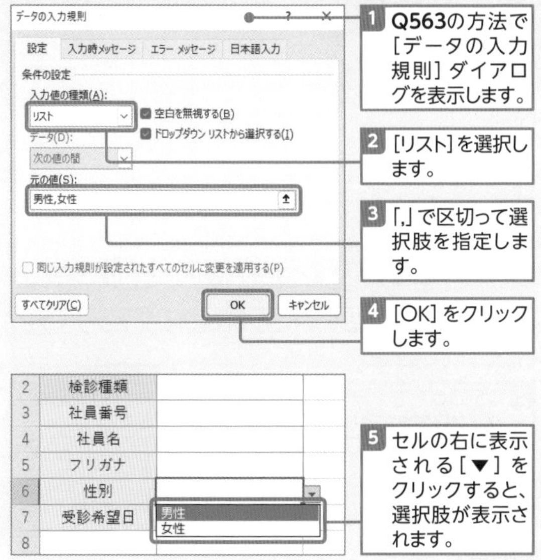

1 Q563の方法で[データの入力規則]ダイアログを表示します。
2 [リスト]を選択します。
3 「,」で区切って選択肢を指定します。
4 [OK]をクリックします。

5 セルの右に表示される[▼]をクリックすると、選択肢が表示されます。

Q565 お役立ち度 ★★★ データの入力規則 2021 2019 2016

ワークシート上の一覧を選択肢にしたい!

A [元の値]にセル範囲を指定します。

入力値の種類を[リスト]にした場合、[元の値]でセル範囲を指定することができます。選択肢の数が多い場合や、変更の可能性がある場合は、セルを参照させる方法を検討してください。

1 Q563の方法で[データの入力規則]ダイアログを表示します。
2 [リスト]を選択します。
3 [元の値]をクリックし、選択肢が入力されているセル範囲をドラッグします。
4 [OK]をクリックすると、セル範囲のデータが選択肢として表示されます。

Q566 お役立ち度 ★★★ データの入力規則 2021 2019 2016

指定期間の日付が入力されるようにするには

A [入力値の種類]を[日付]にして設定します。

指定期間の日付が入力されるようにするには、[データの入力規則]ダイアログで[入力値の種類]を[日付]にし、期間を指定します。

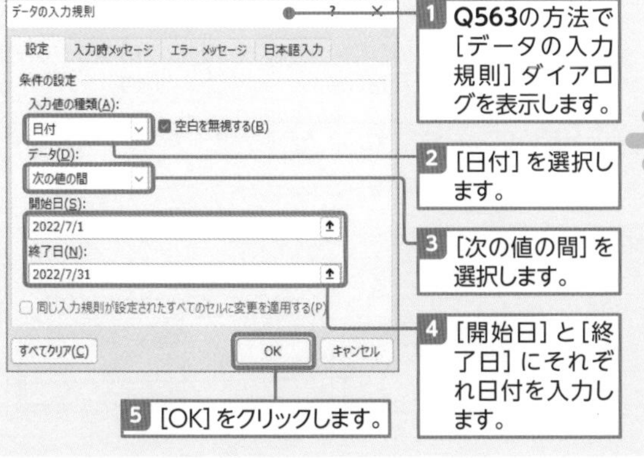

1 Q563の方法で[データの入力規則]ダイアログを表示します。
2 [日付]を選択します。
3 [次の値の間]を選択します。
4 [開始日]と[終了日]にそれぞれ日付を入力します。
5 [OK]をクリックします。

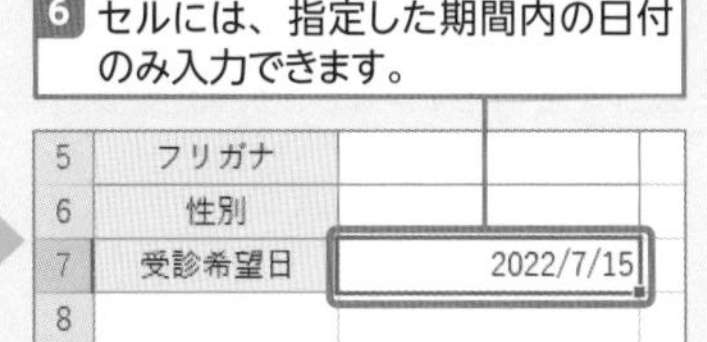

6 セルには、指定した期間内の日付のみ入力できます。

おトクな情報 セルの値を参照する

日付の開始日や終了日に、日付が入力されているセルを参照させることもできます。

Q567 お役立ち度 ★★★ データの入力規則

2021 2019 2016

今日から5日後までの日付が入力されるようにするには

A TODAY関数を使って指定します。

TODAY関数は、今日の日付を返します（**Q791**）。TODAY関数を使って5日後は「=TODAY()+5」と指定できます。これを、［データの入力規則］ダイアログで使用すれば、データを入力する日から5日後までという条件を指定できます。

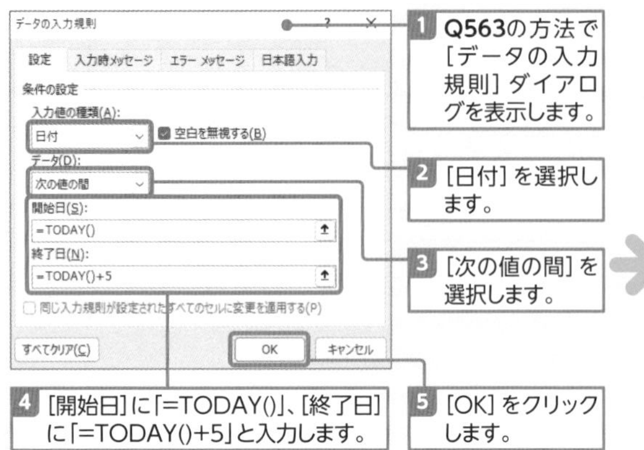

1 Q563の方法で［データの入力規則］ダイアログを表示します。

2 ［日付］を選択します。

3 ［次の値の間］を選択します。

4 ［開始日］に「=TODAY()」、［終了日］に「=TODAY()+5」と入力します。

5 ［OK］をクリックします。

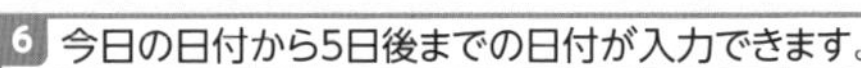

6 今日の日付から5日後までの日付が入力できます。

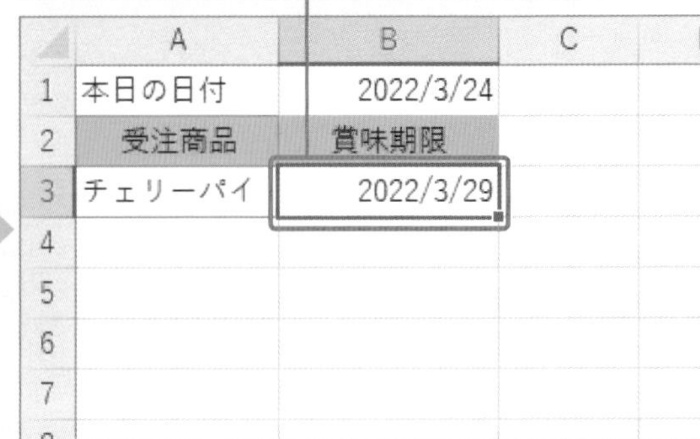

	A	B	C
1	本日の日付	2022/3/24	
2	受注商品	賞味期限	
3	チェリーパイ	2022/3/29	
4			
5			
6			
7			

Q568 お役立ち度 ★★★ データの入力規則

2021 2019 2016

選択項目によって選択肢のリストを変更したい！

A INDIRECT関数を使います。

選択項目によって、次に表示する選択肢のリストを変更したいという場合、［元の値］でINDIRECT関数を使って参照するセル範囲を切り替えます（**Q839**）。手順としては、①切り替えて表示したい選択肢となるセル範囲に分類に表示する選択肢（「グルメ」「スイーツ」）と同じ名前を付けます。次に②［データの入力規則］ダイアログの［元の値］でINDIRECT関数を使って、分類のセルを参照します。

選択肢の範囲に名前を付ける

1 1つ目の選択肢となるセル範囲を選択します。

2 名前ボックスに分類の選択肢の値（グルメ）を入力します。

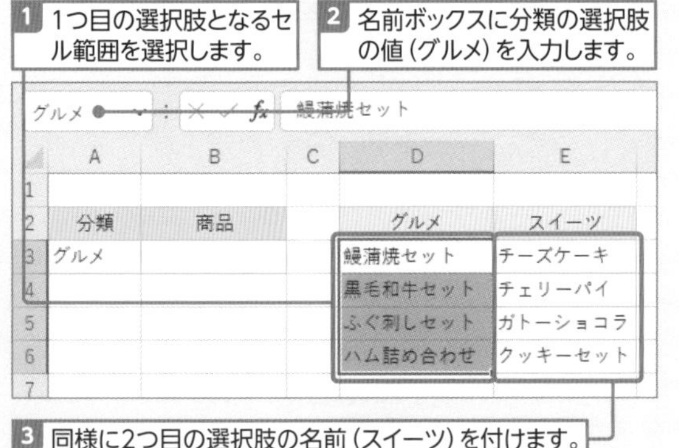

	A	B	C	D	E
1					
2	分類	商品		グルメ	スイーツ
3	グルメ			鰻蒲焼セット	チーズケーキ
4				黒毛和牛セット	チェリーパイ
5				ふぐ刺しセット	ガトーショコラ
6				ハム詰め合わせ	クッキーセット
7					

3 同様に2つ目の選択肢の名前（スイーツ）を付けます。

［元の値］にINDIRECT関数を設定する

1 選択肢を表示するセル（ここではセルB3）をクリックします。

2 **Q563**の方法で［データの入力規則］ダイアログを表示します。

3 ［リスト］を選択します。

データの入力規則
設定 入力時メッセージ エラー メッセージ 日本語入力
条件の設定
入力値の種類(A):
リスト
空白を無視する(B)
ドロップダウン リストから選択する(I)
データ(D):
次の値の間
元の値(S):
=INDIRECT(A3)
すべてクリア(C) OK キャンセル

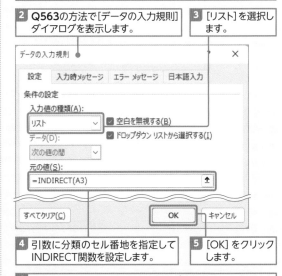

4 引数に分類のセル番地を指定してINDIRECT関数を設定します。

5 ［OK］をクリックします。

6 分類の値によって、対応する商品が選択肢として表示されます。

	A	B	C
1			
2	分類	商品	
3	グルメ		
4		鰻蒲焼セット	
5		黒毛和牛セット	
6		ふぐ刺しセット	
		ハム詰め合わせ	

	A	B	C
1			
2	分類	商品	
3	スイーツ		
4		チーズケーキ	
5		チェリーパイ	
6		ガトーショコラ	
		クッキーセット	

Q569

お役立ち度 ★★★　データの入力規則　2021 2019 2016

入力時に注意点をメッセージで表示するには

A [入力時メッセージ] タブで設定します。

入力規則が設定されているセルにデータを入力する際に、メッセージを表示し、入力する際の注意点を示すことができます。[データの入力規則] ダイアログの [入力時メッセージ] タブで設定します。

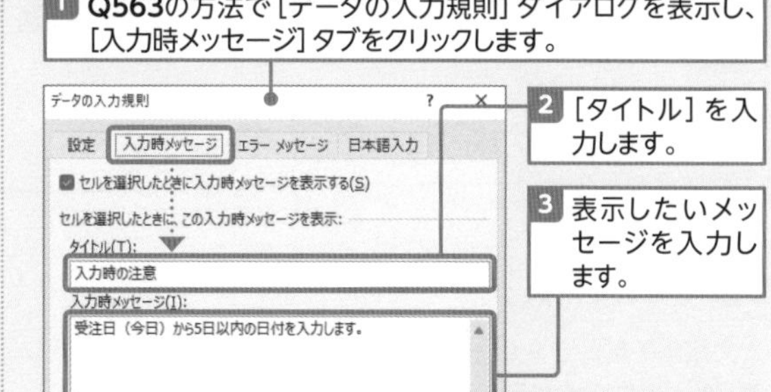

Q570

お役立ち度 ★★★　データの入力規則　2021 2019 2016

独自のエラーメッセージを表示するには

A [エラーメッセージ] タブで設定します。

設定した入力規則に反するデータが入力された際、初期設定ではExcelのエラーメッセージ（**Q563**）が表示されます。独自のエラーメッセージを設定すると、エラー内容をよりわかりやすく伝えることができます。

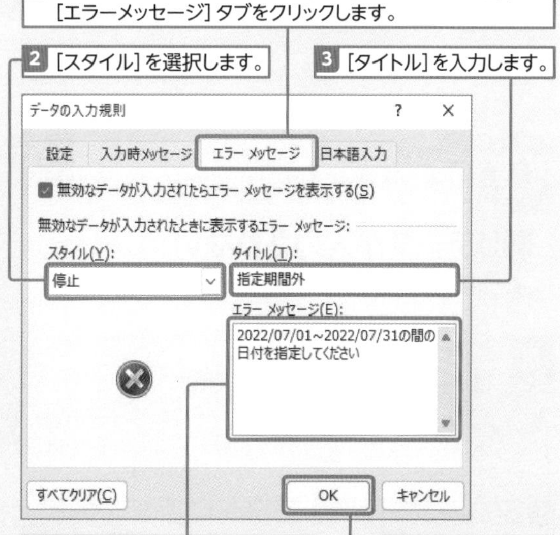

エラーメッセージの [スタイル] の種類

停止	(アイコン)	入力を停止するメッセージで、無効なデータは入力できない
注意	(アイコン)	注意を警告するメッセージで、[はい] をクリックすると無効なデータでも入力できる
情報	(アイコン)	情報を表示するメッセージで、[OK] をクリックすると無効なデータでも入力できる

Q571

お役立ち度 ★★★　データの入力規則　2021 2019 2016

入力モードを自動で切り替えるには

A [日本語入力] タブで設定します。

名簿などの表にデータを入力する際、列ごとに毎回入力モードを切り替えるのは面倒です。[日本語入力] タブで入力モードを指定すれば、セルを選択したときに自動的に適切な入力モードになります。入力効率をアップし、誤入力を防げます。

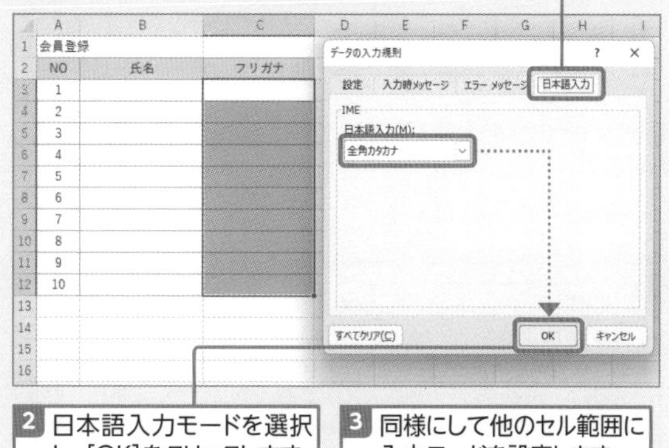

Q572 お役立ち度 ★★★ データの入力規則 2021 2019 2016

データの入力規則を解除するには

A [データの入力規則] ダイアログで [すべてクリア] をクリックします。

入力規則を解除したいセル範囲を選択し、[データの入力規則] ダイアログを表示して[すべてクリア] をクリックします。選択しているセルに設定されている入力規則や入力時メッセージなどすべてが解除されます。

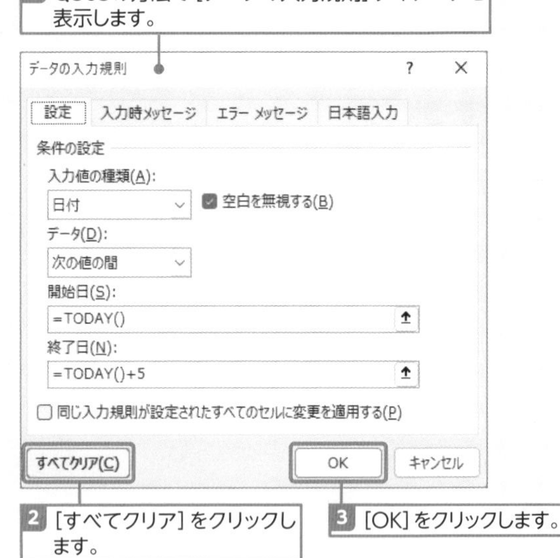

Q573 お役立ち度 ★★★ データの入力規則 2021 2019 2016

同じデータが入力されないようにしたい!

A [ユーザー設定] を選択し、[数式] でCOUNTIF関数を使います。

[データの入力規則] を活用すると、会員登録などの表にデータを追加する際、重複データが入力されないように設定できます。COUNTIF関数は、セル範囲の中で指定したデータの数を数える関数ですが (**Q776**)、この値が「1」となるように設定することで「2」以上の値はエラーになり、重複データのチェックができます。例えば、B列に入力されるメールアドレスが重複しないようにするには、COUNTIF関数を使って、「=COUNTIF(B:B,B3)=1」とします。これは「B列の中で、セルB3と同じ値のセルの個数が1」という意味です。[データの入力規則] の [入力値の種類] で [ユーザー設定] を選択し、[数式] にこの関数を設定します。

Q574 お役立ち度 ★★★ 範囲選択 2021 2019 2016

連続する複数のセルを選択したい

A 選択したい範囲をドラッグします。

セル範囲を選択するには、セルにマウスポインターを合わせ✥の形になったらドラッグします。選択範囲以外のセルをクリックすると、選択範囲が解除されます。

1 マウスポインターを選択したい先頭のセルに合わせ、✥の形になったらドラッグします。

1	ベーカリー＆Café			
2				
3	店舗	開店時間	イートイン	ランチ
4	青山店	11:30	○	○
5	目黒店	11:00	○	○
6	原宿店	11:30	×	○

2 セル範囲が選択されます。

1	ベーカリー＆Café			
2				
3	店舗	開店時間	イートイン	ランチ
4	青山店	11:30	○	○
5	目黒店	11:00	○	○
6	原宿店	11:30	×	○

Q575 お役立ち度 ★★★ 範囲選択 2021 2019 2016

選択範囲を拡大／縮小するには

A Shift ＋矢印キーで調整します。

範囲選択後に、セル範囲を増やしたり、減らしたりしたいときは、Shift ＋↓↑→←キーを使いましょう。現在のセル範囲を拡張・縮小できます。

1 範囲選択されている状態で、Shift ＋→キーを押します。

1	売上表			
2				
3	地区	1月	2月	3月
4	A地区	100	200	300
5	B地区	150	180	160
6	C地区	130	120	160
7				

2 セル範囲が1列分拡張されます。

1	売上表			
2				
3	地区	1月	2月	3月
4	A地区	100	200	300
5	B地区	150	180	160
6	C地区	130	120	160

Q576 お役立ち度 ★★★ 範囲選択 2021 2019 2016

離れた複数のセルを選択するには①

A 2つ目以降のセルを Ctrl キーを押しながらクリックします。

離れた場所にあるセルを同時に選択したい場合は、2つ目以降のセルを選択するときに Ctrl キーを押しながらクリックまたはドラッグします。選択された範囲を、Ctrl キーを押しながらドラッグすると、選択を解除できます。

1 1つ目のセル範囲は、ドラッグして選択します。

1	売上表			
2				
3	地区	1月	2月	3月
4	A地区	100	200	300
5	B地区	150	180	160
6	C地区	130	120	160

2 2つ目のセル範囲を、Ctrl キーを押しながらドラッグすると、離れたセル範囲が選択されます。

1	売上表			
2				
3	地区	1月	2月	3月
4	A地区	100	200	300
5	B地区	150	180	160
6	C地区	130	120	160

Q577 お役立ち度 ★★★ 範囲選択 2021 2019 2016

離れた複数のセルを選択するには②

A Shift ＋ F8 キーを押して、[選択内容の追加または削除] モードにします。

Q576 のように2箇所目以降を Ctrl キーを押しながらドラッグすると離れた範囲を選択できますが、Shift ＋ F8 キーを押して、[選択内容の追加または削除] モードにしても選択できます。以降、ドラッグするだけでセル範囲の追加や解除ができます。選択が終了したら ESC キーを押してモードを解除します。

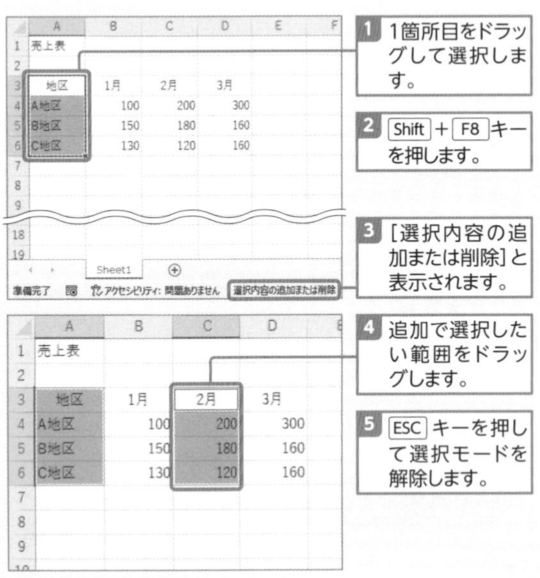
1 1箇所目をドラッグして選択します。
2 Shift ＋ F8 キーを押します。
3 [選択内容の追加または削除] と表示されます。
4 追加で選択したい範囲をドラッグします。
5 ESC キーを押して選択モードを解除します。
選択内容の追加または削除

Q578 お役立ち度 ★★★ 範囲選択 2021 2019 2016

クリックだけで範囲選択したい!

A 始点でクリック、終点で Shift キーを押しながらクリックします。

広範囲を範囲選択する場合、ドラッグしすぎてうまくいかないことがあります。クリックだけで範囲選択できれば、広範囲であっても正確にセル範囲を選択できます。

1 始点となるセルでクリックします。

	A	B	C	D	E
1	売上表				
2					
3	地区	1月	2月	3月	
4	A地区	100	200	300	
5	B地区	150	180	160	
6	C地区	130	120	160	

2 終点となるセルで Shift キーを押しながらクリックすると、範囲選択されます。

Q579 お役立ち度 ★★★ 範囲選択 2021 2019 2016

選択範囲外をクリックしても範囲が解除できない!

A [選択範囲の拡張] モードになっていないか確認しましょう。

選択範囲外のセルをクリックしても選択範囲が解除されない場合は、画面左下のステータスバーの表示を確認してください。**Q577** のように [選択内容の追加または削除] または、[選択範囲の拡張] と表示されている場合は、選択範囲が追加、拡張されるモードになっています。いずれも ESC キーを押せば解除できます。

拡張モードになっているため、クリックすると選択範囲が広がります。ESC キーを押して拡張モードを解除します。

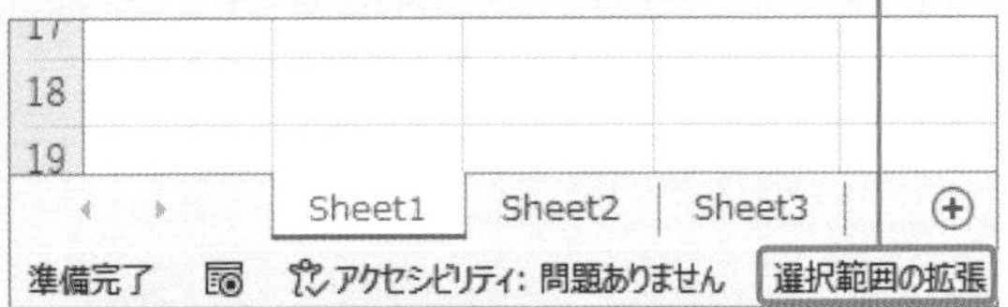
Sheet1
Sheet2
Sheet3
準備完了
アクセシビリティ: 問題ありません
選択範囲の拡張

おトクな情報 拡張モード

F8 キーを押すと、拡張モードになり、[選択範囲の拡張] と表示され、アクティブセルからクリックしたセルまでが選択されるようになります。再度 F8 キーを押すか ESC キーで解除できます。

Q580 お役立ち度 ★★★ 範囲選択 2021 2019 2016

行や列を選択するには

A 行番号や列番号をクリックまたはドラッグします。

行全体や列全体を選択するには、行番号または列番号をクリックします。複数行、複数列を選択する場合は、行番号上、列番号上をドラッグします。

行を選択する

1 行番号上にマウスポインターを合わせ、➡の形になったらクリックします。

2				
➡	地区	1月	2月	3月
4	A地区	100	200	30
5	B地区	150	180	16
6	C地区	130	120	16

2 縦方向にドラッグすると複数行選択できます。

列を選択する

1 列番号上にマウスポインターを合わせ、⬇の形になったらクリックします。

	A	B	C	D
1	売上表			
2				
3	地区	1月	2月	3月
4	A地区	100	200	30

2 横方向にドラッグすると複数列選択できます。

Q581 お役立ち度 ★★★ 範囲選択 2021 2019 2016

シート全体を選択するには

A ［全セル選択］ボタンをクリックします。

シート全体を選択したいときは、列番号「A」と列番号「1」の交点にある［全セル選択］ボタンをクリックします。

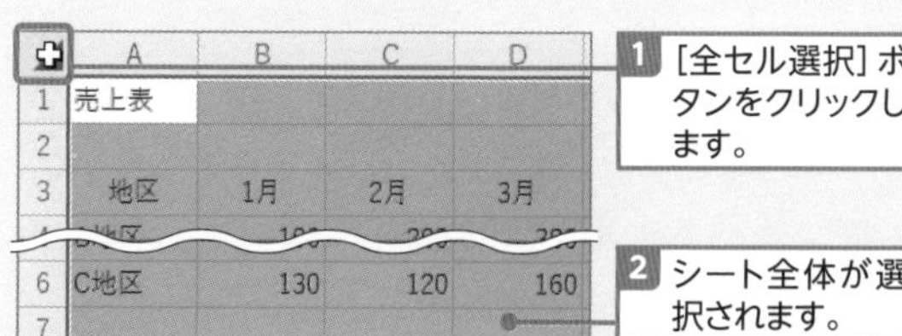

1 ［全セル選択］ボタンをクリックします。

2 シート全体が選択されます。

おトクな情報 キー操作で実行

ワークシート全体選択：Ctrl＋Aキー
アクティブセルが表内にある場合は、表全体が選択されます。再度Ctrl＋Aキーを押すとワークシート全体が選択されます。

Q582 お役立ち度 ★★★ 範囲選択 2021 2019 2016

セルを選択すると右下に表示されるボタンは何？

A ［クイック分析］というボタンです。

選択範囲の右下に表示される［クイック分析］をクリックすると、選択範囲のデータで設定できる機能が表示されます。マウスポインターを合わせると、実行結果がプレビューで確認できます。クリックすると選択した機能が実行されます。

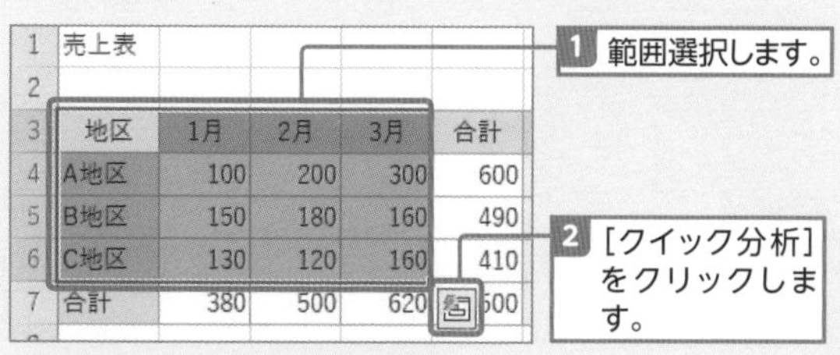

1 範囲選択します。

2 ［クイック分析］をクリックします。

3 使用できる機能が表示されます。

4 機能にマウスポインターを合わせると、実行結果がプレビューで表示されます。

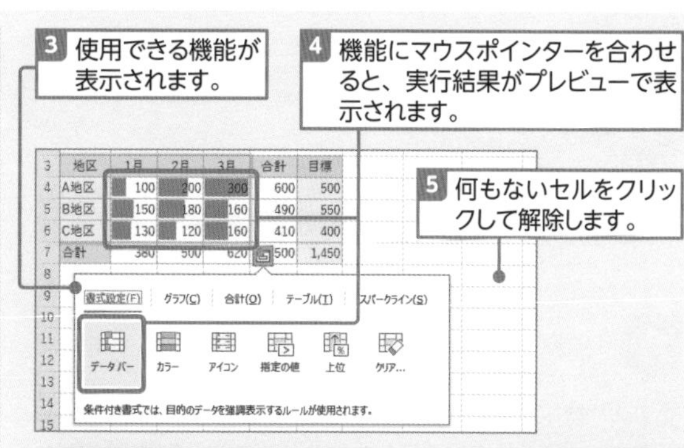

5 何もないセルをクリックして解除します。

クイック分析で設定できる機能

書式設定	条件付き書式を設定できる
グラフ	選択範囲のデータによって作成できるグラフが表示される
合計	選択したセル範囲の合計、平均、データの個数などを求められる
テーブル	テーブル、ピボットテーブルを作成できる
スパークライン	選択範囲のスパークラインを作成できる

Q583 お役立ち度 ★★★ 範囲選択 2021 2019 2016

キー操作で表の行や列を素早く選択したい!

Ctrl + Shift + → / ↓ キーを押します。

表の行や列を選択する操作はいろいろな場面でよく行います。表内の行を選択するには、左端のセルをクリックして、Ctrl + Shift + → キーを押します。表内の列を選択するには、上端のセルをクリックして、Ctrl + Shift + ↓ キーを押します。いずれもデータの切れ目まで選択されるので途中に空白セルがあるとその手前まで選択されます。

表内の行を選択する

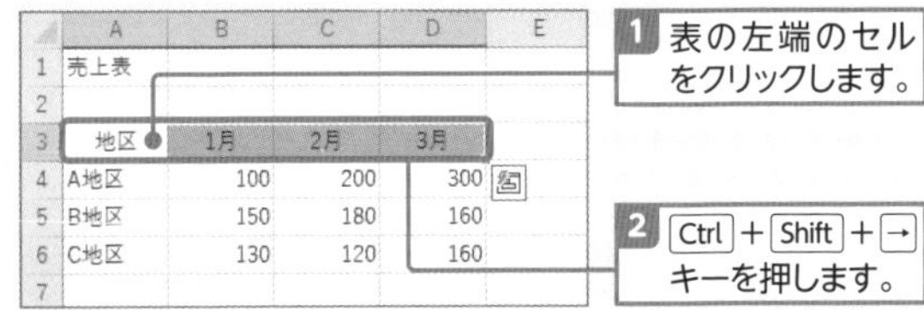

表内の列を選択する

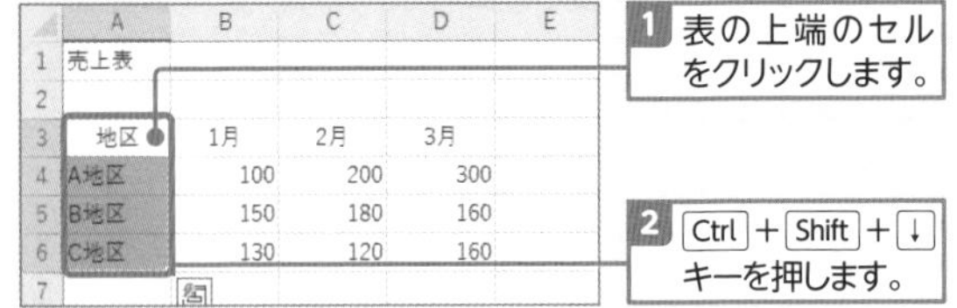

Q584 お役立ち度 ★★★ 範囲選択 2021 2019 2016

表全体を一気に選択するには

A Ctrl + Shift + : (コロン) キーを押します。

表内をクリックしてアクティブセルが表内にある状態で、Ctrl + Shift + : キーを押すと、表全体が選択されます。表全体をコピーしたり、罫線を引いたりするときに使えます。このキーで選択されるセル範囲を「アクティブセル領域」といい、アクティブセルを含み、空白行、空白列で囲まれたデータ範囲の領域です。表に隣接したセルにタイトルなどのデータが入力されているとタイトルも含めて選択されます。

1 表内でクリックしてアクティブセルを移動します。

	A	B	C	D
1	売上表			
2				
3	地区	1月	2月	3月
4	A地区	100	200	300
5	B地区	150	180	160
6	C地区	130	120	160

2 Ctrl + Shift + : キーを押します。

Q585 お役立ち度 ★★★ 範囲選択 2021 2019 2016

文字データのセルを選択するには

A [検索と選択] メニューで [定数] を選択します。

文字列や数字、日付など、固定の値が入力されているセルを選択するには、[検索と選択] メニューで [定数] を選択します。

[検索と選択] 内のその他の選択メニュー

条件を選択してジャンプ	[選択オプション] ダイアログを表示 (**Q586**)
数式	数式が設定されているセルを選択
メモ	メモ (※) が設定されているセルを選択
条件付き書式	条件付き書式が設定されているセルを選択
データの入力規則	データの入力規則が設定されているセルを選択

※ Excel2019/2016 では「コメント」

1 [ホーム] タブ→ [検索と選択] → [定数] をクリックします。

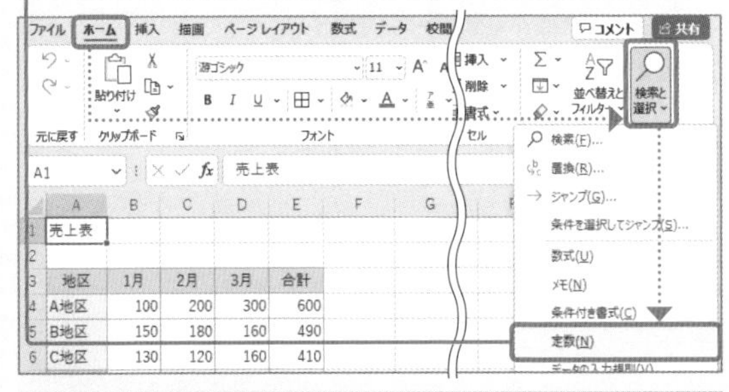

	A	B	C	D	E
1	売上表				
2					
3	地区	1月	2月	3月	合計
4	A地区	100	200	300	600
5	B地区	150	180	160	490
6	C地区	130	120	160	410
7	合計	380	500	620	1,500

2 文字列や数値など固定の値が入力されているセルが選択されます。

Q586 お役立ち度 ★★★ 範囲選択 2021 2019 2016

数式が入力されているセルを選択するには

A [選択オプション]ダイアログを使用します。

数式が入力されているセルは、[検索と選択]メニューの[数式]をクリックしても選択できますが（**Q585**）、この場合、数式のセル全部が選択されます。[選択オプション]ダイアログを使うと、数式の結果が数値、文字列、論理値、エラー値の中で指定できます。

1 [ホーム]タブ→[検索と選択]→[条件を選択してジャンプ]をクリックします。

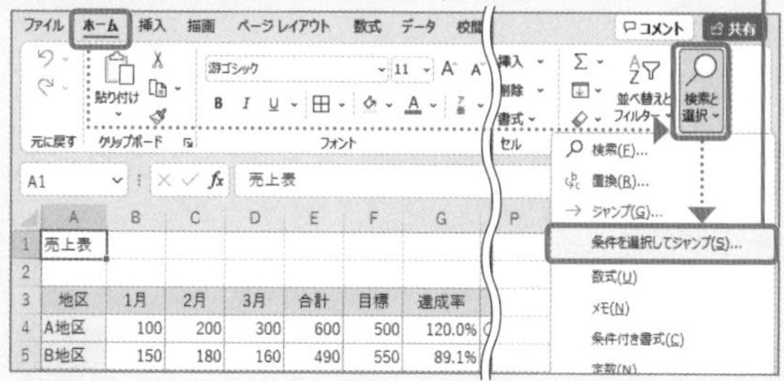

2 [選択オプション]ダイアログが表示されます。

3 [数式]をクリックします。

4 数式の結果の種類にチェックを付けます。

5 [OK]をクリックします。

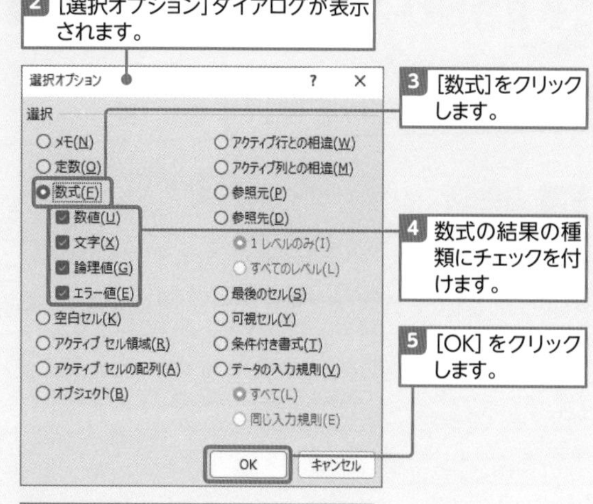

6 数式が設定されているセルが選択されます。

	A	B	C	D	E	F	G	H
1	売上表							
2								
3	地区	1月	2月	3月	合計	目標	達成率	結果
4	A地区	100	200	300	600	500	120.0%	○
5	B地区	150	180	160	490	550	89.1%	×
6	C地区	130	120	160	410	400	102.5%	×
7	合計	380	500	620	1,500	1,450	103.4%	○
8								

Q587 お役立ち度 ★★★ 範囲選択 2021 2019 2016

数値のセルを選択するには

A [選択オプション]ダイアログで「定数」と「数値」を選択します。

数式の結果の数値ではなく、固定値の数値を選択するには、[定数]の[数値]を選択します。

1 Q586の方法で[選択オプション]ダイアログを表示します。

2 [定数]をクリックします。

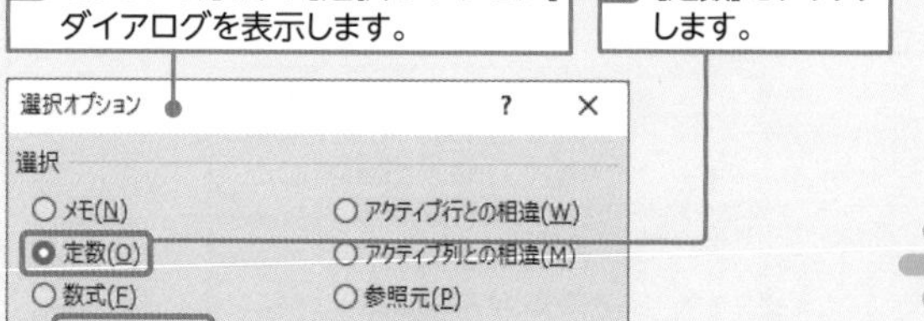

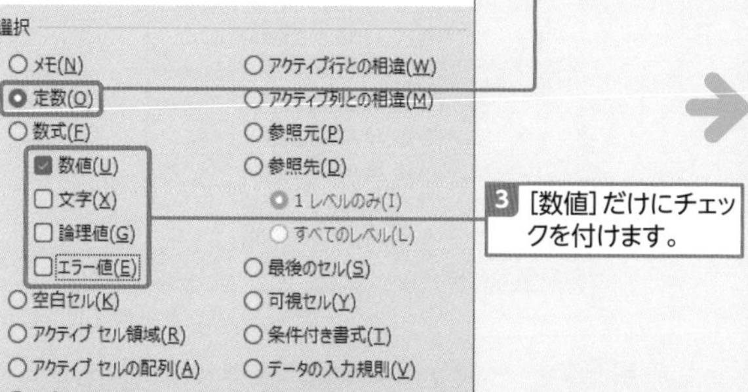

3 [数値]だけにチェックを付けます。

4 [OK]をクリックします。

5 数値が入力されているセルが選択されます。

	A	B	C	D	E	F	G	H
1	売上表							
2								
3	地区	1月	2月	3月	合計	目標	達成率	結果
4	A地区	100	200	300	600	500	120.0%	○
5	B地区	150	180	160	490	550	89.1%	×
6	C地区	130	120	160	410	400	102.5%	×
7	合計	380	500	620	1,500	1,450	103.4%	○
8								

おトクな情報　指定範囲内で選択する

対象とするセル範囲を選択してから[選択オプション]ダイアログを表示すると、選択範囲内を対象とすることができます。

Q588 お役立ち度 ★★★ 範囲選択 2021 2019 2016

空白のセルだけを選択するには

A [選択オプション] ダイアログで [空白セル] を選択します。

表内のところどころにある空白のセルをまとめて選択し、「0」を入力したいとか、セルに色を付けたいという場合、[選択オプション] ダイアログの [空白] で簡単に空白セルだけを選択できます。この場合、先に空白を含むセル範囲を選択してからメニューを選択します。

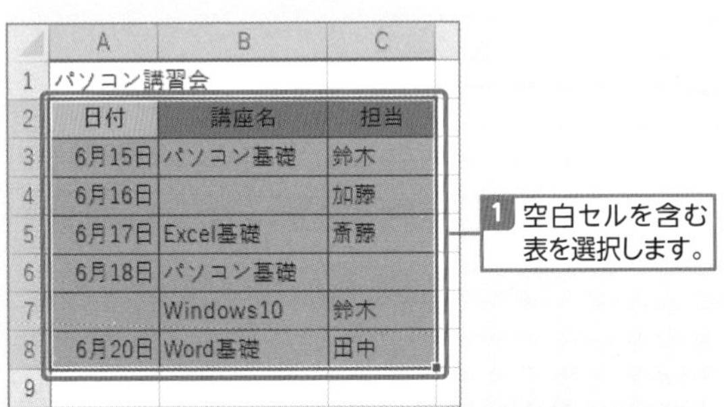

2 Q586の方法で [選択オプション] ダイアログを表示します。

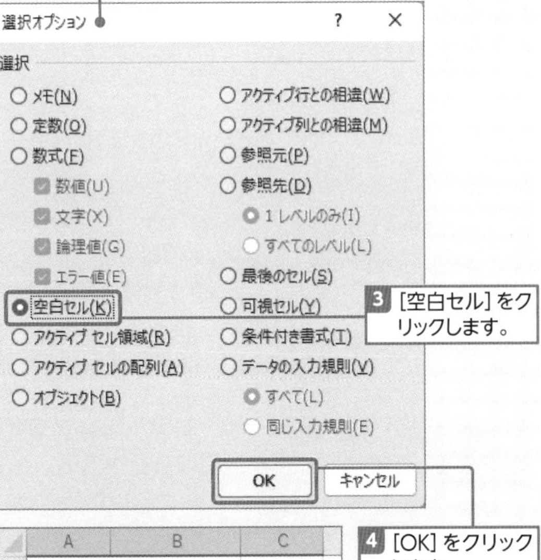

4 [OK] をクリックします。

	A	B	C
1	パソコン講習会		
2	日付	講座名	担当
3	6月15日	パソコン基礎	鈴木
4	6月16日		加藤
5	6月17日	Excel基礎	斎藤
6	6月18日	パソコン基礎	
7		Windows10	鈴木
8	6月20日	Word基礎	田中
9			

5 セル範囲の中で空白セルが選択されます。

Q589 お役立ち度 ★★★ 範囲選択 2021 2019 2016

表の見えているセルのみを選択するには

A 表を選択し、Alt + ; (セミコロン) キーを押します。

アウトライン (**Q624**) で折りたたまれている表や、行や列が非表示にされている表をコピーしようとすると、非表示になっているセルも一緒にコピーされてしまいます。コピーするときに実際に見えているセル (可視セル) だけを対象にしたい場合は、Alt + ; キーを押して可視セルを選択してください。

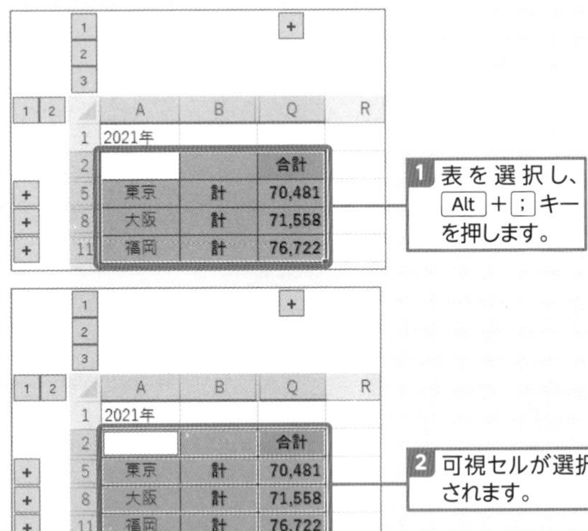

3 + をクリックすると、表示されていたセルだけが選択されていることが確認できます。

	A	B	I	P	Q	R	S
1	2021年						
2			上期	下期	合計		
3	東京	第1営業部	15,036	16,331	46,403		
4		第2営業部	23,182	20,856	67,220		
5		計	38,218	37,187	70,481		
6	大阪	第1営業部	17,960	18,756	54,676		
7		第2営業部	17,059	21,403	55,521		
8		計	35,019	40,159	71,558		
9	福岡	第1営業部	19,455	21,328	60,238		
10		第2営業部	21,261	21,350	63,872		
11		計	40,716	42,678	76,722		
12							

おトクな情報 [選択オプション] ダイアログで選択する

[選択オプション] ダイアログを表示し (**Q586**)、[可視セル] を選択し [OK] をクリックします。

Q 590 お役立ち度 ★★★ 行／列／セルの操作 2021 2019 2016

行の高さを変更するには

A 行番号の下境界線をドラッグします。

行の高さは、セルに入力されている文字サイズによって自動調節されますが、任意の高さに変更したい場合は、高さを変更したい行番号の下境界線をドラッグします。なお、ダブルクリックすると、データの高さに合わせて自動調整されます。

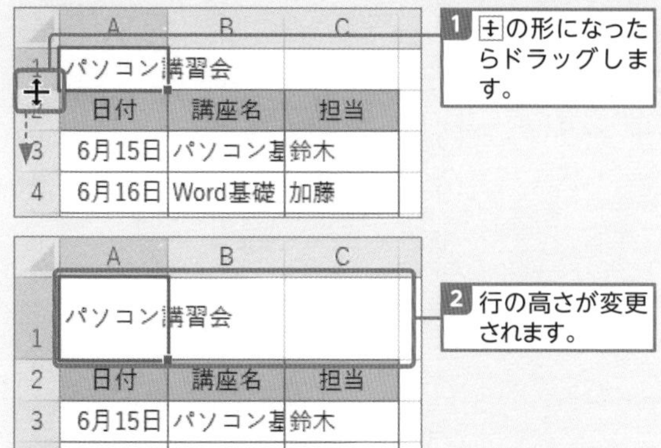

おトクな情報 複数行を同じ高さに変更する

複数行を選択し、選択されている行の行番号の下境界線をドラッグすると、選択されているすべての行が同じ高さに変更されます。

Q 591 お役立ち度 ★★★ 行／列／セルの操作 2021 2019 2016

セル内の文字数に合わせて行高を自動調整するには

A [ホーム]タブ→[折り返して全体を表示する]をクリックします。

[折り返して全体を表示する]を選択すると、セル内に1行で収まらない文字列が入力されている場合、行の高さを調整し、文字列を自動的に折り返して表示できます。

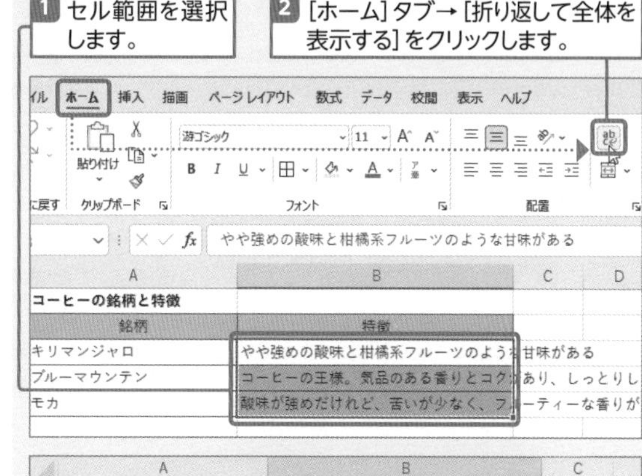

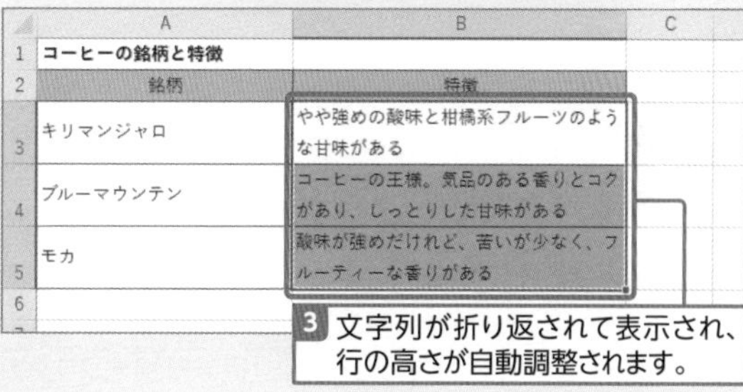

Q 592 お役立ち度 ★★★ 行／列／セルの操作 2021 2019 2016

列の幅を変更するには

A 列番号の右境界線をドラッグします。

列の幅を変更するには、変更したい列の列番号の右境界線をドラッグします。なお、ダブルクリックすると、列内の文字数に合わせて列幅が自動調整されます。

また、複数列を選択し、選択されている列の列番号の右境界線をドラッグすると、選択されているすべての列の幅が同じに変更されます。

1 ✚の形になったらドラッグします。

	A	B	C	D	E
1	パソコン講習会				
2	日付	講座名	担当		
3	6月15日	パソコン基	鈴木		
4	6月16日	Word基礎	加藤		

2 列の幅が変更されます。

	A	B	C	D	E
1	パソコン講習会				
2	日付	講座名	担当		
3	6月15日	パソコン基礎	鈴木		
4	6月16日	Word基礎	加藤		
5	6月17日	Excel基礎	斎藤		

Q593 お役立ち度 ★★★ 行／列／セルの操作

2021 2019 2016

表内の文字数に合わせて列幅を調整するには

A セルを選択し、[列の幅の自動調整] を選択します。

指定したセル範囲内にある文字数に合わせて列幅を調整するには、[列の幅の自動調整] を選択します。表内のセルの文字数に合わせて列幅を調整したいときに使えます。

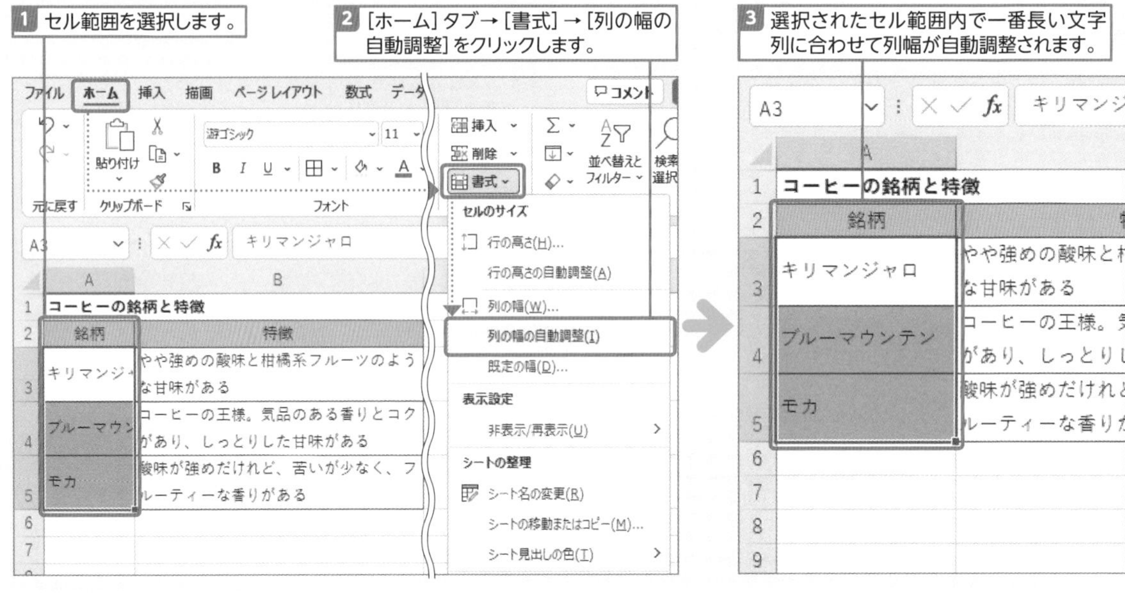

Q594 お役立ち度 ★★★ 行／列／セルの操作

2021 2019 2016

行の高さや列の幅を数値で正確に変更するには

A [セルの高さ]、[セルの幅] ダイアログで指定します。

[セルの高さ] ダイアログでは、行の高さをポイント単位、[セルの幅] ダイアログでは列の幅を半角の文字数で指定できます。それぞれ、変更したい行や列を選択してから、範囲内を右クリックして、[行の高さ] または [列の幅] をクリックします。ここでは、行の高さを例に手順を紹介します。

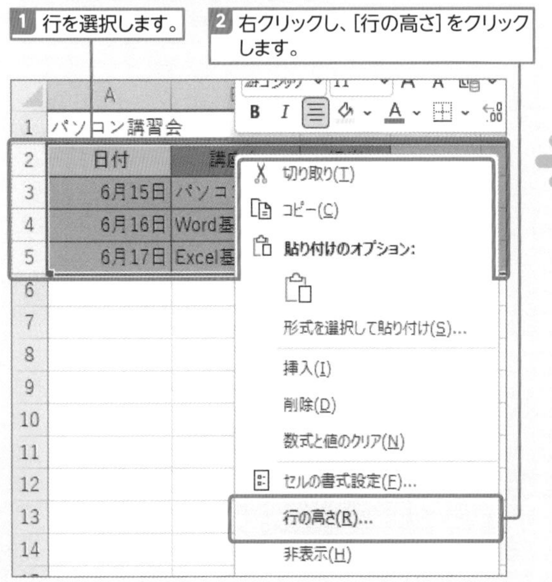

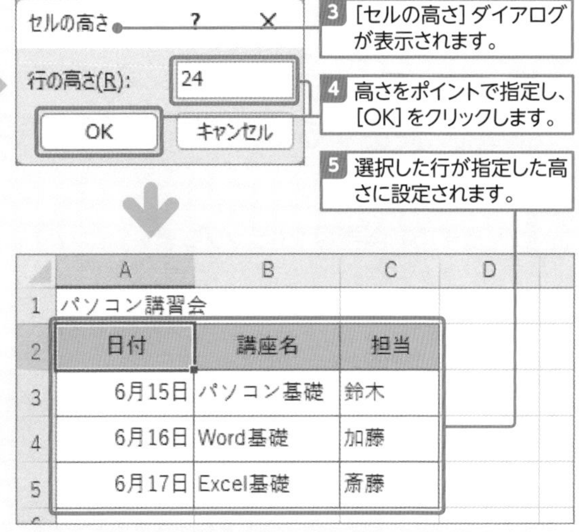

Q595 お役立ち度 ★★★ 行／列／セルの操作 2021 2019 2016

セルを追加して表を拡張するには

A Ctrl ＋ + キーを押します。

表内の列や行を追加して表を拡張したい場合は、追加したい表内の行や列を選択し、Ctrl ＋ + キーを押します。[セルの挿入] ダイアログが表示され、挿入後に現在のセルのシフト方向を指定できます。

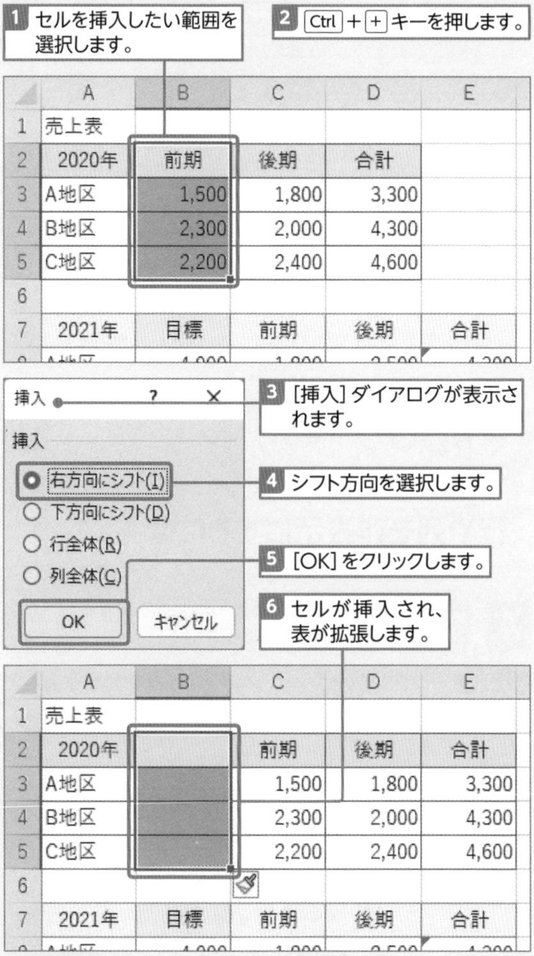

1 セルを挿入したい範囲を選択します。

2 Ctrl ＋ + キーを押します。

	A	B	C	D	E
1	売上表				
2	2020年	前期	後期	合計	
3	A地区	1,500	1,800	3,300	
4	B地区	2,300	2,000	4,300	
5	C地区	2,200	2,400	4,600	
6					
7	2021年	目標	前期	後期	合計

3 [挿入] ダイアログが表示されます。

4 シフト方向を選択します。

5 [OK] をクリックします。

6 セルが挿入され、表が拡張します。

挿入 ? ×
挿入
◉ 右方向にシフト(I)
○ 下方向にシフト(D)
○ 行全体(R)
○ 列全体(C)
OK キャンセル

	A	B	C	D	E
1	売上表				
2	2020年		前期	後期	合計
3	A地区		1,500	1,800	3,300
4	B地区		2,300	2,000	4,300
5	C地区		2,200	2,400	4,600
6					
7	2021年	目標	前期	後期	合計

おトクな情報 そのほかの方法

[ホーム] タブ→ [挿入] の [∨] → [セルの挿入] を選択します。または、選択範囲内で右クリックし、[挿入] をクリックします。

Q596 お役立ち度 ★★★ 行／列／セルの操作 2021 2019 2016

セルを削除して表を縮小するには

A Ctrl ＋ − キーを押します。

表内の列や行を削除して表を縮小したい場合は、削除したい表内の行や列を選択し、Ctrl ＋ − キーを押します。[削除] ダイアログが表示され、挿入後に現在のセルのシフト方向を指定できます。

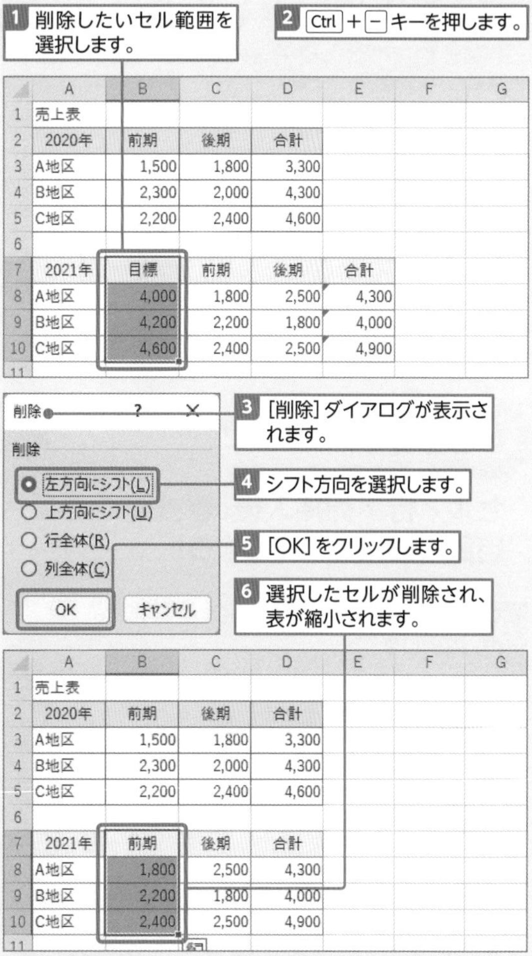

1 削除したいセル範囲を選択します。

2 Ctrl ＋ − キーを押します。

	A	B	C	D	E	F	G
1	売上表						
2	2020年	前期	後期	合計			
3	A地区	1,500	1,800	3,300			
4	B地区	2,300	2,000	4,300			
5	C地区	2,200	2,400	4,600			
6							
7	2021年	目標	前期	後期	合計		
8	A地区	4,000	1,800	2,500	4,300		
9	B地区	4,200	2,200	1,800	4,000		
10	C地区	4,600	2,400	2,500	4,900		

3 [削除] ダイアログが表示されます。

4 シフト方向を選択します。

5 [OK] をクリックします。

6 選択したセルが削除され、表が縮小されます。

削除 ? ×
削除
◉ 左方向にシフト(L)
○ 上方向にシフト(U)
○ 行全体(R)
○ 列全体(C)
OK キャンセル

	A	B	C	D	E	F	G
1	売上表						
2	2020年	前期	後期	合計			
3	A地区	1,500	1,800	3,300			
4	B地区	2,300	2,000	4,300			
5	C地区	2,200	2,400	4,600			
6							
7	2021年	前期	後期	合計			
8	A地区	1,800	2,500	4,300			
9	B地区	2,200	1,800	4,000			
10	C地区	2,400	2,500	4,900			

おトクな情報 そのほかの方法

[ホーム] タブ→ [削除] の [∨] → [セルの削除] を選択します。または、選択範囲内で右クリックし、[削除] をクリックします。

Q597 お役立ち度 ★★★ 行／列／セルの操作

行／列を追加するには

A 行／列を選択し、Ctrl＋+キーを押します。

行または列を選択して、Ctrl＋+キーを押すと、行または列が挿入されます。覚えやすく、簡単なキー操作なので、覚えておくと作業がはかどります。

1 列を選択し、Ctrl＋+キーを押します。

	A	B	C	D
1	売上表			
2	2020年	前期	後期	合計
3	A地区	1,500	1,800	3,300
4	B地区	2,300	2,000	4,300
5	C地区	2,200	2,400	4,600
6				

2 列が挿入されます。

	A	B	C	D	
1	売上表				
2	2020年		前期	後期	合計
3	A地区		1,500	1,800	3,300
4	B地区		2,300	2,000	4,300
5	C地区		2,200	2,400	4,600
6					

Q598 お役立ち度 ★★★ 行／列／セルの操作

行／列を削除するには

A 行／列を選択し、Ctrl＋−キーを押します。

行または列を選択して、Ctrl＋−キーを押すと、行または列が削除されます。挿入のキー操作とセットにして覚えておくと便利です。

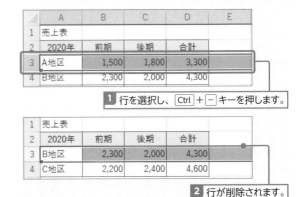

	A	B	C	D	E
1	売上表				
2	2020年	前期	後期	合計	
3	A地区	1,500	1,800	3,300	
4	B地区	2,300	2,000	4,300	

1 行を選択し、Ctrl＋−キーを押します。

1	売上表				
2	2020年	前期	後期	合計	
3	B地区	2,300	2,000	4,300	
4	C地区	2,200	2,400	4,600	

2 行が削除されます。

Q599 お役立ち度 ★★★ 行／列／セルの操作

セル／行／列挿入後、書式が自動で設定されてしまう!

A [挿入オプション]で設定する書式を選択します。

セル、行、列を挿入すると、左の列や上の行の書式が自動で設定されます。挿入後に表示される[挿入オプション]を使えば書式の適用方法を選択できます。

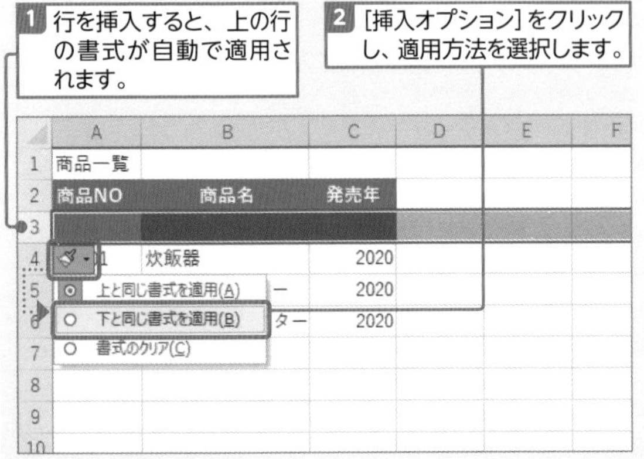

Q600 お役立ち度 ★★★ 行／列／セルの操作

2021
2019
2016

行や列を非表示にするには

A 行番号・列番号を右クリックし、[非表示]を選択します。

行や列を一時的に見せたくない場合は、行や列を非表示にします。非表示にしたい列や行を選択し、そのまま右クリックして[非表示]をクリックします。

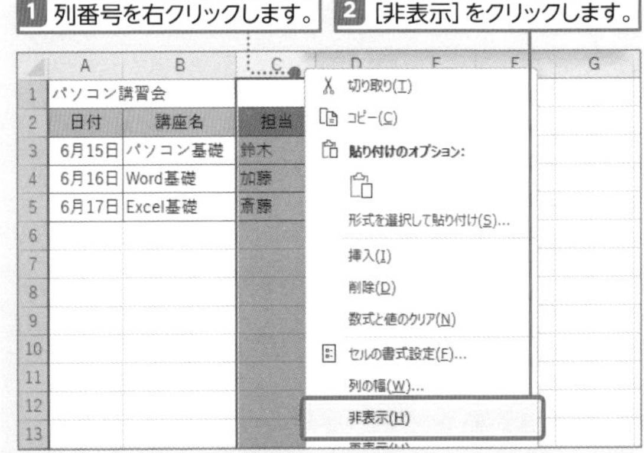

Q601 お役立ち度 ★★★ 行／列／セルの操作 2021 2019 2016

非表示の行や列を再表示するには

A 非表示の行や列を挟むように選択し、［再表示］を選択します。

非表示の行や列を挟むように行番号上、列番号上をドラッグして選択し、選択範囲内を右クリックして［再表示］をクリックすると、再表示できます。なお、A列が非表示の場合は、B列の列番号から全セル選択ボタンまでドラッグし、1行目が非表示の場合は、2行目の列番号から全セル選択ボタンまでドラッグして選択してください。

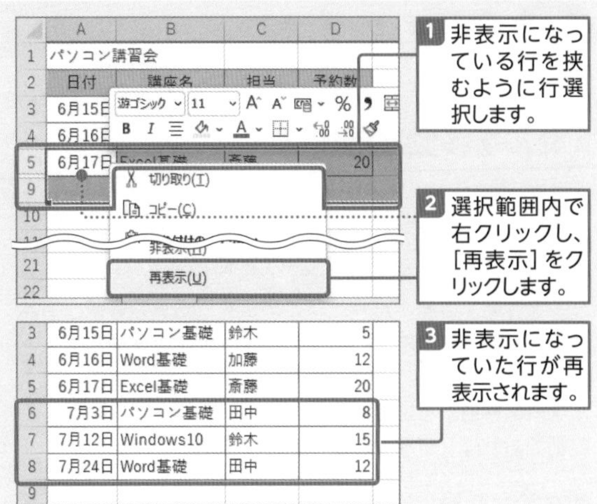

Q602 お役立ち度 ★★★ 行／列／セルの操作 2021 2019 2016

行や列の順番を変更したい!

A 行や列を選択し、Shift キーを押しながら移動先までドラッグします。

行や列の順番を入れ替えるには、列や行を選択し、Shift キーを押しながら移動先までドラッグします。また、行や列を選択後［ホーム］タブ→［切り取り］をクリックし、移動先の行や列を右クリックして［切り取ったセルの挿入］をクリックしても同様に順番を入れ替えられます。

1 列（行）を選択し、選択範囲の境界線上にマウスポインターを合わせます。

	A	B	C	D	E	F	G
1	売上表						
2	2020年	目標	前期	後期	合計		
3	A地区	3500	1,500	1,800	3,300		
4	B地区	4000	2,300	2,000	4,300		

2 Shift キーを押しながら移動先までドラッグします。

3 緑のラインが表示されたら、マウスのボタンを放します。

	A	B	C	D	E	F	G
1	売上表					F:F	
2	2020年	目標	前期	後期	合計		
3	A地区	3500	1,500	1,800	3,300		
4	B地区	4000	2,300	2,000	4,300		

	A	B	C	D	E	F	G
1	売上表						
2	2020年	前期	後期	合計	目標		
3	A地区	1,500	1,800	3,300	3500		
4	B地区	2,300	2,000	4,300	4000		

4 列（行）が移動します。

Q603 お役立ち度 ★★★ 行／列／セルの操作 2021 2019 2016

表内の行や列の順番を入れ替えるには

A 表内の行や列を選択し、Shift キーを押しながらドラッグします。

表の上下や左右に別の表が作成されている場合、行、列単位で移動すると、別の表に影響が出てしまいます。表内の行や列を選択し、Shift キーを押しながらドラッグすれば表の中で移動できます。また、セルを選択して［ホーム］タブ→［切り取り］をクリックし、移動先の先頭セルで右クリックして［切り取ったセルの挿入］をクリックしても同様に移動できます。

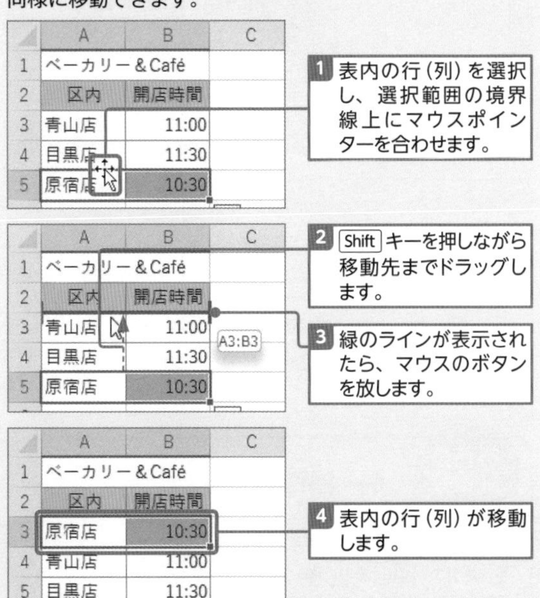

Q604 お役立ち度 ★★★ 移動とコピー 2021 2019 2016

セルを移動するには

A ボタンを使う方法とドラッグする方法があります。

セルを移動する基本操作をまとめます。ボタンを使う方法は、[切り取り] ボタンと [貼り付け] ボタンを使います。ドラッグする方法は、セルの境界線をドラッグします。離れた場所に移動する場合はボタンを使い、シート内の近くの移動であればドラッグを使うと便利です。

ボタンを使って移動する

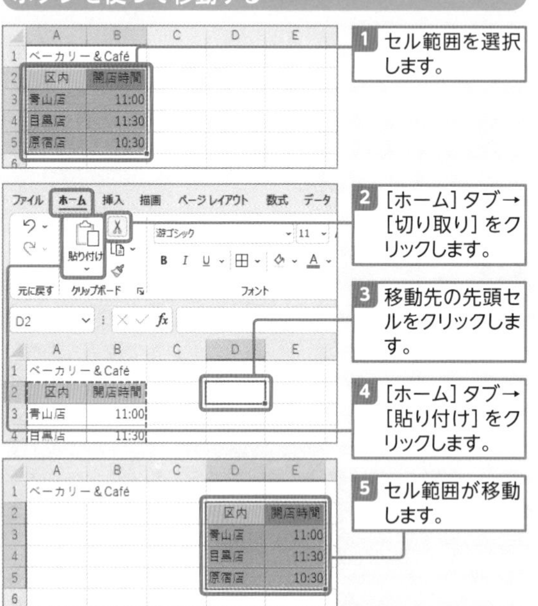

1 セル範囲を選択します。
2 [ホーム] タブ→[切り取り] をクリックします。
3 移動先の先頭セルをクリックします。
4 [ホーム] タブ→[貼り付け] をクリックします。
5 セル範囲が移動します。

ドラッグして移動する

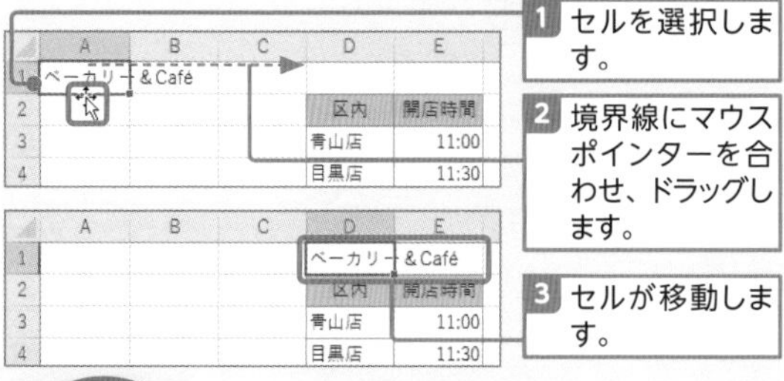

1 セルを選択します。
2 境界線にマウスポインターを合わせ、ドラッグします。
3 セルが移動します。

おトクな情報　キー操作で実行

切り取り：Ctrl + X キー
貼り付け：Ctrl + V キー

Q605 お役立ち度 ★★★ 移動とコピー 2021 2019 2016

セルをコピーするには

A ボタンを使う方法とドラッグする方法があります。

セルをコピーする基本操作をまとめます。ボタンを使う方法は、[コピー] ボタンと [貼り付け] ボタンを使います。ドラッグする方法は、Ctrl キーを押しながらセルの境界線をドラッグします。同じセルを繰り返しコピーする場合はボタンを使い、比較的近い場所に1回限りのコピーをする場合はドラッグを使うと便利です。

ボタンを使ってコピーする

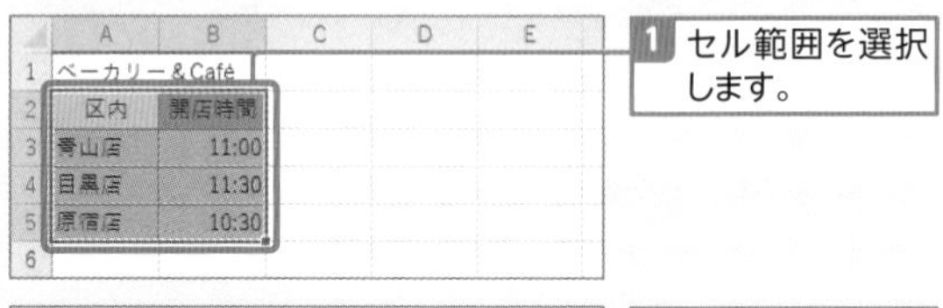

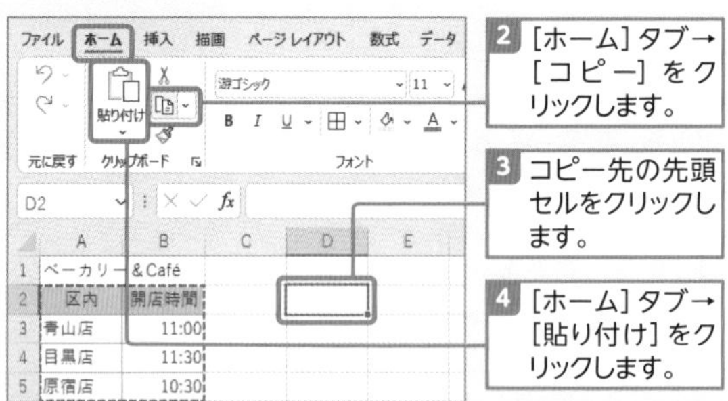

2 [ホーム] タブ→[コピー] をクリックします。
3 コピー先の先頭セルをクリックします。
4 [ホーム] タブ→[貼り付け] をクリックします。

5 コピーしたセル範囲が貼り付けられます。
6 点線が表示されている間は繰り返し貼り付けられます。終了するには、ESC キーを押します。

ドラッグ操作でコピーする

1 セルを選択します。
2 境界線にマウスポインターを合わせ、Ctrl キーを押しながらドラッグします。
3 セルがコピーされます。

Q606 お役立ち度 ★★★ 移動とコピー 2021 2019 2016

1回限りのコピーや移動を素早く実行したい!

A 貼り付け先で Enter キーを押します。

セルのコピーや移動のような日常茶飯事の作業は、キー操作だけで行えるようになると便利です。コピーは Ctrl ＋ C キー、切り取りは Ctrl ＋ X キーを使います。貼り付けは Ctrl ＋ V キーですが、1回限りであれば Enter キーを押すだけで貼り付けられます。

1 コピーしたいセル範囲を選択し、Ctrl ＋ C キーを押します。（移動する場合は、Ctrl ＋ X キー）

	A	B	C	D	E
1	ベーカリー＆Café				
2	区内	開店時間		区内	開店時間
3	青山店	11:00		青山店	11:00
4	目黒店	11:30		目黒店	11:30
5	原宿店	10:30		原宿店	10:30
6					
7					
8					

2 貼り付け先の先頭セルをクリックし、Enter キーを押します。

Q607 お役立ち度 ★★★ 移動とコピー 2021 2019 2016

コピー、切り取ったデータをいくつかまとめて保管したい!

A Officeクリップボードを利用します。

Officeクリップボードを使用すると、コピーまたは切り取ったデータを最大24個まで保管できます。Officeクリップボードにはセルだけでなく、図形や画像、Wordなど別のアプリケーションで作成したデータも保管されます。

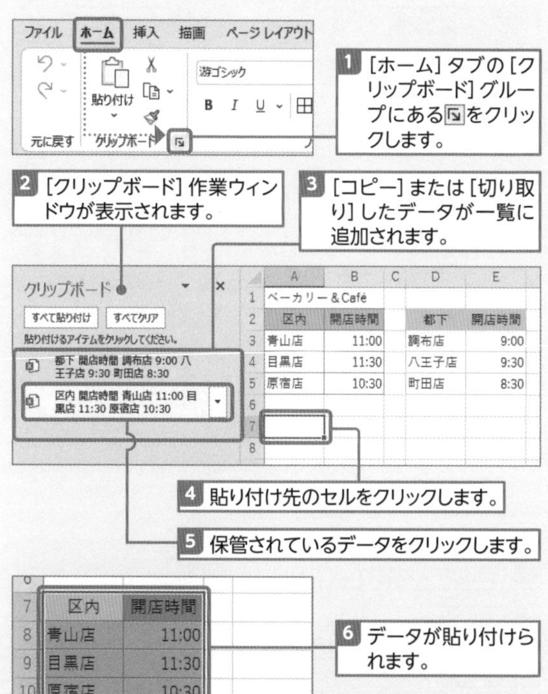

Q608 お役立ち度 ★★★ 移動とコピー 2021 2019 2016

数式の結果だけをコピーするには

A [貼り付けのオプション] で [値] を選択します。

数式ではなく、数式の結果だけをコピーしたい場合は、値のみ貼り付けます。コピー元の数式の値に変更があっても反映されないので、確定された数字の場合に使用してください。

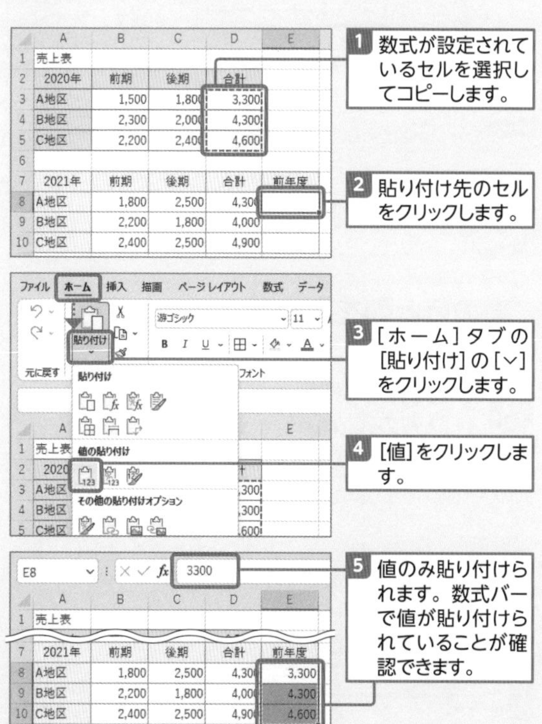

Q609 お役立ち度 ★★★ 移動とコピー

2021 2019 2016

数式の結果をリンクしてコピーするには

A [貼り付けのオプション] で [リンク貼り付け] を選択します。

コピー元の数式の結果が変更されると、コピー先にも反映させたい場合は、[リンク貼り付け] を使います。頻繁にデータが変更される場合に便利です。

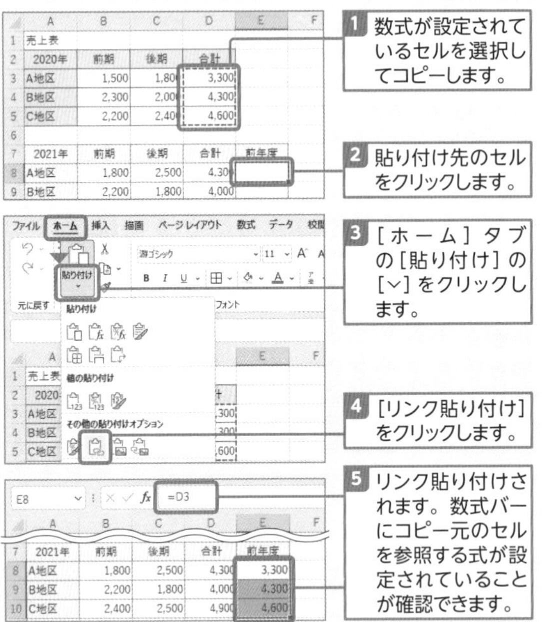
1 数式が設定されているセルを選択してコピーします。
2 貼り付け先のセルをクリックします。
3 [ホーム] タブの [貼り付け] の [∨] をクリックします。
4 [リンク貼り付け] をクリックします。
5 リンク貼り付けされます。数式バーにコピー元のセルを参照する式が設定されていることが確認できます。

Q610 お役立ち度 ★★★ 移動とコピー

2021 2019 2016

表の書式だけをコピーしたい!

A [貼り付けのオプション] で [書式設定] を選択します。

表の枠組みだけを利用したい場合は、[貼り付けのオプション] の [書式設定] を使って表の書式だけを貼り付けます。

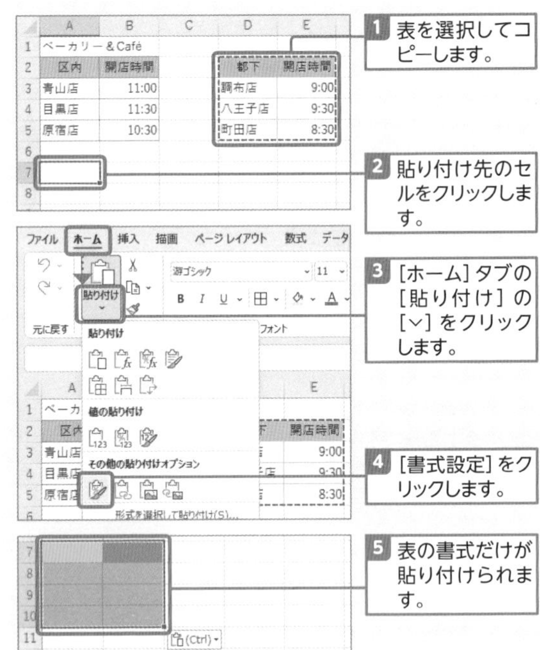
1 表を選択してコピーします。
2 貼り付け先のセルをクリックします。
3 [ホーム] タブの [貼り付け] の [∨] をクリックします。
4 [書式設定] をクリックします。
5 表の書式だけが貼り付けられます。

Q611 お役立ち度 ★★★ 移動とコピー

2021 2019 2016

表の行と列を入れ替えたい!

A [貼り付けのオプション] で [行/列の入れ替え] を選択します。

表の行と列の項目を入れ替えて貼り付けたい場合は、[行/列の入れ替え] を使います。

1 表を選択してコピーします。

2 貼り付け先のセルをクリックします。

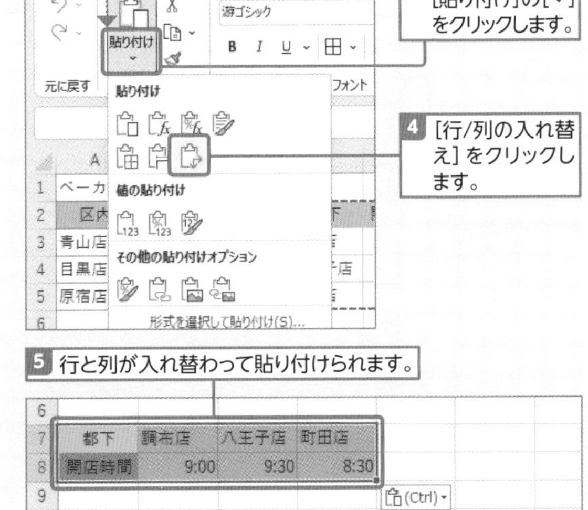
3 [ホーム] タブの [貼り付け] の [∨] をクリックします。
4 [行/列の入れ替え] をクリックします。
5 行と列が入れ替わって貼り付けられます。

Q612 お役立ち度 ★★★ 移動とコピー 2021 2019 2016

表の列幅も一緒にコピーするには

A [貼り付けのオプション] で [元の列幅を保持] を選択します。

表の列幅もそのままコピーして貼り付けたい場合は、[元の列幅を保持] を使います。

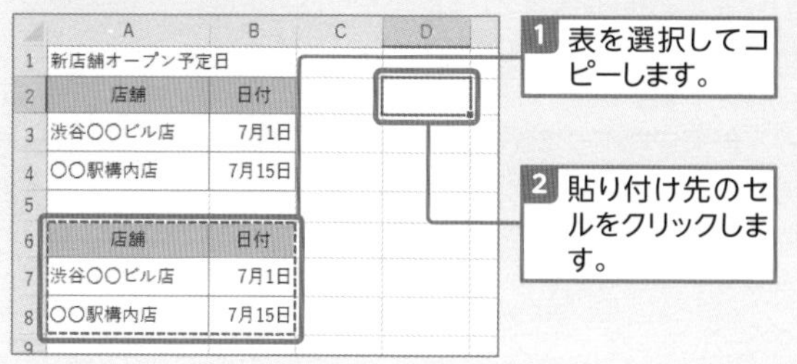

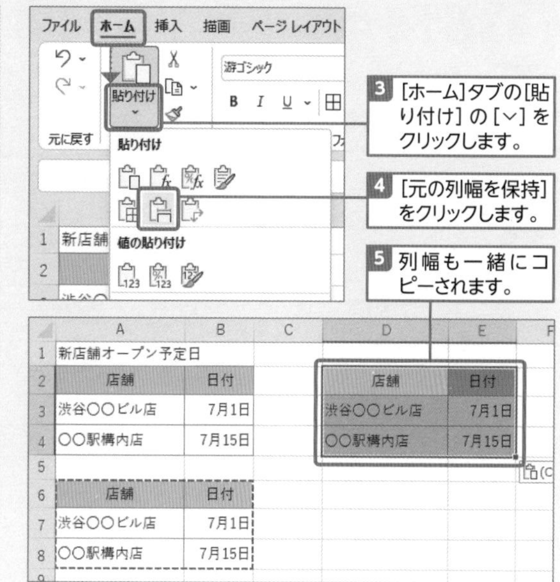

Q613 お役立ち度 ★★★ 移動とコピー 2021 2019 2016

列幅だけコピーしたい

A [形式を選択して貼り付け] ダイアログで指定します。

列幅だけを揃えたい場合は、列幅だけをコピーします。[形式を選択して貼り付け] ダイアログを使って設定できます。

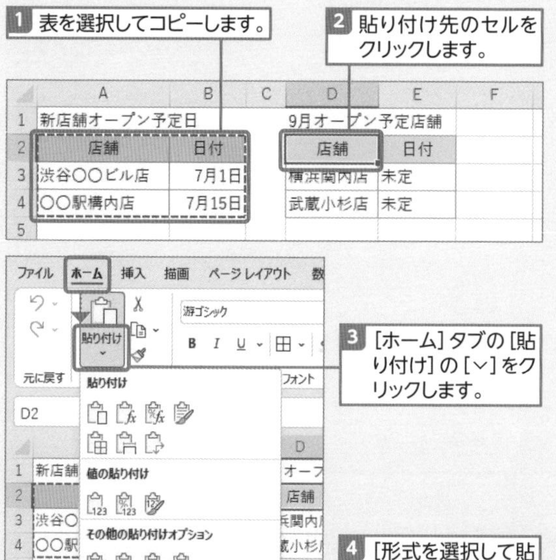

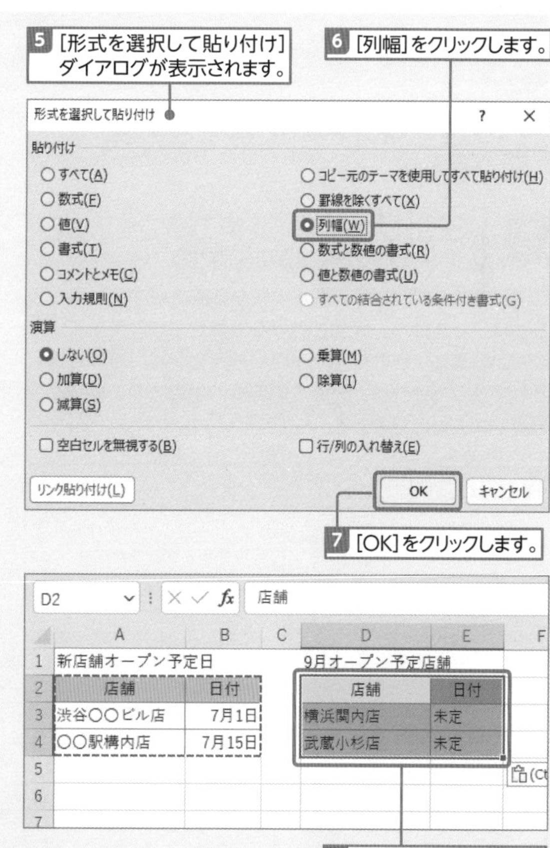

Q614 お役立ち度 ★★★ 移動とコピー 2021 2019 2016

行高もコピーできないの?

A 表の部分を行選択してコピーします。

表をコピーしても行の高さはコピーされません。行の高さも含めてコピーするには、表の部分を行選択して（**Q580**）コピーします。行単位でコピーするので、コピー元や、コピー先の表の横に他のデータがない場合に利用してください。

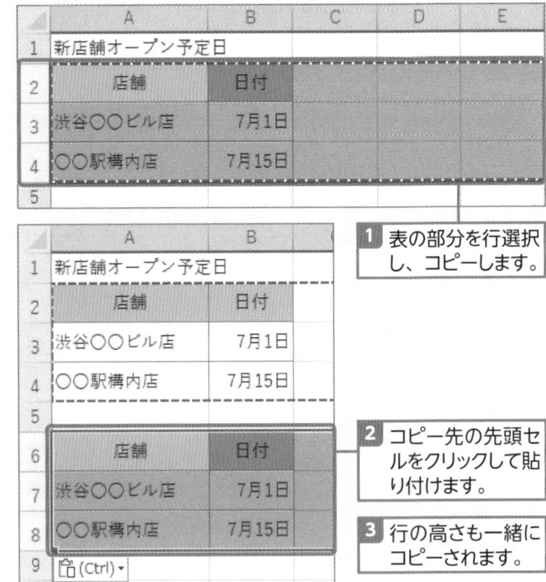

Q615 お役立ち度 ★★★ 移動とコピー 2021 2019 2016

列の幅や行の高さが異なる表を並べたい!

A ［貼り付けのオプション］で［リンクされた図］を選択します。

Excelでは、列幅や行の高さの異なる表を縦や横に並べることはできません。大きさの異なる表を1枚の用紙に印刷したいときは、別の場所で作成した表を［リンクされた図］として貼り付ければ、元の表の変更に対応でき、幅や高さの違いにも対応できます。

1 別のシートに作成した表をコピーします。

	A	B	C	D	E
1	新店舗オープン予定日			9月オープン予定店舗	
2	店舗	日付		店舗	日付
3	渋谷〇〇ビル店	7月1日		横浜関内店	未定
4	〇〇駅構内店	7月15日		武蔵小杉店	未定
5					
6					

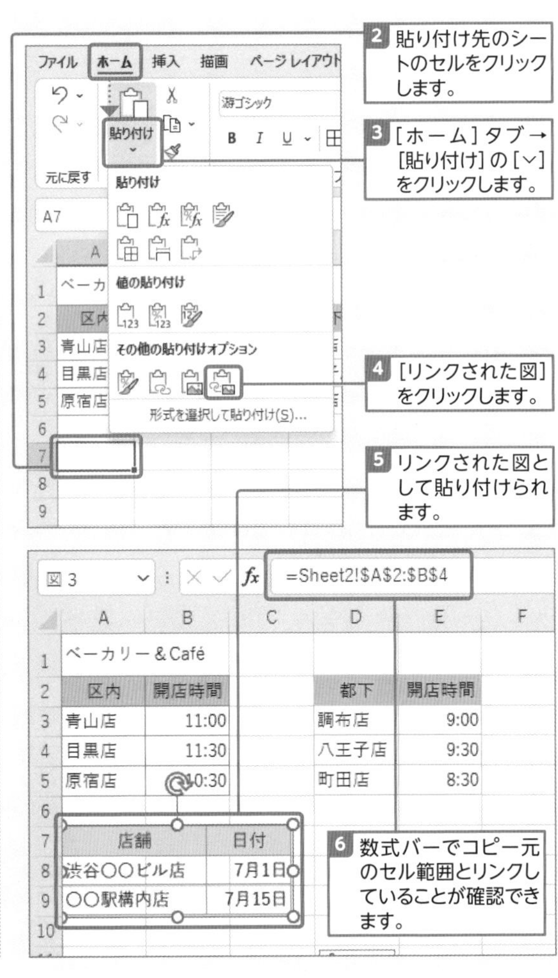

おトクな情報 枠線を非表示にする

図として貼り付けた後、セルの枠線が表示されて、見づらくなります。Q495の方法で［表示］タブ→［目盛線］をオフにして枠線を非表示にすると見やすくなります。

Q616 お役立ち度 ★★★ 検索・置換／その他の操作 2021 2019 2016

指定した文字列を検索するには

A [検索] 機能を使います。

指定した文字列が入力されているセルを検索するには、[検索] 機能を使います。[検索] 機能のショートカットキーは Ctrl ＋ F キーです。よく使用する機能なので、キー操作を覚えておくと便利です。

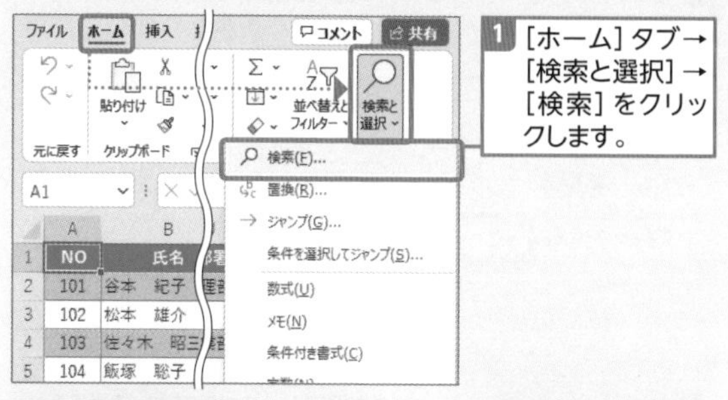

1 [ホーム] タブ→ [検索と選択] → [検索] をクリックします。

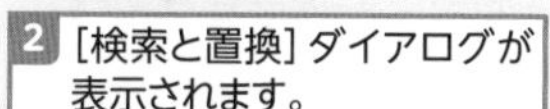

2 [検索と置換] ダイアログが表示されます。

3 検索する文字列を入力します。

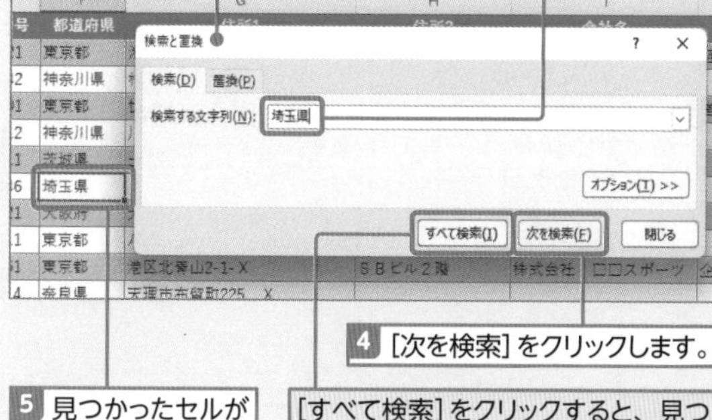

Q617 お役立ち度 ★★★ 検索・置換／その他の操作 2021 2019 2016

同じ書式が設定されているセルを検索したい!

A セルの書式をコピーして検索条件にします。

色などの書式も検索対象にできます。例えば、セルに設定されている書式と同じ書式が設定されている他のセルを検索することができます。

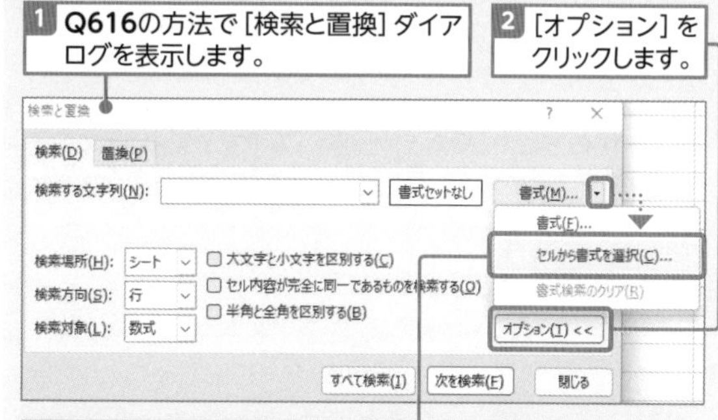

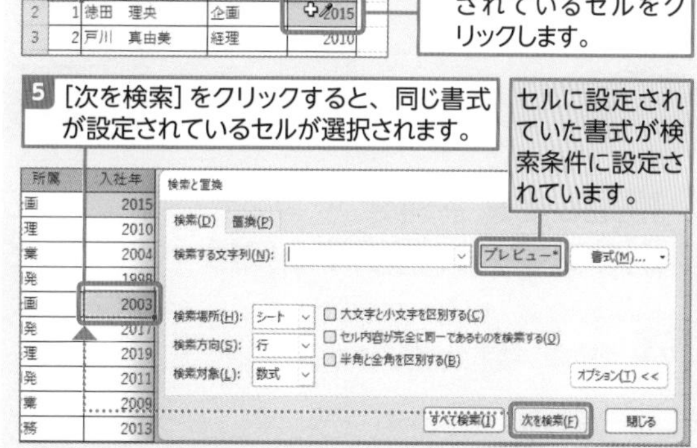

5 [次を検索] をクリックすると、同じ書式が設定されているセルが選択されます。
セルに設定されていた書式が検索条件に設定されています。

Q618 お役立ち度 ★★★ 検索・置換／その他の操作 2021 2019 2016

ブック全体から指定した文字列を検索したい!

A [検索場所] を [ブック] に指定します。

[検索場所] を [ブック] にすると、ブック内のすべてのシートを範囲として検索できます。なお [検索と置換] ダイアログで設定した内容は保持されるため、毎回設定内容を確認してください。

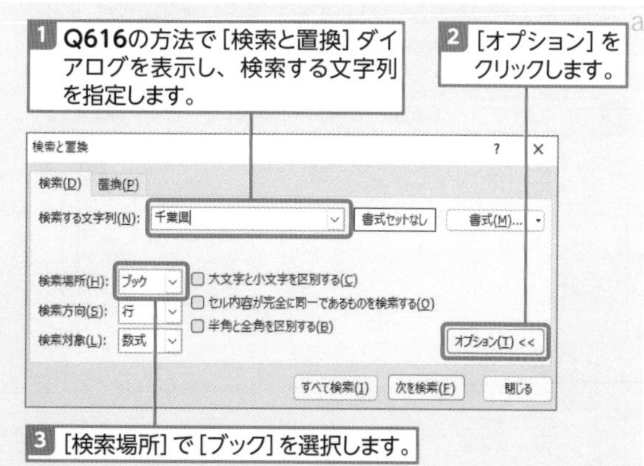

1 Q616の方法で [検索と置換] ダイアログを表示し、検索する文字列を指定します。
2 [オプション] をクリックします。
3 [検索場所] で [ブック] を選択します。

Q619

お役立ち度 ★★★　検索・置換／その他の操作

部分的に一致する文字列を検索するには

A 検索条件にワイルドカードを使います。

任意の文字列を代用する「ワイルドカード」を使います。ワイルドカードでは、「＊」は0文字以上の任意の文字列、「？」は任意の1文字の代用として使えます。例えば「世田谷区＊」とすれば「世田谷区で始まる文字列」、「？？府＊」とすれば「3文字目が府の文字列」という検索条件になります。ワイルドカードはすべて半角で入力します。

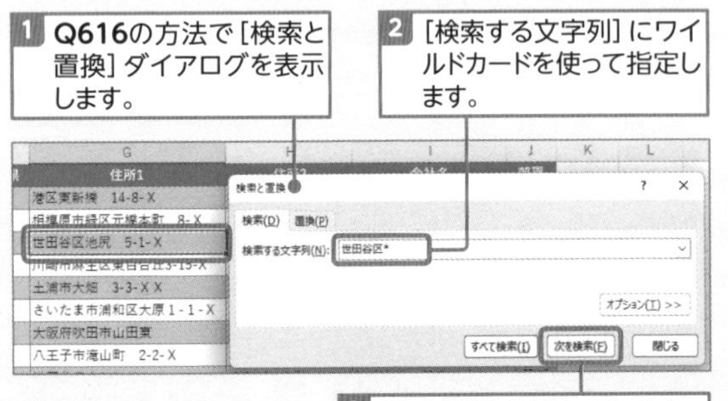

1 Q616の方法で［検索と置換］ダイアログを表示します。
2 ［検索する文字列］にワイルドカードを使って指定します。
3 ［次を検索］をクリックします。

Q620

お役立ち度 ★★★　検索・置換／その他の操作

「＊」や「?」を検索するには

A 「~」（チルダ）を前に付けて検索条件にします。

ワイルドカードとして使用する「＊」や「？」自体を検索文字列としたい場合は、半角の「～」（チルダ）を前に付けて指定します。

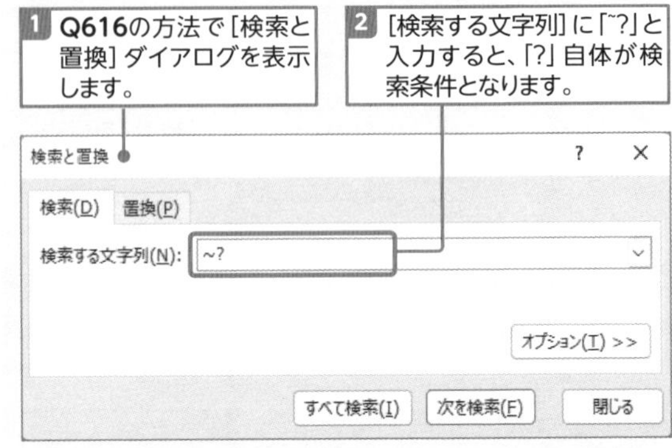

1 Q616の方法で［検索と置換］ダイアログを表示します。
2 ［検索する文字列］に「~?」と入力すると、「?」自体が検索条件となります。
検索と置換
検索(D)
置換(P)
検索する文字列(N):
~?
オプション(T) >>
すべて検索(I)
次を検索(F)
閉じる

Q621

お役立ち度 ★★★　検索・置換／その他の操作　2021 2019 2016

指定した文字列を別の文字列に置換するには

A ［置換］機能を使います。

［置換］機能を使うと、指定した文字列を別の文字列に書き換えることができます。［検索と置換］ダイアログの［置換］タブで検索文字列と置換後の文字列を指定します。Ctrl＋Hキーを押しても［検索と置換］ダイアログを表示できます。

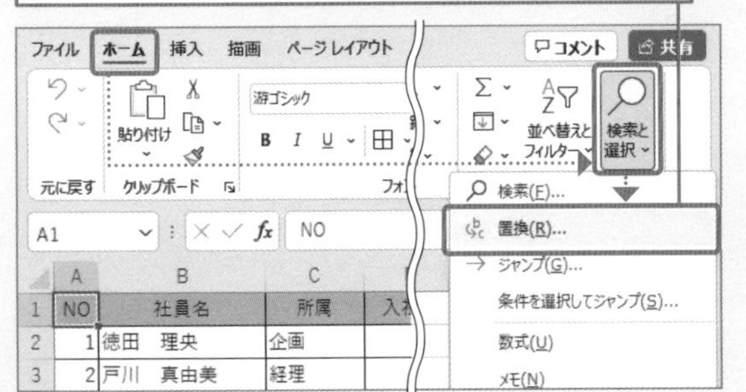

1 ［ホーム］タブ→［検索と選択］→［置換］をクリックします。
検索と選択
置換(R)...

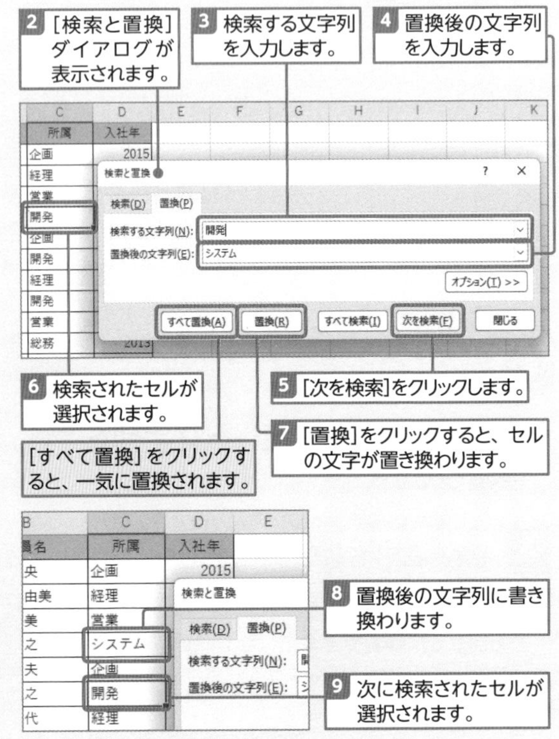

2 ［検索と置換］ダイアログが表示されます。
3 検索する文字列を入力します。
4 置換後の文字列を入力します。
検索する文字列(N): 開発
置換後の文字列(E): システム
すべて置換(A)
置換(R)
すべて検索(I)
次を検索(F)
閉じる
5 ［次を検索］をクリックします。
6 検索されたセルが選択されます。
7 ［置換］をクリックすると、セルの文字が置き換わります。
［すべて置換］をクリックすると、一気に置換されます。
8 置換後の文字列に書き換わります。
9 次に検索されたセルが選択されます。

Q622 お役立ち度 ★★★ 検索・置換／その他の操作 2021 2019 2016

置換後のセルに書式を設定するには

A [検索と置換] ダイアログで [書式] ボタンをクリックして書式を指定します。

置換後のセルに書式を設定すると、置換されたセルをチェックするのに便利です。ここでは、置換後のセルへの太字の設定を例に手順を紹介します。

1 [検索と置換] ダイアログに検索文字列と検索語の文字列を入力します。

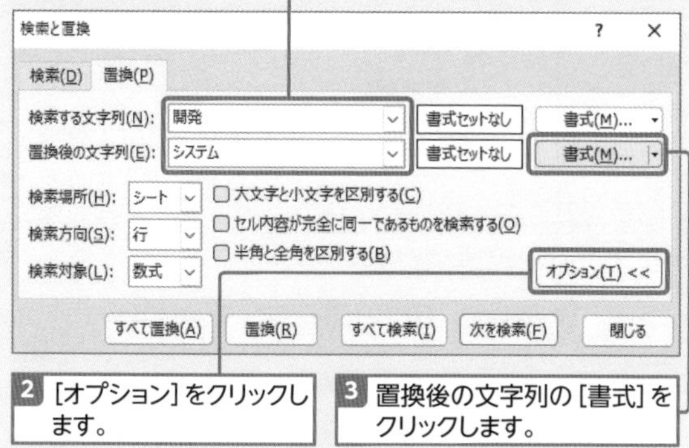

2 [オプション] をクリックします。

3 置換後の文字列の [書式] をクリックします。

4 [書式の変換] ダイアログが表示されます。

5 [フォント] タブ→ [太字] をクリックします。

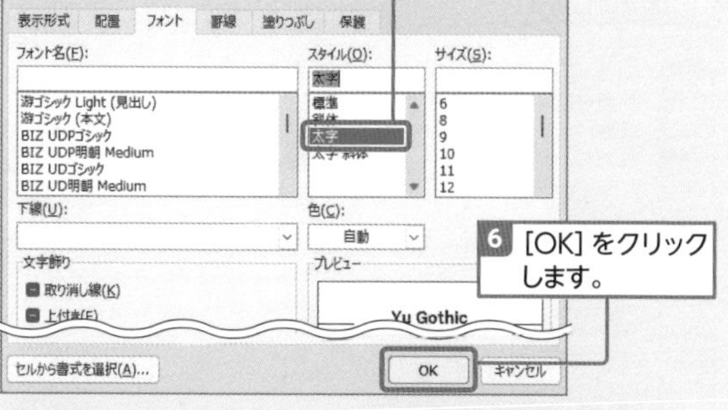

6 [OK] をクリックします。

7 設定した書式がプレビューで表示されます。

8 置換を実行します。

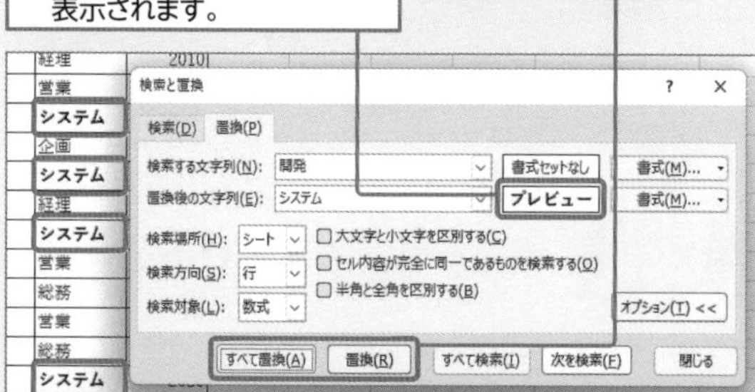

9 文字が置換されると同時に太字が設定されます。

Q623 お役立ち度 ★★★ 検索・置換／その他の操作 2021 2019 2016

セル内の余分なスペースをまとめて削除したい!

A スペースを検索条件に設定します。

[置換] 機能を使えば文字列内に残っている余分なスペースを削除できます。ポイントは、[検索する文字列] にスペースを入力し、[置換後の文字列] は空欄のままにすることです。あらかじめ置換対象の範囲を選択してから置換を実行し、必要なスペースが削除されないよう注意してください。

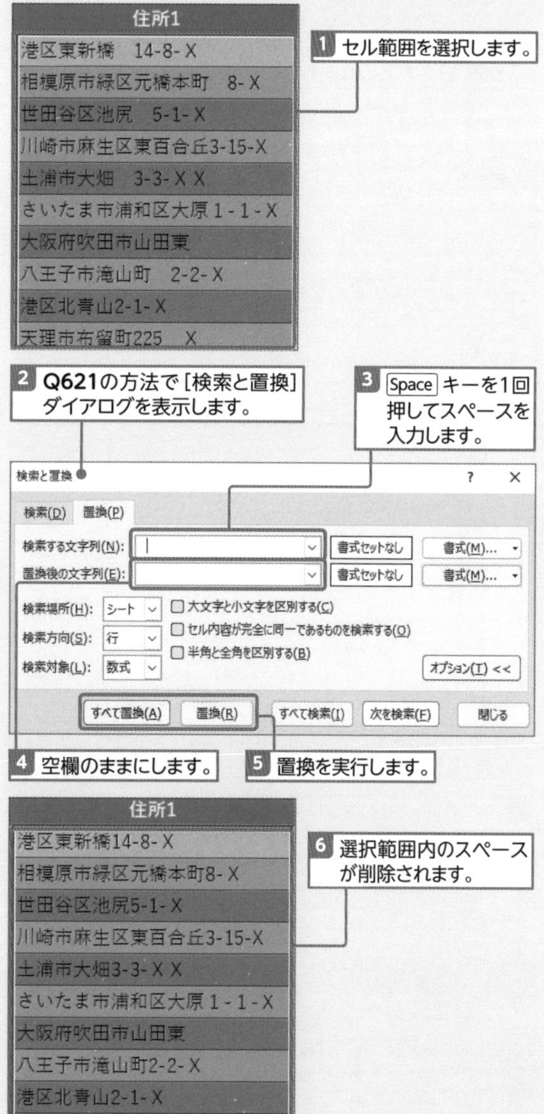

Q624 お役立ち度 ★★★ 検索・置換／その他の操作 2021 2019 2016

集計列や行で自動的に折りたたんで表示するには

A ［アウトラインの自動作成］を設定します。

アウトラインとは、ワークシートに折り目を付けて、行や列を折りたたんだり、展開したりして、表示する行や列を自由に切り替える機能です。［アウトラインの自動作成］を利用すると、表内にある小計や合計のセルに入力されている数式のセル範囲を基に自動的にアウトラインが作成され、合計列や行だけ残して明細部分を非表示にできます。

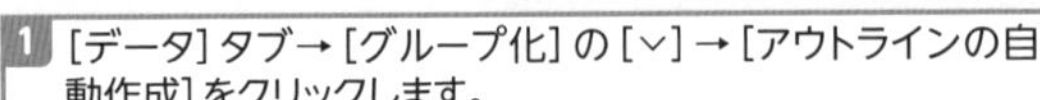

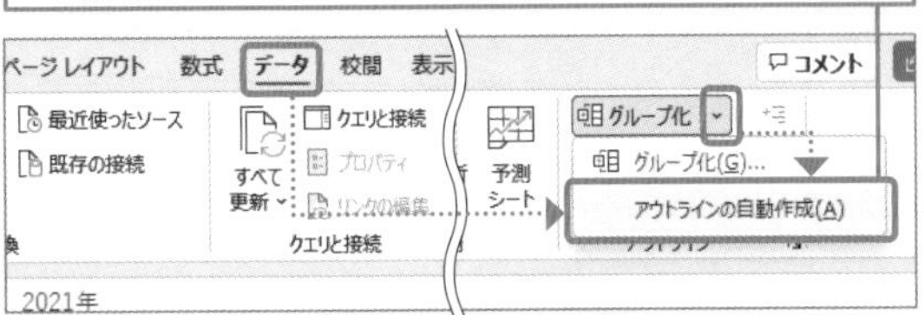

1番大きい数字をクリックするとすべてが表示されます。

	A	B	C	D	E	F	G
1	2021年						
2			1月	2月	3月	4月	5月
3	東京	第1営業部	2,810	2,071	4,487	1,917	2,058
4		第2営業部	3,590	3,566	4,427	2,753	4,601
5		計	6,400	5,637	8,914	4,670	6,659
6	大阪	第1営業部	1,659	3,219	4,391	2,679	1,744
7		第2営業部	3,227	3,787	1,910	4,709	1,833
8		計	4,886	7,006	6,301	7,388	3,577
9	福岡	第1営業部	3,855	4,696	1,575	1,660	3,223
10		第2営業部	2,794	4,388	2,432	2,537	4,649
11		計	6,649	9,084	4,007	4,197	7,872
12							

［−］をクリックすると折りたたまれ、［+］をクリックすると展開されます。

2 アウトラインが自動で作成されます。

3 行のボタンで［1］をクリックすると、地区の合計のみが表示されます。

4 列のボタンで［2］をクリックすると、上期、下期の合計のみが表示されます。

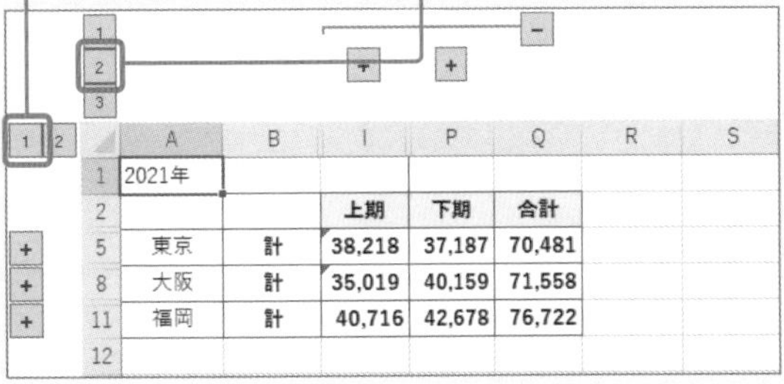

	A	B	I	P	Q
1	2021年				
2			上期	下期	合計
5	東京	計	38,218	37,187	70,481
8	大阪	計	35,019	40,159	71,558
11	福岡	計	40,716	42,678	76,722
12					

Q625 お役立ち度 ★★★ 検索・置換／その他の操作 2021 2019 2016

任意の列や行を折りたたんで非表示にするには

A 行や列を選択してからアウトラインを作成します。

折りたたんで非表示にしたい行や列を選択して、［データ］タブ→［グループ化］をクリックすると、アウトラインが作成されます。

1 行（または列）を選択します。

2 ［データ］タブ→［グループ化］をクリックします。

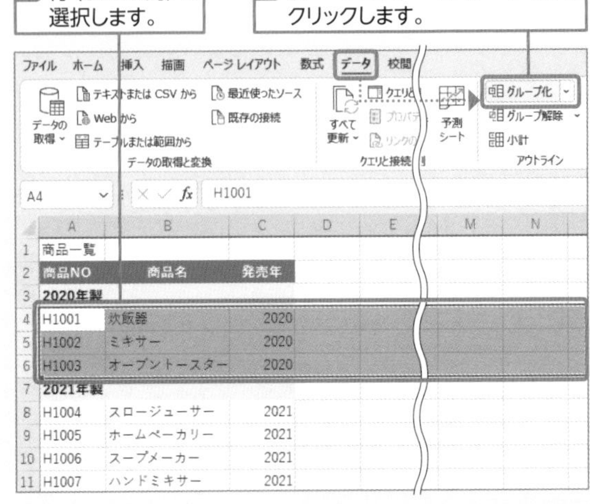

3 アウトラインが作成されます。

4 同様にしてアウトラインを作成します。

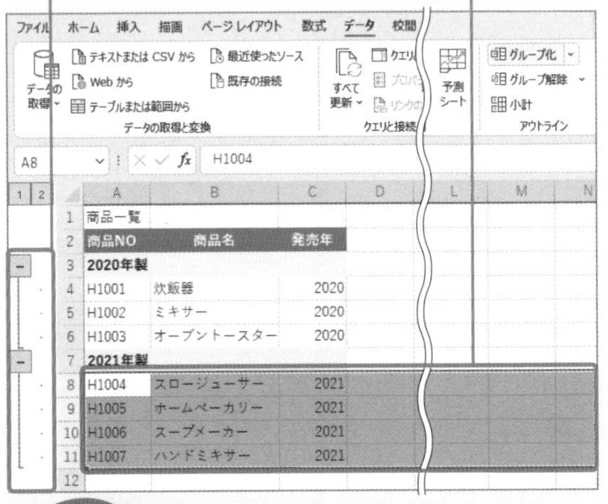

アウトラインをクリアする

［データ］タブ→［グループ解除］の［∨］→［アウトラインのクリア］をクリックすると、ワークシート内に作成されたすべてのアウトラインがクリアされます。

Q 626 お役立ち度 ★★★ 検索・置換／その他の操作 2021 2019 2016

大きな表の項目名を常に表示したい！

A ウィンドウ枠を固定します。

行数や列数の多い表で画面をスクロールすると、行や列の項目名が見えなくなってしまいます。画面をスクロールしても項目名が表示されるようにするには、ウィンドウ枠を固定します。先頭行や先頭列を固定したり、任意のセルより上の行や左の列を固定したりできます。

先頭列を固定する

1 [表示] タブ→ [ウィンドウ枠の固定] → [先頭列の固定] をクリックします。

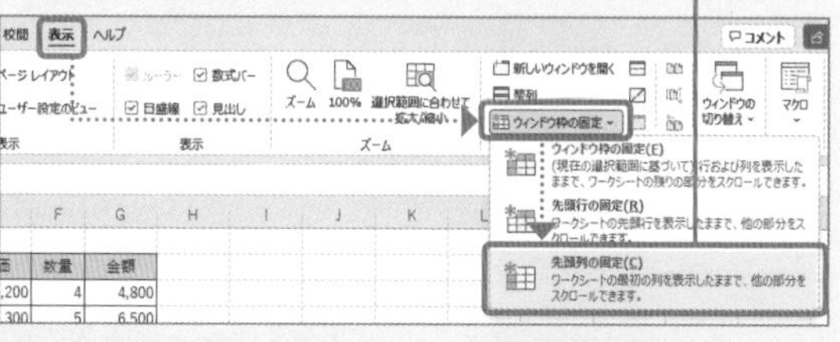

	A	D	E	F
1	売上表			
2	No	商品	単価	数量
3	1	コーヒーセット	1,200	4
4	2	ジュースセット	1,300	5
5	3	コーヒーセット	1,200	2
6	4	チョコ詰め合わせ	1,200	4
7	5	コーヒーセット	1,200	2
8	6	マドレーヌ	1,400	4

2 画面をスクロールしても先頭列（A列）は常に表示されます。

任意のセルより上の行かつ左の列を固定する

	A	B	C	D
1	売上表			
2	No	日付	商品NO	商品
3	1	6月1日	A1002	コーヒーセット
4	2	6月2日	C3001	ジュースセット

1 スクロールしたい範囲の左上角のセルをクリックします。

2 [表示] タブ→ [ウィンドウ枠の固定] → [ウィンドウ枠の固定] をクリックします。

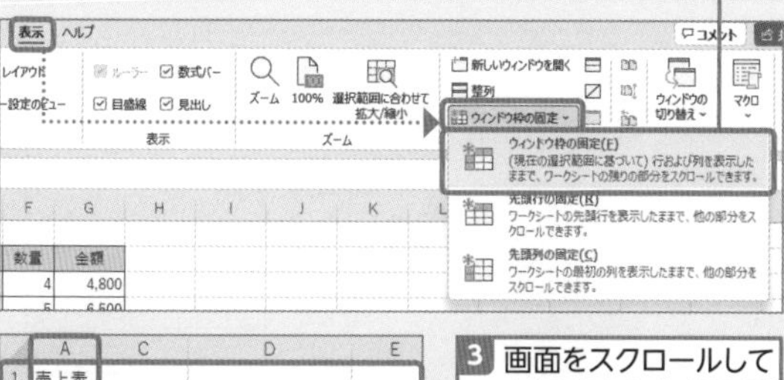

	A	C	D	E
1	売上表			
2	No	商品NO	商品	単価
51	49	A1001	クッキーセット	1,00
52	50	C3002	紅茶セット	1,50
53	51	A1001	クッキーセット	1,00
54	52	C3001	ジュースセット	1,30

3 画面をスクロールしても固定された行や列は常に表示されます。

Q 627 お役立ち度 ★★★ 検索・置換／その他の操作 2021 2019 2016

直前に行った操作を取り消したり、やり直したりするには

A Ctrl + Z キー、Ctrl + Y キーを使いましょう。

操作を間違えてしまった場合、操作を取り消すには、Ctrl + Z キーを押します。オートコンプリートなどExcelが自動的に行った操作もこのキーで取り消せます。取り消した操作をやり直すには、Ctrl + Y キーを押します。なお、Ctrl + Z キーは[元に戻す]、Ctrl + Y キーは[やり直し]に対応しています。

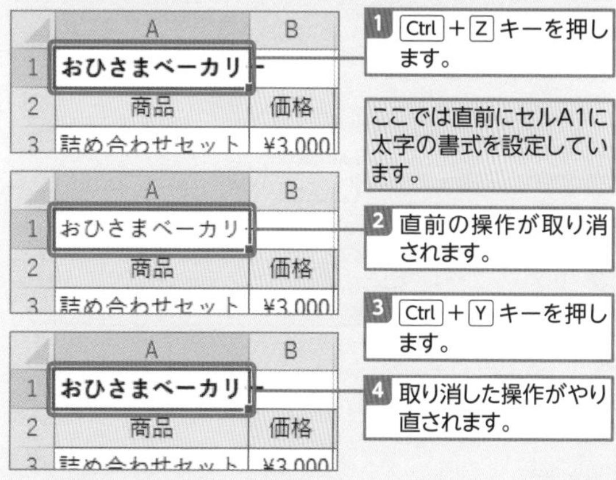

Q 628 お役立ち度 ★★★ 検索・置換／その他の操作 2021 2019 2016

直前の操作を繰り返すには

A F4 キーを押します。

F4 キーを押すと、直前に行った操作を繰り返し実行できます。別のセルに同じ操作を連続して実行できるので、作業を効率的に行うのに便利なキーです。

1 行選択して、行を挿入します。

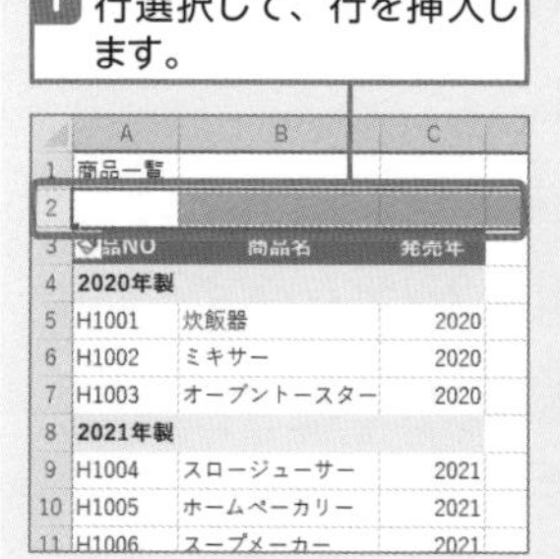

2 別の行を選択し、F4 キーを押すと、直前に操作した行の挿入が行われます。

	A	B	C
1	商品一覧		
2			
3	商品NO	商品名	発売年
4	2020年製		
5	H1001	炊飯器	2020
6	H1002	ミキサー	2020
7	H1003	オーブントースター	2020
8			
9	2021年製		

お役立ち度 ★★★ 検索・置換／その他の操作

2021 2019 2016

セルにメモを残したい!

A [校閲] タブ→ [メモ] → [新しいメモ] をクリックします。

セルに入力された内容について、意見や補足などをメモ書きのように残すには、メモを追加します。[校閲] タブの [メモ] → [新しいメモ] (Excel 2019/2016では [新しいコメント]) をクリックします。ショートカットキーを使う場合は、Shift + F2 キーを押します。Excel 2019/2016の「コメント」は、Excel 2021では「メモ」に名称変更されています。

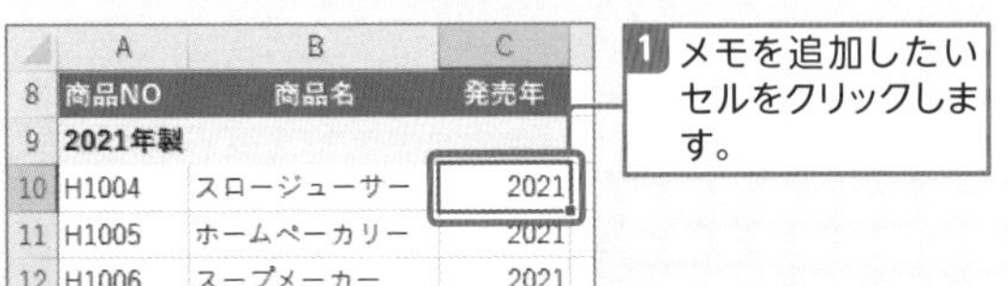

1 メモを追加したいセルをクリックします。

2 [校閲] タブ→ [メモ] → [新しいメモ] (Excel 2019/2016では [新しいコメント]) をクリックします。

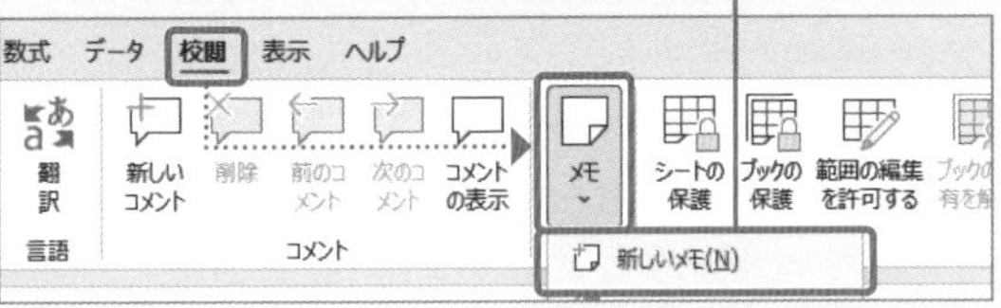

3 セルにメモが挿入されたら、入力します。

□ (ハンドル) をドラッグしてサイズ変更、境界線をドラッグして移動できます。

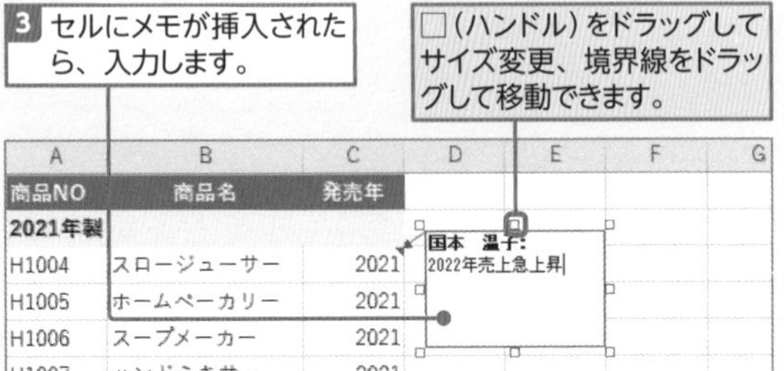

Q630 お役立ち度 ★★★ 検索・置換／その他の操作 2021 2019 2016

メモの表示／非表示を切り替えるには

A [校閲] タブ→ [メモ] → [すべてのメモを表示] をクリックします。

メモが追加されたセルは、右上角に赤い三角のマークが表示されます。[すべてのメモの表示] (Excel 2019/2016では [すべてのコメントの表示]) がオフのときは、セルにマウスポインターを合わせるとメモが表示されます。オンにすると、ワークシート内のすべてのメモが表示されます。また、メモのセルをクリックし、[メモの表示/非表示] (Excel 2019/2016では [コメントの表示/非表示]) をクリックすると個別に表示／非表示が切り替えられます。

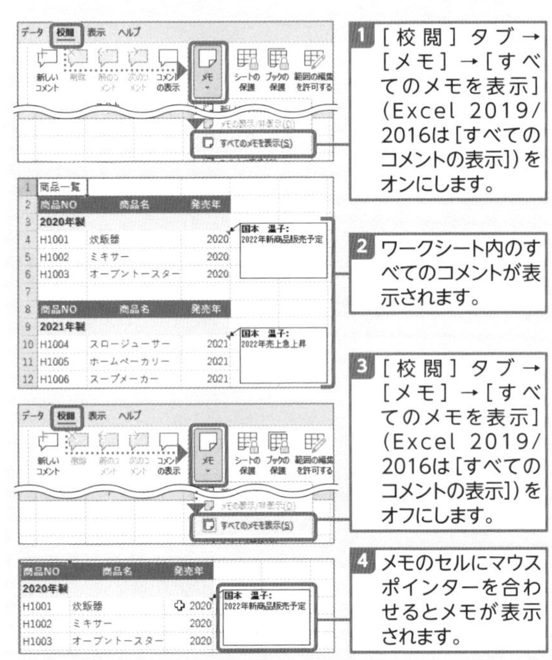

1 [校閲] タブ→ [メモ] → [すべてのメモを表示] (Excel 2019/2016は [すべてのコメントの表示]) をオンにします。
2 ワークシート内のすべてのコメントが表示されます。
3 [校閲] タブ→ [メモ] → [すべてのメモを表示] (Excel 2019/2016は [すべてのコメントの表示]) をオフにします。
4 メモのセルにマウスポインターを合わせるとメモが表示されます。

Q631 お役立ち度 ★★★ 検索・置換／その他の操作 2021 2019 2016

メモを削除したい!

A [校閲] タブ→ [削除] をクリックします。

メモが追加されているセルを選択し、[校閲] タブ→ [削除] をクリックして削除します。

1 メモが追加されているセルをクリックします。

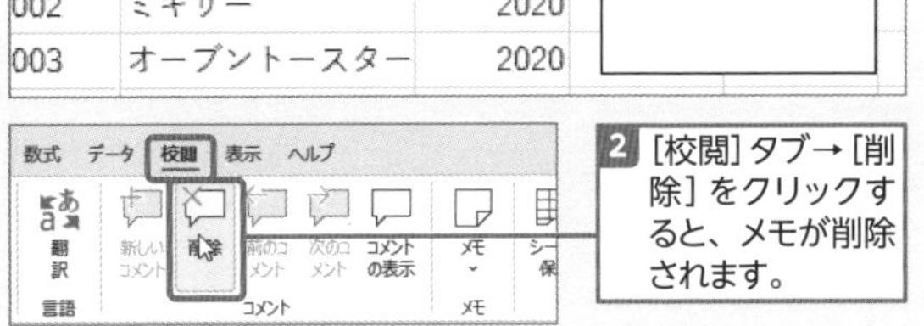

2 [校閲] タブ→ [削除] をクリックすると、メモが削除されます。

Q632 お役立ち度 ★★★ 印刷 2021 2019 2016

ワークシートを印刷するには

A [ファイル]タブ→[印刷]をクリックします。

[ファイル]タブ→[印刷]で印刷画面が表示されます。印刷プレビューを確認して、必要な設定を変更し、印刷を実行します。印刷画面では、基本的な印刷設定を変更できます。編集画面に戻るには画面左上の㊀をクリックするか、ESCキーを押します。

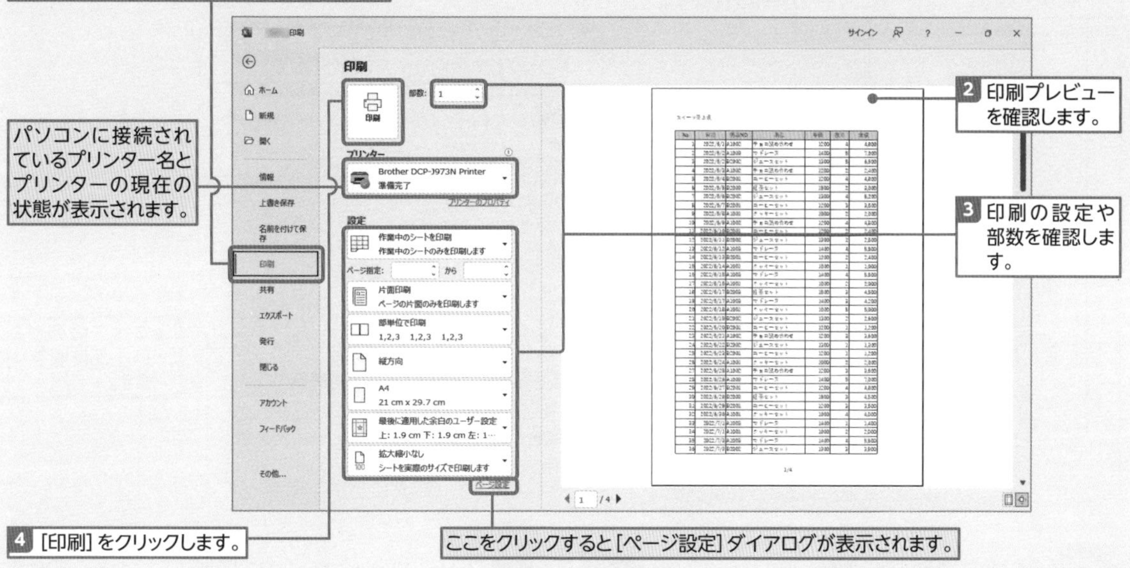

3 印刷の設定や部数を確認します。

Q633 お役立ち度 ★★★ 印刷 2021 2019 2016

印刷プレビューで表示を拡大／縮小するには

A [ページに合わせる]をクリックします。

印刷プレビューの右下にある[ページに合わせる]をクリックするごとに表示サイズを拡大／縮小できます。

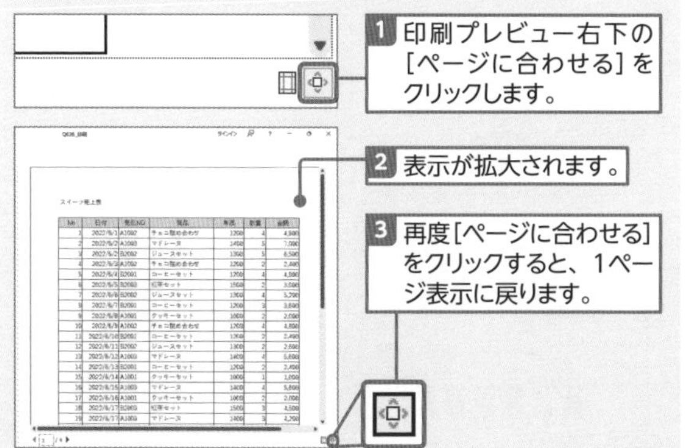

2 表示が拡大されます。

Q634 お役立ち度 ★★★ 印刷 2021 2019 2016

印刷プレビューのページを移動するには

A [前のページ]、[次のページ]をクリックします。

印刷プレビューでページを移動するには、画面下にある[前のページ]、[次のページ]をクリックします。また、マウスホイールを手前に回転させると次ページ、向こう側に回転させると前ページに移動できます。

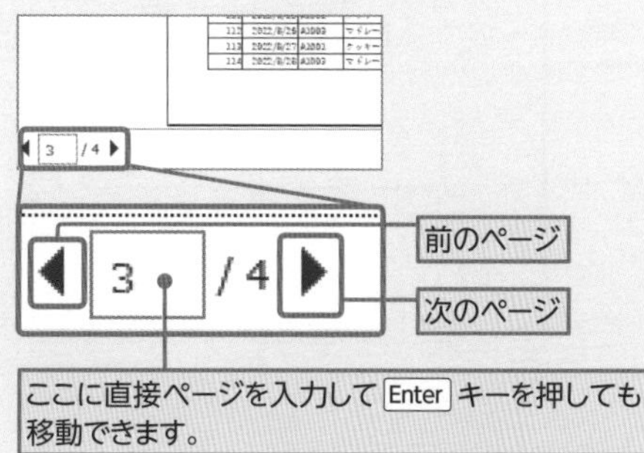

前のページ
次のページ
ここに直接ページを入力してEnterキーを押しても移動できます。

お役立ち度 ★★★ 印刷

2021 2019 2016

余白を調整して1ページに収めたい!

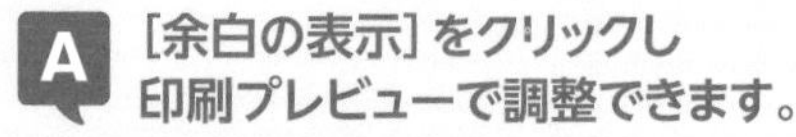

A [余白の表示]をクリックし印刷プレビューで調整できます。

印刷プレビューで余白を表示すると、画面で確認しながら余白を調整できます。行や列が1ページに収まらずに次ページにあふれてしまった場合、余白を少し調整すれば1ページに収まりそうなときに使えます。なお、左右余白を同じサイズに正確に揃えたい場合は、[ページ設定]ダイアログで指定します(**Q640**)。

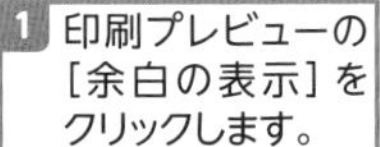

1 印刷プレビューの[余白の表示]をクリックします。

2 印刷プレビューに余白やヘッダー/フッター位置のラインや列の境界のマークが表示されます。

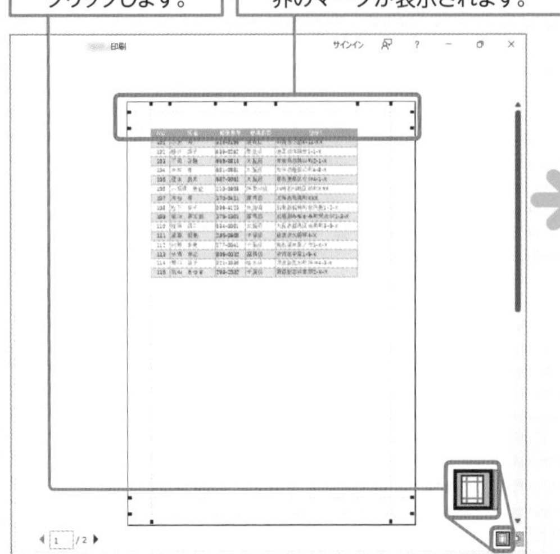

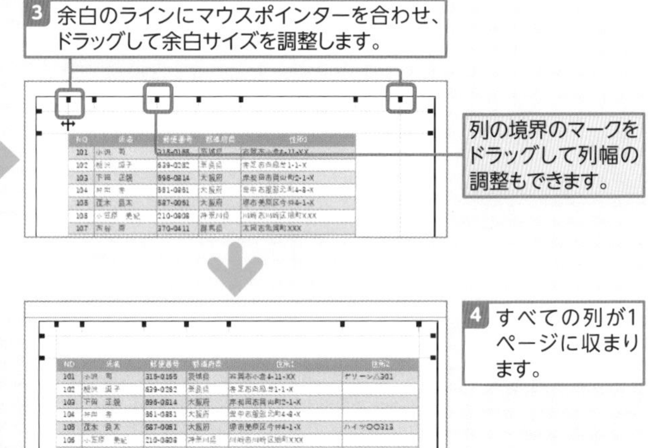

3 余白のラインにマウスポインターを合わせ、ドラッグして余白サイズを調整します。

列の境界のマークをドラッグして列幅の調整もできます。

4 すべての列が1ページに収まります。

お役立ち度 ★★★ 印刷

2021 2019 2016

用紙の中央に印刷できないの?

A [ページ設定]ダイアログで[ページ中央]を設定します。

[ページ設定]ダイアログの[ページ中央]では、表を用紙の左右、上下で中央に印刷されるように設定変更できます。

1 [ページ設定]をクリックします。

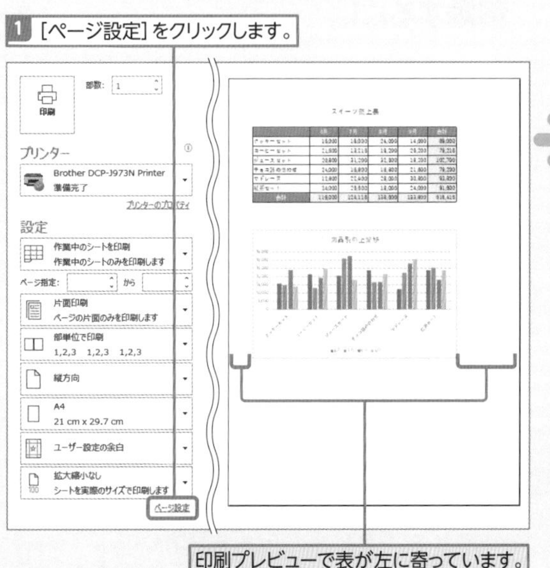

印刷プレビューで表が左に寄っています。

2 [ページ設定]ダイアログが表示されます。

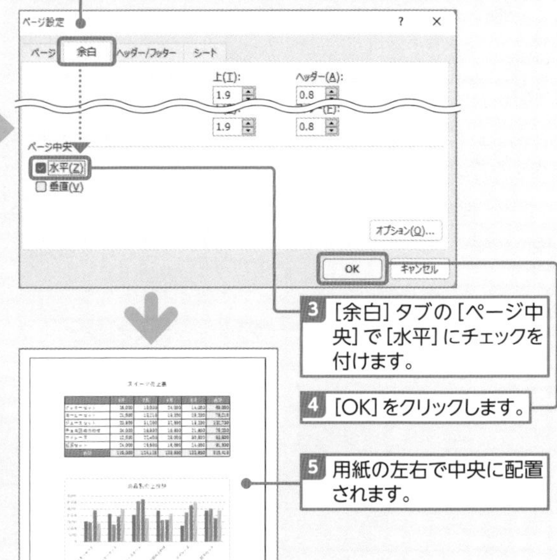

3 [余白]タブの[ページ中央]で[水平]にチェックを付けます。

4 [OK]をクリックします。

5 用紙の左右で中央に配置されます。

Q637 お役立ち度 ★★★ 印刷 2021 2019 2016

複数のシートを印刷するには

A 印刷したいシートを選択してから印刷画面を開きます。

複数のシートを選択してから印刷画面を表示すると、選択されている複数のシートが印刷対象になります。例えば、[Sheet1]と[Sheet3]を印刷したい場合に利用できます。

1 印刷したい1つ目のシート見出しをクリックします。

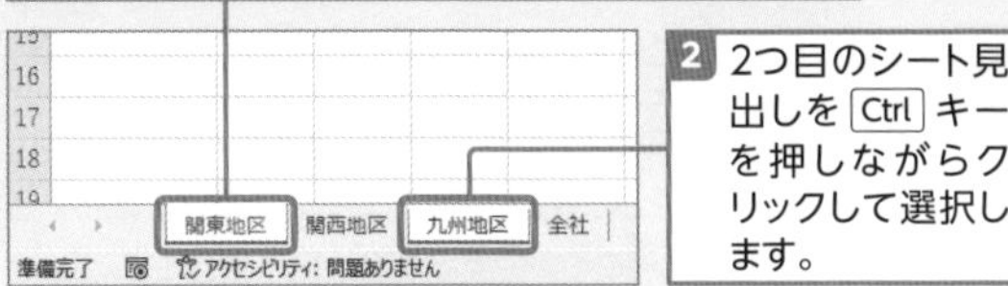

2 2つ目のシート見出しを Ctrl キーを押しながらクリックして選択します。

3 [ファイル]タブ→[印刷]をクリックして印刷画面を表示します。

4 [作業中のシートを印刷]が選択されていることを確認し、印刷を実行します。

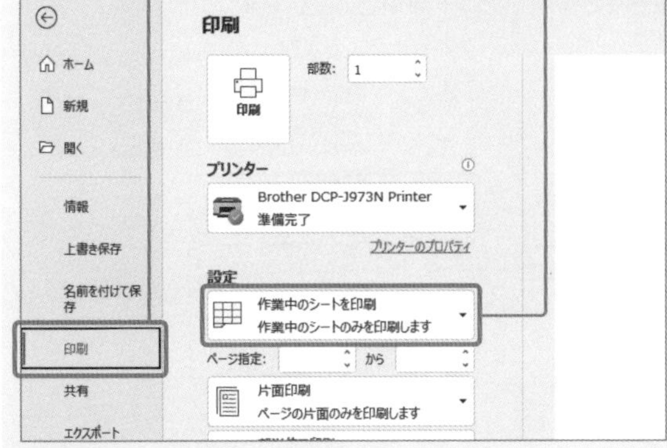

Q638 お役立ち度 ★★★ 印刷 2021 2019 2016

埋め込みグラフだけを印刷したい!

A グラフを選択してから印刷画面を開きます。

ワークシート上に作成されている埋め込みグラフをクリックして選択すると、グラフが印刷対象に設定されます。

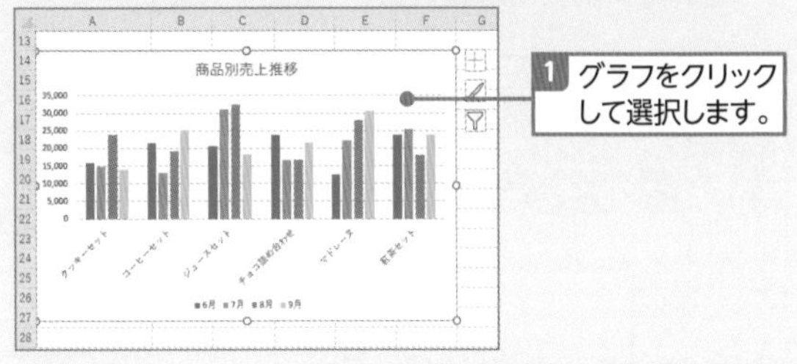

1 グラフをクリックして選択します。

2 [ファイル]タブ→[印刷]をクリックして印刷画面を表示します。

3 印刷プレビューでグラフだけが印刷対象になっていることを確認し、印刷を実行します。

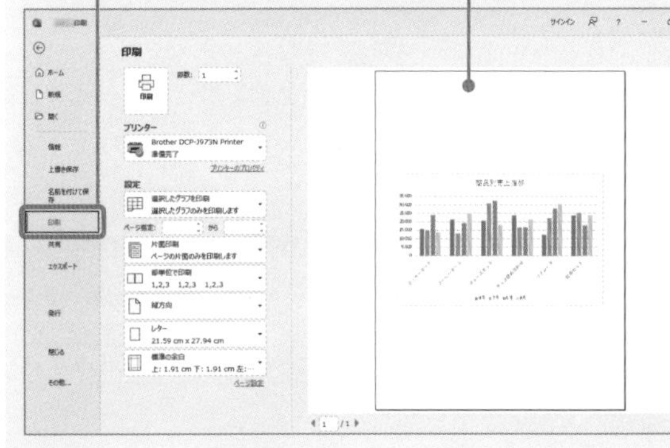

Q639 お役立ち度 ★★★ 印刷 2021 2019 2016

選択した表だけを印刷するには

A [選択した部分を印刷]を選択します。

ワークシートで表を範囲選択してから印刷画面を表示し、印刷対象を[選択した部分を印刷]に変更すれば選択した表のみ印刷できます。印刷範囲が設定されている場合(**Q643**)でも、選択部分だけを印刷できます。

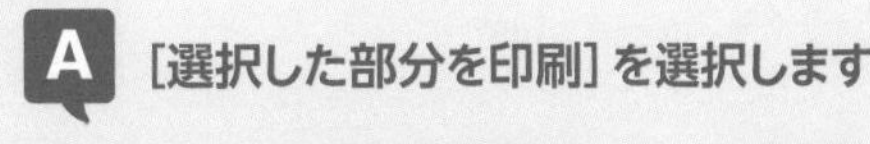

1 印刷したい表を範囲選択します。

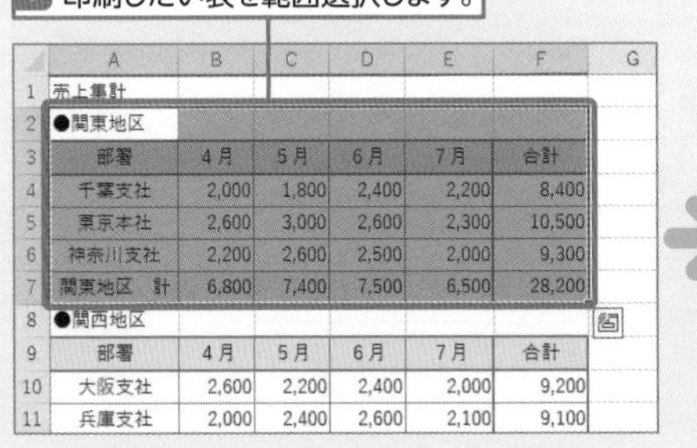

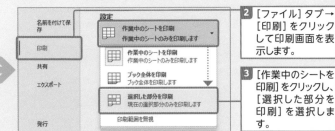

	A	B	C	D	E	F
1	売上集計					
2	●関東地区					
3	部署	4月	5月	6月	7月	合計
4	千葉支社	2,000	1,800	2,400	2,200	8,400
5	東京本社	2,600	3,000	2,600	2,300	10,500
6	神奈川支社	2,200	2,600	2,500	2,000	9,300
7	関東地区 計	6,800	7,400	7,500	6,500	28,200
8	●関西地区					
9	部署	4月	5月	6月	7月	合計
10	大阪支社	2,600	2,200	2,400	2,000	9,200
11	兵庫支社	2,000	2,400	2,600	2,100	9,100

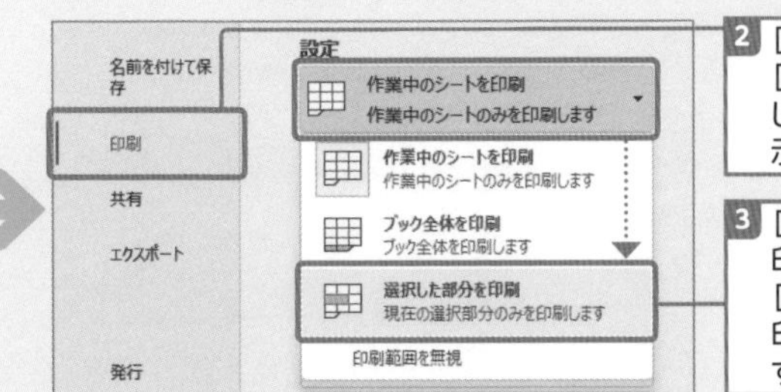

2 [ファイル]タブ→[印刷]をクリックして印刷画面を表示します。

3 [作業中のシートを印刷]をクリックし、[選択した部分を印刷]を選択します。

Q640 お役立ち度 ★★★ 印刷

2021 2019 2016

余白のサイズを数値で変更するには

A [ページ設定] ダイアログで設定します。

余白のサイズは、印刷画面や[ページレイアウト]タブの[余白]で変更できますが、[ページ設定] ダイアログの[余白] タブを利用すると、数値を入力して設定できます。

1 Q636の方法で[ページ設定] ダイアログを表示します。

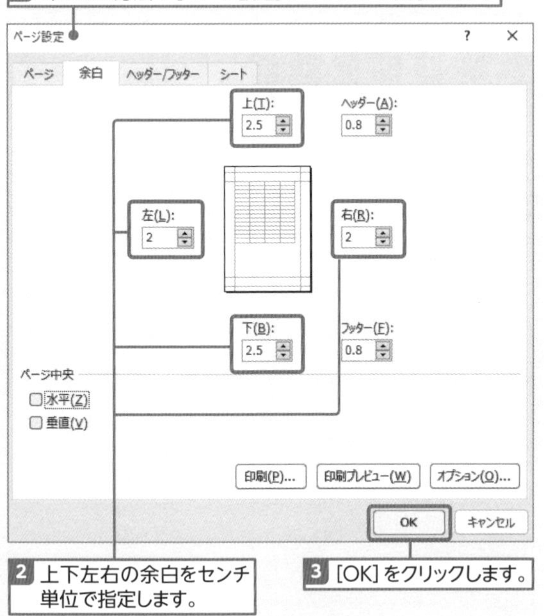

2 上下左右の余白をセンチ単位で指定します。

3 [OK] をクリックします。

Q641 お役立ち度 ★★★ 印刷

2021 2019 2016

すべての列が自動で1ページに収まるようにするには

A 印刷画面で[すべての列を1ページに印刷] を選択します。

表を用紙1枚に収めて印刷したい場合、印刷画面の[拡大縮小なし]をクリックして表示されるメニューから目的に応じて[シートを1ページに印刷][すべての列を1ページに印刷][すべての行を1ページに印刷]の中から選択し、行や列が1ページに収まるように設定できます。

1 [ファイル]タブ→[印刷]をクリックして印刷画面を表示します。

2 [拡大縮小なし]をクリックし、[すべての列を1ページに印刷]をクリックします。

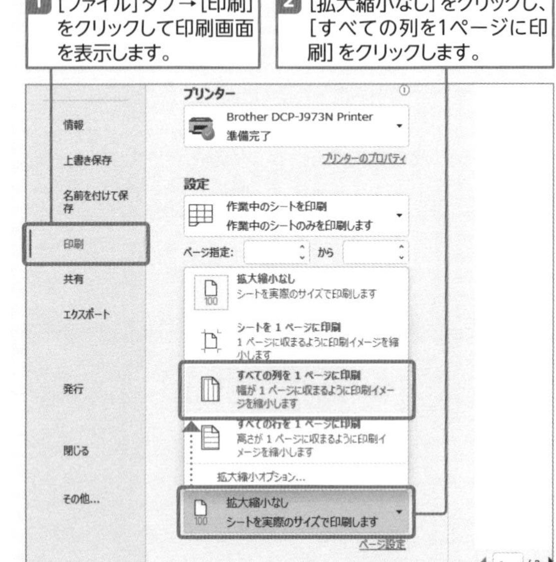

Q642 お役立ち度 ★★★ 印刷

2021 2019 2016

印刷するページを指定するには

A [ページ指定] で開始ページと終了ページを指定します。

印刷画面の[ページ指定] にある左のボックスに開始ページ、右のボックスに終了ページを入力して、印刷ページを指定できます。なお、2ページのみ印刷したい場合は、「2」から「2」と指定してください。

1 [ファイル]タブ→[印刷]をクリックして印刷画面を表示します。

2 [ページ指定] に開始ページと終了ページを指定します。

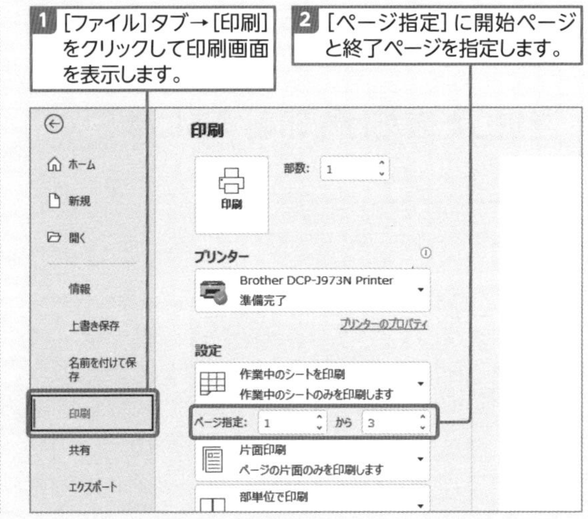

Q643 お役立ち度 ★★★ 印刷 2021 2019 2016

印刷範囲を設定するには

A [ページレイアウト] タブ→ [印刷範囲] をクリックします。

印刷範囲を設定すると、指定した範囲だけが印刷されます。いつも同じ範囲を印刷する場合は、印刷範囲を設定しておくと、毎回設定する手間なく便利です。

1 印刷する範囲を選択します。

ファイル ホーム 挿入 描画 ページレイアウト 数式 データ 校閲 表示 ヘルプ

テーマ 配色 フォント 効果 余白 印刷の向き サイズ 印刷範囲 改ページ 背景 印刷タイトル 横: 縦: 拡大/縮

印刷範囲の設定(S)

印刷範囲のクリア(C)

A1 売上集計

	A	B	C	D	E	F
1	売上集計					
2	●関東地区					
3	部署	4月	5月	6月	7月	合計
4	千葉支社	2,000	1,800	2,400	2,200	8,400
5	東京本社	2,600	3,000	2,600	2,300	10,500
6	神奈川支社	2,200	2,600	2,500	2,000	9,300

2 [ページレイアウト] タブ→ [印刷範囲] → [印刷範囲の設定] をクリックします。

Q644 お役立ち度 ★★★ 印刷 2021 2019 2016

指定した位置で改ページするには

A [ページレイアウト] タブ→ [改ページ] → [改ページの挿入] をクリックします。

売上表で月が替わる行や、支店が切り替わる行のような区切りのいいところでページを改めたい場合は、改ページを挿入します。改ページは選択した行の上に挿入されます。列を選択した場合は、列の右側に改ページが挿入されます。

1 改ページを挿入する位置の下の行を選択します。

ファイル ホーム 挿入 描画 ページレイアウト 数式 データ 校閲 表示 ヘルプ

テーマ 配色 フォント 効果 余白 印刷の向き サイズ 印刷範囲 改ページ 背景 印刷タイトル 横: 縦: 拡大/縮 ページ設定

改ページの挿入(I)

改ページの解除(R)

すべての改ページを解除(A)

A36 33

	A	B	C	D	E	F
34	31	2022/6/29	B2001	コーヒーセット	1200	3
35	32	2022/6/30	A1001	クッキーセット	1000	4
36	33	2022/7/1	A1003	マドレーヌ	1400	1
37	34	2022/7/1	A1001	クッキーセット	1000	2
38	35	2022/7/3	A1003	マドレーヌ	1400	4

2 [ページレイアウト] タブ→ [改ページ] → [改ページの挿入] をクリックします。

Q645 お役立ち度 ★★★ 印刷 2021 2019 2016

印刷範囲や改ページ位置を確認するには

A 改ページプレビューを表示しましょう。

改ページプレビューでは、印刷範囲や改ページ位置の確認と変更ができます。灰色の部分は印刷されない部分で、白と灰色を区切る青実線をドラッグすると、印刷範囲を変更できます。また、挿入した改ページ位置は実線、自動改ページ位置は点線で表示されます。これらの線をドラッグして改ページ位置を変更できます。

1 [表示] タブ→ [改ページプレビュー] をクリックします。

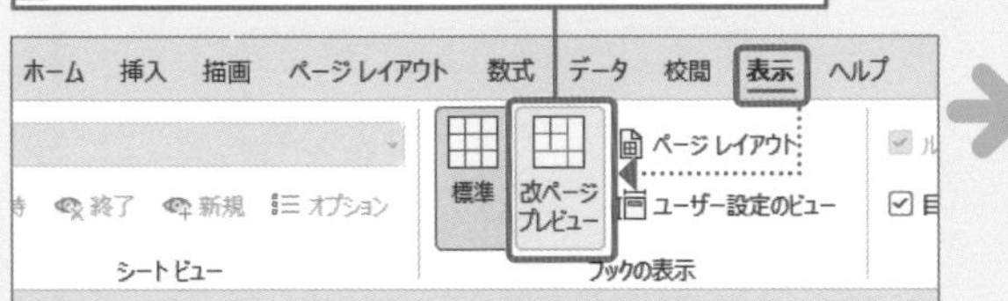

2 改ページプレビューが表示されます。

点線や実線をドラッグすると改ページ位置や印刷範囲が変更できます。

	A	B	C	D	E	F
1	NO	氏名	郵便番号	都道府県	住所1	住所2
2	101	小沢 翔	315-0165	茨城県	石岡市小倉4-11-XX	グリーン△301
3	102	根沢 道子	639-0262	奈良県	香芝市白鳳台1-1-X	
4	103	下田 正穂	596-0814	大阪府	岸和田市岡山町2-1-X	
5	104	井出 斉	561-0851	大阪府	豊中市服部元町4-8-X	
6	105	茂木 良太	587-0061	大阪府	堺市美原区今井4-1-X	ハイツ○○313
7	106	小笠原 美紀	210-0808	神奈川県	川崎市川崎区旭町XXX	
8	107	古谷 恵	370-0411	群馬県	太田市亀岡町XXX	
9	108	松下 智子	099-4183	北海道	斜里郡斜里町朱円東1-2-X	
10	109	細川 幸太郎	379-1301	群馬県	利根郡みなかみ町茶女沢1-3-X	プラザ○○105
11	110	桜田 信二	534-0001	大阪府	大阪市都島区毛馬町3-5-X	○町アパート316
12	111	近藤 靖美	285-0806	千葉県	佐倉市大篠塚4-X	△△ガーデン111
13	112	川野 歩美	277-0041	千葉県	柏市逆井藤ノ台1-X-X	□○プレイス501
14	113	水島 孝之	809-0032	福岡県	中間市中尾1-9-X	メゾン○○208
15	114	野口 道子	321-3536	栃木県	芳賀郡茂木町神井4-3-X	
16	115	亀山 さつき	299-2502	千葉県	南房総市石堂原2-X-X	レジデンス○○202
17	116	谷本 紀子	105-0021	東京都	港区東新橋 14-8-X	SSビル4階
18	117	松本 雄介	252-0142	神奈川県	相模原市緑区元橋本町 8-X	ハイツ青葉205
19	118	佐々木 明三	154-0001	東京都	世田谷区池尻 5-1-X	TTビル5階
20	119	飯塚 聡子	215-0012	神奈川県	川崎市麻生区東百合丘3-15-X	
21	120	馬原 克己	300-4111	茨城県	土浦市大畑 3-3-XX	
22	121	福田 雪彦	330-0046	埼玉県	さいたま市浦和区大原1-1-X	
23	122	藤川 里美	565-0821	大阪府	大阪府吹田市山田東	
24	123	滝本 理央	192-0011	東京都	八王子市滝山町 2-2-X	
25	124	矢崎 敏行	107-0061	東京都	港区北青山2-1-X	SBビル2階
26	125	江川 聡	632-0014	奈良県	天理市布留町225 X	
27	126	八田 茂則	112-0012	東京都	文京区大塚 5-1-XX	○△マンション801
28	127	細野 七海	103-0022	東京都	中央区日本橋室町3-X	MMビル1階
29	128	市村 健司	272-0134	千葉県	市川市入船1-2-X	ABハイツ102号
30	129	遠藤 健介	154-0017	東京都	世田谷区世田谷4-1-X	GGビル3階
31	130	井上 ことみ	261-8755	千葉県	千葉市美浜区幸町1-3-X	

3 [表示] タブ→ [標準] をクリックして標準表示に戻ります。

Q646 お役立ち度 ★★★ 印刷

2021 2019 2016

2ページ目以降にも表の列見出しを印刷するには

A [ページレイアウト] タブ→ [印刷タイトル] をクリックします。

2ページ目以降も表の列見出しが印刷されるようにするには、[印刷タイトル] をクリックすると表示される [ページ設定] ダイアログの [タイトル行] で見出し行を指定します。

1 [ページレイアウト] タブ→[印刷タイトル] をクリックします。

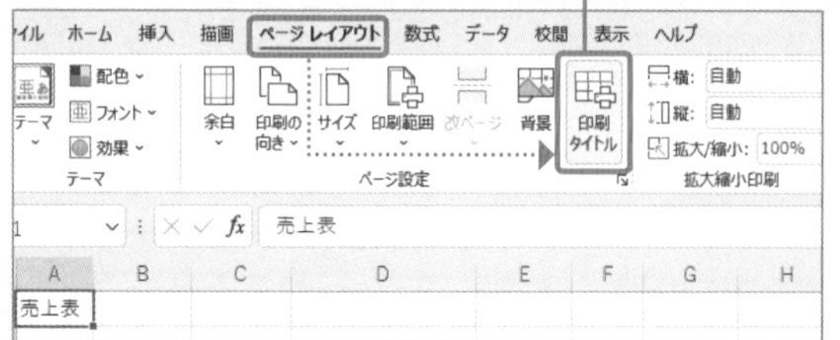

2 [ページ設定] ダイアログの [シート] タブが表示されます。

3 [タイトル行] をクリックします。

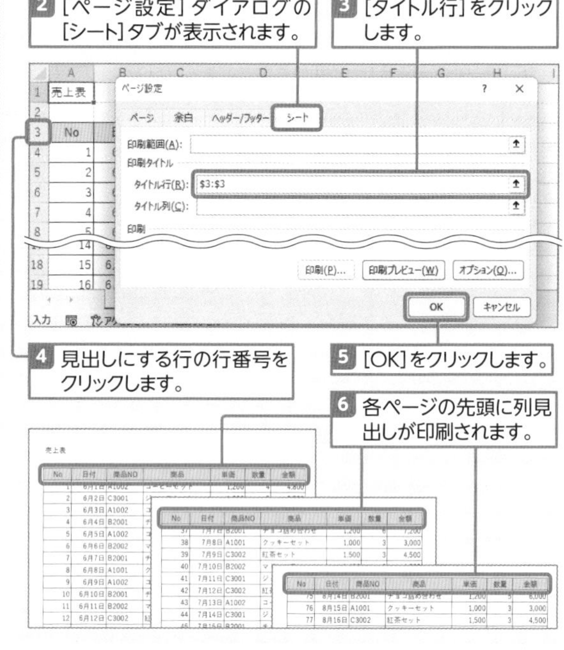

4 見出しにする行の行番号をクリックします。

5 [OK] をクリックします。

6 各ページの先頭に列見出しが印刷されます。

Q647 お役立ち度 ★★★ 印刷

2021 2019 2016

セルの区切りを印刷したい!

A [ページレイアウト] タブ→ [枠線] → [印刷] にチェックを付けます。

セルの区切りを印刷するように設定すると、罫線を引いていなくてもセルが区切られて印刷されるのでデータが読みやすくなります。

1 [ページレイアウト]タブ→[枠線]の[印刷]をクリックしてチェックを付けます。

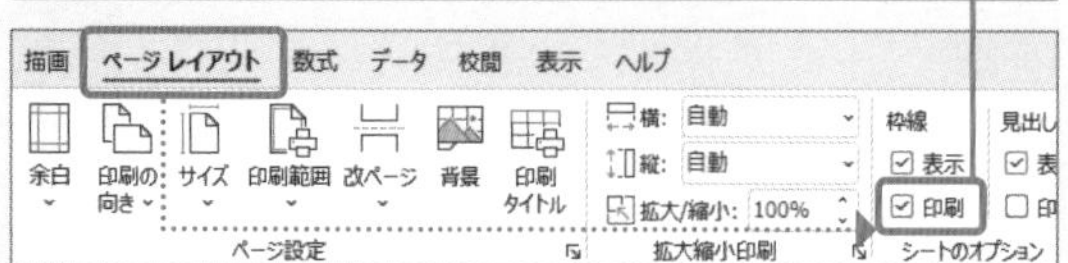

2 [ファイル] タブ→ [印刷] をクリックして印刷プレビューを表示すると、セルの区切り線が確認できます。

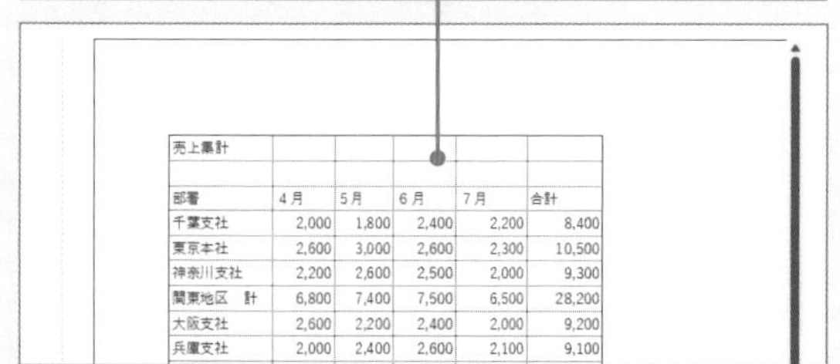

Q648 お役立ち度 ★★★ 印刷

2021 2019 2016

行番号や列番号も印刷したい!

A [ページレイアウト] タブ→ [見出し] → [印刷] にチェックを付けます。

行番号、列番号を印刷するように設定すると、セルの座標が確認しやすくなります。セルを参照して作業したいときに役立ちます。

1 [ページレイアウト] タブ→ [見出し] の [印刷] をクリックしてチェックを付けます。

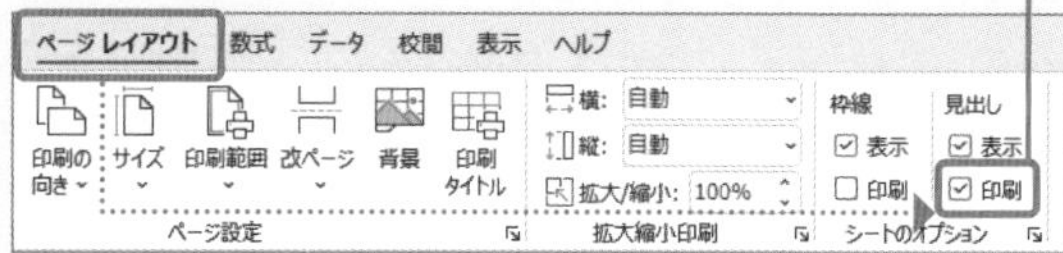

2 [ファイル] タブ→ [印刷] をクリックして印刷プレビューを表示すると、行番号と列番号が表示されます。

Q649 お役立ち度 ★★★ 印刷 2021 2019 2016

白黒印刷したい!

A [ページ設定] ダイアログで [白黒印刷] をオンにします。

プリンターがカラープリンターではない場合や、白黒でコピーする場合は、[白黒印刷] で印刷すると、図形やグラフが白黒でも見やすいように設定が変更されます。

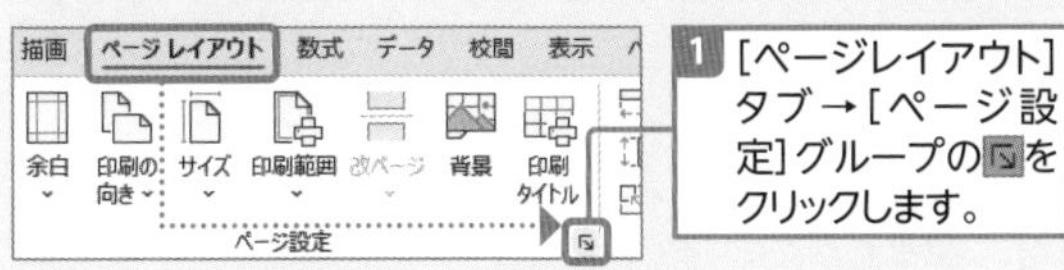

1 [ページレイアウト] タブ→[ページ設定] グループの をクリックします。

2 [ページ設定] ダイアログが表示されます。

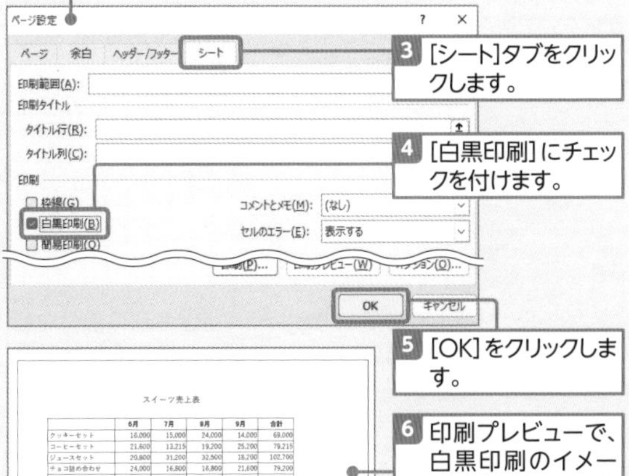

3 [シート]タブをクリックします。

4 [白黒印刷] にチェックを付けます。

5 [OK] をクリックします。

6 印刷プレビューで、白黒印刷のイメージが表示されることを確認します。

Q650 お役立ち度 ★★★ 印刷 2021 2019 2016

メモを印刷したい!

A [ページ設定] ダイアログの [コメントとメモ] で設定します。

セルに追加したメモ(**Q629**)も一緒に印刷したい場合は、[ページ設定] ダイアログの [シート] タブにある [コメントとメモ] (Excel 2019/2016では [コメント]) で設定します。ワークシートの表示と同じ形で印刷するには [画面表示イメージ] を選択します。[シートの末尾] を選択すると、別ページにメモが一覧印刷されます。

1 **Q646**の方法で [ページ設定] ダイアログの [シート] タブを表示します。

2 [コメントとメモ] で [画面表示イメージ] を選択します。

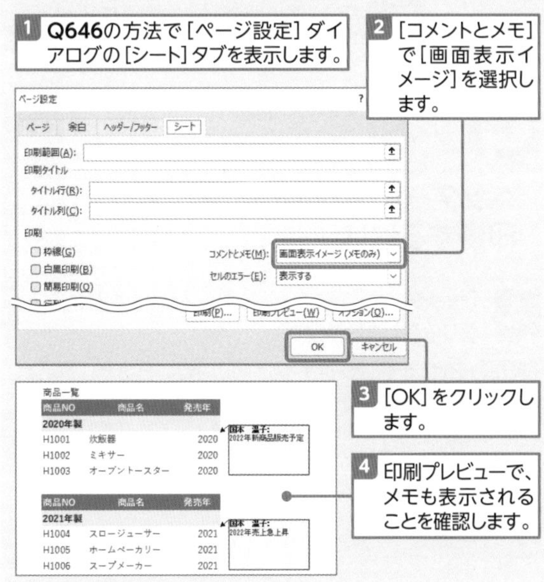

3 [OK] をクリックします。

4 印刷プレビューで、メモも表示されることを確認します。

Q651 お役立ち度 ★★★ 印刷 2021 2019 2016

図形やグラフを印刷したくない!

A 書式設定のプロパティで [オブジェクトを印刷する] をオフにします。

ワークシート上の図形やグラフを印刷したくない場合は、図形やグラフのそれぞれの書式設定の作業ウィンドウにある [サイズとプロパティ] の [プロパティ] で [オブジェクトを印刷する] をオフにします。

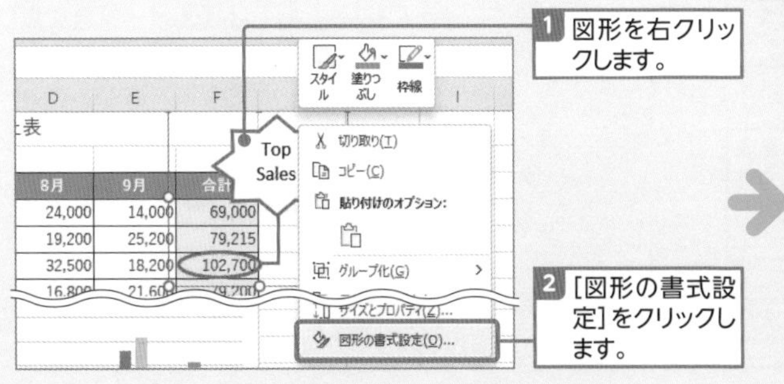

1 図形を右クリックします。

2 [図形の書式設定] をクリックします。

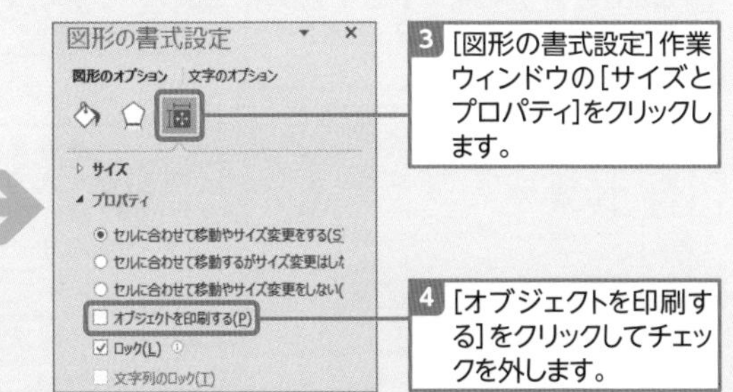

3 [図形の書式設定] 作業ウィンドウの [サイズとプロパティ]をクリックします。

4 [オブジェクトを印刷する] をクリックしてチェックを外します。

ヘッダーやフッターはどこで設定するの？

A ページレイアウトビューで設定するのが便利です。

ページレイアウトビューは、印刷イメージを確認しながら編集できる画面です。ヘッダーとフッターの領域が表示されるため、画面で直接編集できます。ヘッダー／フッターの左、中央、右のいずれかの欄をクリックすると、コンテキストタブの［ヘッダーとフッター］タブ（Excel 2019/2016では［ヘッダー/フッターツール］の［デザイン］タブ）が表示され、ヘッダーやフッターで表示する項目を選択できます。

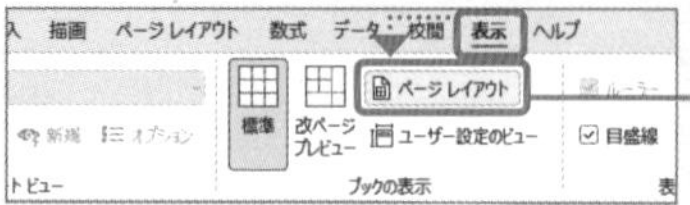

2 ヘッダーやフッターの領域が表示されるので、領域内をクリックします。
3 ［ヘッダーとフッター］タブが表示されます。
4 ワークシート上のいずれかのセルをクリックして、編集画面に戻ります。
ここをクリックするとフッターに移動します。

Q653
お役立ち度 ★★★
印刷
2021
2019
2016

ヘッダーに今日の日付を印刷するには

A ［ヘッダーとフッター］タブ→［現在の日付］をクリックします。

［現在の日付］をクリックすると、印刷時の日付が印刷されます。固定した日付を印刷したい場合は、「2022/06/07」のように直接入力します。

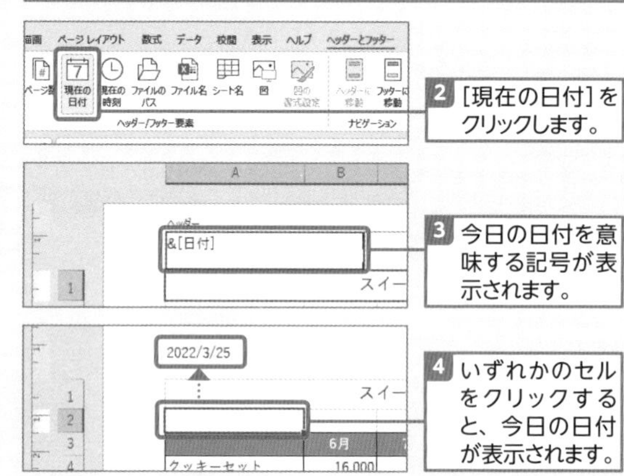

フッターに「ページ番号／ページ数」と印刷するには

A ［ページ番号］と［ページ数］を組み合わせます。

［ページ番号］を任意のセルでクリックすると該当するページの番号が、［ページ数］をクリックすると全体のページ数が表示されます。

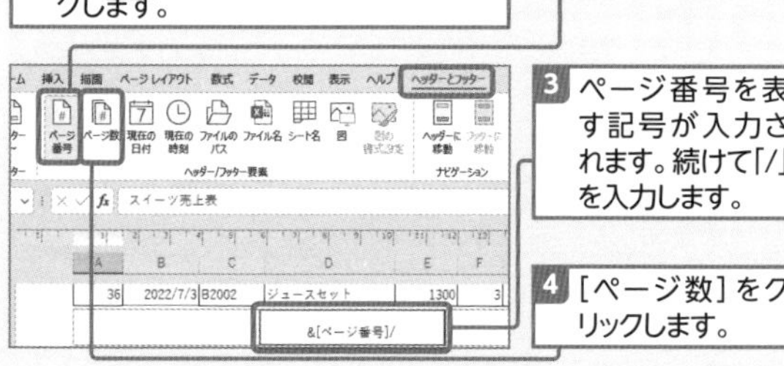

1 Q652の方法でページレイアウトビューに切り替え、フッター欄をクリックします。
2 ［ページ番号］をクリックします。
3 ページ番号を表す記号が入力されます。続けて「/」を入力します。
4 ［ページ数］をクリックします。
&[ページ番号]/

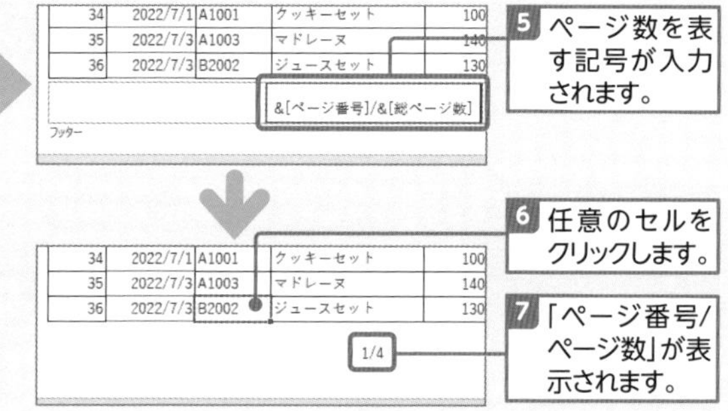

Q655 お役立ち度 ★★★ 印刷 2021 2019 2016

ヘッダーにロゴを印刷するには

A [ヘッダーとフッター]タブ→[図]をクリックします。

ヘッダーにロゴのような画像を印刷したい場合は、コンテキストタブの[ヘッダーとフッター]タブ→[図]をクリックし、画像ファイルを挿入します。

1 Q652の方法でページレイアウトビューに切り替え、ロゴを挿入する枠をクリックします。

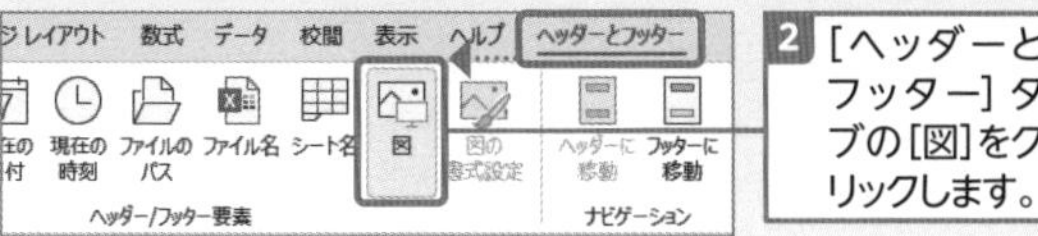

2 [ヘッダーとフッター]タブの[図]をクリックします。

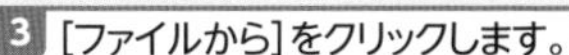

3 [ファイルから]をクリックします。

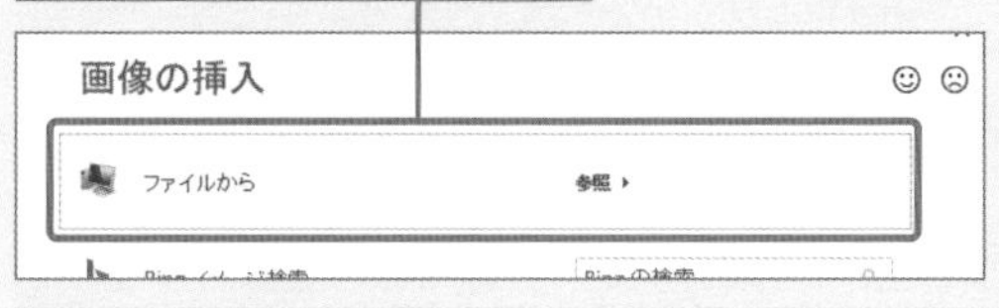

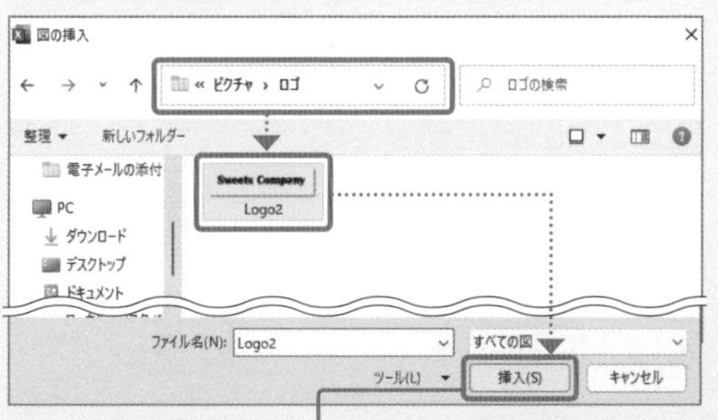

4 ロゴの保存場所とファイル名を選択し、[挿入]をクリックします。

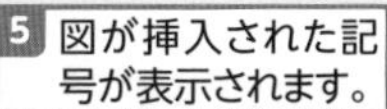

5 図が挿入された記号が表示されます。

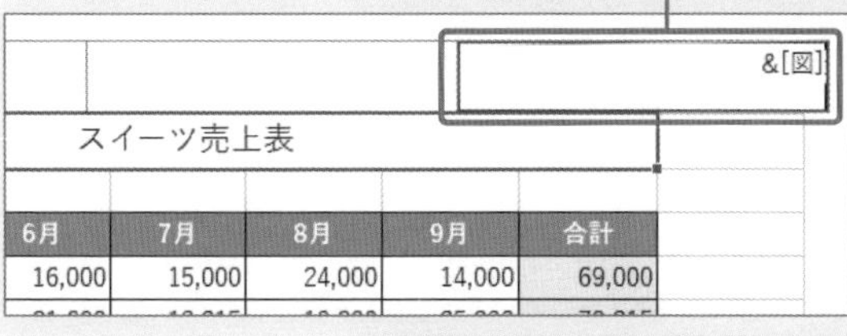

6 任意のセルをクリックします。

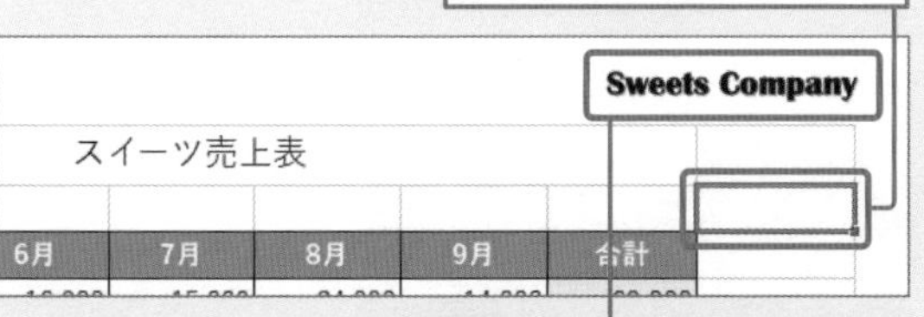

7 挿入したロゴが表示されます。

Q656 お役立ち度 ★★★ 印刷 2021 2019 2016

ヘッダー、フッターを削除するには

A [ヘッダー]/[フッター]メニューで[(指定しない)]を選択します。

ヘッダーやフッターに設定した内容をまとめて削除するには、コンテキストタブの[ヘッダーとフッター]タブ→[ヘッダー]または[フッター]→[(指定しない)]をクリックします。文書内に指定したすべてのヘッダーまたはフッターが削除されます。

Q657 お役立ち度 ★★★ 印刷 2021 2019 2016

「社外秘」のような透かしを入れたい!

A ヘッダーまたはフッターに「社外秘」の画像を設定します。

透かし用の画像を別途用意しておき、Q655と同じ手順でヘッダーまたはフッターに挿入します。

1 Q652の方法でページレイアウトビューに切り替え、ヘッダーの中央の枠をクリックします。

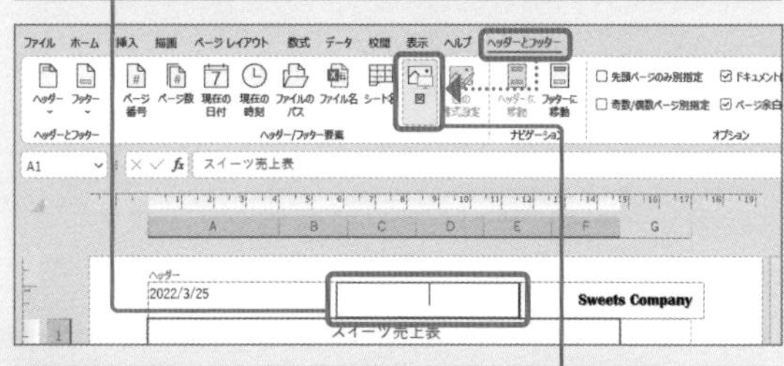

2 コンテキストタブの[ヘッダーとフッター]タブの[図]をクリックし、Q655と同じ手順で社外秘の画像ファイルを挿入します。

3 任意のセルをクリックします。

2022/3/25　　Sweets Company

スイーツ売上表

	6月	7月	8月	9月	合計
クッキーセット	16,000	15,000	24,000	14,000	69,000
コーヒーセット	21,600	13,215	19,200	25,200	79,215
ジュースセット	20,800	31,200	32,500	18,200	102,700
チョコ詰め合わせ	24,000	16,800	16,800	21,600	79,200
マドレーヌ	12,600	22,400	28,000	30,800	93,800
紅茶セット	24,000	25,500	18,000	24,000	91,500
合計	119,000	124,115	138,500	133,800	515,415

社外秘

4 透かし文字が表示されます。

Word・Excel 2021/Microsoft 365とWord・Excel 2019/2016のコンテキストタブ

Word・Excel 2021/Microsoft 365では、Word・Excel 2019/2016とコンテキストタブの表示方法が変更されています。コンテキストタブとは、表、図形、グラフなど特定の対象が選択されている場合に表示されるタブのことです。本書では、Word・Excel 2021の画面で操作手順を解説しています。下表でコンテキストタブの違いをまとめています。異なるバージョンでご使用の場合、操作の参考にしてください。

対象	Word・Excel 2021/Microsoft 365	Word・Excel 2019/2016
表（※1）	コンテキストタブの［テーブルデザイン］タブ	［表ツール］の［デザイン］タブ
	コンテキストタブの［レイアウト］タブ	［表ツール］の［レイアウト］タブ
画像・図	コンテキストタブの［図の形式］タブ	［図ツール］の［書式］タブ
ワードアート・図形	コンテキストタブの［図形の書式］タブ	［描画ツール］の［書式］タブ
SmartArt	コンテキストタブの［SmartArtのデザイン］タブ	［SmartArtツール］の［デザイン］タブ
	コンテキストタブの［書式］タブ	［SmartArtツール］の［書式］タブ
グラフ	コンテキストタブの［グラフのデザイン］タブ	［グラフツール］の［デザイン］タブ
	コンテキストタブの［書式］タブ	［グラフツール］の［書式］タブ
アイコン	コンテキストタブの［グラフィックス形式］タブ	［グラフィックツール］の［書式］タブ
3Dモデル	コンテキストタブの［3Dモデル］タブ	［3Dモデルツール］の［書式］タブ
ヘッダーとフッター	コンテキストタブの［ヘッダーとフッター］タブ	［ヘッダー／フッターツール］の［デザイン］タブ
数式	コンテキストタブの［数式］タブ	［数式ツール］の［数式］タブ
スパークライン（※2）	コンテキストタブの［スパークライン］タブ	［スパークラインツール］の［デザイン］タブ
テーブル（※2）	コンテキストタブの［テーブルデザイン］タブ	［テーブルツール］の［デザイン］タブ
ピボットテーブル（※2）	コンテキストタブの［ピボットテーブル分析］タブ	［ピボットテーブルツール］の［分析］タブ
	コンテキストタブの［デザイン］	［ピボットテーブルツール］の［デザイン］タブ
ピボットグラフ（※2）	コンテキストタブの［ピボットグラフ分析］タブ	［ピボットグラフツール］の［分析］タブ
	コンテキストタブの［デザイン］タブ	［ピボットグラフツール］の［デザイン］タブ
	コンテキストタブの［書式］タブ	［ピボットグラフツール］の［書式］タブ

※1：Wordのみ　※2：Excelのみ

●Wordで表を選択したときのコンテキストタブ

・Word 2021/Microsoft 365

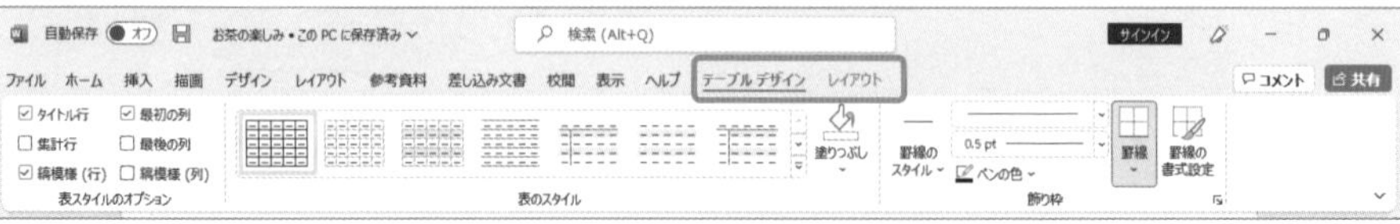

・Word 2019/2016

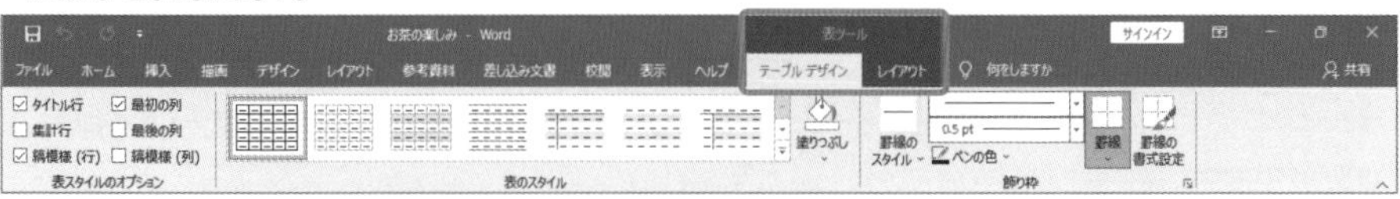

●Excelでピボットテーブルを選択したときのコンテキストタブ

・Excel 2021/Microsoft 365

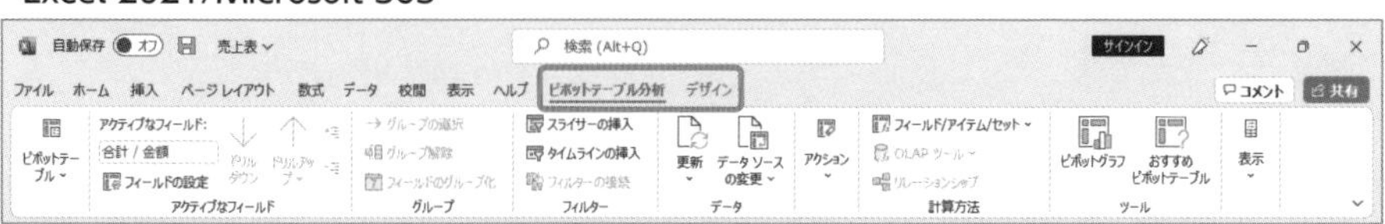

・Excel 2019/2016

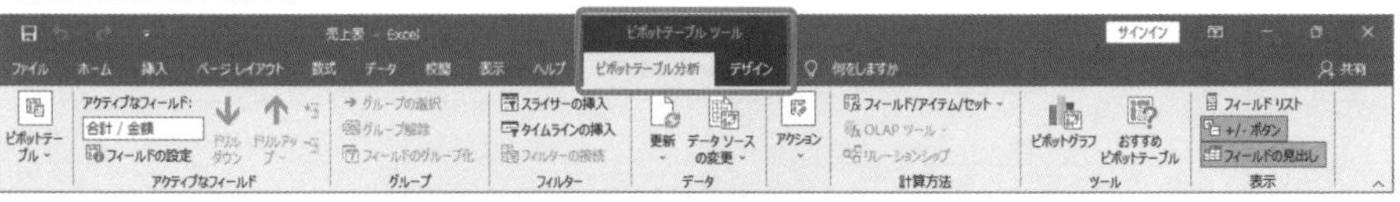

「書式設定」と「表示形式」を完璧にマスターする

セルに入力したデータに、太字や色などのスタイルの設定や配置を変更する方法、罫線を設定して表組みを作成する方法を紹介します。また、セルに入力されている数値や日付などのデータの表示形式の基本的な設定方法と便利なカスタマイズの方法も紹介しています。さらに、選択範囲内にあるデータによって自動的に書式を設定する条件付き書式の設定方法をマスターすると、より便利に使えるようになります。

Q658 お役立ち度 ★★★ 書式設定

太字、斜体、下線を設定するには

A [ホーム] タブ→ [太字]、[斜体]、[下線] をクリックします。

セル内の文字に太字、斜体、下線を設定するには、[ホーム] タブの [太字]、[斜体]、[下線] をクリックします。ボタンをクリックするごとに設定と解除が切り替わります。[下線] の [∨] をクリックして二重下線を設定することもできます。

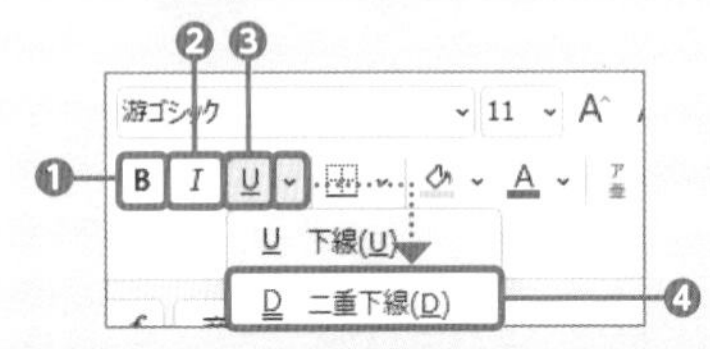

ボタン		コマンド名	設定例	ショートカットキー
❶	B	太字	商品一覧	Ctrl + B
❷	I	斜体	商品一覧	Ctrl + I
❸	U	下線	商品一覧	Ctrl + U
❹	D	二重下線	商品一覧	

Q659 お役立ち度 ★★★ 書式設定

文字の書体を変更するには

A [ホーム] タブ→ [フォント] で選択します。

文字の書体のことをフォントといいます。フォントを変更するには、[ホーム] タブ→ [フォント] の [∨] をクリックして、一覧から選択します。

1 対象のセルをクリックし、[ホーム] タブ→ [フォント] の [∨] をクリックして、使用するフォントをクリックします。

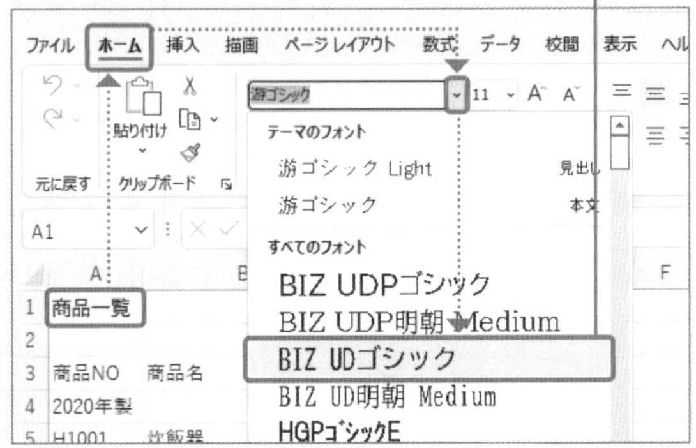

Q660 お役立ち度 ★★★ 書式設定

文字を任意の大きさに変更するには

A [ホーム] → [フォントサイズ] で選択します。

文字のサイズは、[ホーム] タブ→ [フォントサイズ] の [∨] をクリックして、一覧から選択します。フォントサイズのボックスに直接フォントサイズを入力することもできます。

1 対象のセルをクリックし、[ホーム] タブ→ [フォントサイズ] の [∨] をクリックして、フォントサイズをクリックします。

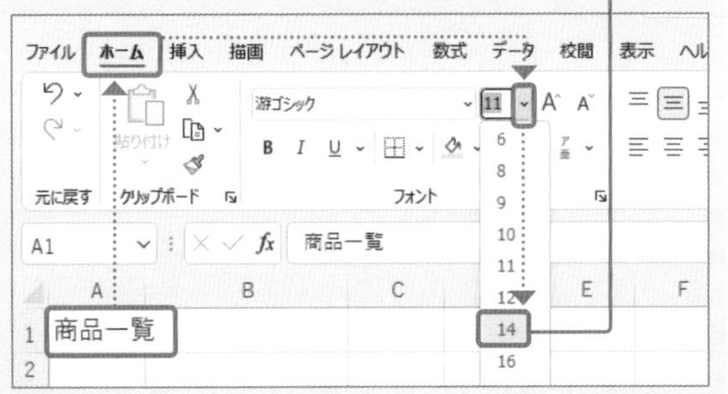

Q661 お役立ち度 ★★★ 書式設定

文字の大きさを少しずつ拡大 ／ 縮小するには

A [フォントサイズの拡大]、[フォントサイズの縮小] をクリックします。

[フォントサイズの拡大]、[フォントサイズの縮小] を使うと、セル内の文字の大きさを確認しながら、少しずつ大きくしたり、小さくしたりできます。

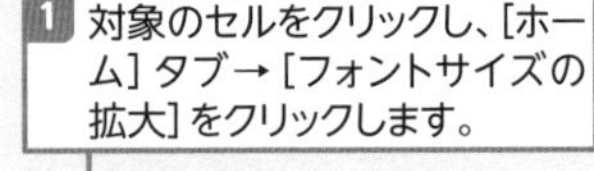

1 対象のセルをクリックし、[ホーム] タブ→ [フォントサイズの拡大] をクリックします。

[フォントサイズの縮小] をクリックするとフォントサイズが小さくなります。

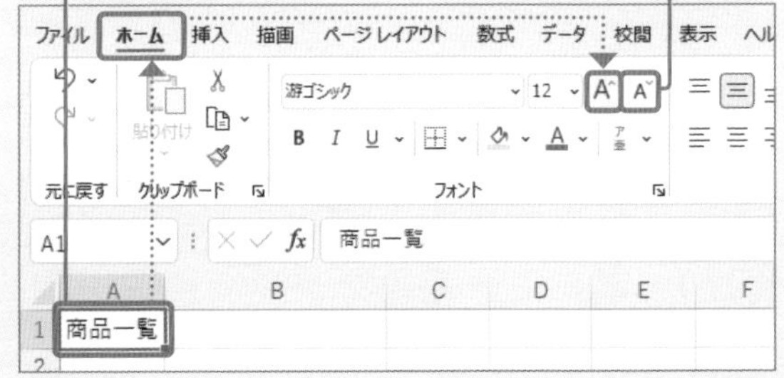

Q662 お役立ち度 ★★★ 書式設定 2021 2019 2016

セルに色を付けるには

A [ホーム]→[塗りつぶしの色]で色を選択します。

セルに色を付けるには、[ホーム] タブ→[塗りつぶしの色]の[∨]をクリックして、一覧から選択します。一覧で色を選択後、[塗りつぶしの色] をクリックすれば同じ色を設定できます。塗りつぶしを解除するには、[塗りつぶしなし]をクリックします。

1 対象のセルを選択しておきます。

2 [ホーム] タブ→[塗りつぶしの色] の[∨]をクリックし、色をクリックします。

Q663 お役立ち度 ★★★ 書式設定 2021 2019 2016

文字に色を付けるには

A [ホーム]→[フォントの色]で色を選択します。

文字に色を付けるには、[ホーム] タブ→[フォントの色]の[∨]をクリックして、一覧から選択します。一覧で色を選択後、[フォントの色] をクリックすれば同じ色を設定できます。

1 対象のセルを選択しておきます。

2 [ホーム] タブ→[フォントの色] の[∨]をクリックし、色をクリックします。

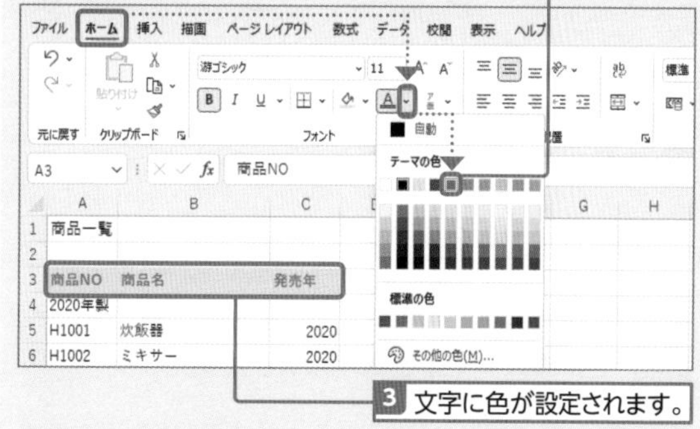

Q664 お役立ち度 ★★★ 書式設定 2021 2019 2016

文字の上に取り消し線を引くには

A [セルの書式設定] ダイアログの[フォント] タブで設定します。

[セルの書式設定] ダイアログを表示すると、[取り消し線] のようなリボンにない書式を設定できます。[セルの書式設定] ダイアログは、[ホーム] タブの [フォント] グループの右下にある をクリックして表示します。

1 対象のセルを選択し、[ホーム] タブ→ [フォント] グループの をクリックします。

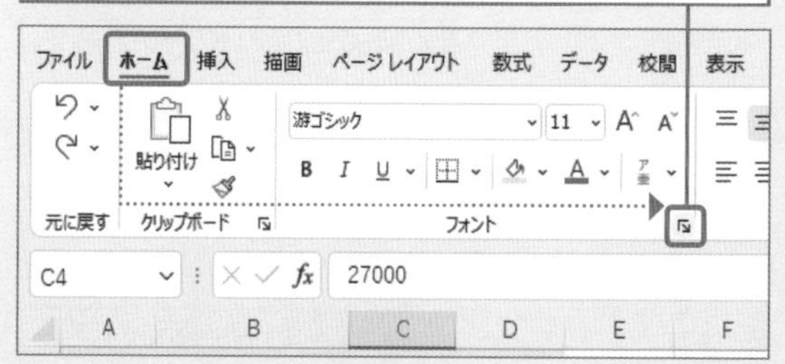

2 [セルの書式設定] ダイアログが表示されます。

3 [フォント] タブで [取り消し線] にチェックを付けます。

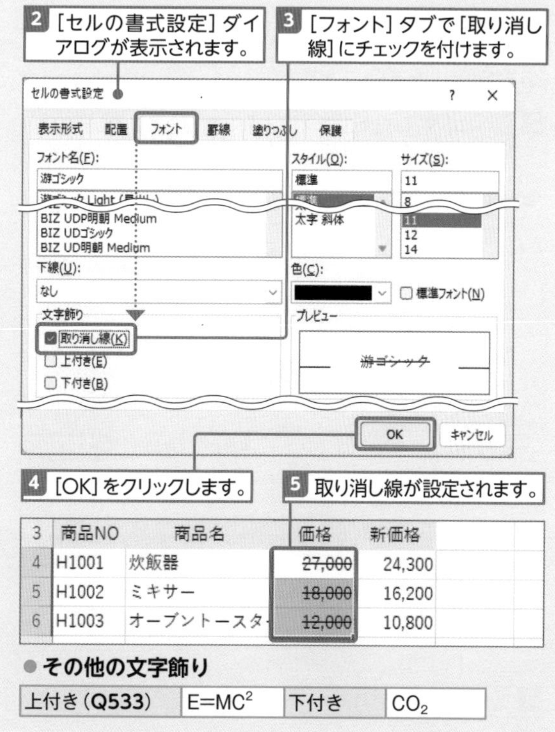

4 [OK] をクリックします。

5 取り消し線が設定されます。

3	商品NO	商品名	価格	新価格
4	H1001	炊飯器	27,000	24,300
5	H1002	ミキサー	18,000	16,200
6	H1003	オーブントースター	12,000	10,800

● **その他の文字飾り**

上付き (Q533)	E=MC^2	下付き	CO_2

Q665 お役立ち度 ★★★ 書式設定 2021 2019 2016

セル内の文字列の一部分だけ書式を変更したい!

A 変更したい文字列を選択してから書式を設定します。

セル内の文字列の一部分を選択すれば、その部分だけ書式を変更できます。なお、数値データは部分的に変更できません。

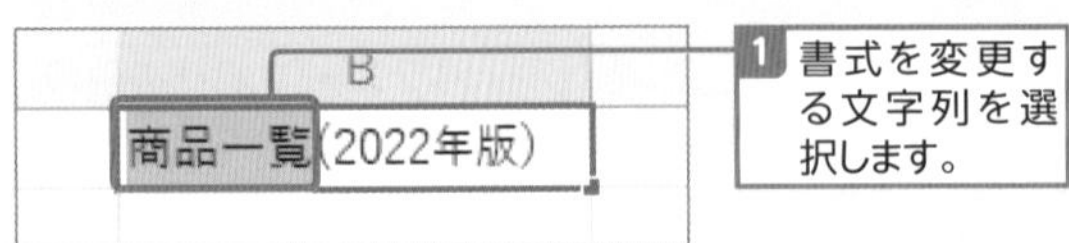

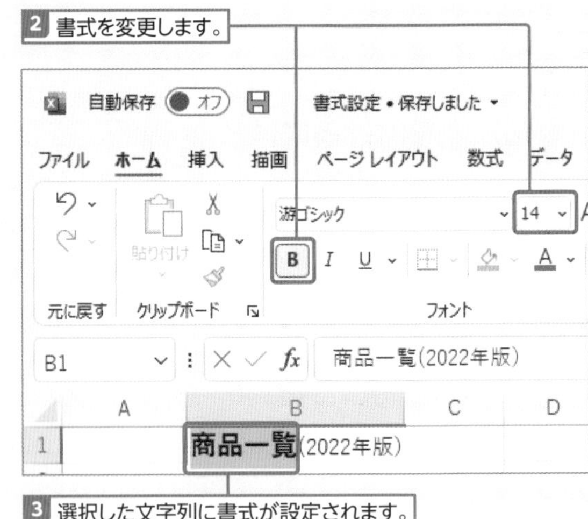

Q666 お役立ち度 ★★★ 書式設定 2021 2019 2016

簡単にセルの見栄えを整えたい!

A セルのスタイルを利用しましょう。

スタイルとは、フォント、フォントサイズ、色などの書式を組み合わせて名前を付けたものです。スタイルを選択するだけで、素早く見栄えを整えられます。

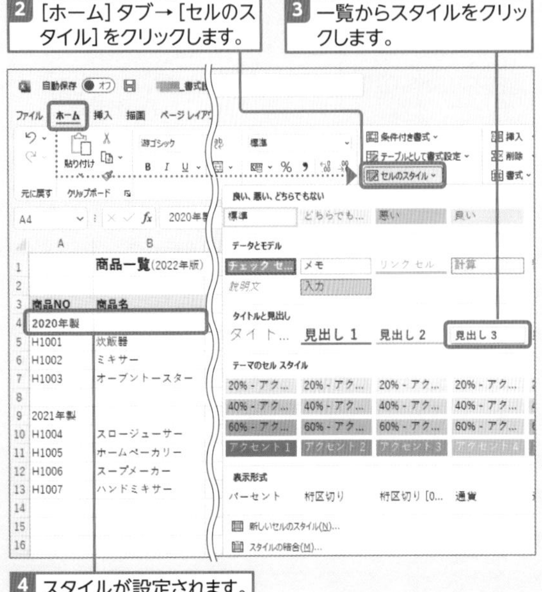

Q667 お役立ち度 ★★★ 書式設定 2021 2019 2016

すべての書式をまとめて削除するには

A [クリア]→[書式のクリア] をクリックします。

選択したセルに複数の書式が設定されている場合、[クリア] メニューの [書式のクリア] をクリックすればすべての書式をまとめて削除できます。

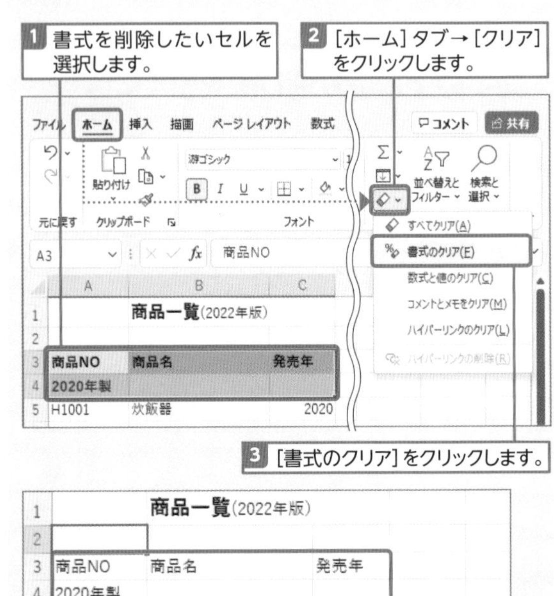

Q668 セル内のデータ、書式すべてを削除するには

お役立ち度 ★★★　書式設定　2021 2019 2016

A [クリア]→[すべてクリア]をクリックします。

[クリア]メニューの[すべてクリア]をクリックすると、セルを削除することなく、セル内のすべてのデータと書式を削除できます。

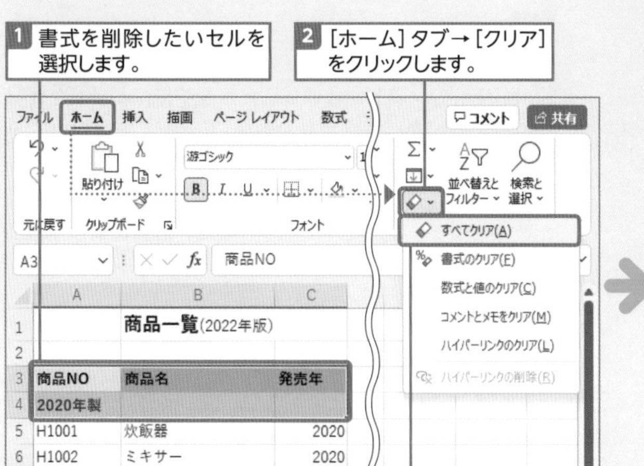
1 書式を削除したいセルを選択します。
2 [ホーム]タブ→[クリア]をクリックします。
すべてクリア(A)
書式のクリア(F)
数式と値のクリア(C)
コメントとメモをクリア(M)
ハイパーリンクのクリア(L)
ハイパーリンクの削除(R)
3 [すべてクリア]をクリックします。

4 セル内のデータと書式すべてが削除されます。

	A	B	C
1		商品一覧(2022年版)	
2			
3			
4			
5	H1001	炊飯器	2020
6	H1002	ミキサー	2020
7	H1003	オーブントースター	2020
8			
9	2021年製		
10	H1004	スロージューサー	2021
11	H1005	ホームベーカリー	2021

Q669 ふりがなを表示するには

お役立ち度 ★★★　書式設定　2021 2019 2016

A [ホーム]タブ→[ふりがなの表示/非表示]をクリックします。

セルに漢字を入力すると、その読みが自動的に保管されます。[ふりがなの表示/非表示]をクリックすると、保管されている読みがふりがなとして文字の上部に表示されます。

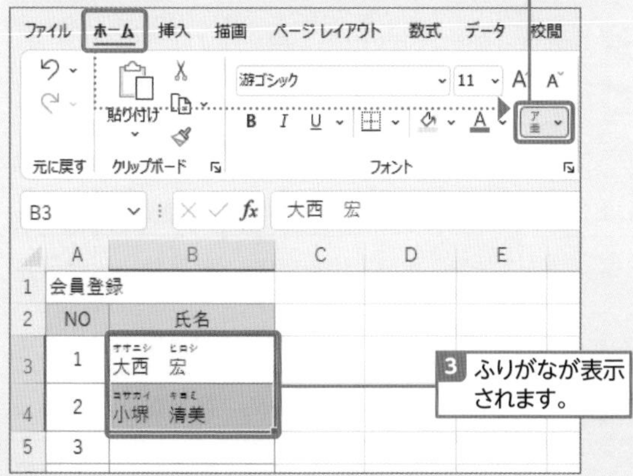
1 対象のセルを選択しておきます。
2 [ホーム]タブ→[ふりがなの表示/非表示]をクリックします。
会員登録
NO
氏名
大西　宏
小堺　清美
3 ふりがなが表示されます。

Q670 ふりがなを修正するには

お役立ち度 ★★★　書式設定　2021 2019 2016

A [ふりがなの表示/非表示]メニューで[ふりがなの編集]をクリックします。

表示されたふりがなが間違っている場合は、間違っている部分の文字列を選択して編集します。

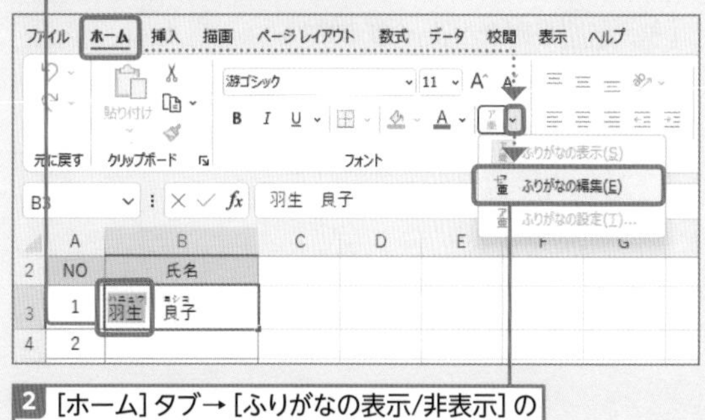
1 対象の文字列を選択します。
ふりがなの表示(S)
ふりがなの編集(E)
ふりがなの設定(T)...
羽生　良子
2 [ホーム]タブ→[ふりがなの表示/非表示]の[∨]→[ふりがなの編集]をクリックします。

3 ふりがなにカーソルが表示されるので、修正します。

Q671 お役立ち度 ★★★ 書式設定

ふりがなをひらがなで表示するには

A ［ふりがなの設定］ダイアログで変更できます。

［ふりがなの設定］ダイアログでは、ふりがなの文字種や配置の変更に加えて、ふりがなのフォントやフォントサイズなどの変更ができます。

1 対象のセルをクリックします。

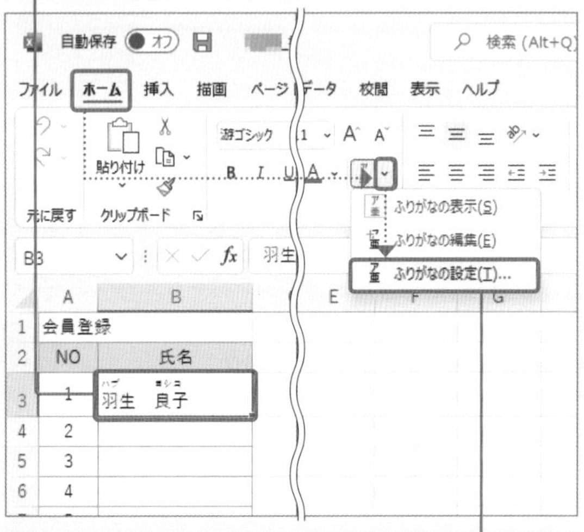

2 ［ホーム］タブ→［ふりがなの表示/非表示］の［∨］→［ふりがなの設定］をクリックします。

3 ［ひらがな］をクリックします。

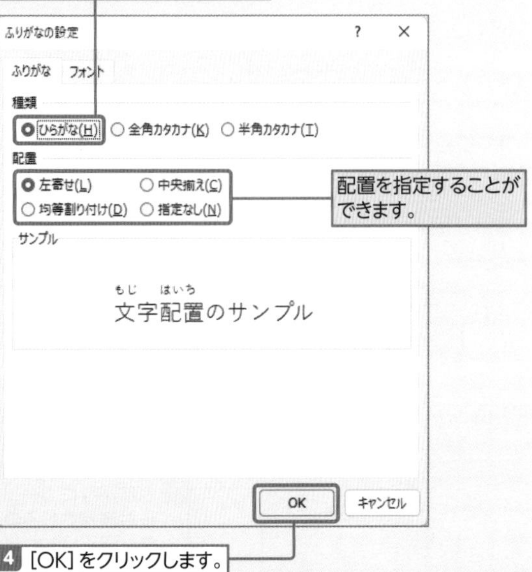

4 ［OK］をクリックします。

Q672 お役立ち度 ★★★ 書式設定

ふりがなは自動で設定できないの？

A Shift ＋ Alt ＋ ↑ キーで自動で設定されます。

Excel以外のソフトから取り込んだ漢字にはふりがな情報がありませんが、［ふりがなの編集］を選択すれば自動でふりがなが設定されます。［ふりがなの編集］機能のショートカットキー Shift ＋ Alt ＋ ↑ キーを利用すると効率的に作業できます。設定されたふりがなは、必要に応じて修正してください。

1 Q669の方法でふりがなが設定されていないことを確認します。

	A	B	C	D	
1	NO	氏名	郵便番号	都道府県	
2	1	長友　裕	108-0073	東京都	港区三
3	2	堀田　元太	192-0011	東京都	八王子
4	3	澤本　理央	157-0062	東京都	世田谷
5	4		112-0012	東京都	文京区

2 Shift ＋ Alt ＋ ↑ キーを押すと、ふりがなが自動で設定されます。

	A	B	C	D	
1	NO	氏名	郵便番号	都道府県	
2	1	ナガトモ ユウ 長友　裕	108-0073	東京都	港区三
3	2	堀田　元太	192-0011	東京都	八王子
4	3	澤本　理央	157-0062	東京都	世田谷

3 Enter キーを押して次のセルに移動します。

4 同様に Shift ＋ Alt ＋ ↑ キーを押してふりがなを表示します。

	A	B	C	D	
1	NO	氏名	郵便番号	都道府県	
2	1	ナガトモ ユウ 長友　裕	108-0073	東京都	港区三
3	2	ホッタ モトフトシ 堀田　元太	192-0011	東京都	八王子
4	3	澤本　理央	157-0062	東京都	世田谷

Q673 お役立ち度 ★★★ 文字列の配置や向き 2021 2019 2016

セルの左右で文字の配置を変更するには

A [左揃え]、[中央揃え]、[右揃え]をクリックします。

セルに入力した文字列は左揃え、数値は右揃えで表示されます。[ホーム]タブ→[左揃え]、[中央揃え]、[右揃え]をクリックすれば、左右で文字の配置を変更できます。

1 対象のセルを選択し、[ホーム]タブ→[中央揃え]をクリックします。

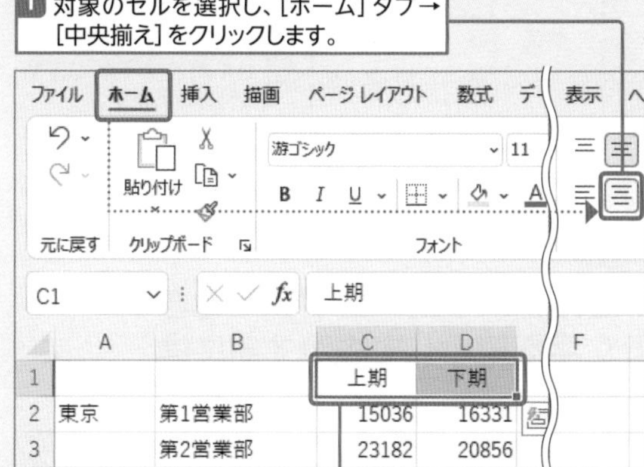

2 左右の中央に文字が配置されます。

● 左右の配置を変更するボタン

☰	左揃え	左揃えで配置
☰	中央揃え	中央揃えで配置
☰	右揃え	右揃えで配置

Q674 お役立ち度 ★★★ 文字列の配置や向き 2021 2019 2016

複数のセルを結合して文字列を中央揃えにするには

A [セルを結合して中央揃え]ボタンをクリックします。

連続する複数のセルを1つのセルに結合するには、[ホーム]タブ→[セルを結合して中央揃え]をクリックします。また、[セルを結合して中央揃え]の[∨]をクリックして表示されるメニューから結合方法を選択できます。

1 対象のセル範囲を選択し、[ホーム]タブ→[セルを結合して中央揃え]をクリックします。

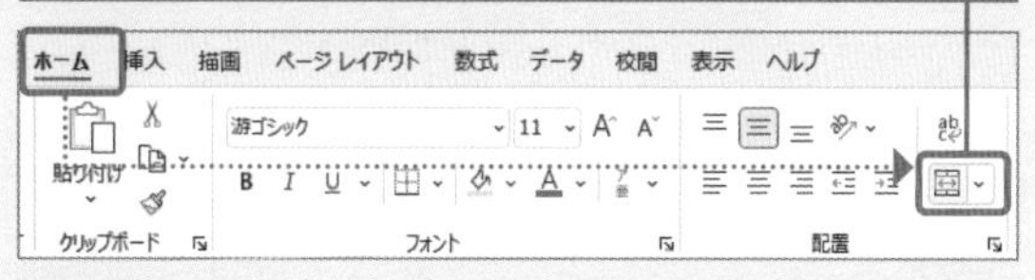

2 セルが結合され、文字列がセル内の中央に配置されます。

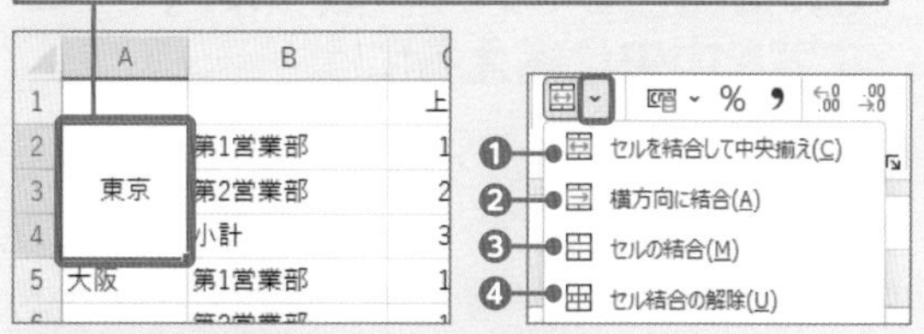

❶	セルを結合して中央揃え	選択したセル範囲のセルを1つに結合し、文字列を中央配置
❷	横方向に結合	選択したセル範囲の同じ行にあるセルを1つに結合
❸	セルの結合	選択したセル範囲のセルを1つに結合
❹	セル結合の解除	セルの結合を解除

Q675 お役立ち度 ★★★ 文字列の配置や向き 2021 2019 2016

セルの上下で文字の配置を変更するには

A [上揃え]、[上下中央揃え]、[下揃え]をクリックします。

行の高さを広げたセルや結合されたセル内にある文字列の上下の配置を変更するには、[上揃え]、[上下中央揃え]、[下揃え]をクリックします。

● 上下の配置を変更するボタン

☰	上揃え	上端に揃えて配置
☰	上下中央揃え	上下中央に配置
☰	下揃え	下端に揃えて配置

1 対象のセルを選択し、[ホーム]タブ→[上揃え]をクリックします。

2 文字列が上に配置されます。

Q676 お役立ち度 ★★★ 文字列の配置や向き 2021 2019 2016

セル内の文字列を均等な間隔で配置したい!

A [セルの書式設定] ダイアログの [配置] タブで設定します。

文字列をセル内で均等な間隔で配置するには、[セルの書式設定] ダイアログの [配置] タブで [均等割り付け (インデント)] を選択します。なお、半角英数字は均等割り付けできません。

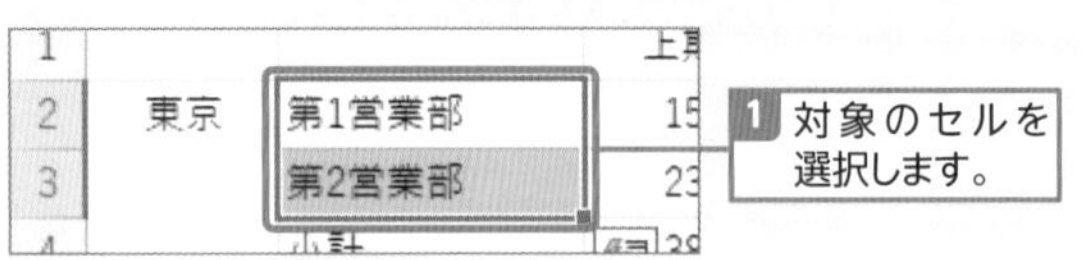

1 対象のセルを選択します。

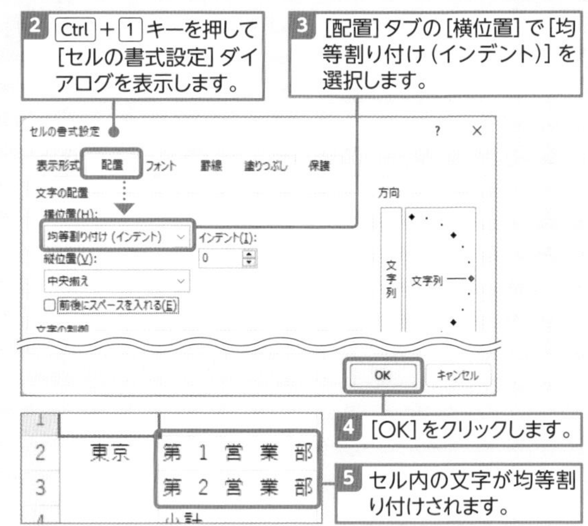

2 Ctrl + 1 キーを押して [セルの書式設定] ダイアログを表示します。
3 [配置] タブの [横位置] で [均等割り付け (インデント)] を選択します。

4 [OK] をクリックします。
5 セル内の文字が均等割り付けされます。

Q677 お役立ち度 ★★★ 文字列の配置や向き 2021 2019 2016

セルを結合しないで複数セル内で文字を中央に揃えるには

A [セルの書式設定] ダイアログの [配置] タブで設定します。

セルを結合しないで選択範囲内で文字列を中央に配置したいときは、[セルの書式設定] ダイアログの [配置] タブの [横位置] で [選択範囲内で中央] を選択します。

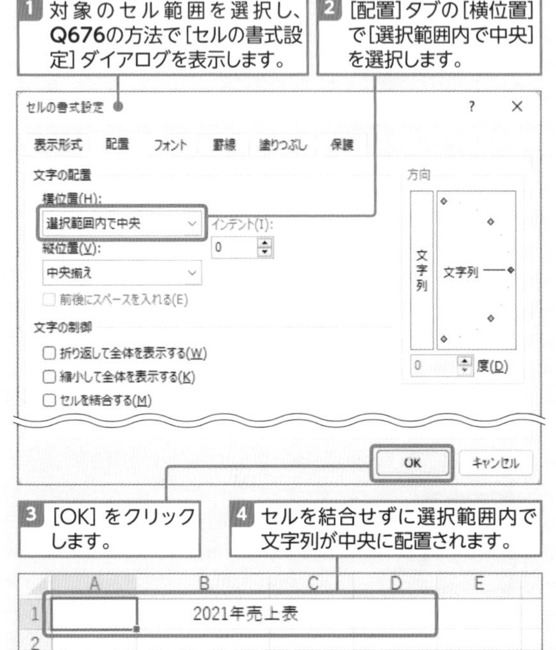

1 対象のセル範囲を選択し、Q676の方法で [セルの書式設定] ダイアログを表示します。
2 [配置] タブの [横位置] で [選択範囲内で中央] を選択します。
3 [OK] をクリックします。
4 セルを結合せずに選択範囲内で文字列が中央に配置されます。

Q678 お役立ち度 ★★★ 文字列の配置や向き 2021 2019 2016

セル幅より長い文字列のとき文字を縮小して表示するには

A [セルの書式設定] ダイアログで設定します。

文字列がセル幅より長い場合、列幅を変更しないで文字列すべてが表示されるように自動的に文字を縮小するには、[セルの書式設定] ダイアログの [配置] タブで [縮小して全体を表示する] にチェックを付けます。

1 対象のセルを選択し、Q676の方法で [セルの書式設定] ダイアログを表示します。
2 [配置] タブの [縮小して全体を表示する] にチェックを付けます。
3 [OK] をクリックします。
4 セルの幅に合わせて文字列が縮小されて全体が表示されます。

Q679 お役立ち度 ★★★ 文字列の配置や向き 2021 2019 2016

文字の方向を縦書きにしたい!

A [ホーム] タブ→ [方向] をクリックします。

セル内の文字を縦書きに変更するには、[ホーム] タブ→ [方向] → [縦書き] をクリックします。[方向] メニューでは縦書き以外に斜め45度や90度に回転させることもできます。解除するには再度 [縦書き] をクリックします。

1 対象のセルをクリックして、[ホーム] タブ→ [方向] → [縦書き] をクリックします。

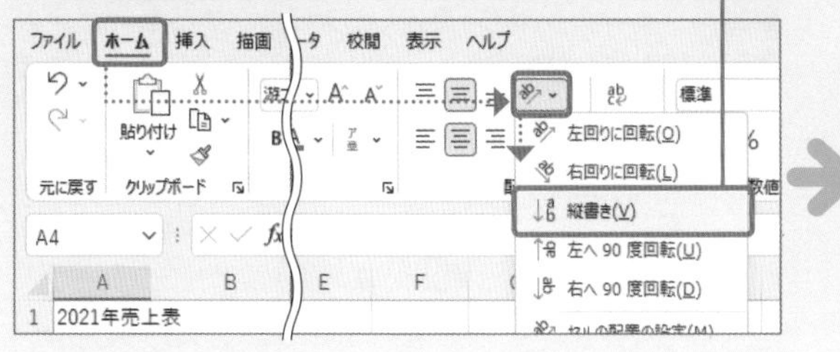

2 縦書きに変更されます。

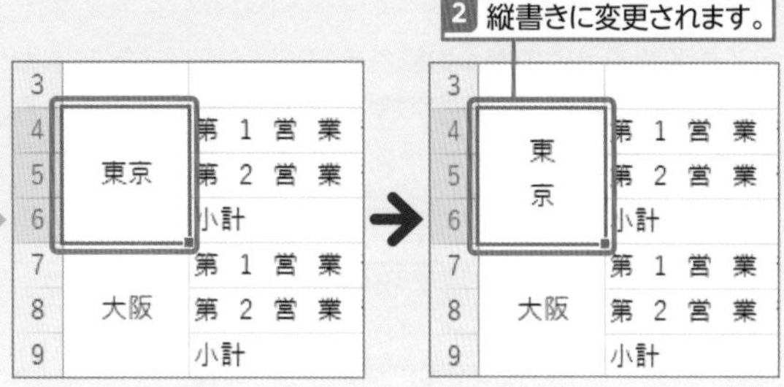

Q680 お役立ち度 ★★★ 文字列の配置や向き 2021 2019 2016

文字列の角度を指定したい!

A [セルの書式設定] ダイアログの [配置] タブで設定します。

セル内の文字列の角度を自由に変更するには、[セルの書式設定] ダイアログの [配置] タブの [方向] で、数値で角度を指定できます。回転を解除するには、角度を0度にします。

1 対象のセルを選択し、Q676の方法で [セルの書式設定] ダイアログを表示します。

2 [配置] タブの [方向] のボックスに数値で角度を入力し、[OK] をクリックします。

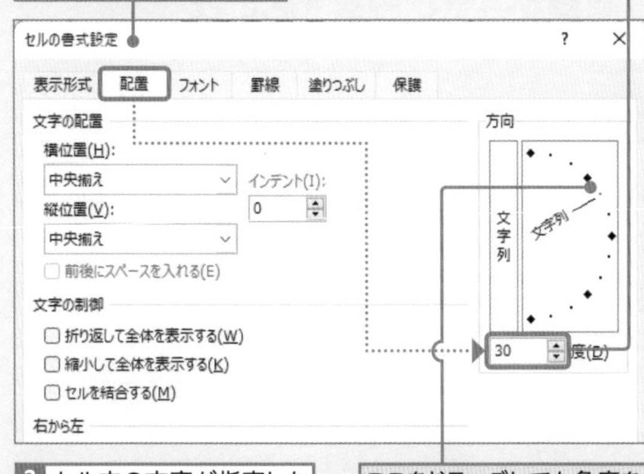

3 セル内の文字が指定した角度に設定されます。

ここをドラッグしても角度を変えられます。

Q681 お役立ち度 ★★★ 文字列の配置や向き 2021 2019 2016

文字の先頭位置を1文字下げたり、上げたりするには

A [ホーム] タブ→ [インデントを増やす]、[インデントを減らす] をクリックします。

セルの先頭を字下げすることをインデントといいます。[ホーム] タブの [インデントを増やす] をクリックすると1文字分インデントを設定し、[インデントを減らす] をクリックすると1文字分インデントを削除します。文字を少し字下げして揃えたいときに使えます。

1 対象のセルを選択し、[ホーム] タブ→ [インデントを増やす] を1回クリックします。

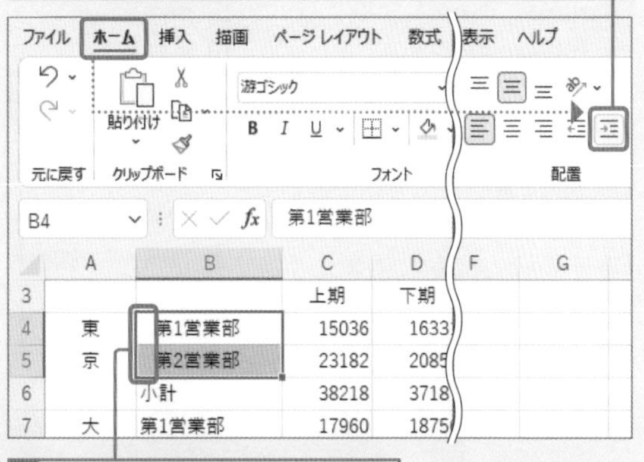

2 インデントが1文字分設定されます。

● インデントを設定するボタン

	インデントを減らす	1文字分のインデントを削除する
	インデントを増やす	1文字分のインデントを設定する

Q682 お役立ち度 ★★★ 罫線

罫線を引くには

A [罫線] の [∨] から設定したい罫線を選択します。

セルに罫線を引いてセルの周囲を線で囲んだり、区切ったりできます。[ホーム] タブの [罫線] の [∨] をクリックすると、いくつかの罫線のパターンの中から選択できます。罫線パターンを選択すると、[罫線] ⊞に選択したパターンが表示されます。

1 罫線を引きたいセルを選択します。

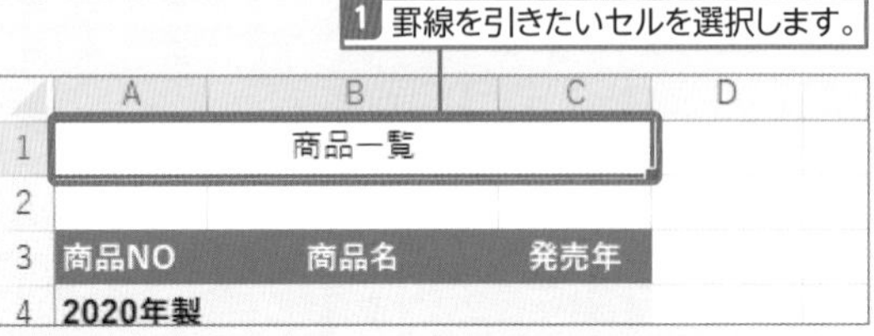

2 [ホーム] タブ→ [罫線] の [∨] をクリックします。

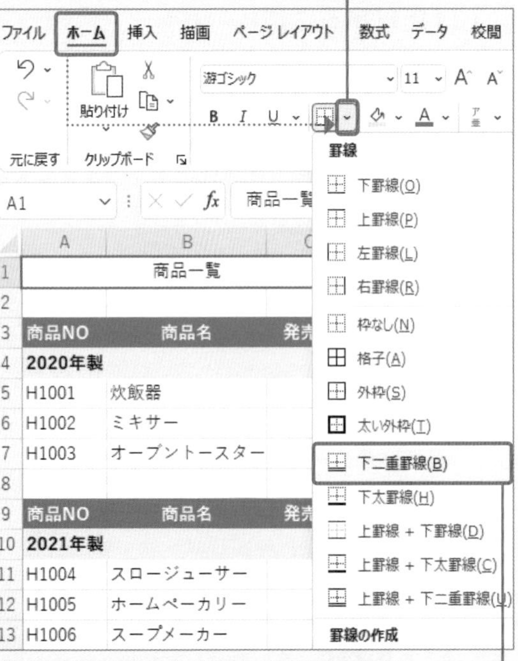

3 設定したい罫線のパターンをクリックします。

4 選択した罫線が設定されます。

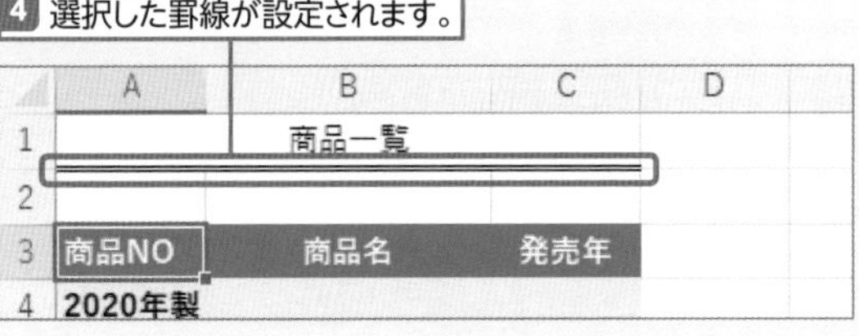

Q683 お役立ち度 ★★★ 罫線

格子罫線を引いて簡単に表組を整えるには

A [格子] を選択します。

罫線パターンの中から [格子] をクリックすると、セルの周囲に細実線が設定され、一気に表組に整えることができます。

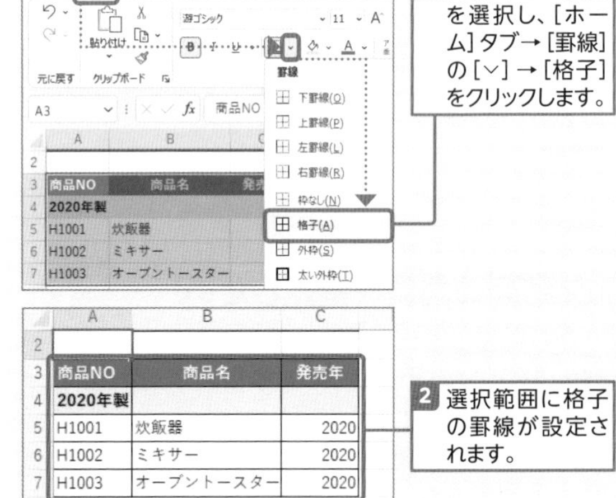

2 選択範囲に格子の罫線が設定されます。

Q684 お役立ち度 ★★★ 罫線

2021
2019
2016

罫線を一気に削除するには

A [枠なし] を選択します。

罫線パターンの中から [枠なし] を選択すると、選択範囲内にあるすべての罫線を一気に罫線を解除できます。

1 対象のセル範囲を選択し、[ホーム] タブ→ [罫線] の [∨] をクリックします。

2 [枠なし] をクリックします。

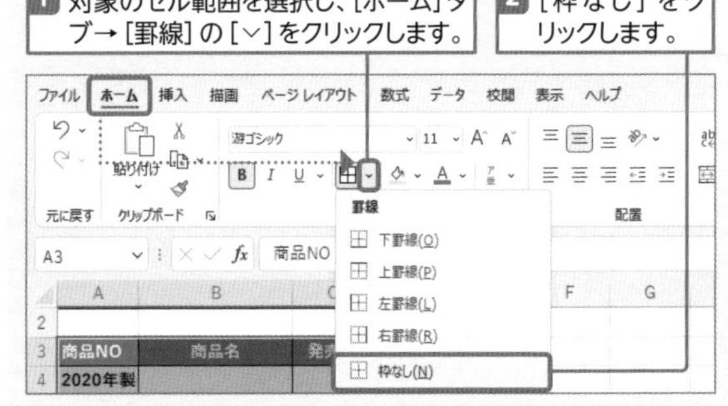

Q685 お役立ち度 ★★★ 罫線 2021 2019 2016

位置や種類や色を指定して罫線を引くには

A [セルの書式設定] ダイアログで設定します。

[セルの書式設定] ダイアログの [罫線] タブでは、選択範囲に対して線種、色、位置を指定して罫線を引くことができます。

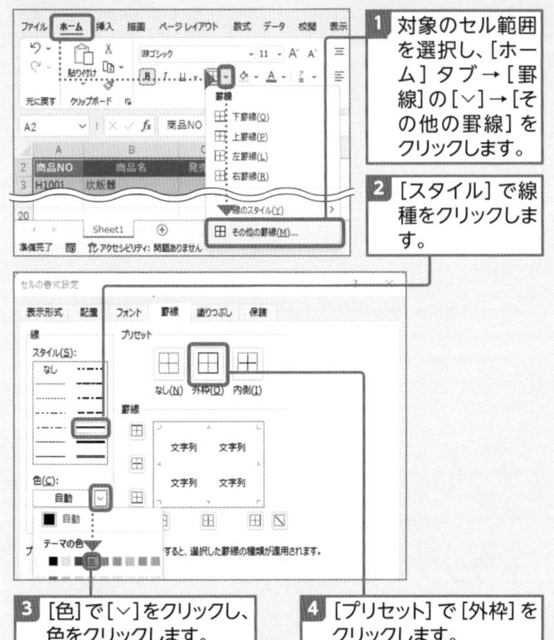

1 対象のセル範囲を選択し、[ホーム] タブ→[罫線] の [∨]→[その他の罫線] をクリックします。

2 [スタイル] で線種をクリックします。

3 [色] で [∨] をクリックし、色をクリックします。

4 [プリセット] で [外枠] をクリックします。

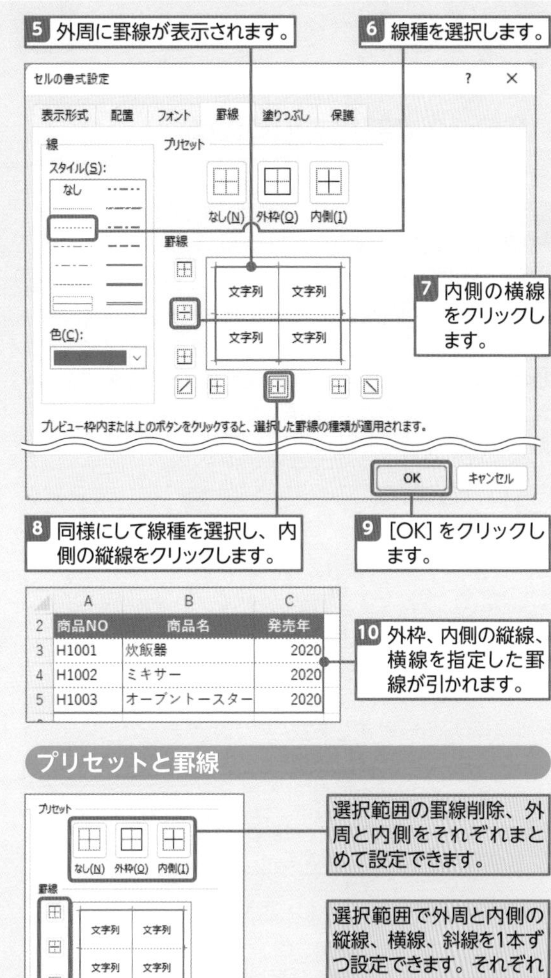

5 外周に罫線が表示されます。

6 線種を選択します。

7 内側の横線をクリックします。

8 同様にして線種を選択し、内側の縦線をクリックします。

9 [OK] をクリックします。

10 外枠、内側の縦線、横線を指定した罫線が引かれます。

プリセットと罫線

選択範囲の罫線削除、外周と内側をそれぞれまとめて設定できます。

選択範囲で外周と内側の縦線、横線、斜線を1本ずつ設定できます。それぞれのボタンをクリックするごとに設定・解除されます。

Q686 お役立ち度 ★★★ 罫線 2021 2019 2016

斜線を引くには

A [セルの書式設定] ダイアログで斜線を設定します。

セルに斜線を引くには、[セルの書式設定] ダイアログで設定します。

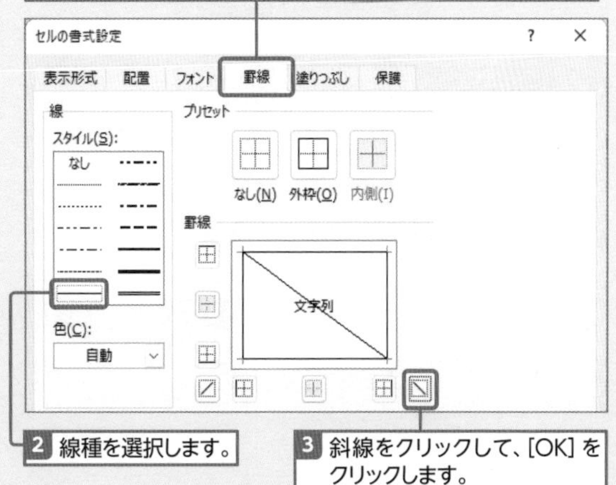

1 対象のセルを選択し、Q685の方法で [セルの書式設定] ダイアログの [罫線] タブを表示します。

2 線種を選択します。

3 斜線をクリックして、[OK] をクリックします。

お役立ち度 ★★★　罫線

ドラッグで罫線を引くには

A [罫線] メニューで [罫線の作成] をクリックします。

[罫線の作成] をクリックするとマウスポインターが鉛筆の形になり、ドラッグして罫線が引けます。終了するには、ESC キーを押します。また、[線の色] で色、[線のスタイル] で線種が変えられます。色や線種を変更すると変更後の設定が保持されます。最初の状態に戻したい場合は、それぞれで初期設定を選択してください。

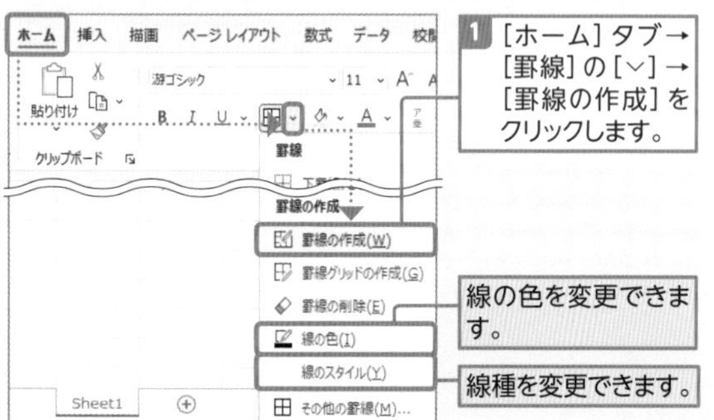

2 マウスポインターの形がに変わります。斜めにドラッグすると外周に罫線が引かれます。

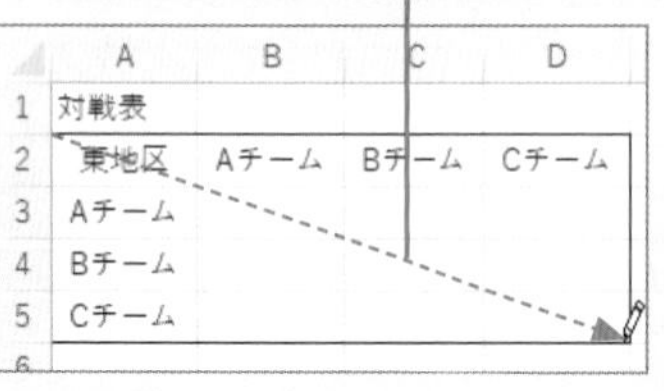

3 水平方向、垂直方向にドラッグすると、横線、縦線が引かれます。

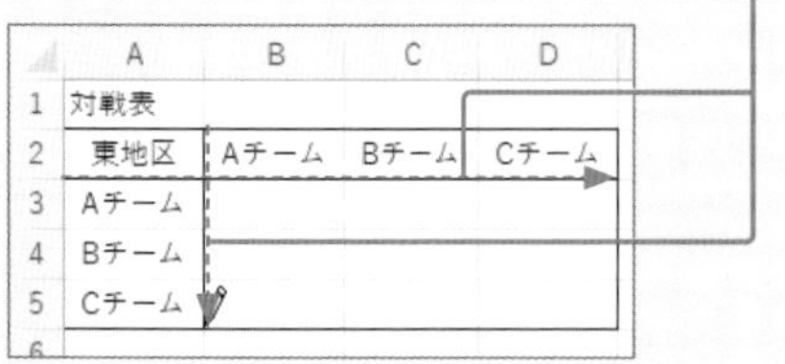

4 セル内で対角線を引くと斜線が引かれます。斜線はセル単位で設定します。

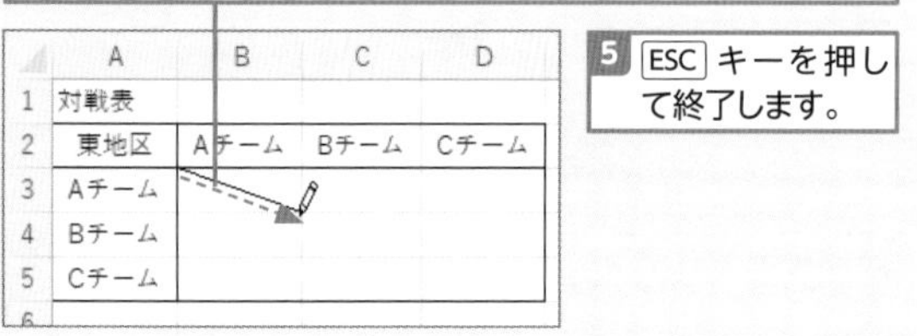

お役立ち度 ★★★　罫線

ドラッグで格子罫線を引くには

A [罫線] メニューで [罫線グリッドの作成] をクリックします。

[罫線グリッドの作成] をクリックするとマウスポインターの形がになり、ドラッグで格子線が引けます。終了するには ESC キーを押します。

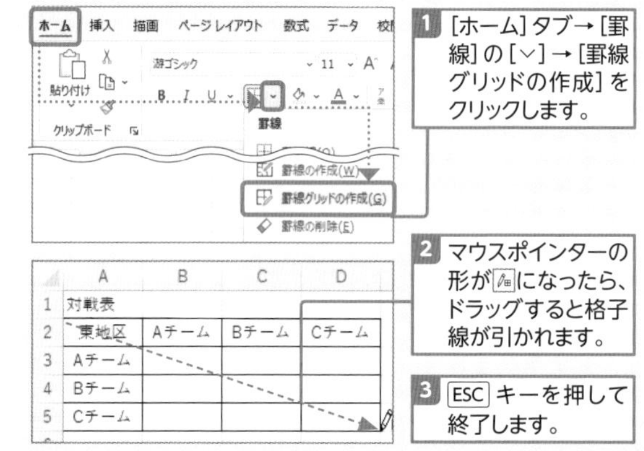

お役立ち度 ★★★　罫線

ドラッグで罫線を削除するには

A 罫線で [罫線の削除] をクリックします。

[罫線の削除] をクリックするとマウスポインターが消しゴムの形になり、ドラッグして罫線を削除できます。終了するには、ESC キーを押します。

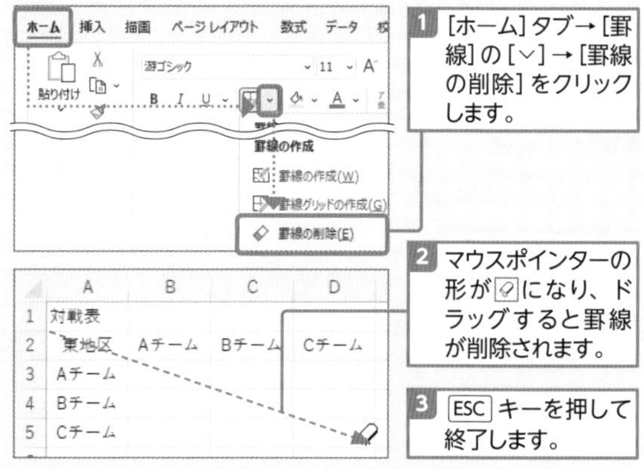

Q690 お役立ち度 ★★★ 表示形式

2021 2019 2016

表示形式って何?

A セルの値をどのように表示するか指定する書式です。

[表示形式]を設定すると、セルに入力された値の見た目を変更できます。表示形式を変更してもセルの値は変更されません。[ホーム]タブの[数値]グループに表示形式に関するボタンが集められています。[数値]グループの⊡をクリックして表示される[セルの書式設定]ダイアログの[表示形式]タブでは、表示形式をより詳細に設定できます。

[ホーム] タブの [数値] グループ

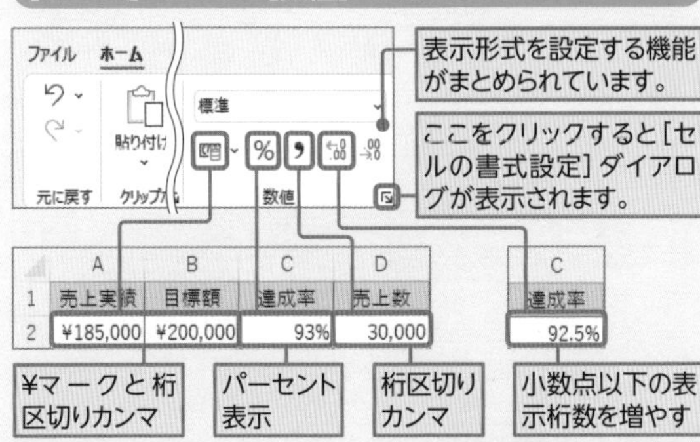

標準	数値の書式	標準、通貨、日付、分数など数値の表示形式を設定(下表参照)
	通貨表示形式	通貨記号を付ける
%	パーセントスタイル	パーセント表示
,	桁区切りスタイル	3桁ごとの桁区切りカンマ表示
	小数点以下の表示桁数を増やす	小数点以下の桁数を1桁ずつ増やす
	小数点以下の表示桁数を減らす	小数点以下の桁数を1桁ずつ減らす

[数値の書式] で選択できる表示形式

標準	表示形式なし(**Q691**)
数値	入力された数値をそのまま表示(**Q532**)
通貨	「¥12,345」の形式で表示
会計	「¥」をセルの左端に揃えて「¥　12,345」の形式で表示(**Q694**)
短い日付形式	「2020/7/5」の形式で表示
長い日付形式	「2020年7月5日」の形式で表示
時刻	「13:25:40」の形式で表示
パーセンテージ	「0.25」を「25%」の形式で表示
分数	「0.5」を「1/2」の形式で表示(**Q530**)
指数	10の4乗を「1.E+04」の形式で表示
文字列	数値を文字列として表示(**Q695**)

Q691 お役立ち度 ★★★ 表示形式

2021 2019 2016

表示形式を解除するには

A [数値の書式] で [標準] を選択します。

[数値の書式]の[∨]をクリックして一覧から[標準]をクリックすると、表示形式が解除され、セルに入力されている元のデータが表示されます。なお、日付や時刻のセルに[標準]を設定すると「シリアル値」という数値が表示されます(**Q789**)。

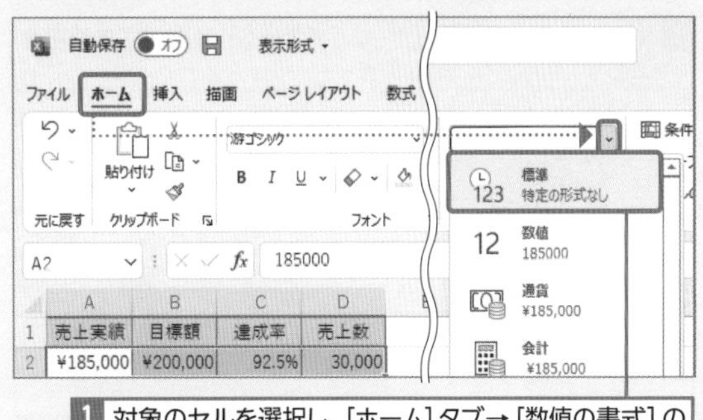

1 対象のセルを選択し、[ホーム] タブ→ [数値の書式] の [∨] → [標準] をクリックします。

Q692 お役立ち度 ★★★ 表示形式

2021 2019 2016

「¥」以外の通貨記号を付けられないの?

A [通貨表示形式] の [∨] をクリックします。

[通貨表示形式]をクリックすると「¥」が表示されますが、隣の [∨] をクリックすると「$」(ドル)や「€」(ユーロ)など主な通貨記号を選択できます。

1 対象のセルを選択し、[ホーム] タブ→[通貨の表示形式]の[∨]をクリックして通貨記号を選択します。

ここをクリックして他の通貨記号を選択できます。

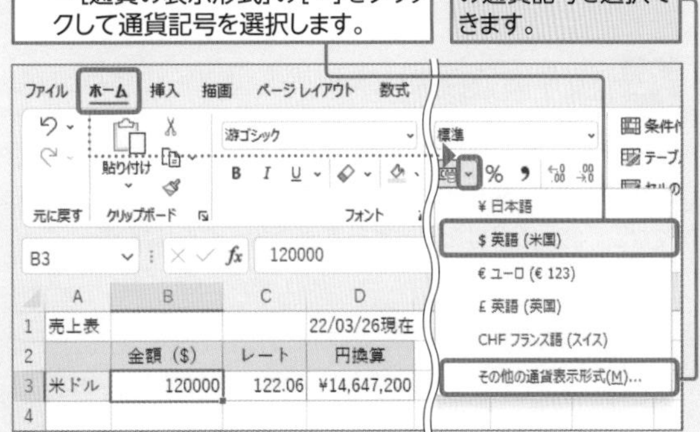

Q693 お役立ち度 ★★★ 表示形式

2021 2019 2016

「0.9567」を小数点以下第2位まで表示するには

A [ホーム] タブ→ [小数点以下の表示桁数を減らす] をクリックします。

[小数点以下の桁数を減らす]を1回クリックすると小数点以下の桁数を1桁減らします。表示桁数を減らすと非表示になる桁で四捨五入された数値が表示されます。これは表示のみで実際の数値は変更しません（**Q541**）。

1 対象のセルを選択し、[ホーム] タブ→ [小数点以下の桁数を減らす] を2回クリックします。

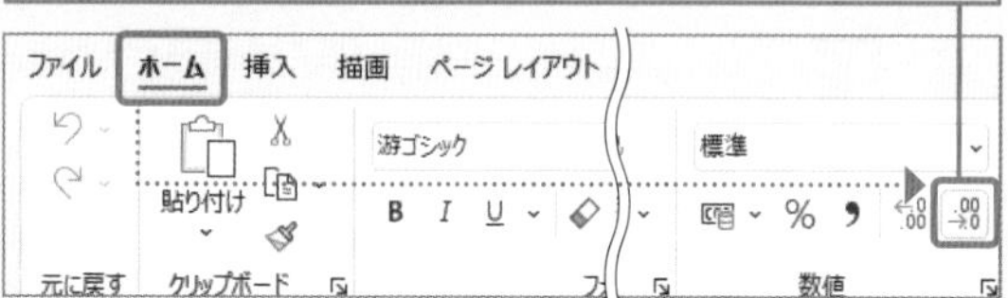

2 小数点以下第3位が四捨五入されて、小数点第2位まで表示されます。数式バーを確認すると、元の数値は変わっていません。

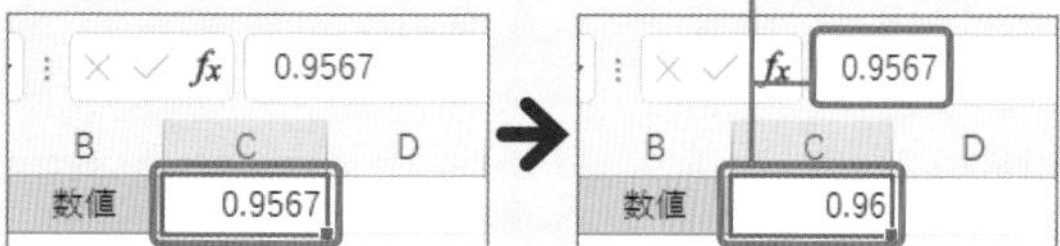

おトクな情報 ROUND関数で数値を四捨五入する

ROUND関数を使うと、数値を四捨五入して指定した桁数の数値に変換できます（Q762）。

Q694 お役立ち度 ★★★ 表示形式

2021 2019 2016

通貨記号の位置を揃えたい!

A [会計] を選択します。

表示形式を[会計]にすると、通貨記号の位置が揃い、0は「-」(ハイフン）で表示され、小数点位置も揃います。

1 対象のセルを選択します。

2 [ホーム] タブ→ [数値の書式] の [∨] → [会計] をクリックします。

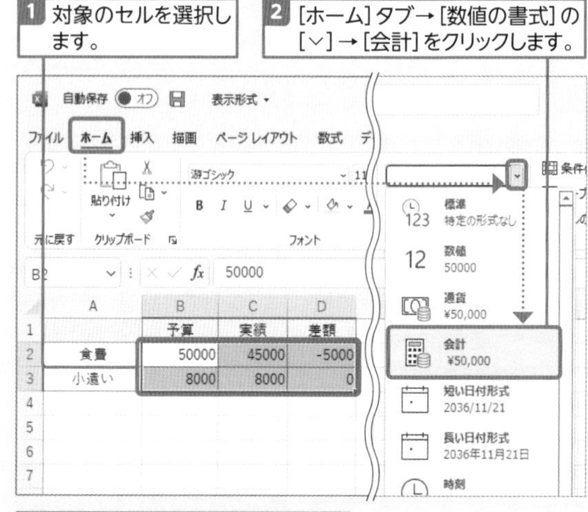

3 会計の表示形式が設定されます。

	A	B	C	D	E
1		予算	実績	差額	
2	食費	¥ 50,000	¥ 45,000	¥ -5,000	
3	小遣い	¥ 8,000	¥ 8,000	¥ -	
4					

Q695 お役立ち度 ★★★ 表示形式

2021 2019 2016

「001」と入力したらそのまま「001」と表示させたい!

A [文字列] を選択します。

表示形式を[文字列]にすると、入力した数値は文字列として扱われるようになります。また、先頭に「'」(アポストロフィ）を入力してから「001」を入力する方法もあります（**Q529**）。

1 対象のセルを選択します。

2 [ホーム] タブ→ [数値の書式] の [∨] → [文字列] をクリックします。

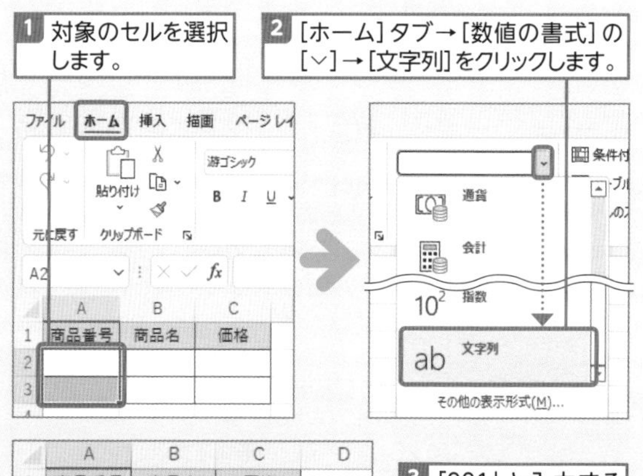

3 「001」と入力するとそのまま表示されます。

Q696 数値の表示形式をカスタマイズしたい!

お役立ち度 ★★★　表示形式

A [セルの書式設定] ダイアログでユーザー定義を設定します。

数値の表示形式は、[セルの書式設定] ダイアログの [表示形式] タブにある [分類] から種類を選択し、用意されている表示形式を一覧から選択できます。一覧にないオリジナルの形式で表示したい場合は [ユーザー定義] を選択し、[種類] の入力欄に書式記号を使って設定します。

数値の主な書式記号

記号	説明
0	数値の1桁を表す。数値の桁数が表示形式の桁数より少ない場合は、表示形式の桁まで0を補う
#	数値の1桁を表す。数値の桁数が表示形式の桁数にかかわらずそのまま表示する。1の位に「#」を指定した場合、値が「0」だと何も表示されない
?	数値の1桁を表す。数値の桁数が、表示形式の桁数より少ない場合は、表示形式の桁までスペースを補う。小数点位置や分数の位置を揃えたいときに使用(**Q705**)
.	小数点を表示
,	3桁ごとの桁区切りを表示。千単位、百万単位の数値を表示したいときにも利用する
%	パーセント表示

設定例

表示形式	入力値	表示結果
0000	1	0001
	10	0010
#,##0	0	0
	1500	1,500
#,###	0	
	1500	1,500
0.0	1.26	1.3
	10	10.0

おトクな情報 ユーザー定義の表示形式の保存

ユーザー定義に追加した表示形式は、ブック内に保管されます。他のセルに追加したユーザー定義の表示形式を設定したい場合は、[ユーザー定義] の一覧から追加した表示形式を選択して設定できます。また、間違えて設定した場合など、追加した表示形式を削除したい場合は、削除したい表示形式をクリックして選択し、[削除] ボタンをクリックします。表示形式を削除すると、セルに設定されていた表示形式は解除されます。

ユーザー定義の設定手順

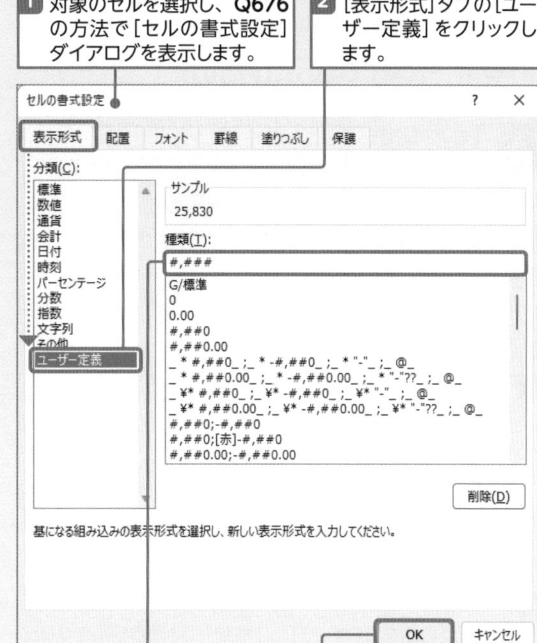

3 [種類] に書式記号を使って表示形式を入力します。

4 [OK] をクリックします。

	A	B	C
1		7月1日	7月2日
2	ランチA	25830	0
3	ランチB	18250	14600

↓

	A	B	C
1		7月1日	7月2日
2	ランチA	25,830	
3	ランチB	18,250	14,600

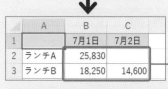

5 表示形式が変更されます。

ユーザー定義の表示形式の指定方法

ユーザー定義を設定する場合、下図のように「;」(セミコロン) で最大4つの区分に分けて指定できます。1つだけ指定した場合は、すべての数値に同じ書式が適用されます。2つ指定した場合は、「正の数値と0の書式;負の数値の書式」になります。

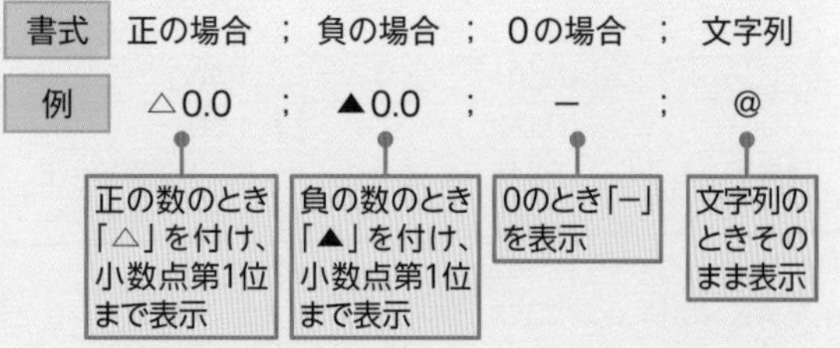

Q697 お役立ち度 ★★★ 表示形式

2021 2019 2016

数値を漢字で「十二万」や「壱拾弐萬」で表示したい!

A [セルの書式設定] ダイアログで [漢数字] や [大字] を選択します。

[セルの書式設定] ダイアログの [表示形式] タブの [その他] に [漢数字] と [大字] が用意されています。[大字] は主に数値の改ざん防止を目的として使用されます。また、[その他] には [郵便番号] や [全角桁区切り] などの表示形式も用意されています。

1 対象のセルを選択し、[ホーム] タブ→ [数値] グループの をクリックします。

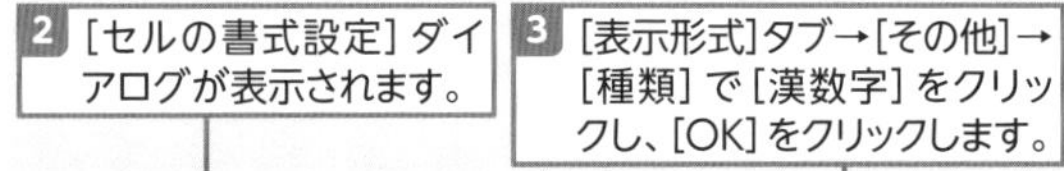

2 [セルの書式設定] ダイアログが表示されます。
3 [表示形式] タブ→[その他]→[種類] で [漢数字] をクリックし、[OK] をクリックします。

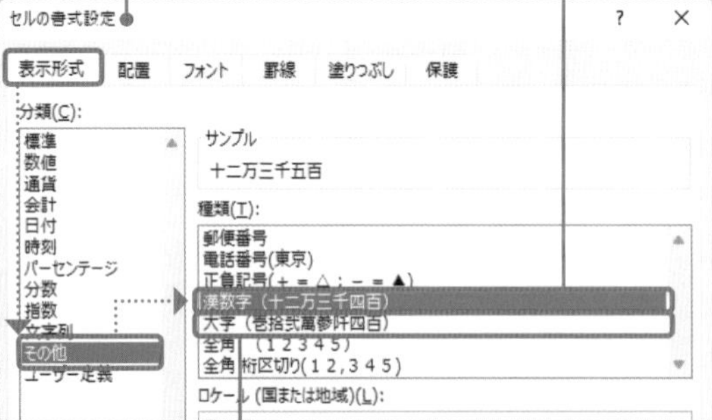

● [その他] で設定できる表示形式

表示形式	入力値	表示結果
郵便番号	1060032	106-0032
電話番号 (東京)	0312345678	(03) 1234-5678
正負記号	1000	△ 1,000
	-1500	▲ 1,500
漢数字	12345	一万二千三百四十五
大字	12345	壱萬弐阡参百四拾伍
全角	12345	１２３４５
全角桁区切り	12345	１２，３４５

Q698 お役立ち度 ★★★ 表示形式

2021 2019 2016

「1」と入力して「001」と表示させたい!

A 表示形式を「000」に設定します。

ユーザー定義の表示形式を、表示したい桁数分だけ書式記号の「0」を並べます。「000」と設定すると、3桁になるように先頭に0が自動的に補われます。

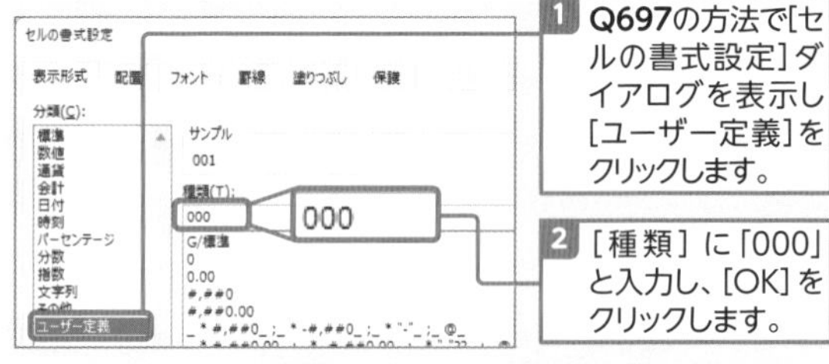

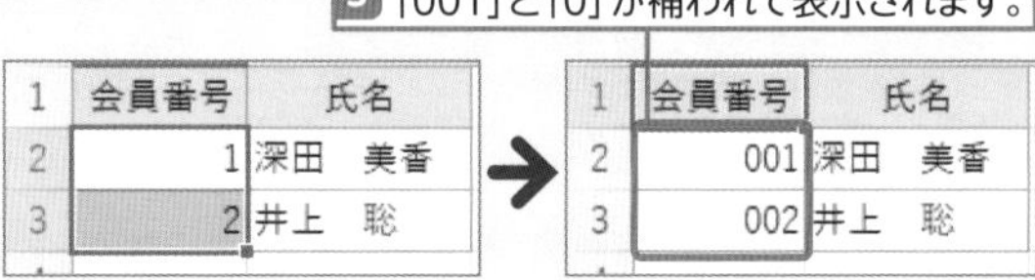

Q699 お役立ち度 ★★★ 表示形式

2021 2019 2016

「090-1234-5678」のように携帯電話番号の形式にしたい!

A 表示形式を「000-0000-0000」に設定します。

携帯電話番号を入力すると、そのままだと先頭の0が表示されません。表示形式を設定すれば、入力後であっても0が補われ、ハイフンも自動的に表示されます。

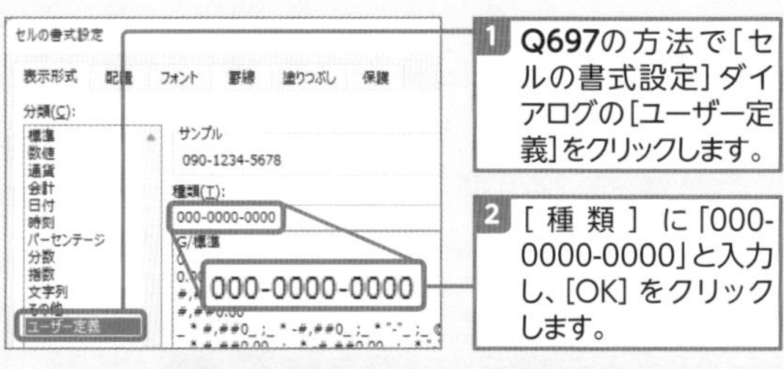

Q700 お役立ち度 ★★★ 表示形式 2021 2019 2016

「100」を「100円」のように表示したい!

A 数値の表示形式と文字を組み合わせます。

「1,000円」のように、数値「1000」の後ろに文字列「円」を表示したいときは、数値の表示形式と文字を組み合わせ「#,##0"円"」と指定します。文字列と組み合わせる場合、文字列を「"」で囲んで「#,##0"円"」としますが、入力時に省略しても自動的に補われます。

1 Q697の方法で［セルの書式設定］ダイアログの［ユーザー定義］をクリックします。

2 ［種類］に「#,##0円」と入力し、［OK］をクリックします。

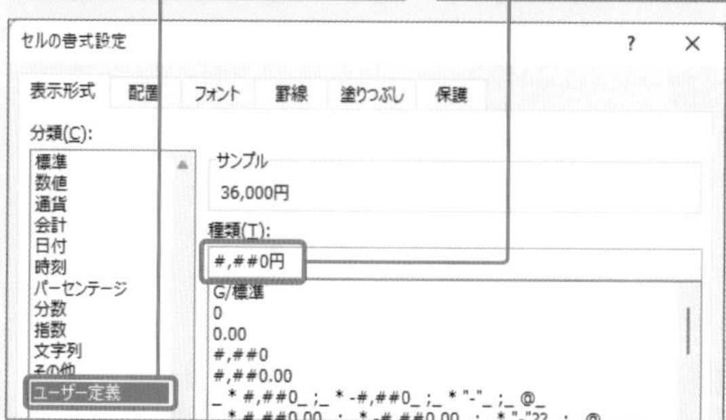

3 桁区切りカンマと「円」が表示されます。

1	日付	入金額
2	7月1日	36000
3	7月2日	28000
4	7月3日	18000

→

1	日付	入金額
2	7月1日	36,000円
3	7月2日	28,000円
4	7月3日	18,000円

Q701 お役立ち度 ★★★ 表示形式 2021 2019 2016

「定員」を左端に揃えて「定員 50人」と表示するには

A 繰り返し文字の書式記号「*」を組み合わせます。

次の文字を繰り返す書式記号「*」(アスタリスク)を使います。「*」の次に半角スペースを入力して「* 」とすると、半角スペースがセルの幅を埋めるよう繰り返されます。

1 Q697の方法で［セルの書式設定］ダイアログの［ユーザー定義］をクリックします。

2 ［種類］に「定員* 0人」と入力し、［OK］をクリックします。

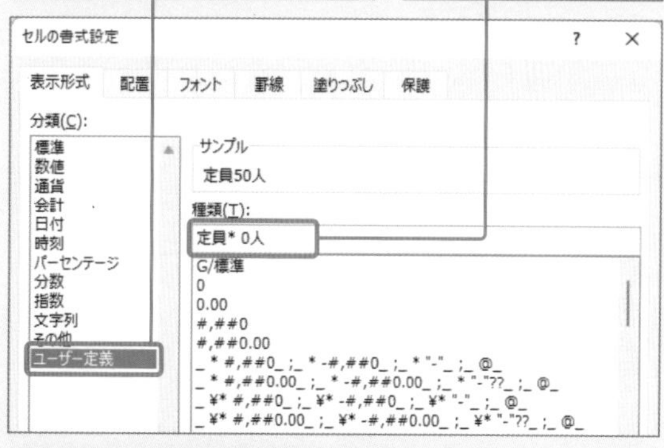

3 「定員」と表示され、数値までの間がスペースで埋められて、「人」が後ろに表示されます。

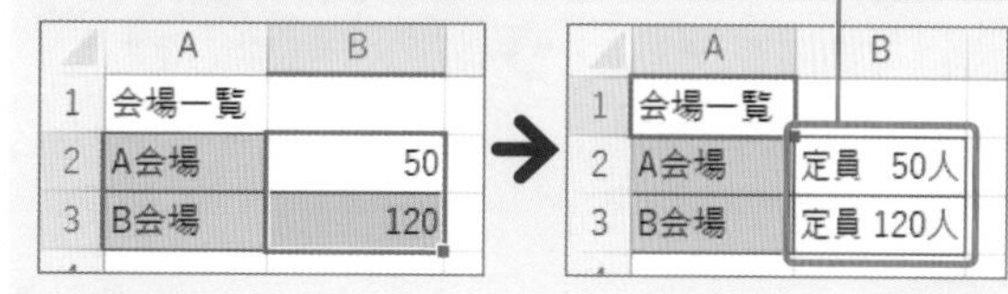

	A	B
1	会場一覧	
2	A会場	50
3	B会場	120

→

	A	B
1	会場一覧	
2	A会場	定員　50人
3	B会場	定員 120人

Q702 お役立ち度 ★★★ 表示形式 2021 2019 2016

分数で分母を同じにするには

A 表示形式を「# ?/分母」の形式で指定します。

表示形式を分母にすると、「2/4」は「1/2」に自動的に約分されて表示されます。複数セルの分数を通分して分母を同じにしたい場合は、「# ?/分母」の形式で表示形式を設定します。例えば、分母を12にするには、「# ?/12」と設定します。

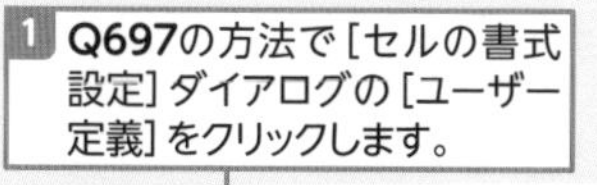

1 Q697の方法で［セルの書式設定］ダイアログの［ユーザー定義］をクリックします。

2 ［種類］に「# ?/12」と入力し、［OK］をクリックします。

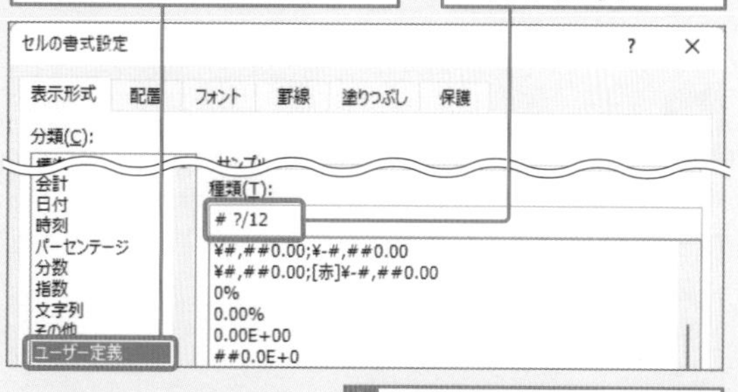

3 分母が「12」で統一されます。

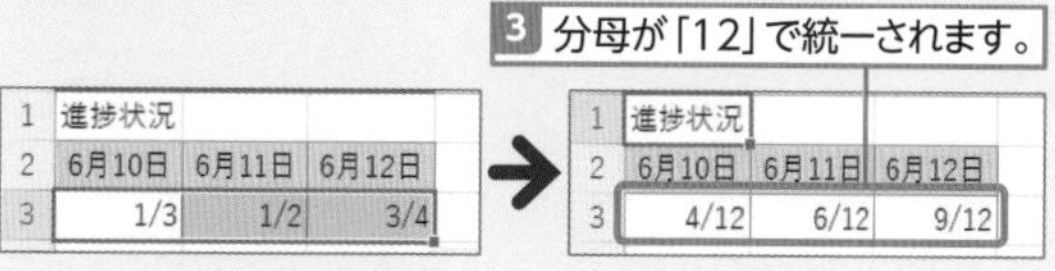

1	進捗状況		
2	6月10日	6月11日	6月12日
3	1/3	1/2	3/4

→

1	進捗状況		
2	6月10日	6月11日	6月12日
3	4/12	6/12	9/12

Q703 お役立ち度 ★★★ 表示形式 2021 2019 2016

文字列の最後に「様」と表示するには

A 「@」と文字「様」を組み合わせます。

「@」は、セルに入力された文字列を示す書式記号です。「@様」と指定すれば、セルの文字列と「 様」を組み合わせて表示できます。

1 Q697の方法で［セルの書式設定］ダイアログの［ユーザー定義］をクリックします。

2 ［種類］に「@ 様」と入力し、［OK］をクリックします。

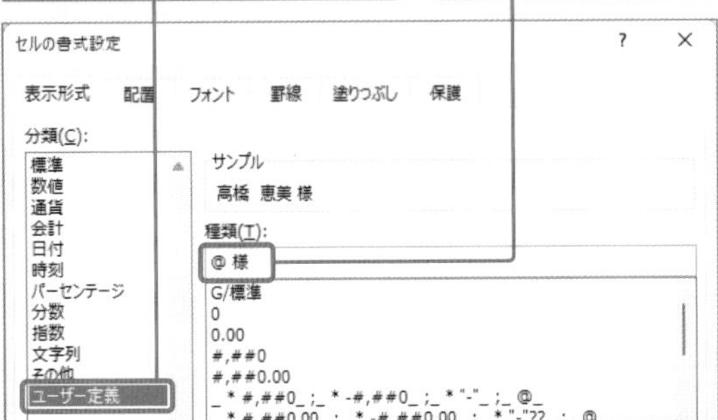

3 名前の後ろに「様」が表示されます。

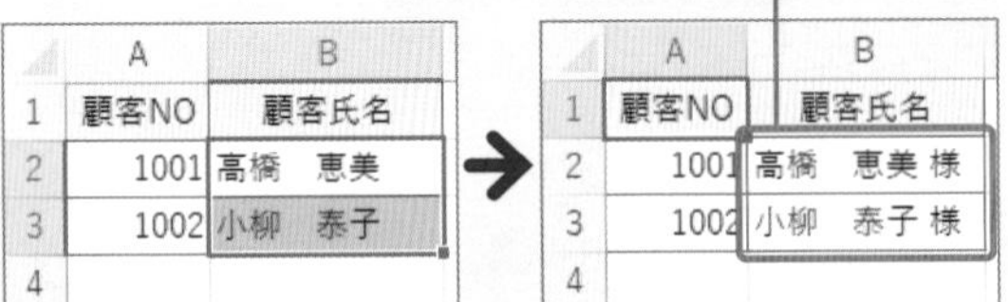

Q704 お役立ち度 ★★★ 表示形式 2021 2019 2016

千単位、百万単位の数値を表示するには

A 表示形式で［#,##0,］のように「,」を末尾に追加します。

桁区切りカンマの書式記号「,」を末尾に1つ付けると、下3桁を省略し千単位で表示します。「,,」と末尾に2つ付けると、下6桁を省略して百万単位になります。

1 Q697の方法で［セルの書式設定］ダイアログの［ユーザー定義］をクリックします。

2 ［種類］に「#,##0,」と入力し、［OK］をクリックします。

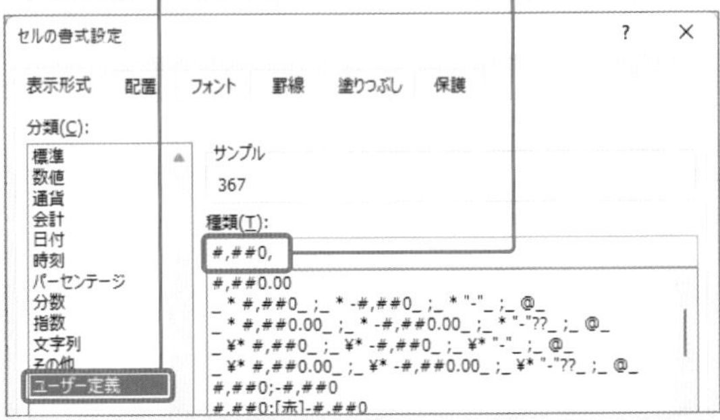

3 下3桁の数値が省略され、千単位で表示されます。単位が千円であることを示すよう「単位:千円」を追加しておきます。

Q705 お役立ち度 ★★★ 表示形式 2021 2019 2016

小数点の位置を揃えるには

A 表示形式を「0.??」のように設定します。

小数点の位置を揃えたいときは、「0.??」のように「?」を使って小数点以下の桁数を指定します。「0.??」は小数点以下2桁表示で表示位置が揃います。

1 Q697の方法で［セルの書式設定］ダイアログの［ユーザー定義］をクリックします。

2 ［種類］に「0.??」と入力し、［OK］をクリックします。

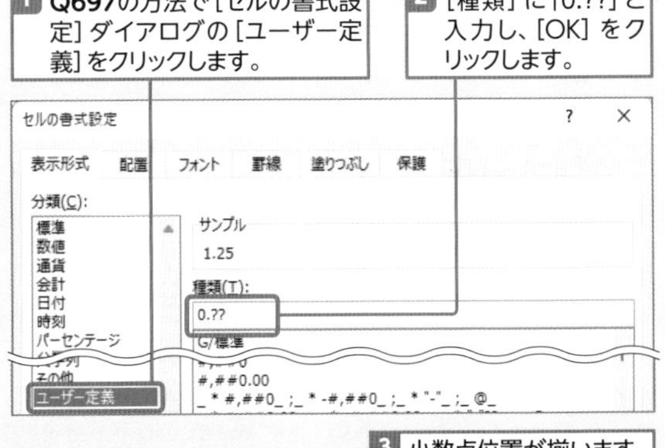

3 小数点位置が揃います。

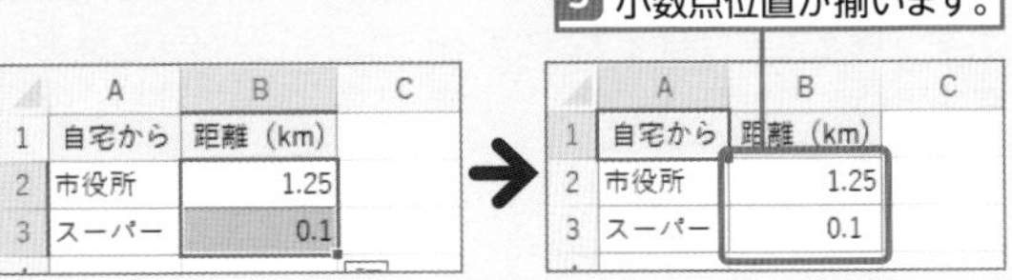

Q706 お役立ち度 ★★★ 表示形式 2021 2019 2016

負の数は色を赤字で表示したい!

A 表示形式で色を半角の [] で囲んで指定します。

表示形式で文字の色を指定するには、「[赤]」のように色を半角の[]で囲んで指定します。負の数を赤字で表示する場合「#,##0;[赤]▲#,##0」のように設定します(Q696)。文字の色は、黒、白、赤、緑、青、黄、紫、水色の8色が指定できます。

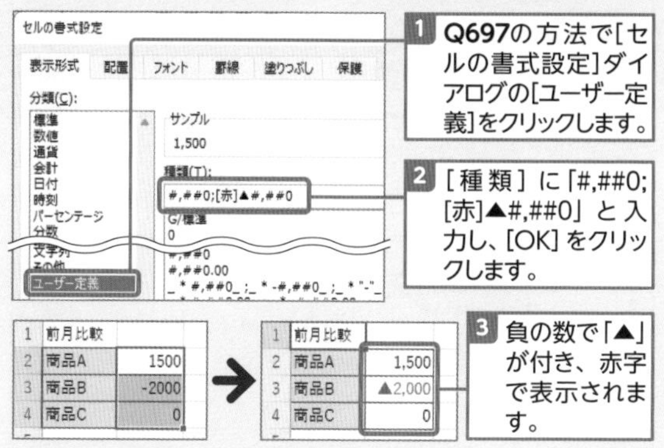

Q707 お役立ち度 ★★★ 表示形式 2021 2019 2016

「1万5千625円」のように表示するには

A 表示形式に条件と数値の表示形式を組み合わせます。

数値が「10000以上の場合○万○千○円、1000以上の場合○千○円、それ以外の場合は○円」という意味の表示形式を設定します。したがって、「[>=10000]#万#千##0円;[>=1000]#千##0円;##0円」と指定すれば目的の表示形式に設定できます。

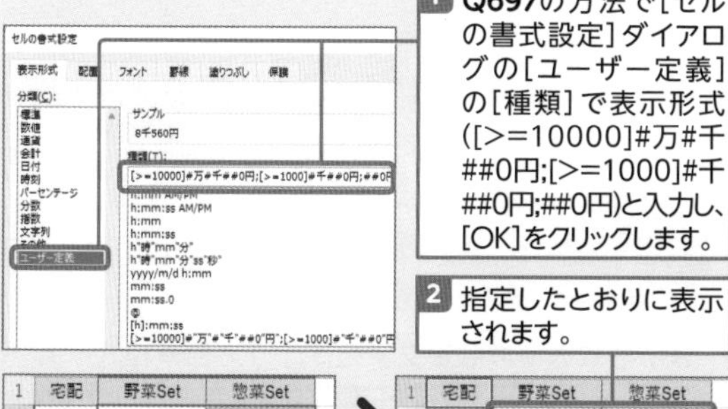

1 Q697の方法で[セルの書式設定]ダイアログの[ユーザー定義]の[種類]で表示形式([>=10000]#万#千##0円;[>=1000]#千##0円;##0円)と入力し、[OK]をクリックします。
2 指定したとおりに表示されます。
宅配 野菜Set 惣菜Set
東地区 8560 7460
西地区 12740 24680
宅配 野菜Set 惣菜Set
東地区 8千560円 7千460円
西地区 1万2千740円 2万4千680円

Q708 お役立ち度 ★★★ 表示形式 2021 2019 2016

50以上は赤字、それ以外は青字で表示したい!

A 表示形式で条件式を [] で囲んで指定します。

数値が条件を満たすときの書式を指定するには、条件式は半角の[]で囲んで「[>=50]」(意味:数値が50以上)のように比較演算子と数値を使って指定します。「50以上は赤字、それ以外は青字」にするには、「[赤][>=50]0;[青] 0」と設定します。

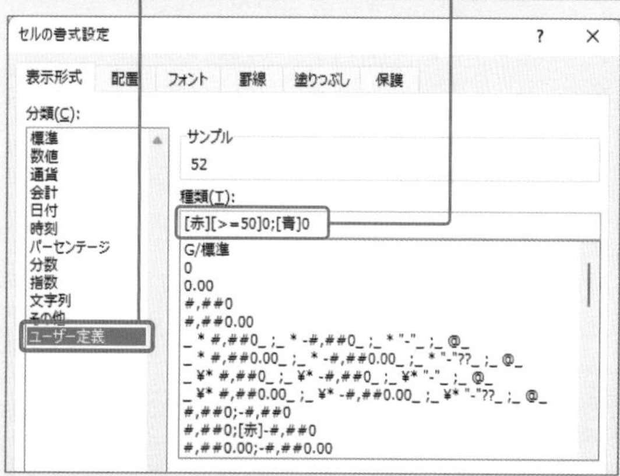

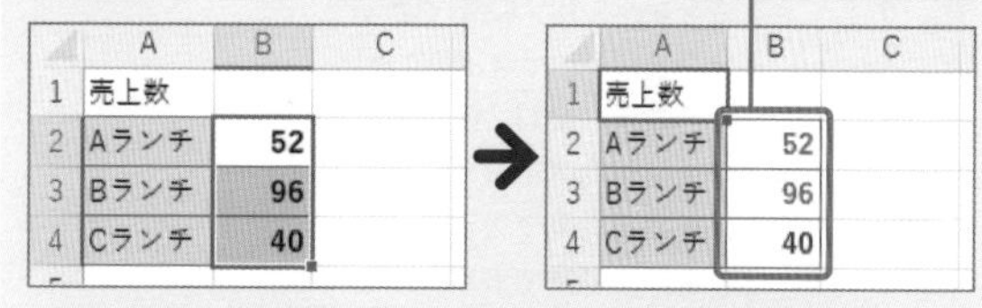

3 数値が50以上の場合は赤字、それ以外は青字で表示されます。
売上数
Aランチ 52
Bランチ 96
Cランチ 40

条件を指定する場合の指定方法

[条件]と条件を満たすときの書式を「;」で区切って複数指定できます。最後にいずれの条件も満たさない場合の書式を、必要であれば追加します。

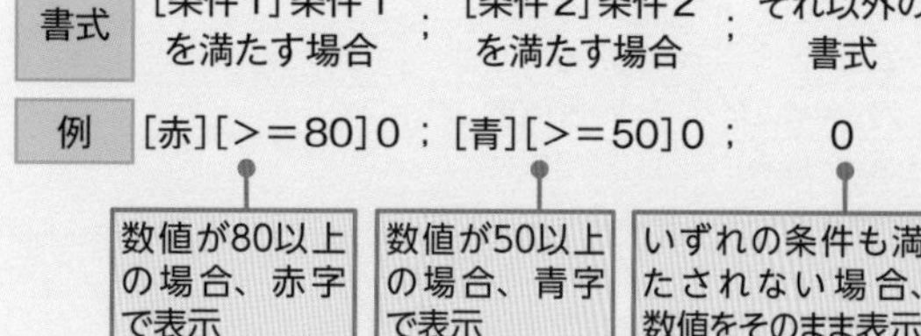

書式 [条件1]条件1を満たす場合 ; [条件2]条件2を満たす場合 ; それ以外の書式
例 [赤][>=80]0 ; [青][>=50]0 ; 0

Q709 お役立ち度 ★★★ 表示形式

日付や時刻の表示形式をカスタマイズしたい!

A [ユーザー定義]で表示形式を設定します。

日付を「06/30」や「R2.6.30」のようにオリジナルの形式で表示したい場合は、[セルの書式設定]ダイアログの[表示形式]タブで[ユーザー定義]を選択し、書式記号を使って指定します。

日付の書式記号

書式記号	内容
yy、yyyy	西暦の年を2桁、4桁で表示
e、ee	和暦の年を表示。eeは2桁で表示
g	元号を「S」「H」「R」の形式で表示
gg	元号を「昭」「平」「令」の形式で表示
ggg	元号を「昭和」「平成」「令和」の形式で表示
m、mm	月を表示。mmは2桁で表示
mmm	月を「Jan」「Feb」の形式で表示
mmmm	月を「January」「February」の形式で表示
d、dd	日を表示。ddは2桁で表示
ddd	曜日を「Sun」「Mon」の形式で表示
dddd	曜日を「Sunday」「Monday」の形式で表示
aaa	曜日を「日」「月」の形式で表示
aaaa	曜日を「日曜日」「月曜日」の形式で表示

時刻の書式記号

書式記号	内容
h、hh	時を表示。hhは2桁で表示
m、mm	分を表示。mmは2桁で表示
s、ss	秒を表示。ssは2桁で表示
[h]	時を経過時間で表示
[m]	分を経過時間で表示
[s]	秒を経過時間で表示
AM/PM	12時間表示を使用して時を表示
am/pm	
A/P	
a/p	

日付の設定例（入力値：2020/6/30）

表示形式	表示結果
m/d	6/30
yyyy/mm/dd	2020/06/30
mm/dd(aaa)	06/30(火)
yyyy年mm月	2020年06月
gee.m.d(ddd)	R02.6.30(Tue)
ggge年mm月dd日	令和2年06月30日

時刻の設定例（入力値：18:05:20）

表示形式	表示結果
hh:mm	18:05
h:mm AM/PM	6:05 PM
h時mm分ss秒	18時05分20秒

ユーザー定義の設定手順

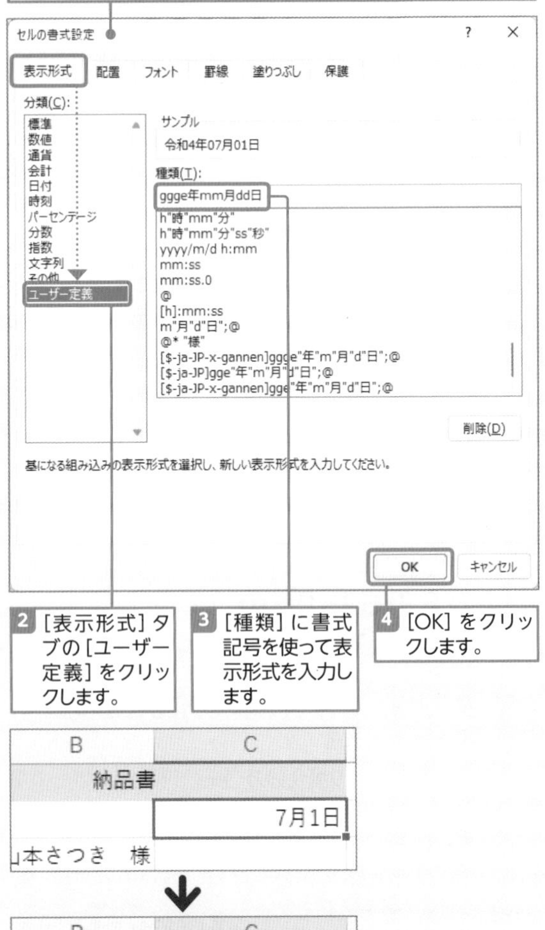

おトクな情報 文字列を囲む「"」は省略できる

表示形式の中の固定文字列は、「"」で囲み「ggge"年"mm"月"dd"日"」のように設定しますが、入力時に省略しても、自動的に「"」が補われます。

Q710 お役立ち度 ★★★ 表示形式 2021 2019 2016

日付を和暦で表示するには

A [カレンダーの種類] で [和暦] を選択します。

「2022/6/30」を「R4.6.30」や「令和4年6月30日」のように和暦に変更できます。なお、西暦に戻すには、[カレンダーの種類] で [グレゴリオ暦] を選択します。

1 Q697の方法で[[セルの書式設定] ダイアログの [日付] をクリックします。

2 [カレンダーの種類] で [和暦] を選択します。

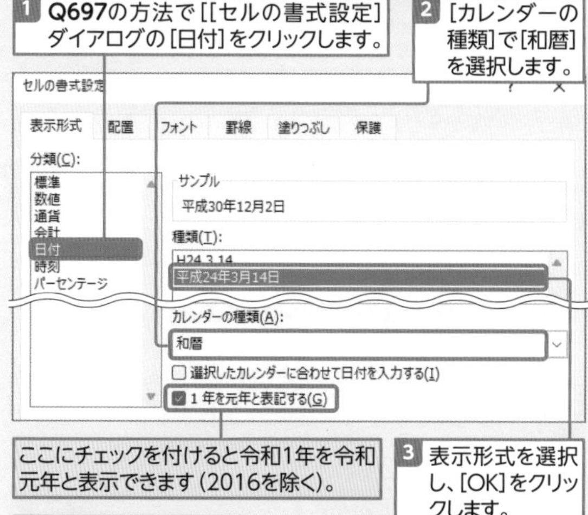

ここにチェックを付けると令和1年を令和元年と表示できます (2016を除く)。

3 表示形式を選択し、[OK] をクリックします。

4 和暦で表示されます。

氏名	登録年月日
大西　宏	2018/12/2
小堺　清美	2019/5/5
遠藤　健介	2022/1/31

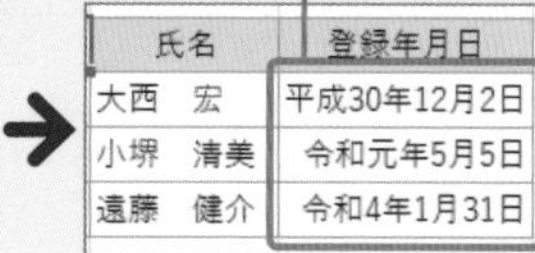

氏名	登録年月日
大西　宏	平成30年12月2日
小堺　清美	令和元年5月5日
遠藤　健介	令和4年1月31日

Q711 お役立ち度 ★★★ 表示形式 2021 2019 2016

日付に曜日まで表示したい!

A 書式記号の「aaa」や「ddd」を使います。

日付に曜日を表示するには、曜日の書式記号を使って指定します。「aaa」で「月」、「aaaa」で「月曜日」、「ddd」で「Mon」、「dddd」で「Monday」のように表示されます。

1 Q697の方法で[[セルの書式設定] ダイアログの [ユーザー定義] をクリックします。

2 [種類] に「yyyy/m/d(aaa)」と入力し、[OK] をクリックします。

3 曜日が表示されます。

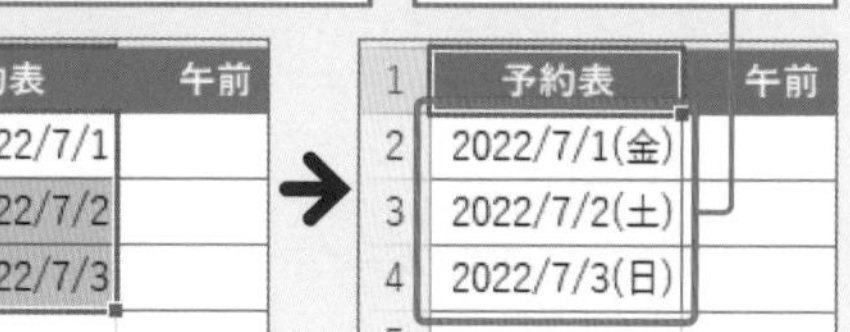

	予約表	午前
2	2022/7/1	
3	2022/7/2	
4	2022/7/3	

	予約表	午前
2	2022/7/1(金)	
3	2022/7/2(土)	
4	2022/7/3(日)	

Q712 お役立ち度 ★★★ 表示形式 2021 2019 2016

曜日を隣のセルに表示するには

A 日付のセルを参照して表示形式を「aaa」にします。

日付のセルを参照するには、「=日付のセル」と記述します。日付が表示されたセルに「aaa」のような曜日の表示形式を設定すれば、日付に対応した曜日を表示できます。

	A	B	C	D
1	日付	曜日	午前	午後
2	7月1日	=A2		
3	7月2日			

1 曜日のセルで日付のセル (A2) を参照する式に「=A2」と入力します。

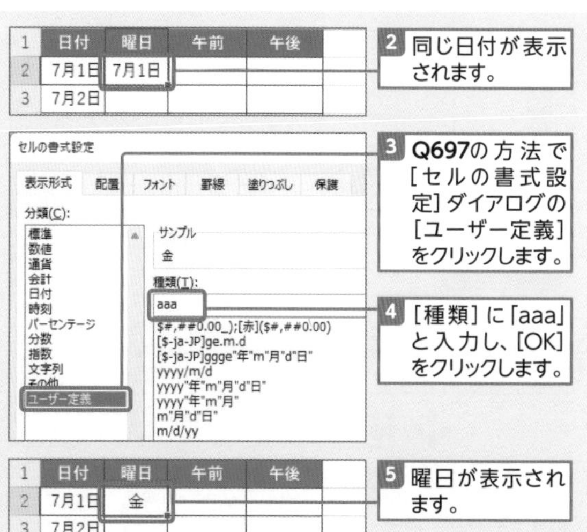

2 同じ日付が表示されます。

3 Q697の方法で [セルの書式設定] ダイアログの [ユーザー定義] をクリックします。

4 [種類] に「aaa」と入力し、[OK] をクリックします。

5 曜日が表示されます。

Q713 お役立ち度 ★★★ 表示形式

2021 2019 2016

AMやPMを付けて時刻を表示するには

A 書式記号「AM/PM」を使います。

時刻の表示形式に、書式記号「AM/PM」を追加して指定すると、時刻が12時間表示になります。「am/pm」「A/P」「a/p」を使うこともできます。

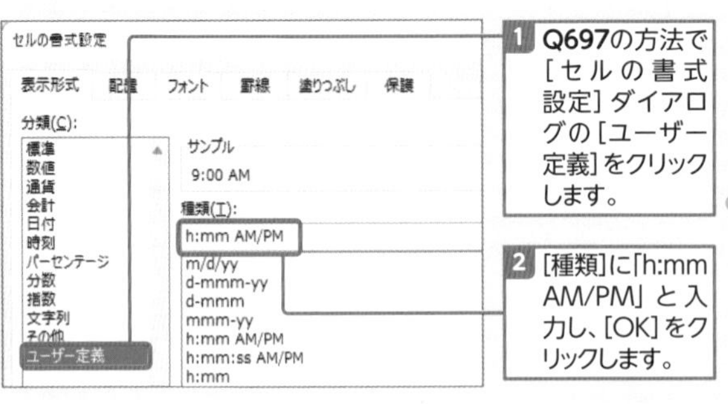

1 Q697の方法で［セルの書式設定］ダイアログの［ユーザー定義］をクリックします。

2 ［種類］に「h:mm AM/PM」と入力し、［OK］をクリックします。

1	予約表	午前	午後
2	2022/7/1(金)	9:00	14:00
3	2022/7/2(土)	10:30	13:45

3 時刻にAM/PMが表示されます。

1	予約表	午前	午後
2	2022/7/1(金)	9:00 AM	2:00 PM
3	2022/7/2(土)	10:30 AM	1:45 PM

Q714 お役立ち度 ★★★ 表示形式

2021 2019 2016

24時間を超える時間を表示するには

A 表示形式を「[h]:mm」に設定します。

終了時刻から開始時刻を引いたときに24時間を超えるとき、表示形式が「h:mm」のままだと、正しく表示されません。書式記号「[h]」を使って「[h]:mm」と指定すれば、24時間を超える時間が表示できます。

1 Q697の方法で［セルの書式設定］ダイアログの［ユーザー定義］をクリックします。

2 ［種類］に[h]:mmと入力し、［OK］をクリックします。

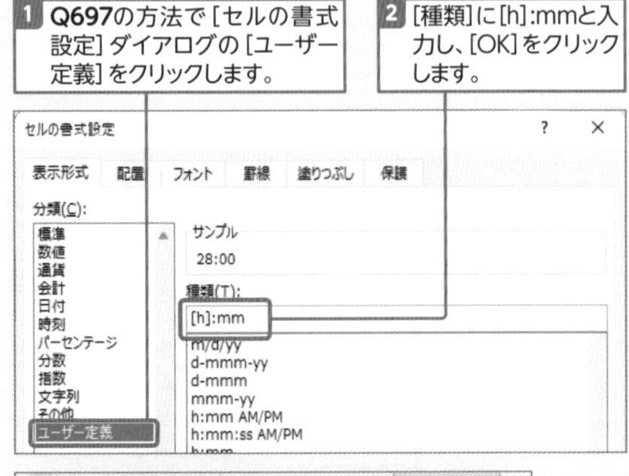

1	開始時刻	終了時刻	処理時間
2	2022/7/1 9:00	2022/7/2 13:00	4:00

3 24時間を超えても正しく表示されます。

1	開始時刻	終了時刻	処理時間
2	2022/7/1 9:00	2022/7/2 13:00	28:00

Q715 お役立ち度 ★★★ 表示形式

2021 2019 2016

時間を分で表示するには

A 表示形式を「[mm]」に設定します。

経過時間を分で表したいときは、分の書式記号の「m」を「[mm]」のように[]で囲みます。

1 Q697の方法で［セルの書式設定］ダイアログの［ユーザー定義］をクリックします。

2 ［種類］に「[mm]」と入力し、［OK］をクリックします。

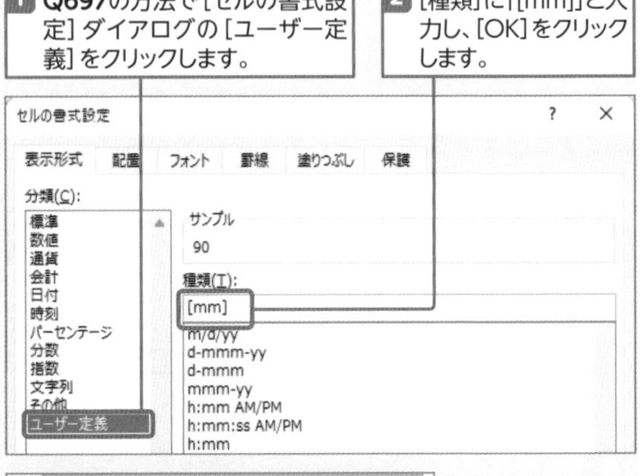

1		開始時刻	終了時刻	経過分
2	7月1日	9:00	10:30	1:30
3	7月2日	10:00	12:35	2:35
4	7月3日	13:00	13:50	0:50

1		開始時刻	終了時刻	経過分
2	7月1日	9:00	10:30	90
3	7月2日	10:00	12:35	155
4	7月3日	13:00	13:50	50

3 経過時間が分数で表示されます。

Q716 お役立ち度 ★★★ 条件付き書式 2021 2019 2016

条件付き書式って何?

A セルの値によって書式を自動で設定する機能です。

条件付き書式を使うと、空白のセル、平均値より上、上位5つのセル、重複するセルなどさまざまな条件に一致するセルに色を付けたり、値の大小によって色分けしたりアイコンを表示したりして値の傾向を視覚的に表現できます。

最大値のセルに赤、最小値のセルに緑の書式が設定されるように条件付き書式を設定しています。

	A	B	C	D	E
1	6月集計				
2		商品A	商品B	商品C	合計
3	第1週	193	265	356	814
4	第2週	238	300	227	765
5	第3週	189	155	240	584
6	第4週	173	270	224	667
7	合計	793	990	1,047	2,830
8	平均	198	248	262	708
9					

条件付き書式の種類

条件付き書式には次のような種類があります。それぞれの特徴を理解して使い分けましょう。

セルの強調表示ルール	上位／下位ルール
条件に一致するセルに色を付ける	上位や下位のセルに色を付ける
指定の値より大きい(G)... 指定の値より小さい(L)... 指定の範囲内(B)... 指定の値に等しい(E)... 文字列(T)... 日付(A)... 重複する値(D)... その他のルール(M)...	上位 10 項目(T)... 上位 10%(P)... 下位 10 項目(B)... 下位 10%(O)... 平均より上(A)... 平均より下(V)... その他のルール(M)...

データバー	アイコンセット
数値の大小を色付きのバーで表示する	数値の大小をアイコンで表す
塗りつぶし (グラデーション) 塗りつぶし (単色) その他のルール(M)...	方向 図形 インジケーター 評価 その他のルール(M)...

カラースケール
数値の大小を色の変化で表示する
その他のルール(M)...

Q717 お役立ち度 ★★★ 条件付き書式 2021 2019 2016

条件付き書式を削除するには

A [ルールのクリア] でまとめて削除できます。

選択範囲またはワークシート内にある条件付き書式をまとめて削除できます。条件付き書式を個別に削除する方法はQ730を参照してください。

1	6月集計				
2		商品A	商品B	商品C	合計
3	第1週	193	265	356	814
4	第2週	238	300	227	765
5	第3週	189	155	240	584
6	第4週	173	270	224	667
7	合計	793	990	1,047	2,830

1 条件付き書式が設定されているセル範囲を選択します。

2 [ホーム] タブ→[条件付き書式] をクリックします。

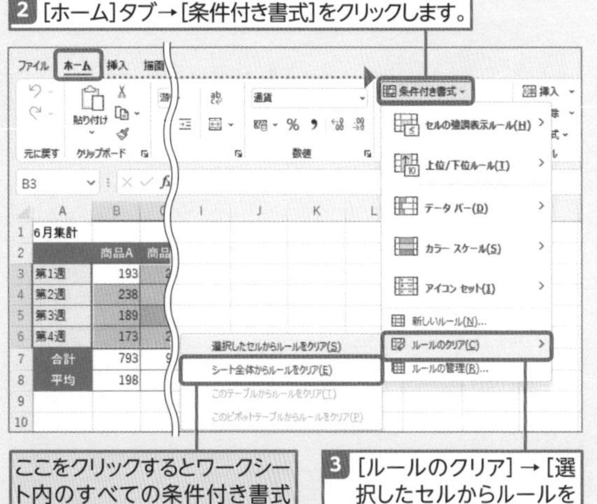

ここをクリックするとワークシート内のすべての条件付き書式を削除します。

3 [ルールのクリア] → [選択したセルからルールをクリア] をクリックします。

Q718 お役立ち度 ★★★ 条件付き書式 2021 2019 2016

条件に一致するセルを強調するには

A [条件付き書式] → [セルの強調表示ルール] を選択します。

[セルの強調表示ルール] を使うと、条件に一致するセルに色を付けることができるので、探しているセルを素早く見つけたり、データを分析したりするのに役立ちます。

1 対象のセルを選択し、[ホーム] タブ→ [条件付き書式] をクリックします。

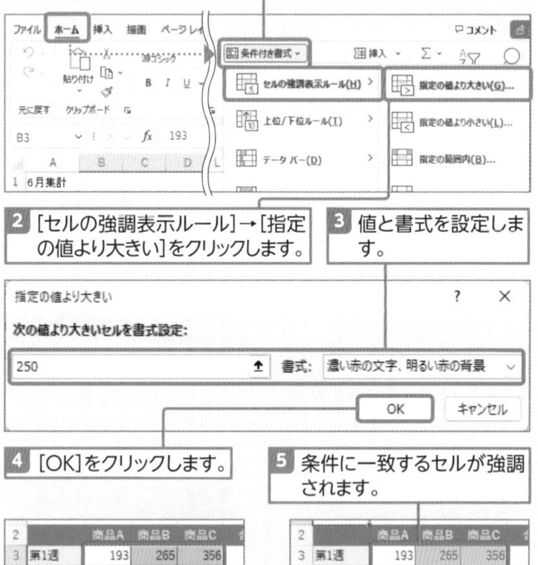

2 [セルの強調表示ルール] → [指定の値より大きい] をクリックします。

3 値と書式を設定します。

4 [OK] をクリックします。

5 条件に一致するセルが強調されます。

		商品A	商品B	商品C
3	第1週	193	265	356
4	第2週	238	300	227
5	第3週	189	155	240
6	第4週	173	270	224
7	合計	793	990	1,047

おトクな情報 一覧にない条件設定をする

手順2で [その他のルール] をクリックし、[新しい書式ルール] ダイアログで、ルールの種類、条件、書式を指定できます。

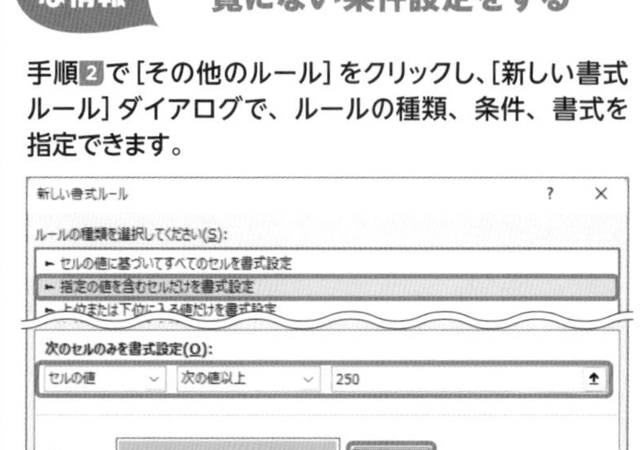

Q719 お役立ち度 ★★★ 条件付き書式 2021 2019 2016

指定した文字列が入力されたセルを強調するには

A [セルの強調表示ルール] で [文字列] を選択します。

指定した文字列を含むセルに色を付けて強調することができます。大量のデータの中から特定の値を持つセルを見つけるといった検索用に使うこともできます。

1 対象となるセルを選択し、[ホーム] タブ→ [条件付き書式] をクリックします。

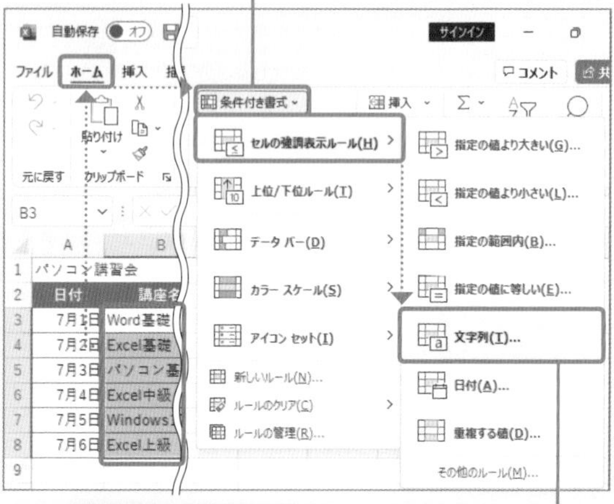

2 [セルの強調表示ルール] → [文字列] をクリックします。

3 文字列と書式を設定します。

4 [OK] をクリックします。

5 条件に一致するセルが強調されます。

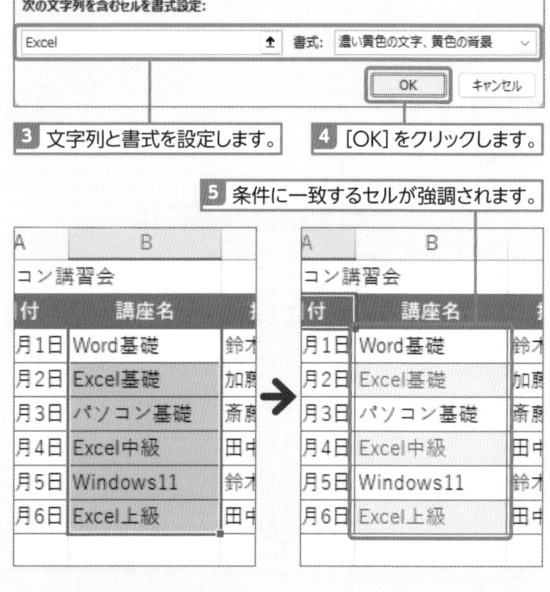

Q720 お役立ち度 ★★★ 条件付き書式 2021 2019 2016

指定した日付のセルを強調するには

A [セルの強調表示ルール] で [日付] を選択します。

パソコンの日付をもとに「今日」とか「今週」といった条件に一致するセルを強調できます。スケジュールの管理や確認に役立ちます。

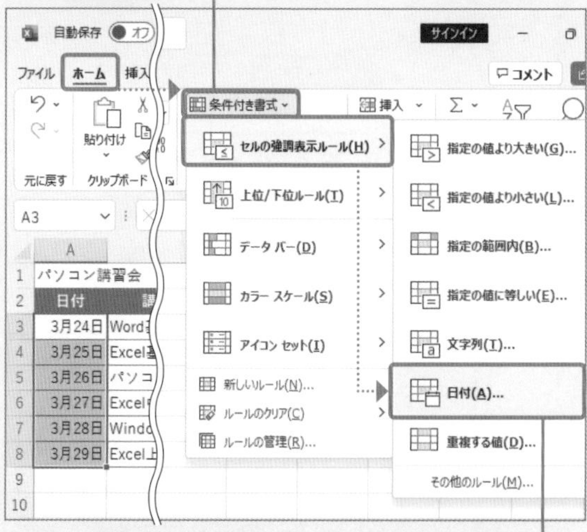

1 対象のセルを選択し、[ホーム] タブ→[条件付き書式] をクリックします。
2 [セルの強調表示ルール]→[日付] をクリックします。

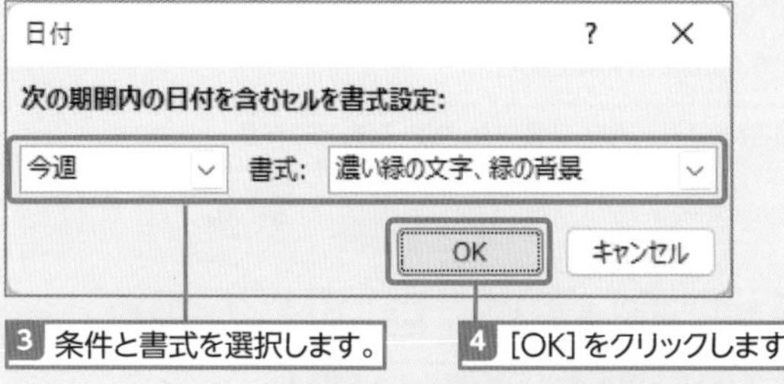

3 条件と書式を選択します。
4 [OK] をクリックします。

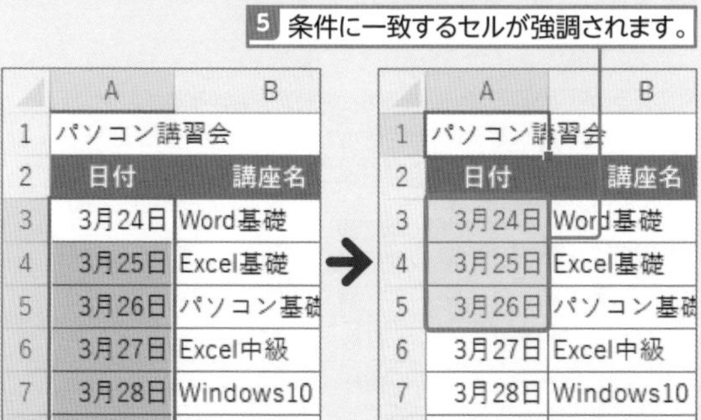

5 条件に一致するセルが強調されます。

Q721 お役立ち度 ★★★ 条件付き書式 2021 2019 2016

値が重複するセルを強調するには

A [セルの強調表示ルール] で [重複する値] を選択します。

同じ値を持つセルに書式を付けます。重複データの有無をチェックするのに利用できます (**Q971**)。

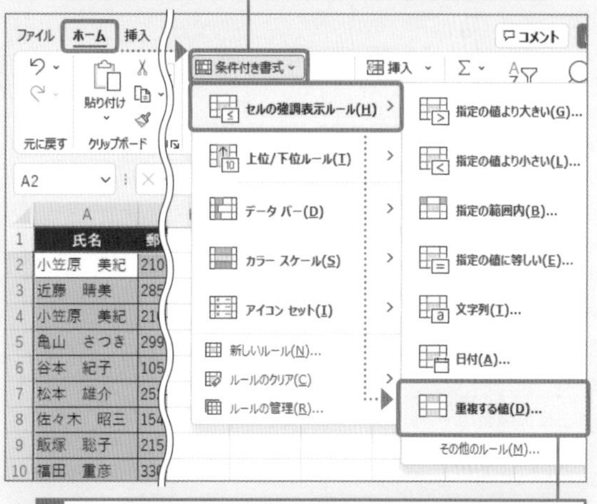

1 対象のセルを選択し、[ホーム] タブ→[条件付き書式] をクリックします。
2 [セルの強調表示ルール]→[重複する値] をクリックします。

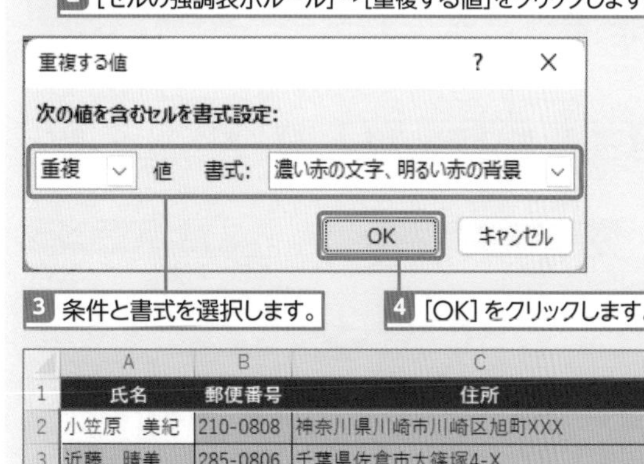

3 条件と書式を選択します。
4 [OK] をクリックします。

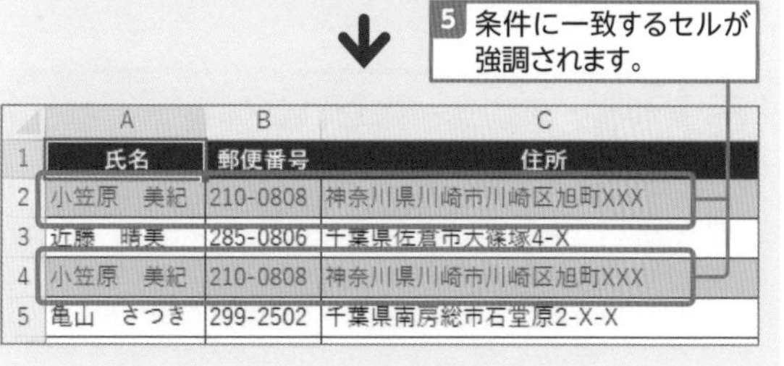

5 条件に一致するセルが強調されます。

Q722 お役立ち度 ★★★ 条件付き書式

トップやワーストのセルを強調するには

A [条件付き書式] → [上位 / 下位ルール] を選択します。

トップやワーストのセルに書式を設定して強調できます。上位や下位を項目数やパーセントで指定できます。

1 対象のセルを選択し、[ホーム] タブ→[条件付き書式] をクリックします。

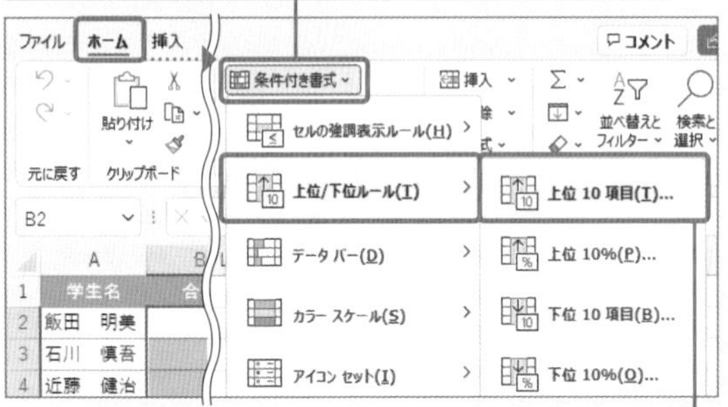

2 [上位/下位ルール]→[上位10項目] をクリックします。

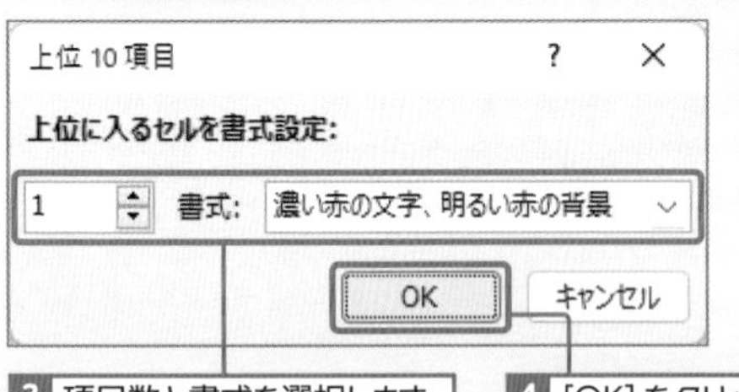

3 項目数と書式を選択します。

4 [OK] をクリックします。

	A	B
1	学生名	合計
2	飯田 明美	247
3	石川 慎吾	195
4	近藤 健治	252
5	斉藤 剛	275
6	高畑 明憲	219
7	藤田 凛子	198
8	平均点	231.0

→

	A	B
1	学生名	合計
2	飯田 明美	247
3	石川 慎吾	195
4	近藤 健治	252
5	斉藤 剛	275
6	高畑 明憲	219
7	藤田 凛子	198
8	平均点	231.0

5 条件に一致するセルが強調されます。

おトクな情報 メニューにない条件を指定する

平均値以下や以上といったメニューにない条件を指定するには、手順2で [その他のルール] をクリックし、[選択範囲の平均値] で条件を選択し、書式を指定します。

Q723 お役立ち度 ★★★ 条件付き書式

平均値より上や下のセルを強調するには

A [上位 / 下位ルール] で [平均より上]、[平均より下] を選択します。

[上位 / 下位ルール] を利用すると、平均より上位か下位にあるセルに書式を設定して強調できます。

1 対象のセルを選択します。

2 [ホーム] タブ→[条件付き書式] をクリックします。

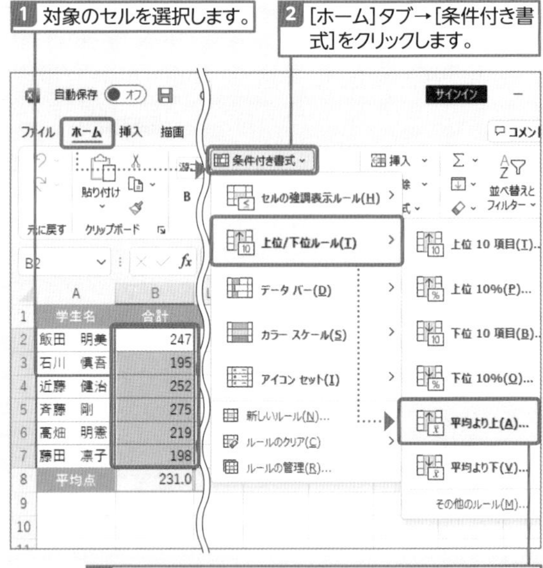

3 [上位/下位ルール]→[平均より上] をクリックします。

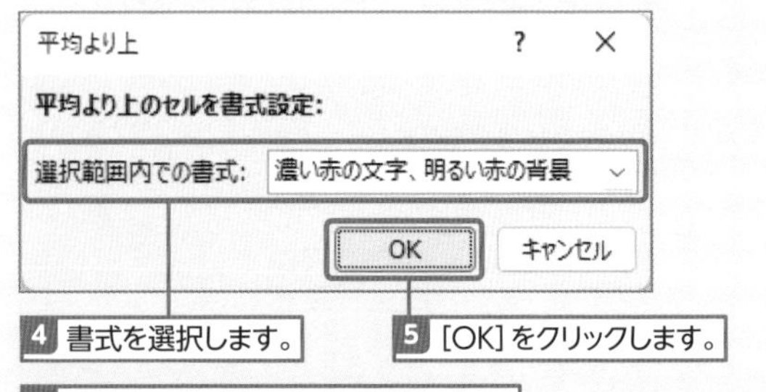

4 書式を選択します。

5 [OK] をクリックします。

6 条件に一致するセルが強調されます。

	A	B	C	D	E
1	学生名	合計	英語	数学	国語
2	飯田 明美	247	69	90	88
3	石川 慎吾	195	60	55	80
4	近藤 健治	252	65	96	91
5	斉藤 剛	275	100	88	87
6	高畑 明憲	219	74	69	76
7	藤田 凛子	198	55	74	69
8	平均点	231.0	70.5	78.7	81.8

Q724 お役立ち度 ★★★ 条件付き書式 2021 2019 2016

数の大小に応じてセルに色付きのバーを表示するには

A [条件付き書式]→[データバー]を選択します。

データバーを使うと、セルに横棒グラフのように値の大きさを示すバーを表示することができます。

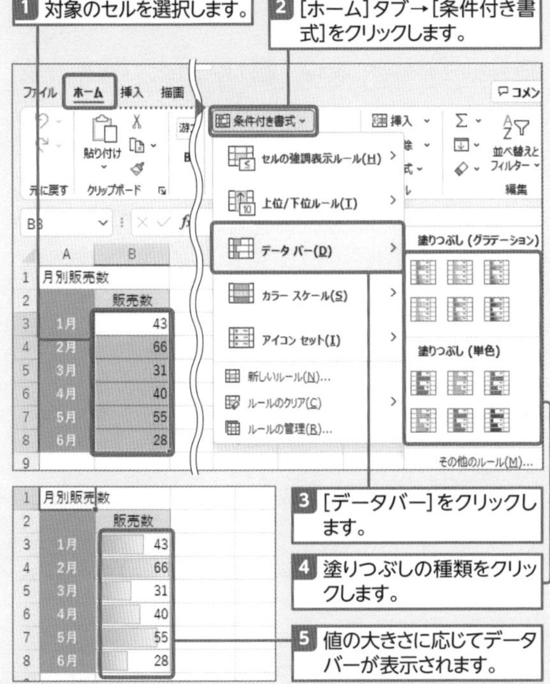

1 対象のセルを選択します。
2 [ホーム]タブ→[条件付き書式]をクリックします。
3 [データバー]をクリックします。
4 塗りつぶしの種類をクリックします。
5 値の大きさに応じてデータバーが表示されます。

Q725 お役立ち度 ★★★ 条件付き書式 2021 2019 2016

数の大小に応じてセルを色分けするには

A [条件付き書式]→[カラースケール]を選択します。

カラースケールを使うと、数の大きさによってセルが色分けされるので、値の変化や傾向が一目でわかります。

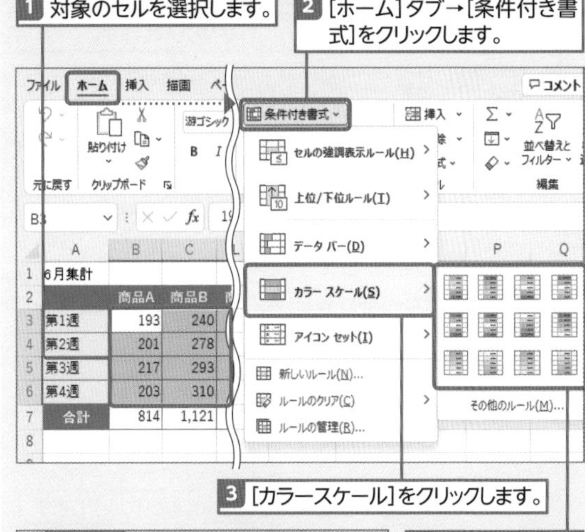

1 対象のセルを選択します。
2 [ホーム]タブ→[条件付き書式]をクリックします。
3 [カラースケール]をクリックします。
4 色分けの種類をクリックします。
5 値の大きさに応じて色が表示されます。

Q726 お役立ち度 ★★★ 条件付き書式 2021 2019 2016

数の大小に応じてセルにアイコンを表示するには

A [条件付き書式]→[アイコンセット]を選択します。

アイコンセットを使用すると、数の大小をアイコンの形で示すことができます。アイコンを切り替える境界となる値を変更する方法はQ731を参照してください。

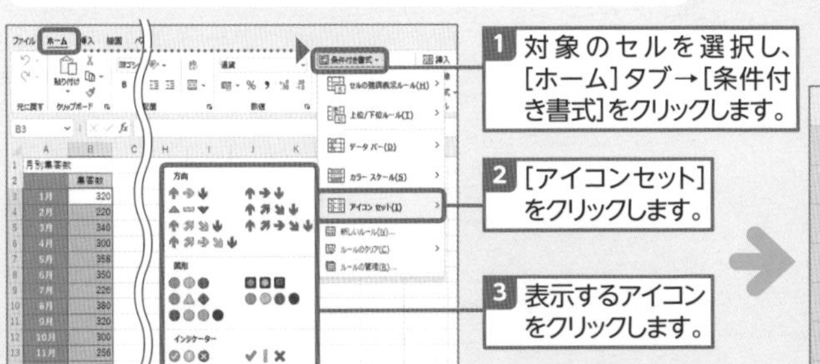

Q727 お役立ち度 ★★★ 条件付き書式

2021 2019 2016

空白のセルに色を付けたい!

A [新しい書式ルール] ダイアログで空白を選択します。

条件付き書式で空白のセルに色を付けると、未入力のセルを見分けることができます。

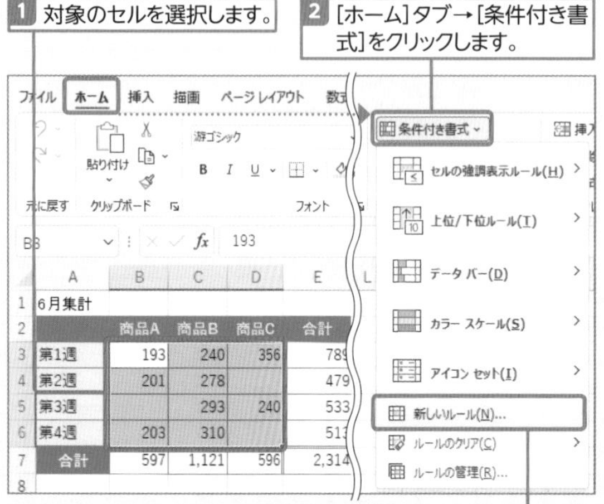

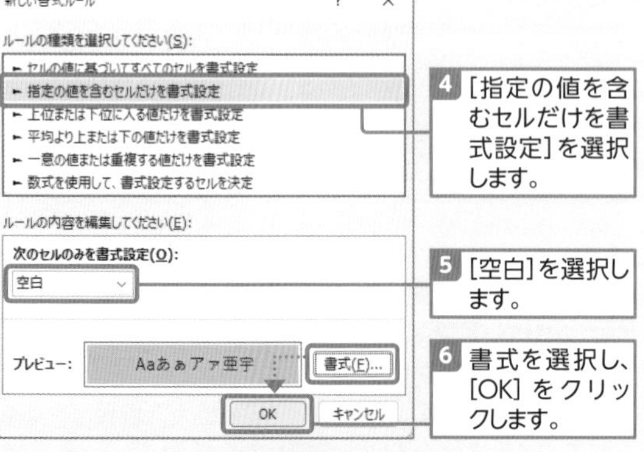

4 [指定の値を含むセルだけを書式設定]を選択します。
5 [空白]を選択します。
4 [数式を使用して、書式設定するセルを決定]を選択します。
5 「=WEEKDAY($A2,3)>=5」と入力します。
6 書式を選択し、[OK] をクリックします。

7 空白のセルに色が付きます。

	A	B	C	D	E	F
1	6月集計					
2		商品A	商品B	商品C	合計	
3	第1週	193	240	356	789	
4	第2週	201	278		479	
5	第3週		293	240	533	
6	第4週	203	310		513	
7	合計	597	1,121	596	2,314	
8						

Q728 お役立ち度 ★★★ 条件付き書式

2021 2019 2016

土日の行に色を付けるには

A 条件付き書式とWEEKDAY関数を組み合わせます。

土日の行に色を付けるには、日付から曜日番号を求めるWEEKDAY関数(**Q800**)を使って、土日を判別します。条件付き書式を表の行単位で設定する場合、条件を判別するセルの列を絶対参照(**Q743**)で指定するのがポイントです。

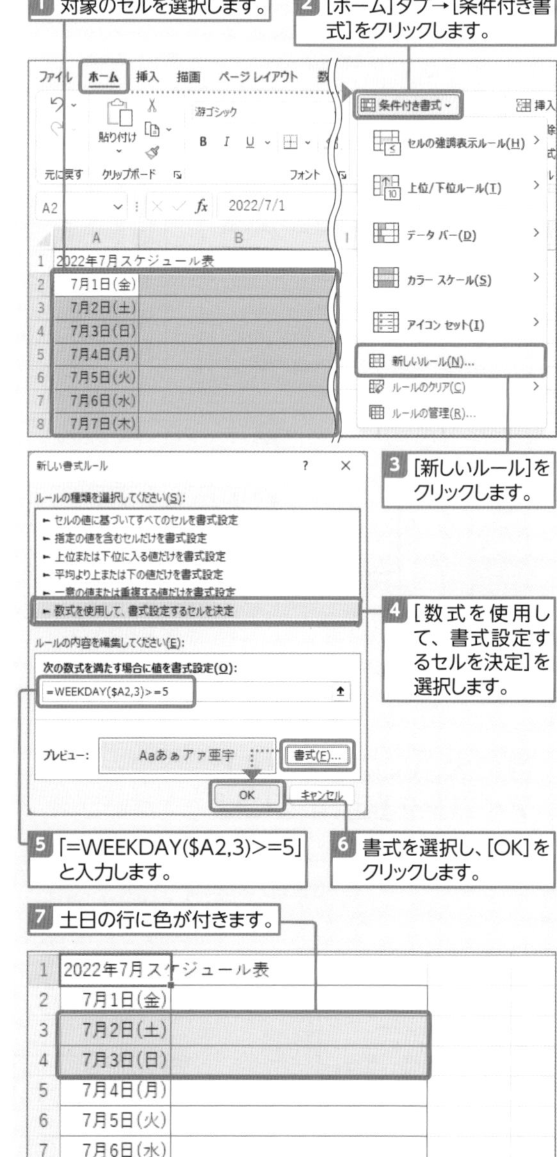

お役立ち度 ★★★　条件付き書式　2021 2019 2016

Q729 表内の行を合計が50以上と100以上で異なる色を設定するには

A 同じ範囲内に2つの条件付き書式を設定します。

同じセル範囲に異なる条件で書式を設定したい場合は、条件ごとに条件付き書式を設定します。

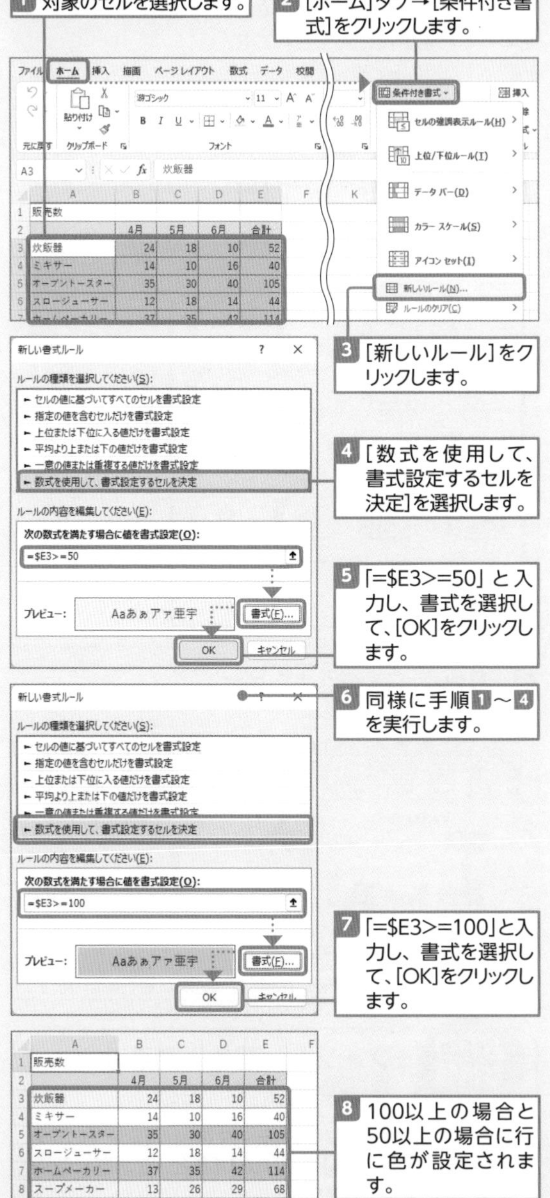

1 対象のセルを選択します。
2 [ホーム]タブ→[条件付き書式]をクリックします。
3 [新しいルール]をクリックします。
4 [数式を使用して、書式設定するセルを決定]を選択します。
5 「=$E3>=50」と入力し、書式を選択して、[OK]をクリックします。
6 同様に手順1〜4を実行します。
7 「=$E3>=100」と入力し、書式を選択して、[OK]をクリックします。
8 100以上の場合と50以上の場合に行に色が設定されます。

お役立ち度 ★★★　条件付き書式　2021 2019 2016

Q730 設定した条件付き書式を個別に削除するには

A [条件付き書式]→[ルールの管理]を選択します。

同じセル範囲に複数の条件付き書式を設定している場合、1つだけ削除したいときは[条件付き書式ルールの管理]ダイアログで設定します。

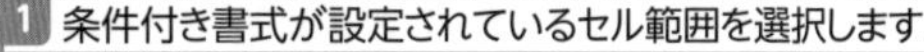

1 条件付き書式が設定されているセル範囲を選択します。

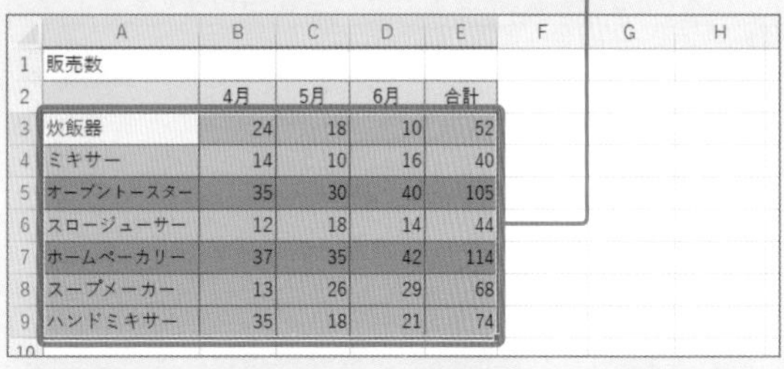

2 [ホーム]タブ→[条件付き書式]をクリックします。
3 [ルールの管理]をクリックします。

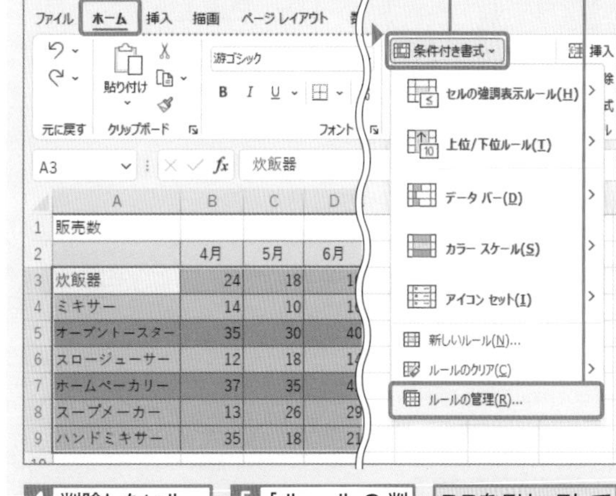

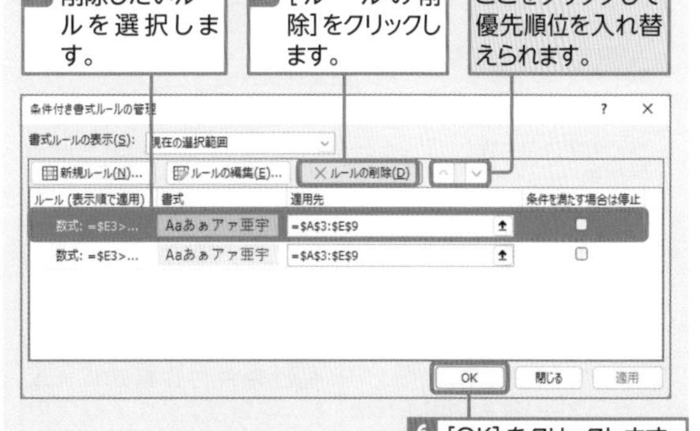

4 削除したいルールを選択します。
5 [ルールの削除]をクリックします。
ここをクリックして優先順位を入れ替えられます。
6 [OK]をクリックします。

お役立ち度 ★★★ 条件付き書式

2021 2019 2016

ルールを編集するには

A [条件付き書式]→[ルールの管理]を選択します。

条件付き書式の設定方法を後から変更できます。ここでは、アイコンの種類を切り替える値を変更する手順を例に操作を紹介します。

1 条件付き書式が設定されているセル範囲を選択します。

2 [ホーム]タブ→[条件付き書式]をクリックします。

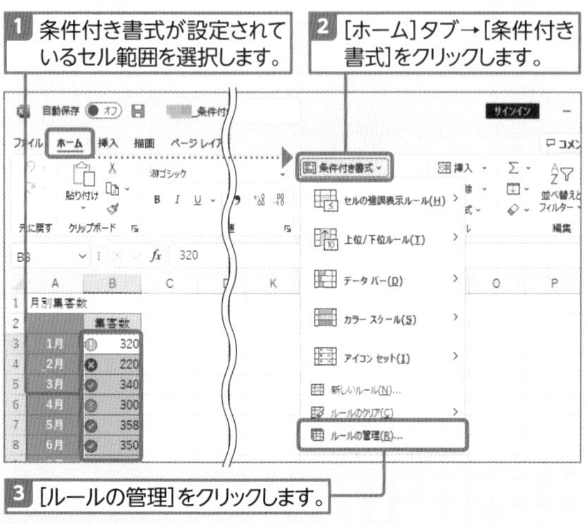

3 [ルールの管理]をクリックします。

4 編集するルールを選択し、[ルールの編集]をクリックします。

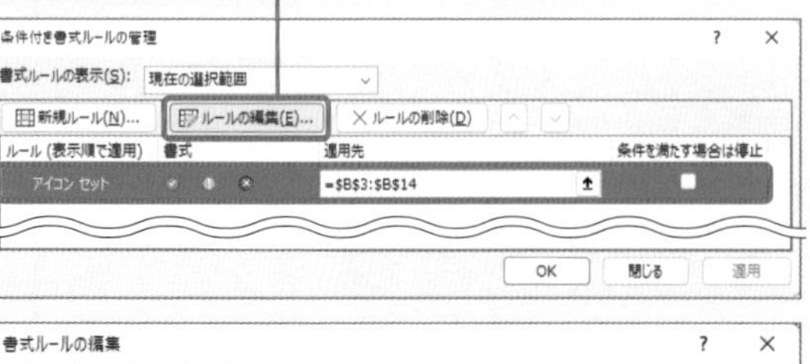

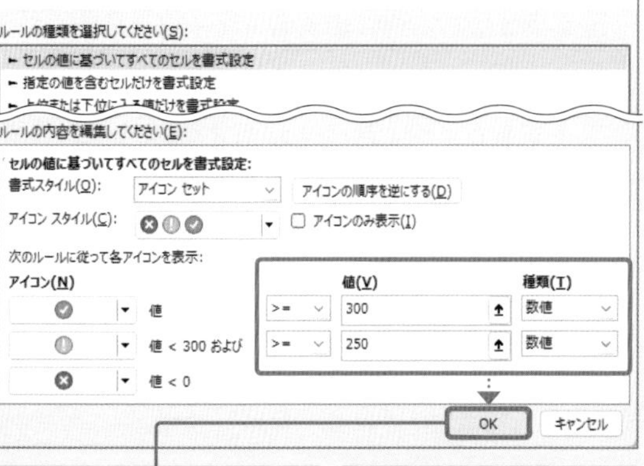

5 ルールの内容(ここでは、アイコン切り替えの値)を変更し、[OK]をクリックします。

6 [条件付き書式ルールの管理]ダイアログの[OK]をクリックします。

Q732 お役立ち度 ★★★ 条件付き書式

2021 2019 2016

ワークシート全体でイメージを変更するには

A テーマを変更します。

「テーマ」は、フォント、配色、効果の組み合わせです。テーマを変更すると、ブック内のすべてのワークシートのデザインが変更されます。最初に戻すには、[Office]を選択します。フォントや塗りつぶしなどテーマの色以外の色を設定している場合は、変更されません。

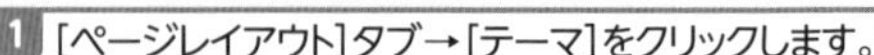

1 [ページレイアウト]タブ→[テーマ]をクリックします。

2 一覧からテーマを選択します。

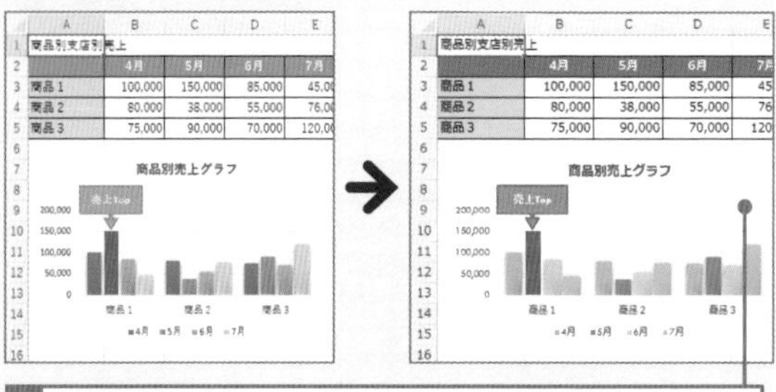

3 テーマが変更され、フォント、配色、効果が変更になります。

おトクな情報 フォント、配色、効果のテーマを個別に変更

[ページレイアウト]タブの[テーマの色]、[テーマのフォント]、[テーマの効果]をクリックすると、それぞれ個別にテーマを変更できます。

第9章

作業効率を劇的に改善する計算式と関数の便利な使い方

セルに入力された数字や日付、時刻などデータを使って計算する方法を紹介します。数式や関数の基本から応用まで幅広く紹介しています。また、関数は分類別に紹介しています。それぞれの分類にどのような関数があり、どんなことができるのか確認できます。また、数式のエラーなどトラブルの対処方法もまとめてありますので困ったときの参考にしてください。

Q733 お役立ち度 ★★★ 数式の基礎

2021 2019 2016

数式とは?

A セルに入力する計算式のことです。

足し算や引き算などの計算をするには、セルに数式を入力します。数式は半角英数字で入力し、先頭に「=」(イコール)を付け、数値と算術演算子を組み合わせて作成します。算術演算子とは、足し算や掛け算などの計算で使う記号のことです。

数値を使って数式を入力する

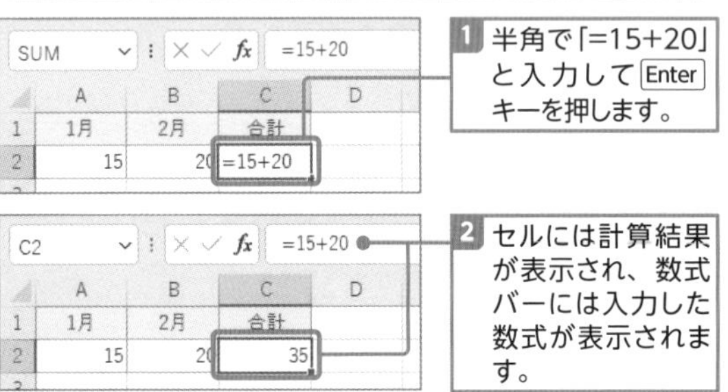

1 半角で「=15+20」と入力して Enter キーを押します。
2 セルには計算結果が表示され、数式バーには入力した数式が表示されます。

セル参照を使って数式を入力する

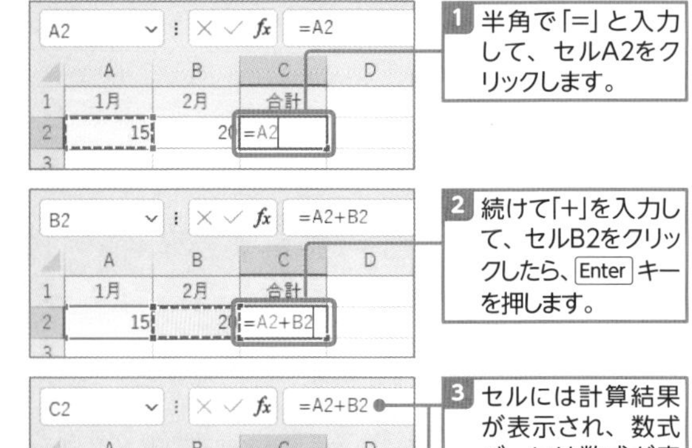

1 半角で「=」と入力して、セルA2をクリックします。
2 続けて「+」を入力して、セルB2をクリックしたら、Enter キーを押します。
3 セルには計算結果が表示され、数式バーには数式が表示されます。

● 算術演算子の種類

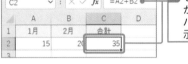

算術演算子	意味
+	足し算
−	引き算
*	掛け算
／	割り算
^	べき乗
%	パーセンテージ

Q734 お役立ち度 ★★★ 数式の基礎

2021 2019 2016

数式の中で計算の順番ってあるの?

A 「*」や「／」は「+」や「−」より先に計算されます。

数式では、掛け算(*)や割り算(／)は足し算(+)や引き算(−)より先に計算されます。優先順位の低い「+」や「−」を先に計算するには「()」で囲みます。優先順位が同じ場合は、左から順に計算されます。

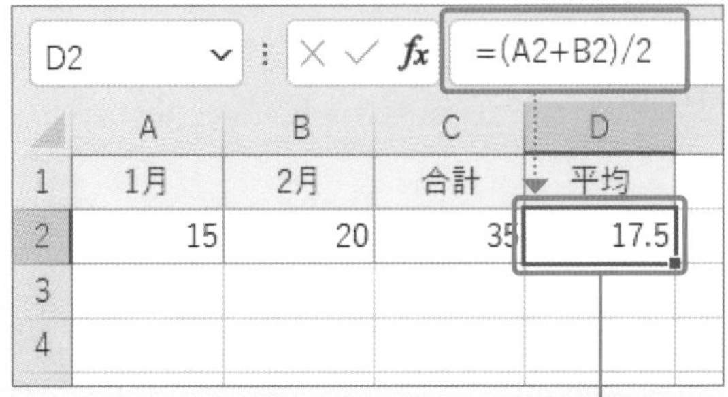

「=(A2+B2)/2」の計算結果は、() で囲まれた計算が先に行われ、次に「/2」が計算されるため、結果「17.5」が返ります。

Q735 お役立ち度 ★★★ 数式の基礎

2021 2019 2016

2の4乗の計算をするには

A 「^」を使います。

円の面積「半径^2×3.14」のような計算をしたいときは、算術演算子の「^」を使います。

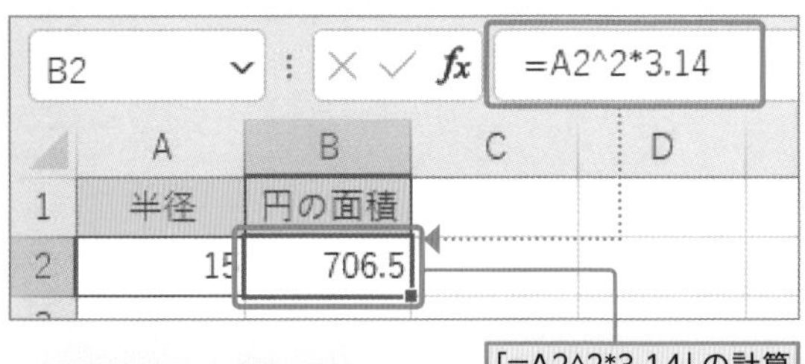

「=A2^2*3.14」の計算結果は、セルA2の値を2乗して、3.14を掛けた結果「706.5」が返ります。「^」は「*」より優先順位が高いため、先に計算されます。

● 算術演算子の優先順位

1	() 内の数式
2	% (パーセント)
3	^ (べき乗)
4	* (掛け算)、/ (割り算)
5	+ (足し算)、- (引き算)

Q736 お役立ち度 ★★★ 数式の基礎 2021 2019 2016

計算式を設定しないで合計や平均を確かめたい!

A ステータスバーに表示されます。

合計や平均を手早く知りたいときは、セル範囲を選択してステータスバーを見ます。ステータスバーには、初期設定で選択範囲の平均、データの個数、合計が表示されます。

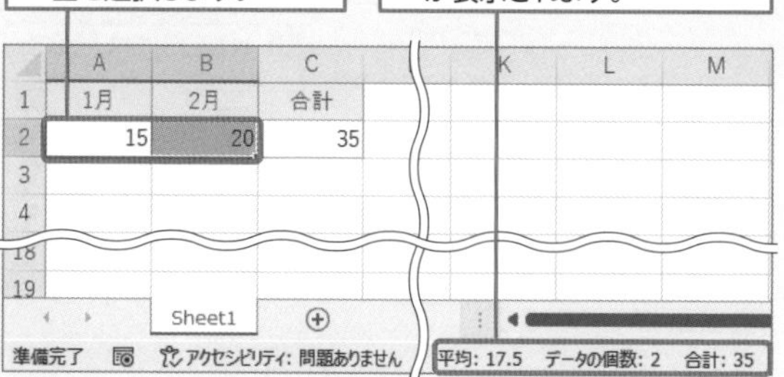

ステータスバーを右クリックして、ショートカットメニューから数値の個数や最大値、最小値の計算結果を選択できます。

Q737 お役立ち度 ★★★ 数式の基礎 2021 2019 2016

別のセルの値を参照するには

A 「=」に続けて参照するセルをクリックします。

ワークシート内の別のセルの値を参照して表示するには、「=A3」のように「=」に続けて参照するセルを指定します。

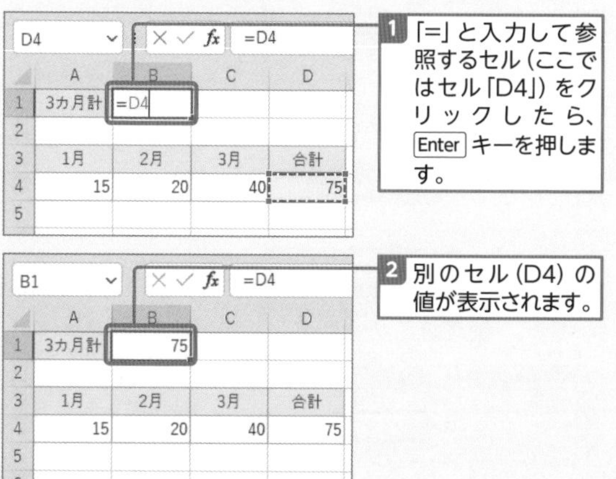

1 「=」と入力して参照するセル(ここではセル「D4」)をクリックしたら、Enter キーを押します。
2 別のセル(D4)の値が表示されます。

Q738 お役立ち度 ★★★ 数式の基礎 2021 2019 2016

別シートや別ブックのセルの値を参照するには

A 「=」に続けて参照するシートやブックのセルをクリックします。

別シートにあるセルの値や別ブックにあるセルの値を参照したいときも「=」に続けて参照するセルをクリックするだけです。数式バーには参照数式が表示されます。

同一ブックの別シートのセルを参照する

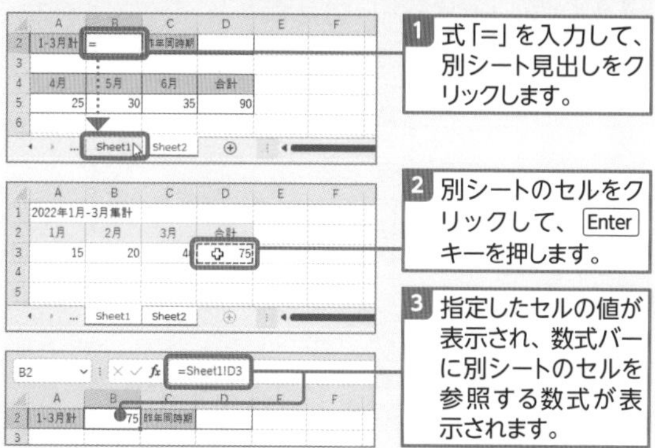

1 式「=」を入力して、別シート見出しをクリックします。
2 別シートのセルをクリックして、Enter キーを押します。
3 指定したセルの値が表示され、数式バーに別シートのセルを参照する数式が表示されます。
=Sheet1!D3

別ブック内のセルを参照する

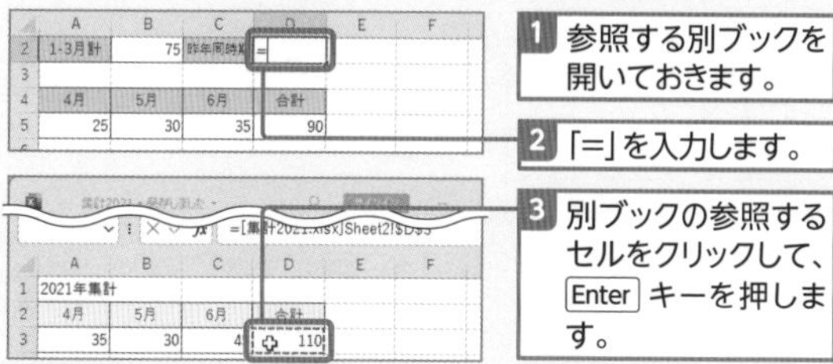

4 別ブックのセルの値が表示され、数式バーに別ブックのセルを参照する数式が表示されます。別ブックを参照するときはセル参照が絶対参照になります(**Q743**)。

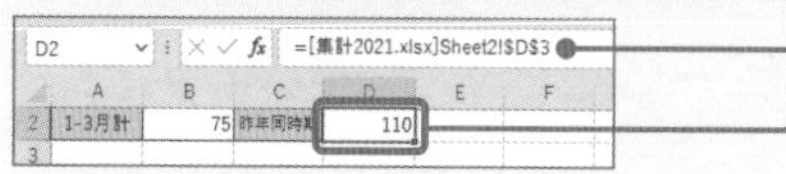

● **外部参照数式(シート「Sheet1」のセル「A1」を参照)**

参照セル	数式	
別ワークシートのセル	書き方	=シート名!セル番地
	例	=Sheet1!A1
別ブックのワークシートのセル(ブックが開いているとき)	書き方	=[ブック名]シート名!セル番地
	例	=[Book1.xlsx]Sheet1!$A$1
別ブックのワークシートのセル(ブックが閉じているとき)	書き方	='保存先[ブック名]シート名'!セル番地
	例	='C:¥Data¥[Book1.xlsx]Sheet1'!$A$1

Q739 お役立ち度 ★★★ 数式の基礎

2021 / 2019 / 2016

参照するセルを変更するには

A セルをダブルクリックして編集します。

セルをダブルクリックするとセルが編集状態になり、数式内で使用されているセルの色と同じ色でセルの枠が表示されます。ワークシート上の枠をドラッグしてセルの参照を変更できます。または、直接書き直すこともできます。

1 数式のセルをダブルクリックします。

	A	B	C	D
1	サマーセール価格表	掛け率	70%	
2				
3	商品名	価格	セール価格	
4	炊飯器	27,000	=B4*C2	
5	ミキサー	18,000		
6	オーブントースター	12,000		

2 参照しているセルに色枠が表示されたら、修正したいセルと同じ色の枠の境界線にマウスポインターを合わせ、参照するセルまでドラッグします。

	A	B	C	D
1	サマーセール価格表	掛け率	70%	
2				
3	商品名	価格	セール価格	
4	炊飯器	27,000	=B4*C1	
5	ミキサー	18,000		
6	オーブントースター	12,000		

3 参照先が変更されたらEnterキーを押して確定します。

Q740 お役立ち度 ★★★ 数式の基礎

2021 / 2019 / 2016

数式を表の列や行にコピーするには

A オートフィルを使うと簡単です。

数式は、文字と同じようにコピーできます。表の列や行にコピーする場合は、オートフィルを使ってコピーすると便利です。数式をコピーすると、コピー先に合わせてセル参照が自動調整されます。このような参照方式を「相対参照」といいます（**Q743**）。

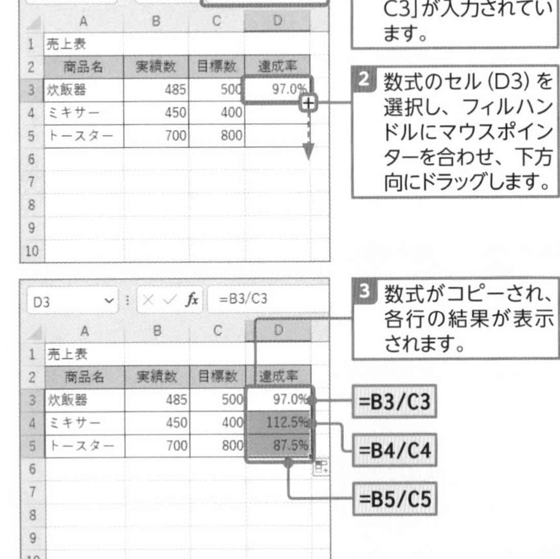
D3
=B3/C3
売上表
商品名
実績数
目標数
達成率
炊飯器
485
500
97.0%
ミキサー
450
400
トースター
700
800
1 セルD3には「=B3/C3」が入力されています。
2 数式のセル（D3）を選択し、フィルハンドルにマウスポインターを合わせ、下方向にドラッグします。
112.5%
87.5%
3 数式がコピーされ、各行の結果が表示されます。
=B3/C3
=B4/C4
=B5/C5

Q741 お役立ち度 ★★★ 数式の基礎

2021 / 2019 / 2016

数式をコピーしたらエラーになった!

A セル参照が正しいか確認しましょう。

数式をコピーするとエラーが表示されることがあります。よくあるエラー原因として、正しいセルを参照していない場合があります。まずは、数式が正しいセルを参照しているかどうかを確認してください。コピーによりセル参照がずれていたら、セル参照がずれないように参照方式を「絶対参照」にします（**Q743**）。

1 セルC4には数式「=B4/C1」が入力されています。

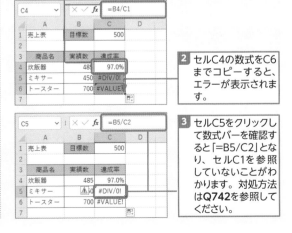

C4
=B4/C1
売上表
目標数
500
商品名
実績数
達成率
炊飯器
485
97.0%
ミキサー
450
#DIV/0!
トースター
700
#VALUE!
2 セルC4の数式をC6までコピーすると、エラーが表示されます。
C5
=B5/C2
3 セルC5をクリックして数式バーを確認すると「=B5/C2」となり、セルC1を参照していないことがわかります。対処方法はQ742を参照してください。

Q742 お役立ち度 ★★★ 数式の基礎 2021 2019 2016

数式をコピーしても セル参照がずれないようにするには

A 参照をずらしたくないセルを絶対参照にします。

セルの参照方式を絶対参照にすると、数式をコピーしてもセル参照がずれなくなります。絶対参照にするには、行番号と列番号の前に半角の「$」を付けて、「$C$1」のように記述します。直接「$」を入力することもできますが、F4キーを使うと便利です。

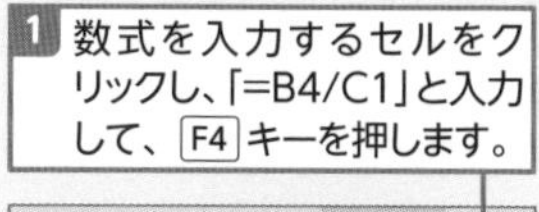
1 数式を入力するセルをクリックし、「=B4/C1」と入力して、F4キーを押します。

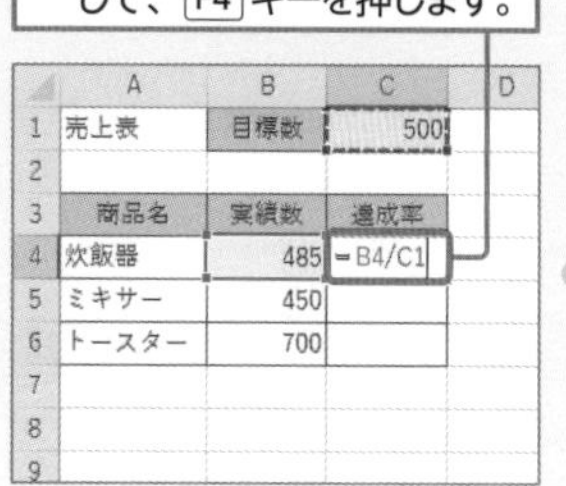

2 「$C$1」に変更されたら、Enterキーで確定します。

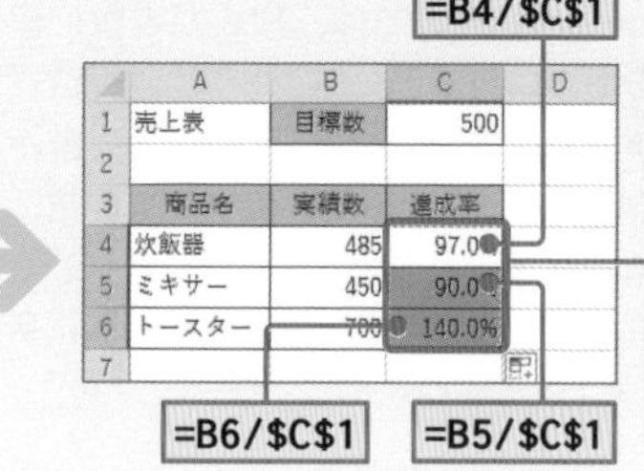

3 数式をコピーします。実績数は各行のセルを参照しますが（相対参照）、目標数のセル（C1）は固定されます（絶対参照）。

Q743 お役立ち度 ★★★ 数式の基礎 2021 2019 2016

相対参照と絶対参照とは

A 数式の中でセルを参照する方式です。

「相対参照」は、数式をコピーすると、コピー先のセル位置に合わせてセル参照が相対的に変化する参照方式です。「絶対参照」は、数式をコピーしてもセル参照が変わらないように固定する参照方式です。相対参照は、「A1」のようにセルの列番号と行番号をそのまま記述します。絶対参照は、「$A$1」のように列番号と行番号の前に「$」を付けます。

相対参照と絶対参照

参照方式	例
相対参照	A1
	A1:C3

参照方式	例
絶対参照	$A$1
	$A$1:$C$3

相対参照と絶対参照の切り替え方法

数式の中でセルを入力したときにF4キーを押します。F4キーを押すごとに以下のように参照方法が変わります。行だけ固定する場合は「A$1」、列だけ固定する場合は「$A1」のように指定します。行列どちらかを固定する方法を「複合参照」といいます。

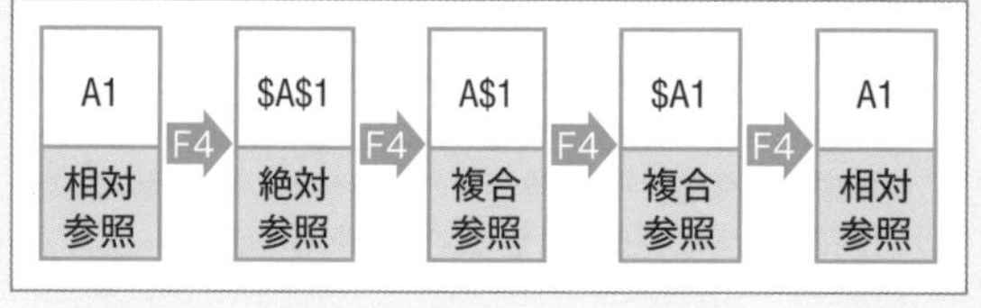

複合参照の使いみち

複合参照は、数式をコピーするときに行だけ固定したり、列だけ固定したりできます。例えば、以下のような表で、「基本料金×掛け率」の計算式を他のセルにコピーするときに役立ちます。

1 セルC3に基本料金のセルの列（B列）と掛け率のセルの行（2行目）を固定して「=$B3*C$2」と入力します。

2 セルC3の数式をセルE5までコピーすると、それぞれのセルに合わせた基本料金と掛け率で計算されます。

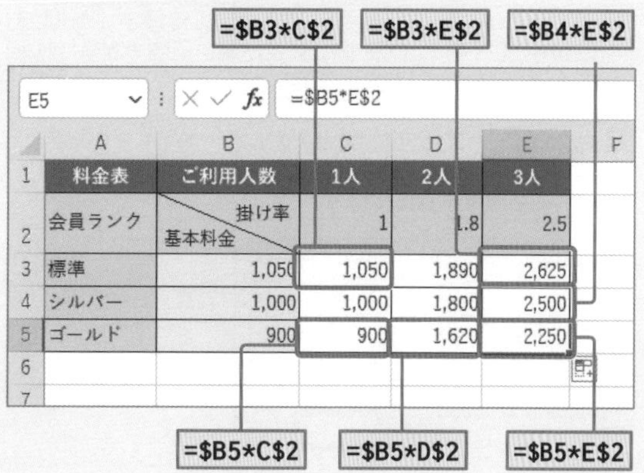

お役立ち度 ★★★ 数式の基礎

2021 2019 2016

「スピル」って何?

A 数式が複数の値を返すときに隣接するセルに結果を表示する機能です。

Excel 2021とMicrosoft 365では、数式が複数の値を返すとき、隣接するセルに自動的に結果が表示される「スピル」という機能があります。この機能を使うと掛け算九九の計算表や**Q743**で解説した計算表を簡単に作成できます。また、RANDARRAYなどの配列を返す関数（**Q761**）では、スピル機能により複数の結果が隣接するセルに自動で表示されます。

スピルを使った計算式の設定方法

1 セルD2に「=」と入力し、セル範囲B2～B4をドラッグします。

	A	B	C	D	E	F	G	H
1	商品名	4月	5月	合計				
2	炊飯器	120	250	=B2:B4				
3	ミキサー	100	120					
4	トースター	200	140					

2 続けて+と入力し、セル範囲C2～C4をドラッグして、Enter キーを押します。

	A	B	C	D	E	F	G	H
1	商品名	4月	5月	合計				
2	炊飯器	120	250	=B2:B4+C2:C4				
3	ミキサー	100	120					
4	トースター	200	140					

3 セルD2～D4に各行の4月と5月の合計が表示されます。

D2 =B2:B4+C2:C4

	A	B	C	D	E	F	G	H
1	商品名	4月	5月	合計				
2	炊飯器	120	250	370				
3	ミキサー	100	120	220				
4	トースター	200	140	340				
5			総合計					

セルD2のような数式を「動的配列数式」といいます。セルD3～D4の数式バーにはD2と同じ数式が薄い灰色で表示されますが、編集、削除できません。この部分を「ゴースト」といいます。

4 セルD5に「=SUM(D2#)」と入力し、Enter キーを押すと、スピルにより自動入力された範囲が合計されます。#を「スピル範囲演算子」といいます。

D5 =SUM(D2#)

	A	B	C	D	E	F	G	H
1	商品名	4月	5月	合計				
2	炊飯器	120	250	370				
3	ミキサー	100	120	220				
4	トースター	200	140	340				
5			総合計	930				
6								

達成率の計算

セルC3に「=B3:B5/C1」と入力して Enter キーを押すと、セルC3～C5にそれぞれの商品の達成率が正しく求められます。この場合、セルC1を絶対参照にする必要はありません。

C3 =B3:B5/C1

	A	B	C	D	E	F	G	H
1	売上表	目標数	500					
2	商品名	実績数	達成率					
3	炊飯器	485	97.0%					
4	ミキサー	450	90.0%					
5	トースター	700	140.0%					
6								

計算表を自動作成

セルC3に、「=B3:B5*C2:E2」と入力して Enter キーを押すと、セルC3～E5にそれぞれのセルの行と列に対応するセルの掛け算の結果が表示されます。

C3 =B3:B5*C2:E2

	A	B	C	D	E	F	G
1	料金表	ご利用人数	1人	2人	3人		
2	会員ランク	掛け率 / 基本料金	1	1.8	2.5		
3	標準	1,050	1,050	1,890	2,625		
4	シルバー	1,000	1,000	1,800	2,500		
5	ゴールド	900	900	1,620	2,250		
6							

配列を返す関数

ここではRANDARRAY関数（**Q761**）を使って3行×3列の整数の乱数表を作成しています。

A2 =RANDARRAY(3,3,1,100,TRUE)

	A	B	C	D	E	F	G	H
1	1から100までの整数の乱数表（3行×3列）							
2	88	74	65					
3	87	68	21					
4	7	79	7					
5								

セルA2に、「=RANDARRAY(3,3,1,100,TRUE)」と入力して Enter キーを押すと、セルA2～C4（3行×3列）に1から100までの整数の乱数が表示されます。

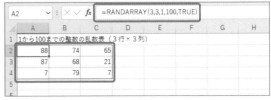

> **おトクな情報　配列数式**
>
> 従来のExcelにも配列数式という、1つの式で複数の値を返す数式があります。配列数式を設定する場合は結果を表示する複数のセルを選択し、式を入力して確定するときに Ctrl + Shift + Enter キーを押します。配列数式を設定すると、選択したすべてのセルに「{}」で囲まれた同じ式が設定されます（**Q783**）。配列数式は、セル単位で修正や削除することはできず、配列数式のセル範囲全体を選択して修正や削除をします。

Q745 お役立ち度 ★★★ 関数の基礎 2021 2019 2016

関数とは

A 計算方法があらかじめ定義されている数式です。

関数を使うと、複雑な計算を簡単に求めることができます。関数は、「引数（ひきすう）」として受け取った値を使って計算し、計算結果を「戻り値」として返します。

関数の書式

書式	=関数名(引数1,引数2,…)
例	=SUM(数値1,[数値2],…)

- ・()内には、引数という、計算するのに必要な値や式を指定します
- ・関数によって必要とする引数の数は異なります
- ・引数を持たない関数であっても()は省略できません
- ・[]で囲まれている引数は省略できます
- ・引数が文字列の場合は、「"」(ダブルクォーテーション)で囲みます

参照演算子

引数でセル範囲を指定する場合は、セル番地とセル番地を「:」(コロン)でつなげます。離れたセル範囲を指定する場合は、セル番地とセル番地を「,」(カンマ)でつなげます(Q754)。

Q746 お役立ち度 ★★★ 関数の基礎 2021 2019 2016

関数を入力するには

A 関数の書式に従って入力します。

関数を入力するときも半角の「=」を入力することから始めます。ここでは、合計を求めるSUM関数を例に手順を紹介します。

1 セルに「=su」と入力すると「SU」で始まる関数の一覧が表示されます。

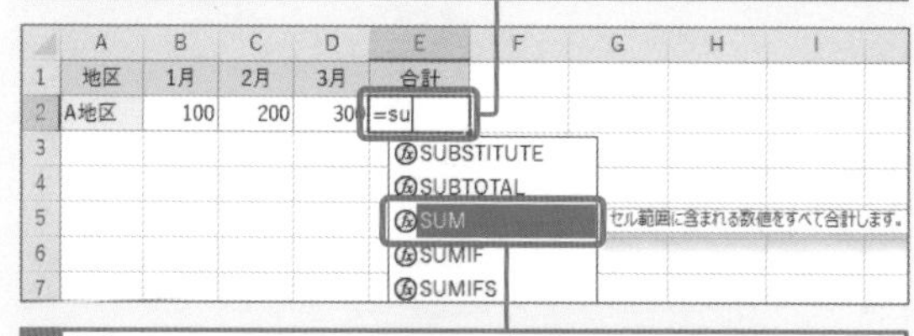

2 ↓を押して[SUM]を選択し、Tabキーを押します。

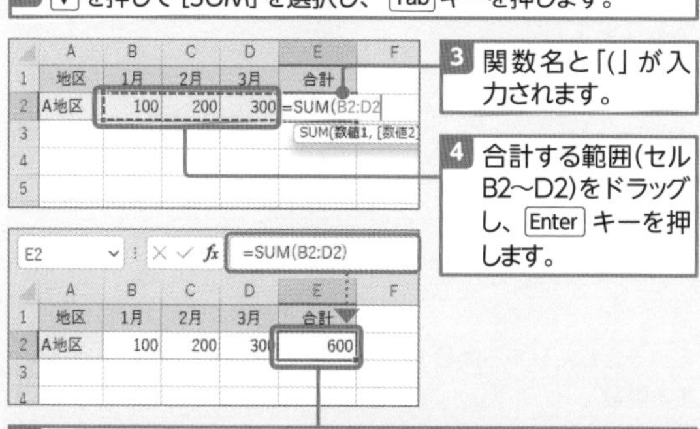

3 関数名と「(」が入力されます。

4 合計する範囲(セルB2～D2)をドラッグし、Enterキーを押します。

5 SUM関数が入力され、セルに計算結果(戻り値)が表示されます。数式バーには入力した関数が表示されます。

Q747 お役立ち度 ★★★ 関数の基礎 2021 2019 2016

合計や平均などよく使う関数を素早く入力するには

A [オートSUM]をクリックします。

[数式]タブの[オートSUM]をクリックすると、合計や平均など主な計算の種類が表示されます。わざわざ関数を入力しなくても、セル範囲を指定するだけで素早く計算できます。また、[ホーム]タブの[オートSUM]の[∨]をクリックしても同様に設定できます。

1 セルをクリックし、[数式]タブ→[オートSUM]の[∨]をクリックします。

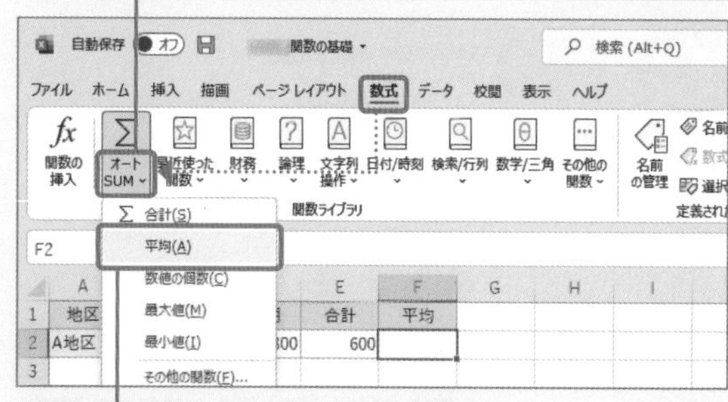

2 一覧から計算の種類をクリックします。

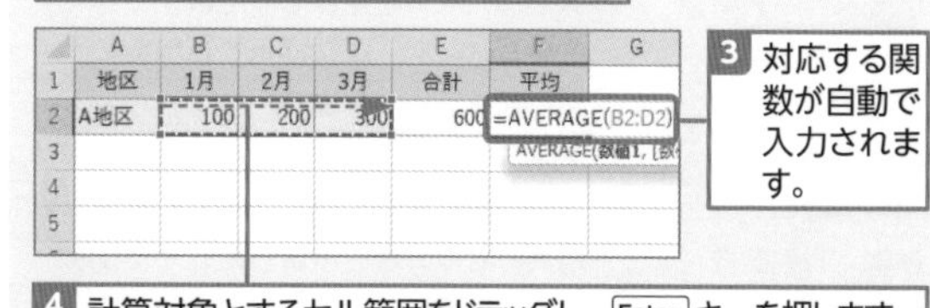

3 対応する関数が自動で入力されます。

4 計算対象とするセル範囲をドラッグし、Enterキーを押します。

Q748 お役立ち度 ★★★ 関数の基礎 

2021 2019 2016

よくわからない関数を入力するには

A [関数の挿入] を使って関数を入力します。

関数には多くの種類があり、引数の数や設定方法が異なります。[関数の挿入] を使うと、キーワードを使用した関数の検索ができ、[関数の引数] ダイアログを使って引数の指定ができます。

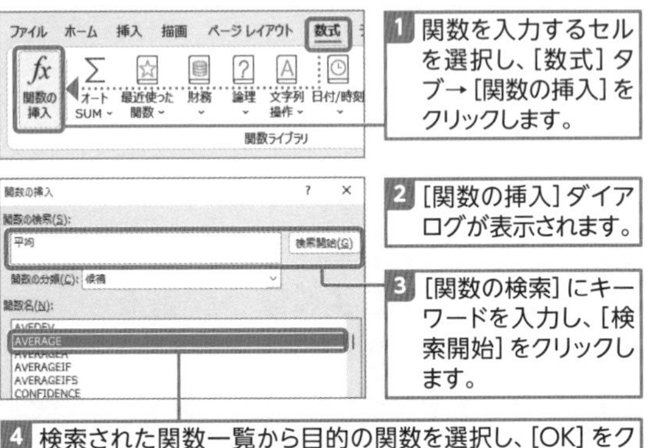

1 関数を入力するセルを選択し、[数式] タブ→ [関数の挿入] をクリックします。
2 [関数の挿入] ダイアログが表示されます。
3 [関数の検索] にキーワードを入力し、[検索開始] をクリックします。

4 検索された関数一覧から目的の関数を選択し、[OK] をクリックします。

5 [関数の引数] ダイアログが表示されます。

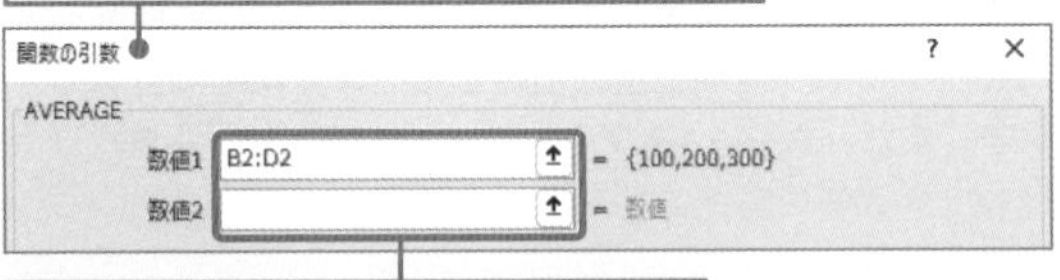

6 引数を指定し、[OK] をクリックします。

Q749 お役立ち度 ★★★ 関数の基礎 

2021 2019 2016 

入力した関数を修正するには

A 直接修正するか [関数の引数] ダイアログを表示します。

入力した関数は、セルをダブルクリックして編集するか、数式バーをクリックして直接修正できます。また、[関数の引数] ダイアログを表示して引数を設定し直すこともできます。

数式バーで修正

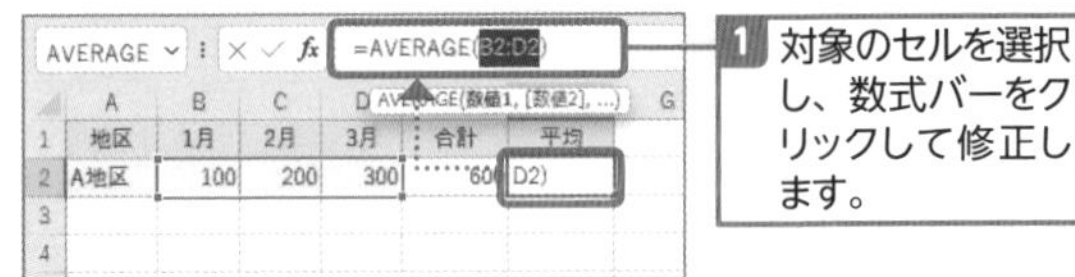

1 対象のセルを選択し、数式バーをクリックして修正します。

[関数の引数] ダイアログを使う

1 対象のセルを選択し、[関数の挿入] をクリックします。

2 [関数の引数] ダイアログが表示されます。引数を修正して [OK] をクリックします。

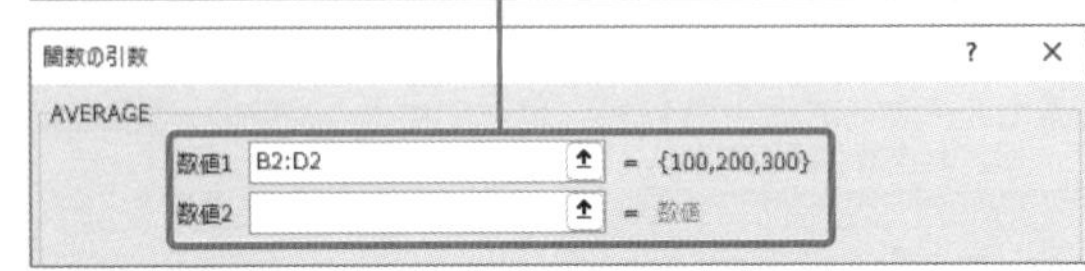

Q750 お役立ち度 ★★★ 関数の基礎

2021 2019 2016

関数の分類を知りたい!

A [関数ライブラリ] グループに機能別にまとめられています。

[数式] タブの [関数ライブラリ] グループでは、関数が機能別に分類されています。主な分類には下表のようなものがあります。

分類	内容	主な関数
数学／三角関数	合計や四捨五入など数値を操作する関数	SUM、ROUND、SUMIF
統計関数	平均、最大、最小値など統計する関数	AVERAGE、MAX、MIN
データベース関数	データベースを操作する関数	DSUM、DAVERAGE
日付／時刻関数	日付と時刻データを操作する関数	DATE、TIME、NOW、TODAY
文字列操作関数	文字列を操作する関数	LEFT、LEN
論理関数	条件に一致するか調べたり、条件によって異なる値を返したりする関数	IF、AND、OR、NOT
情報関数	セルの内容を調べたり、ふりがなを表示したりする関数	ISBLANK、PHONETIC
検索／行列関数	別表のセルの値を検索したりする関数	VLOOKUP
財務関数	ローンや利息などの計算をする関数	PMT

Q751 お役立ち度 ★★★ 関数の基礎 2021 2019 2016

セルに名前を付けて数式で使用するには

A [名前ボックス]を使って名前を付け、範囲指定で使います。

セルやセル範囲に名前を付けると、数式や関数でセルやセル範囲を指定する代わりに、名前を指定できます。ここでは、合計したいセル範囲に「売上数」と名前を付け、SUM関数で名前を使って合計する手順を例に説明します。

セル範囲に名前を付ける

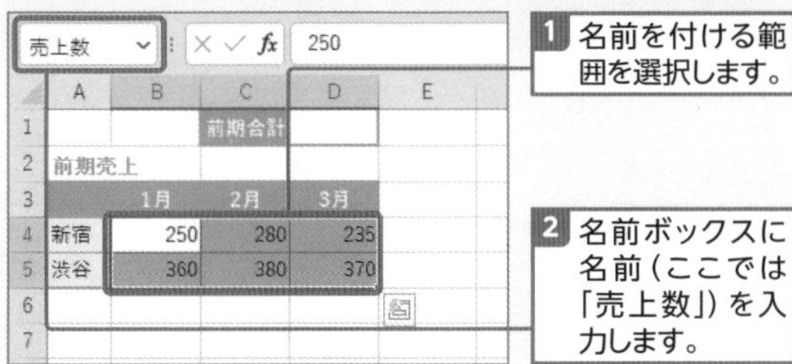

1 名前を付ける範囲を選択します。

2 名前ボックスに名前（ここでは「売上数」）を入力します。

名前を付けたセル範囲を関数で使用する

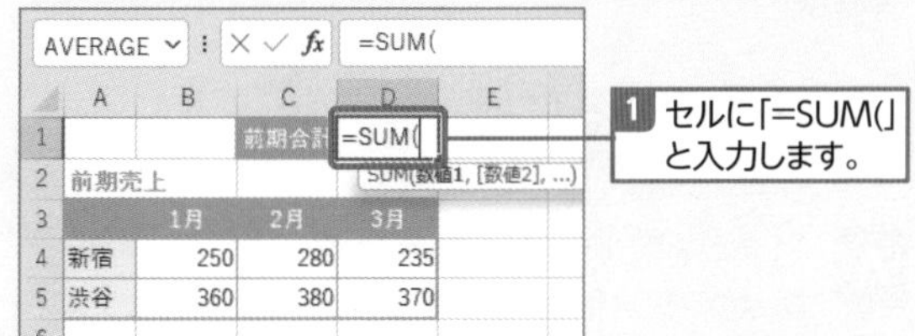

1 セルに「=SUM(」と入力します。

2 [数式]タブ→[数式で使用]をクリックして、名前をクリックします。

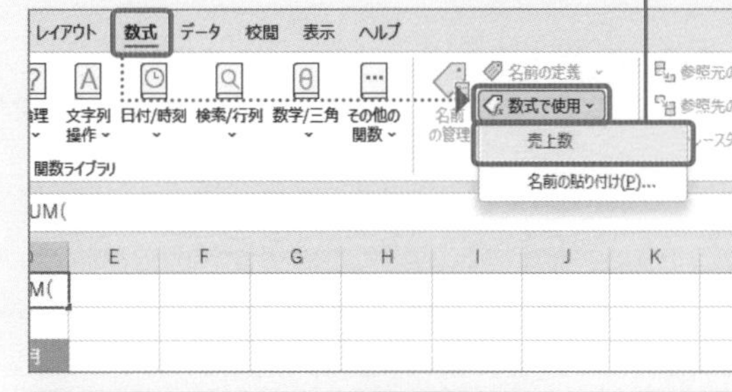

3 名前が入力され、セル範囲が色枠で囲まれます。数式を最後まで入力し、Enterキーで確定します。

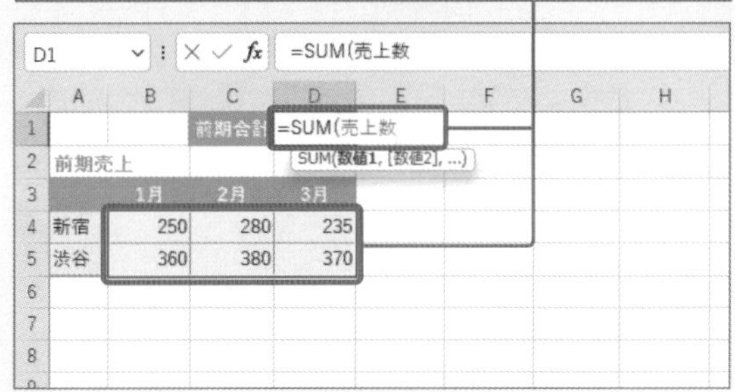

4 セル参照の代わりに名前を使って関数が設定されます。

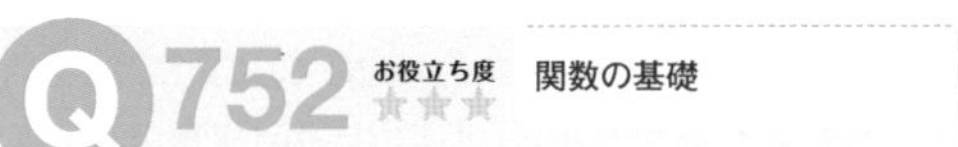

Q752 お役立ち度 ★★★ 関数の基礎 2021 2019 2016

名前を削除するには

A [名前の管理]ダイアログを使います。

[名前の管理]ダイアログでは、ブック内に設定されている名前を一覧表示し、編集や削除ができます。

1 [数式]タブ→[名前の管理]をクリックします。

ここをクリックすると、名前を変更したり、セル範囲を修正したりできます。

2 [名前の管理]ダイアログで削除したい名前をクリックし、[削除]をクリックします。

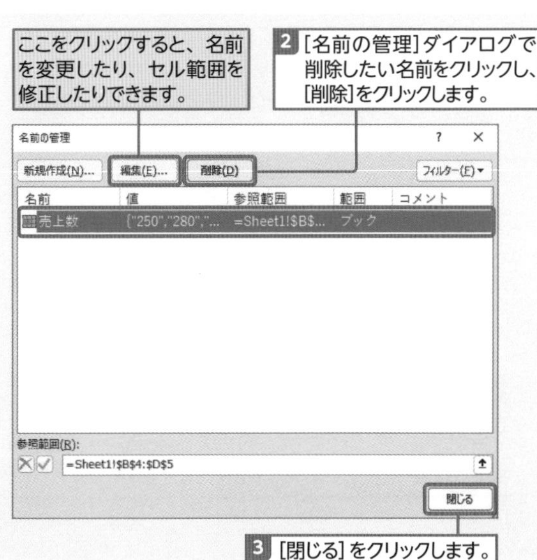

3 [閉じる]をクリックします。

数学／三角関数

2021
2019
2016

合計を求めたい!

A SUM関数を使います。

SUM関数は、数値の合計を求めます。最も基本的でよく使用される関数なので［ホーム］タブ→［合計］をクリックするだけで入力できます。ここでは1月～3月までの売上合計を求めています。

1 合計を表示するセルを選択し、［ホーム］タブ→［合計］をクリックします。

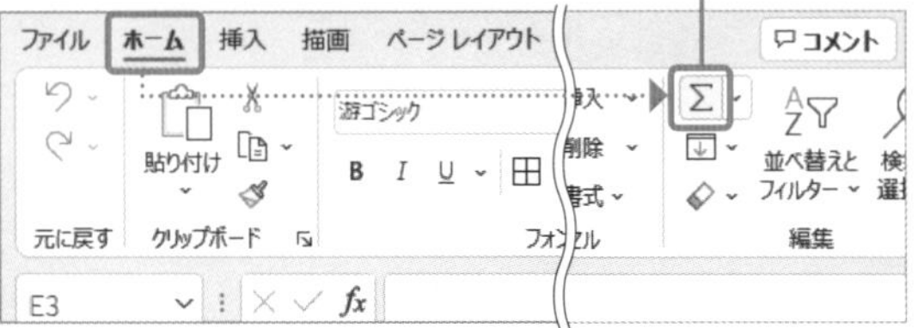

2 SUM関数が入力されるので、合計するセル範囲を確認します。

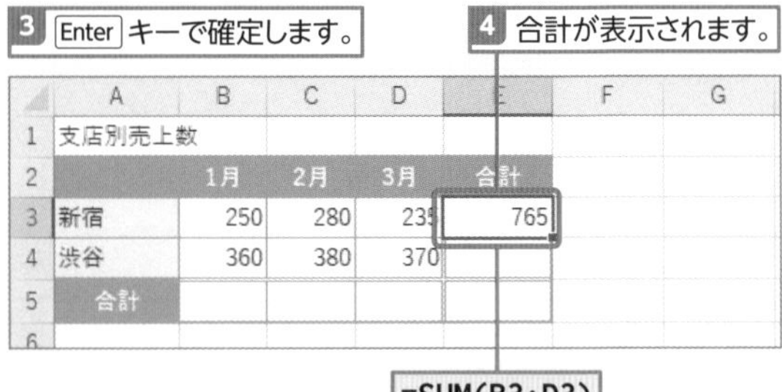

3 Enter キーで確定します。

4 合計が表示されます。

	A	B	C	D	E	F	G
1	支店別売上数						
2		1月	2月	3月	合計		
3	新宿	250	280	235	765		
4	渋谷	360	380	370			
5	合計						

=SUM(B3:D3)

▶SUM関数

書式	＝SUM(数値1,[数値2],…)

数値：合計を求めるセルまたはセル範囲を指定します。

Q754 お役立ち度 ★★★ 数学／三角関数

2021
2019
2016

複数の離れたセルの値を合計するには

A セル範囲を「,」でつなげます。

セル範囲を「,」(カンマ) でつなげると、離れたセルやセル範囲を合計範囲に追加できます。関数入力時、セル範囲を指定する際に、1箇所目をドラッグした後、2箇所目以降を Ctrl キーを押しながらドラッグすると、自動的に「,」が表示され、セル範囲が追加されます。ここでは、セル範囲B4～D4とB7～D7の合計を求めています。

=SUM(B4:D4,B7:D7)

D1 =SUM(B4:D4,B7:D7)

	A	B	C	D	E	F
1	前期売上		新宿合計	1,545		
2						
3		1月	2月	3月		
4	新宿	250	280	235		
5						
6		4月	5月	6月		
7	新宿	240	280	260		
8						

Q755 お役立ち度 ★★★ 数学／三角関数

累計を求めるには

A SUM関数で始点を絶対参照、終点を相対参照にします。

累計を計算したいときは、始点を絶対参照、終点を相対参照にすれば、式をコピーしても常に最初のセルから合計できます。ここでは、セルC2に「=SUM($B$2:B2)」と入力し、オートフィルでセルC7までSUM関数をコピーして累計を求めています。

1 セルC2に「=SUM($B$2:B2)」と入力します。

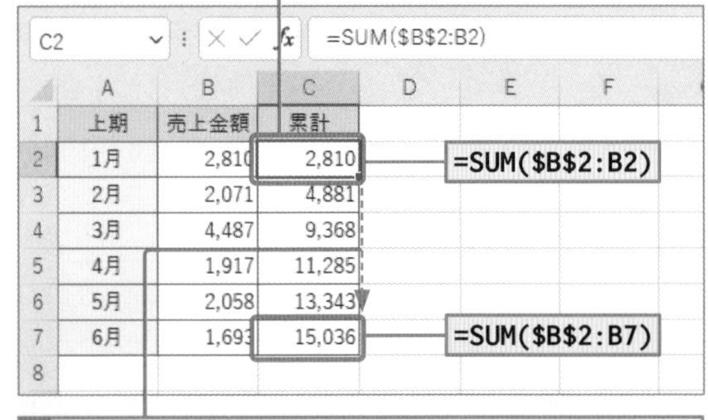

2 オートフィルでセルC7までコピーすると、各行に1月からの累計が表示されます。

Q756 お役立ち度 ★★★ 数学／三角関数 2021 2019 2016

データの増減に応じて合計を自動で求めるには

A 引数で列番号を指定します。

SUM関数で集計するときに、表のデータが増えたり減ったりしても範囲選択し直すことなく合計するには、引数の範囲指定を「列番号:列番号」の形式で列全体を指定します。ここでは、B列内のすべての数値を合計しています。

D2 ｜ =SUM(B:B)

	A	B	C	D	E	F	G
1	日付	集客数		合計			
2	4月1日	96		283			
3	4月2日	84					
4	4月3日	103					
5	4月4日						

=SUM(B:B)

Q757 お役立ち度 ★★★ 数学／三角関数 2021 2019 2016

表の合計行や列に合計を一気に表示するには

A 合計行／列を含めて選択してから[合計]をクリックします。

表の右端に合計列、下端に合計行がある表では、数値データと合計行や合計列を含めて範囲選択し、[合計]をクリックすると、選択範囲を元に自動的に合計範囲が設定され、SUM関数が入力されます。

1 数値データと合計列や合計行を含めて範囲選択し、[ホーム]タブ→[合計]をクリックします。

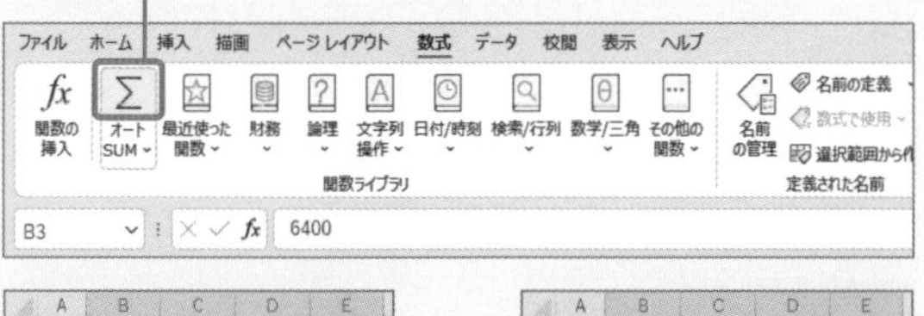

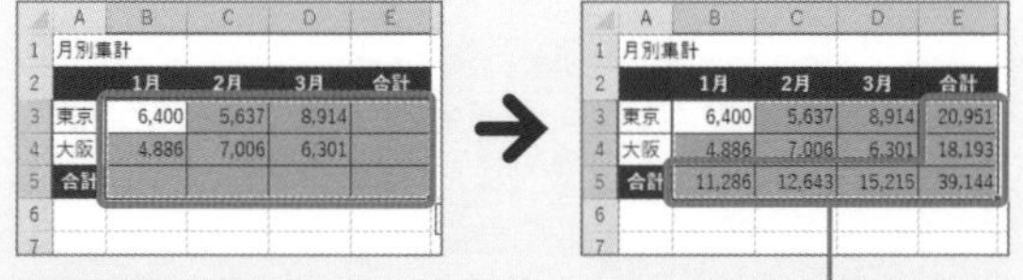

2 合計行／列のセルにSUM関数が入力され、合計が表示されます。

Q758 お役立ち度 ★★★ 数学／三角関数 2021 2019 2016

別シートにある同じセルを合計するには

A 串刺し集計をします。

串刺し集計（3D集計）とは、別シート上の同じセル番号のデータ同士で集計することです。例えば、「新宿」「渋谷」「池袋」シートにある同じ形式の表を「全店舗」シートで集計するには次のように操作します。

1 集計用の表のセルをクリックし、「=SUM(」と入力します。

2 集計する先頭のシートの見出しをクリックします。

3 合計を求める始点のセルをクリックします。

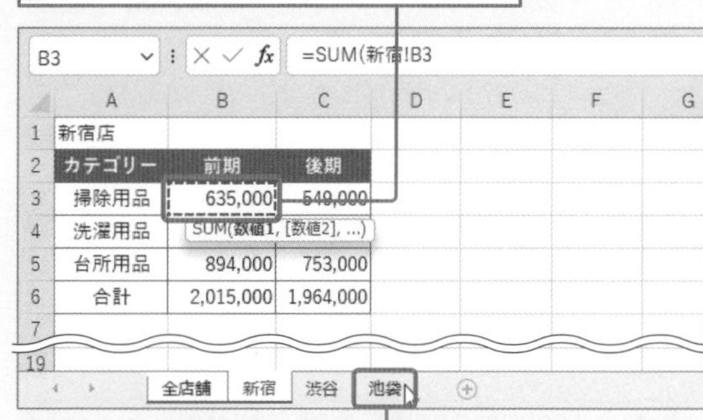

4 集計する最後のシートの見出しをShiftキーを押しながらクリックしたら、Enterキーを押して式を確定します。

5 数式バーでセルB3に設定されたSUM関数「=SUM(新宿:池袋!B3)」を確認します。

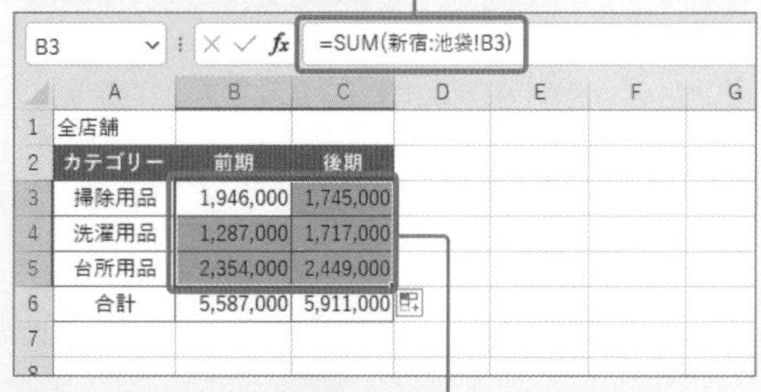

6 セルB3に入力された関数をセルC5までコピーします。

Q759 お役立ち度 ★★★ 数学／三角関数

小計を除いた合計を素早く計算するには

A SUBTOTAL関数を使います。

SUBTOTAL関数は、セル範囲に対して指定した集計方法で集計します。合計を求めるには、「9」を指定します。SUBTOTAL関数の範囲の中に、SUBTOTAL関数のセルが含まれる場合は、そのセルは集計から除かれます。ここではセルC4、C7、C8にSUBTOTAL関数で合計を求めています。セルC8のSUBTOTAL関数では、セルC4とC7は集計から除かれていることが確認できます。

▶SUBTOTAL 関数

書式	＝SUBTOTAL（集計方法， 参照）

集計方法:集計方法を数値で指定します。
参照:集計するセル範囲を指定します。

C8 =SUBTOTAL

	A	B	C
1	店舗	分類	金額
2	原宿	持ち帰り	23,600
3		イートイン	32,800
4		合計	56,400
5	青山	持ち帰り	46,300
6		イートイン	36,800
7		合計	83,100
8	総合計		139,500
9			
10			

=SUBTOTAL(9,C2:C3)
=SUBTOTAL(9,C5:C6)
=SUBTOTAL(9,C2:C7)

●主な集計方法

集計方法	内容（対応する関数）
1または101	平均値（AVERAGE）
2または102	数値データの個数（COUNT）
3または103	データの個数（COUNTA）
4または104	最大値（MAX）
5または105	最小値（MIN）
9または109	合計（SUM）

※101～109の値を指定すると、非表示の値は集計対象から除かれます。

Q760 お役立ち度 ★★★ 数学／三角関数

エラーを無視していろいろな集計や順位を求めるには

A AGGREGATE関数を使います。

AGGREGATE関数は、セル範囲に対して指定した集計方法で集計します。SUBTOTAL関数より機能拡張されており、多くの集計方法が用意されています。オプションを指定することでエラー値を無視するなどの設定ができます。

書式	=AGGREGATE（集計方法， オプション， 参照1， ［参照2］， …）
書式	=AGGREGATE（集計方法， オプション， 配列， 順位）

集計方法:1～19の数値で指定します（右表参照）。1～13では上の書式、14～19では下の書式を使います。
オプション:集計の詳細設定を指定できます（右表参照）。
参照:集計対象となるセル範囲を指定します。
配列:順位や分位を求めるセル範囲を指定します。
順位:［集計方法］で指定した種類に応じて順位や分位を指定します。

●主な集計方法

集計方法	内容（対応する関数）
1	平均値（AVERAGE）
2	数値データの個数（COUNT）
3	データ個数（COUNTA）
4	最大値（MAX）
5	最小値（MIN）
6	積（PRODUCT）
7	不偏標準偏差（STDEV.S）
8	標準偏差（STEV.P）
9	合計（SUM）
10	不偏分散（VAR.S）
11	分散（VAR.P）
12	中央値（MEDIAN）
13	最頻値（MODE.SNGL）
14	降順の順位（LARGE）
15	昇順の順位（SMALL）
16	百分位数（PERCENTILE.INC）
17	四分位数（QUARTILE.INC）
18	0%と100%を除いた百分位数（PERCENTILE.EXC）
19	0%と100%を除いた四分位数（QUARTILE.EXC）

●オプション

値	内容
0または省略	セル範囲内に含まれるSUBTOTAL関数、AGGREGATE関数のセルの値を除く
1	0の指定に加えて、非表示の行を無視
2	0の指定に加えて、エラー値を無視
3	0の指定に加えて、非表示の行、エラー値を無視
4	何も無視しない
5	非表示の行を無視
6	エラー値を無視
7	非表示の行とエラー値を無視

Q761 お役立ち度 ★★★ 数学／三角関数 2021 2019 2016

乱数を求めるには

A RAND関数、RANDBETWEEN関数、RANDARRAY関数を使います。

RAND関数は、0以上1未満の乱数を、RANDBETWEEN関数は、指定された範囲で整数の乱数を返します。RANDARRAY関数は、指定した行数／列数、指定した範囲の乱数の表を作成します（Excel 2021、Microsoft 365）。先頭のセルにRANDARRAY関数を入力するとスピル機能（**Q744**）により、自動的に必要な数だけセルに関数が入力されます。ここでは、セルA2に関数を入力し、3行×2列で1～20の範囲の実数の乱数表を作成しています。

RAND関数

=RAND()

	A	B	C
1	乱数		
2	0.958848806		
3	0.842377748		
4	0.656746393		
5	0.370979107		

RANDBETWEEN関数

=RANDBETWEEN(10,99)

	A	B	C
1	10-99までの乱数		
2	24		
3	70		
4	34		
5	66		

▶RAND関数

書式	＝RAND()

▶RANDBETWEEN関数

書式	＝RANDBETWEEN(最小値, 最大値)

最小値：乱数の最小値を整数で指定します。
最大値：乱数の最大値を整数で指定します。

RANDARRAY関数

=RANDARRAY(3,2,1,20)

	A	B	C	D	E	F	G
1	3行2列の1-20までの乱数配列						
2	16.88952734	1.440312309					
3	16.50202721	16.9917085					
4	3.924657966	3.446955847					

▶RANDARRAY関数

書式	=RANDARRAY([行数], [列数], [最小値], [最大値], [整数])

行数：配列の行数を指定します。
列数：配列の列数を指定します。
最小値：乱数の最小値を整数で指定します（省略時は0）。
最大値：乱数の最大値を整数で指定します（省略時は1）。
整数：TRUEは整数、FALSEまたは省略時は実数の乱数になります。

Q762 お役立ち度 ★★★ 数学／三角関数 2021 2019 2016

数値を四捨五入、切り上げ、切り捨てるには

A ROUND関数、ROUNDUP関数、ROUNDDOWN関数を使います。

ROUND関数は、指定した桁数になるように数値を四捨五入します。例えば、「123.4」を小数点以下を四捨五入して整数に丸めたいときは、「=ROUND(123.4,0)」と指定します。ROUNDUP関数、ROUNDDOWN関数は指定した桁数になるように数値をそれぞれ、切り上げ、切り捨てます。ここでは、セルD4の値を桁数0（整数）になるようにそれぞれの関数を設定しています。

ROUND関数

=ROUND(D4,0)

	A	B	C	D	E	F	G
1	セール価格表						
2	商品名	価格	値引率	値引額	値引額		
3					四捨五入 ROUND		
4	商品A	2,630	5%	131.5	132		
5	商品B	4,210	4%	168.4	168		

▶ROUND関数

書式	＝ROUND(数値, 桁数)

数値：処理する数値を指定します。
桁数：四捨五入した結果の桁数を指定します。

ROUNDUP関数とROUNDDOWN関数

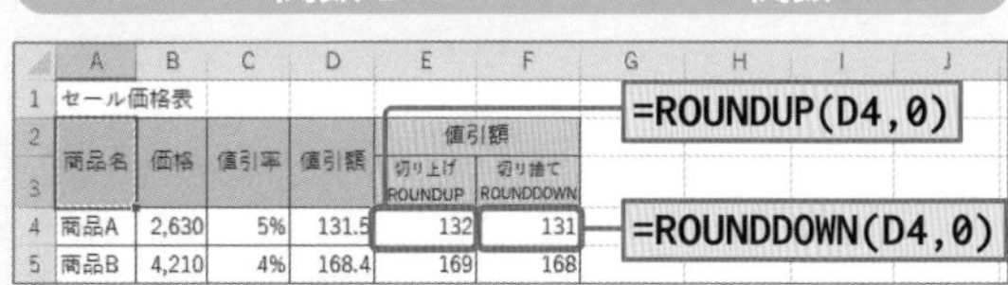

=ROUNDUP(D4,0)
=ROUNDDOWN(D4,0)

	A	B	C	D	E	F	G	H	I	J
1	セール価格表									
2	商品名	価格	値引率	値引額	値引額					
3					切り上げ ROUNDUP	切り捨て ROUNDDOWN				
4	商品A	2,630	5%	131.5	132	131				
5	商品B	4,210	4%	168.4	169	168				

▶ROUNDUP関数

書式	＝ROUNDUP(数値, 桁数)

数値：処理する数値を指定します。
桁数：切り上げた結果の桁数を表示します。

▶ROUNDDOWN関数

書式	＝ROUNDDOWN(数値, 桁数)

数値：処理する数値を指定します。
桁数：切り捨てた結果の桁数を表示します。

数値「123.456」を「桁数」を変えて計算した結果

桁数が正の数のときは小数部分、0のときは小数点位置、負の数のときは整数部分でそれぞれ処理されます。

1		数値：123.456		
2	桁数	四捨五入 ROUND	切り上げ ROUNDUP	切り捨て ROUNDDOWN
3	2	123.46	123.46	123.45
4	1	123.5	123.5	123.4
5	0	123	124	123
6	-1	120	130	120
7	-2	100	200	100

Q763

お役立ち度 ★★★　数学／三角関数　2021 2019 2016

数値を丸める関数にはどんなものがあるの？

A 主な関数をまとめます。

ROUND関数、ROUNDUP関数、ROUNDDOWN関数以外に数値を丸める関数はいくつかあります。主なものに次のようなものがあります。

関数名	書式	意味
CEILING.MATH	=CEILING.MATH(数値, 基準値,モード)	「基準値」の倍数のうち、最も近い値に「数値」を切り上げる
FLOOR.MATH	=FLOOR.MATH(数値, 基準値,モード)	「基準値」の倍数のうち、最も近い値に「数値」を切り捨てる
MROUND	=MROUND(数値, 倍数)	「倍数」の倍数になるように、「数値」を切り上げまたは切り捨てて丸める
TRUNC	=TRUNC(数値, 桁数)	「数値」の小数部を切り捨てて、整数または指定した「桁数」に変換する
INT	=INT(数値)	「数値」の小数部を切り捨てて整数にする
EVEN	=EVEN(数値)	「数値」を最も近い偶数に切り上げる
ODD	=ODD(数値)	「数値」を最も近い奇数に切り上げる

CEILING.MATH関数、FLOOR.MATH関数、MROUND関数

「数値」を「2,563」(セルB2)、「基準値／倍数」を「200」(セルC2)と設定します。CEILING.MATH関数は「2,563」を「200」の倍数の中で最も近い値に切り上げ、FLOOR.MATH関数は「2,563」を「200」の倍数の中で最も近い値に切り捨てます。MROUND関数は「2,563」を「200」の倍数の中で最も近い値に切り上げ／切り捨てを行います。

=CEILING.MATH(B2,C2)

	A	B	C	D
1	関数	数値	基準値/倍数	結果
2	CEILING.MATH			2,600
3	FLOOR.MATH	2,563	200	2,400
4	MROUND			2,600
5				
6				
7				

=FLOOR.MATH(B2,C2)　=MROUND(B2,C2)

EVEN関数、ODD関数

「数値」を「236」(セルB2)と設定します。EVEN関数は「236」を最も近い偶数に切り上げ、ODD関数は「236」を最も近い奇数に切り上げを行います。

	A	B	C	D	E
1	関数	数値	結果		
2	EVEN	236	238		
3	ODD		237		
4					
5					
6					

=EVEN(B2)　=ODD(B2)

TRUNC関数、INT関数

TRUNC関数で「数値」を「123.456」、「桁数」を「2」とした場合は、小数点以下第2位まで表示し「123.45」を返します。また、「数値」を「-123.456」、「桁数」をなしにした場合は、小数点以下を切り捨て「-123」を返します。一方、INT関数で「数値」を「-123.456」、桁数をなしにした場合は、「数値」より小さくて最大の整数となる「-124」を返します。下表を参考に違いを確認してください。

=TRUNC(B2,C2)

	A	B	C	D
1	関数	数値	桁数	結果
2		123.456	2	123.45
3		123.456	1	123.4
4		123.456	0	123
5	TRUNC	123.456	-1	120
6		123.456	-2	100
7		123.456		123
8		-123.456		-123
9	INT	123.456		123
10		-123.456		-124
11				
12				

=TRUNC(B8)　=INT(B10)

おトクな情報　CEILING関数とFLOOR関数

Excel 2010までは、数値を基準値の倍数に切り上げるのにCEILING関数、数値を基準値の倍数に切り捨てるのにFLOOR関数を使っていました。Excel 2013以降は、新しい関数(CEILING.MATH関数、FLOOR.MATH関数)の使用が推奨されていますが、互換性関数として使用できます。

Q764 お役立ち度 ★★★ 数学／三角関数 2021 2019 2016

指定した数値を掛け算した数値を求めるには

A PRODUCT関数を使います。

PRODUCT関数は、指定した複数の数値を掛け算した結果を返します。引数に指定したセル範囲内の値を掛け合わせられるので、設定が簡単です。ここでは、「定価×掛け率×数量」とすべての項目をかけ合わせて金額を求めています。

=PRODUCT(B3:D3)

	A	B	C	D	E
1	注文表				
2	商品名	定価	掛け率	数量	金額
3	甘エビセット	3,200	0.7	5	11,200
4	ホタテ1箱	4,000	0.8	3	9,600

▶PRODUCT 関数

書式	＝PRODUCT(数値1,[数値2],…)

数値:積を求めるセルまたはセル範囲を指定します。

Q765 お役立ち度 ★★★ 数学／三角関数 2021 2019 2016

割り算の商の整数部分を求めるには

A QUOTIENT関数を使います。

QUOTIENT関数は、割り算の結果の整数部分を返します。ここでは、商品の在庫をセット単位で梱包したときのセット数を求めています。

=QUOTIENT(B3,C3)

	A	B	C	D
1	出荷可能セット数計算			
2	商品名	在庫数	セット単位	セット数
3	トマトジュース	354	12	29
4	リンゴジュース	326	6	54

▶QUOTIENT 関数

書式	＝QUOTIENT(分子, 分母)

分子:割られる数を指定します。
分母:割る数を指定します。

Q766 お役立ち度 ★★★ 数学／三角関数 2021 2019 2016

割り算の商の余りを求めるには

A MOD関数を使います。

MOD関数は、割り算をした結果の余りの部分を返します。ここでは、商品の在庫をセット単位でケースに入れた後、残った数を求めています。

=MOD(B3,C3)

	A	B	C	D	E
1	出荷可能セット数計算				
2	商品名	在庫数	セット単位	セット数	残り
3	トマトジュース	354	12	29	6
4	リンゴジュース	326	6	54	2
5					

▶MOD 関数

書式	＝MOD(数値, 除数)

数値:割られる数を指定します。
除数:割る数を指定します。

Q767 お役立ち度 ★★★ 数学／三角関数 2021 2019 2016

数式内の計算結果に名前を割り当てて計算に使うには

A LET関数を使います。

LET関数は、関数内で定義した名前に値を代入し、名前を使って計算した結果を返します。ここでは、商品Aと商品Bの売上金額をPRUDUCT関数（**Q764**）で求めた結果をそれぞれx、yに代入し、「x+y」で売上金額の合計を求めています。

書式	=LET(名前1, 値1, [名前2, 値2],…, 計算)

名前:「値」を代入するための文字列を指定します。
値:「名前」に代入する値を指定します。数値、計算式、セル参照を指定します。
計算:結果を返す計算式を指定します。計算式には名前を使います。

	A	B	C	D	E	F
1	売上金額					
2	商品名	定価	割引率	販売数		売上金額
3	商品A	1,500	0.8	12		25,200
4	商品B	2,000	0.9	6		

=LET(x,PRODUCT(B3:D3),y,PRODUCT(B4:D4),x+y)

Q768 お役立ち度 ★★★ 数学／三角関数

条件を満たすデータの合計を求めるには

A SUMIF関数を使います。

指定したセル範囲にある値の中で、条件を満たす値の合計を求めます。条件は1つのみ指定できます。検索条件には、文字列やセルを指定できるほか、比較演算子（**Q821**）やワイルドカード（**Q619**）を使うこともできます。ここでは、セルE3の商品名の売上合計を求めています。

=SUMIF($B$3:$B$11,E3,$C$3:$C$11)

	A	B	C	D	E	F
1	売上表				商品別売上金額	
2	日付	商品	金額		商品	売上合計
3	2022/6/1	コーヒーセット	4,800		クッキーセット	4,000
4	2022/6/2	マドレーヌ	2,800		チョコ詰め合わせ	8,400
5	2022/6/2	ジュースセット	6,500		マドレーヌ	8,400
6	2022/6/3	チョコ詰め合わせ	4,800		コーヒーセット	9,600
7	2022/6/4	クッキーセット	2,000		ジュースセット	6,500
8	2022/6/4	マドレーヌ	5,600			
9	2022/6/5	チョコ詰め合わせ	3,600			
10	2022/6/6	クッキーセット	2,000			
11	2022/6/7	コーヒーセット	4,800			
12						

範囲と合計範囲は、式をコピーしてもずれないように絶対参照にしています。

▶SUMIF関数

書式 ＝SUMIF(範囲，検索条件，[合計範囲])

範囲：条件を判定する値が入力されているセル範囲を指定します。
検索条件：条件を指定します。
合計範囲：合計を求めるデータが入力されているセル範囲を指定します。省略した場合は、「範囲」が合計範囲になります。

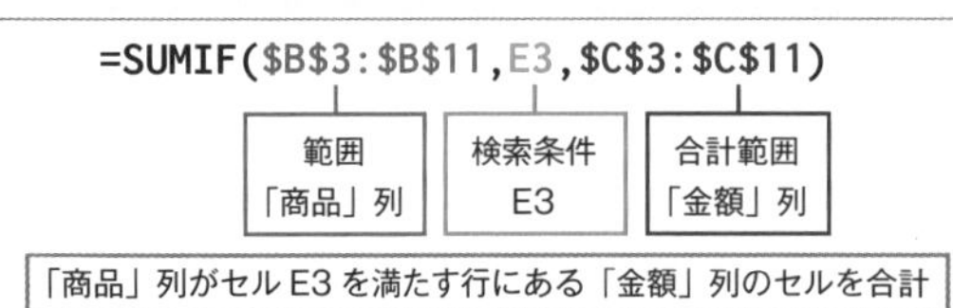

● 検索条件の設定例

検索条件	意味
10	数値の10と等しい
E3	セルE3の値と等しい
"マドレーヌ"	「マドレーヌ」と等しい
"<>マドレーヌ"	「マドレーヌ」ではない
"*セット"	「セット」で終わる
"*"&E3&"*"	セルE3の値を含む
">=10"	10以上
">=2020/7/7"	「2020/7/7」以降
">="&C3	セルC3の値以上

Q769 お役立ち度 ★★★ 数学／三角関数

複数の条件を満たすデータの合計を求めるには

A SUMIFS関数を使います。

指定したセル範囲にある値の中で、複数の条件をすべて満たす値の合計を求めます。複数の条件を指定する際、条件範囲と条件をセットで指定します。ここでは、店舗が「新宿」、商品が「紅茶セット」の売上合計を求める例と、店舗別商品別の集計表の作成例を紹介します。

=SUMIFS(D3:D13,B3:B13,"新宿",C3:C13,"紅茶セット")

	A	B	C	D	E	F
1	売上表					売上金額
2	日付	店舗	商品	金額		新宿の紅茶セット
3	2022/7/1	新宿	紅茶セット	1,500		6,000
4	2022/7/2	池袋	マドレーヌ	2,800		
11	2022/7/9	新宿	紅茶セット	4,500		
12	2022/7/10	渋谷	マドレーヌ	4,200		
13	2022/7/11	渋谷	マドレーヌ	1,400		

▶SUMIFS関数

書式 ＝SUMIFS(合計範囲，条件範囲1，条件1，[条件範囲2，条件2]，…)

合計範囲：合計を求めるデータが入力されているセル範囲を指定します。
条件範囲：条件を判定する値が入力されているセル範囲を指定します。
条件：条件を指定します。

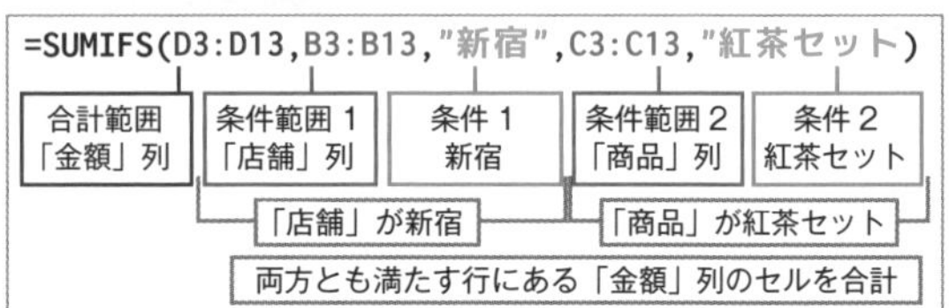

店舗別商品別の集計表作成

	A	B	C	D	E	F	G	H	I
1	売上表					売上金額			
2	日付	店舗	商品	金額		商品	新宿	渋谷	池袋
3	2022/7/1	新宿	紅茶セット	1,500		コーヒーセット	4,800	3,600	3,600
4	2022/7/2	池袋	マドレーヌ	2,800		紅茶セット	6,000	4,500	3,000
5	2022/7/3	新宿	コーヒーセット	4,800		マドレーヌ	5,600	5,600	2,800
6	2022/7/4	渋谷	コーヒーセット	3,600					
7	2022/7/5	池袋	紅茶セット	3,000					
8	2022/7/6	新宿	マドレーヌ	5,600					

=SUMIFS($D$3:$D$13,$B$3:$B$13,G$2,$C$3:$C$13,$F3)

条件範囲と合計範囲は、式をコピーしてもずれないように絶対参照にしています。また、条件1のセルG2は行がずれないように行のみ固定（G$2）、条件2のセルF3は列がずれないように列のみ固定（$F3）しています。

Q770 お役立ち度 ★★★ 統計関数

2021 2019 2016

平均を求めるには

A AVERAGE関数を使います。

指定したセル範囲の数値の平均値を求めます。範囲内の文字列や空白のセルは無視されますが、0が入力されている場合は計算対象になります。ここでは英単語テストの平均点を求めています。

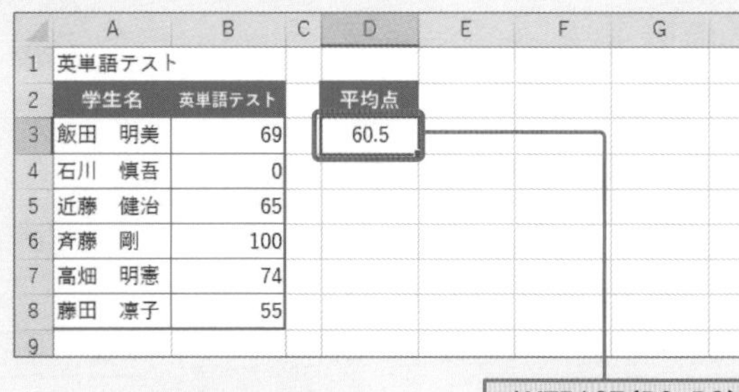

	A	B	C	D
1	英単語テスト			
2	学生名	英単語テスト		平均点
3	飯田　明美	69		60.5
4	石川　慎吾	0		
5	近藤　健治	65		
6	斉藤　剛	100		
7	高畑　明憲	74		
8	藤田　凛子	55		

▶AVERAGE 関数

書式	＝AVERAGE(数値1,[数値2],…)

数値:平均を求めるセルまたはセル範囲を指定します。

Q771 お役立ち度 ★★★ 統計関数

2021 2019 2016

条件を満たすデータの平均値を求めるには

A AVERAGEIF関数を使います。

指定したセル範囲にある値の中で、条件を満たす値の平均を求めます。条件は1つのみ指定できます。ここでは、会員種別ごとの平均年齢を求めています。

=AVERAGEIF($C$3:$C$8,H3,$F$3:$F$8)

	A	B	C	D	E	F	G	H	I
1	会員名簿								
2	NO	氏名	分類	性別	生年月日	年齢		分類	平均年齢
3	1	大西　宏	一般	男	1996/11/5	25		一般	30.3
4	2	小堺　清美	特別	女	1982/7/19	39		特別	42.7
5	3	高橋　礼香	特別	女	1975/12/23	46			
6	4	清水　健介	一般	男	1982/8/1	39			
7	5	田所　浩二	特別	男	1978/4/12	43			
8	6	岡田　恵子	一般	女	1994/9/5	27			

範囲と平均範囲は、式をコピーしてもずれないように絶対参照にしています。

▶AVERAGEIF 関数

書式	＝AVERAGEIF(範囲,条件,[平均範囲])

範囲:条件を判定する値が入力されているセル範囲を指定します。
条件:条件を指定します。
平均範囲:平均を求めるデータが入力されているセル範囲を指定します。省略した場合は､「範囲」が平均範囲になります。

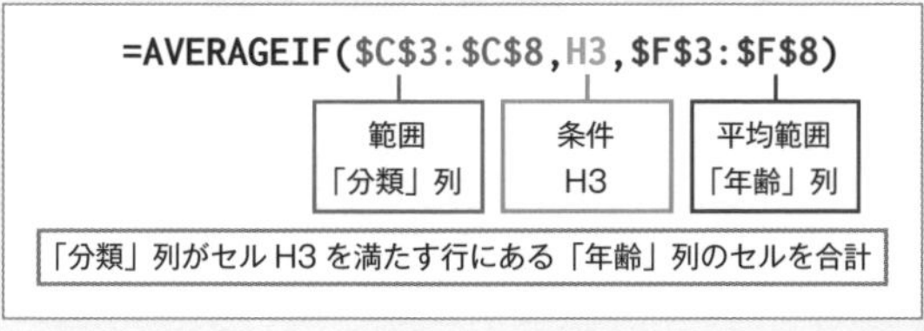

Q772 お役立ち度 ★★★ 統計関数

2021 2019 2016

複数の条件を満たすデータの平均値を求めるには

A AVERAGEIFS関数を使います。

指定したセル範囲にある値の中で、複数の条件をすべて満たす値の平均値を求めます。複数の条件を指定する場合は、条件範囲と条件をセットで指定します。ここでは、セルH3の分類とセルI3の性別を共に満たす会員の平均年齢を求めています。

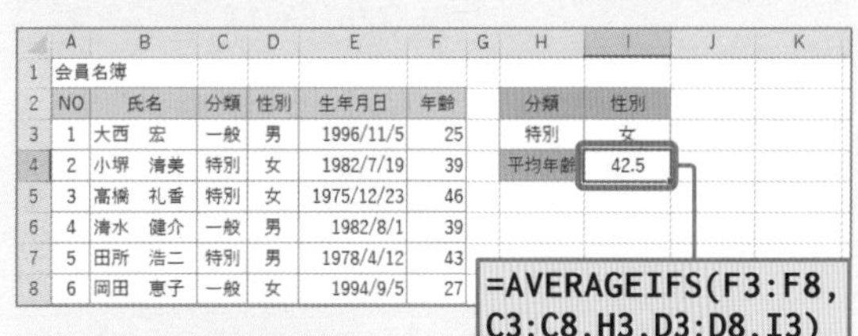

	A	B	C	D	E	F	G	H	I
1	会員名簿								
2	NO	氏名	分類	性別	生年月日	年齢		分類	性別
3	1	大西　宏	一般	男	1996/11/5	25		特別	女
4	2	小堺　清美	特別	女	1982/7/19	39		平均年齢	42.5
5	3	高橋　礼香	特別	女	1975/12/23	46			
6	4	清水　健介	一般	男	1982/8/1	39			
7	5	田所　浩二	特別	男	1978/4/12	43			
8	6	岡田　恵子	一般	女	1994/9/5	27			

▶AVERAGEIFS 関数

書式	＝AVERAGEIFS(平均範囲, 条件範囲1, 条件1, [条件範囲2, 条件2],…)

平均範囲:平均を求めるデータが入力されているセル範囲を指定します。
条件範囲:条件を判定する値が入力されているセル範囲を指定します。
条件:条件を指定します。

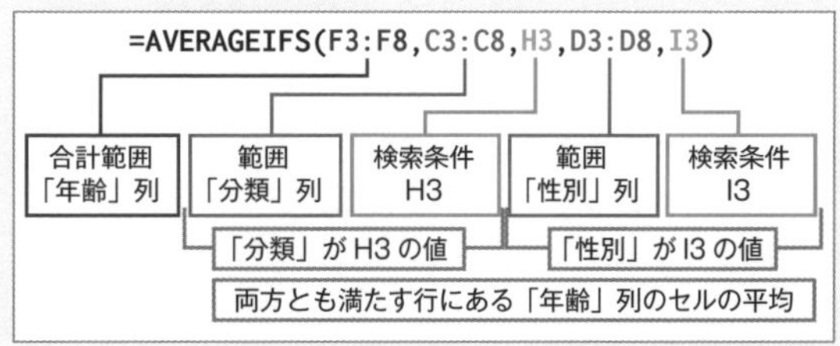

Q773 お役立ち度 ★★★ 統計関数

2021 2019 2016

最大値、最小値を求めるには

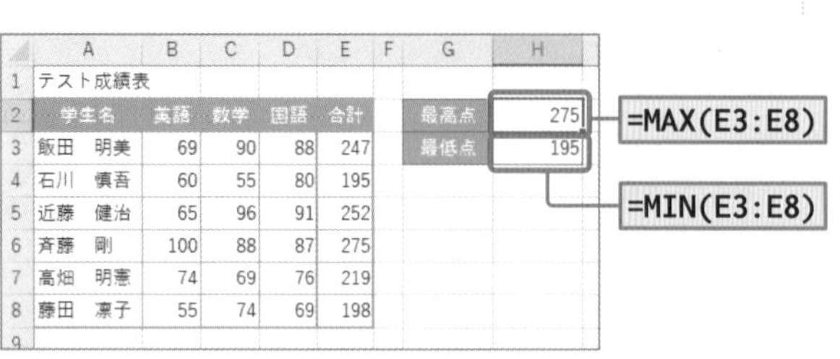

	A	B	C	D	E	F	G	H
1	テスト成績表							
2	学生名	英語	数学	国語	合計		最高点	275
3	飯田　明美	69	90	88	247		最低点	195
4	石川　慎吾	60	55	80	195			
5	近藤　健治	65	96	91	252			
6	斉藤　剛	100	88	87	275			
7	高畑　明憲	74	69	76	219			
8	藤田　凛子	55	74	69	198			

A MAX関数、MIN関数を使います。

指定したセル範囲にある値の中から最大値を求めるにはMAX関数、最小値を求めるにはMIN関数を使います。ここでは成績表の合計列の中から最大値と最小値を求めています。

▶MAX 関数

書式	＝MAX(数値1,[数値2],…)

数値:最大値を求めるセルまたはセル範囲を指定します。

▶MIN 関数

書式	＝MIN(数値1,[数値2],…)

数値:最小値を求めるセルまたはセル範囲を指定します。

Q774 お役立ち度 ★★★ 統計関数

2021 2019 2016

条件を満たす値の最大値や最小値を求めるには

A MAXIFS関数、MINIFS関数を使います。

指定したセル範囲にある値の中で、複数の条件をすべて満たす値の中から最大値、最小値を求めます。複数の条件を指定する場合は、条件範囲と条件をセットで指定します。ここでは、セルI2で指定したクラスの合計点の最高点と最低点を求めています。

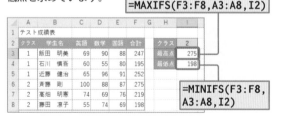

=MAXIFS(F3:F8,A3:A8,I2)

	A	B	C	D	E	F	G	H	I
1	テスト成績表								
2	クラス	学生名	英語	数学	国語	合計		クラス	2
3	1	飯田　明美	69	90	88	247		最高点	275
4	1	石川　慎吾	60	55	80	195		最低点	198
5	1	近藤　健治	65	96	91	252			
6	2	斉藤　剛	100	88	87	275			
7	2	高畑　明憲	74	69	76	219			
8	2	藤田　凛子	55	74	69	198			

=MINIFS(F3:F8,A3:A8,I2)

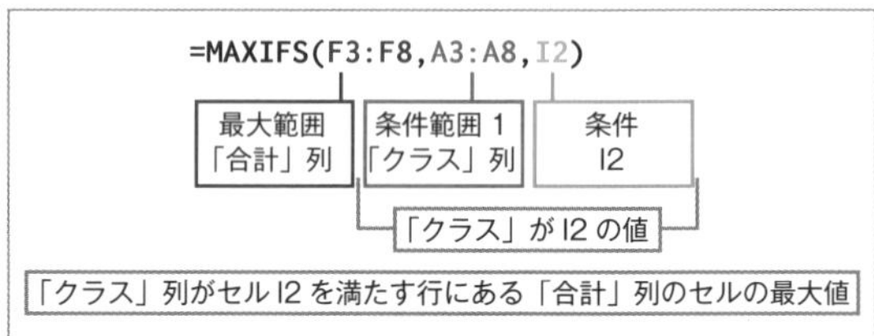

▶MAXIFS 関数／MINIFS 関数

書式	＝MAXIFS(最大範囲, 条件範囲1, 条件1, [条件範囲2, 条件2],…)
書式	＝MINIFS(最小範囲, 条件範囲1, 条件1, [条件範囲2, 条件2],…)

最大範囲:最大値を求めるデータが入力されているセル範囲を指定します。
最小範囲:最小値を求めるデータが入力されているセル範囲を指定します。
条件範囲:条件を判定する値が入力されているセル範囲を指定します。
条件:条件を指定します。

Q775 お役立ち度 ★★★ 統計関数

2021 2019 2016

データの数を求めるには

A COUNTA関数、COUNT関数を使います。

COUNTA関数は空白以外のセルの個数を求め、COUNT関数は数値が入力されたセルの数を求めます。日付や時刻は数値データとしてみなされるので、COUNT関数で日付を指定することもできます。ここでは、「店名」列から店舗数、「完了日」列に日付が入っている個数を数えています。

	A	B	C	D	E
1	店名	完了日		店舗数	3
2	新宿	7月1日		完了数	2
3	原宿	7月3日			
4	青山				

▶COUNTA 関数

書式	＝COUNTA(値1,[値2],…)

値:空白以外のセルの数を数えるセルまたはセル範囲を指定します。

▶COUNT 関数

書式	＝COUNT(値1,[値2],…)

値:数値の数を数えるセルまたはセル範囲を指定します。

Q776 お役立ち度 ★★★ 統計関数 2021 2019 2016

条件を満たすデータの個数を求めるには

A COUNTIF関数を使います。

指定したセル範囲にある値の中で、条件を満たすセルの個数を求めます。ここでは、セルB1の目標点を達成した生徒の人数を求めています。セルの値を参照して「セルB1の値以上」という条件は、「">="＆B1」のように記述します。なお、セルを参照しないで「80以上」という条件は「">=80"」と記述します。

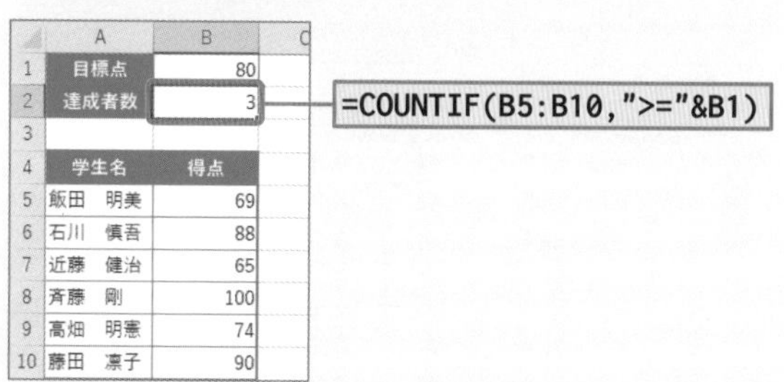

▶COUNTIF 関数

書式	＝COUNTIF(範囲, 検索条件)

範囲：セルの個数を求めるセル範囲を指定します。
検索条件：条件を指定します。

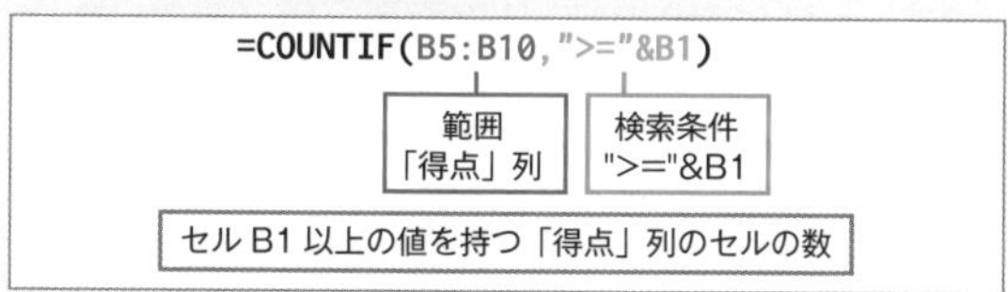

Q777 お役立ち度 ★★★ 統計関数 2021 2019 2016

複数の条件を満たすセルの個数を求めるには

A COUNTIFS関数を使います。

指定したセル範囲にある値の中で、複数の条件をすべて満たすセルの個数を求めます。複数の条件を指定する場合は、条件範囲と条件をセットで指定します。ここでは、テストの目標点（セルF1）を達成した生徒の数をクラス別に求めた表を作成しています。

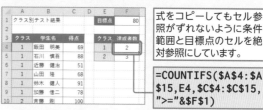

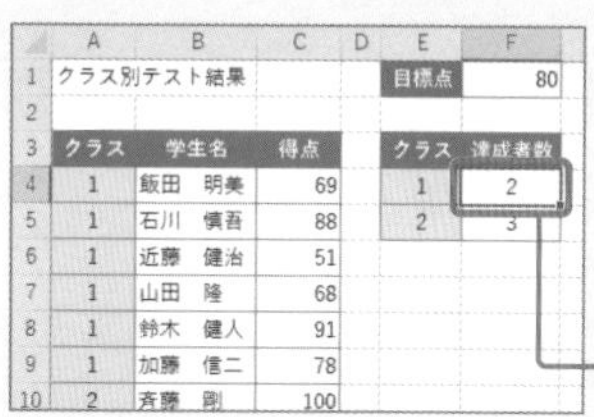

式をコピーしてもセル参照がずれないように条件範囲と目標点のセルを絶対参照にしています。

=COUNTIFS($A$4:$A$15,E4,$C$4:$C$15,">="&$F$1)

▶COUNTIFS 関数

書式	＝COUNTIFS(条件範囲1, 条件1,[条件範囲2, 条件2],…)

条件範囲：条件を判定する値が入力されているセル範囲を指定します。
条件：条件を指定します。

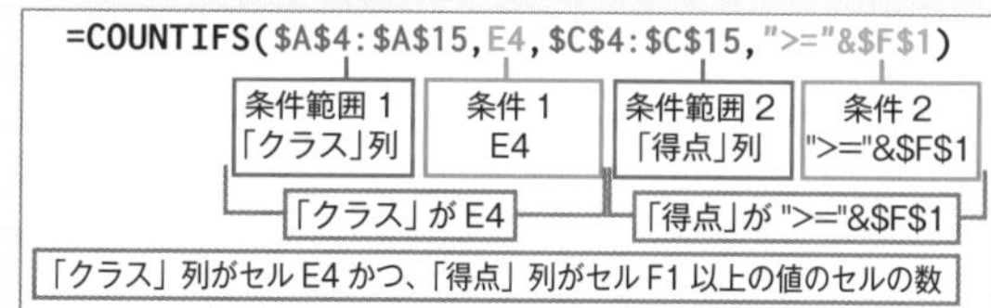

Q778 お役立ち度 ★★★ 統計関数 2021 2019 2016

上位、下位何番目の値を求めるには

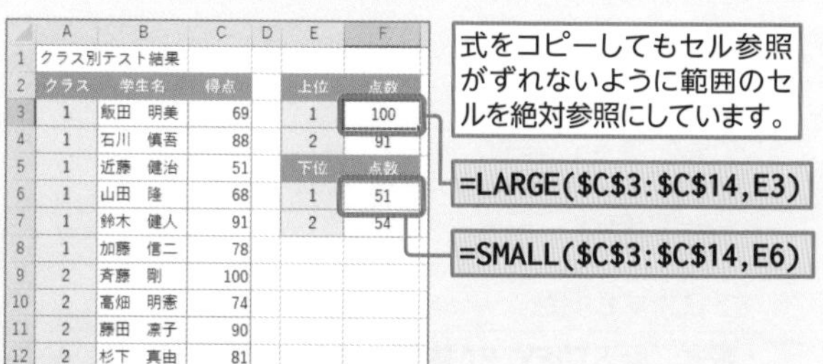

式をコピーしてもセル参照がずれないように範囲のセルを絶対参照にしています。

=LARGE($C$3:$C$14,E3)

=SMALL($C$3:$C$14,E6)

A LARGE関数、SMALL関数を使います。

LARGE関数は数値の大きい順、SMALL関数は数値の小さい順でそれぞれ指定した順番の値を求めます。ここでは、テストの得点の上位2人、下位2人を求めています。

▶LARGE 関数／SMALL 関数

書式	＝LARGE(範囲, 順位)
書式	＝SMALL(範囲, 順位)

範囲：順位の対象となるセル範囲を指定します。
順位：
LARGE関数…何番目に大きい値を求めるか指定します。
SMALL関数…何番目に小さい値を求めるか指定します。

Q779 お役立ち度 ★★★ 統計関数

2021 2019 2016

点数から順位を求めるには

A RANK.EQ関数を使います。

ある数値が指定したセル範囲の中で大きい順／小さい順で順位を求めます。数値が同じ場合は同順位になります。ここでは、得点のセルの値が得点の列（セル範囲C3～C14）の中で大きい順の順位を求めています。

	A	B	C	D	E	F	G
1	クラス別テスト結果						
2	クラス	学生名	得点	順位			
3	1	飯田　明美	69	8			
4	1	石川　慎吾	88	4			
5	1	近藤　健治	51	12			
6	1	山田　隆	68	9			
11	2	藤田　凛子	90	3			
12	2	杉下　真由	81	5			
13	2	岡崎　里美	62	10			
14	2	井上　健介	54	11			

=RANK.EQ(C3,$C$3:$C$14,0)

▶RANK.EQ 関数

書式	＝RANK.EQ(数値, 範囲, [順序])

数値：順位を求めるセルを指定します。
範囲：順位を求めたい数値が含まれているセル範囲を指定します。文字列や空白の場合は無視されエラーが表示されます。
順序：0または省略すると数値の大きい順に1,2,3と順位が付き、1を指定すると小さい順に1,2,3と順位が付きます。

Q780 お役立ち度 ★★★ 統計関数

2021 2019 2016

相対的に何パーセントの位置にあるかを調べるには

A PERCENTRANK.INC関数を使います。

ある数値が指定したセル範囲の中における相対的な位置を百分率（0以上1以下）で求めます。最上位は1（100%）、最下位は0（0%）になります。得点によって評価分けしたいときに活用できます。ここでは、得点の値が得点の列（セル範囲C3～C14）の中で相対的な位置を小数点以下第2位までとして求めています。

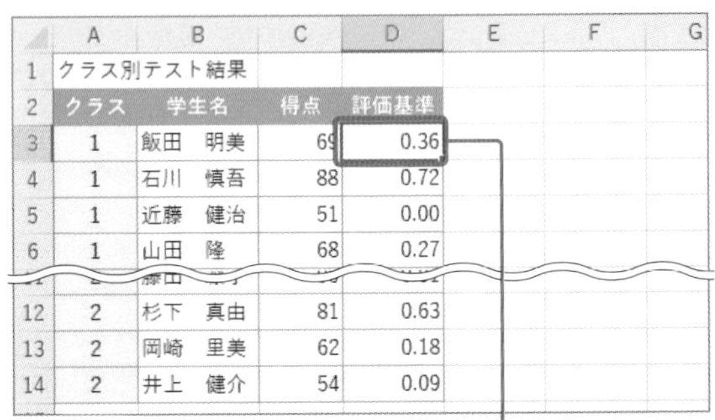

	A	B	C	D	E	F	G
1	クラス別テスト結果						
2	クラス	学生名	得点	評価基準			
3	1	飯田　明美	69	0.36			
4	1	石川　慎吾	88	0.72			
5	1	近藤　健治	51	0.00			
6	1	山田　隆	68	0.27			
12	2	杉下　真由	81	0.63			
13	2	岡崎　里美	62	0.18			
14	2	井上　健介	54	0.09			

=PERCENTRANK.INC($C$3:$C$14,C3,2)

▶PERCENTRANK.INC 関数

書式	＝PERCENTRANK.INC(配列, 値,[有効桁数])

配列：計算対象のセル範囲を指定します。
値：相対的な順位を調べる値を指定します。
有効桁数：結果として返される百分率の有効桁数を指定します。省略時は小数点以下第3位になります。

Q781 お役立ち度 ★★★ 統計関数

標準偏差を求めるには

A STDEV.P関数を使います。

母集団（全体）の標準偏差を求めます。標準偏差は、ある値が平均値からどの程度離れているかを総合的に表す数値です。標準偏差を使って、テストの得点から偏差値を求められます。ここでは、標準偏差をもとに各生徒の偏差値を求めています。

=(B3-$B$15)/$F$2*10+50　　=STDEV.P(B3:B14)

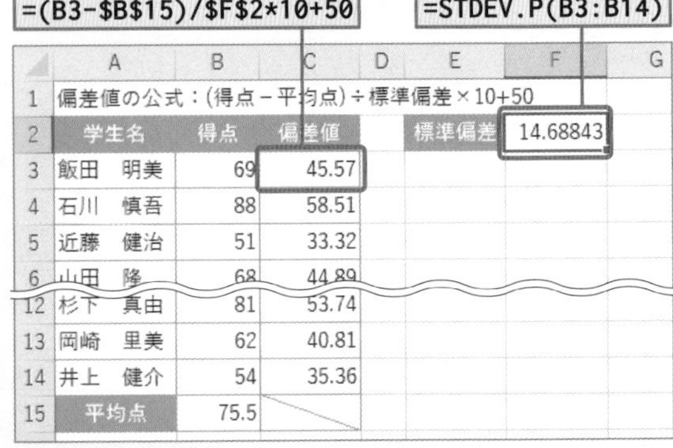

	A	B	C	D	E	F	G
1	偏差値の公式：(得点－平均点)÷標準偏差×10+50						
2	学生名	得点	偏差値		標準偏差	14.68843	
3	飯田　明美	69	45.57				
4	石川　慎吾	88	58.51				
5	近藤　健治	51	33.32				
6	山田　隆	68	44.89				
12	杉下　真由	81	53.74				
13	岡崎　里美	62	40.81				
14	井上　健介	54	35.36				
15	平均点	75.5					

▶STDEV.P 関数

書式	＝STDEV.P(数値1,[数値2],…)

数値：母集団に対応するセル範囲を指定します。

Q782 お役立ち度 ★★★ 統計関数 2021 2019 2016

最も頻繁に出現する値を求めるには

=MODE.SNGL(B3:B19)

	A	B	C	D	E	F	G
1	アンケート結果						
2	整理番号	回答		設定項目	景品希望商品	回答数	
3	001	1		1	ハンドミキサー	3	
4	002	4		2	ハンドクリーナー	2	
5	003	3		3	スロージューサー	6	
6	004	2		4	オーブントースター	4	
7	005	3		5	スープメーカー	2	
8	006	2					
9	007	1		最頻値	3		
10	008	3					

A MODE.SNGL関数を使います。

指定したセル範囲の中で、データの最頻値を求めます。最頻値が複数ある場合は、最初の値が最頻値として返ります。アンケート結果の中で一番多い回答を求めて、それを代表値としたい場合に利用できます。ここでは、アンケートの回答（セル範囲B3～B19）の中で最も多い回答を求めています。

▶MODE.SNGL 関数

書式	＝MODE.SNGL(数値1,[数値2],…)

数値：最頻値を求めたいセル範囲を指定します。

Q783 お役立ち度 ★★★ 統計関数 2021 2019 2016

最頻値が複数ある場合にすべて求めるには

Excel 2019/2016の場合

1 範囲を選択し、「=MODE.MULT(B3:B19)」まで入力したら、Ctrl＋Shift＋Enterキーを押して入力を確定します。

2 選択範囲のすべてに「{}」で囲まれた形で関数が入力され、同数の最頻値すべてが表示されます。

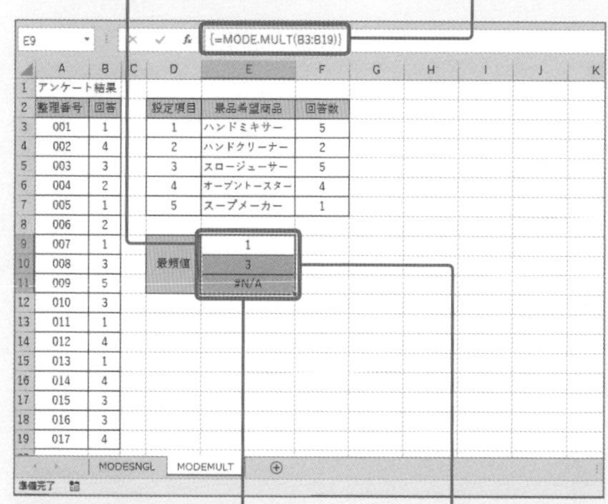
{=MODE.MULT(B3:B19)}

最頻値がない場合は「#N/A」と表示されます。

{=MODE.MULT(B3:B19)}

▶MODE.MULT 関数

書式	＝MODE.MULT(数値1,[数値2],…)

数値：最頻値を求めたいセル範囲を指定します。

A MODE.MULT関数を使います。

指定したセル範囲の中でデータの最頻値を求めます。最頻値が複数ある場合は、すべてを求められます。ここでは、アンケートの回答（セル範囲B3～B19）の中で最も多い回答数が同数ある場合にすべてを求めています。セルE9にMODE.MULT関数を設定すると、自動的に同じ最頻値の数だけ下のセルに結果が表示されます（スピル機能）。Excel 2019/2016の場合は、手順のように「配列数式」の形で入力する必要があります。

Excel 2021/Microsoft 365の場合

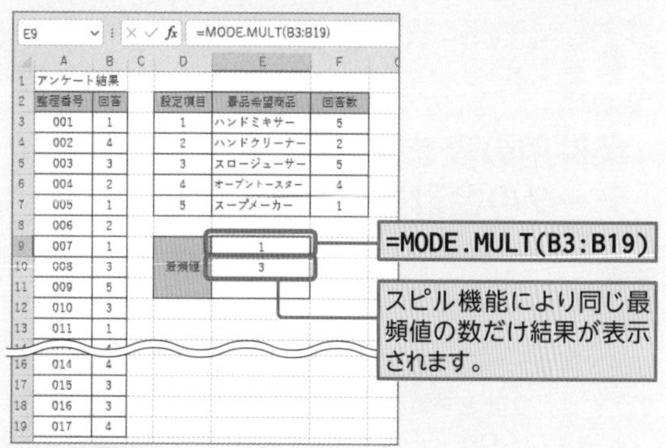
=MODE.MULT(B3:B19)
スピル機能により同じ最頻値の数だけ結果が表示されます。

おトクな情報 配列数式とスピル機能

Microsoft 365とExcel2021では、数式が複数の値を返す場合、表示する先頭のセルに数式を入力してEnterキーを押すと、隣接するセルに必要なだけ結果が表示されます。この機能を「スピル」といいます（Q744）。

Q784

お役立ち度 ★★★　データベース関数　2021 2019 2016

データベース関数ってどんな関数なの?

A 別表に用意した条件を使ってデータベースを集計する関数です。

売上表など大量のデータが蓄積された表「データベース」に対して、別表で「条件」を設定し、条件に一致したデータを「フィールド」で指定した列の値で集計します。集計方法によって、DSUM関数、DAVERAGE関数、DCOUNT関数などのデータベース関数があります。なお、データベースの詳細は、11章を参照してください。

条件（条件用の表）　フィールド（集計対象の列）

C3　=DSUM(A5:D90,D5,A2:B3)

	A	B	C	D
1	条件		集計結果	
2	日付	商品	合計金額	
3	>=2022/8/1	=マドレーヌ	43,400	
4				
5	日付	支店名	商品	金額
6	2022/7/1	青山店	マドレーヌ	1,400
7	2022/7/1	原宿店	クッキーセット	2,000
8	2022/7/3	青山店	マドレーヌ	5,600
15	2022/7/10	新宿西口店	ジュースセット	3,900
16	2022/7/11	新宿本店	マドレーヌ	1,400
17	2022/7/11	原宿店	紅茶セット	6,000
18	2022/7/11	新宿西口店	チョコ詰め合わせ	4,800
19	2022/7/14	渋谷店	チョコ詰め合わせ	2,400

データベース（集計対象の表）

条件用の表の列見出しは、データベースの列見出しと同じものを使用します。

● **AND条件（A かつ B）…同じ行に条件を設定**

支店名	商品
=青山店	=マドレーヌ

支店名が「青山店」かつ商品が「マドレーヌ」

● **OR条件（A または B）…異なる行に条件を設定**

支店名	商品
=青山店	
	=マドレーヌ

支店名が「青山店」または商品が「マドレーヌ」

条件用の表に「新宿」と入力すると、「新宿で始まる」という意味になります。そのため「新宿本店」「新宿西口店」の両方が集計されます。文字列を条件に使う場合は下表を参考に設定してください。任意の文字列の代用をする「*」や1文字の代用の「?」といったワイルドカードを使ってあいまいな条件を指定することもできます。なお、数値や日付は「>10」や「<=2020/7/31」のようにそのまま入力できます。

条件式	意味	抽出例
="=楽"	「楽」と完全一致する	楽
="=楽*"	「楽」で始まる	楽、楽器、楽市楽座
="=*楽"	「楽」で終わる	楽、音楽、吹奏楽
="=*楽*"	「楽」を含む	楽、安楽椅子
="=?楽"	「楽」で終わる2文字	極楽、行楽
="=楽?"	「楽」で始まる2文字	楽焼、楽器、楽々
="="	未入力	

Q785

お役立ち度 ★★★　データベース関数　2021 2019 2016

条件用の表を使ってデータの合計を求めるには

A DSUM関数を使います。

別表に用意した条件を使ってデータを検索し、条件を満たすデータの合計を求めることができます。ここでは、データベース（A5:D90）の中で条件（A2:B3）を満たすデータのフィールド（D5）の合計を求めています。

▶DSUM関数

書式	＝DSUM(データベース , フィールド , 条件)

データベース:集計する表のセル範囲を指定します。
フィールド:集計対象の列見出しをセル番地、列見出しの文字列、列番号のいずれかで指定します。
条件:条件の表のセル範囲を指定します。

青山店のマドレーヌの売上合計を求める

=DSUM(A5:D90,D5,A2:B3)

	A	B	C	D
1	条件		集計結果	
2	支店名	商品	合計金額	
3	=青山店	=マドレーヌ	16,800	
4				
5	日付	支店名	商品	金額
6	2022/7/1	青山店	マドレーヌ	1,400
7	2022/7/1	原宿店	クッキーセット	2,000
8	2022/7/3	青山店	マドレーヌ	5,600
9	2022/7/3	新宿本店	ジュースセット	3,900
10	2022/7/3	新宿本店	紅茶セット	10,500
11	2022/7/4	青山店	クッキーセット	4,000
12	2022/7/4	原宿店	コーヒーセット	3,600
84	2022/8/25	青山店	クッキーセット	3,000
85	2022/8/26	青山店	マドレーヌ	4,200
86	2022/8/27	渋谷店	クッキーセット	3,000
87	2022/8/28	渋谷店	マドレーヌ	1,400
88	2022/8/29	渋谷店	クッキーセット	3,000
89	2022/8/30	新宿西口店	ジュースセット	2,600
90	2022/8/31	新宿本店	コーヒーセット	1,200

Q786 お役立ち度 ★★★ データベース関数 2021 2019 2016

条件用の表を使って データの個数を求めるには

A DCOUNT関数またはDCOUNTA関数を使います。

DCOUNT関数は、別表に用意した条件を使ってデータを検索し、条件を満たす数値の個数を求めます。DCOUNTA関数は、同様に条件を満たす空白でないセルの個数を求めます。ここでは、データベース（A5:D90）の中で条件（A2:B3）を満たすデータのフィールド（D5）の数値の個数を求めています。条件を「="=*セット"」とすることで「〇〇セット」という名前の商品が条件になります。

「セット」商品の売上件数を求める

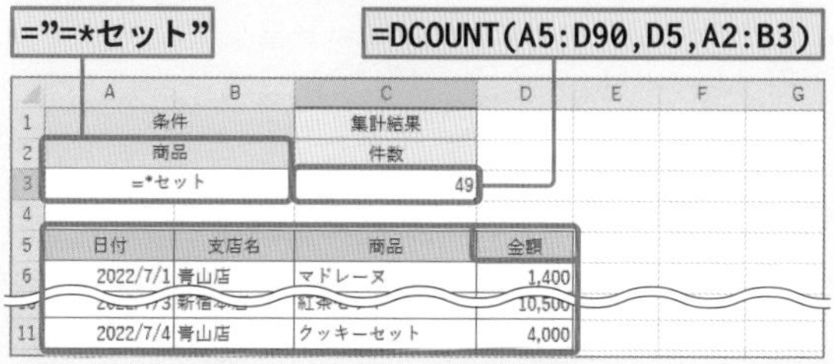

="=*セット"　=DCOUNT(A5:D90,D5,A2:B3)

	A	B	C	D
1	条件		集計結果	
2	商品		件数	
3	=*セット		49	
4				
5	日付	支店名	商品	金額
6	2022/7/1	青山店	マドレーヌ	1,400
10	2022/7/3	新宿本店	紅茶セット	10,500
11	2022/7/4	青山店	クッキーセット	4,000

▶DCOUNT関数／DCOUNTA関数

書式	=DCOUNT(データベース,フィールド,条件)
書式	=DCOUNTA(データベース,フィールド,条件)

データベース:集計する表のセル範囲を指定します。
フィールド:集計対象の列見出しをセル番地、列見出しの文字列、列番号のいずれかで指定します。
条件:条件の表のセル範囲を指定します。

Q787 お役立ち度 ★★★ データベース関数 2021 2019 2016

条件用の表を使って データの平均を求めるには

A DAVERAGE関数を使います。

別表に用意した条件を使ってデータを検索し、条件を満たすデータの平均値を求めることができます。ここでは、データベース（A5:D90）の中で条件（A2:B3）を満たすデータのフィールド（D5）の平均値を求めています。

7月の平均売上金額を求める

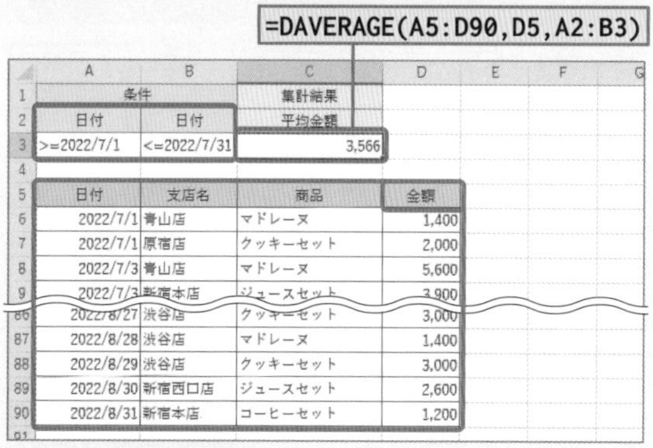

=DAVERAGE(A5:D90,D5,A2:B3)

	A	B	C
1	条件		集計結果
2	日付	日付	平均金額
3	>=2022/7/1	<=2022/7/31	3,566
4			
5	日付	支店名	商品	金額
6	2022/7/1	青山店	マドレーヌ	1,400
7	2022/7/1	原宿店	クッキーセット	2,000
8	2022/7/3	青山店	マドレーヌ	5,600
9	2022/7/3	新宿本店	ジュースセット	3,900
86	2022/8/27	渋谷店	クッキーセット	3,000
87	2022/8/28	渋谷店	マドレーヌ	1,400
88	2022/8/29	渋谷店	クッキーセット	3,000
89	2022/8/30	新宿西口店	ジュースセット	2,600
90	2022/8/31	新宿本店	コーヒーセット	1,200

▶DAVERAGE関数

書式	=DAVERAGE(データベース,フィールド,条件)

データベース:集計する表のセル範囲を指定します。
フィールド:集計対象の列見出しをセル番地、列見出しの文字列、列番号のいずれかで指定します。
条件:条件の表のセル範囲を指定します。

Q788 お役立ち度 ★★★ データベース関数 2021 2019 2016

条件用の表を使ってデータの 最大値、最小値を求めるには

A DMAX関数、DMIN関数を使います。

DMAX関数は、別表に用意した条件を使ってデータを検索し、条件を満たす数値の最大値を求めます。DMIN関数は、同様に条件を満たす数値の最小値を求めます。ここでは、データベース（A6:D91）の中で条件（A2:B4）を満たすデータのフィールド（D6）の最大値と最小値を求めています。

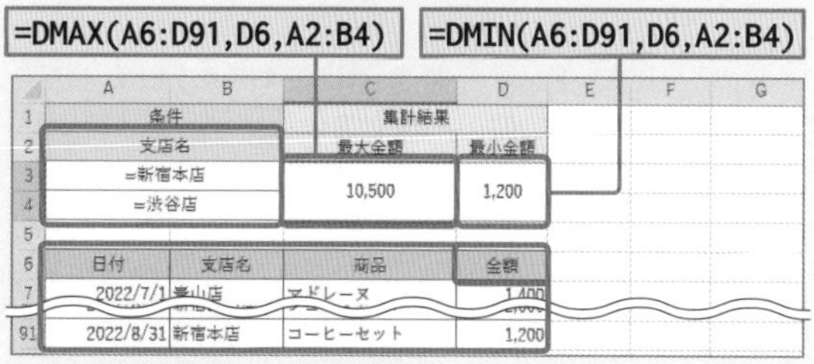

=DMAX(A6:D91,D6,A2:B4)　=DMIN(A6:D91,D6,A2:B4)

	A	B	C	D
1	条件		集計結果	
2	支店名		最大金額	最小金額
3	=新宿本店		10,500	1,200
4	=渋谷店			
5				
6	日付	支店名	商品	金額
7	2022/7/1	青山店	マドレーヌ	1,400
91	2022/8/31	新宿本店	コーヒーセット	1,200

▶DMAX関数／DMIN関数

書式	=DMAX(データベース,フィールド,条件)
書式	=DMIN(データベース,フィールド,条件)

データベース:集計する表のセル範囲を指定します。
フィールド:集計対象の列見出しをセル番地、列見出しの文字列、列番号のいずれかで指定します。
条件:条件の表のセル範囲を指定します。

Q789 お役立ち度 ★★★ 日付／時刻関数 2021 2019 2016

シリアル値って何?

A 日付や時刻を表す数値です。

シリアル値とは、Excelが日付や時刻を管理するための連続した数値です。Excelでは、セルに入力された値を日付や時刻だと認識すると、自動的にシリアル値に変換し、表示形式を日付や時刻に設定します。表示形式を「標準」にすると、シリアル値が表示されます。

日付や時刻をシリアル値で表示する

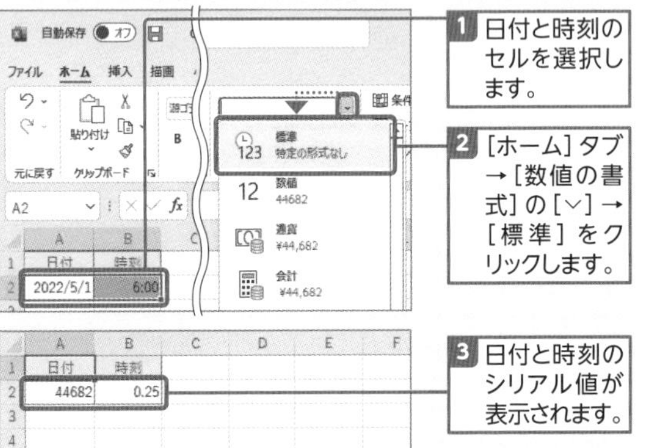

1 日付と時刻のセルを選択します。
2 [ホーム]タブ→[数値の書式]の[∨]→[標準]をクリックします。
3 日付と時刻のシリアル値が表示されます。

日付のシリアル値

日付のシリアル値は、既定で1900年1月1日を「1」とし、1日経過するごとに1加算される整数です。2022/5/1は、1900年1月1日から44682日経過しているので、シリアル値は「44682」になります。

時刻のシリアル値

時刻のシリアル値は、0時を「0」、24時を「1」として、24時間を0から1の間の小数で管理します。半日経過した12時はシリアル値が「0.5」、18時は「0.75」となり、24時になると「1」になり1日繰り上がって0に戻ります。

時刻	シリアル値
0：00	0
6：00	0.25
12：00	0.5

時刻	シリアル値
18：00	0.75
24：00	1.0

日　　時：　2022/5/1　6:00:00

シリアル値：　44682.25

整数部：日付のシリアル値　小数部：時刻のシリアル値

Q790 お役立ち度 ★★★ 日付／時刻関数 2021 2019 2016

日付や時刻データを使って計算したい!

A 数値と同様に足し算や引き算が使えます。

Excelでは、日付と時刻をシリアル値という数値で扱うため、数値と同様に計算できます。例えば、2022/7/7の3日後を足し算「+」で求めたり、終了時刻から開始時刻を引き算「－」して作業時間を求めたりすることができます。

日付の計算

①注文日の日付に7を足すと、7日後の入金期限日が求められ、②入金期限日から3を引いて入金チェック日が求められます。

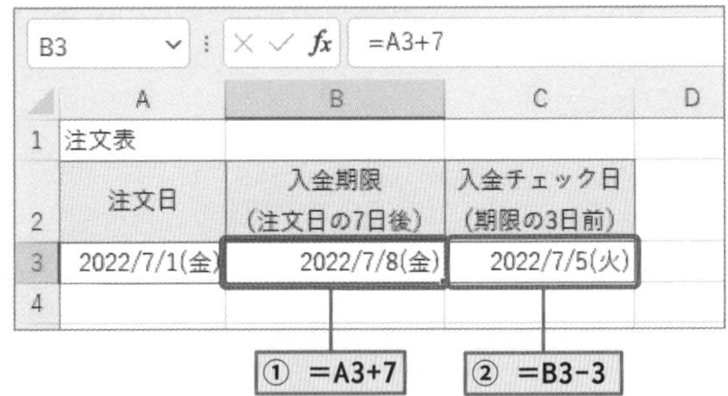

時刻の計算

作業時間は、「終了時間－開始時間－休憩時間」で求められます。そのまま引き算で数式を入力します。

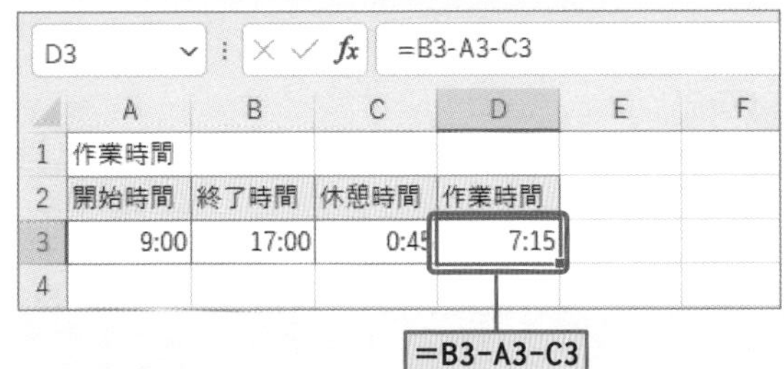

おトクな情報 特定の日付や時刻を指定して計算する

計算式の中で日付や時刻を指定するとき、"2022/7/1"、"0:45" のように指定するか、DATE(2022,7,1)、TIME(0,45,0)で指定します。
「"」で囲んで指定しても日付や時刻と認識されれば計算できますが、関数を使って日付や時刻を指定したほうが確実です。

Q791 お役立ち度 ★★★ 日付／時刻関数 2021 2019 2016

現在の日付や時刻を表示するには

A TODAY関数とNOW関数を使います。

現在の日付はTODAY関数、現在の日付と時刻はNOW関数で求められます。パソコンの日付時刻データが表示されるので、ファイルを開いたときの日付や時刻を表示できます。なお、日付や時刻を固定したい場合は、直接日付や時刻を入力してください。

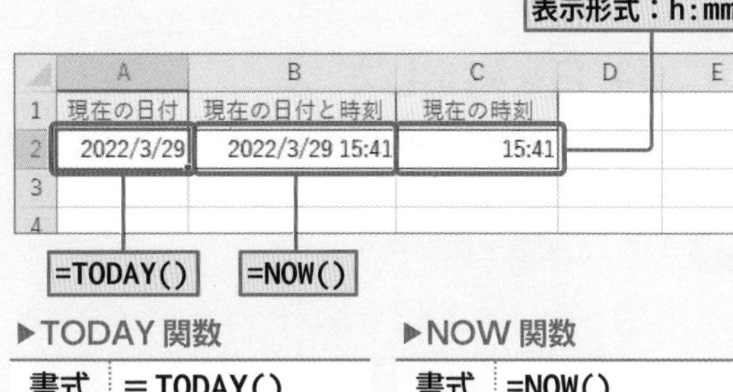

▶TODAY 関数

書式	＝TODAY()

▶NOW 関数

書式	=NOW()

おトクな情報 現在の日付と時刻を一発で入力したい！

現在の日付はCtrl＋;（セミコロン）キー、現在の時刻はCtrl＋:（コロン）キーで入力できます。入力時点の日付と時刻が即座に入力されます（Q527、Q528参照）。

Q792 お役立ち度 ★★★ 日付／時刻関数 2021 2019 2016

日付から年、月、日をそれぞれ求めるには

A YEAR関数、MONTH関数、DAY関数を使います。

関数を使って日付データから年、月、日を個別に取得できます。例えば、入社年月日から入社年だけを取り出すとか、生年月日から誕生月だけを取り出すといったことができます。

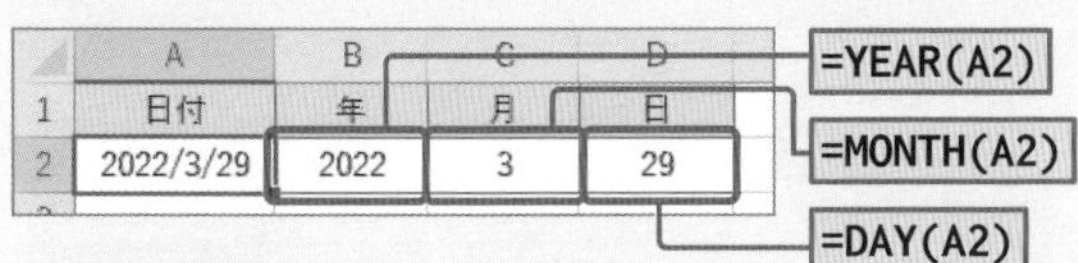

▶YEAR 関数

書式	＝YEAR(シリアル値)

シリアル値：年を求める日付のセルまたは日付データを指定します。

▶MONTH 関数

書式	＝MONTH(シリアル値)

シリアル値：月を求める日付のセルまたは日付データを指定します。

▶DAY 関数

書式	＝DAY(シリアル値)

シリアル値：日を求める日付のセルまたは日付データを指定します。

Q793 お役立ち度 ★★★ 日付／時刻関数 2021 2019 2016

時刻から時、分、秒をそれぞれ求めるには

A HOUR関数、MINUTE関数、SECOND関数を使います。

関数を使って時刻データから時、分、秒を個別に取得できます。例えば、入店時刻から時間を取り出して、時間ごとの入店数の統計をとるといった活用法があります。

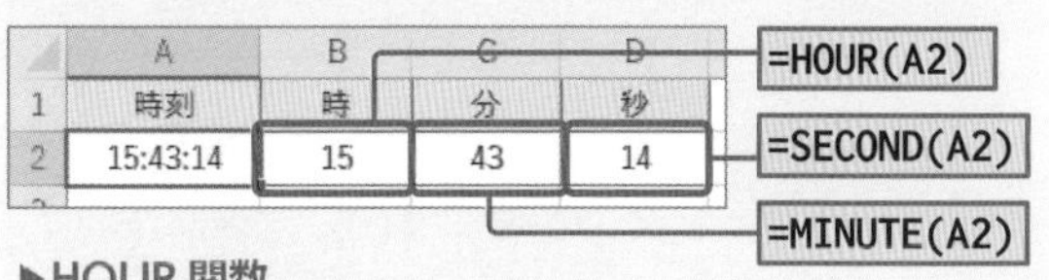

▶HOUR 関数

書式	＝HOUR(シリアル値)

シリアル値：時を求める時刻のセルまたは時刻データを指定します。

▶MINUTE 関数

書式	＝MINUTE(シリアル値)

シリアル値：分を求める時刻のセルまたは時刻データを指定します。

▶SECOND 関数

書式	＝SECOND(シリアル値)

シリアル値：秒を求める時刻のセルまたは時刻データを指定します。

Q794 お役立ち度 ★★★ 日付／時刻関数

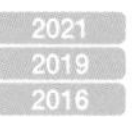

年、月、日を指定して日付データを作成するには

A DATE関数を使います。

年、月、日のデータを別々に指定して、1つの日付を作成します。今年の年と生年月日を組み合わせて今年の誕生日の日付を作成するなど、いろいろな組み合わせの日付を作成できます。ここでは、納品日（セルC3）の翌月10日を入金期限日としてDATE関数とYEAR関数、MONTH関数を組み合わせて日付を作成しています。翌月とするため、納品日の月に1を加えています。

=DATE(YEAR(C3),MONTH(C3)+1,10)

	A	B	C	D
1	納品表			
2	NO	納品先	納品日	入金期限（翌月10日）
3	1	鈴村商店	2022/5/12	2022/6/10
4	2	八国山工務店	2022/6/5	2022/7/10
5	3	伊良部酒店	2022/6/18	2022/7/10
6	4	田中青果店	2022/7/4	2022/8/10
7				

▶DATE関数

書式	＝DATE(年，月，日)

年：年のデータを指定します。
月：月のデータを指定します。
日：日のデータを指定します。

Q795 お役立ち度 ★★★ 日付／時刻関数

時、分、秒を指定して時刻データを作成するには

A TIME関数を使います。

時、分、秒を組み合わせて時刻データを作成します。分と秒を組み合わせてタイムを作成することができます。ここでは、別々のセルに入力されている時、分、秒を時刻データにしています。

=TIME(B3,C3,D3)

	A	B	C	D	E	F
1	トライアスロンタイム					
2		時	分	秒	タイム	
3	スイム1500m	0	36	41	0:36:41	
4	T1	0	8	16	0:08:16	
5	バイク40Km	1	23	26	1:23:26	
6	T2	0	3	48	0:03:48	
7	ラン10Km	0	58	15	0:58:15	
8	合計タイム				3:10:26	
9						
10						

▶TIME関数

書式	＝TIME(時，分，秒)

時：時のデータを指定します。
分：分のデータを指定します。
秒：秒のデータを指定します。

Q796 お役立ち度 ★★★ 日付／時刻関数

指定した月数前、月数後の日付を求めるには

A EDATE関数を使います。

今日から3カ月後や6カ月前など、指定した月数だけ後または、前の日付を求められます。ここでは、製造日と賞味期間から賞味期限を求めます。なお、賞味期限は、賞味期間経過日の1日前としています。

=EDATE(B3,C3)-1

	A	B	C	D
1	賞味期限一覧			
2	商品名	製造日	賞味期間	賞味期限
3	冷凍ハンバーグ	2021/12/14	3	2022/3/13
4	薄力粉1Kg	2022/1/31	6	2022/7/30
5	おいしい醤油	2022/3/18	12	2023/3/17
6				
7				
8				
9				
10				
11				

▶EDATE関数

書式	＝EDATE(開始日，月)

開始日：基準となる日付を指定します。
月：月数を指定します。正の数は開始日より後の月の日付、負の数は開始日より前の月の日付が求められます。

Q797 お役立ち度 ★★★ 日付／時刻関数 2021 2019 2016

月末の日付を求めるには

A EOMONTH関数を使います。

基準となる日付から指定した月数だけ前または後の月末の日付を求めます。ここでは作業完了日から翌々月末の支払日を求めています。

=EOMONTH(C3,2)

	A	B	C	D	E	F
1	作業管理表					
2	NO	取引先	作業完了日	支払日(翌々月末)		
3	1	山崎造園	2022/4/15	2022/6/30		
4	2	森川塗装	2022/5/10	2022/7/31		
5	3	虹野工務店	2022/6/21	2022/8/31		

▶EOMONTH関数

書式	＝EOMONTH(開始日，月)

開始日：基準となる日付を指定します。

月：月数を指定します。正の数は開始日より後、負の数は開始日より前、0だと開始日当月の月末の日付が求められます。

Q798 お役立ち度 ★★★ 日付／時刻関数

2021
2019
2016

時刻を5分単位で切り上げ、切り捨てるには

A CEILING.MATH関数、FLOOR.MATH関数を使います。

勤務時間や利用時間を5分単位や10分単位で切り上げ、切り捨てしたいときは、CEILING.MATH関数とFLOOR.MATH関数（**Q763**参照）を使います。例えば、5分単位で切り上げる場合は［基準値］に「"0:05"」と指定し、「=CEILING.MATH(D3,"0:05")」のように記述します。また、関数入力後、時刻が正しく表示されていない場合は、表示形式を時刻の形式（h:mm）に変更してください。

=CEILING.MATH(D3,"0:05")

	A	B	C	D	E	F	G
1	レンタルオフィス利用時間						
2		入室時間	出室時間	利用時間	切り上げ	切り捨て	
3	ルームA	10:10	13:44	3:34	3:35	3:30	
4	ルームB	11:15	12:58	1:43	1:45	1:40	

=FLOOR.MATH(D3,"0:05")

Q799 お役立ち度 ★★★ 日付／時刻関数 2021 2019 2016

時給計算を正しく計算するには

A 24を掛けて時間単位に変換します。

Excelでは、日付や時刻をシリアル値で管理しています（**Q789**）。時給計算をする場合、勤務時間が24時間を超える場合の時間の表示形式を「[h]:mm」に修正しないと正しく表示されません（**Q714**）。また、単純に「時給×勤務時間」のように掛け算しても給料は正しく計算されません。勤務時間に24をかけて時間単位に変更することが必要です。

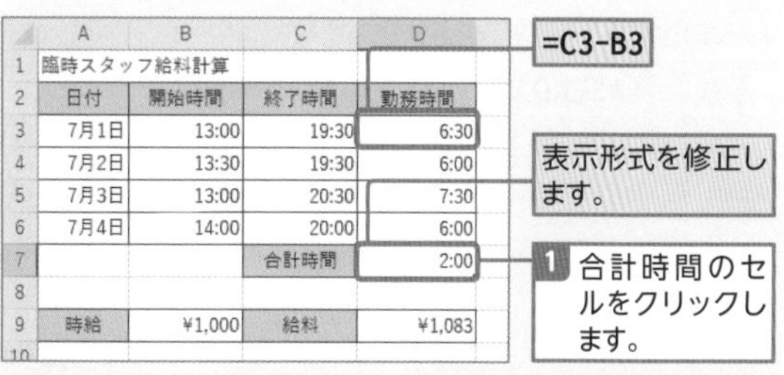
=C3-B3
表示形式を修正します。
1 合計時間のセルをクリックします。

2 Ctrl + 1 キーを押して［セルの書式設定］ダイアログを表示します。

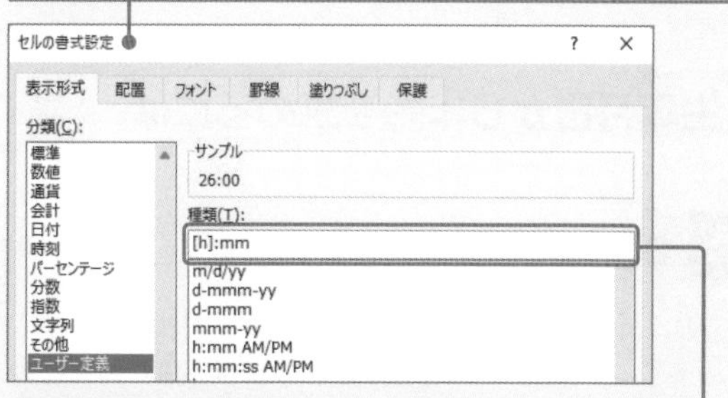

3 ［表示形式］タブで［ユーザー定義］をクリックし、［種類］に「[h]:mm」と入力して［OK］をクリックします。

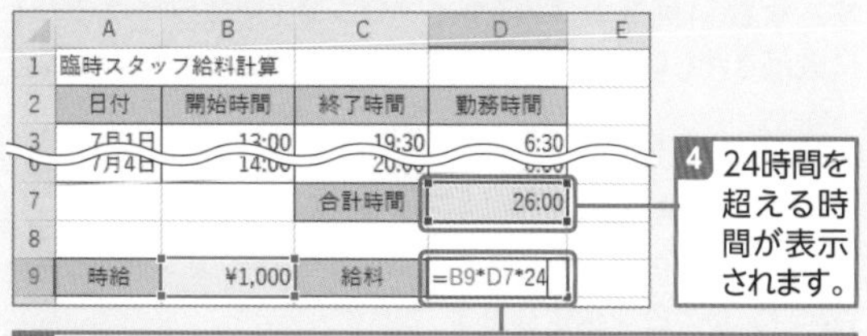
4 24時間を超える時間が表示されます。

5 給料のセルをダブルクリックし「=B9*D7*24」と入力して時刻データを時間単位に修正し、Enter キーを押します。

	A	B	C	D
5	7月3日	13:00	20:30	7:30
6	7月4日	14:00	20:00	6:00
7			合計時間	26:00
8				
9	時給	¥1,000	給料	¥26,000
10				

6 給料が正しく表示されます。

Q800 お役立ち度 ★★★ 日付／時刻関数 2021 2019 2016

日付から曜日番号を求めるには

A WEEKDAY関数を使います。

日付から曜日を表す曜日番号を求めることができます。Q728で紹介したように条件付き書式で土日の行に色を付けるとか、曜日を条件式に使いたいときに利用すると便利です。ここでは、平日と土日で時給を分けるため、曜日番号を調べ、平日の場合はセルB9（1000円）、土日の場合はセルB10（1200円）を時給のセルに表示し、給料を計算しています。

▶WEEKDAY 関数

書式	＝WEEKDAY(シリアル値,[種類])

シリアル値：曜日を調べる日付データを指定します。
種類：戻り値の種類を数値で指定します（表参照）。

1 種類を「2」にして戻り値を1（月曜）～7（日曜）とし、セルA3の日付の曜日番号を求めます。

=WEEKDAY(A3,2)　=IF(B3>=6,$B$10,$B$9)

	A	B	C	D	E	F	G
1	臨時スタッフ給料計算						
2	日付	曜日番号	開始時間	終了時間	勤務時間	時給	給料
3	2022/8/6(土)	6	13:00	19:30	6:30	¥1,200	¥7,800
4	2022/8/7(日)	7	13:30	19:30	6:00	¥1,200	¥7,200
5	2022/8/8(月)	1	13:00	20:30	7:30	¥1,000	¥7,500
6	2022/8/9(火)	2	14:00	20:00	6:00	¥1,000	¥6,000
7	2022/8/10(水)	3	15:00	21:00	6:00	¥1,000	¥6,000
8							
9	時給	¥1,000					
10	土日時給	¥1,200					
11							
12							
13							

2 セルB3が6以上（土日）のとき、セルB10の値（1200）を表示し、そうでない場合はセルB9の値(1000)を表示させます。

=E3*F3*24

3 E3×F3×24で給料を計算します。

種類	戻り値
1または省略	1(日曜)～7(土曜)
2	1(月曜)～7(日曜)
3	0(月曜)～6(日曜)

Q801 お役立ち度 ★★★ 日付／時刻関数 2021 2019 2016

生年月日から年齢を求めるには

A DATEDIF関数を使います。

2つの日付の期間の長さを年、月、日のいずれかの単位で求めます。生年月日から年齢を求めるには、生年月日と今日の日付との間の満年数を、DATEDIF関数を使って求めます。ここでは、会員の生年月日を元に年齢を求めています。なお、[関数の挿入]ダイアログや[関数ライブラリ]に表示されないので、セルに直接手入力して設定します。

▶DATEDIF 関数

書式	＝DATEDIF(開始日, 終了日, 単位)

開始日：開始日を指定します。
終了日：終了日を指定します。
単位：期間の単位を指定します。

単位	内容
"Y"	満年数
"M"	満月数
"D"	満日数

単位	内容
"YM"	1年未満の月数
"YD"	1年未満の日数
"MD"	1カ月未満の日数

=DATEDIF(C3,TODAY(),"Y")

	A	B	C	D	E
1	会員名簿		今日の日付：	2022/3/29	
2	NO	氏名	生年月日	年齢	
3	1	鈴村　久美	1996/11/5	25	
4	2	山崎　雅史	1982/7/8	39	
5	3	市村　佳純	1975/12/23	46	
6	4	草野　早紀	1982/8/1	39	
7	5	田村　祥子	1978/4/12	43	
8	6	松本　純一	1994/9/5	27	
9					
10					
11					
12					
13					

おトクな情報　特定の日付を指定する

「1996/11/5」のような特定の日付を指定する場合は、「=DATEDIF("1996/11/5",TODAY(),"Y")」または「=DATEDIF(DATE(1996,11,5),TODAY(),"Y")」と記述できます。エラーを避けるためにDATE関数の使用をおすすめします。

Q802 土日と祝日を除いた5営業日後の日付を求めるには

お役立ち度 ★★★　日付／時刻関数　2021 2019 2016

A WORKDAY関数を使います。

基準となる日付から指定した日数分の前や後の日付を、土日と祝日を除いて求めます。ここでは、セルB3の日付から土日と祝日（セルA9～A10）を除いた5営業日後の日付を求めています。

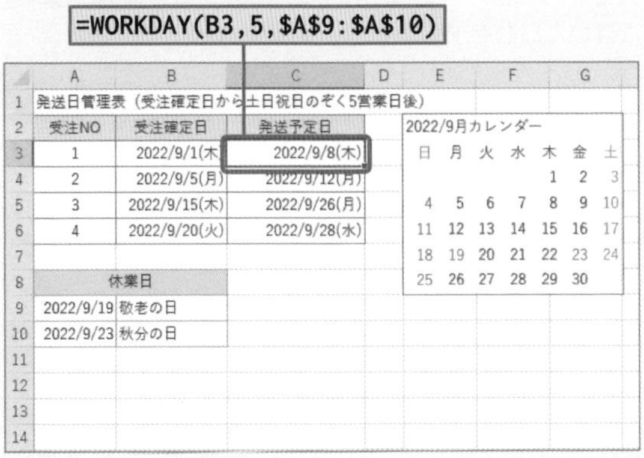

=WORKDAY(B3,5,$A$9:$A$10)

	A	B	C	D	E	F	G
1	発送日管理表（受注確定日から土日祝日のぞく5営業日後）						
2	受注NO	受注確定日	発送予定日		2022/9月カレンダー		
3	1	2022/9/1(木)	2022/9/8(木)		日 月 火 水 木 金 土		
4	2	2022/9/5(月)	2022/9/12(月)		1 2 3		
5	3	2022/9/15(木)	2022/9/26(月)		4 5 6 7 8 9 10		
6	4	2022/9/20(火)	2022/9/28(水)		11 12 13 14 15 16 17		
7					18 19 20 21 22 23 24		
8	休業日				25 26 27 28 29 30		
9	2022/9/19	敬老の日					
10	2022/9/23	秋分の日					
11							
12							
13							
14							

▶WORKDAY 関数

書式　＝WORKDAY(開始日,日数,[祭日])

開始日：起算日となる日付を指定します。

日数：日数を指定します。正の数のときは開始日より後、負の数のときは開始日より前の日付になります。

祭日：祝日や休暇などの計算から除く日付のリストを指定します。

おトクな情報　WORKDAY関数について

WORKDAY関数は、戻り値にシリアル値が返ります。結果のセルに「44812」のように数字が表示された場合は、日付の表示形式を設定してください。また、[開始日]には日付が入力されたセルを指定するかDATE(2022,7,1)のような関数や他の数式で指定するようにしてください。「"2022/7/1"」のように文字列で指定するとエラーになる場合があります。また、[祭日]には国民の祝日や臨時休業日など非稼働となる日を指定します。セル範囲で指定する以外に、日付を文字列で指定するかシリアル値を使って配列定数で指定することもできます。例えば、「=WORKDAY(B3,5,{"2022/9/19","2022/9/23"})」または、「=WORKDAY(B3,5,{44823,44827})」と書き換えられます。

Q803 土日以外の曜日を除いた5営業日後の日付を求めるには

お役立ち度 ★★★　日付／時刻関数　2021 2019 2016

A WORKDAY.INTL関数を使います。

基準となる日付から、指定した日数だけ前や後の日付を、定休日として指定した曜日と祝日を除いて求めます。土日が休業日ではない場合に対応します。ここでは、セルB3の日付から火曜日と祝日（セルA9～A10）を除いた5営業日後の日付を求めています。

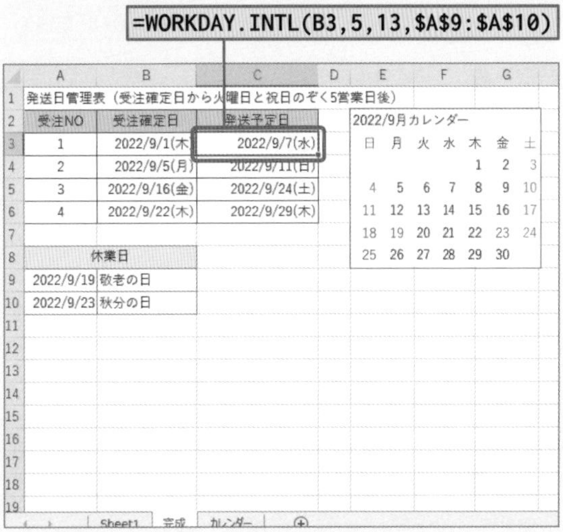

=WORKDAY.INTL(B3,5,13,$A$9:$A$10)

	A	B	C	D	E	F	G
1	発送日管理表（受注確定日から火曜日と祝日のぞく5営業日後）						
2	受注NO	受注確定日	発送予定日		2022/9月カレンダー		
3	1	2022/9/1(木)	2022/9/7(水)		日 月 火 水 木 金 土		
4	2	2022/9/5(月)	2022/9/11(日)		1 2 3		
5	3	2022/9/16(金)	2022/9/24(土)		4 5 6 7 8 9 10		
6	4	2022/9/22(木)	2022/9/29(木)		11 12 13 14 15 16 17		
7					18 19 20 21 22 23 24		
8	休業日				25 26 27 28 29 30		
9	2022/9/19	敬老の日					
10	2022/9/23	秋分の日					
11							
12							
13							
14							
15							
16							
17							
18							
19							

Sheet1　完成　カレンダー

▶WORKDAY.INTL 関数

書式　＝WORKDAY.INTL(開始日, 日数, [週末, 祭日])

開始日：開始日を指定します。

日数：日数を指定します。正の数のとき開始日より後、負の数のとき開始日より前の日付になります。

週末：非稼働日とする曜日を週末番号で指定します。該当する曜日が週末番号にない場合の対応は、Q805の「おトクな情報」を参照してください。

祭日：祝日や休暇など、計算から除く日付のリストを指定します。

週末番号	週末の曜日	週末番号	週末の曜日
1 または省略	土曜日と日曜日	11	日曜日のみ
2	日曜日と月曜日	12	月曜日のみ
3	月曜日と火曜日	13	火曜日のみ
4	火曜日と水曜日	14	水曜日のみ
5	水曜日と木曜日	15	木曜日のみ
6	木曜日と金曜日	16	金曜日のみ
7	金曜日と土曜日	17	土曜日のみ

Q804 お役立ち度 ★★★ 日付／時刻関数

2021 2019 2016

土日と祝日を除いた期間の日数を求めるには

A NETWORKDAYS関数を使います。

土日と祝日を除き、開始日から終了日までの日数を求めます。一般的な会社で指定された期間の中で作業日数を求めることができます。ここでは、セルC3（開始日）とセルD3（終了日）の期間で、土日と休業日のセルB8～B9（祭日）を除いた日数を求めています。

```
=NETWORKDAYS(C3,D3,$B$8:$B$9)
```

	A	B	C	D	E
1	○○マンション改修工事日数計算				
2		作業内容	開始日	終了日	作業日数
3	1	壁面タイル補修	2022/9/1	2022/9/29	19
4	2	ベランダ防水加工	2022/9/7	2022/9/20	9
5	3	駐輪場整備	2022/9/20	2022/9/28	6

休業日	
2022/9/19	敬老の日
2022/9/23	秋分の日

2022/9月カレンダー

日	月	火	水	木	金	土
				1	2	3
4	5	6	7	8	9	10
11	12	13	14	15	16	17
18	19	20	21	22	23	24
25	26	27	28	29	30	

▶NETWORKDAYS 関数

書式	=NETWORKDAYS(開始日, 終了日, [祭日])

開始日：開始日を指定します。
終了日：終了日を指定します。
祭日：祝日や休暇など計算から除く日付のリストを指定します。

おトクな情報 NETWORKDAYS関数について

NETWORKDAYS関数で［開始日］や［終了日］は日付が入力されたセルを指定するかDATE(2022,7,1)のような関数や他の数式で指定するようにしてください。「"2022/7/1"」のように文字列で指定するとエラーになる場合があります。また、［祭日］には国民の祝日や臨時休業日など非稼働となる日を指定します。セル範囲で指定する以外に、日付を文字列で指定するかシリアル値を使って配列定数で指定することもできます。例えば、「=NETWORKDAYS(C4,D4,{"2022/9/19","2022/9/23"})」または、「=NETWORKDAYS(C5,D5,{44823,44827})」と書き換えられます。

Q805 お役立ち度 ★★★ 日付／時刻関数

2021 2019 2016

土日以外の曜日を除いた期間の日数を求めるには

A NETWORKDAYS.INTL関数を使います。

定休日として指定した曜日と祝日を除き、開始日から終了日までの日数を求めます。土日を休業日と定めていない会社で指定された期間の中で作業日数を求めることができます。ここでは、セルC3（開始日）とセルD3（終了日）の期間から、月曜日「12」（週末）とセルB8～B9の休業日（祭日）を除いた日数を求めます。

```
=NETWORKDAYS.INTL(C3,D3,12,$B$8:$B$9)
```

	A	B	C	D	E
1	○○美術館展示日程表（月曜日と休業日をのぞく展示日数）				
2	会場	展示会	開始日	終了日	展示日数
3	A	幕末志士刀剣展示会	2022/9/1	2022/9/15	12
4	B	ポップアート展示会	2022/9/10	2022/9/28	16
5	C	印象派絵画展示会	2022/9/15	2022/9/30	14

休業日	
2022/9/9	指定休館日
2022/9/26	

2022/9月カレンダー

日	月	火	水	木	金	土
				1	2	3
4	5	6	7	8	9	10
11	12	13	14	15	16	17
18	19	20	21	22	23	24
25	26	27	28	29	30	

▶NETWORKDAYS.INTL 関数

書式	=NETWORKDAYS.INTL(開始日, 終了日,[週末], [祭日])

開始日：開始日を指定します。
終了日：終了日を指定します。
週末：非稼働日とする曜日を週末番号（Q803の表参照）で指定します。
祭日：祝日や休暇など、計算から除く日付のリストを指定します。

おトクな情報 週末番号にない曜日を非稼働日にする

週末番号にない曜日を非稼働日にしたい場合は、0を稼働日、1を非稼働日として、月曜日から日曜日までを順番に0と1の7文字で指定します。例えば、金曜日と日曜日が非稼働日の場合、「0000101」となり「=NETWORKDAYS.INTL(C5,D5,"0000101",$B$8:$B$9)」と記述できます。

Q806 お役立ち度 ★★★ 文字列操作関数 2021 2019 2016

複数セルの文字を1つにつなげるには

CONCAT関数

	A	B	C	D	E	F
1	文字列1	文字列2	文字列3		まとめ	
2	私は	映画を	観ました。		昨日、私は映画を観ました。	

=CONCAT("昨日、",A2:C2)

CONCATENATE関数

	A	B	C	D	E	F
1	文字列1	文字列2	文字列3		まとめ	
2	私は	映画を	観ました。		昨日、私は映画を観ました。	

=CONCATENATE ("昨日、",A2,B2,C2)

A CONCAT関数、CONCATENATE関数を使います。

指定した複数のセルの文字をつなげて1つの文字列にまとめます。どちらの関数も引数で指定したセルや文字列をつなげますが、CONCAT関数の場合は、連続したセルはセル範囲「A2:C2」のようにまとめて指定できます。ここでは、それぞれの関数で、文字列「昨日、」とセル範囲A2～C2内の文字列を1つにつなげています。

▶CONCAT関数 (Excel 2021/2019、Microsoft 365)

書式	＝CONCAT(テキスト1,[テキスト2],…)

テキスト:結合する文字、セル、セル範囲を指定します。

▶CONCATENATE関数 (Excel 2016)

書式	＝CONCATENATE(文字列1,[文字列2],…)

文字列:結合する文字、セルを指定します。

※下位互換性によりすべてのバージョンで使えます。

Q807 お役立ち度 ★★★ 文字列操作関数 2021 2019 2016

記号で区切りながら複数の文字列を1つにまとめるには

A TEXTJOIN関数を使います。

文字列を結合する際に、「,」や「-」などの文字列を区切り記号として間に挿入できます。指定したセル内に空のセルがある場合、そのセルを無視するかどうかをTRUEまたはFALSEで指定します。ここでは、文字列「昨日」とセル範囲A2～C2の文字列を、読点「、」を間に挿入しながら連結します。

=TEXTJOIN("、",TRUE,"昨日",A2:C2)

	A	B	C	D	E
1	文字列1	文字列2	文字列3		まとめ
2	私は	映画を	観ました。		昨日、私は、映画を、観ました。
3					

▶TEXTJOIN関数

書式	＝TEXTJOIN(区切り文字, 空のセルは無視, テキスト1,[テキスト2]…)

区切り文字:区切り文字として入力したい文字を指定します。

空のセルは無視:TRUEまたは省略の場合は空のセルは無視します。FALSEの場合は、空のセルに区切り文字が追加されます。

テキスト:連結する文字、セル、セル範囲を指定します。

Q808 お役立ち度 ★★★ 文字列操作関数 2021 2019 2016

日付と文字列をつなげたい!

A TEXT関数を使います。

CONCAT関数や「&」などを使って、日付が入力されているセルを他のセルとつなげると、シリアル値が表示されてしまいます。日付のセルをTEXT関数で文字列に変換してからつなげます。TEXT関数は、数値を指定した表示形式にして文字列に変換します。ここではセルB2の日付を「"m月d日"」の表示形式にして文字列に変換し、「&」で連結しています。

=A2&TEXT(B2,"m月d日")&C2

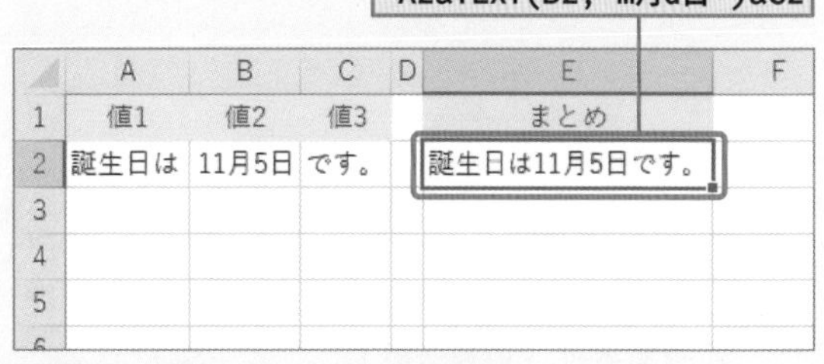

	A	B	C	D	E	F
1	値1	値2	値3		まとめ	
2	誕生日は	11月5日	です。		誕生日は11月5日です。	
3						
4						
5						

▶TEXT関数

書式	＝TEXT(値,表示形式)

値:数値や数値が入力されているセルを指定します。

表示形式:書式記号を使って表示形式を指定します(Q709)。

Q809 お役立ち度 ★★★ 文字列操作関数

複数セルの値を改行してつなげたい!

A CHAR関数を使います。

指定した文字コードに対応する文字を返します。「10」は改行を示すコードで、「CHAR(10)」と指定すると改行を挿入できます。ここでは、セルとCHAR(10)を「&」を使って連結しています。なお、実際に改行して表示するには、[折り返して全体を表示する]をオンにしてください(Q591)。

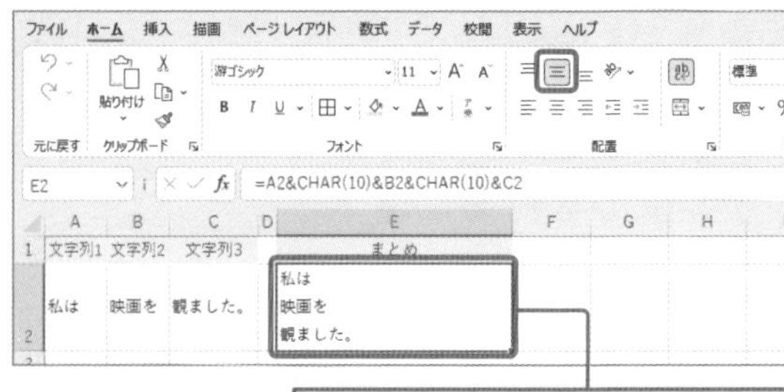

=A2&CHAR(10)&B2&CHAR(10)&C2

▶CHAR 関数

書式	＝CHAR(数値)

数値:文字コードを表す数値を指定します。

例	内容
CHAR(9)	タブ

例	内容
CHAR(10)	改行

Q810 お役立ち度 ★★★ 文字列操作関数

別の文字列に置き換えるには

A SUBSTITUTE関数を使います。

指定した文字列の中にある特定の文字列を別の文字列に置き換えます。余分な空白や「-」などの区切り記号を一括して削除することができます。ここでは、会員番号内の「-」を削除しています。

すべての「-」を削除する

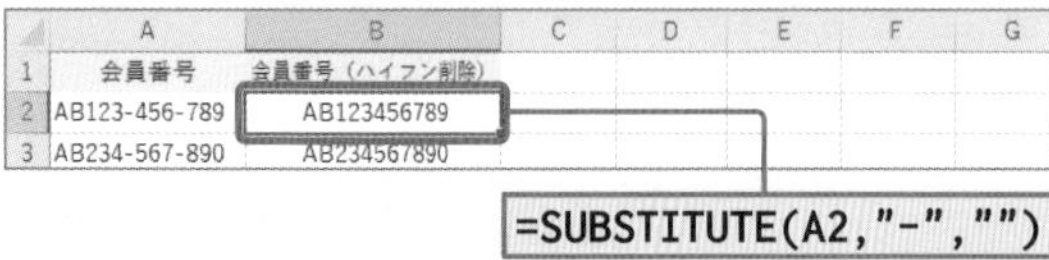

=SUBSTITUTE(A2,"-","")

2つ目の「-」を削除する

	A	B	C	D	E	F	G
1	会員番号	2つ目のハイフン削除					
2	AB123-456-789	AB123-456789					
3	AB234-567-890	AB234-567890					

=SUBSTITUTE(A2,"-","",2)

▶SUBSTITUTE 関数

書式	＝SUBSTITUTE(文字列， 検索文字列， 置換文字列，[置換対象])

文字列:置き換える文字を含む文字列やセルを指定します。
検索文字列:検索する文字を指定します。
置換文字列:置換する文字を指定します。
置換対象:見つかった検索文字列の何番目を置換するか指定します。省略した場合は、すべてが置換されます。

Q811 お役立ち度 ★★★ 文字列操作関数

セル内の不要な空白を削除するには

A TRIM関数を使います。

セル内の単語間のスペースを1つずつ残して、残りのスペースをすべて削除します。このとき、全角、半角は区別しません。ここでは前後や間にスペースが入力されているハーブ名から、単語間の1スペースだけ残して、他のスペースを削除しています。

▶TRIM 関数

書式	＝TRIM(文字列)

文字列:余分なスペースを削除する文字列やセルを指定します。

おトクな情報 すべてのスペースを削除する

SUBSTITUTE関数を使います。半角と全角が区別されるので、半角と全角のスペースが混在している場合は、「=SUBSTITUTE(SUBSTITUTE(A2," ",""),"　","")」のように関数の中に関数を入れて(ネスト)設定します。

Q812 お役立ち度 ★★★ 文字列操作関数 2021 2019 2016

指定した文字が何文字目にあるか調べるには

A FIND関数を使います。

指定した文字列が先頭から何文字目にあるかを求めます。文字列の位置を取得し、その文字より前や後の文字を取得するなど、文字列を操作するときによく使用します。ここではメールアドレスの「@」の位置を求めています。

=FIND("@",B3)

	A	B	C	D	E
1	会員登録				
2	NO	メールアドレス	@の位置		
3	1	onishi@xxx.xx	7		
4	2	kosakai@xxx.xx	8		
5					

▶FIND 関数

書式	＝FIND(検索文字列, 対象,[開始位置])

検索文字列：検索する文字を指定します。
対象：検索する文字を含む文字列やセルを指定します。
開始位置：検索を開始する文字の位置を指定します。省略すると1とみなされます。

Q813 お役立ち度 ★★★ 文字列操作関数 2021 2019 2016

文字数を数えるには

A LEN関数を使います。

文字数を返します。FIND関数と組み合わせて、指定した文字より後ろの文字数を求められます。ここでは、メールアドレスの全文字数を求め、FIND関数で求めた「@」の位置を使って、「@」より後ろの文字数を調べています。

=LEN(B3)　=LEN(B3)-FIND("@",B3)

	A	B	C	D
1	会員登録			
2	NO	メールアドレス	文字数	@より後ろの文字数
3	1	onishi@xxx.xx	13	6
4	2	kosakai@xxx.xx	14	6
5				
6				
7				
8				

▶LEN 関数

書式	＝LEN(文字列)

文字列：文字数を調べたい文字列を指定します。

文字列の先頭や末尾から○文字数分取り出すには

A LEFT、RIGHT関数を使います。

LEFT関数は文字列の先頭から○文字分取り出し、RIGHT関数は文字列の末尾から○文字分取り出します。ここでは、商品NOの先頭から1文字、末尾から4文字取り出しています。

▶LEFT 関数／ RIGHT 関数

書式	＝LEFT(文字列, 文字数)
書式	＝RIGHT(文字列, 文字数)

文字列：取り出し元となる文字列を指定します。
文字数：LEFT関数…左から取り出す文字数を指定します。省略時は1とみなされます。
RIGHT関数…右から取り出す文字数を指定します。省略時は1とみなされます。

=LEFT(A2,1)　=RIGHT(A2,4)

	A	B	C	D	E
1	商品NO	商品名	分類	コード	
2	H1001	炊飯器	H	1001	
3	L2002	フロアライト	L	2002	

おトクな情報　半角文字を1、全角文字を2として数えるには

LEFT関数、RIGHT関数共に、半角文字、全角文字の区別なくどちらも1として数えます。半角文字を1、全角文字を2と数えたい場合は、バイト数で文字を数えるLEFTB関数、RIGHTB関数を使います。書式はそれぞれ、「=LEFTB(文字列, バイト数)」「=RIGHTB(文字列, バイト数)」となります。例えば、「=LEFT("東京2020",4)」の結果は「東京20」ですが、「=LEFTB("東京2020",4)」の結果は「東京」となります。バイト数で数える関数は末尾にBが付き、他にLENB関数、FINDB関数、SEARCHB関数、REPLACEB関数、MIDB関数があります。

Q815 お役立ち度 ★★★ 文字列操作関数

「@」より前の文字列と後ろの文字列を取り出すには

A FIND関数、LEN関数、LEFT関数、RIGHT関数を組み合わせます。

Q812～Q814まで紹介したFIND関数、LEN関数、LEFT関数、RIGHT関数を組み合わせると、「@」より前と後ろの文字を取り出せます。「@」より前の文字は、LEFT関数で、「FIND関数の結果-1」文字分左から取り出します。「@」より後ろの文字は、RIGHT関数で、「LEN関数の結果-FIND関数の結果」文字分右から取り出します。

補助列を用意して設定する

「@」の位置を求める列を補助列（C列）として用意すると、わかりやすいです。前の文字は左から「C3-1」文字分、後ろの文字は右から「LEN(B3)-C3」文字分取り出します。

=RIGHT(B3,LEN(B3)-C3)

	A	B	C	D	E
1	会員登録				
2	NO	メールアドレス	@の位置	アカウント	ドメイン
3	1	onishi@xxx.xx	7	onishi	xxx.xx
4	2	kosakai@xxx.xx	8	kosakai	xxx.xx
5					
6					
7					
8					

=LEFT(B3,C3-1)

1つの数式で一気に設定する

上図のセルC3の部分をFIND関数「FIND("@",B3)」で置き換えると1つの数式で一気に求められます。

=RIGHT(B3,LEN(B3)-FIND("@",B3))

	A	B	C	D	E
1	会員登録				
2	NO	メールアドレス	アカウント	ドメイン	
3	1	onishi@xxx.xx	onishi	xxx.xx	
4	2	kosakai@xxx.xx	kosakai	xxx.xx	
5					
6					
7					
8					
9					

=LEFT(B3,FIND("@",B3)-1)

Q816 お役立ち度 ★★★ 文字列操作関数

住所から都道府県を取り出したい！

A IF関数、MID関数、LEFT関数を組み合わせます。

都道府県は、神奈川県、和歌山県、鹿児島県が4文字です。住所の中で4文字目が「県」の場合は、左から4文字、そうでない場合は3文字取り出す式を考えます。MID関数は、文字列の指定位置から指定した数の文字列を取り出します。MID関数を使って4文字目が「県」の場合は、LEFT関数で左から4文字、そうでない場合は左から3文字取り出します。条件を満たすかどうかで処理を分けるのにIF関数を使います（**Q822**）。

	A	B	C	D
1	氏名	郵便番号	都道府県	住所
2	小笠原　美紀	210-0808	神奈川県	神奈川県川崎市川崎区旭町XXX
3	近藤　晴美	285-0806	千葉県	千葉県佐倉市大篠塚4-X
4	岡田　しのぶ	641-0012	和歌山県	和歌山県和歌山市紀三井寺X-X-X
5	飯田　幸恵	891-1305	鹿児島県	鹿児島県鹿児島市宮之浦町X-X-X
6	谷本　紀子	105-0021	東京都	東京都港区東新橋　14-8-X

=IF(MID(D2,4,1)="県",LEFT(D2,4),LEFT(D2,3))

▶MID関数

書式 ＝MID(文字列，開始位置，文字数)

文字列：取り出し元となる文字列を指定します。
開始位置：何文字目から取り出すか指定します。
文字数：取り出す文字数を指定します。

Q817 お役立ち度 ★★★ 文字列操作関数

改行文字を削除するには

A CLEAN関数を使います。

CLEAN関数は改行文字のような印刷できない文字を削除します。セル内の改行をまとめて削除できます。

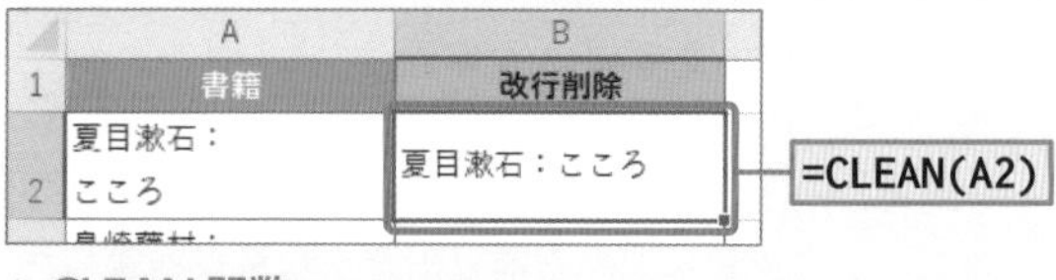

▶CLEAN関数

書式 ＝CLEAN(文字列)

文字列：印刷できない文字を含む文字列を指定します。

Q818 お役立ち度 ★★★ 文字列操作関数 2021 2019 2016

全角／半角文字に変換するには

A JIS関数、ASC関数を使います。

JIS関数は半角文字を全角文字に変換します。ASC関数は、全角文字を半角に変換します。漢字やひらがなは半角に変換できません。

半角→全角にする

	A	B	C
1	住所	住所（全角）	
2	文京区大塚5-1-X ○△ﾏﾝｼｮﾝ801	文京区大塚５－１－Ｘ ○△マンション８０１	
3	中央区日本橋室町3-X ○ﾋﾞﾙ1階	中央区日本橋室町３－Ｘ ○ビル１階	

=JIS(A2)

全角→半角にする

	A	B	C
1	電話番号	電話番号（半角）	
2	（０３）１２３４－５６７８	(03)1234-5678	
3	（０３）２３４５－６７８９	(03)2345-6789	
4	（０４４）３４５－６７８９	(044)345-6789	

=ASC(A2)

▶JIS 関数

書式	＝JIS(文字列)

文字列：全角にする文字列を指定します。

▶ASC 関数

書式	＝ASC(文字列)

文字列：半角にする文字列を指定します。

Q819 お役立ち度 ★★★ 文字列操作関数 2021 2019 2016

数値を漢数字に変換するには

A NUMBERSTRING関数を使います。

NUMBERSTRING関数は数値を漢数字に変換します。引数によって、漢数字の種類を変更できます。なお、[関数の挿入]ダイアログや[関数ライブラリ]に表示されないので、セルに直接手入力して設定します。

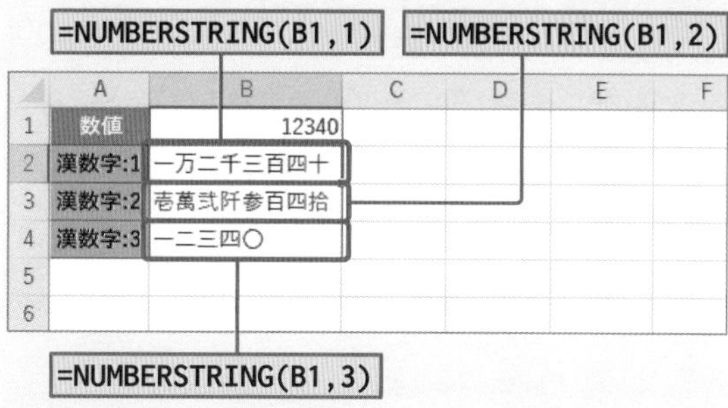

▶NUMBERSTRING 関数

書式	＝NUMBERSTRING(数値,種類)

数値：漢数字に変換する数値を指定します。
種類：漢数字の種類を指定します。

種類	形式
1	百二十三
2	壱百弐拾参
3	一二三

Q820 お役立ち度 ★★★ 文字列操作関数 2021 2019 2016

英単語の大文字／小文字／先頭大文字に変換するには

A UPPER関数、LOWER関数、PROPER関数を使います。

UPPER関数は英字を大文字、LOWER関数は英字を小文字、PROPER関数は先頭を大文字に変換します。

おトクな情報 全角の英字も変換される

引数[文字列]に全角の英字を指定しても変換されます。漢字、ひらがな、カタカナを指定した場合は、そのまま文字が表示されます。

=UPPER(A2) =LOWER(A2) =PROPER(A2)

	A	B	C	D
1	ハーブ名	大文字変換	小文字変換	先頭のみ大文字変換
2	rose hip	ROSE HIP	rose hip	Rose Hip
3	LEMON BALM	LEMON BALM	lemon balm	Lemon Balm

▶UPPER 関数

書式	＝UPPER(文字列)

文字列：大文字に変換する文字列を指定します。

▶LOWER 関数

書式	＝LOWER(文字列)

文字列：小文字に変換する文字列を指定します。

▶PROPER 関数

書式	＝PROPER(文字列)

文字列：先頭を大文字に変換する文字列を指定します。

Q821 お役立ち度 ★★★ 論理関数／情報関数 2021 2019 2016

論理式とは

A TRUEやFALSEが答えとなる式のことです。

論理式とは、指定した式が成立するかどうかを判定するための式で、成立する場合（真の場合）はTRUE、成立しない場合（偽の場合）はFALSEを結果として返します。

おトクな情報 TRUEとFALSEを数値で評価する

数値が0の場合はFALSE、0以外の場合はTRUEと評価することができますが、通常、1をTRUEとして使用されています。例えば、「=IF(0,"○","×")」とした場合、0はFALSEと評価されて「×」が返ります。また、「=IF(1,"○","×")」とした場合、1はTRUEと評価されて「○」が返ります。

論理式を設定する

論理式は比較演算子を使って設定できます。比較演算子は2つの値を比較し、「値A 比較演算子 値B」の形式で設定します。例えば「10＞3」は「10は3より大きい」という意味になり、この場合は正しいのでTRUEが返ります。TRUE、FALSEを論理値といいます。また、論理式は条件式ともいいます。

● **比較演算子の種類**

比較演算子		例（セルA1の値が20の場合）		
=	等しい	A1=10	セルA1の値が10と等しい	FALSE
<>	等しくない	A1<>10	セルA1の値が10ではない	TRUE
>	より大きい	A1>10	セルA1の値が10より大きい	TRUE
<	より小さい	A1<10	セルA1の値が10より小さい	FALSE
>=	以上	A1>=10	セルA1の値が10以上	TRUE
<=	以下	A1<=10	セルA1の値が10以下	FALSE

Q822 お役立ち度 ★★★ 論理関数／情報関数

条件を満たす、満たさないで表示内容を変更するには

A IF関数を使います。

IF関数を使うと、条件を満たすか満たさないかで異なる値をセルに表示できます。セルに文字を表示する場合は「"」で囲み「"合格"」のように指定します。何も表示しない場合は「""」を指定します。ここでは、得点が80以上の場合のみ「合格」と表示しています。

	A	B	C	D	E	F	G
1	確認テスト						
2	学生名	得点	評価				
3	飯田　明美	88	合格				
4	石川　慎吾	72					
5	近藤　健治	96	合格				

=IF(B3>=80,"合格","")

▶IF関数

書式	＝IF(論理式, 真の場合, 偽の場合)

論理式：TRUEまたはFALSEが返る論理式（条件式）を指定します。

真の場合：論理式がTRUEまたは0以外の場合に表示する値を指定します。

偽の場合：論理式がFALSEまたは0の場合に表示する値を指定します。

論理式に文字列や日付を使う場合

論理式「B2="1年2組"」は「セルB2が「1年2組」と等しい」という意味で、完全一致で比較します。しかし「2年で始まる」という意味でワイルドカードを使い「B2="2年*"」と指定できません。このような場合、COUNTIF関数（**Q776**）を使って「COUNTIF(B2,"2年*")」とします。この式は、セルB2が2年で始まる場合は「1」、そうでない場合は「0」が返ります。0はFALSE、0以外はTRUEと評価されることを利用して論理式として指定できます。また、論理式で日付を使う場合は、DATE関数を使って指定します。

● **文字列を完全一致で比較する場合**

```
=IF(B2="1年2組","Yes","No")
```

	A	B	C
1	学籍NO	クラス	1年2組？
2	1001	2年1組	No

セルB2が「1年2組」の場合は「Yes」、そうでない場合は「No」と表示する。

● **文字列を部分一致で比較する場合**

```
=IF(COUNTIF(B2,"2年*"),"Yes","No")
```

	A	B	C
1	学籍NO	クラス	2年生？
2	1001	2年1組	Yes

セルB2が「2年」で始まる場合は「Yes」、そうでない場合は「No」と表示する。

● **日付を比較する場合**

```
=IF(B2<=DATE(2022,9,10),"OK","NG")
```

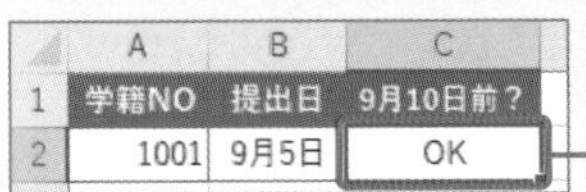

	A	B	C
1	学籍NO	提出日	9月10日前？
2	1001	9月5日	OK

セルB2が「2022/9/10」以前の場合は「OK」、そうでない場合は「NG」と表示する。

Q823 お役立ち度 ★★★ 論理関数／情報関数 2021 2019 2016

複数の条件をすべて満たすかどうかで表示内容を変更するには

A AND関数とIF関数を使います。

AND関数は、指定したすべての条件が満たされる場合のみTRUEが返ります。ここでは、「集客数が5000以上」と「購入金額/人が5000以上」の両方を満たす場合に「Good」と表示しています。

```
=IF(AND(B3>=5000,C3>=5000),"Good","")
```

	A	B	C	D	E	F
1	8月集客/購入状況					
2	店舗	集客数	購入金額/人	評価		
3	新宿	5,500	¥5,000	Good		
4	原宿	4,500	¥3,000			
5	六本木	1,000	¥10,000			
6	渋谷	5,000	¥8,300	Good		

▶AND関数

書式	＝AND(論理式1, 論理式2, …)
論理式:TRUEまたはFALSEが返る論理式を指定します。	

Q824 お役立ち度 ★★★ 論理関数／情報関数 2021 2019 2016

複数の条件の1つでも満たすかどうかで表示内容を変更するには

A OR関数とIF関数を使います。

OR関数は、指定した複数の条件のうち、1つでも満たしている場合にTRUEが返ります。ここでは、「集客数が5000以上」または「購入金額/人が5000以上」のどちらか1つでも条件を満たした場合に「OK」を表示しています。

```
=IF(OR(B3>=5000,C3>=5000),"OK",""))
```

	A	B	C	D	E	F
1	8月集客/購入状況					
2	店舗	集客数	購入金額/人	評価		
3	新宿	5,500	¥5,000	OK		
4	原宿	4,500	¥3,000			
5	六本木	1,000	¥10,000	OK		
6	渋谷	5,000	¥8,300	OK		

▶OR関数

書式	＝OR(論理式1, 論理式2, …)
論理式:TRUEまたはFALSEが返る論理式を指定します。	

Q825 お役立ち度 ★★★ 論理関数／情報関数 2021 2019 2016

「○○ではない」ときに表示内容を変更するには

A NOT関数か比較演算子「<>」とIF関数を使います。

NOT関数は、引数で指定した論理式の結果の逆を返します。例えば、「＝NOT(TRUE)」とするとFALSEが返り、「○○ではない」という意味になります。また、比較演算子「<>」も「○○ではない」という意味になります。ここでは、利用回数が0でない場合は、「優待券」と表示しています。

```
=IF(NOT(B3=0),"優待券","")
```

	A	B	C	D
1	7月利用状況			
2	会員名	利用回数	DM送付	
3	山下　朋美	8	優待券	
4	宇野　翔太	0		
5	桜川　恵子	14	優待券	

比較演算子を使う場合は、「=IF(B3<>0,"優待券","")」のように記述します。

▶NOT関数

書式	＝NOT(論理式)
論理式:TRUEまたはFALSEが返る論理式を指定します。	

Q826 お役立ち度 ★★★ 論理関数／情報関数 2021 2019 2016

条件によって異なる数式を設定するには

A 「真の場合」と「偽の場合」で数式を指定します。

IF関数の中で条件を満たすかどうかで計算方法を変更したい場合は、引数の「真の場合」と「偽の場合」で計算式を指定します。ここでは、販売数が500以上の時にセール価格を価格の80%、そうでないときは70%にしています。

```
=IF(C3>=500,B3*0.8,B3*0.7)
```

	A	B	C	D
1	サマーセール価格表			
2	商品名	価格	販売数	セール価格
3	炊飯器	¥27,000	485	¥18,900
4	ミキサー	¥18,000	525	¥14,400
5	オーブントースター	¥10,000	700	¥8,000
6	スロージューサー	¥20,000	450	¥14,000
7				
8				

Q827 お役立ち度 ★★★ 論理関数／情報関数

複数の条件を段階的に判定するには①

A IF関数の中にIF関数を設定します。

IF関数の中にIF関数を組み合わせると、複数の条件を段階的に判定できます。ここでは、得点が80以上の場合は「A」と表示します。そうでない場合はさらにIF関数を設定し、得点が60以上の場合は「B」、そうでない場合は「C」と表示します。このように関数の中に関数を組み合わせることを「入れ子」または「ネスト」といいます。

	A	B	C	D
1	学生名	得点	判定	
2	飯田　明美	73	B	

=IF(B2>=80,"A",IF(B2>=60,"B","C"))

ネストによる処理の流れ

IF関数の論理式「B2>=80」がFALSEの場合の処理で、さらにIF関数を設定すると、処理を3つに増やすことができます。IF関数をネストする処理は、以下のようにフローチャートを作成すると、理解が深まります。

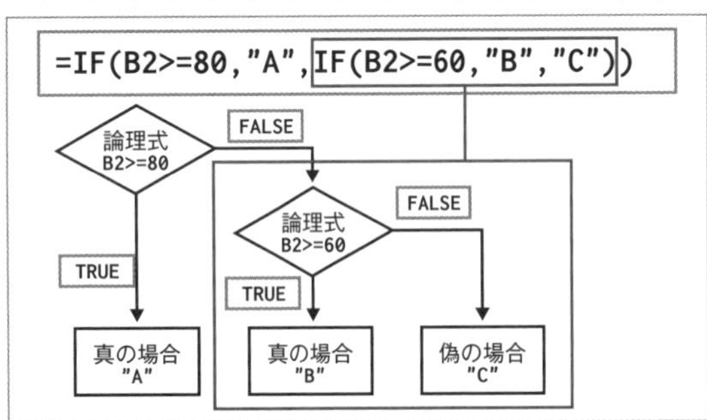

Q828 お役立ち度 ★★★ 論理関数／情報関数

複数の条件を段階的に判定するには②

A IFS関数を使います。

IFS関数を使うと複数の条件を段階的に判定できます。IFS関数では、論理式と論理式を満たすときの値をセットで順番に指定します。最後に、論理式にTRUEを指定して、いずれの論理式も満たさなかったときの値を指定します。ここでは、得点が80以上の場合は「A」、60以上の場合は「B」、それ以外の場合は「C」と表示しています。

	A	B	C
1	学生名	得点	判定
2	飯田　明美	73	B

=IFS(B2>=80,"A",B2>=60,"B",TRUE,"C")

▶IFS 関数

書式	＝IFS(論理式1,値が真の場合1,論理式2,値が真の場合2,…,[TRUE,いずれの論理式も偽の場合])

論理式:判定する条件を指定します。
値が真の場合:論理式を満たす場合の処理を指定します。
TRUE:いずれの論理式も満たさなかった場合の処理を指定する場合に「TRUE」を指定します。
いずれの論理式で偽の場合:いずれの論理式も満たさなかった場合の処理を指定します。

IFS関数のしくみ

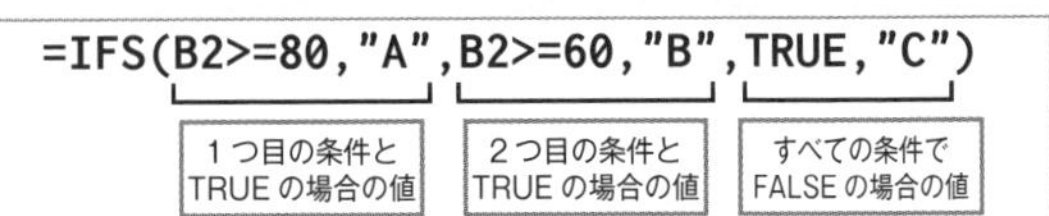

Q829 お役立ち度 ★★★ 論理関数／情報関数

2021
2019
2016

エラーが表示されないようにするには

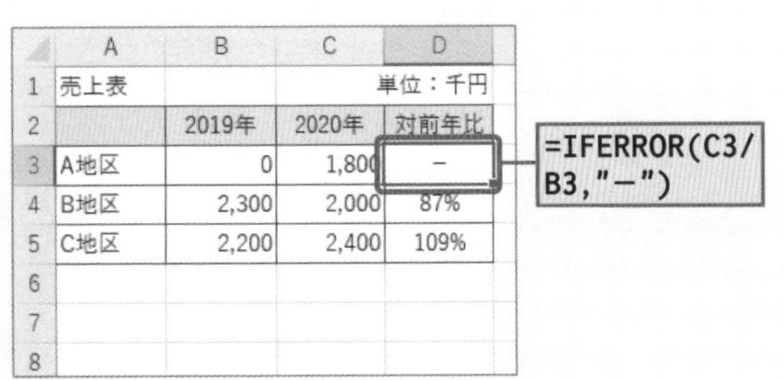

	A	B	C	D
1	売上表			単位：千円
2		2019年	2020年	対前年比
3	A地区	0	1,800	−
4	B地区	2,300	2,000	87%
5	C地区	2,200	2,400	109%
6				
7				
8				

=IFERROR(C3/B3,"−")

A IFERROR関数を使います。

IFERROR関数は数式のエラー値を別の値に置き換えて表示します。例えば、割る数が0や空欄の場合、エラー値「#DIV/0!」が表示されます。IFERROR関数を使えば、エラー値の代わりに、空欄や、別の文字列を表示できます。ここでは、エラー値の場合は「−」(ハイフン)を表示しています。

▶IFERROR 関数

書式	＝IFERROR(値, エラーの場合の値)

値:エラーかどうか判定する式を指定します。
エラーの場合の値:値がエラーの場合に表示する内容を指定します。

Q830 お役立ち度 ★★★ 論理関数/情報関数 2021 2019 2016

指定した値に対応する値を表示するには

A SWITCH関数を使います。

SWITCH関数は指定した検索値に対して、値の一覧を用意し、その値と同じかどうかを順番に判定して、同じ場合は対応する結果を表示します。同じ値がない場合は既定の値を表示します。ここでは、WEEKDAY関数（**Q800**）を使って曜日番号を取得し、3（火曜日）の場合は「定休日」、6（金曜日）の場合は「特売日」と表示し、それ以外は空欄にしています。

=SWITCH(WEEKDAY(A2),3,"定休日",6,"特売日","")

	A	B	C	D	E
1	おひさまベーカリー営業日程				
2	03/01(火)	定休日			
3	03/02(水)				
4	03/03(木)				
5	03/04(金)	特売日			

▶SWITCH関数

書式	＝SWITCH(検索値, 値1, 結果1,[値2, 結果2],…,[既定値])

検索値：検索する値を指定します。
値：判定する値を指定します。
結果：検索値が値と同じ場合に表示する値を指定します。
既定値：いずれの値にも一致しない場合に表示する値を指定します。

Q831 お役立ち度 ★★★ 論理関数/情報関数 2021 2019 2016

セルが空白かどうかを調べるには

A ISBLANK関数を使います。

ISBLANK関数は、指定したセルに何も入力されていない場合にTRUE、そうでない場合はFALSEを返します。IF関数の条件式で使用することができます。なお、IF関数などの結果、空白（""）を表示している場合は、何も入力されていないように見えてもFALSEが返ります。このような指定された値を判定してTRUE、FALSEを返す関数を総称して「IS関数」といいます。

●主なIS関数

IS関数	内容
ISBLANK	テストの対象が空白かどうかを判定
ISNUMBER	テストの対象が数値かどうかを判定
ISTEXT	テストの対象が文字かどうかを判定
ISERROR	テストの対象がエラー値かどうかを判定

Q832 お役立ち度 ★★★ 論理関数/情報関数 2021 2019 2016

漢字のフリガナを別のセルに表示するには

A PHONETIC関数を使います。

指定したセル範囲に入力されている文字列の読みを表示します。セルに入力された文字列に保存されているフリガナ情報を表示するので、他のソフトからコピーした文字列などフリガナ情報を持たない場合は、文字列がそのまま表示されます。ここでは、名簿の姓、名の読みをフリガナ列に表示します。

▶PHONETIC関数

書式	＝PHONETIC（範囲）

範囲：フリガナ情報を取得するセルまたはセル範囲を指定します。

=PHONETIC(B3:C3)

	A	B	C	D
1	学生名簿			
2	番号	姓	名	フリガナ
3	1	鮫島	希美	サメジマノゾミ
4	2	佐々木	芳郎	ササキヨシロウ
5	3	井上	真知子	イノウエマチコ
6	4	須藤	健司	スドウケンジ
7	5	青木	慎也	アオキシンヤ
8	6	妹尾	凛子	セノウリンコ
9				
10				

※PHONETIC関数は、実質「文字列操作関数」ですが、[関数の挿入]ダイアログの[分類]で、[情報]の一覧に表示されるため、本書では情報関数に含めています。

検索／行列関数

連番を自動表示したい！

A ROW関数やCOLUMN関数を使います。

ROW関数は指定したセルの行番号、COLUMN関数は列番号を返します。引数を省略すると、関数が入力されているセルの行番号、列番号が返ります。これを利用して、連番を自動表示できます。ここでは、ROW関数が入力されているセルの行番号から2を引いて、予約番号を1から連番を表示しています。

	A	B	C	D
1	予約一覧			
2	予約番号	顧客NO	予約商品	
3	1	C1027	H1003	
4	2	C1009	H1003	
5	3	C1023	H1003	

=ROW()-2

▶ROW関数

書式	＝ROW([参照])

参照:行番号を調べるセルを指定します。省略すると、関数が入力されているセルの行番号を返します。

▶COLUMN関数

書式	＝COLUMN([参照])

参照:列番号を調べるセルを指定します。省略すると、関数が入力されているセルの列番号を返します。

Q834 お役立ち度 ★★★ 検索／行列関数 2021 2019 2016

別表を縦方向に検索してデータを取り出すには

A VLOOKUP関数を使います。

指定した値を検索値として、別表の1列目を検索し、見つかった行から指定した列番号の値を取り出します。ここでは、商品NOを指定したら、別に用意した商品一覧の中から商品NOに一致する商品名を取り出します。例えば、セルB3の式は以下のようになります。

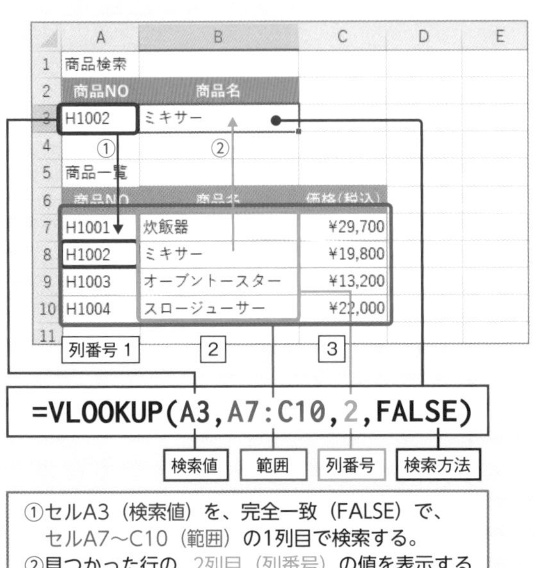

▶VLOOKUP関数

書式	＝VLOOKUP(検索値, 範囲, 列番号, [検索方法])

検索値:検索する値を指定します。
範囲:検索するセル範囲を指定します。左端に検索値の列を用意します。
列番号:値を取り出す列番号を指定します。
検索方法:FALSEまたは0で完全一致、TRUEまたは1を指定するか、省略すると近似値。TRUEの場合、別表に完全に一致する値がない場合は、検索値未満で最も大きな値が検索結果とみなされます。

おトクな情報　別表を横方向に検索してデータを取り出す

HLOOKUP関数を使うと、別表の1行目の中で検索値を検索し、見つかった列から指定した行番号のデータを取り出します。

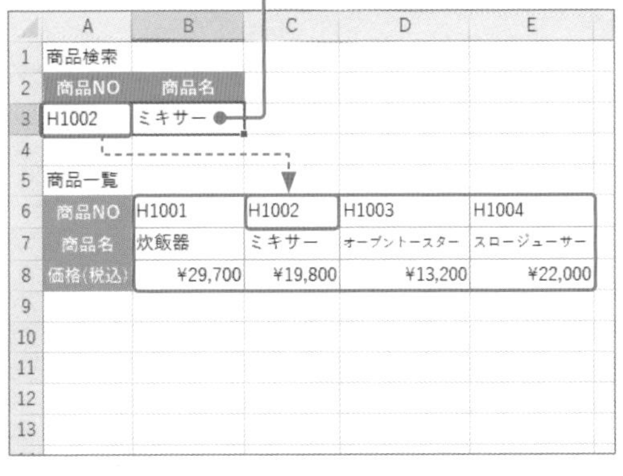

=HLOOKUP(A3,B6:E8,2,FALSE)
商品検索
商品NO
商品名
H1002
ミキサー
商品一覧
商品NO
H1001
H1002
H1003
H1004
商品名
炊飯器
ミキサー
オーブントースター
スロージューサー
価格(税込)
¥29,700
¥19,800
¥13,200
¥22,000

Q835 お役立ち度 ★★★ 検索／行列関数 2021 2019 2016

VLOOKUP関数で別シートの表を参照するには

A 別シートの表に名前を付けると設定が簡単です。

VLOOKUP関数で参照する別表（範囲）が別シートに作成されているとき、別シートの表の部分に名前を付けておけば、設定が簡単です。または、別シートのセル範囲を参照する式「シート名！セル範囲」(Sheet2!$A$3:$C$6) の形式で直接入力して指定することもできます（**Q738**）。

1 Q751の方法で別シートに作成されている商品一覧のセル範囲（A3～C6）を選択し、［名前ボックス］に「商品」と名前を入力して Enter キーを押します。

名前ボックス：商品　数式バー：H1001

	A	B	C	D	E
1	商品一覧				
2	商品NO	商品名	価格(税込)		
3	H1001	炊飯器	¥29,700		
4	H1002	ミキサー	¥19,800		
5	H1003	オーブントースター	¥13,200		
6	H1004	スロージューサー	¥22,000		
7					
8					

2 関数を入力するシートで商品名と税込価格のセルに、名前（商品）を使って、VLOOKUP関数を入力します。

	A	B	C	D	E	F
1	納品書					
2						
3	商品NO	商品名	税込価格	数量	税込金額	
4	H1002	ミキサー	¥19,800	2	¥39,600	
5					¥0	
6					¥0	
7				合計	¥39,600	

=VLOOKUP(A4,商品,2,FALSE)

=VLOOKUP(A4,商品,3,FALSE)

= C4*D4

おトクな情報 検索値のセルの列番号を絶対参照にする

［検索値］で参照するセルは、式をコピーしても列がずれないようにしておくと便利です。上記のセルB4の式を「=VLOOKUP($A4, 商品, 2, FALSE)」のように「$A4」とすれば、セルC4にコピーしたときに第3引数の「2」を「3」に変更するだけで済みます。

Q836 お役立ち度 ★★★ 検索／行列関数 2021 2019 2016

検索値が空欄のときにエラーが表示されてしまう!

A IFERROR関数を使いましょう。

VLOOKUP関数をコピーしたときに、参照するセル（検索値）が空欄になっていると、エラー値「#N/A」が表示されます。エラー値が表示されないようにするには、IFERROR関数を使います（**Q829**）。

商品NO（検索値）が空欄だとエラー値が表示されます。

	A	B	C	D	E	F
1	納品書					
2						
3	商品NO	商品名	税込価格	数量	税込金額	
4	H1002	ミキサー	¥19,800	2	¥39,600	
5		#N/A	#N/A		#N/A	
6		#N/A	#N/A		#N/A	
7				合計	#N/A	
8						

セルB4、C4、E4の数式を修正してそれぞれ6行目までコピーします。商品NOが空欄でもエラー値は表示されません。

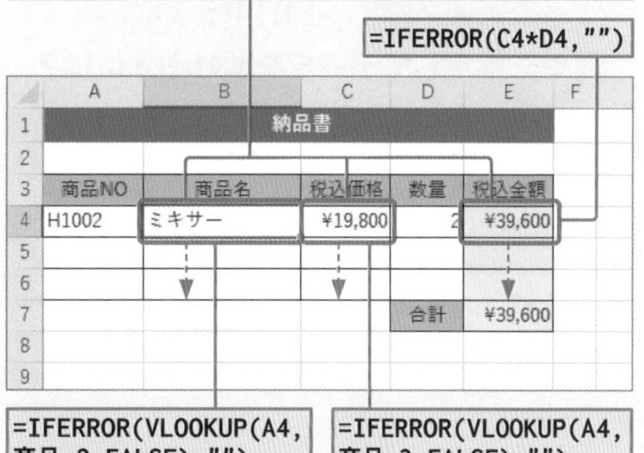

	A	B	C	D	E	F
1	納品書					
2						
3	商品NO	商品名	税込価格	数量	税込金額	
4	H1002	ミキサー	¥19,800	2	¥39,600	
5						
6						
7				合計	¥39,600	
8						
9						

=IFERROR(C4*D4,"")

=IFERROR(VLOOKUP(A4,商品,2,FALSE),"")

=IFERROR(VLOOKUP(A4,商品,3,FALSE),"")

おトクな情報 IF関数を使って対処する

IF関数を使っても空欄の時にエラーが表示されないように設定することができます。「検索値のセル（A4）が空欄の場合は何も表示しない、そうでない場合はVLOOKUP関数の結果を表示する。」という意味の関数を設定します。したがって、セルB4に「=IF(A4="","",VLOOKUP(A4, 商　品 ,2,FALSE))」、セ　ル C4 に「=IF(A4="","",VLOOKUP(A4, 商品,3,FALSE))」、セルE4に「=IF(A4="","",C4*D4)」と設定し、それぞれの式を6行目までコピーします。

Q837 お役立ち度 ★★★ 検索／行列関数

検索値が含まれる範囲によって値を取り出すには

A ［検索方法］で「TRUE」を指定します。

VLOOKUP関数の第4引数［検索方法］を「TRUE」または省略すると、検索値に一致しない場合は、検索値未満で最も大きい値（近似値）で取り出せます。これを利用すると、どの価格帯に含まれるかでランクを求めたり、輸送距離の範囲区分のどこに含まれるかで輸送料を求めたりできます。ここでは、顧客の購入金額から顧客の会員ランクを検索します。例えば、セルC3の式は以下のようになります。

おトクな情報　別表を絶対参照で指定する

VLOOKUP関数をコピーする場合は、参照がずれないように［範囲］となる別表の部分は絶対参照にします。または、セル範囲に名前を付けて指定すれば、コピーしても参照はずれません。

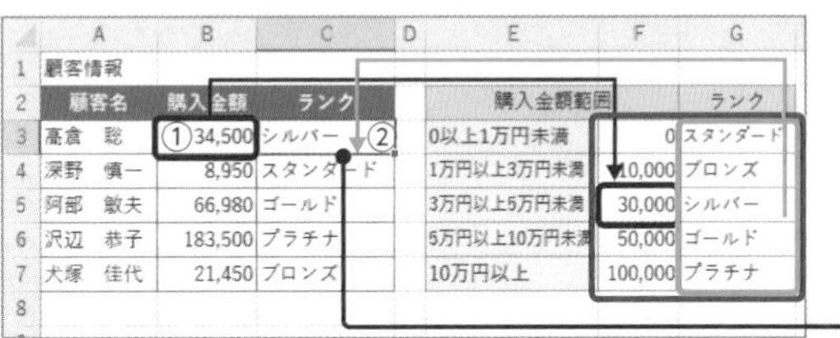

顧客情報
顧客名
購入金額
ランク
高倉　聡
34,500
シルバー
深野　慎一
8,950
スタンダード
阿部　敏夫
66,980
ゴールド
沢辺　恭子
183,500
プラチナ
大塚　佳代
21,450
ブロンズ
購入金額範囲
ランク
0以上1万円未満
0
スタンダード
1万円以上3万円未満
10,000
ブロンズ
3万円以上5万円未満
30,000
シルバー
5万円以上10万円未満
50,000
ゴールド
10万円以上
100,000
プラチナ

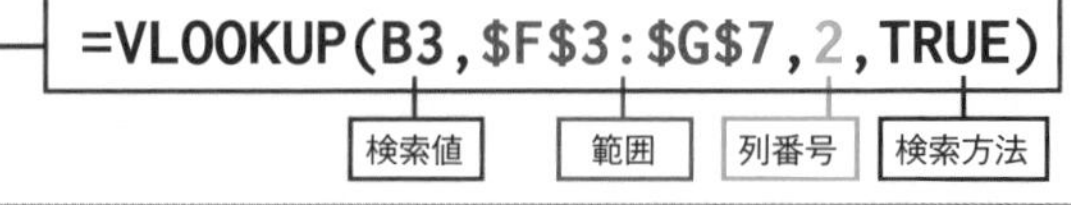

=VLOOKUP(B3,$F$3:$G$7,2,TRUE)

①セルB3（検索値）を、近似値（True）で、セルF3～G7（範囲）の1列目で、セルB3未満で最も大きな値を検索する。
②見つかった行の、2列目（列番号）の値を表示する。

Q838 お役立ち度 ★★★ 検索／行列関数

値を検索する範囲と取り出す範囲を別々に指定してデータを取り出すには?

A XLOOKUP関数を使います。

XLOOKUP関数は、指定した値を別表の中で検索し、見つかった行位置に対応する値を返します。検索する範囲とデータを取り出す範囲は別々に指定でき、検索の方法や見つからなかった場合に表示する値など、さまざまな設定をして検索できます。ここでは、商品番号から商品名と価格を取り出します。

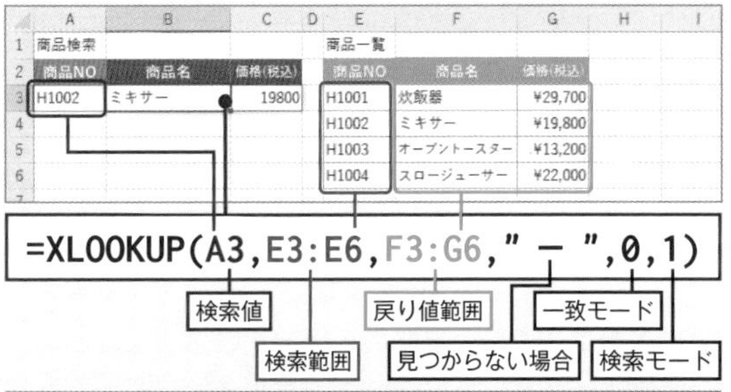

①セルA3（検索値）を、**完全一致（0）**で、セルE3～E6（検索範囲）で検索する。見つからなかった場合は「−」を表示し、先頭から末尾へ検索する。
②見つかった行の、セルF3～G6（戻り値範囲）の値を表示する。戻り値の範囲が2列あるので、スピル機能により自動的にセルC3に同じ関数が設定され、値が表示される。

▶XLOOKUP関数

書式	＝XLOOKUP(検索値， 検索範囲， 戻り値範囲，［見つからない場合］，［一致モード］，［検索モード］)

検索値：検索する値を指定します。
検索範囲：検索するセル範囲を1列で指定します。
戻り値範囲：値を取り出すセル範囲を指定します。取り出される値は［検索範囲］で検索された値と同じ行位置にある値です。
見つからない場合：［検索値］が見つからなかった場合に表示する文字列を指定します。省略時はエラー値「#N/A」を返します。
一致モード：一致の方法を数値で指定します。
検索モード：検索する方向を数値で指定します。

=XLOOKUP(A3,E3:E6,F3:G6," − ",0,1)
● 一致モード

設定値	内容
0または省略	完全一致（既定値）
-1	完全一致または次に小さい項目
1	完全一致または次に大きい項目
2	ワイルドカード文字(*,?,~)との一致

● 検索モード

設定値	内容
1または省略	先頭から末尾へ検索（既定値）
-1	末尾から先頭へ検索
2	バイナリ検索（検索範囲が昇順で並べ替えられている必要がある）
-2	バイナリ検索（検索範囲が降順で並べ替えられている必要がある）

Q839 お役立ち度 ★★★ 検索／行列関数 2021 2019 2016

INDIRECT関数ってどんな関数?

A セルを間接的に参照する関数です。

INDIRECT関数は、引数で指定したセル参照を表す文字列から、そのセルの参照を求めます。例えば、「=INDIRECT("G3")」と指定するとセルG3を参照し、そのセルの値が返ります。直接セルを指定する場合は、「"G3"」のようにセルを文字列で指定します。通常、直接セルを指定することはあまりなく、次のようにセルを指定してそのセルに入力されているセル番地や名前を参照します。

サンプル①のように、セルB3に「=INDIRECT(A3)」と指定した場合、セルA3に入力されているセル番地「G3」を参照して「100」が返ります。

サンプル②のように、セルB3に「=SUM(INDIRECT(A3))」と指定した場合、セルA3に「子供服」と入力すると、「子供服」と名前が付いているセル範囲（G3:G5）が参照され、SUM関数により「子供服」のセル範囲の合計「240」が返ります。

INDIRECT関数で参照しているセルA3でセル番地や名前を変更するだけで、参照先を切り替えられるというのがINDIRECT関数のメリットです。

● サンプル①

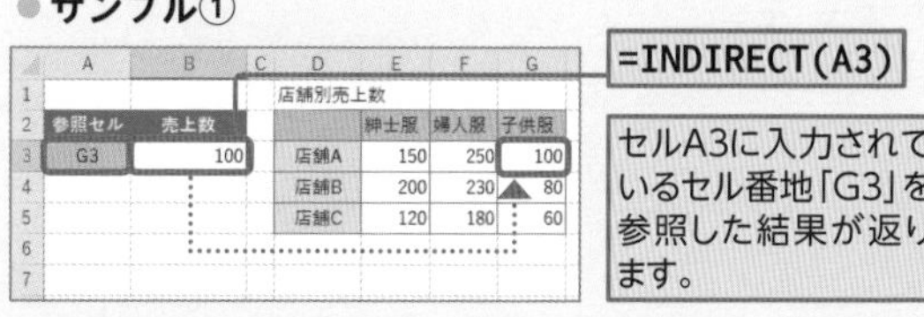

● サンプル②

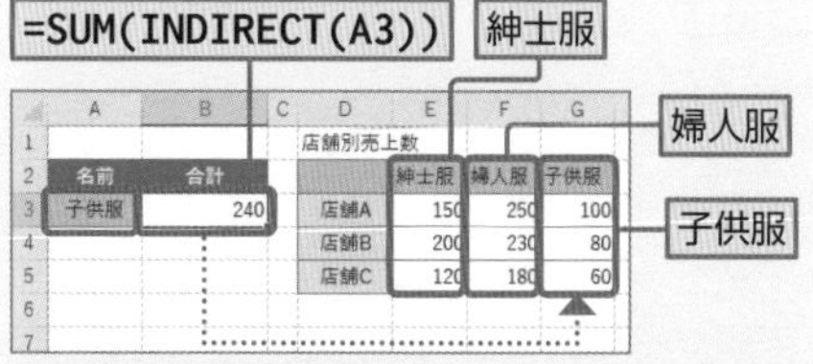

セルA3に入力されている名前「子供服」の範囲（セルG3:G5）を参照し、合計した結果が返ります。

▶INDIRECT 関数

書式	INDIRECT(参照文字列, [参照方式])

参照文字列：セル参照を表す文字列（セル番号や名前）を指定します。セル参照を表す文字列が入力されているセルを参照することもできます。

参照方式：参照文字列の形式がA1形式の場合はTRUEまたは省略、R1C1形式の場合はFALSEを指定します。

Q840 お役立ち度 ★★★ 検索／行列関数 2021 2019 2016

分類ごとに表を切り替えて検索するには

A INDIRECT関数とVLOOKUP関数を組み合わせます。

検索対象とする表にそれぞれ名前を付けておき、この範囲名を利用することで参照する表を切り替えられます。ここでは、表に「グルメ」「スイーツ」と名前を付けておき、その名前をセルA3に入力します。そして、VLOOKUP関数の引数[範囲]にINDIRECT関数を指定してセルA3を参照すると、名前で参照している表のNOに一致した商品名と価格が表示されます。

1 表の名前をそれぞれ「グルメ」「スイーツ」と付けます。

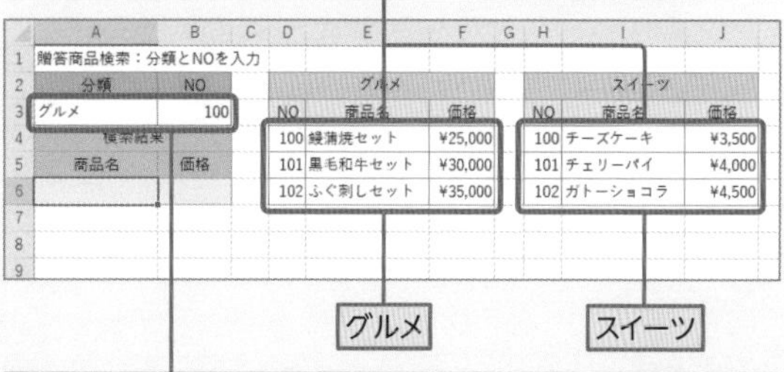

2 セルA3に設定した名前「グルメ」、セルB3に検索値「100」を入力しておきます。

3 セルA6、B6にそれぞれ関数を入力すると、セルA3に入力した名前のセル範囲を参照して商品名と価格が表示されます。

	A	B	C	D	E	F	G
1	贈答商品検索：分類とNOを入力						
2	分類	NO			グルメ		
3	グルメ	100		NO	商品名	価格	
4	検索結果			100	鰻蒲焼セット	¥25,000	
5	商品名	価格		101	黒毛和牛セット	¥30,000	
6	鰻蒲焼セット	¥25,000		102	ふぐ刺しセット	¥35,000	
7							
8							

=VLOOKUP(B3,INDIRECT(A3),3,FALSE)

=VLOOKUP(B3,INDIRECT(A3),2,FALSE)

4 セルA3の分類を「スイーツ」に変更すると、スイーツの表から商品名と価格が取り出されます。

	A	B	C	D	E	F	G
1	贈答商品検索：分類とNOを入力						
2	分類	NO			グルメ		
3	スイーツ	100		NO	商品名	価格	
4	検索結果			100	鰻蒲焼セット	¥25,000	
5	商品名	価格		101	黒毛和牛セット	¥30,000	
6	チーズケーキ	¥3,500		102	ふぐ刺しセット	¥35,000	
7							

Q841 お役立ち度 ★★★ 検索／行列関数

成績の上位3人を別表に表示するには

A INDEX関数とMATCH関数を組み合わせます。

INDEX関数は、指定したセル範囲内の行番号と列番号を指定して、交差する位置のセルの値を取り出します。またMATCH関数は、ある値が、指定したセル範囲内の何番目にあるかを調べます。この2つの関数を組み合わせることで、指定した順位に該当する点数と学生名を取り出すことができます。ここでは、成績表から、トップ3の点数と学生名を別表に取り出しています。

=INDEX($A$3:$A$14,MATCH(E3,$C$3:$C$14,0))

	A	B	C	D	E	F	G	H	I
1	TOEIC結果								
2	学生名	点数	順位		トップ3	点数	学生名		
3	飯田　明美	515	10		1	901	関口　綾香		
4	石川　慎吾	630	7		2	830	山本　慎二		
5	近藤　健治	753	5		3	781	坂下　裕子		
6	斉藤　剛	422	12						
7	山本　慎二	830	2						
8	藤田　凛子	769	4						
9	吉田　桃子	520	9						
10	坂下　裕子	781	3						
11	田辺　久美	630	7						
12	新庄　努	493	11						
13	関口　綾香	901	1						
14	大野　朋美	662	6						
15									

=INDEX($B$3:$B$14, MATCH(E3,$C$3:$C$14,0))

順位列（C3～C14）の範囲内で、順位が1（E3）が何行目にあるかを調べる。ここでは「11」。

点数列（B3～B14）の範囲内で、MATCH関数の結果の行（順位が1の行「11」）にある点数を取り出す。ここでは「901」。

▶INDEX 関数

書式	＝INDEX(範囲, 行番号,[列番号])

範囲：抽出する値を含むセル範囲を指定します。
行番号：範囲内で抽出する行番号を指定します。
列番号：範囲内で抽出する列番号を指定します。

▶MATCH 関数

書式	＝MATCH(検査値,検査範囲,[照合の種類])

検査値：位置を求める値を指定します。
検査範囲：検査値を含むセル範囲を1行または1列で指定します。
照合の種類：0を指定すると検査値と完全一致する値が検索されます。

Q842 お役立ち度 ★★★ 検索／行列関数

検索の方向を指定して検索値の相対的な位置を求めるには

A XMATCH関数を使います。

XMATCH関数は、値が指定したセル範囲内の何番目にあるかを調べます。MATCH関数では上からの位置を調べますが、XMATCH関数は上からだけでなく、下からの位置を検索することができます。また、完全一致以外の近似値で調べることもできます。ここでは、XMATCH関数で合格基準点を超える点数の位置を調べ、INDEX関数で求めた位置にある学生名を取り出しています。

セルF1の値を、セル範囲B3～B14の中で一致モードを「1」（完全一致または次に大きい項目）にして検索。完全一致の値がないため次に大きい値となる「753」が検索され、上から5番目なので「5」が返る。

=XMATCH(F1,B3:B14,1)

	A	B	C	D	E	F
1	TOEIC結果				合格点	700
2	学生名	点数	順位			
3	関口　綾香	901	1		合格ライン	学生名
4	山本　慎二	830	2		5	近藤　健治
5	坂下　裕子	781	3			
6	藤田　凛子	769	4			
7	近藤　健治	753	5			
8	大野　朋美	662	6			
9	石川　慎吾	630	7			
10	田辺　久美	630	7			
11	吉田　桃子	520	9			
12	飯田　明美	515	10			
13	新庄　努	493	11			
14	斉藤　剛	422	12			
15						
16						
17						
18						

=INDEX(A3:A14,E4)

▶XMATCH 関数

書式	＝XMATCH(検索値, 検索範囲, [一致モード], [検索モード])

検索値：検索する値を指定します。
検索範囲：検索するセル範囲を1列または1行で指定します。
一致モード：一致の方法を数値で指定します（Q838の表参照）。
検索モード：検索する方向を数値で指定します（Q838の表参照）。

Q843 お役立ち度 ★★★ 検索／行列関数

条件を満たすデータを抽出するには

A FILTER関数を使います。

FILTER関数は、指定したセル範囲から、条件に一致するデータを抽出して表示します。元の表はそのままで、別の場所に抽出したデータを表示します。ここでは、セル範囲A2～C6のデータの中で、区分がセルG1の値（F）のデータを、セルF4を先頭に取り出しています。条件に一致するデータが見つかると、スピル機能により、隣接するセルに必要なだけ関数が設定され値が表示されます。

▶FILTER 関数

書式	＝FILTER(範囲，条件，[一致するものがない場合])

範囲：抽出の対象となるセル範囲を指定します。
条件：[範囲] から抽出する行を検索する条件を配列で指定します。
一致するものがない場合：[条件] に一致する値が見つからなかった場合に表示する値を指定します。

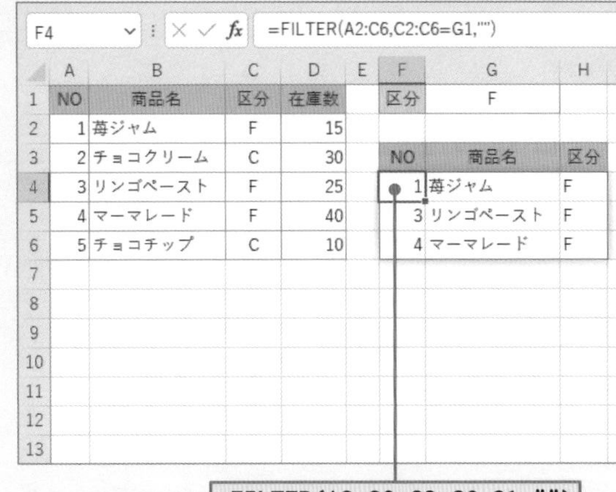

	A	B	C	D	E	F	G	H
1	NO	商品名	区分	在庫数		区分	F	
2	1	苺ジャム	F	15				
3	2	チョコクリーム	C	30		NO	商品名	区分
4	3	リンゴペースト	F	25		1	苺ジャム	F
5	4	マーマレード	F	40		3	リンゴペースト	F
6	5	チョコチップ	C	10		4	マーマレード	F
7								
8								
9								
10								
11								
12								
13								

おトクな情報 引数［条件］の指定方法

条件を配列で指定するため、例えば［区分］が「F」であれば、「C2:C6="F"」のように指定します。条件が複数の場合、［区分］が「F」かつ［在庫数］が「20以上」なら「(C2:C6="F")*(D2:D6>=20)」、［区分］が「F」または［在庫数］が［20以上］なら「(C2:C6="F")+(D2:D6>=20)」のように指定します。

Q844 お役立ち度 ★★★ 検索／行列関数

データを並べ替えた結果を表示するには

▶SORT 関数

書式	＝SORT(配列，[並べ替えインデックス]，[順序]，[並べ替え方向])

配列：並べ替え対象となるセル範囲を指定します。
並べ替えインデックス：並べ替えの基準となる行または列の先頭を1として数値で指定します。
順序：1または省略時は昇順、-1は降順になります。
並べ替え方法：FALSEまたは省略時は行、TRUEは列で並べ替えます。

▶SORTBY 関数

書式	＝SORTBY(範囲，基準1，[順序1]，[基準2，順序2]，…)

範囲：並べ替え対象となるセル範囲を指定します。
基準：並べ替えの基準となる範囲を指定します。複数指定する場合は、[順序] とセットで指定します。
順序：1または省略時は昇順、-1は降順になります。

A SORT関数、SORTBY関数を使います。

SORT関数、SORTBY関数は、指定したセル範囲のデータを並べ替えて取り出します。SORT関数は並べ替えの基準は1つですが、SORTBY関数は複数指定できます。ここでは、SORT関数でセル範囲A3～D6で、人数（4列目）の多い順に並べ替えた結果をセルF3を先頭に取り出しています。SORTBY関数では、区分（C3:C6）を小さい順、人数（D3:D6）を降順で並べ替えた結果を取り出しています。先頭セルに関数を入力すると、スピル機能により隣接するセルに必要なだけ関数が設定された値が表示されます。

● SORT 関数

=SORT(A3:D6,4,-1)

	A	B	C	D	E	F	G	H	I	J	K
1	クッキング講座					人数順					
2	NO	講座名	区分	人数		NO	講座名	区分	人数		
3	C01	たけのこお惣菜	A	25		C02	おからクッキー	B	35		
4	C02	おからクッキー	B	35		C01	たけのこお惣菜	A	25		
5	C03	バナナケーキ	B	18		C04	炊き込みご飯	A	20		
6	C04	炊き込みご飯	A	20		C03	バナナケーキ	B	18		
7											

● SORTBY 関数

	A	B	C	D	E	F	G	H	I	J	K
1	クッキング講座					区分順・人数順					
2	NO	講座名	区分	人数		NO	講座名	区分	人数		
3	C01	たけのこお惣菜	A	25		C01	たけのこお惣菜	A	25		
4	C02	おからクッキー	B	35		C04	炊き込みご飯	A	20		
5	C03	バナナケーキ	B	18		C02	おからクッキー	B	35		
6	C04	炊き込みご飯									
7											

=SORTBY(A3:D6,C3:C6,1,D3:D6,-1)

Q845 お役立ち度 ★★★ 検索／行列関数

重複を除いて一意の値を取り出すには

UNIQUE関数を使います。

UNIQUE関数は、指定したセル範囲のデータから重複する値を除いた一覧を取り出したり、1つしかない値を取り出したりします。ここでは、UNIQUE関数でセルE2に部署列（C2～C6）で重複を除いた値の一覧を取り出し、セルG2に部署列で1つだけの値を取り出しています。セルに関数を入力すると、スピル機能により隣接するセルに必要なだけ関数が設定された値が表示されます。

▶UNIQUE 関数

書式	＝UNIQUE（配列，［比較の方向］，［回数］）

配列：対象となるセル範囲を指定します。
比較の方向：TRUEは列を比較し、FALSEまたは省略時は行を比較します。
回数：TRUEは、1回だけ現れる値だけ取り出し、FALSEまたは省略時は複数回現れる値を1つにまとめて取り出します。

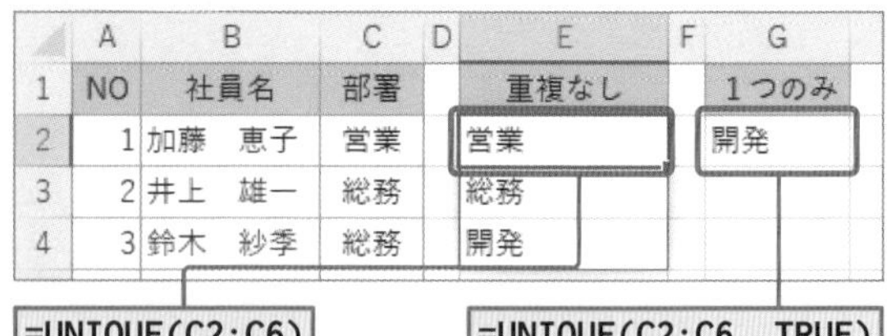

	A	B	C	D	E	F	G
1	NO	社員名	部署		重複なし		1つのみ
2	1	加藤　恵子	営業		営業		開発
3	2	井上　雄一	総務		総務		
4	3	鈴木　紗季	総務		開発		

Q846 お役立ち度 ★★★ 財務関数

ローン返済額を求めるには

A PMT関数を使います。

金利が固定されているローンについて、月ごとや年ごとに支払う額を求めます。ここでは、年利を「1.36%」、返済期間を「35年」、借入額を「2000万円」にした場合の固定金利の住宅ローンの毎月の返済額を求めています。

> 年利は12で割って月利にし、期間は12を掛けて月数にして、月単位に揃えています。また、返済額はマイナスで表示されるため、関数の前にマイナスを付けて符号を逆転しています（以降も同様）。

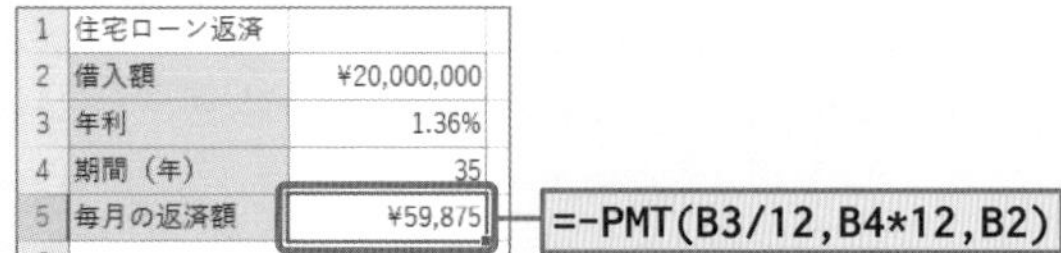

1	住宅ローン返済	
2	借入額	¥20,000,000
3	年利	1.36%
4	期間（年）	35
5	毎月の返済額	¥59,875

▶PMT 関数

書式	＝PMT（利率， 期間， 現在価値，［将来価値］，［支払期日］）

利率：利率を指定。月払いの場合は年利を12で割ります。
期間：支払回数の合計を指定します。月払いの場合は、年×12を指定します。
現在価値：ローンの現在価値、または、元金を指定します。
将来価値：投資の将来価値を指定します。省略した場合は、0とみなされます。
支払期日：0または省略した場合は期末払い、1の場合は期首払いになります。

Q847 お役立ち度 ★★★ 財務関数

ローン返済額の元金相当分を求めるには

A PPMT関数を使います。

元利均等返済のローンでは、返済が進むに従って返済額の中に含まれる元金の割合が大きくなります。PPMT関数では、何回目の返済に元金がいくら含まれているかを調べられます。引数の「利率」「期間」は、年か月かで単位を揃えます。ここでは、年利を「14.5%」、返済期間を「1年」、借入額を「30万円」にした場合の固定金利の毎月の返済額のうち元金相当額を求めています。

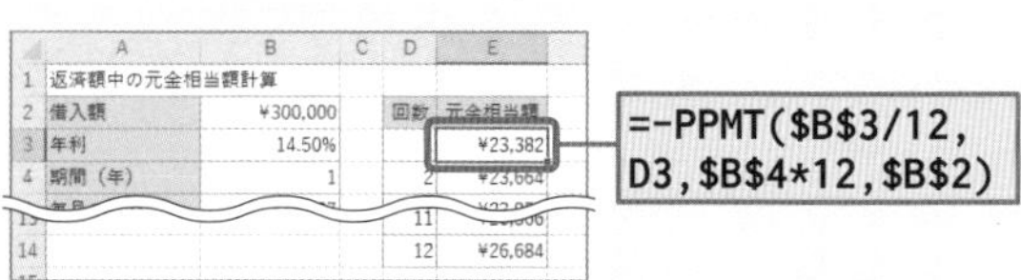

	A	B	C	D	E
1	返済額中の元金相当額計算				
2	借入額	¥300,000		回数	元金相当額
3	年利	14.50%			¥23,382
4	期間（年）	1		2	¥23,664
13				11	
14				12	¥26,684

▶PPMT 関数

書式	＝PPMT（利率， 期， 期間， 現在価値，［将来価値］，［支払期日］）

利率：利率を指定。月払いの場合は年利を12で割ります。
期：何回目の支払いかを1～［期間］の範囲で指定します。
期間：支払回数の合計を指定します。月払いの場合は、年×12を指定します。
現在価値：ローンの現在価値、または、元金を指定します。
将来価値：投資の将来価値を指定します。省略した場合は、0とみなされます。
支払期日：0または省略した場合は期末払い、1の場合は期首払いになります。

Q848 お役立ち度 ★★★ 財務関数 2021 2019 2016

ローン返済額の利息相当額を求めるには

A IPMT関数を使います。

ローンの返済額のうち、利息相当分を求めます。元利均等返済のローンでは、返済期間中の初期は、返済残高が大きい分、利息相当額が大きくなります。何回目の返済に利息分がいくら含まれているかを調べられます。引数の「利率」「期間」は、年か月かで単位を揃えます。IPMT関数はPPMT関数と引数が同じです。セットにして覚えておくといいでしょう。ここでは、年利を「14.5%」、返済期間を「1年」、借入額を「30万円」にした場合の固定金利の毎月の返済額のうち利息相当分を求めています。

=-IPMT($B$3/12,D3,$B$4*12,$B$2)

	A	B	C	D	E
1	返済額中の利息相当額計算				
2	借入額	¥300,000		回数	利息相当額
3	年利	14.50%		1	¥3,625
4	期間（年）	1		2	¥3,342
5	毎月の返済額	¥27,007		3	¥3,057
6				4	¥2,767
7				5	¥2,474
8				6	¥2,178
9				7	¥1,878
10				8	¥1,574
11				9	¥1,267
12				10	¥956
13				11	¥641
14				12	¥322
15					
16					

▶IPMT 関数

書式	＝IPMT(利率，期，期間，現在価値，[将来価値]，[支払期日])

利率：利率を指定します。月払いの場合は年利を12で割ります。
期：何回目の支払いかを1～[期間]の範囲で指定します。
期間：支払回数の合計を指定します。月払いの場合は、年×12を指定します。
現在価値：ローンの現在価値、または、元金を指定します。
将来価値：投資の将来価値を指定します。省略した場合は、0とみなされます。
支払期日：0または省略した場合は期末払い、1の場合は期首払いになります。

Q849 お役立ち度 ★★★ 財務関数 2021 2019 2016

指定期間に支払う利息相当分の累計を求めるには

A CUMIPMT関数を使います。

指定した期間内で支払う利息相当分の合計額を求めます。ここでは、借入額が2000万円、年利が1.36%の住宅ローンで、返済期間を20、25、30、35年にした場合の支払う利息の総額を求めています。

=-CUMIPMT($B$3/12,D3*12,$B$2,1,D3*12,0)

	A	B	C	D	E	F
1	住宅ローン返済利息支払い額合計シミュレーション					
2	借入額	¥20,000,000		返済期間(年)	利息合計	
3	年利	1.36%		20	¥2,854,417	
4				25	¥3,603,519	
5				30	¥4,367,849	
6				35	¥5,147,328	

支出額はマイナスで表示されるため、関数の前にマイナスを付けて符号を逆転しています（以降も同様）。

▶CUMIPMT 関数

書式	＝CUMIPMT(利率，期間，現在価値，開始期，終了期，支払期日)

利率：利率を指定します。月払いの場合は年利を12で割ります。
期間：支払回数の合計を指定します。月払いの場合は、年×12を指定します。
現在価値：ローンの現在価値、または、元金を指定します。
開始期：計算対象となる最初の期を指定します。
終了期：計算対象となる最後の期を指定します。
支払期日：0の場合は期末払い、1の場合は期首払いになります。

おトクな情報 初回から○回目までの利息支払い累計を求める

上のサンプルでは、支払う利息総額を求めていますが、同じ条件で初回から○回目（セルD3）までに支払った利息の累計（セルE3）を求めるには、次のようにCUMIPMT関数を設定します。セルD3に1～240回（20年）までの回数を入力して調べられます。

	A	B	C	D	E	F	G	H
1	住宅ローン返済利息支払い額合計シミュレーション							
2	借入額	¥20,000,000		回数	利息累計			
3	年利	1.36%		12	¥266,552			
4	返済期間(年)	20						

=-CUMIPMT($B$3/12,$B$4*12,$B$2,1,D3,0)

Q850 お役立ち度 ★★★ 財務関数

指定利率と期間で貯蓄した場合の満期時の金額を求めるには

=FV(B3/12,B4*12,-B2)

	A	B	C
1	積立金の満期時の受取予定額		
2	積立金額(月)	¥60,000	
3	年利	0.20%	
4	期間(年)	5	
5	満期額	¥3,617,757	
6			

支出額はマイナスで表示されるため、定期支払額(積立金額)の前にマイナスを付けて符号を逆転しています。

A FV関数を使います。

固定利率で、毎月積立をしたときの満期時の受取額を計算します。ここでは、年利を0.2%、積立期間を5年として、毎月6万円ずつ積立預金したときの受取額を求めています。

▶FV 関数

書式	＝FV(利率, 期間, 定期支払額,[現在価値],[支払期日])

利率:利率を指定します。月払いの場合は年利を12で割ります。
期間:支払回数の合計を指定します。月払いの場合は、年×12を指定します。
定期支払額:毎月の支払額(積立額)を指定します。
現在価値:投資の現在価値を指定します。省略した場合は0とみなされます。
支払期日:0または省略の場合は期末払い、1の場合は期首払いになります。

Q851 お役立ち度 ★★★ 財務関数

2021
2019
2016

ローンの借入可能金額を求めるには

A PV関数を使います。

毎月の返済額と年利、期間を指定した場合の借り入れ可能金額を求めます。

=PV(B3/12,B4*12,-B2)

	A	B	C
1	住宅ローンの借入可能額計算		
2	毎月の返済額	¥60,000	
3	年利	1.36%	
4	期間(年)	35	
5	借入可能金額	¥20,041,891	

支出額はマイナスで表示されるため、定期支払額(毎月の返済額)の前にマイナスを付けて符号を逆転しています。

▶PV 関数

書式	＝PV(利率, 期間, 定期支払額,[将来価値],[支払期日])

利率:利率を指定します。月払いの場合は年利を12で割ります。
期間:支払回数の合計を指定します。月払いの場合は、年×12を指定します。
定期支払額:毎月の支払額を指定します。
将来価値:投資の将来価値を指定します。省略した場合は0とみなされます。
支払期日:0または省略の場合は期末払い、1の場合は期首払いになります。

Q852 お役立ち度 ★★★ 財務関数

目標金額に達成するまでの積立回数を求めるには

A NPER関数を使います。

積立額、年利、目標金額を指定して、積立回数を求めます。ここでは、年利が0.2%で毎月3万円積み立てた場合、100万円たまるまで何カ月かかるかを求めています。

	A	B	C
1	積立金額計算		
2	毎月の積立額	¥30,000	
3	年利	0.20%	
4	目標金額	¥1,000,000	
5	積立期間(月	33.24385227	

=NPER(B3/12,-B2,0,B4)

▶NPER 関数

書式	＝NPER(利率, 定期支払額, 現在価値,[将来価値],[支払期日])

利率:利率を指定します。月払いの場合は年利を12で割ります。
定期支払額:毎月の支払額(積立額)を指定します。
現在価値:投資の現在価値を指定します。
将来価値:投資の将来価値を指定します。省略した場合は、0とみなされます。
支払期日:0または省略の場合は期末払い、1の場合は期首払いになります。

Q853 お役立ち度 ★★★ 数式のエラーとトラブル対処 2021 2019 2016

セルに緑の三角が表示された!

A エラーインジケーターです。

数式にエラーの可能性がある場合、セルの右上角に緑のマーク(エラーインジケーター)が表示されます。エラーインジケーターが表示されているセルをクリックすると、(エラーチェックオプション)が表示されます。これにマウスポインターを合わせるとエラーの内容が表示されます。ヒントの内容に応じて必要な対処をします。

特に問題がない場合

1 エラーインジケーターが表示されているセルをクリックし、[エラーチェックオプション]にマウスポインターを合わせて、エラー内容を確認します。

このセルにある数式は、隣接したセル以外の範囲を参照します。

2 [エラーチェックオプション]→[エラーを無視する]をクリックすると、エラーインジケーターが非表示になります。

数式は隣接したセルを使用していません
数式を更新してセルを含める(U)
このエラーに関するヘルプ(H)
エラーを無視する(I)
数式バーで編集(F)
エラー チェック オプション(O)...

対処すべきエラーの場合

1 エラーが表示されているセルをクリックし、[エラーチェックオプション]にマウスポインターを合わせて、エラー内容を確認します。

数式または関数が 0 または空のセルで除算されています。

2 ヒントを参考に数式またはセルの値を修正します(ここでは0の除算)。

おトクな情報 エラーのセルを検索する

[数式]タブ→[エラーチェック]をクリックすると[エラーチェック]ダイアログが表示され、エラーのある最初のセルが選択され、エラー内容が表示されます。内容を確認し、必要であれば修正します。[前へ][次へ]でエラーのあるセルを順番に移動できます。

Q854 お役立ち度 ★★★ 数式のエラーとトラブル対処 2021 2019 2016

エラー値にはどんなものがあるの?

A エラー値の種類と内容を確認しましょう。

数式が正しく設定されていない場合、セルに「#」の付いたエラー値が表示されます。主なエラー値には以下のものがあります。内容を確認し、適切な対処をしてください。

エラー値	内容
#DIV/0!	0または空白で割っている
#N/A	VLOOKUP関数などで参照する値が見つからない場合や、計算に必要な値が入力されていない
#NAME?	関数名や範囲名が間違っている、セル範囲の「:」(コロン)が抜けるなど、認識できない文字列が使用されている
#NUM!	数式や関数に無効な数値が含まれている
#NULL!	セル範囲の指定で範囲演算子「:」や「,」が正しく使われていない
#REF!	数式で参照されているセルが削除された場合など、数式が有効でないセルを参照している
#VALUE!	関数で指定した引数が不適切な場合や参照先のセルに問題がある
#SPILL!	動的配列数式で、値の出力先のセルが空でない場合や結合されている場合など、正常にスピル機能が動作できない
#######	数値や日付がセル幅に収まらないか、日付や時刻が負の値になっている

Q855 お役立ち度 ★★★ 数式のエラーとトラブル対処

循環参照のメッセージが表示された!

A 参照するセルを修正します。

循環参照とは、数式が入力されているセルを、その数式自体から参照している状態を指します。循環参照のメッセージが表示されたら、数式で参照しているセルを修正してください。

1 ここでは、セルD3で「=SUM(B3:D3)」とセルD3も含めて入力し、確定しています。

AVERAGE　=SUM(B3:D3)

	A	B	C	D	E	F	G
1	売上表						
2		前期	後期	合計			
3	A地区	1,500	1,800	=SUM(B3:D3)			

2 循環参照のメッセージが表示されたら、[OK] をクリックします。

Microsoft Excel
1 つ以上の循環参照が発生しています。循環参照とは、数式が直接的または間接的に自身のセルを参照している状態を指します。これにより、計算が正しく行われない可能性があります。
循環参照を削除または変更するか、数式を別のセルに移動してください。
OK　ヘルプ(H)

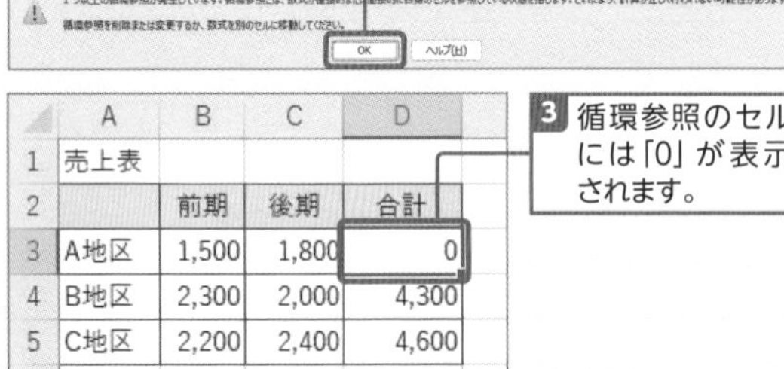

	A	B	C	D
1	売上表			
2		前期	後期	合計
3	A地区	1,500	1,800	0
4	B地区	2,300	2,000	4,300
5	C地区	2,200	2,400	4,600
6				

3 循環参照のセルには「0」が表示されます。

	A	B	C	D
1	売上表			
2		前期	後期	合計
3	A地区	1,500	1,800	3,300
4	B地区	2,300	2,000	4,300
5	C地区	2,200	2,400	4,600
6				

4 関数のセル範囲を「B3:C3」に修正します。

おトクな情報　数式を検証する

数式のセルをクリックし、数式バーで検証したいセルや数式を選択し F9 キーを押すと、参照している値や計算結果が表示されます。そのまま Enter キーを押すと、数値や計算結果に置き換わります。確認だけの場合は、ESC キーを押して、元の状態に戻してください。

Q856 お役立ち度 ★★★ 数式のエラーとトラブル対処

データを変更しても再計算されない!

A 計算方法を「自動」に設定します。

初期設定では、数式が参照しているセルの値を変更すると、自動的に再計算されて計算結果が更新されます。データを変更しても再計算されない場合は、[Excelのオプション] ダイアログで計算方法を [自動] に変更します。

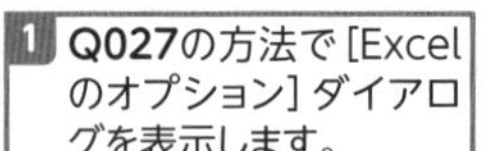

1 Q027の方法で [Excelのオプション] ダイアログを表示します。

2 [数式] の [計算方法の設定] で [自動] をクリックし、[OK] をクリックします。

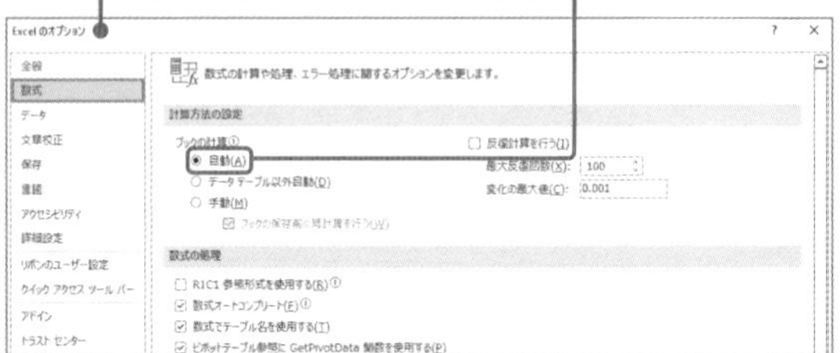

Q857 お役立ち度 ★★★ 数式のエラーとトラブル対処

セルに入力された数式をセル上に表示したい!

A [数式の表示] をクリックします。

通常は、セルには計算結果が表示されますが、セルに入力されている数式を表示して、数式の内容を確認したり、直接編集したりできます。

1 [数式] タブ→ [数式の表示] をクリックします。

2 セルに数式が表示されます。

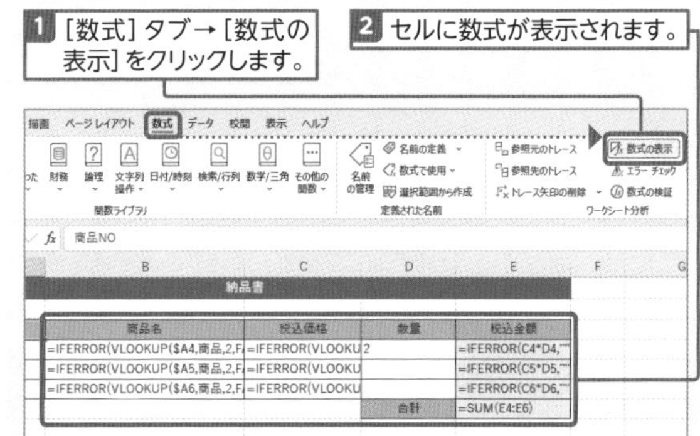

3 内容を確認し、必要な修正を加えたら、再度 [数式の表示] をクリックして表示を戻します。

Q858 お役立ち度 ★★★ 数式のエラーとトラブル対処 2021 2019 2016

ブックを開くとリンクの確認メッセージが表示される!

A 別ブックのセルを参照しています。

別ブックのセルの値を参照している場合、参照しているブックが閉じているときに、ブックを開くと、確認メッセージが表示されます。種類は2つあり、ブックを開く際に自動的にリンクを無効にして開き、[セキュリティの警告] メッセージバーが表示される場合と、ブックを開く前にリンクを更新して開くかどうかを選択するメッセージが表示される場合があります。リンクを更新した場合、リンク先が見つからないとメッセージが表示されます。[リンクの編集] をクリックするとリンク先を変更するための [リンクの編集] ダイアログが表示されます (Q860)。

[セキュリティの警告] メッセージバー

1 リンクが無効になってブックが開きます。[コンテンツの有効化] をクリックすると、別ブックのリンクが更新され、参照しているデータが反映されます。

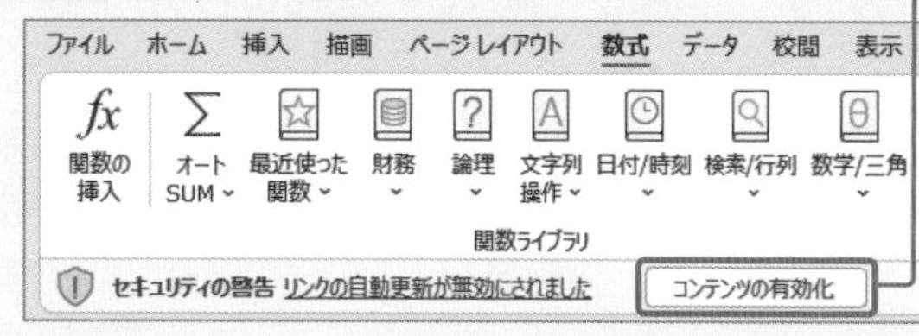

リンクの確認メッセージの表示

1 ブックを開くときに、別ブックのリンクがあることがメッセージで表示されます。

2 [更新する] をクリックすると、最新データに更新して開きます。更新しない場合は [更新しない] をクリックして開きます。

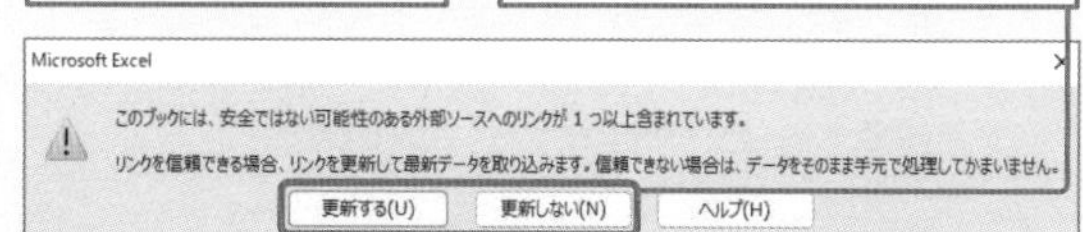

Q859 お役立ち度 ★★★ 数式のエラーとトラブル対処 2021 2019 2016

他ブックを参照しているセルを見つけたい!

A 検索文字列を「xlsx」にして検索します。

ワークシート内のどのセルが別ブックを参照しているか探す方法の1つに、[検索と置換] ダイアログを表示して検索する方法があります。検索文字列にExcelのファイルの拡張子「xlsx」を指定して検索を行います。

1 Ctrl + F キーを押して [検索と置換] ダイアログを表示します。

2 [検索する文字列] に「xlsx」と入力します。

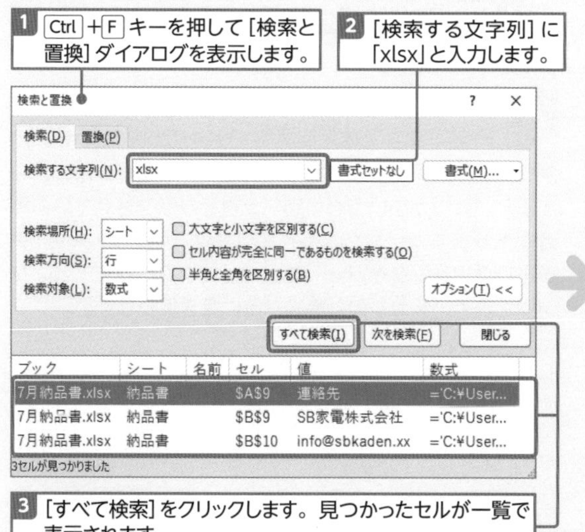

3 [すべて検索] をクリックします。見つかったセルが一覧で表示されます。

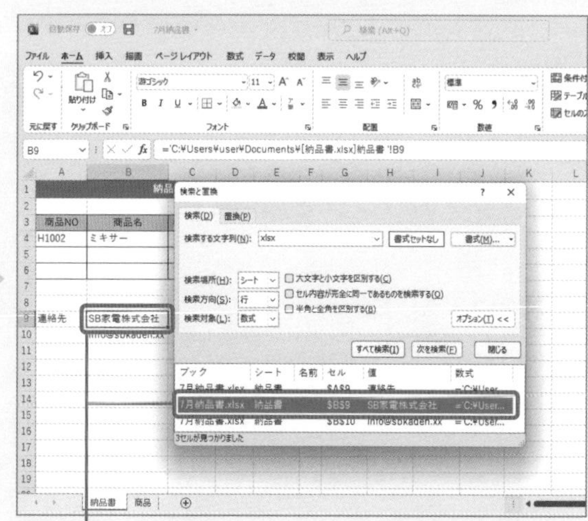

4 一覧をクリックすると、該当するセルが選択されます。

おトクな情報 [数式の表示] で確認する

Q857の [数式の表示] をクリックして、セルに数式を表示しても、別ブックを参照しているセルを見つけることができます。

Q860 お役立ち度 ★★★ 数式のエラーとトラブル対処 2021 2019 2016

ブックのリンク元を編集するには

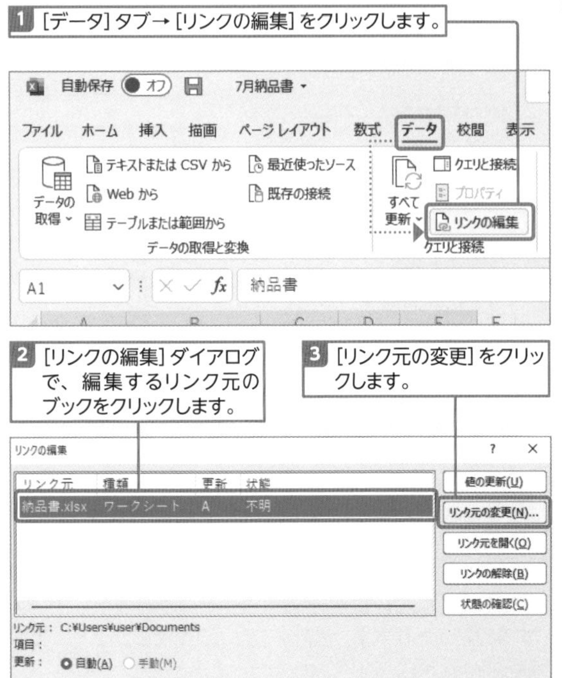

A [リンクの編集] ダイアログを開きます。

リンク元のブックのブック名が変更されたり、移動したりすると、正しく参照できなくなります。そのような場合は、[リンクの編集] ダイアログを表示してリンク情報を修正します。

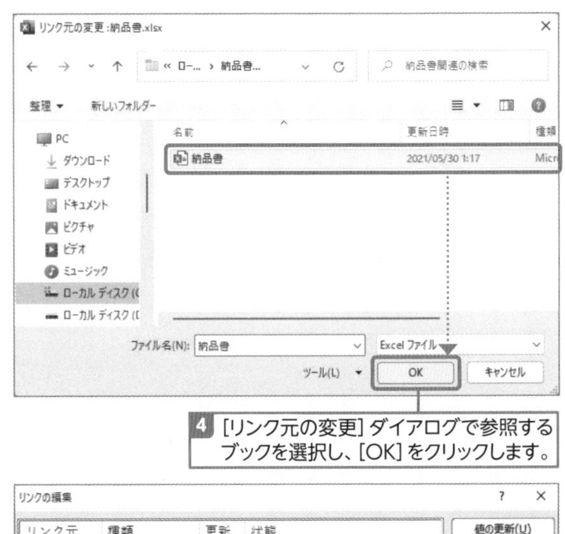

リンクの編集

リンク元	種類	更新	状態
納品書.xlsx	ワークシート	A	OK

5 [リンクの編集] ダイアログで [閉じる] をクリックします。

Q861 お役立ち度 ★★★ 数式のエラーとトラブル対処 2021 2019 2016

他ブックのリンクを解除したい!

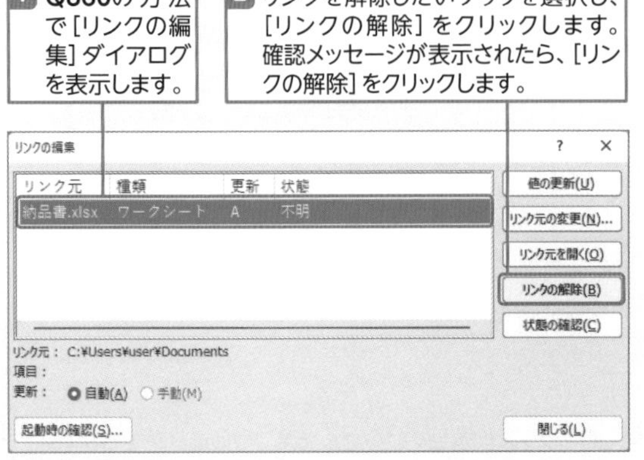

A [リンクの編集] ダイアログで [リンクの解除] ボタンをクリックします。

別ブックからシートや数式が入力されているセルをコピーすると、気づかないうちに別ブックとリンクされている場合があります。リンクが不要な場合は、[リンクの編集] ダイアログでリンクを解除します。リンクを解除すると、リンクされているセルの計算式が値に置き換わります。

おトクな情報　値の貼り付けで値に変換する

他ブックを参照しているセルを選択し、[コピー] したら、そのまま続けて [値の貼り付け] をします。選択されているセルの参照式が値に置き換わり、リンクが解除されます。

説得力のある図形とグラフの作り方

ここでは、ワークシート上に作成する図形とグラフの基本的な作成方法を中心に、編集方法や便利な機能を盛り込んで紹介しています。図形に関わるさまざまな操作をコンパクトにまとめていますので、一通り目を通すことで、図形を上手に扱えるようになると思います。グラフの編集は、グラフの要素を正確に選択し、書式設定の作業ウィンドウを上手に使えるようになれば、かなりの使い手になれるはずです。

Q862 お役立ち度 ★★★ 図形の作成 

2021 2019 2016

図形を描画するには

A [挿入] タブ→ [図] → [図形] を選択します。

ワークシート上でドラッグして任意の大きさの図形を描画できます。Alt キーを押しながらドラッグすると、セルの枠線に合わせて描画できます。

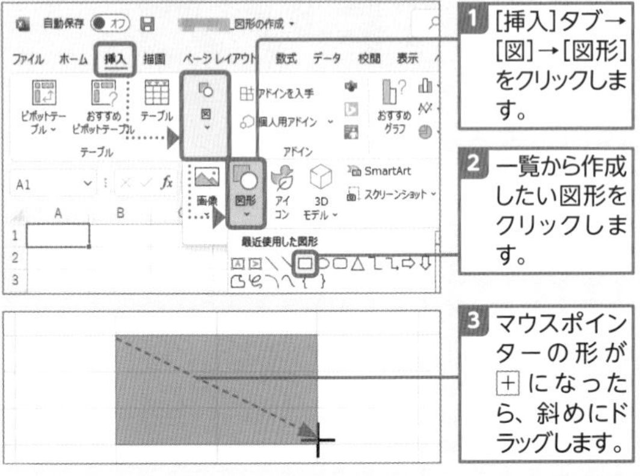

1 [挿入]タブ→[図]→[図形]をクリックします。

2 一覧から作成したい図形をクリックします。

3 マウスポインターの形が + になったら、斜めにドラッグします。

Q863 お役立ち度 ★★★ 図形の作成 

2021 2019 2016

水平、垂直線や正円、正方形を描画するには

A Shift キーを押しながらドラッグします。

図形を描画するときに、Shift キーを押しながらドラッグすると、縦、横が同じ比率の図形や、垂直、水平、斜め45度の直線を正確に描画できます。

1 Shift キーを押しながらドラッグすると、縦、横が同じ比率で描画できます。

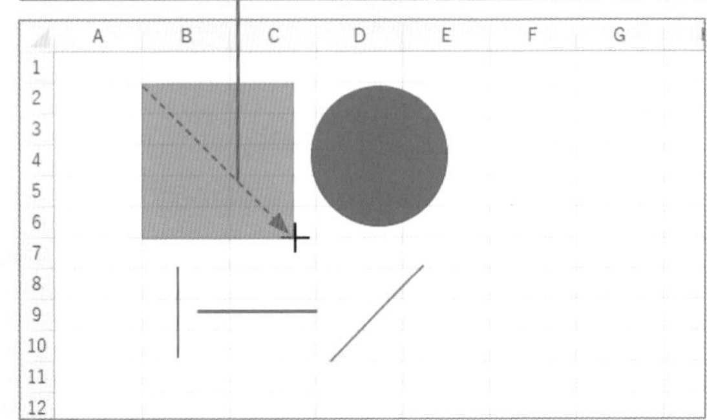

Q864 お役立ち度 ★★★ 図形の作成

2021 2019 2016

円や四角形を中心から描画するには

A Ctrl キーを押しながらドラッグします。

図形を描画するときにCtrl キーを押しながらドラッグすると、中心から図形を作成できます。同心円の図形を重ねたい場合などで活用できます。

1 Ctrl キーを押しながらドラッグすると、図形の中心から描画できます。

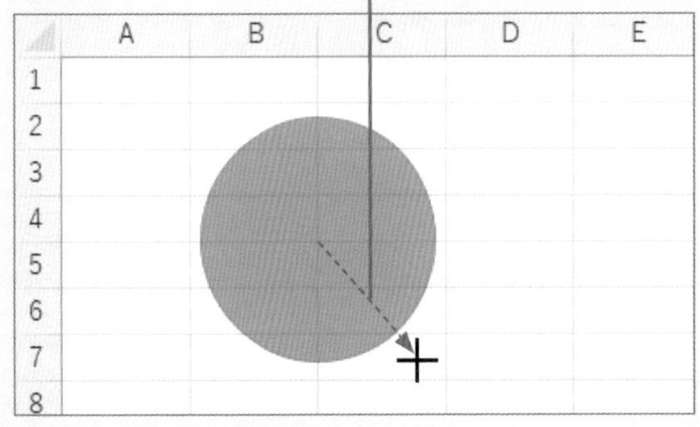

Q865 お役立ち度 ★★★ 図形の作成

2021 2019 2016

同じ図形を連続して描画するには

A [描画モードのロック] を選択します。

作成する図形を選択するときに、[描画モードのロック] をクリックすると、同じ図形を連続して作成できます。描画モードを解除するには、ESC キーを押します。

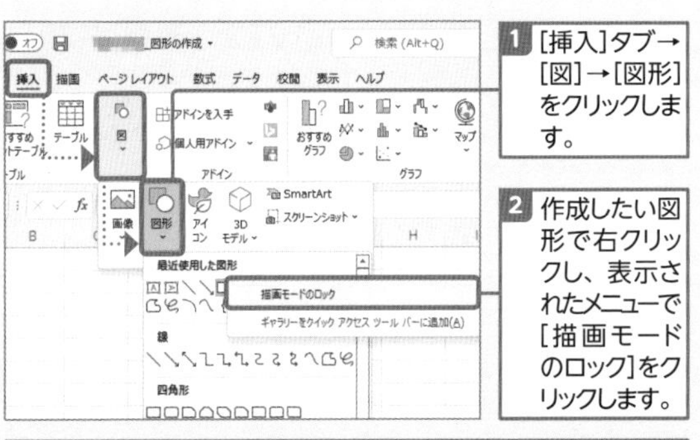

1 [挿入]タブ→[図]→[図形]をクリックします。

2 作成したい図形で右クリックし、表示されたメニューで[描画モードのロック]をクリックします。

3 同じ図形を続けて描画できるようになります。ESC キーを押して終了します。

図形の作成

図形と図形を結ぶ線を引くには

1 Q862の方法で図形の一覧から線を選択します。

2 ポインターを図形に近づけると周囲に接続点が表示されます。

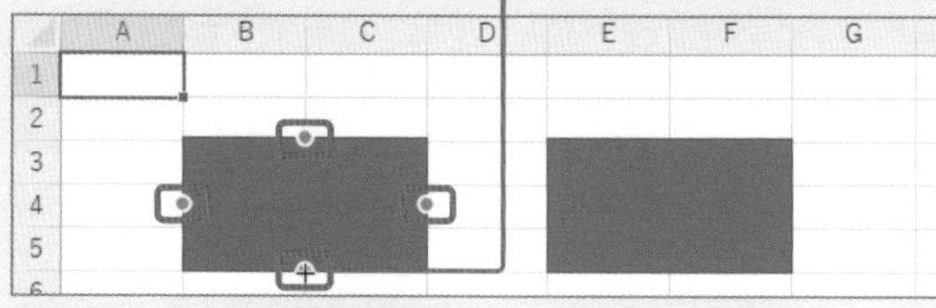

3 接続点からドラッグを開始し、別の図形の接続点までドラッグします。

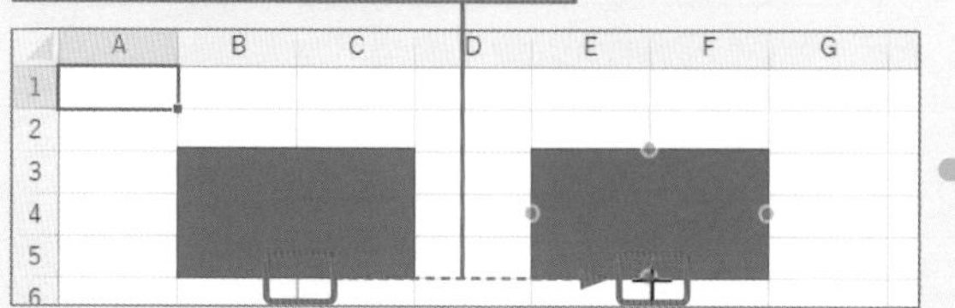

A 直線やコネクタを使います。

直線やコネクタのような線を描画するとき、マウスポインターが図形に近づくと図形の周囲に接続点が表示されます。接続点にマウスポインターを合わせてドラッグを開始し、別の図形の接続点までドラッグすると、線がつながり、接続点が緑色に変わります。線の両端がそれぞれの接続点に接続されると、図形を移動しても線は接続されたままになります。

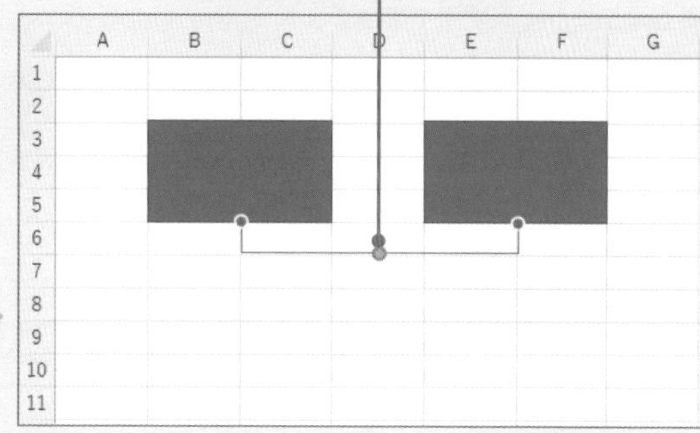

4 線が接続点でつながります。

Q867 お役立ち度

図形の作成

任意の位置で角を付ける線を引くには

A フリーフォームを使います。

図形の[フリーフォーム]を使うと、始点でクリックし、マウスを動かしてクリックした位置を角にした直線が引けます。終点でダブルクリックすると描画が終了します。終了位置を開始位置に合わせると自由な形の多角形が描画できます。なお、ドラッグした場合、その間は手描きのような線が引けます。

角のある直線を引く

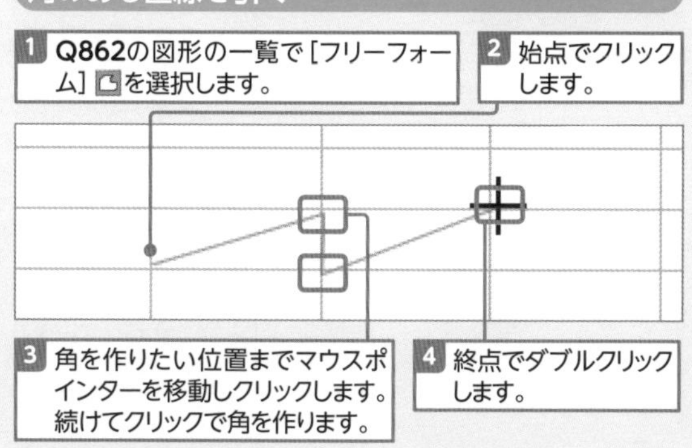

1 Q862の図形の一覧で[フリーフォーム]を選択します。
2 始点でクリックします。
5 多角形が作成されます。
3 角を作りたい位置までマウスポインターを移動しクリックします。続けてクリックで角を作ります。
4 終点でダブルクリックします。

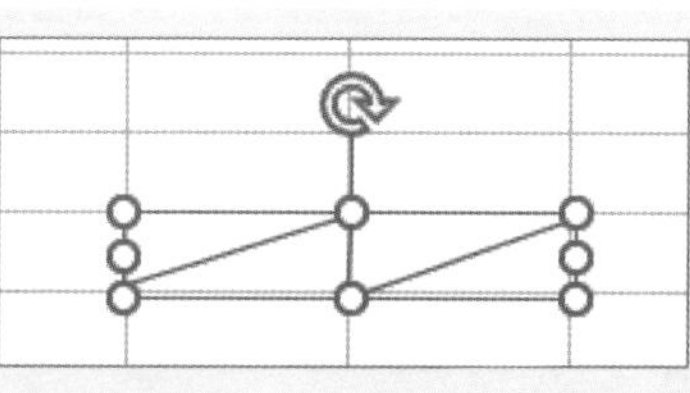

5 任意の位置に角のある直線が引けます。

多角形を作成する

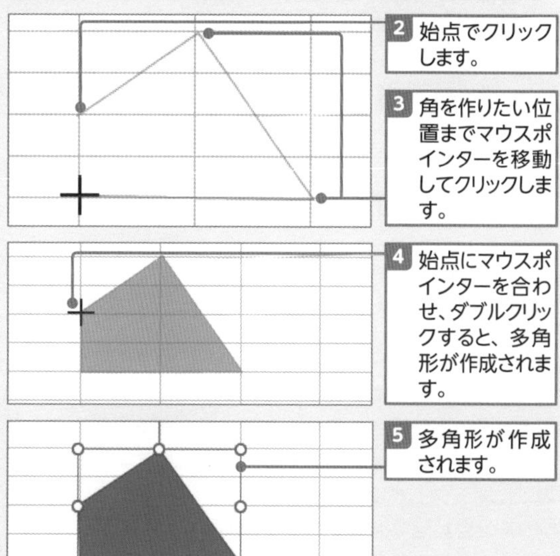

Q868 お役立ち度 ★★★ 図形の編集

2021 2019 2016

図形のサイズを変更するには

A 周囲に表示される白いハンドルをドラッグします。

図形を選択すると周囲に表示される白いハンドルにマウスポインターを合わせ、⤡の形になったらドラッグします。Shift キーを押しながらドラッグすると、縦横の比率を変更しないでサイズ変更できます。

ドラッグで変更する

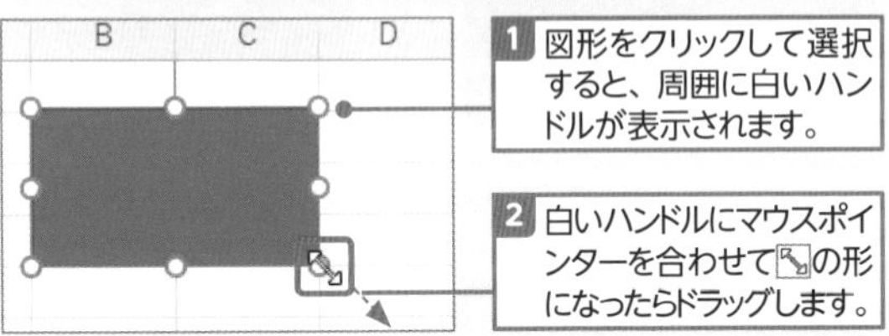

1 図形をクリックして選択すると、周囲に白いハンドルが表示されます。

2 白いハンドルにマウスポインターを合わせて⤡の形になったらドラッグします。

数値で指定する

1 図形を選択し、コンテキストタブの[図形の書式]タブをクリックします。

2 [サイズ]グループの[図形の高さ]と[図形の幅]にセンチ単位で数値を指定します。

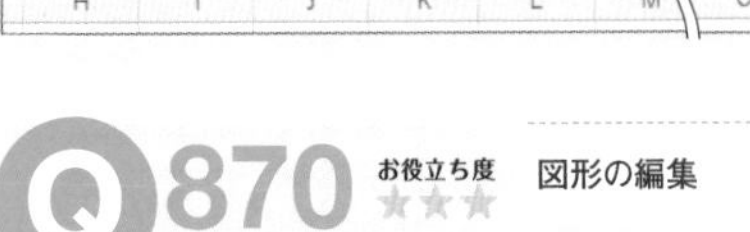

Q869 お役立ち度 ★★★ 図形の編集

2021 2019 2016

図形のサイズをパーセントで拡大・縮小するには

A [図形の書式設定]作業ウィンドウの[サイズとプロパティ]で指定します。

図形のサイズは、パーセント単位で変更できます。[図形の書式設定]作業ウィンドウの[サイズとプロパティ]で、[高さの倍率]と[幅の倍率]にパーセントを入力します。[縦横比を固定する]にチェックを付けると縦と横を同じ比率にして倍率を変更できます。

1 図形を選択し、コンテキストタブの[図形の書式]タブ→[サイズ]グループの⧉をクリックします。

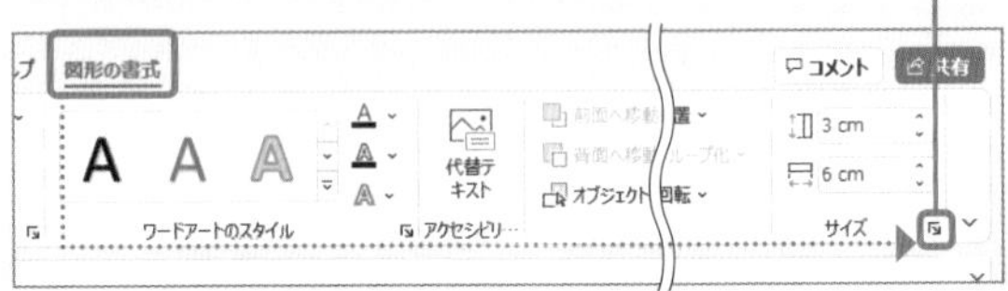

2 [図形の書式設定]作業ウィンドウの[サイズとプロパティ]が表示されます。

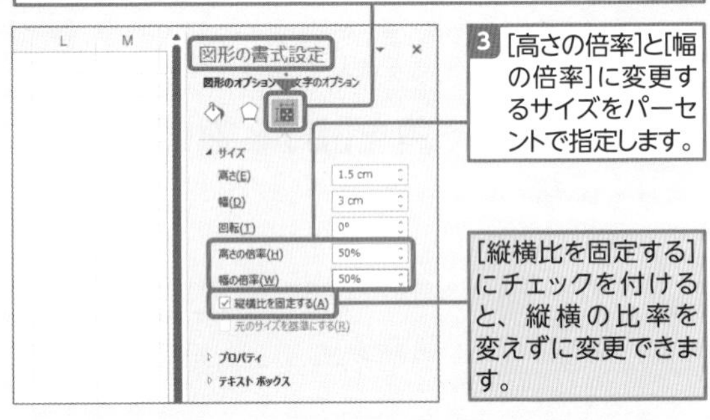

3 [高さの倍率]と[幅の倍率]に変更するサイズをパーセントで指定します。

[縦横比を固定する]にチェックを付けると、縦横の比率を変えずに変更できます。

Q870 お役立ち度 ★★★ 図形の編集

2021 2019 2016

図形を移動するには

A 図形の中または枠線上をドラッグします。

図形を選択し、図形の中または、枠線上にマウスポインターを合わせて、✥の形になったらドラッグします。図形が選択されている状態で矢印キーを押しても移動できます。また図形サイズが非常に小さい場合、図形を選択すると図形の下にマーク✥が表示されます。このマークにマウスポインターを合わせてドラッグしても移動できます。

通常のサイズの図形の場合

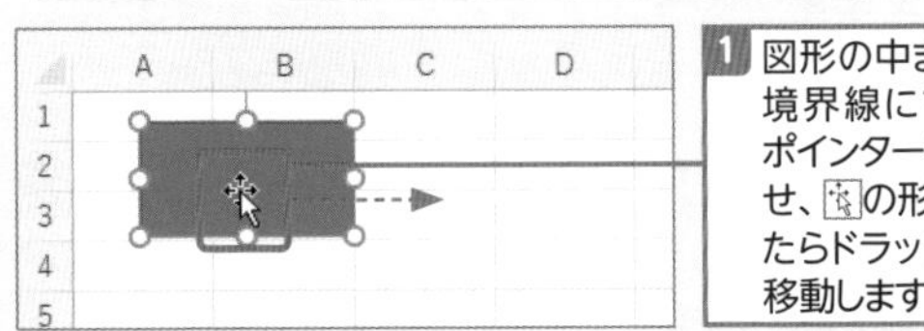

1 図形の中または、境界線にマウスポインターを合わせ、✥の形になったらドラッグして移動します。

図形サイズが小さい場合

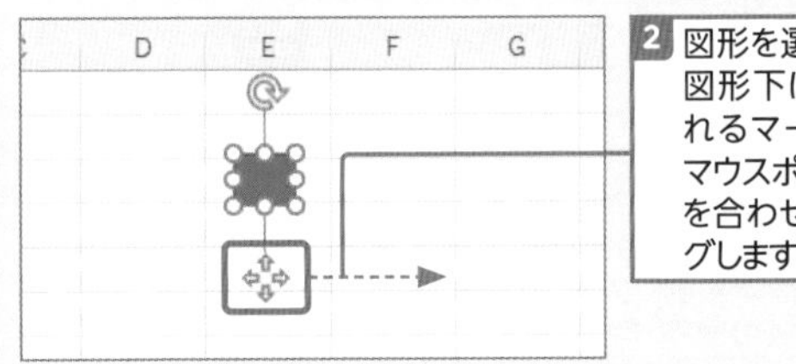

2 図形を選択して、図形下に表示されるマーク✥にマウスポインターを合わせてドラッグします。

Q871 お役立ち度 ★★★ 図形の編集 2021 2019 2016

真横や真下に移動するには

A Shift キーを押しながらドラッグします。

図形を移動するときに Shift キーを押しながらドラッグすると、水平方向または、垂直方向に移動できます。

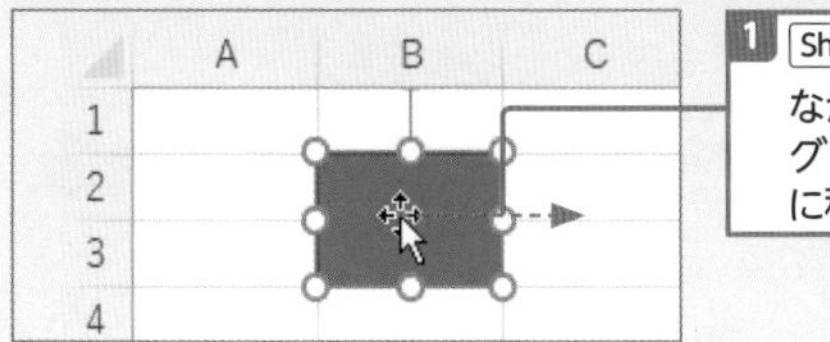

1 Shift キーを押しながら横にドラッグすると、水平に移動します。

Q873 お役立ち度 ★★★ 図形の編集

図形を回転するには

A 回転ハンドルをドラッグします。

図形を選択すると上部に、回転ハンドルが表示されます。回転ハンドルをドラッグすると、任意の角度に図形を回転できます。

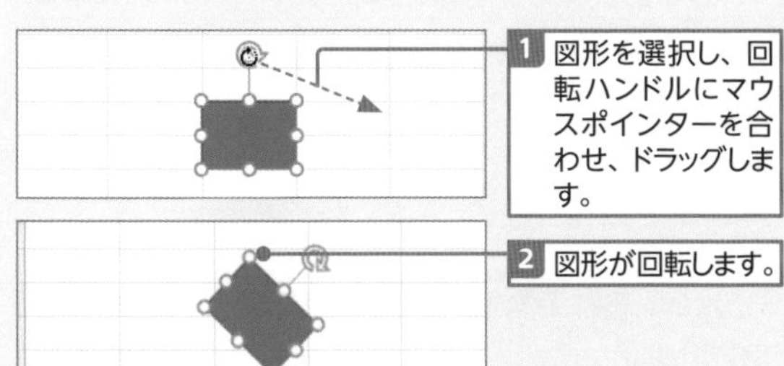

1 図形を選択し、回転ハンドルにマウスポインターを合わせ、ドラッグします。

2 図形が回転します。

おトクな情報

正確な角度で回転する

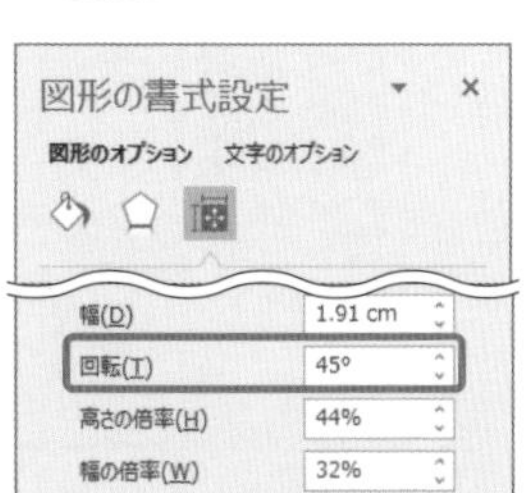

Q869の方法で［図形の書式設定］作業ウィンドウの［サイズとプロパティ］を表示し、［回転］で角度を数値で指定します。

Q872 お役立ち度 ★★★ 図形の編集 2021 2019 2016

図形をコピーするには

A Ctrl キーを押しながらドラッグします。

図形上で Ctrl キーを押すと、マウスポインターの形が になり、この状態でドラッグすると図形をコピーできます。Ctrl ＋ Shift キーを押しながらドラッグすると、垂直、水平方向に図形をコピーできます。また、［ホーム］タブ→［コピー］、［貼り付け］の順でクリックしても図形をコピーできます。

1 コピーしたい図形を Ctrl キーを押しながらドラッグします。

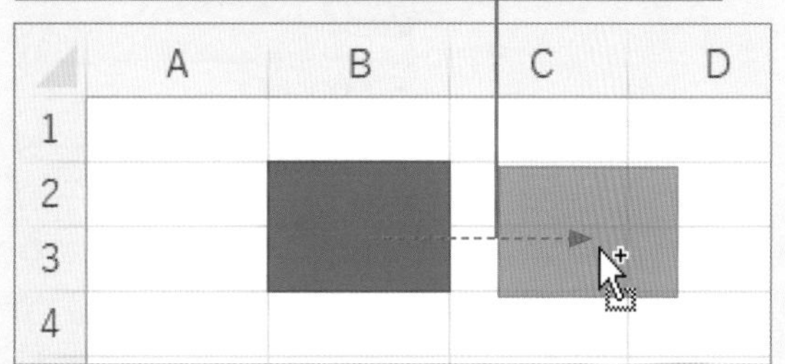

Q874 お役立ち度 ★★★ 図形の編集

図形の形を少し変形するには

A 黄色いハンドルをドラッグします。

図形の種類によっては、図形を選択すると黄色いハンドル（変形ハンドル）が表示されます。この黄色いハンドルをドラッグすると、図形を変形できます。

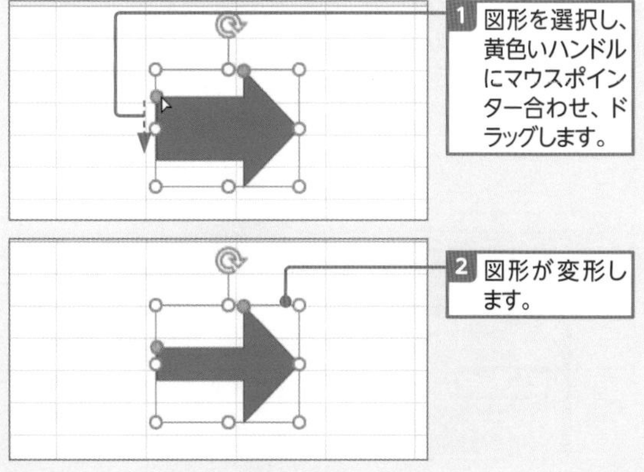

1 図形を選択し、黄色いハンドルにマウスポインター合わせ、ドラッグします。

2 図形が変形します。

Q875 お役立ち度 ★★★ 図形の編集 2021 2019 2016

図形の線や枠線を変更するには

A [図形の書式] タブ→ [図形の枠線] をクリックします。

図形を選択し、コンテキストタブの [図形の書式] タブ→ [図形の枠線] をクリックすると、直線や図形の枠線の色、太さや線種などのスタイルを変更できます。[図形の書式設定] 作業ウィンドウでは、詳細な変更ができます。

[図形の枠線] の設定メニュー

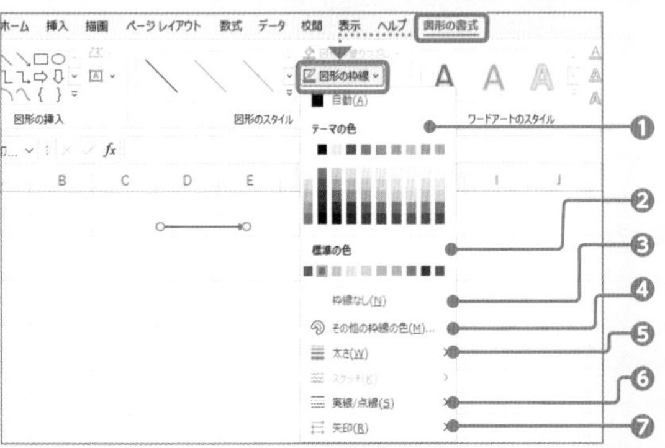

❶	テーマの色	設定されているテーマ (**Q732**) に対応した色が表示される
❷	標準の色	テーマにかかわらず設定できる基本色
❸	枠線なし	線を透明にする
❹	その他の枠線の色	[色の設定] ダイアログで詳細な色が設定できる (**Q876**)
❺	太さ	太さを変更する
❻	実線／点線	線の種類を変更する
❼	矢印	矢印の方向、種類を変更する

[図形の書式設定] 作業ウィンドウを表示する

1 図形を選択し、コンテキストタブの [図形の書式] タブ→ [図形のスタイル] グループの ⧉ をクリックします。

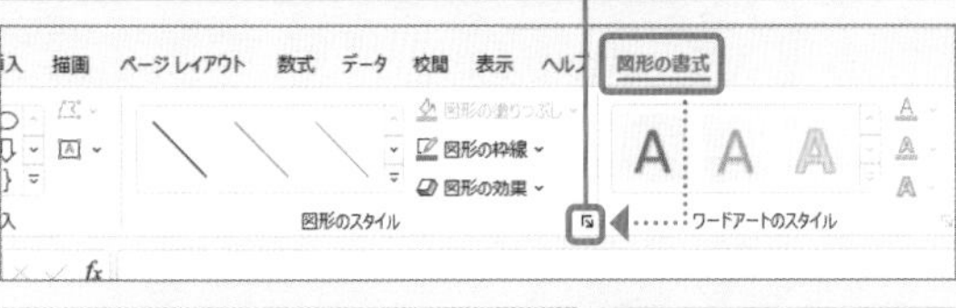

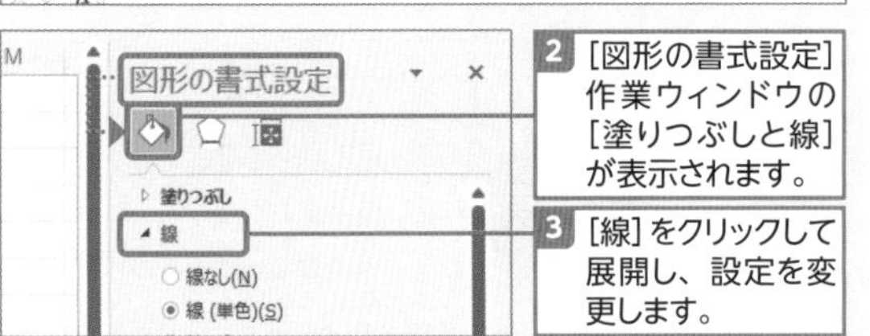

2 [図形の書式設定] 作業ウィンドウの [塗りつぶしと線] が表示されます。

3 [線] をクリックして展開し、設定を変更します。

Q876 お役立ち度 ★★★ 図形の編集 2021 2019 2016

図形内の色を変更するには

A [図形の書式] タブ→ [図形の塗りつぶし] をクリックします。

図形を選択し、コンテキストタブの [図形の書式] タブ→ [図形の塗りつぶし] をクリックすると、図形内部の色を変更できます。また、[色の設定] ダイアログを使うと、色を細かく指定して設定できます。

[図形の塗りつぶし] の設定メニュー

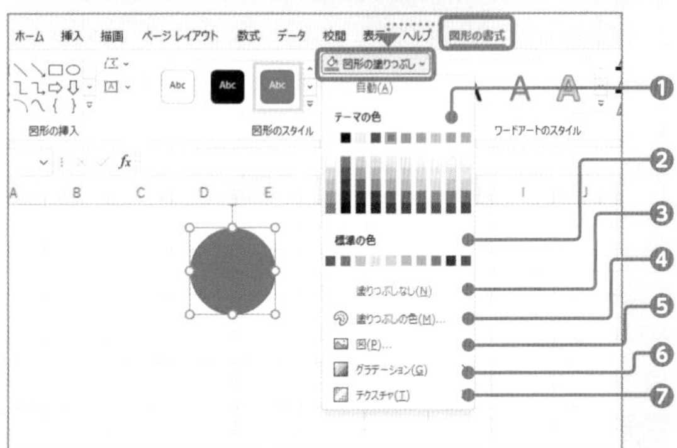

❶	テーマの色	設定されているテーマ (**Q732**) に対応した色が表示される
❷	標準の色	テーマにかかわらず設定できる基本色
❸	塗りつぶしなし	図形を透明にする
❹	塗りつぶしの色	[色の設定] ダイアログで詳細な色が設定できる
❺	図	図形の内部に画像を表示する (**Q877**)
❻	グラデーション	図形内にグラデーションを表示する
❼	テクスチャ	布地、石、木目などを表示する

[色の設定] ダイアログ

・[標準] タブ

色見本から色をクリックして選択

透明度を0～100%の範囲で変更

・[ユーザー設定] タブ

クリックまたはドラッグして色を変更

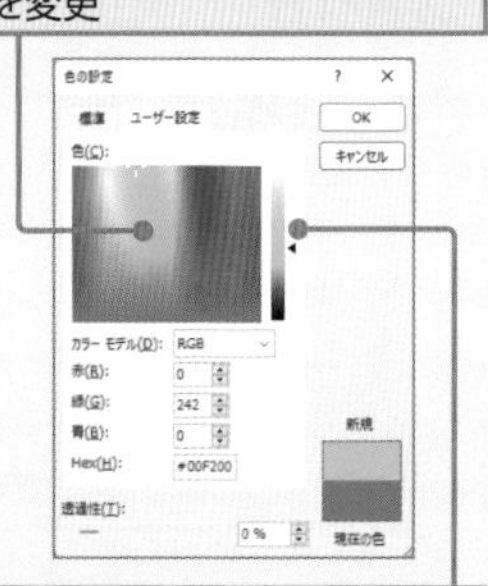

クリックまたはドラッグして明るさを変更

Q877 お役立ち度 ★★★ 図形の編集 2021 2019 2016

図形の中に画像を表示するには

A [図形の塗りつぶし] で [図] を選択し画像ファイルを選択します。

図形の中にデジカメや携帯電話で撮影した画像を表示できます。ここでは、パソコンに保存した画像を取り込んでいます。

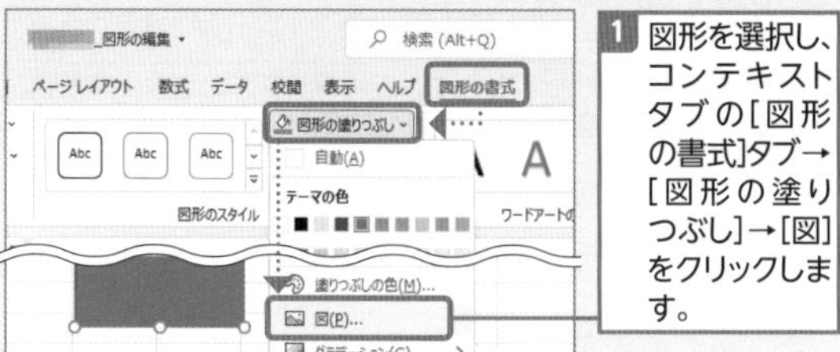

1 図形を選択し、コンテキストタブの[図形の書式]タブ→[図形の塗りつぶし]→[図]をクリックします。

2 画像の場所(ここでは[ファイルから])をクリックします。

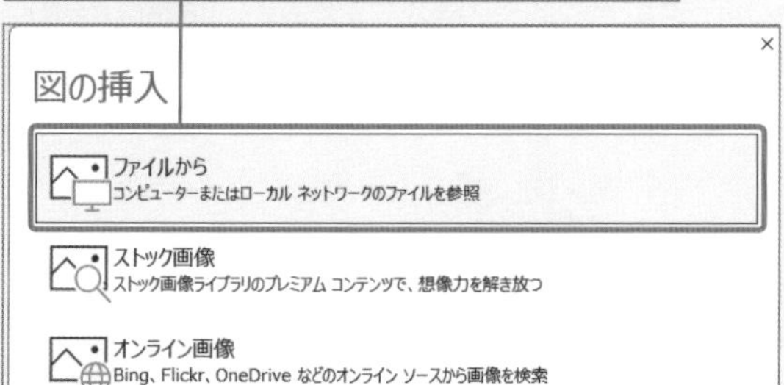

3 画像の場所、画像ファイルを選択し、[挿入]をクリックします。

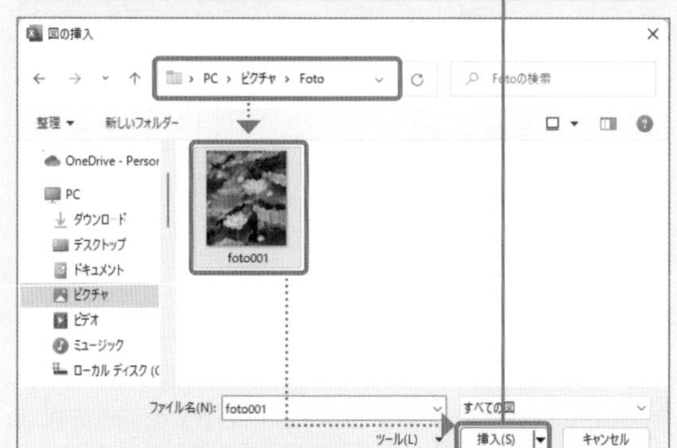

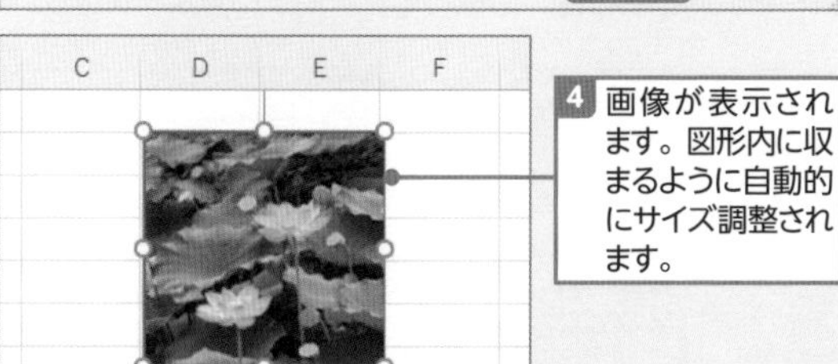

4 画像が表示されます。図形内に収まるように自動的にサイズ調整されます。

Q878 お役立ち度 ★★★ 図形の編集 2021 2019 2016

図形のスタイルを素早く変更したい!

A [図形の書式] タブ→ [図形のスタイル] を選択します。

[図形のスタイル] には塗りつぶしや枠線の色などの書式のセットが用意されています。用意されているスタイルを選択するだけですばやく見栄えを変更できます。

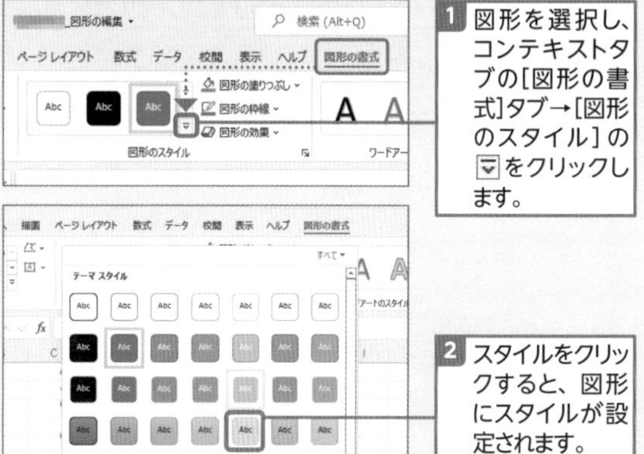

1 図形を選択し、コンテキストタブの[図形の書式]タブ→[図形のスタイル]の ▽ をクリックします。

2 スタイルをクリックすると、図形にスタイルが設定されます。

Q879 お役立ち度 ★★★ 図形の編集 2021 2019 2016

図形を上下左右に反転するには

A [図形の書式] タブ→ [回転] を選択します。

図形を上下左右に反転したり、右や左に90度回転させたりするには、[回転] をクリックします。

1 図形を選択し、コンテキストタブの[図形の書式]タブ→[回転]をクリックします。

2 反転したい方向をクリックします。

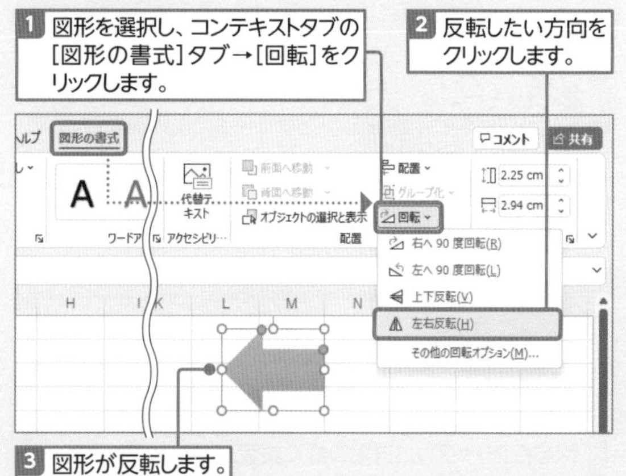

3 図形が反転します。

お役立ち度 ★★★ 図形の編集 2021 2019 2016

別の図形に変更したい!

A [図形の編集] → [図形の変更] で図形を選択します。

図形作成後、別の図形に変更できます。わざわざ作成し直す必要はありません。

1 対象の図形をクリックし、コンテキストタブの [図形の書式] タブ→ [図形の編集] → [図形の変更] をクリックします。

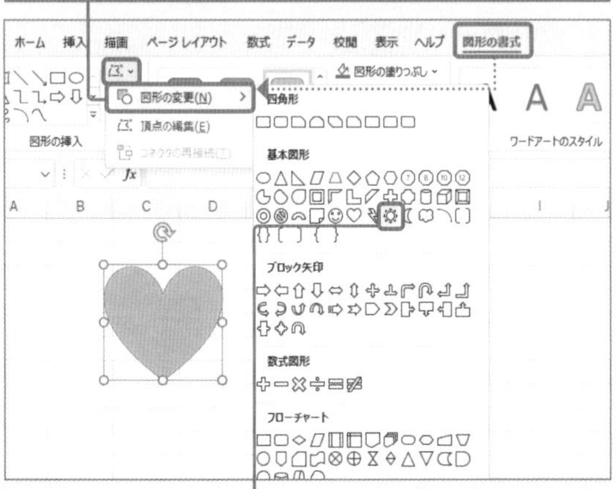

2 変更したい図形をクリックします。

3 図形が変更されます。

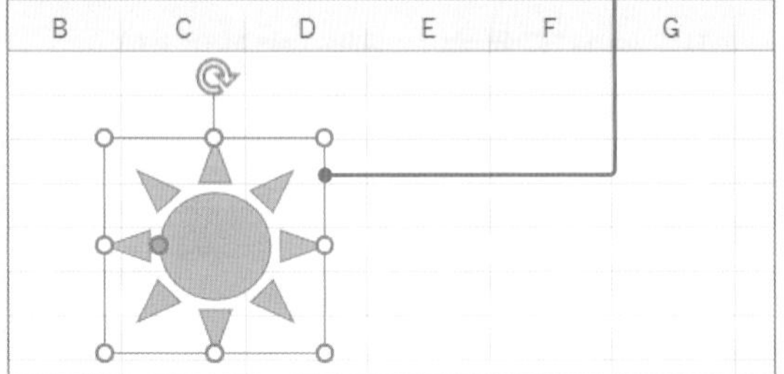

お役立ち度 ★★★ 図形の編集 2021 2019 2016

図形を任意の形に変形させたい!

A [図形の編集] → [頂点の編集] を選択します。

[頂点の編集] を使うと、図形の形をより自由に変形できます。[頂点の編集] をクリックすると図形に黒いハンドルが表示されます。ドラッグすると、そこを頂点として図形が変形します。図形以外をクリックすると編集が終了します。

1 対象の図形をクリックし、コンテキストタブの [図形の書式] タブ→ [図形の編集] → [頂点の編集] をクリックします。

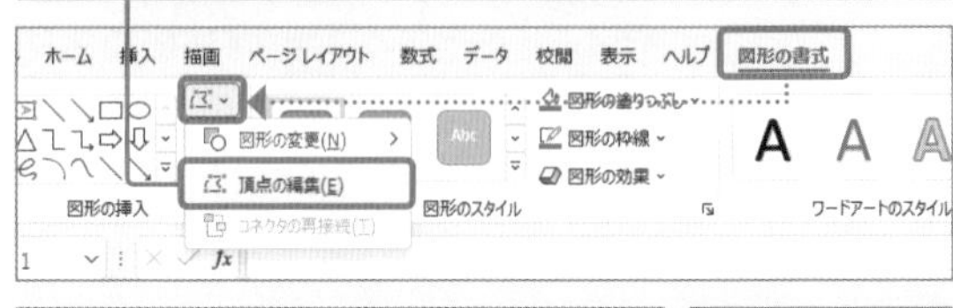

2 黒いハンドルをドラッグします。

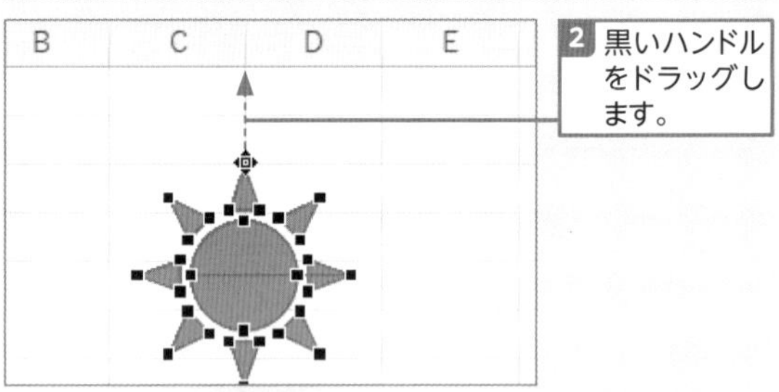

3 頂点を任意の位置に変更できます。

4 図形以外をクリックして終了します。

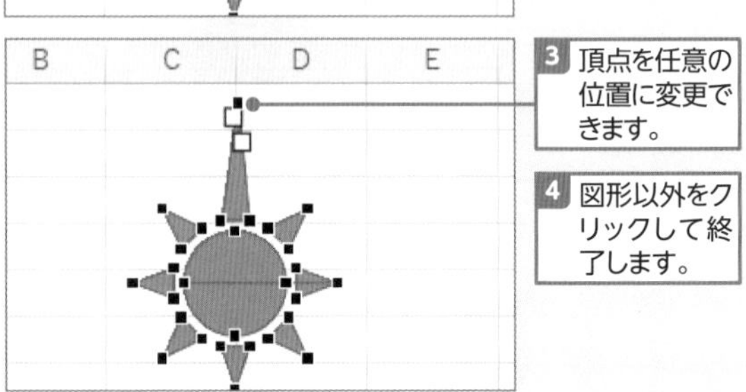

お役立ち度 ★★★ 図形の編集 2021 2019 2016

Q882 設定したスタイルの図形を毎回作成したい!

おトクな情報 線は別設定

線に対して設定した書式は、図形とは別に指定します。線を右クリックし、[既定の線に設定] をクリックします。

A 既定の図形に設定します。

他の図形にも枠線の太さや色などが同じ書式の図形を繰り返し使いたい場合は、図形の書式を既定に設定します。

1 図形を右クリックします。

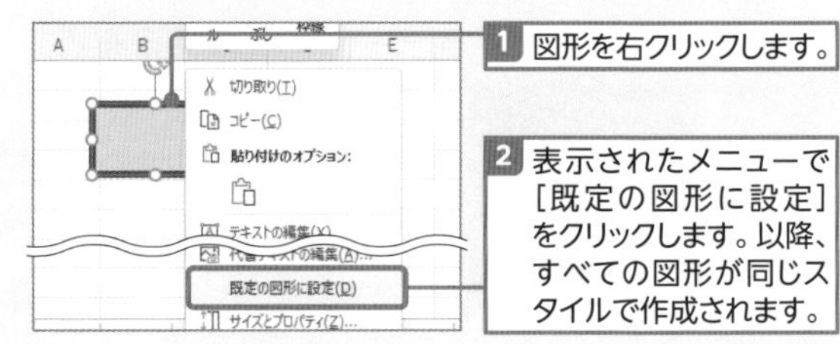

2 表示されたメニューで [既定の図形に設定] をクリックします。以降、すべての図形が同じスタイルで作成されます。

Q883 お役立ち度 ★★★ 文字列の追加 2021 2019 2016

図形内に文字列を追加するには

A 図形が選択されている状態で文字を入力するだけです。

図形を選択し、周囲に白いハンドルが表示されているときに、文字を入力すると図形内に文字が表示されます。すでに文字が入力されている場合は、文字上をクリックしてカーソルを表示して、入力してください。

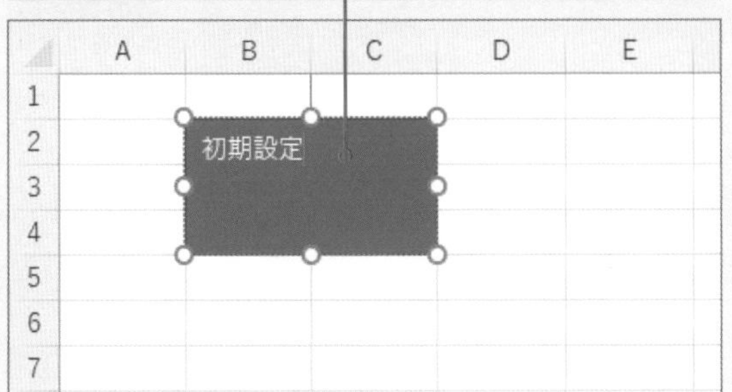
1 図形をクリックして選択し、文字を入力すると、図形内に表示されます。
初期設定

Q884 お役立ち度 ★★★ 文字列の追加 2021 2019 2016

図形内の文字の配置を変更するには

A [ホーム] タブで配置を選択します。

図形内の文字列の配置は、[ホーム] タブの [配置] グループにある配置変更のボタンをクリックして変更できます。図形を選択した状態で変更すると、図形内の全文字列の配置を変更できます。なお、改行されて複数行で表示されている場合は、行にカーソルを移動し、行単位で配置変更できます。

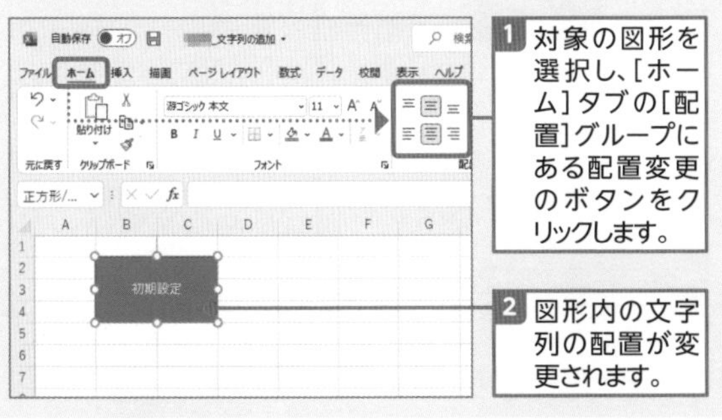
1 対象の図形を選択し、[ホーム] タブの [配置] グループにある配置変更のボタンをクリックします。
2 図形内の文字列の配置が変更されます。
初期設定

Q885 お役立ち度 ★★★ 文字列の追加 2021 2019 2016

文字列専用の図形を追加したい!

A [横書きテキストボックス] や [縦書きテキストボックス] を追加します。

テキストボックスは、文字列を入力するための図形です。作成するとカーソルが表示され、すぐに文字入力できます。文字入力したら、サイズと位置を調整して任意の位置に配置できます。**Q862** の手順で [基本図形] から選択することもできます。

1 [挿入] タブ→ [テキスト] → [テキストボックス] の [∨] をクリックします。
2 テキストボックスの種類をクリックします。
横書きテキスト ボックスの描画(H)
縦書きテキスト ボックス(V)

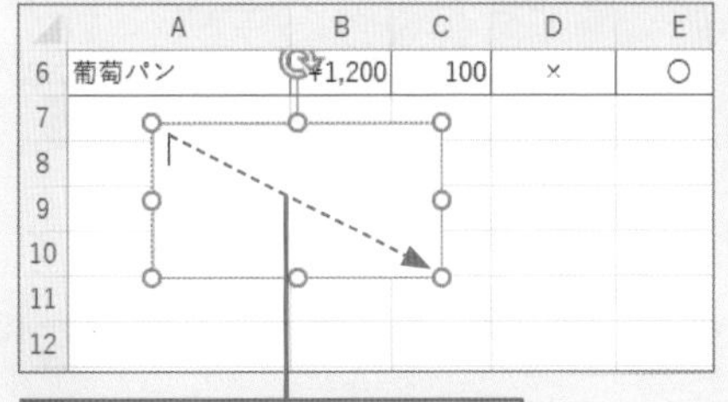
3 斜めにドラッグして作成します。

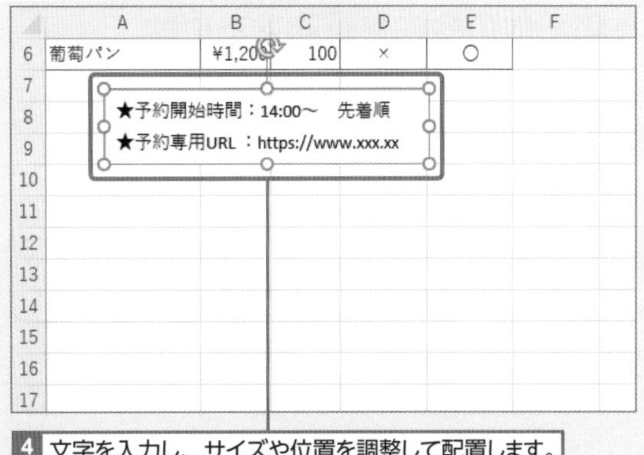
★予約開始時間：14:00～　先着順
★予約専用URL ：https://www.xxx.xx
4 文字を入力し、サイズや位置を調整して配置します。

Q886 お役立ち度 ★★★ 文字列の追加 2021 2019 2016

図形内にセルの文字列を表示するには

A 数式バーに「=」と入力しセルをクリックします。

テキストボックスを含め図形内にセルの値を表示するには、「=セル番地」の形式で参照式を数式バーに設定します。手順2で、セルをクリックする代わりにセル番地を直接入力しても設定できます。

1 図形をクリックして選択します。

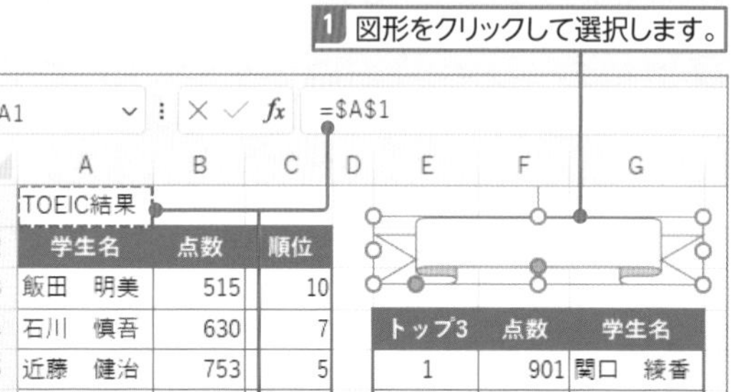

2 数式バーに「=」と入力し、参照するセルをクリックします。

3 セルの値が表示されます。

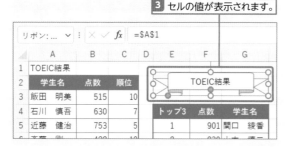

Q887 お役立ち度 ★★★ 文字列の追加 2021 2019 2016

図形内の文字列があふれてしまった!

A [テキストに合わせて図形のサイズを調整する]をオンにします。

図形内に入力した文字列が表示しきれなくなる場合、手動で図形サイズを変更することもできますが、[テキストに合わせて図形のサイズを調整する]をオンにすると、文字が表示されるように自動的に図形サイズが調整されます。

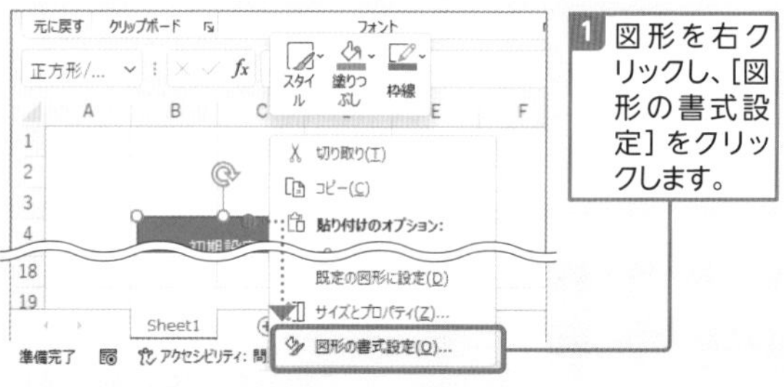

1 図形を右クリックし、[図形の書式設定]をクリックします。

2 [図形の書式設定]作業ウィンドウで[文字のオプション]→[テキストボックス]をクリックします。

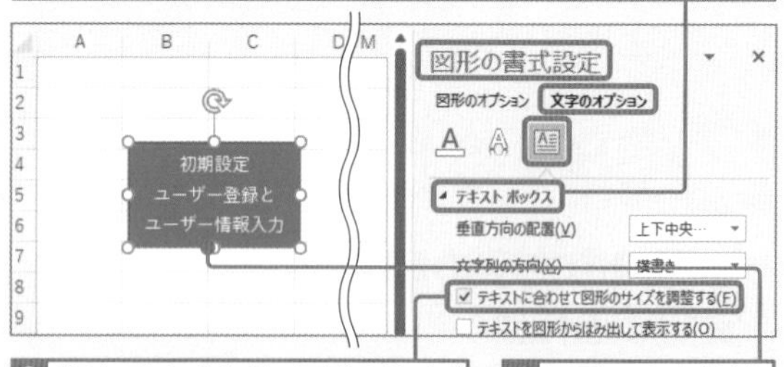

3 [テキストに合わせて図形のサイズを調整する]にチェックを付けます。

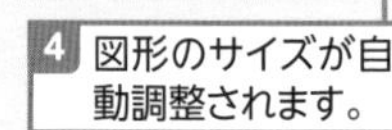
4 図形のサイズが自動調整されます。

Q888 お役立ち度 ★★★ 文字列の追加 2021 2019 2016

図形内の余白を調整するには

A 上下左右の余白をセンチ単位で設定できます。

図形の余白を狭くしたり、広くしたりしたい場合は、[図形の書式設定]作業ウィンドウの[文字のオプション]の[テキストボックス]で上下左右をセンチ単位で指定できます。入力時に「0.1」のように数値だけ入力すれば単位は自動で表示されます。

1 Q887の方法で[図形の書式設定]作業ウィンドウを表示して、[文字のオプション]→[テキストボックス]をクリックします。

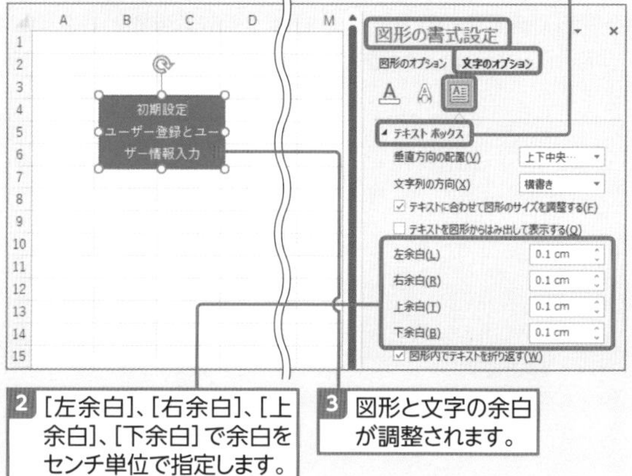

2 [左余白]、[右余白]、[上余白]、[下余白]で余白をセンチ単位で指定します。

3 図形と文字の余白が調整されます。

Q889 お役立ち度 ★★★ 複数の図形の操作 2021 2019 2016

複数の図形を選択するには

A 2つの方法があります。

2つ目以降の図形をShiftキーまたはCtrlキーを押しながらクリックすると、複数図形を選択できます。また、オブジェクト選択モードにすると、図形を囲むようにドラッグしてまとめて選択できます。選択モードを解除するにはEscキーを押します。

クリックで選択する

1 1つ目の図形をクリックして選択します。

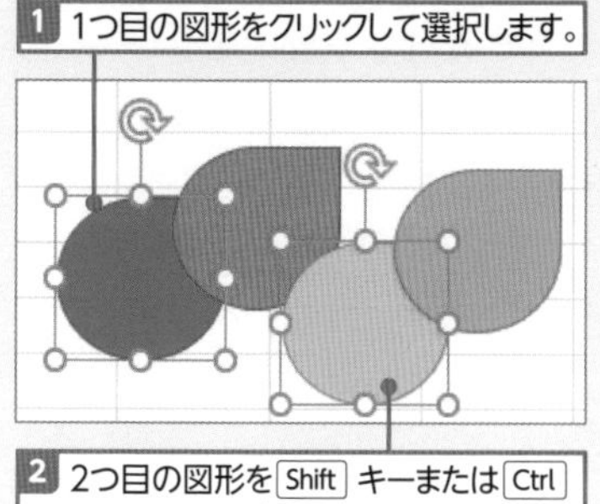

2 2つ目の図形をShiftキーまたはCtrlキーを押しながらクリックします。

ドラッグで選択する

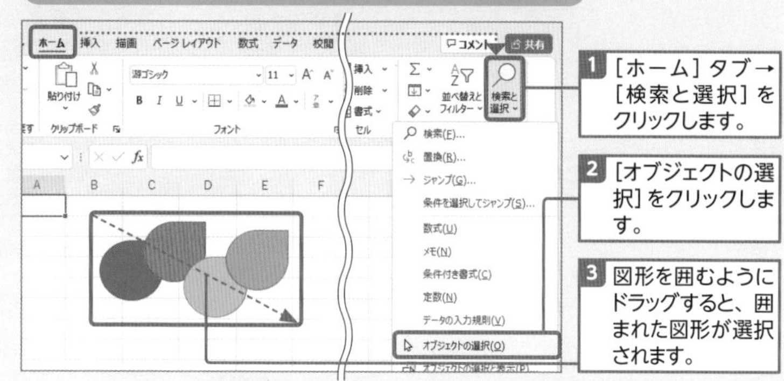

1 [ホーム] タブ→[検索と選択] をクリックします。

2 [オブジェクトの選択] をクリックします。

3 図形を囲むようにドラッグすると、囲まれた図形が選択されます。

Q890 お役立ち度 ★★★ 複数の図形の操作 2021 2019 2016

図形の下に隠れた図形を選択するには

A [選択] 作業ウィンドウを表示します。

[選択] 作業ウィンドウでは、下に隠れてしまった図形を選択したり、順序を入れ替えたりできます。一覧に表示される図形は最前面から最背面へと順番に並んでいます。また、Tabキーで選択する図形を移動できます。

1 いずれかの図形を選択し、コンテキストタブの[図形の書式] タブ→[オブジェクトの選択と表示] をクリックします。

2 [選択] 作業ウィンドウが表示されたら、一覧から目的の図形をクリックします。

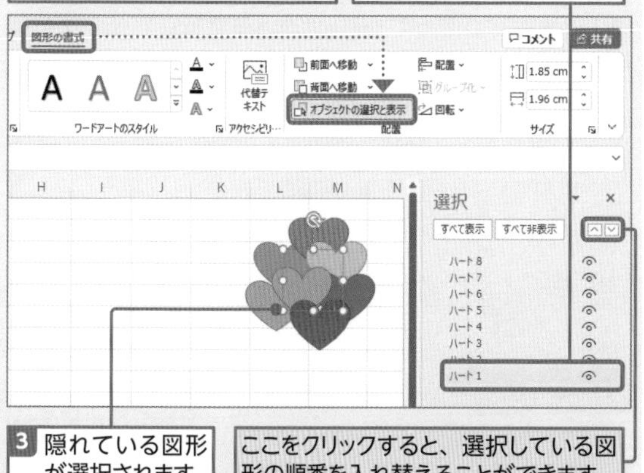

3 隠れている図形が選択されます。

ここをクリックすると、選択している図形の順番を入れ替えることができます。

Q891 お役立ち度 ★★★ 複数の図形の操作 2021 2019 2016

複数の図形の重なり順を変更したい!

A [前面へ移動] または [背面へ移動] をクリックします。

[前面へ移動]、[背面へ移動] で1つずつ前面、背面に移動します。また、それぞれのボタンの右にある [∨] をクリックして [最前面へ移動] や [最背面に移動] をクリックすると一気に一番前や一番後ろに移動できます。

1 対象の図形を選択します。

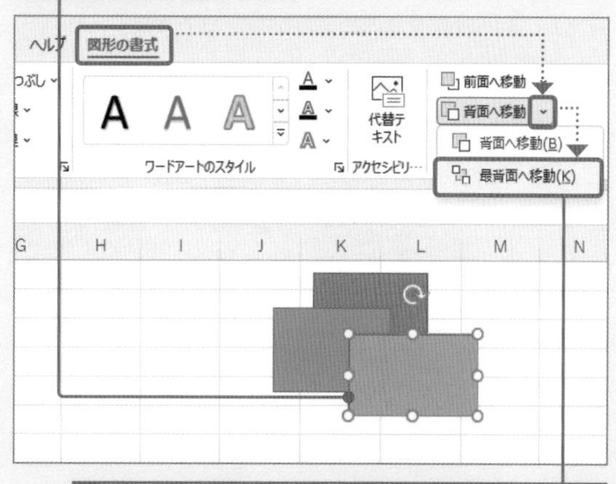

2 コンテキストタブの[図形の書式] タブ→[背面へ移動] の [∨] →[最背面へ移動] をクリックします。

Q892 お役立ち度 ★★★ 複数の図形の操作

複数の図形を整列するには

A [図形の書式] タブ→ [配置] で整列方法を選択します。

[図形の書式] タブの [配置] を使用すると、複数の図形の並びを上や下に揃えたり、間隔を均等にしたりしてきれいに整列できます。

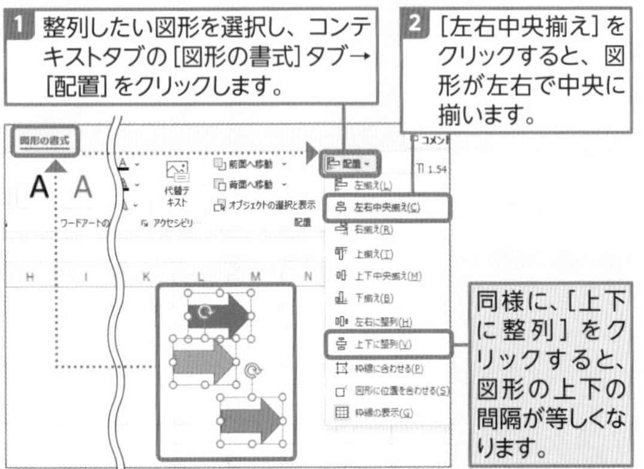

上下中央揃え(M)

枠線に合わせる(P)

同様に、[上下に整列] をクリックすると、図形の上下の間隔が等しくなります。

Q893 お役立ち度 ★★★ 複数の図形の操作

図形の大きさを揃えたい

A [図形の書式] タブ→ [サイズ] でサイズを指定します。

大きさを揃えたい複数の図形を選択し、コンテキストタブの [図形の書式] タブ→ [サイズ] で、[図形の高さ] と [図形の幅] をセンチ単位で指定します。

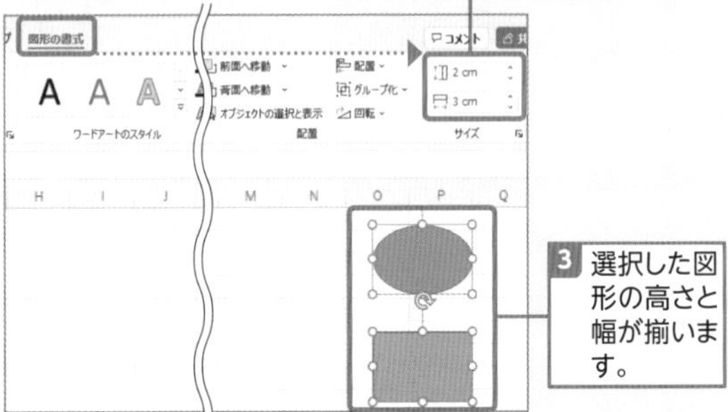

Q894 お役立ち度 ★★★ 複数の図形の操作

複数の図形の配置が変わらないようにするには

A グループ化します。

図形をグループ化すると、1つのオブジェクトとして移動したり、同じ書式をまとめて設定したりできます。

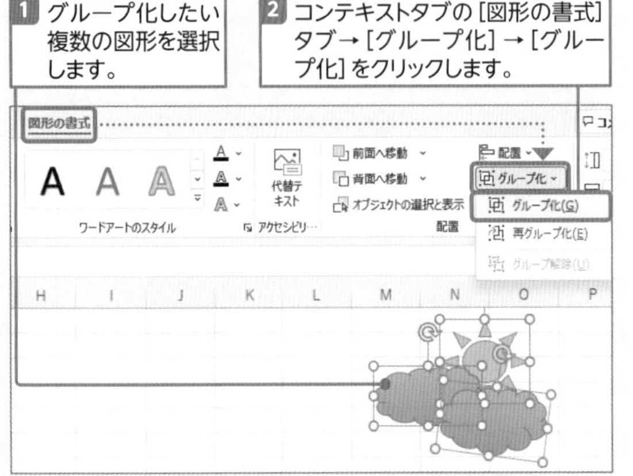

1 グループ化したい複数の図形を選択します。
2 コンテキストタブの [図形の書式] タブ→ [グループ化] → [グループ化] をクリックします。
図形の書式
左右中央揃え(C)
3 選択した図形の高さと幅が揃います。
グループ化
グループ化(G)
再グループ化(E)
グループ解除(U)

Q895 お役立ち度 ★★★ 複数の図形の操作

2021
2019
2016

列幅などが変わっても図形を動かしたくない!

A [図形の書式設定] で図形を固定します。

初期設定では、列幅や行の高さなどが変更されると、図形も一緒に移動したり、サイズ変更されたりします。図形のサイズや位置が変わらないようにするには、[図形の書式設定] 作業ウィンドウで [セルに合わせて移動やサイズ変更をしない] を選択します。

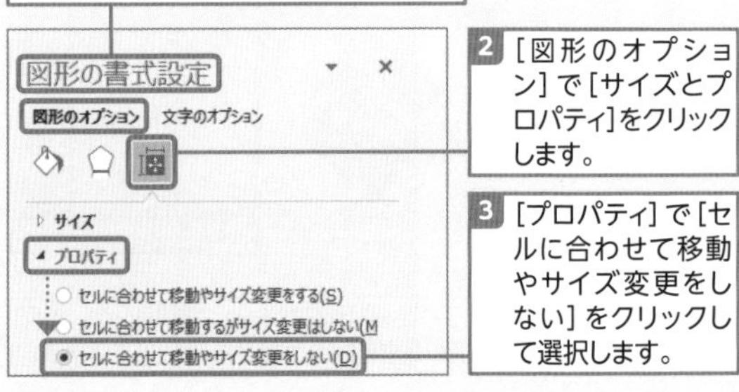

Q896 お役立ち度 ★★★ いろいろなオブジェクトの挿入 2021 2019 2016

デザインされた文字を入力したい!

A ワードアートを作成します。

ワードアートを使うと、自由な位置にデザインされた文字を配置できます。ここではワードアートの作成手順を説明します。書式変更などの設定方法については4章の**Q351**～**Q355**を参照してください。

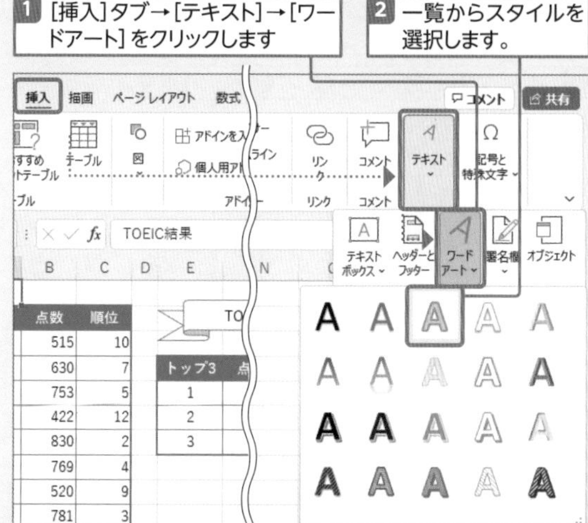

1 [挿入]タブ→[テキスト]→[ワードアート]をクリックします
2 一覧からスタイルを選択します。

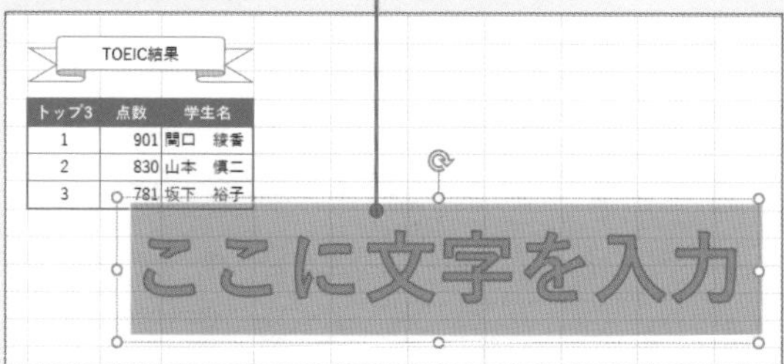

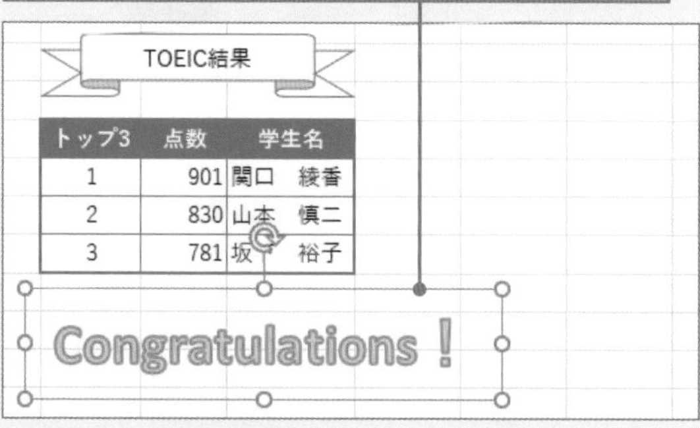

3 仮の文字列でワードアートが挿入されます。

4 文字を置き換えて、文字サイズや配置などを調整します。

Q897 お役立ち度 ★★★ いろいろなオブジェクトの挿入 2021 2019 2016

流れ図や組織図を作るには

A SmartArtを使います。

SmartArtを使うと、組織図や流れ図、相関関係などをわかりやすく説明する図表を作成できます。ここでは、ExcelでSmartArtを挿入する手順を紹介します。詳細については4章の**Q356**～**Q365**を参照してください。

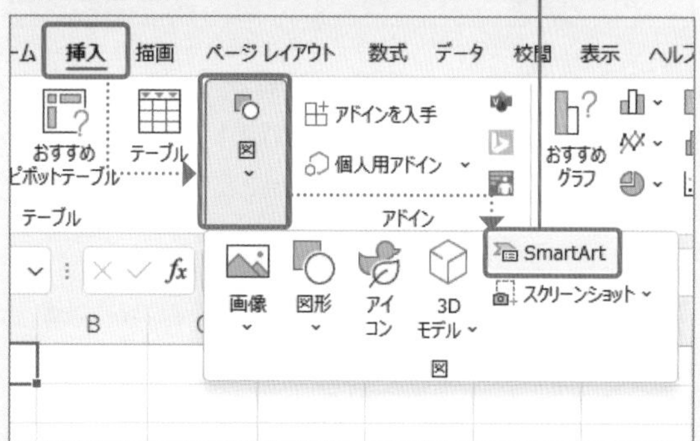

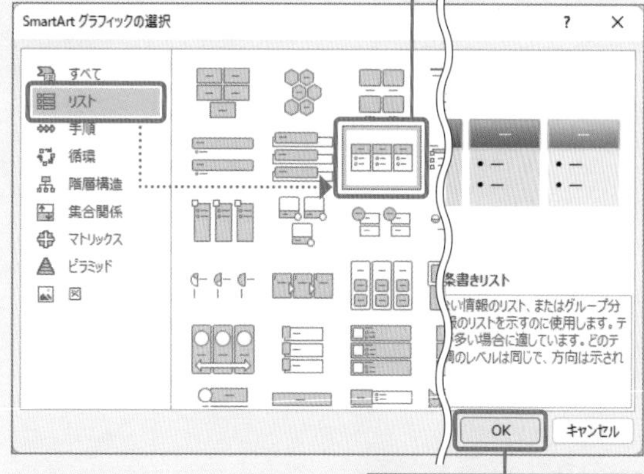

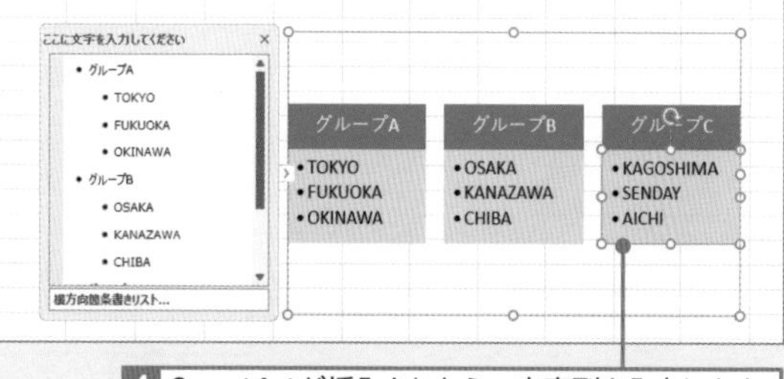

Q898 画像を挿入するには

お役立ち度 ★★★　いろいろなオブジェクトの挿入　2021 2019 2016

A [挿入]タブ→[図]→[画像]をクリックします。

ワークシートに画像を挿入することができます。挿入した画像は、図形と同じ要領でサイズ変更、移動、回転などができます。画像のスタイルや効果などの編集については、4章の**Q326～Q345**を参照してください。

1 [挿入]タブ→[図]→[画像]をクリックします。

2 画像の挿入元を選択します。

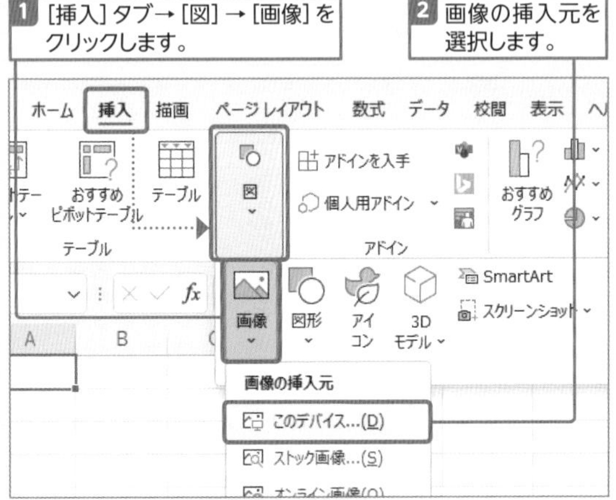

3 画像の保存場所、画像ファイルを選択し、[挿入]をクリックします。

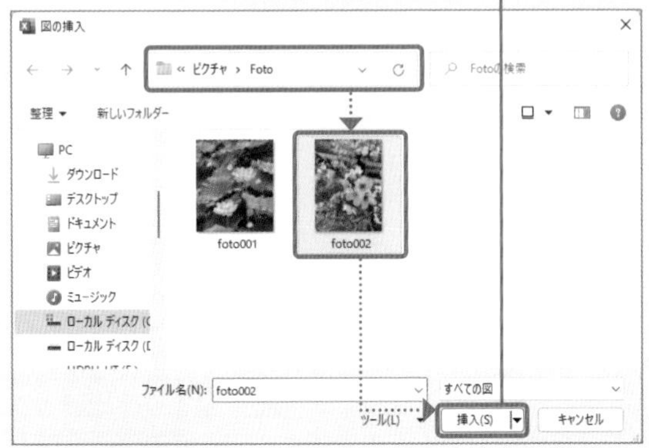

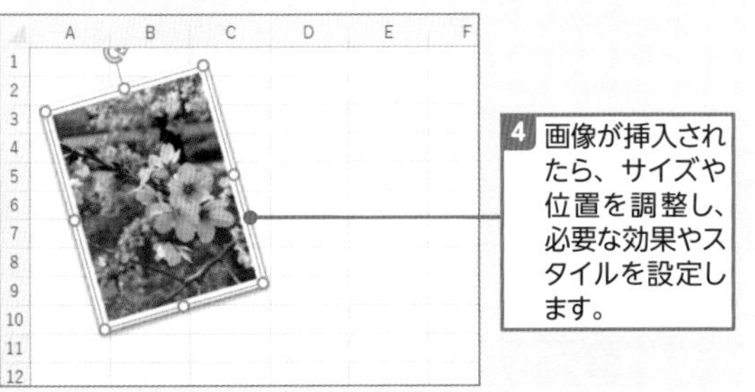

4 画像が挿入されたら、サイズや位置を調整し、必要な効果やスタイルを設定します。

Q899 アイコンを挿入するには

お役立ち度 ★★★　いろいろなオブジェクトの挿入　2021 2019 2016

A [挿入]タブ→[図]→[アイコン]をクリックします。

アイコンは、さまざまな事象を簡略化して表現されたイラストです。ここでは、Excelでアイコンを挿入する手順を紹介します。挿入したアイコンは、図形と同じ要領でサイズ変更、移動、回転などができます。画像のスタイルや効果などの編集については、4章の**Q373～Q375**を参照してください。

1 [挿入]タブ→[図]→[アイコン]をクリックします。

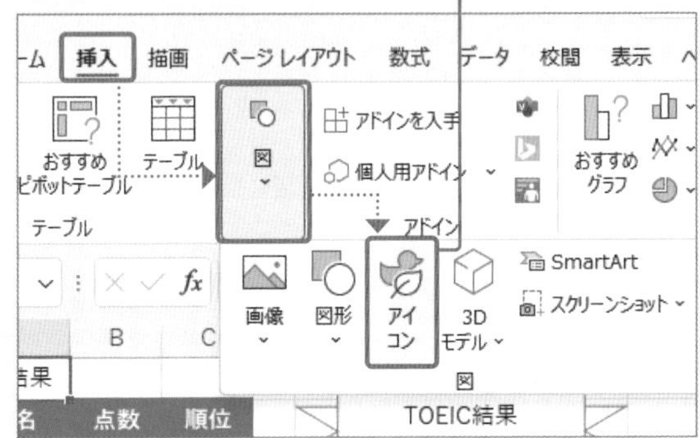

2 アイコン一覧のダイアログが表示されたら、挿入したいアイコンをクリックします。

3 [挿入]をクリックします。

4 アイコンが挿入されたら、サイズや位置を調整し、必要な効果やスタイルを設定します。

Q900 お役立ち度 ★★★ いろいろなオブジェクトの挿入 2021 2019 2016

画面のスクリーンショットを貼り付けたい!

A [挿入] タブ→ [図] → [スクリーンショット] をクリックします。

スクリーンショットとは、パソコンに表示されている画面を画像データにしたものです。Web上の地図や画像を取り込むことができます。挿入した画像は、図形と同様にサイズ変更、移動、回転ができます。ここではワークシート上にスクリーンショットを挿入する手順を紹介します。4章のQ346~Q347も併せて参照してください。

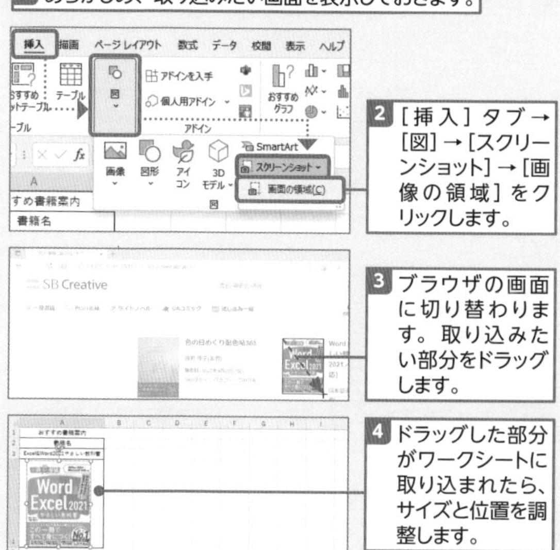

1 あらかじめ、取り込みたい画面を表示しておきます。
2 [挿入] タブ→[図]→[スクリーンショット]→[画像の領域] をクリックします。
3 ブラウザの画面に切り替わります。取り込みたい部分をドラッグします。

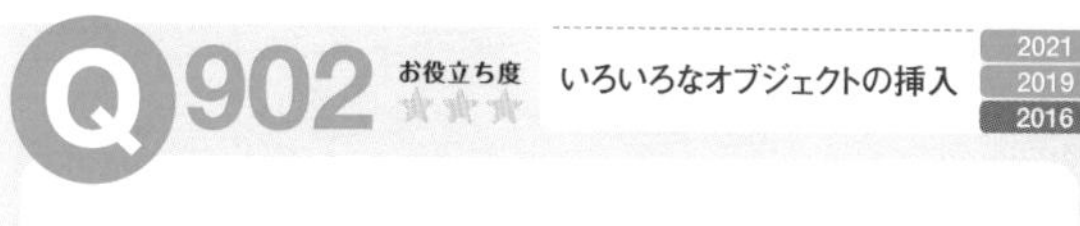

Q901 お役立ち度 ★★★ いろいろなオブジェクトの挿入 2021 2019 2016

手書きで図形やコメントを描くには

A [描画] タブ→ [ペン] をクリックします。

ワークシート上でドラッグして手書きのように図形やコメントを描くことができる「インクツール」という機能があります。これを利用するには、[描画] タブを表示します (Q028)。操作方法は4章のQ380~Q387を参照してください。

1 [描画] タブ→ [ペン] でペンをクリックします。
Sakura
2 ワークシート上でドラッグすると、手書きのように描けます。

Q902 お役立ち度 ★★★ いろいろなオブジェクトの挿入 2021 2019 2016

3Dモデルを挿入するには

A [挿入] タブ→ [図] → [3Dモデル] をクリックします。

3Dモデルとは、3次元の立体型イラストです。挿入された3Dモデルは、ドラッグして見る角度を変えられます。また、図形と同じ要領でサイズ変更、移動、回転ができます。詳細は、4章のQ376~Q379を参照してください。

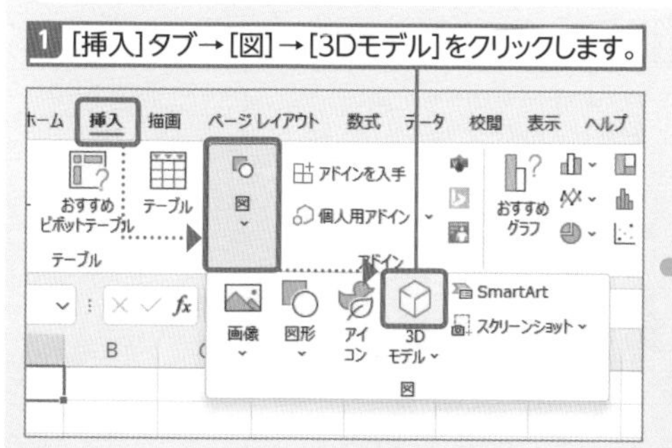

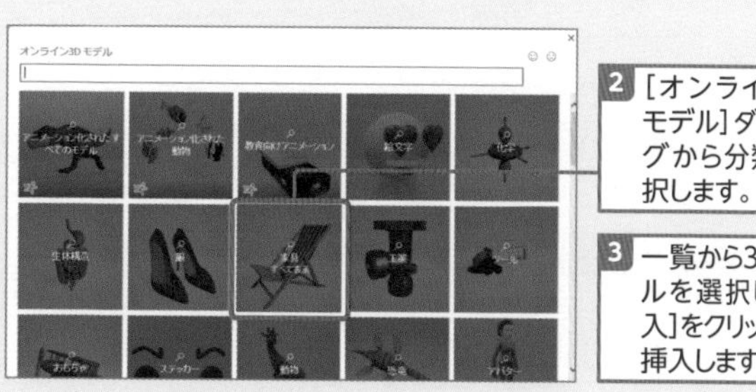

2 [オンライン3Dモデル] ダイアログから分類を選択します。
3 一覧から3Dモデルを選択し、[挿入] をクリックして挿入します。

Q903 お役立ち度 ★★★ グラフの作成

グラフを作成するには

A 表の範囲を選択してグラフの種類を選択します。

グラフは、表の数値を視覚化したものです。グラフを作成するとデータの大小や傾向が一目でわかるため、資料作成に欠かせません。ここでは、基本的なグラフ作成の手順を確認しましょう。グラフを作成すると、グラフの右上に3つのボタンが表示されます。これは「ショートカットツール」といい、グラフ編集に便利な機能がまとめられています。

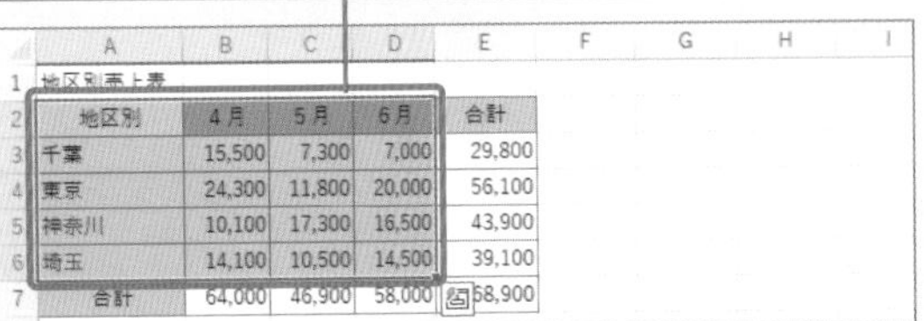

1 グラフ化したい表のセル範囲を選択します。
地区別売上表
地区別 4月 5月 6月 合計
千葉 15,500 7,300 7,000 29,800
東京 24,300 11,800 20,000 56,100
神奈川 10,100 17,300 16,500 43,900
埼玉 14,100 10,500 14,500 39,100
合計 64,000 46,900 58,000 168,900

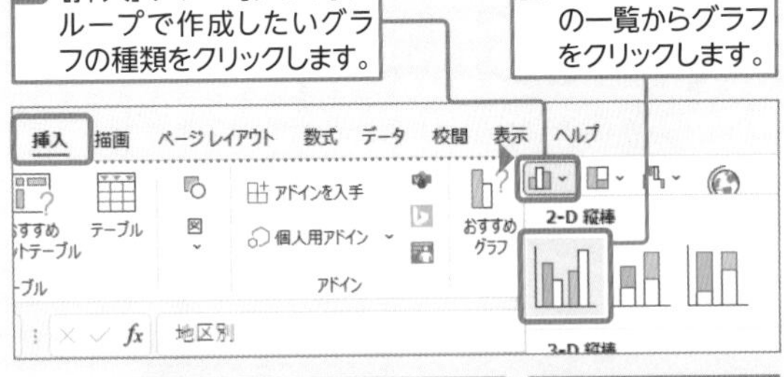

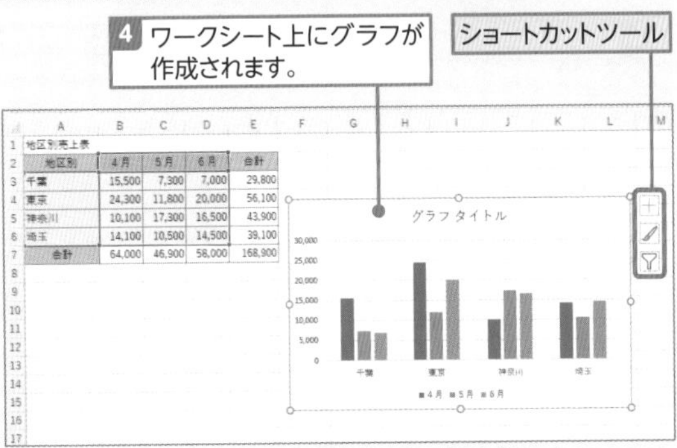

●ショートカットツールの種類

	ボタン	機能
①	グラフ要素	グラフに表示する要素と表示位置を指定する
②	グラフスタイル	グラフのスタイルや配色を変更する
③	グラフフィルター	グラフに表示する項目を指定する

Q904 お役立ち度 ★★★ グラフの作成

離れたデータをグラフにするには

A 2箇所目以降を Ctrl キーを押しながら選択します。

項目と合計のセル範囲を使って円グラフを作成したいときや、異なる表のデータを1つのグラフにまとめたいときなど、グラフにしたいデータが離れている場合、2箇所目以降は Ctrl キーを押しながら範囲を選択してからグラフを作成します。このとき、範囲をくっつけると長方形になるように選択してください。

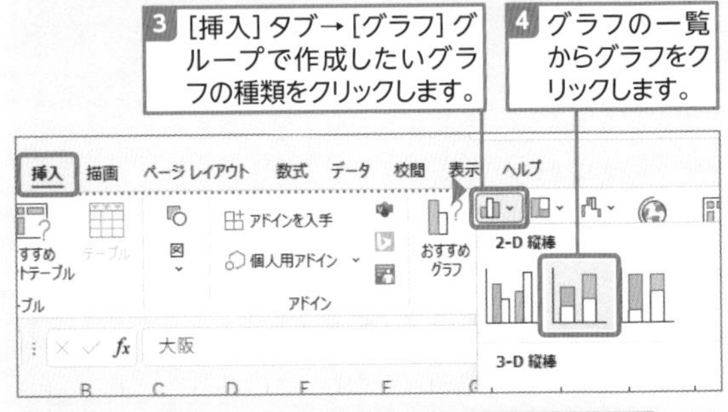

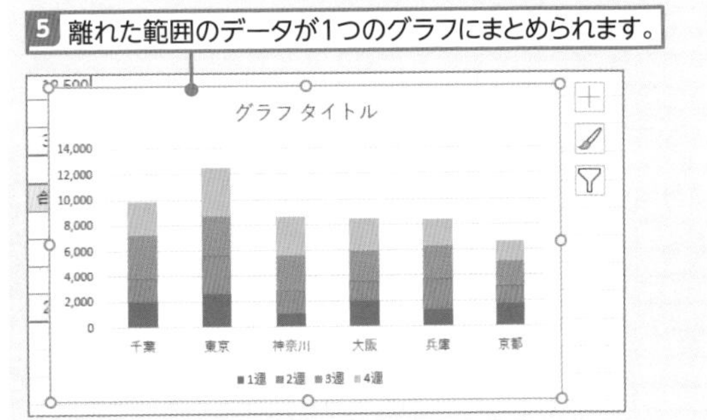

イメージを確認してからグラフを作成したい!

A [グラフの挿入] ダイアログを利用しましょう。

[グラフの挿入] ダイアログには、[おすすめグラフ] タブと [すべてのグラフ] タブがあります。[おすすめグラフ] では、選択されているデータから適切なグラフの種類がいくつかおすすめとして表示されます。[すべてのグラフ] では、すべてのグラフの種類が表示されます。グラフの種類を選択し、グラフをクリックすると、選択されているデータで作成されるグラフのイメージが表示されます。事前にチェックできるため、失敗を防げます。

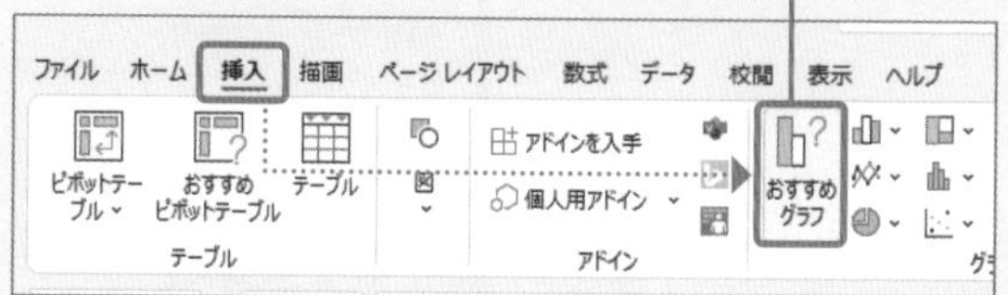

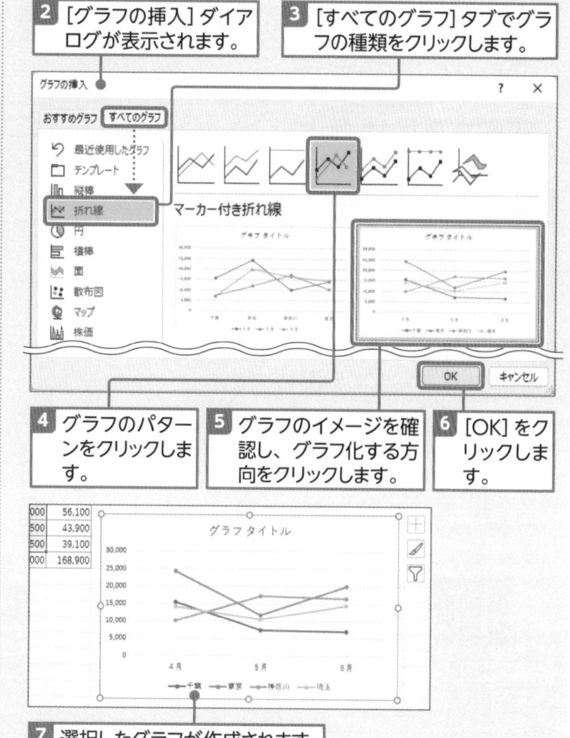

グラフの構成要素にはどんなものがあるの?

A グラフを編集するのに必要になるので確認しておきましょう。

グラフを編集する場合は、まず対象となるグラフの要素を選択します。グラフ上で各要素にマウスポインターを合わせると要素名が表示されます。また、グラフの要素は必要に応じて表示/非表示を切り替えたり、位置を変更したりできます。

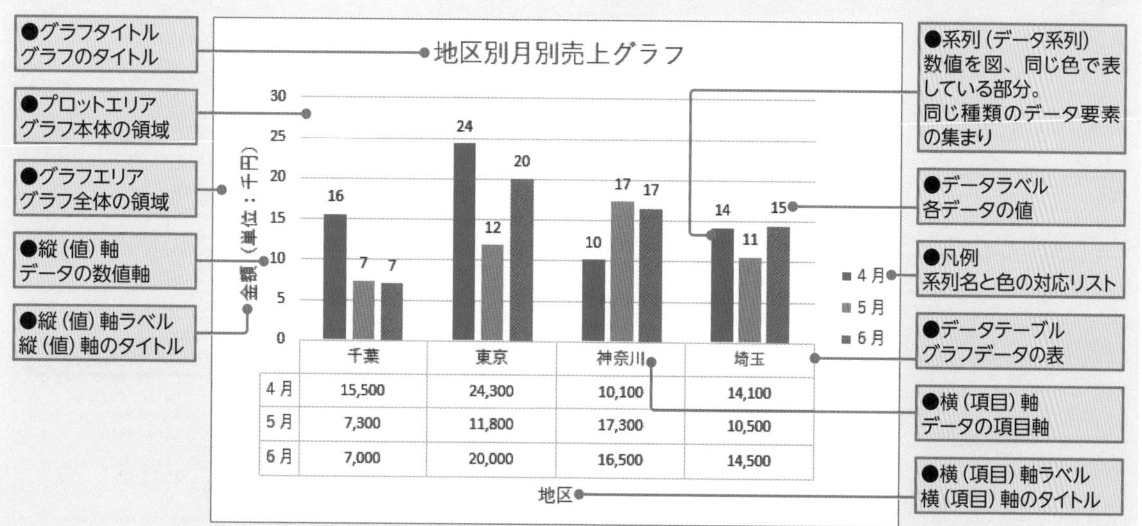

	千葉	東京	神奈川	埼玉
4月	15,500	24,300	10,100	14,100
5月	7,300	11,800	17,300	10,500
6月	7,000	20,000	16,500	14,500

Q907 お役立ち度 ★★★ グラフの作成 2021 2019 2016

グラフの位置やサイズを変更するには

A ドラッグで簡単に移動やサイズ変更ができます。

グラフは、図形と同じ操作で移動やサイズ変更ができます（**Q868**、**Q870**）。

1 マウスポインターをグラフ内の何もないところに合わせ、ドラッグすると移動します。

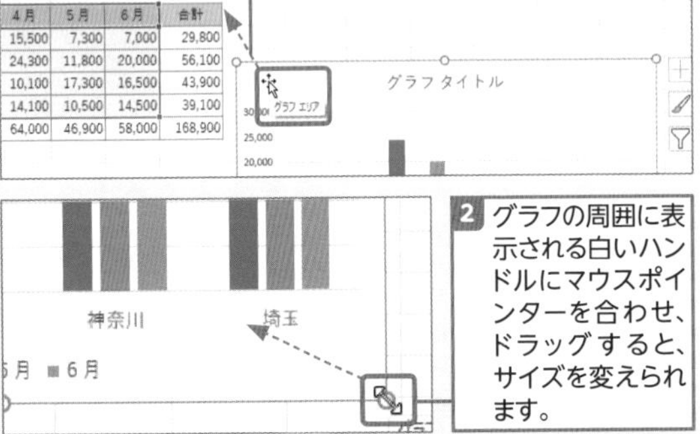

Q908 お役立ち度 ★★★ グラフの作成 2021 2019 2016

グラフの要素を間違いなく選択するには

A ［書式］タブ→［グラフ要素］をクリックします。

グラフ要素にマウスポインターを合わせると要素名が表示されます。表示を確認してクリックすれば選択できます。場所がわからないとか、選択しづらい場合は、メニューから選択するのが確実です。

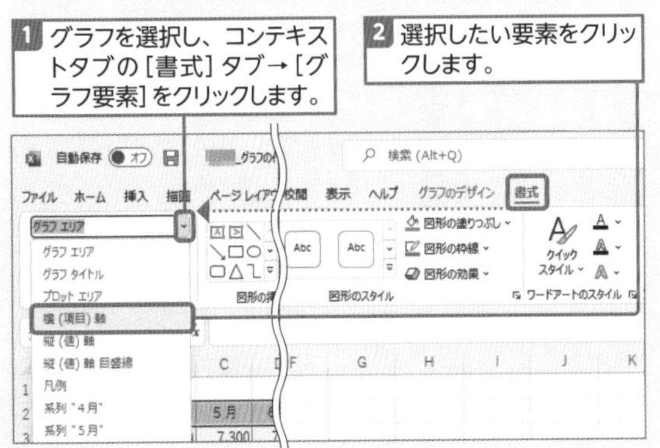

Q909 お役立ち度 ★★★ グラフの作成 2021 2019 2016

グラフ要素の書式設定作業ウィンドウを表示するには

A グラフ要素をダブルクリックするかメニューを選択します。

グラフの各要素の書式設定をするときに、画面の右側にグラフ要素の書式設定用の作業ウィンドウを表示します。なお、すでに他の作業ウィンドウが表示されている場合は、グラフ要素をクリックすると設定画面が切り替わります。よく使用する画面なので、表示方法に慣れておきましょう。

グラフ要素をダブルクリックして表示する

リボンのボタンをクリックして表示する

1 Q908の方法でグラフ要素を選択し、コンテキストタブの［書式］タブ→［選択対象の書式設定］をクリックします。

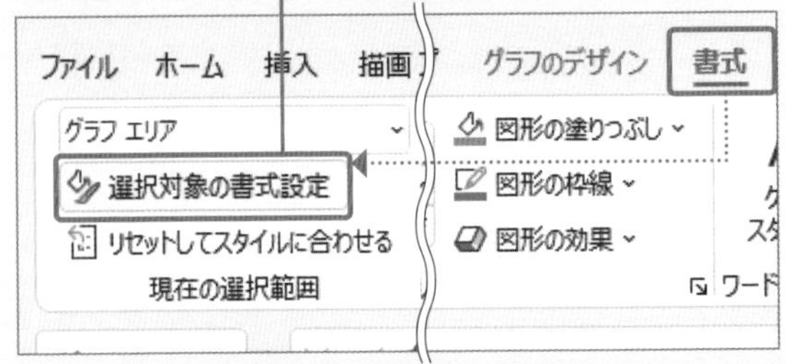

グラフ要素を右クリックしてメニューから表示する

1 グラフ要素を右クリックし、［(グラフ要素名)の書式設定］をクリックします。

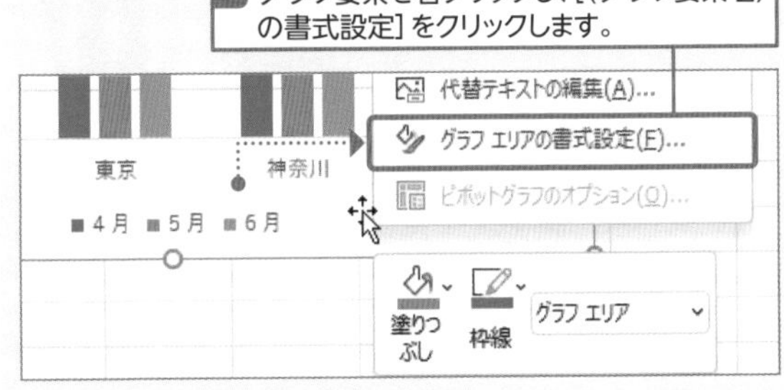

Q910 お役立ち度 ★★★ グラフの作成 2021 2019 2016

グラフ専用のシートに縦棒グラフを素早く作成するには

A F11 キーを押します。

グラフ専用のシート（グラフシート）にグラフを作成することができます。グラフ化したいセル範囲を選択して F11 キーを押すと、グラフシートが追加され、標準グラフ（集合縦棒）が作成されます。必要に応じてグラフの種類を変更し、編集できます。

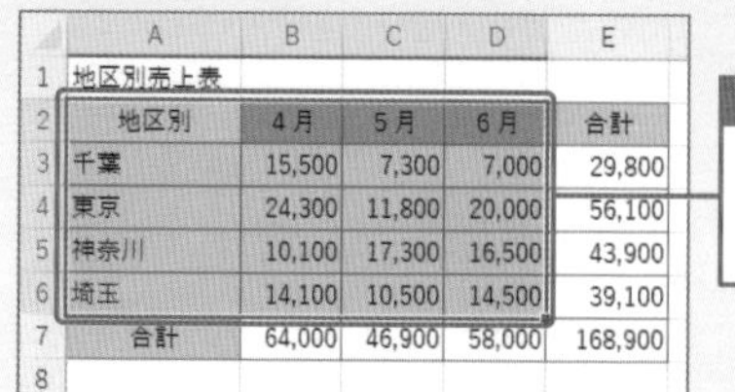

	A	B	C	D	E
1	地区別売上表				
2	地区別	4月	5月	6月	合計
3	千葉	15,500	7,300	7,000	29,800
4	東京	24,300	11,800	20,000	56,100
5	神奈川	10,100	17,300	16,500	43,900
6	埼玉	14,100	10,500	14,500	39,100
7	合計	64,000	46,900	58,000	168,900
8					

1 グラフ化したいセル範囲を選択し、F11 キーを押します。

2 グラフシートが挿入され、標準グラフ（集合縦棒グラフ）が作成されます。

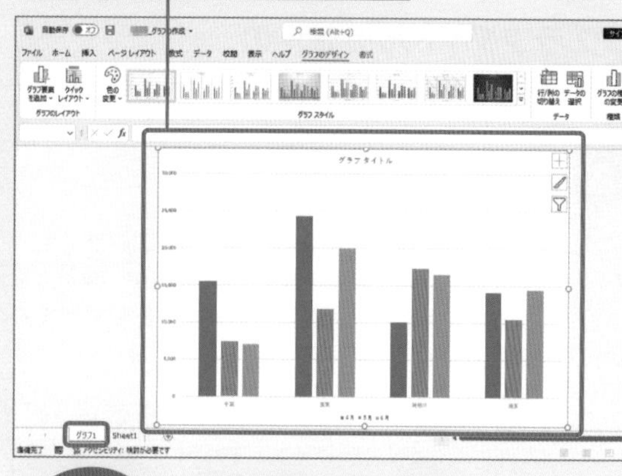

おトクな情報 ワークシート上にグラフを素早く作成する

手順1で、Alt + F1 キーを押すと、ワークシート上に標準グラフを作成できます。

Q911 お役立ち度 ★★★ グラフの作成 2021 2019 2016

グラフを別のワークシートやグラフシートに移動したい!

A [グラフのデザイン] タブ→ [グラフの移動] をクリックします。

[グラフの移動] を使うと、作成したグラフを別のシートに移動したり、グラフシートを新規に作成して移動したりできます。

1 グラフをクリックして選択し、コンテキストタブの [グラフのデザイン] タブ→ [グラフの移動] をクリックします。

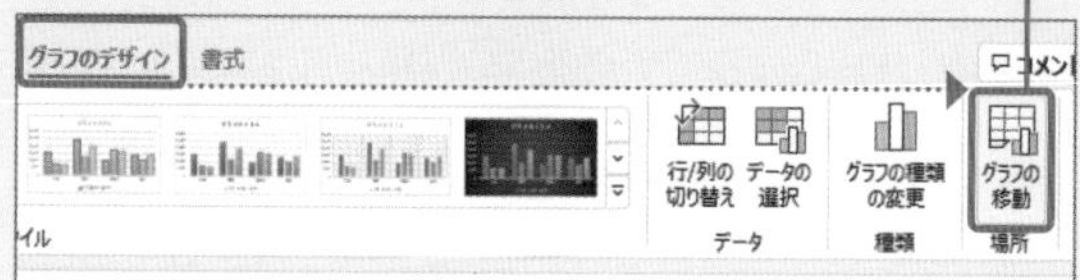

2 グラフの移動先を選択します。

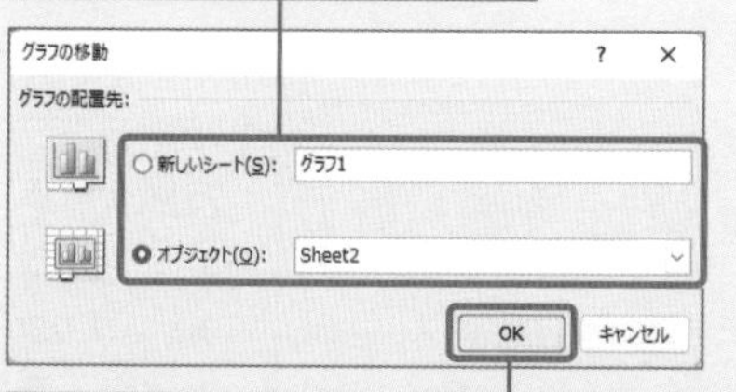

3 [OK]をクリックすると、指定した場所にグラフが移動します。

Q912 お役立ち度 ★★★ グラフの編集 2021 2019 2016

グラフのタイトルを変更するには

A 「グラフタイトル」をクリックして文字を入力します。

グラフ作成直後は、仮の文字列「グラフタイトル」と表示されます。適切な文字列に変更してタイトルを設定しましょう。タイトルが不要の場合は、グラフタイトルを選択して Delete キーを押して削除します。

1 グラフタイトルをクリックして選択し、もう一度クリックしてカーソルを表示します。

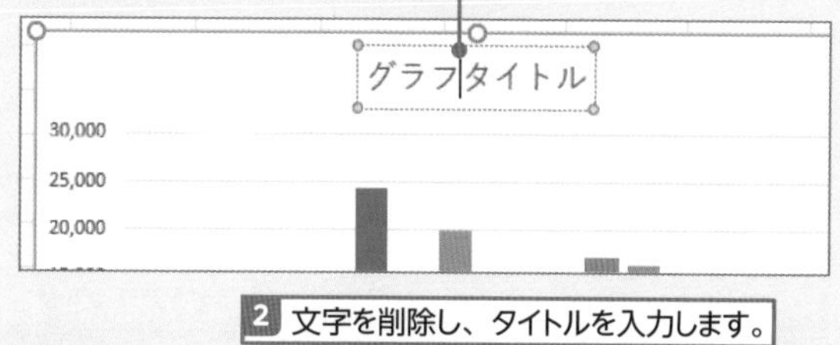

2 文字を削除し、タイトルを入力します。

Q913 お役立ち度 ★★★ グラフの編集

グラフタイトルにセルの文字列を表示したい!

A 数式バーに「=」を入力しセルをクリックします。

グラフタイトルにセルの値を表示するには、図形やテキストボックスと同じ手順で設定できます(**Q886**)。手入力する場合は、「=シート名!セル番地」の形式で外部参照形式で数式バーに入力してください。

1 グラフタイトルをクリックして選択します。

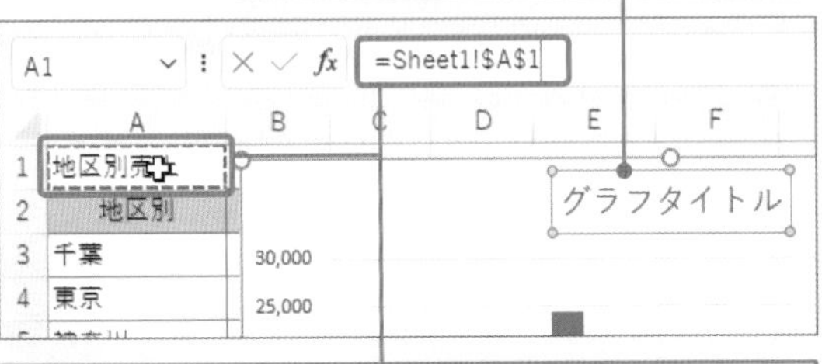

2 数式バーに「=」と入力し、参照するセルをクリックすると、数式バーに外部参照の形式で参照式が表示されます。

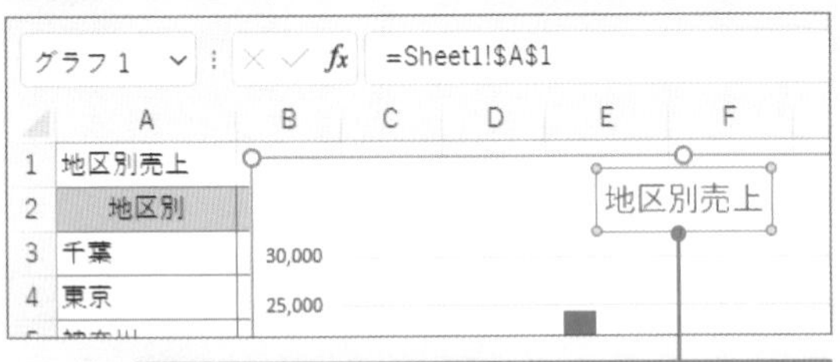

3 Enter キーを押して確定すると、グラフタイトルがセルの文字に置き換わります。

Q914 お役立ち度 ★★★ グラフの編集

グラフの項目軸と凡例を入れ替えたい!

A [グラフのデザイン]タブ→[行/列の切り替え]をクリックします。

グラフを作成した後、項目軸と凡例を切り替えるには、[行/列の切り替え]をクリックするだけです。項目軸と凡例を入れ替えると、比較できる内容が替わり、違う角度からデータ分析ができます。

1 グラフを選択し、コンテキストタブの[グラフのデザイン]タブ→[行/列の切り替え]をクリックします。

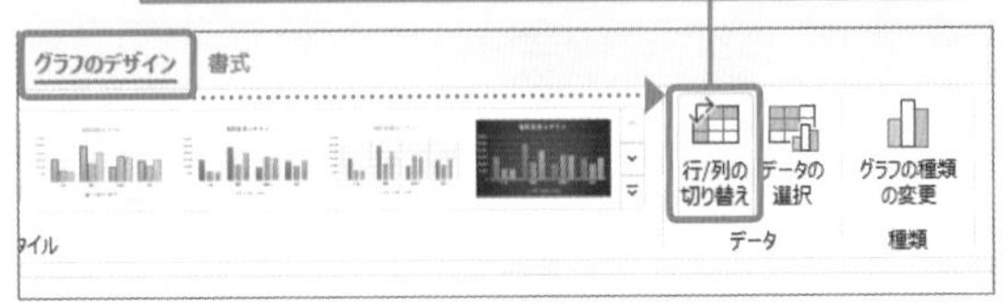

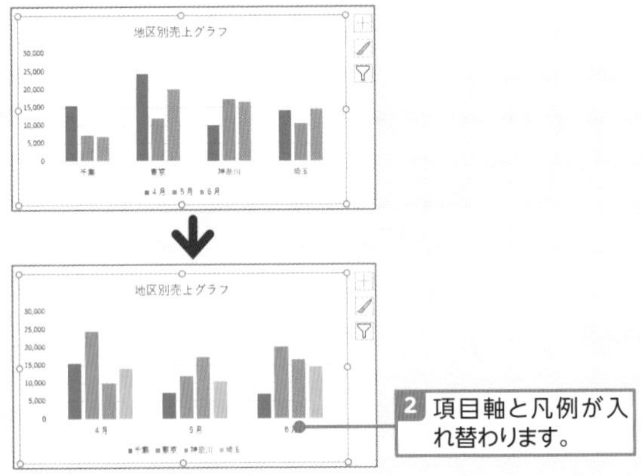

2 項目軸と凡例が入れ替わります。

Q915 お役立ち度 ★★★ グラフの編集

グラフの種類を変更するには

A [グラフのデザイン]タブ→[グラフの種類の変更]をクリックします。

グラフを作成した後でもグラフの種類は自由に変えられます。[グラフの種類の変更]ダイアログにあるグラフをクリックし、プレビューで確認して適切なグラフを選べます。

1 グラフを選択し、コンテキストタブの[グラフのデザイン]タブ→[グラフの種類の変更]をクリックします。

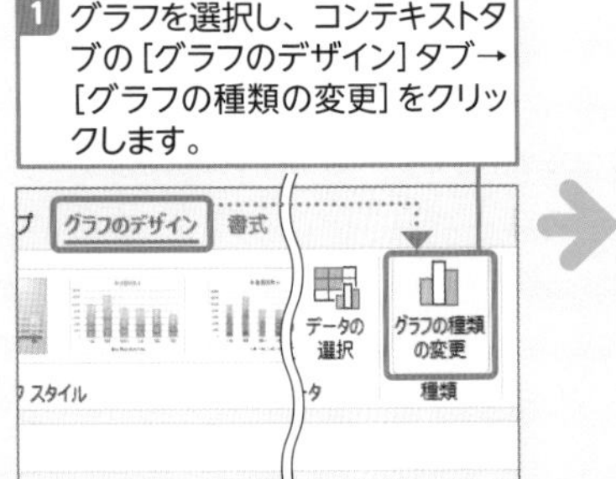

2 [グラフの種類の変更]ダイアログの[すべてのグラフ]タブでグラフの種類を選択します。

3 グラフのパターンをクリックします。

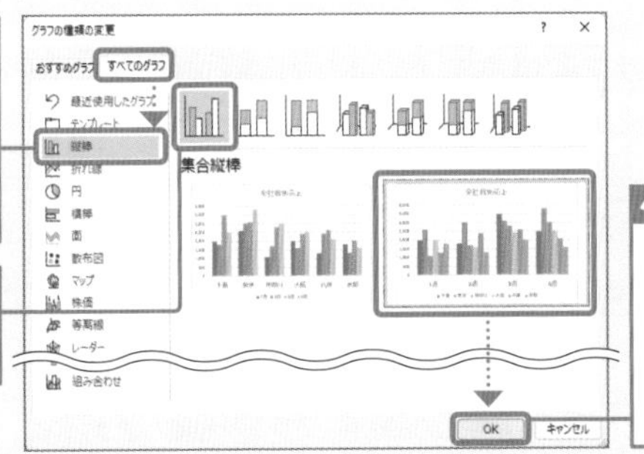

4 グラフ化する方向を選択して、[OK]をクリックすると、グラフの種類が変わります。

Q916 縦軸ラベルを追加するには

お役立ち度 ★★★ グラフの編集 2021 2019 2016

A [グラフ要素を追加] から [軸ラベル] → [第1縦軸] を選択します。

軸ラベルを表示すると、その軸の内容を示すことができます。ここでは、縦軸ラベルを追加し、設定する方法を確認しましょう。

1 グラフを選択し、コンテキストタブの [グラフのデザイン] タブ→ [グラフ要素を追加] をクリックします。

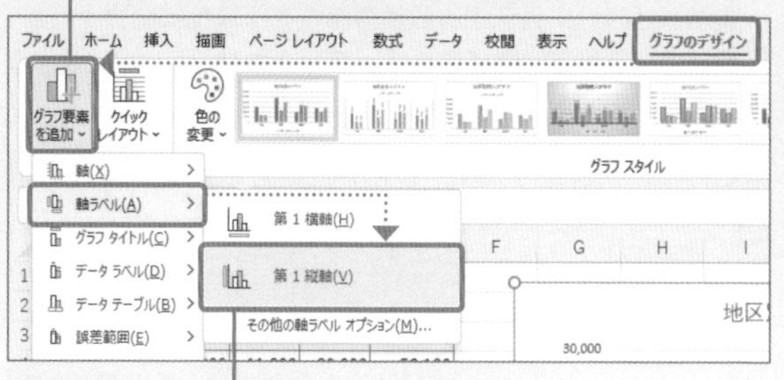

2 [軸ラベル] → [第1縦軸] をクリックします。

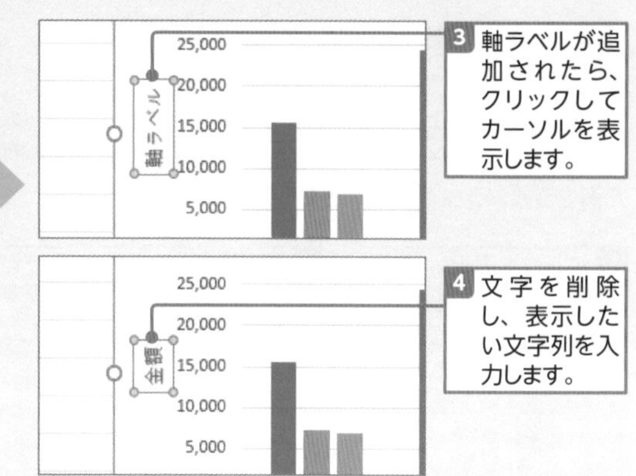

3 軸ラベルが追加されたら、クリックしてカーソルを表示します。

4 文字を削除し、表示したい文字列を入力します。

Q917 縦軸ラベルを縦書きにするには

お役立ち度 ★★★ グラフの編集 2021 2019 2016

A [ホーム] タブ→ [方向] → [縦書き] をクリックします。

縦軸ラベルが横書きになっていると読みづらい場合、縦書きに変更できます。セル内の文字の方向を変更するのと同じ要領で変更できます (**Q679**)。

1 縦軸ラベルをクリックして選択し、[ホーム] タブ→ [方向] → [縦書き] をクリックします。

2 縦書きに変わります。

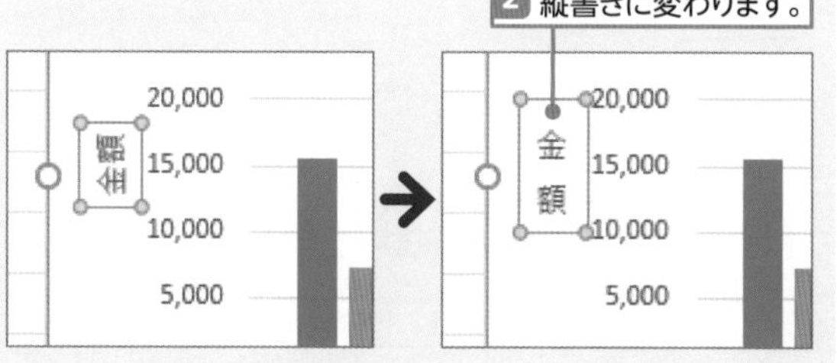

Q918 グラフ内の文字サイズを変更するには

お役立ち度 ★★★ グラフの編集 2021 2019 2016

A [ホーム] タブ→ [フォントサイズ] で文字サイズを選択します。

グラフ内の文字は、セル内の文字と同様に [フォントサイズ] で変更できます。グラフ要素を選択すると要素全体、文字列をドラッグして選択するとドラッグした部分だけ文字サイズを変更できます。

1 文字サイズを変更したいグラフ要素をクリックして選択します。

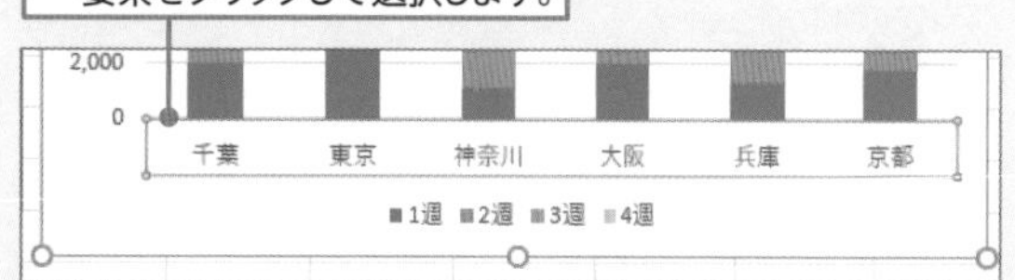

2 [ホーム] タブ→フォントサイズを変更すると、選択した要素の文字サイズが変わります。

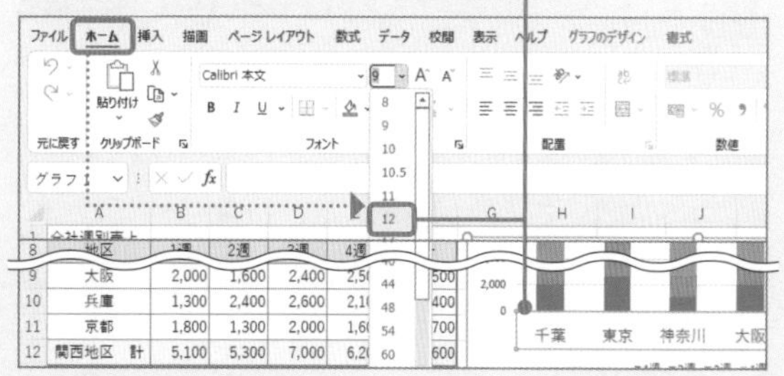

Q919 お役立ち度 ★★★ グラフの編集 2021 2019 2016

凡例の位置を変更するには

A ショートカットツールの「グラフ要素」が使えます。

凡例は、グラフの上下左右に配置できます。位置の変更には、ショートカットツールの[グラフ要素]⊞を使うと便利です。凡例を直接ドラッグして移動することもできます。

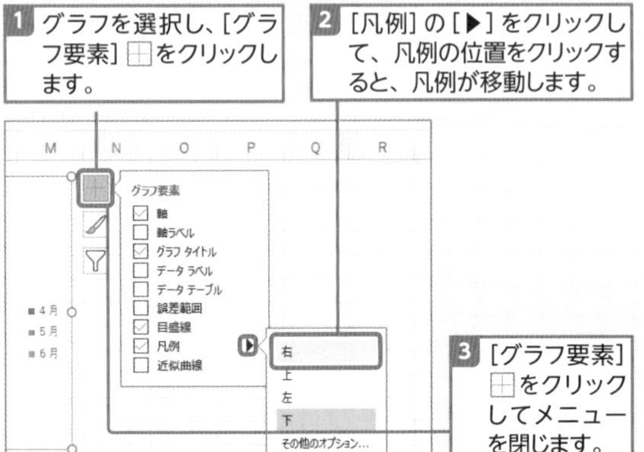

1 グラフを選択し、[グラフ要素]⊞をクリックします。
2 [凡例]の[▶]をクリックして、凡例の位置をクリックすると、凡例が移動します。
3 [グラフ要素]⊞をクリックしてメニューを閉じます。
グラフ要素
軸
軸ラベル
グラフ タイトル
データ ラベル
データ テーブル
誤差範囲
目盛線
凡例
近似曲線
右
上
左
下
その他のオプション...

Q920 お役立ち度 ★★★ グラフの編集 2021 2019 2016

縦軸（数値軸）の単位を「千円」に変更するには

A [軸の書式設定]の軸のオプションで単位を変更します。

縦軸（数値軸）に表示する数値の単位を千単位に変更すると、数値の下3桁を省略できます。表示単位は「百」から「兆」の範囲で選択できます。

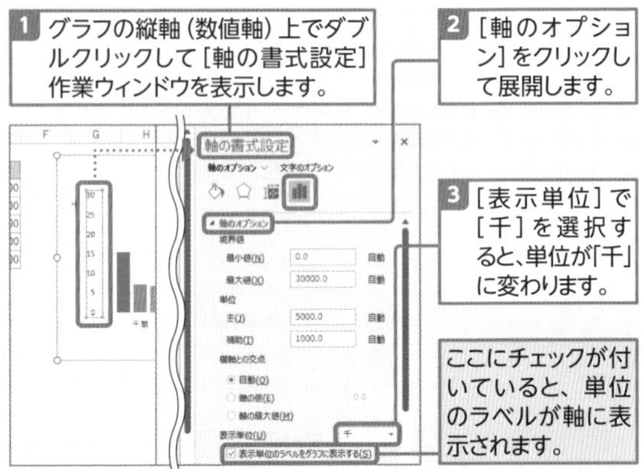

1 グラフの縦軸（数値軸）上でダブルクリックして[軸の書式設定]作業ウィンドウを表示します。
2 [軸のオプション]をクリックして展開します。
3 [表示単位]で[千]を選択すると、単位が「千」に変わります。
軸の書式設定
表示単位の ラベルをグラフに表示する(S)

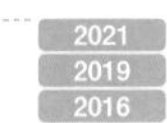

ここにチェックが付いていると、単位のラベルが軸に表示されます。

Q921 お役立ち度 ★★★ グラフの編集 2021 2019 2016

グラフ内にデータの表を表示したい！

A データテーブルを追加します。

グラフの中にデータテーブル（**Q906**）を表示すると、項目軸の下にデータの表が表示され、数値とグラフを見比べやすくなります。

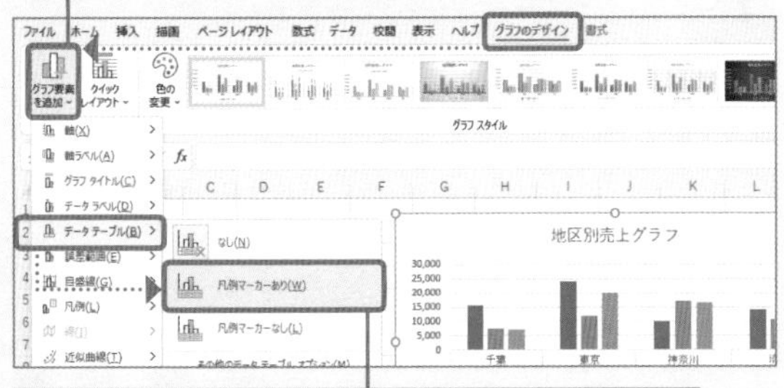

Q922 お役立ち度 ★★★ グラフの編集 2021 2019 2016

グラフの各系列にデータを表示したい！

A データラベルを追加します。

グラフの各系列上に直接数値を表示したい場合は、データラベル（**Q906**）を追加します。表示位置を選択して見やすい位置に配置してください。

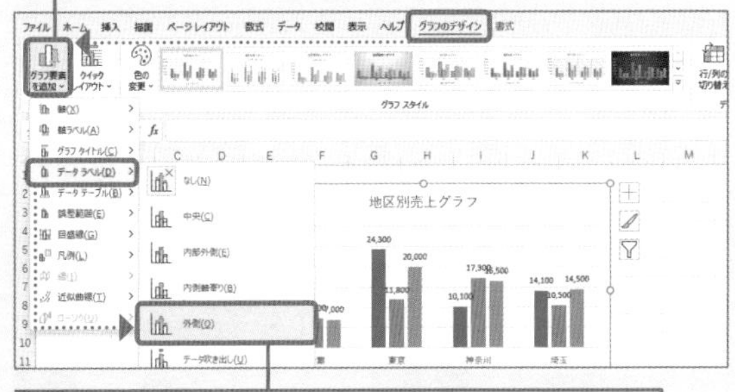

Q923 お役立ち度 ★★★ グラフの編集

グラフ全体の見栄えを変更するには

A [グラフのデザイン] タブ→ [グラフスタイル] をクリックします。

グラフスタイルは、書式やグラフ要素の組み合わせです。好みのグラフスタイルを選択するだけでグラフ全体の見栄えを簡単に変えられます。

1 グラフをクリックして選択します。

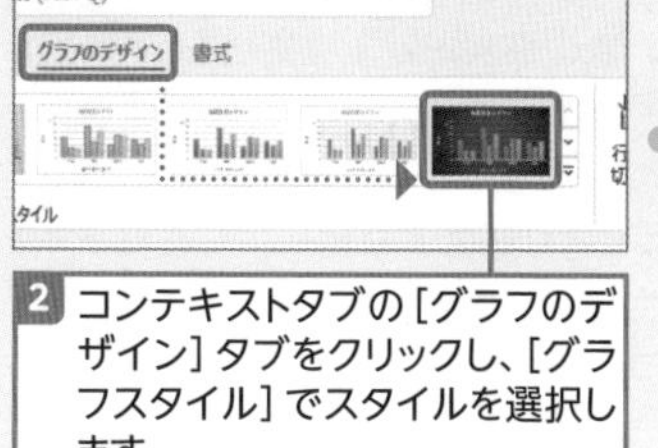

2 コンテキストタブの [グラフのデザイン] タブをクリックし、[グラフスタイル] でスタイルを選択します。

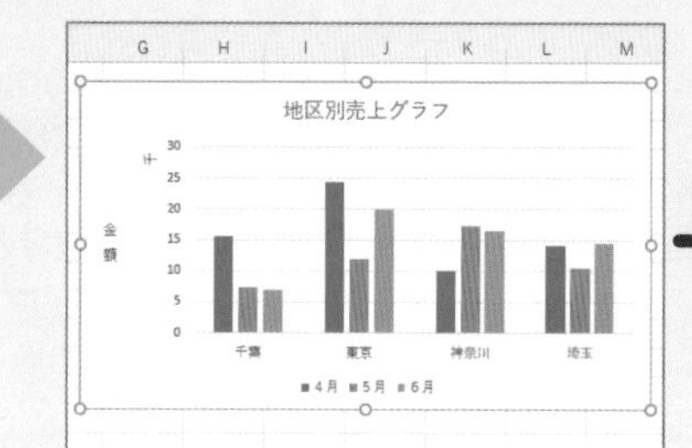

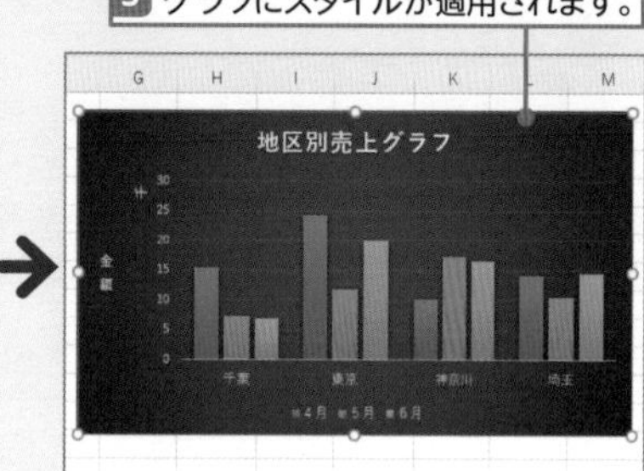

3 グラフにスタイルが適用されます。

Q924 お役立ち度 ★★★ グラフの編集

グラフの色合いを変更するには

A [グラフのデザイン] タブ→ [色の変更] でカラーパターンを選択します。

[色の変更] には多くのカラーパターンが用意されています。選択するだけでグラフの色合いが一気に変更され、印象を変えることができます。

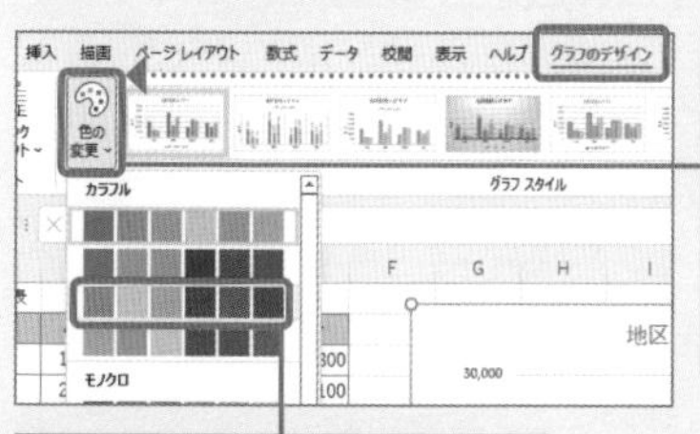

1 グラフを選択し、コンテキストタブの [グラフのデザイン] タブ→ [色の変更] をクリックします。

2 カラーパターンを選択します。

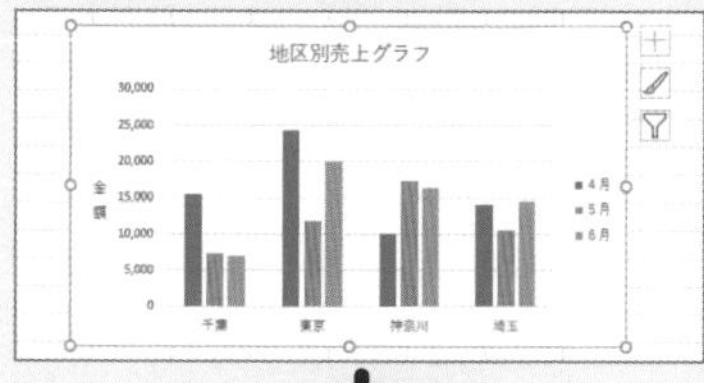

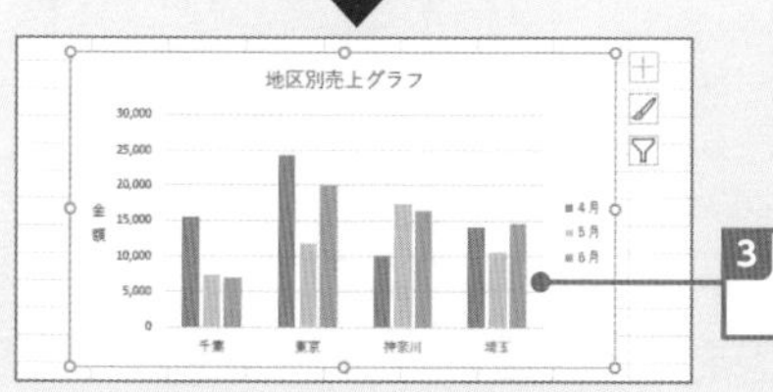

3 グラフの色合いが変わります。

Q925 お役立ち度 ★★★ グラフの編集

2021
2019
2016

グラフのレイアウトを素早く整えたい!

A [グラフのデザイン] タブ→ [クイックレイアウト] でレイアウトを選択します。

クイックレイアウトには、凡例、軸、データラベルなどのグラフ要素を組み合わせたレイアウトのパターンが用意されています。パターンを選択するだけでレイアウトを簡単に整えられます。

1 グラフを選択し、コンテキストタブの [グラフのデザイン] タブ→ [クイックレイアウト] をクリックします。

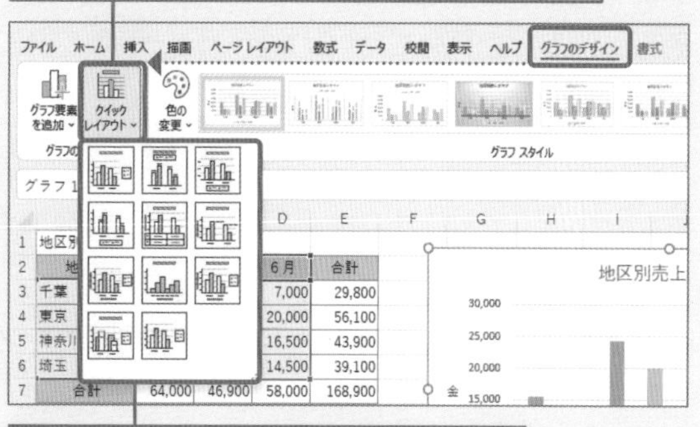

2 一覧からレイアウトのパターンを選択します。

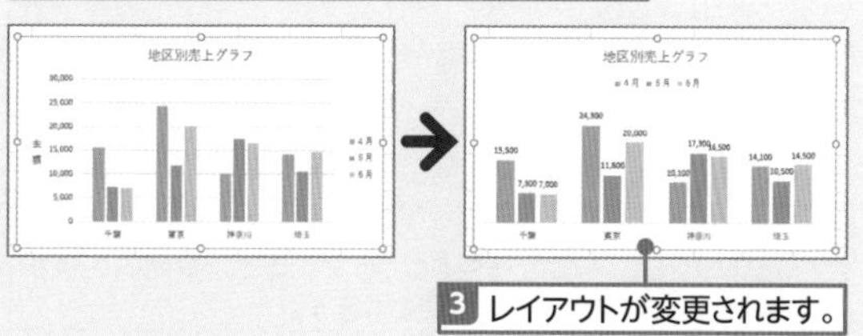

3 レイアウトが変更されます。

Q926 お役立ち度 ★★★ グラフの編集

2021 2019 2016

グラフの色を個別に変更するには

A [書式] タブ→[図形の塗りつぶし] で色を選択します。

データ系列の色を個別に変更するには、系列を選択して塗りつぶしの色を設定します。系列内でクリックすると、その系列全体が対象となります。さらに系列の中の要素をクリックすると、その要素だけが対象となります。

系列の塗りつぶしの色を変更する

1 色を変更したい系列内でクリックし、1つの系列を選択します。

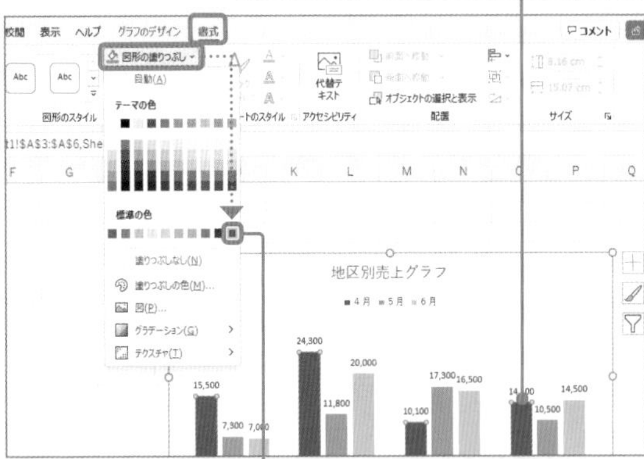

2 コンテキストタブの[書式]タブ→[図形の塗りつぶし]の[∨]をクリックし、一覧から色をクリックすると、選択した系列全体の色が変更されます。

系列の要素の塗りつぶしの色を変更する

1 選択されている系列内の1つの要素をクリックします。

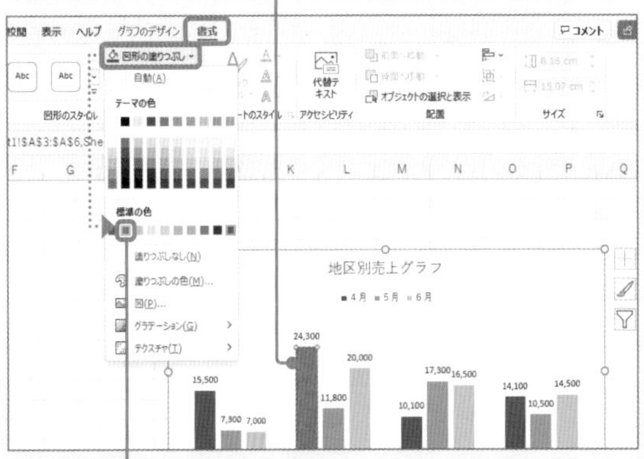

2 コンテキストタブの[書式]タブ→[図形の塗りつぶし]の[∨]をクリックし、一覧から色をクリックすると、系列内の選択されている要素だけ色が変更されます。

Q927 お役立ち度 ★★★ グラフの編集

2021 2019 2016

モノクロ印刷してもグラフを見やすくしたい!

A データ系列にパターンを設定します。

モノクロ印刷する場合、黒の濃淡だけでは見づらい場合があります。データ系列に網掛けのパターンを設定すれば、モノクロ印刷しても見づらさはなくなります。また、枠線を設定すれば、境界がはっきりしてより見やすくなります。また、**Q649**の手順で白黒印刷の設定をすると、自動でパターンが設定されます。

塗りつぶしにパターンを設定する

1 データ系列をダブルクリックして、[データ系列の書式設定] 作業ウィンドウを表示します。

2 [塗りつぶしと線] をクリックし、[塗りつぶし (パターン)] をクリックします。

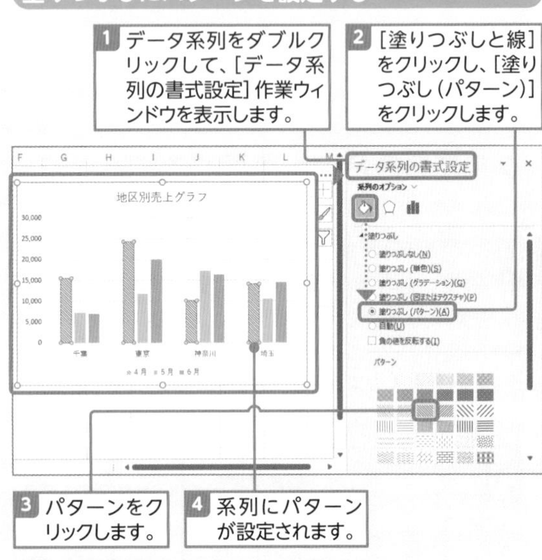

3 パターンをクリックします。

4 系列にパターンが設定されます。

5 他の系列も同様にパターンを設定します。

枠線を設定する

1 [塗りつぶし] をクリックして折りたたみ、[枠線] をクリックして展開します。

2 [線 (単色)] をクリックし、[色] で色を選択します。

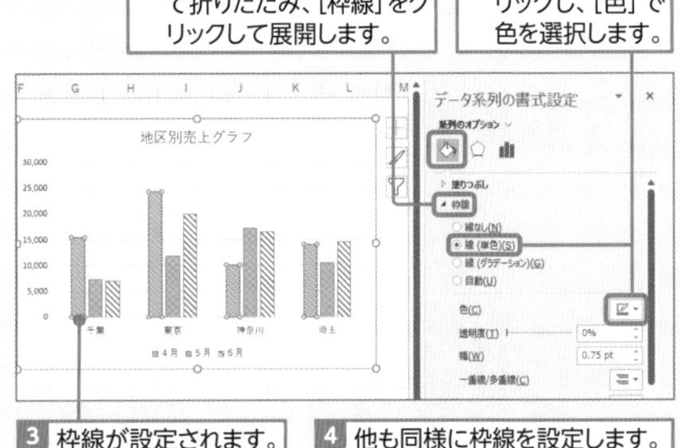

3 枠線が設定されます。

4 他も同様に枠線を設定します。

Q928 お役立ち度 ★★★ グラフの編集 2021 2019 2016

グラフのデータ範囲を後から変更したい!

A グラフ範囲にある枠をドラッグします。

グラフ作成後に表のデータ数に変更があった場合、グラフの範囲を調整して表の項目と対応させます。グラフの範囲はドラッグするだけで簡単に修正できます。

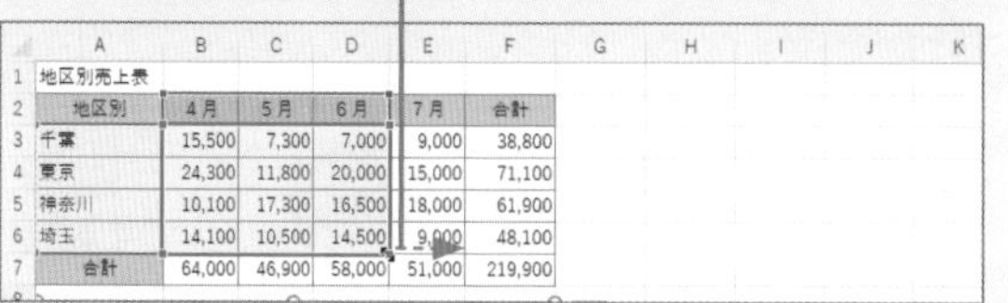

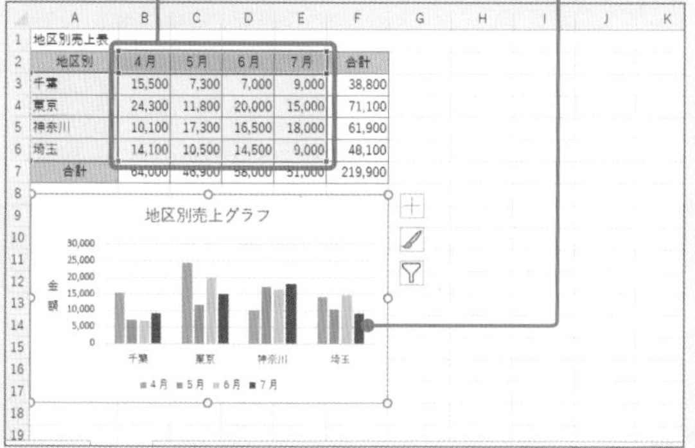

Q929 お役立ち度 ★★★ グラフの編集 2021 2019 2016

グラフの縦軸(数値軸)の目盛間隔を変更するには

A [軸の書式設定] 作業ウィンドウで変更できます。

縦軸の最大値を変更したり、目盛間隔を変更したりするには、[軸の書式設定] 作業ウィンドウで設定します。

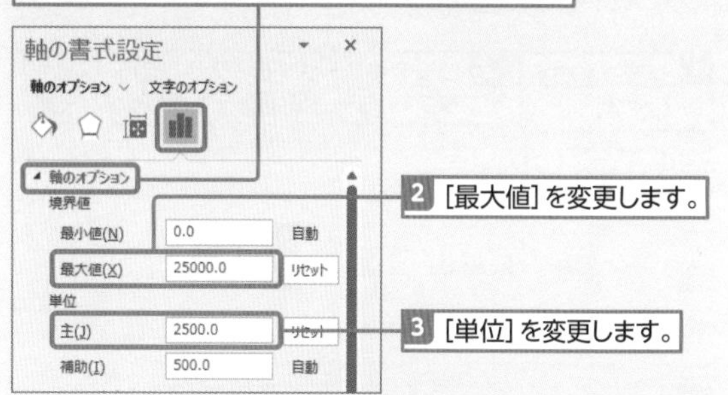

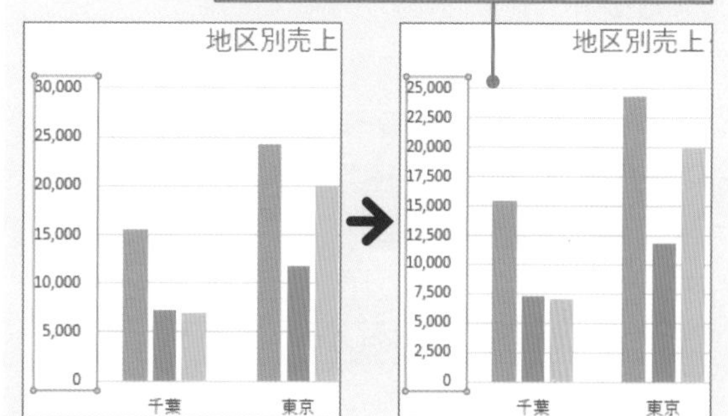

Q930 お役立ち度 ★★★ グラフの編集 2021 2019 2016

グラフの一部を非表示にするには

A ショートカットツールのグラフフィルターを使います。

グラフの項目や凡例の一部分だけ表示/非表示を切り替えるには、グラフの右上に表示される [グラフフィルター] を使うと便利です。

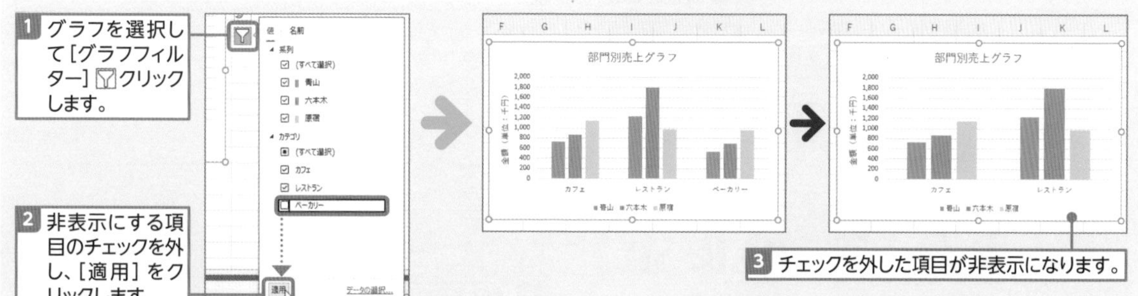

Q931 グラフの並び順を変更するには

お役立ち度 ★★★ グラフの編集 2021 2019 2016

A [データソースの選択] ダイアログで凡例項目の順番を変更します。

グラフの並び順は、表の並び順に対応しています。表を並べ替えるとグラフも並び替わります。ただし、系列(凡例)の並び順は、表の順番と関係なく並べ替えられます。ここでは、系列の順番を「青山、六本木、原宿」に変更しています。

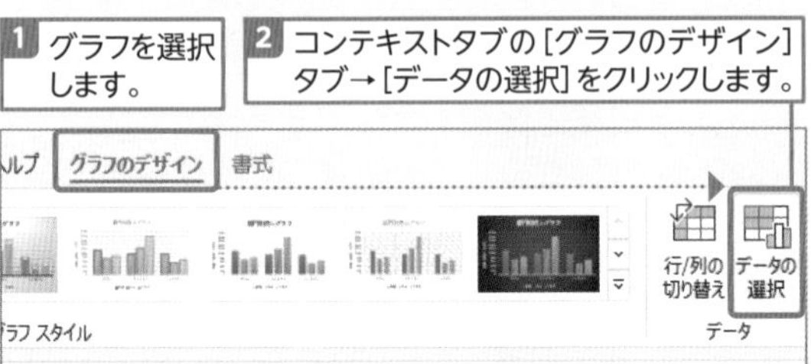

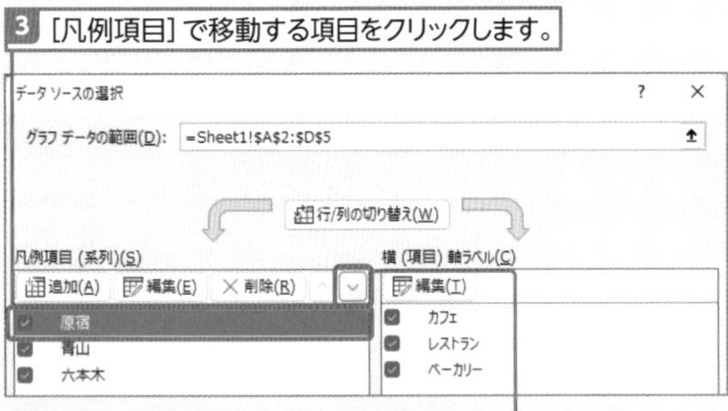

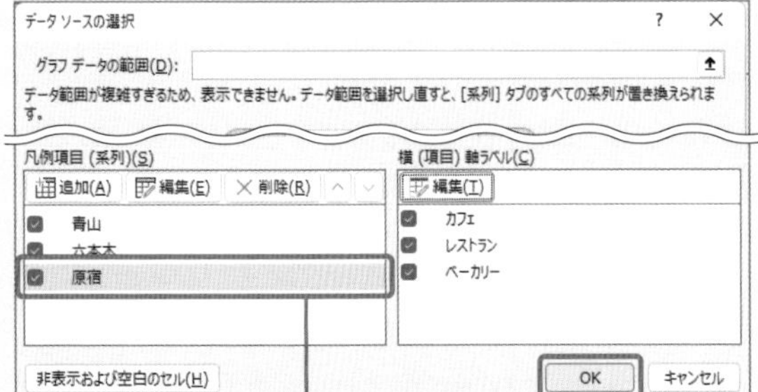

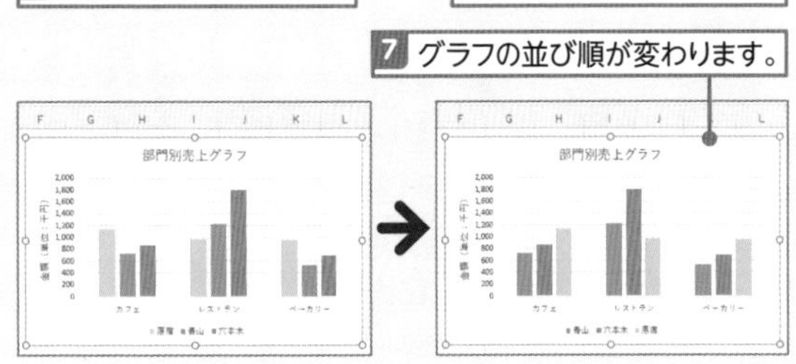

Q932 項目軸の項目名を短くするには

お役立ち度 ★★★ グラフの編集 2021 2019 2016

A [データソースの選択] ダイアログで横(項目)軸ラベルの文字列を変更します。

グラフの項目名には、セルの文字列が表示されます。文字列が長すぎると斜めに表示されてしまいますが、項目名はセルとは関係なく変更できますので調整が可能です。

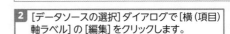

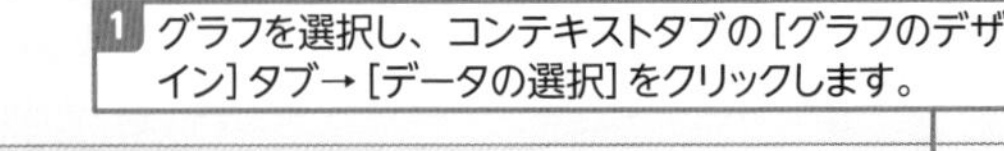

1 グラフを選択し、コンテキストタブの[グラフのデザイン]タブ→[データの選択]をクリックします。

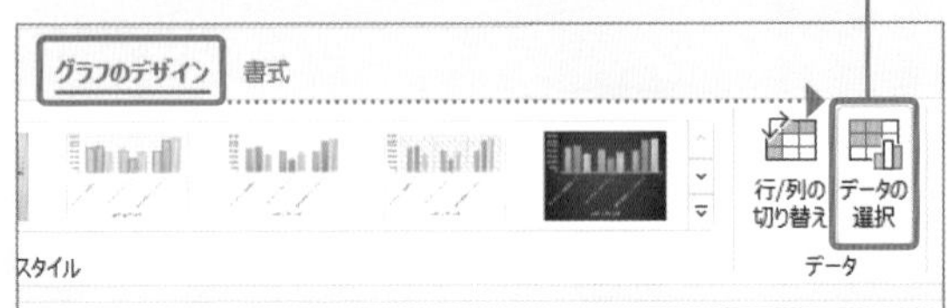

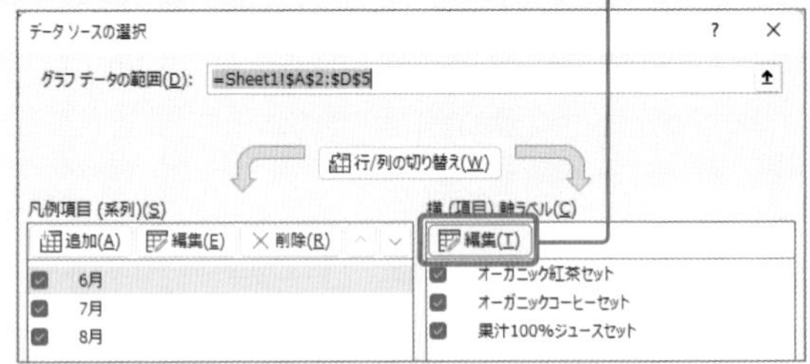

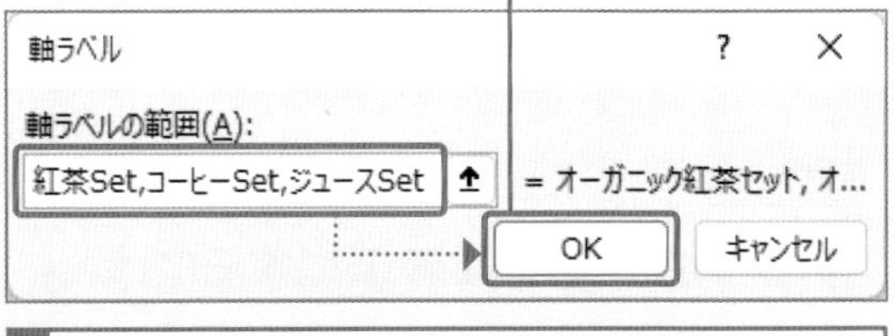

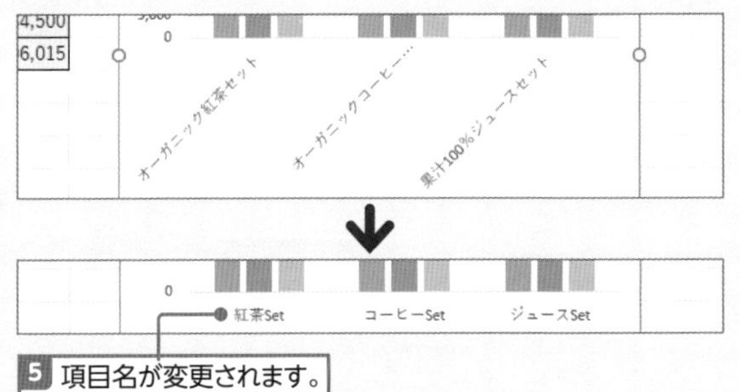

Q933 お役立ち度 ★★★ グラフの編集 2021 2019 2016

グラフの中にコメントを追加したい！

A [書式] タブ→ [図形の挿入] から吹き出しを追加します。

コンテキストタブの[書式] タブ→[図形の挿入] を使うと、グラフの中に図形を配置できます。コメントを追加するには引き出し線付きのテキストボックスである[吹き出し] を追加するといいでしょう。

Q934 お役立ち度 ★★★ グラフの編集 2021 2019 2016

列幅や行の高さが変更されてもサイズを固定するには

A [グラフエリアの書式設定] で設定します。

列の幅や行の高さを変更すると、グラフのサイズも連動して変更されます。列の幅や行の高さの変更に関係なくグラフサイズを固定するには、[グラフエリアの書式設定] で[セルに合わせて移動するがサイズ変更はしない] または[セルに合わせて移動やサイズ変更をしない] をクリックします。

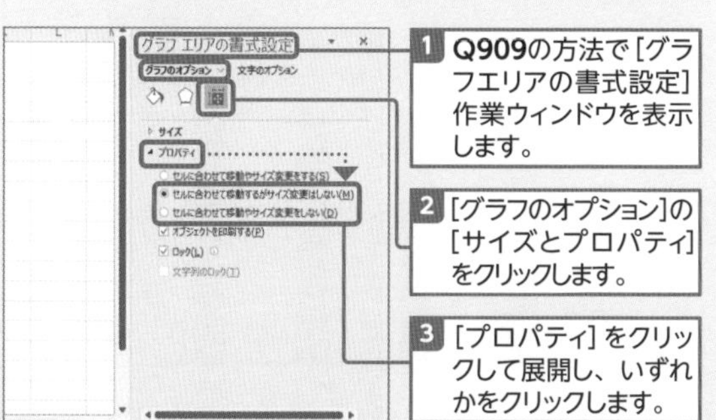

Q935 お役立ち度 ★★★ グラフの編集 2021 2019 2016

同じスタイルのグラフを作りたい！

A 作成したグラフをテンプレートとして保存します。

編集したグラフと同じスタイルを別のグラフに適用するには、グラフをテンプレートに保存しましょう。ファイルとして保存されるので、他のブックのグラフでも使えます。

グラフのテンプレートとして保存する

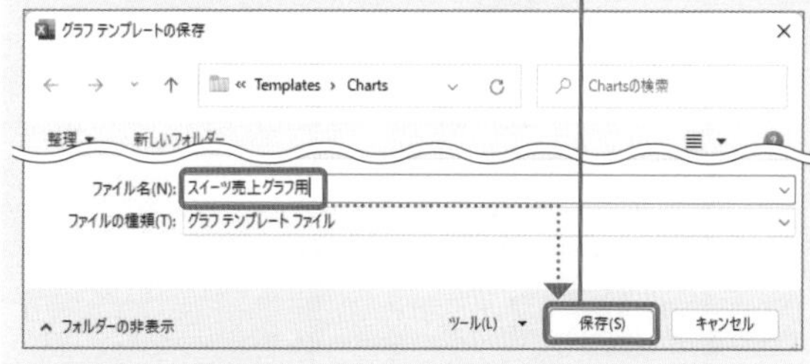

グラフのテンプレートを利用する

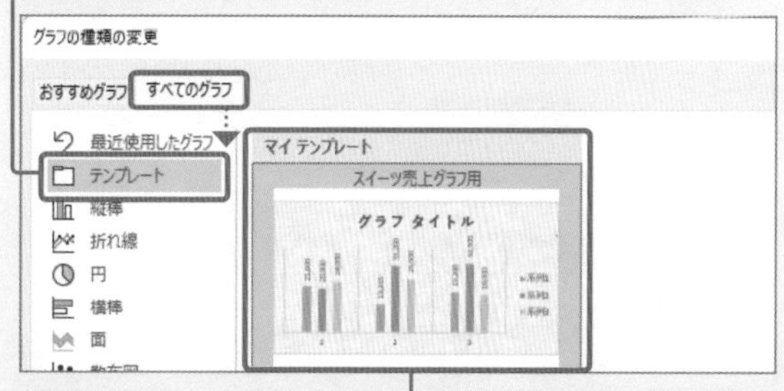

お役立ち度 ★★★

横棒グラフの項目の並びが表と逆になっている!

A 軸の書式設定で軸を反転させます。

横棒グラフを作成すると、表の順番とグラフの項目の順番が逆になります。並びを同じにするには軸を反転させます。

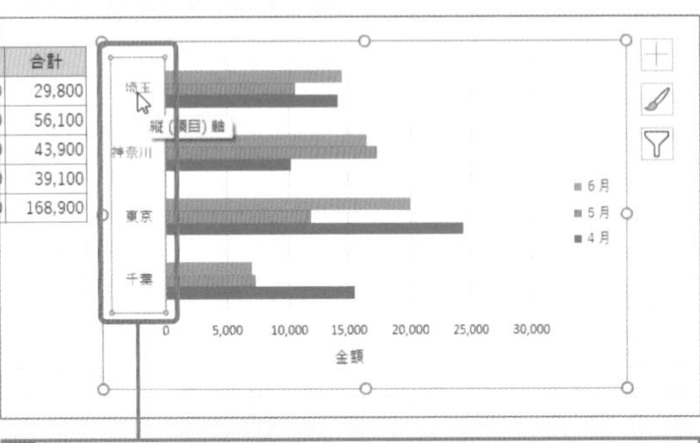

1 横棒グラフの項目軸をダブルクリックして［軸の書式設定］作業ウィンドウを表示します。

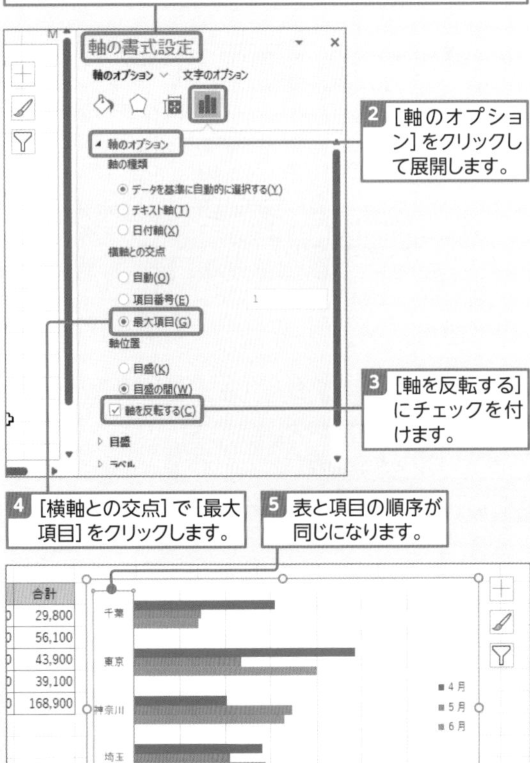

2 ［軸のオプション］をクリックして展開します。

3 ［軸を反転する］にチェックを付けます。

4 ［横軸との交点］で［最大項目］をクリックします。

5 表と項目の順序が同じになります。

お役立ち度 ★★★

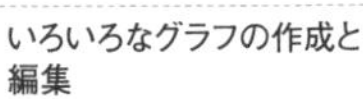

構成比がわかるように棒グラフで比較したい!

A 100%積み上げ棒グラフを作りましょう。

100%積み上げグラフを作成すると、全体で100%になるように各系列を積み上げるため、全体に対する各系列の構成比を見ることができます。

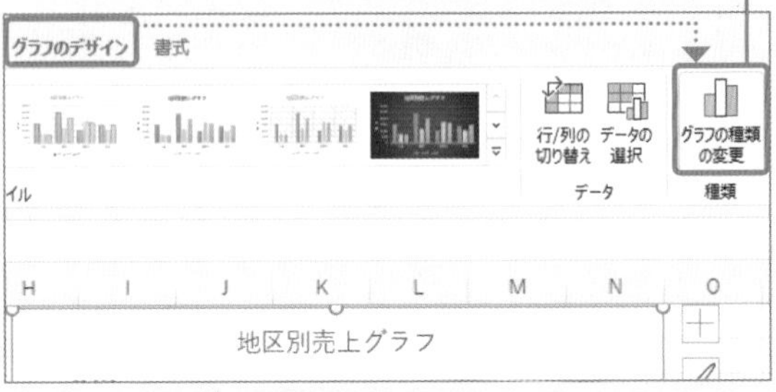

2 ［すべてのグラフ］タブで［縦棒］をクリックします。

3 ［100%積み上げ縦棒］をクリックし、［OK］をクリックします。

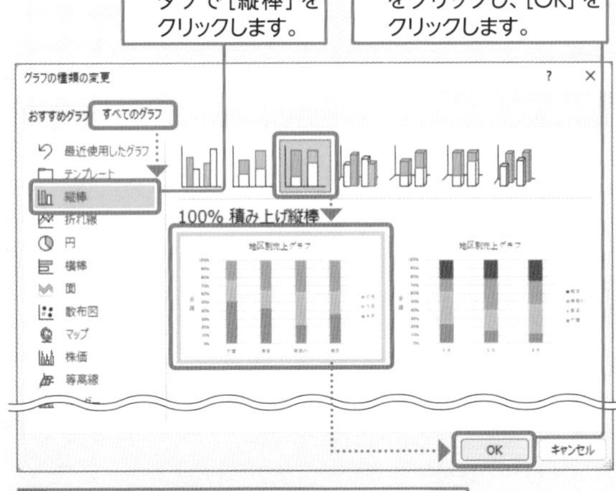

4 100%積み上げ縦棒グラフが作成されます。

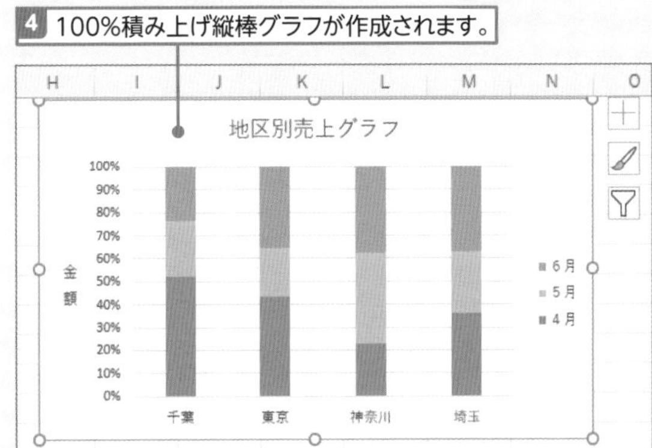

Q938 お役立ち度 ★★★ いろいろなグラフの作成と編集 2021 2019 2016

棒グラフの横幅を広げたい!

A データ系列の［要素の間隔］を調整します。

棒グラフの横幅を調整するには、［要素の間隔］で数値を変更します。数値を小さくするほど横幅が広がります。

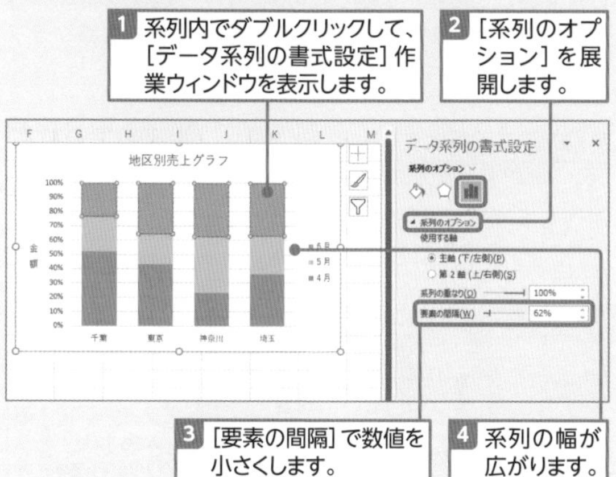
1 系列内でダブルクリックして、［データ系列の書式設定］作業ウィンドウを表示します。
2 ［系列のオプション］を展開します。
データ系列の書式設定
地区別売上グラフ
3 ［要素の間隔］で数値を小さくします。
4 系列の幅が広がります。

939 お役立ち度 ★★★ いろいろなグラフの作成と編集 2021 2019 2016

100％積み上げ棒グラフに区分線を表示するには

A ［グラフ要素を追加］から区分線を選択します。

積み上げ棒グラフに区分線を引くと、系列の構成比の増減が見やすくなります。

1 グラフを選択し、コンテキストタブの［グラフのデザイン］タブ→［グラフ要素を追加］をクリックします。

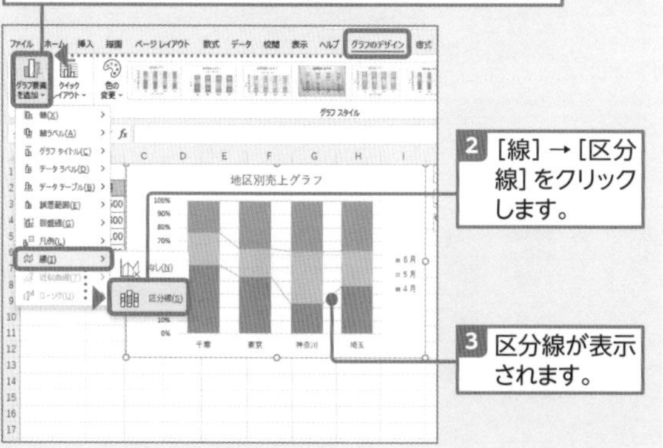
2 ［線］→［区分線］をクリックします。
地区別売上グラフ
3 区分線が表示されます。

Q940 お役立ち度 ★★★ いろいろなグラフの作成と編集 2021 2019 2016

複数のデータラベルを改行して表示するには

A ［ラベルオプション］でラベルの種類と区切り文字を選択します。

積み上げグラフの各系列の中に値と系列名のように複数のデータラベルを改行して表示できます。ここではデータラベルを複数選択し、改行して表示する方法を確認してください。

1 ［グラフ要素］⊞をクリックします。

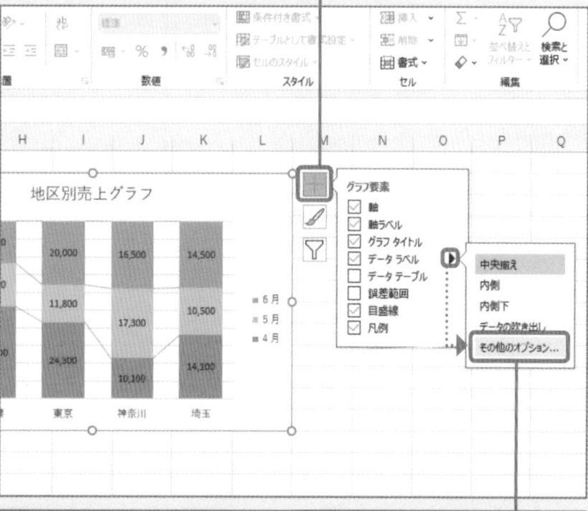
地区別売上グラフ
グラフ要素
中央揃え
内側
内側下
その他のオプション...

2 ［データラベル］の［▶］→［その他のオプション］をクリックして［データラベルの書式設定］作業ウィンドウを表示します。

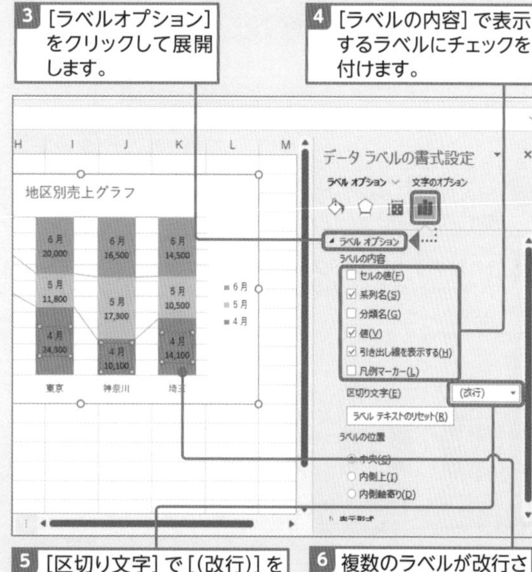
3 ［ラベルオプション］をクリックして展開します。
4 ［ラベルの内容］で表示するラベルにチェックを付けます。
データ ラベルの書式設定
地区別売上グラフ
5 ［区切り文字］で［(改行)］を選択します。
6 複数のラベルが改行されて表示されます。

お役立ち度 ★★★

いろいろなグラフの作成と編集

積み上げ棒グラフに合計を表示するには

A 合計を折れ線グラフにします。

合計まで含めて積み上げ棒グラフを作成し、合計の系列だけ折れ線グラフにして、データラベルを表示すると、各グラフの頂点を結ぶ線と合計を表示できます。ここでは週別の積み上げ棒グラフに合計を表示しています。

1 合計まで含めて範囲選択し、積み上げ棒グラフを作成します。

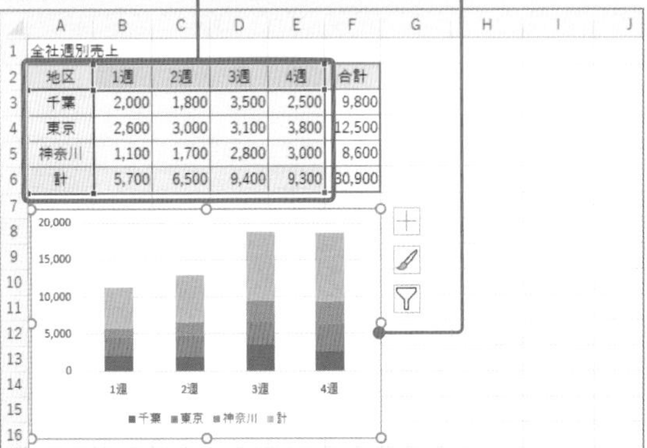

全社週別売上

地区	1週	2週	3週	4週	合計
千葉	2,000	1,800	3,500	2,500	9,800
東京	2,600	3,000	3,100	3,800	12,500
神奈川	1,100	1,700	2,800	3,000	8,600
計	5,700	6,500	9,400	9,300	30,900

2 Q915の方法で[グラフの種類の変更]ダイアログを表示し、[すべてのグラフ]タブをクリックします。

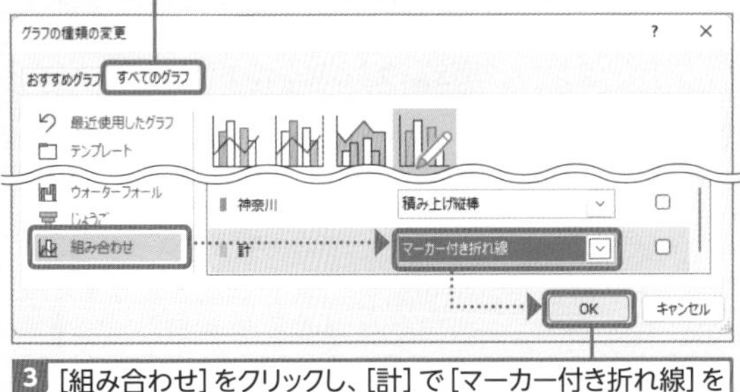

3 [組み合わせ]をクリックし、[計]で[マーカー付き折れ線]を選択して、[OK]をクリックします。

4 折れ線グラフをクリックして合計の系列を選択します。

5 [グラフ要素]田→[データラベル]の[▶]→[上]をクリックします。

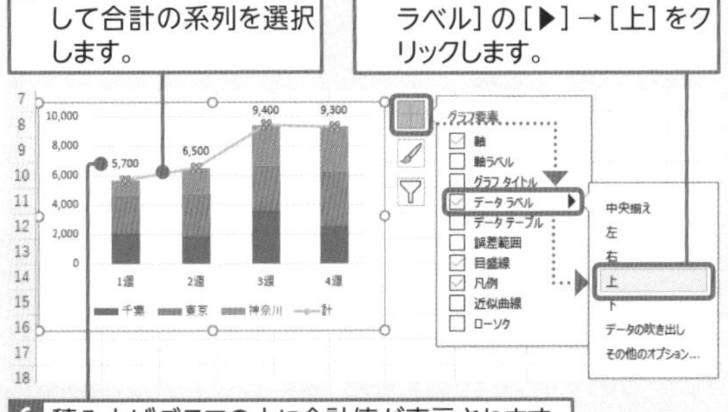

6 積み上げグラフの上に合計値が表示されます。

数量と金額のグラフを1つにまとめるには

A 金額を棒グラフ、数量を折れ線グラフにします。

金額と数量のように単位が異なるデータを1つのグラフにまとめるには、単位でグラフの種類を変えて、数値軸を分けます。ここでは、店舗ごとの集客数と売上金額を1つのグラフにまとめます。ここでは作成されている縦棒グラフを集客数だけ折れ線にして軸を分けています。

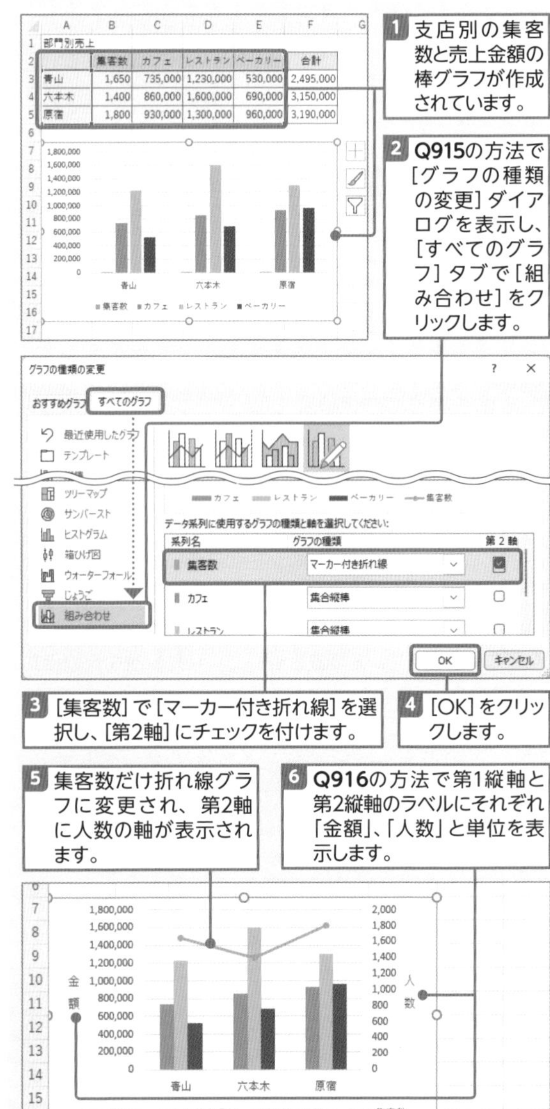

部門別売上

	集客数	カフェ	レストラン	ベーカリー	合計
青山	1,650	735,000	1,230,000	530,000	2,495,000
六本木	1,400	860,000	1,600,000	690,000	3,150,000
原宿	1,800	930,000	1,300,000	960,000	3,190,000

Q943 お役立ち度 ★★★ いろいろなグラフの作成と編集 2021 2019 2016

自動的に日付が追加されてしまった!

A [軸の種類]を[テキスト軸]に設定します。

日付データを項目軸にした場合、表にない日付が追加されることがあります。余分な日付が追加されないようにするには、[軸の種類]を[テキスト軸]に変更します。

1 項目軸をダブルクリックして[軸の書式設定]作業ウィンドウを表示します。

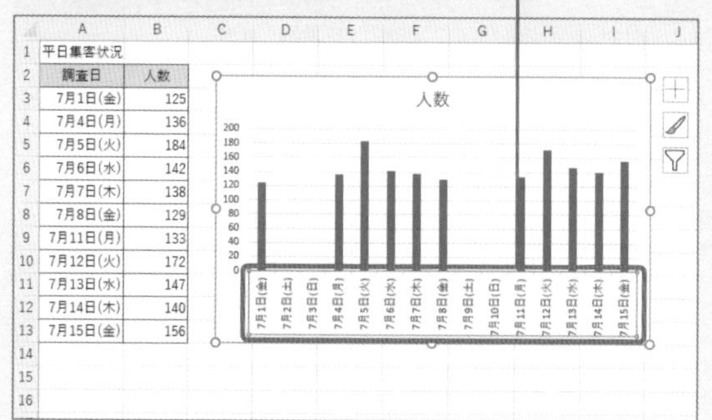

	A	B
1	平日集客状況	
2	調査日	人数
3	7月1日(金)	125
4	7月4日(月)	136
5	7月5日(火)	184
6	7月6日(水)	142
7	7月7日(木)	138
8	7月8日(金)	129
9	7月11日(月)	133
10	7月12日(火)	172
11	7月13日(水)	147
12	7月14日(木)	140
13	7月15日(金)	156

2 [軸のオプション]をクリックして展開します。

3 [テキスト軸]をクリックします。

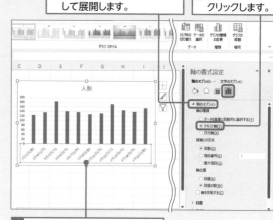

4 表にある日付のみ表示されます。

おトクな情報 項目軸ラベルの表示形式変更

[軸の書式設定]作業ウィンドウの[軸のオプション]の下方にある[表示形式]の[表示形式コード]で表示形式を変更できます。ユーザー定義で設定する場合は、書式記号を使って指定します(Q709)。

Q944 お役立ち度 ★★★ いろいろなグラフの作成と編集 2021 2019 2016

絵グラフを作るには

A 系列の塗りつぶしで[図またはテクスチャ]を選択します。

棒グラフにイラストを表示して、絵グラフにするには、塗りつぶしの種類を[図またはテクスチャ]にしてイラストを指定します。イラストはグラフの中で引き伸ばしたり、積み重ねたりできます。

1 グラフの系列内でダブルクリックして[データ系列の書式設定]作業ウィンドウを表示します。

2 [塗りつぶしと線]で[塗りつぶし]をクリックして展開します。

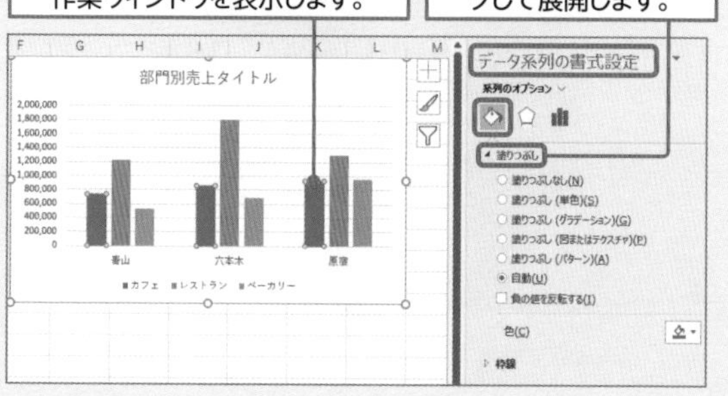

3 [塗りつぶし(図またはテクスチャ)]をクリックします。

4 [画像ソース]で[挿入する]をクリックし、表示される画面でイラストのファイルを選択します。

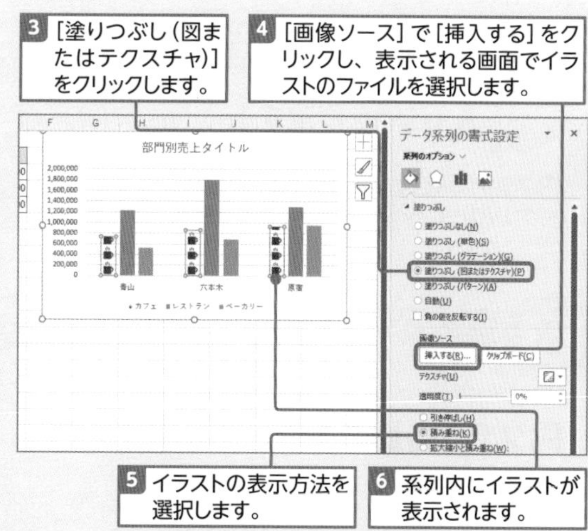

5 イラストの表示方法を選択します。

6 系列内にイラストが表示されます。

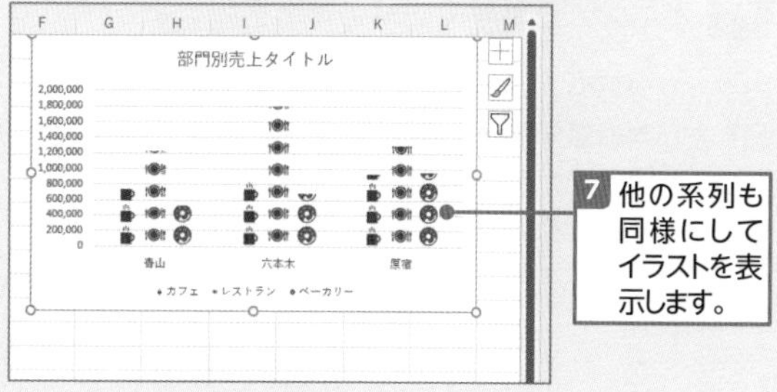

7 他の系列も同様にしてイラストを表示します。

いろいろなグラフの作成と編集

2021 2019 2016

円グラフに項目名と%を表示したい!

A クイックレイアウトの[レイアウト1]を設定します。

円グラフの中に表示するデータラベルは、クイックレイアウトを使うと便利です。[レイアウト1]で項目名と%、[レイアウト4]で項目名とセルの値を表示できます。それ以外のデータを表示したい場合は、**Q940**の方法で表示したいデータラベルを選択してください。

1 グラフを選択し、コンテキストタブの[グラフのデザイン]タブ→[クイックレイアウト]→[レイアウト1]をクリックします。

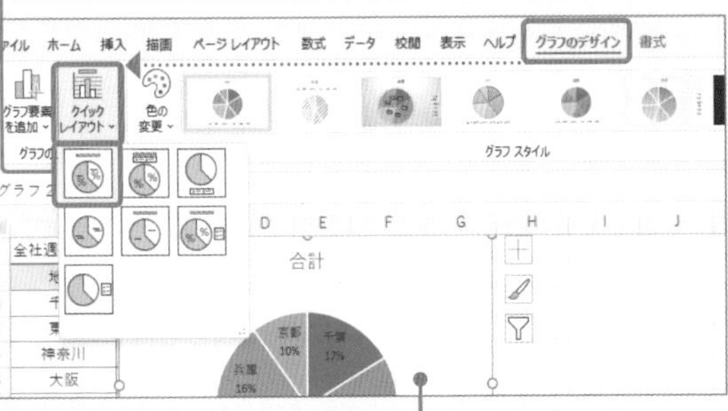

2 円グラフに項目名とパーセンテージが表示されます。

おトクな情報 凡例を削除する

円グラフに項目が表示されると凡例は不要です。凡例をクリックして Delete キーで削除できます。

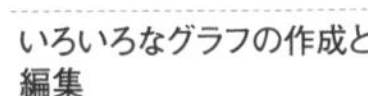

Q946 お役立ち度 ★★★ いろいろなグラフの作成と編集 2021 2019 2016

円グラフが小さすぎる!

A プロットエリアのサイズを広げます。

プロットエリアのサイズを広げると、グラフ自体のサイズを大きくできます。円グラフはデータラベルを表示すると小さくなり、見づらくなることがあるので、この方法で調整してください。

1 円グラフの近くにマウスポインターを合わせ、[プロットエリア]と表示されたらクリックして選択します。

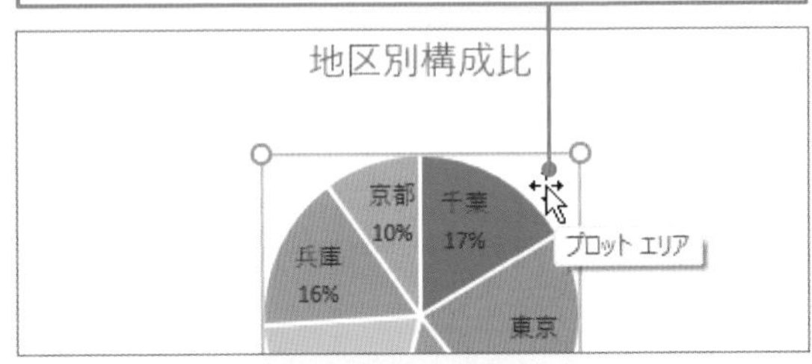

2 選択すると表示される白いハンドルをドラッグしてサイズを調整します。

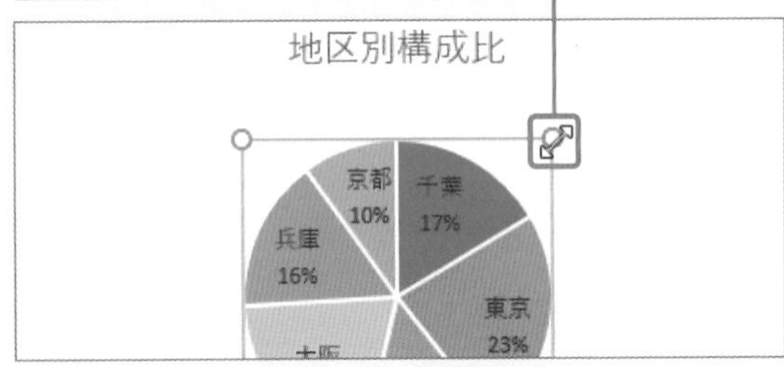

Q947 お役立ち度 ★★★ いろいろなグラフの作成と編集 2021 2019 2016

円グラフの扇の1つを切り出すには

A ドラッグで簡単に切り出せます。

円グラフの扇の1つを切り出すには、円グラフの中で切り出したい扇の部分だけを選択します。扇の中で1回クリックするとすべての扇が選択されます。再度クリックしてその扇だけが選択されたら、外にドラッグします。

1 切り出したい扇の部分を2回クリックして選択し、外にドラッグします。

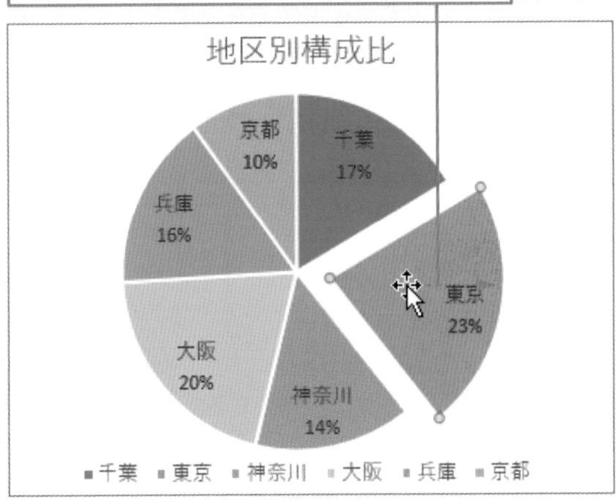

Q948 お役立ち度 ★★★

いろいろなグラフの作成と編集

2021 2019 2016

円グラフで値が小さい系列を見やすく拡大するには

A 補助円付きグラフに変更します。

補助円付きグラフは、比率が小さくて円グラフの中に表示しきれない部分を切り出すことができます。

1 グラフを選択し、コンテキストタブの［グラフのデザイン］タブ→［グラフの種類の変更］をクリックします。

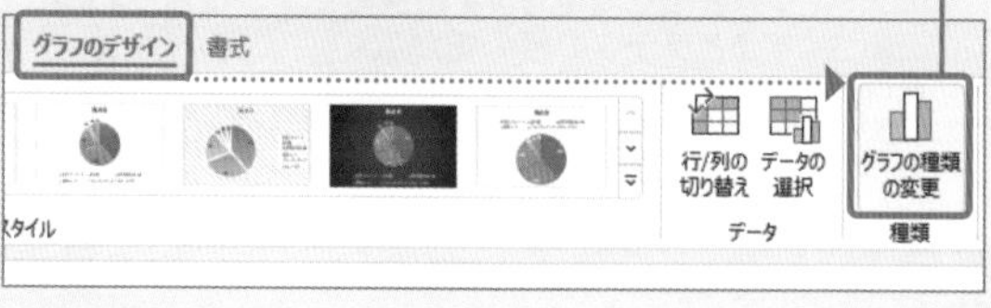

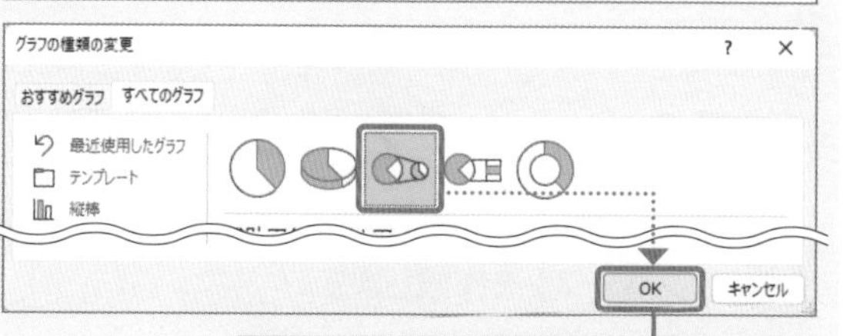

2 円グラフの中の［補助円グラフ付き円］をクリックし、［OK］をクリックします。

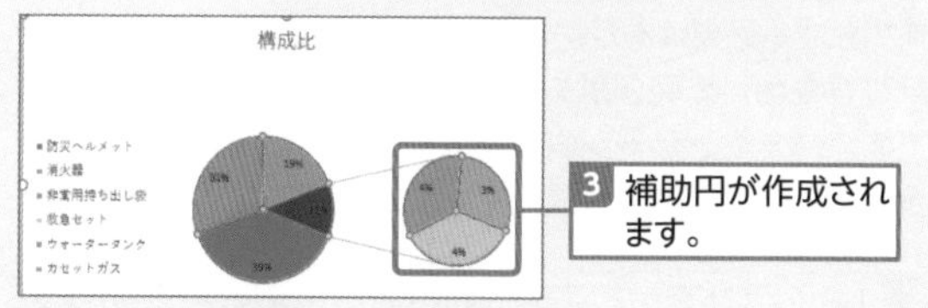

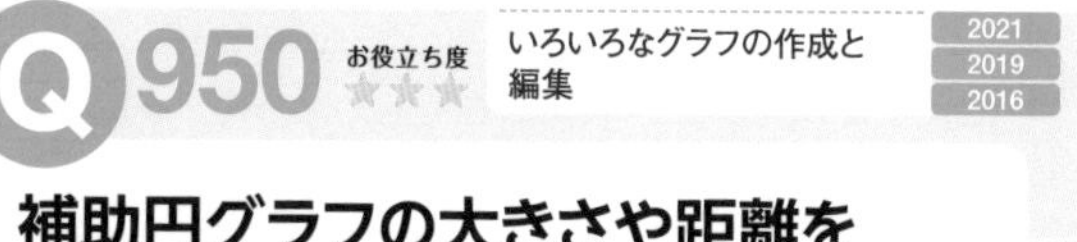

3 補助円が作成されます。

Q949 お役立ち度 ★★★

いろいろなグラフの作成と編集

2021 2019 2016

補助円グラフに表示する項目を調整したい!

A ［データ系列の書式設定］の［系列の分割］で設定します。

［系列の分割］では、補助円に表示する系列を選択できます。取り出し方法は、位置、パーセント値、値、ユーザー設定と4種類あります。ここでは、構成比が10%未満の項目を補助円グラフに取り出す設定をしています。

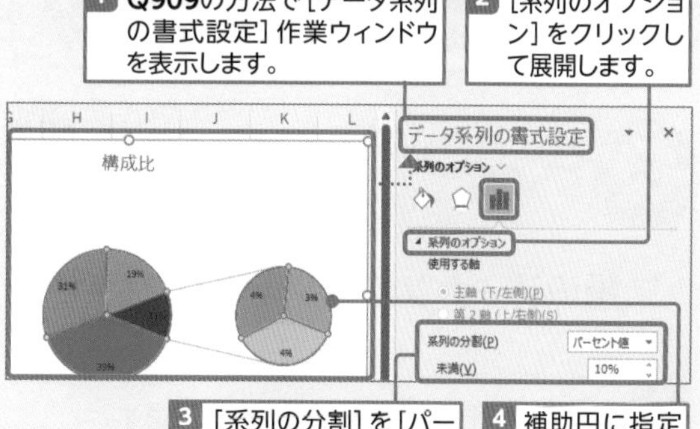

1 Q909の方法で［データ系列の書式設定］作業ウィンドウを表示します。
2 ［系列のオプション］をクリックして展開します。
データ系列の書式設定
系列のオプション
構成比
系列の分割(P)
パーセント値
未満(V)
10%
3 ［系列の分割］を［パーセント値］、［未満］を［10%］に設定します。
4 補助円に指定した項目が取り出されます。

● **［系列の分割］の設定値**

位置	表の下から指定した数の項目
パーセント値	指定したパーセント未満の項目
値	指定した値以下の項目
ユーザー設定	項目ごとに選択。データ要素の書式設定でプロット先を［補助プロット］に設定

Q950 お役立ち度 ★★★

いろいろなグラフの作成と編集

2021 2019 2016

補助円グラフの大きさや距離を調整したい!

A ［データ系列の書式設定］の［系列のオプション］で設定します。

円グラフと補助円グラフの距離と大きさを変更するには、それぞれ［系列のオプション］の［要素の間隔］と［補助プロットのサイズ］で指定します。

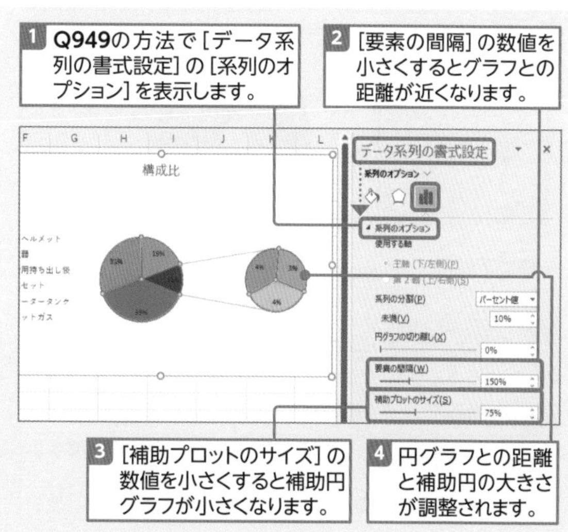

1 Q949の方法で［データ系列の書式設定］の［系列のオプション］を表示します。
2 ［要素の間隔］の数値を小さくするとグラフとの距離が近くなります。
データ系列の書式設定
構成比
系列のオプション
系列の分割(P)
パーセント値
未満(V)
10%
円グラフの切り離し(X)
0%
要素の間隔(W)
150%
補助プロットのサイズ(S)
75%
3 ［補助プロットのサイズ］の数値を小さくすると補助円グラフが小さくなります。
4 円グラフとの距離と補助円の大きさが調整されます。

Q951 お役立ち度 ★★★ いろいろなグラフの作成と編集 2021 2019 2016

ドーナツグラフの帯の幅を太くするには

A [データ系列の書式設定] で [ドーナツの穴の大きさ] を変更します。

ドーナツグラフの円の帯の幅は、[ドーナツの穴の大きさ] の数値を小さくして広げます。

> **おトクな情報 ドーナツグラフの中心に文字を表示する**
>
> テキストボックスをドーナツグラフの中心に作成して文字を入力し、[枠線なし] にして輪郭を非表示にします。

1 **Q909**の方法で [データ系列の書式設定] 作業ウィンドウを表示します。

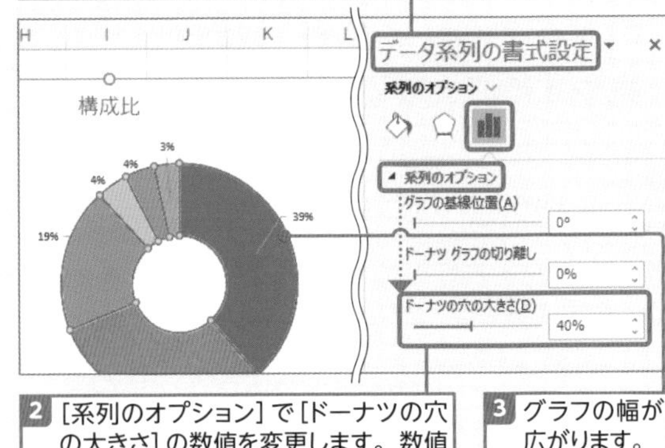

2 [系列のオプション] で [ドーナツの穴の大きさ] の数値を変更します。数値を小さくするとグラフの帯の幅が広くなります。

3 グラフの幅が広がります。

Q952 お役立ち度 ★★★ いろいろなグラフの作成と編集 2021 2019 2016

二重のドーナツグラフを作りたい①

A 数値と合計の列を分けて表を作ります。

例えば、地区と支店のように、分類と分類内の各要素でドーナツグラフを二重にしたいときは、表の合計の列と支店の列を分けてからドーナツグラフを作ります。ここでは、作成手順を表でまとめます。

1 データと合計の列を別にして表を作成し、**Q905**の方法で表を元にドーナツグラフを作成します。

2 地区と支店が二重になってドーナツグラフが作成されます。色合いやデータラベルを表示するなど、グラフを編集します。

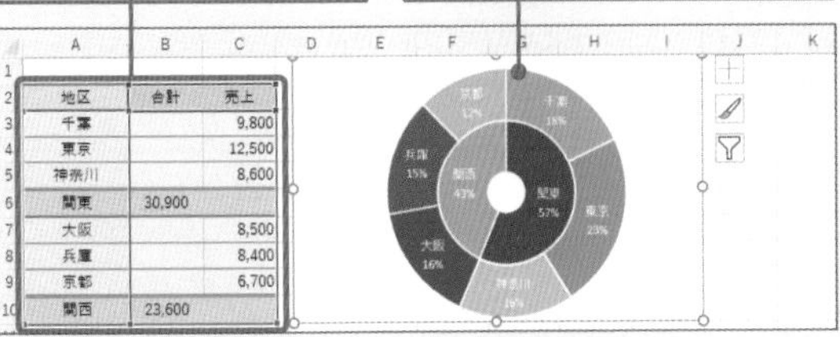

● 作成手順例

①表作成	データと合計の列を、分けて作成
②グラフ作成	円→ドーナツ (**Q905**)
③データラベル表示	クイックレイアウト→レイアウト1 (**Q945**)
④帯の幅調整	ドーナツの穴の大きさ (**Q951**)
⑤色合い、文字色調整	色の変更 (**Q924**、**Q926**)、文字色変更 (**Q926**)
⑥グラフサイズなど調整	プロットサイズ変更 (**Q946**)、他

Q953 お役立ち度 ★★★ いろいろなグラフの作成と編集 2021 2019 2016

二重のドーナツグラフを作りたい②

A サンバーストを作成します。

Excel 2019以降では、「サンバースト」を使って二重のドーナツグラフを作成できます。合計とデータの列を分けた表を用意する必要はありません。ポイントは、下図のように合計の行を除いて範囲選択をしてからグラフを作成することです。パーセンテージ表示や穴の大きさの調整をしたい場合は**Q952**の方法で作成してください。

1 1箇所目はドラッグ、2箇所目は Ctrl キーを押しながらドラッグして、合計の行を除いて範囲選択し、サンバーストグラフを作成します。

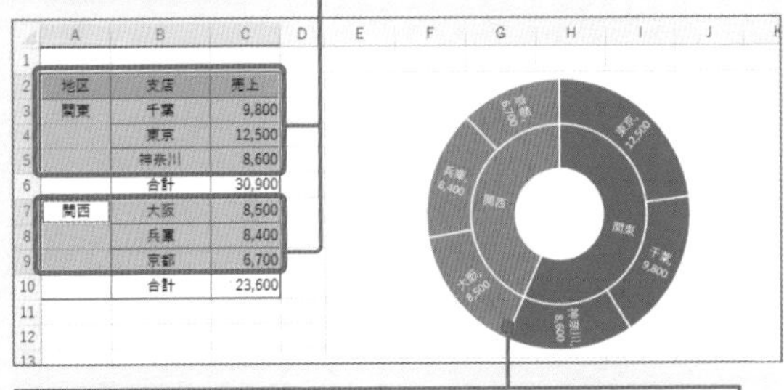

2 地区と支店の2重構造でドーナツグラフが作成されます。

● 作成手順例

①表選択	合計行を除いて範囲選択
②グラフ作成	サンバースト (**Q905**)
③データラベル表示	クイックレイアウト→レイアウト5 (**Q925**)

Q954 折れ線グラフで途切れた線をつなぐには

お役立ち度 ★★★

いろいろなグラフの作成と編集

A [非表示および空白のセルの設定]で設定します。

表に空白があると、折れ線グラフは線が途切れてしまいます。途切れた線をつなぐには、次の手順で設定してください。

1 グラフを選択し、コンテキストタブの[グラフのデザイン]タブ→[データの選択]をクリックします。

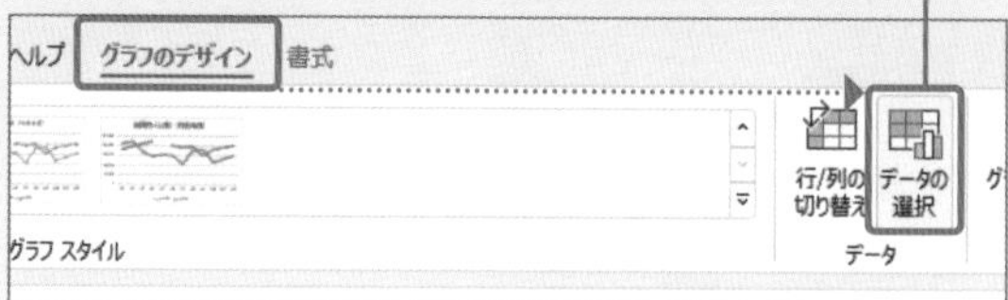

2 [データソースの選択]ダイアログが表示されます。

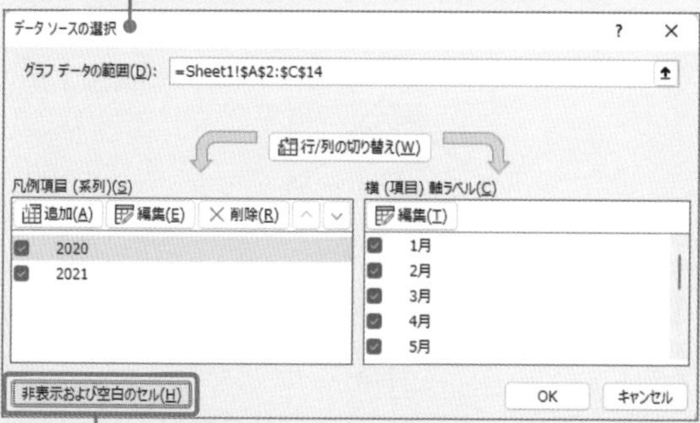

3 [非表示および空白のセル]をクリックします。

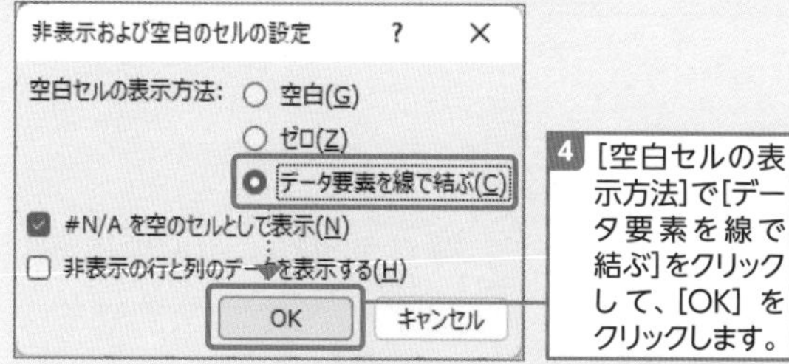

4 [空白セルの表示方法]で[データ要素を線で結ぶ]をクリックして、[OK]をクリックします。

5 途切れていた線がつながります。

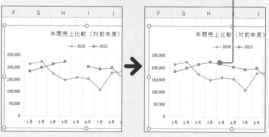

Q955 折れ線グラフの開始位置を縦軸と合わせるには

お役立ち度 ★★★

いろいろなグラフの作成と編集

A 横軸(項目軸)の[軸位置]を[目盛]に設定します。

折れ線グラフの開始位置は、縦軸と目盛線の間にあります。開始位置を縦軸に合わせたいときは、[軸位置]を[目盛]に設定します。

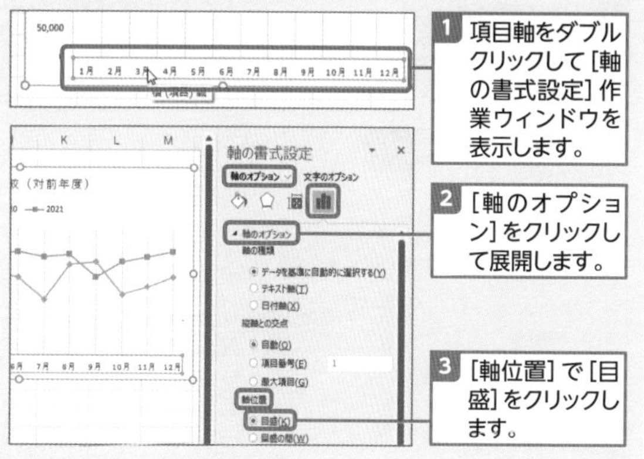

1 項目軸をダブルクリックして[軸の書式設定]作業ウィンドウを表示します。

2 [軸のオプション]をクリックして展開します。

3 [軸位置]で[目盛]をクリックします。

Q956 折れ線グラフを曲線にするには

お役立ち度 ★★★

いろいろなグラフの作成と編集

2021
2019
2016

A [データ系列の書式設定]で[スムージング]を設定します。

折れ線グラフの角を丸くして、緩やかな曲線で表現したいときは、スムージングの設定をします。

1 折れ線をダブルクリックして[データ系列の書式設定]作業ウィンドウを表示します。

2 [塗りつぶしと線]で[線]をクリックして展開します。

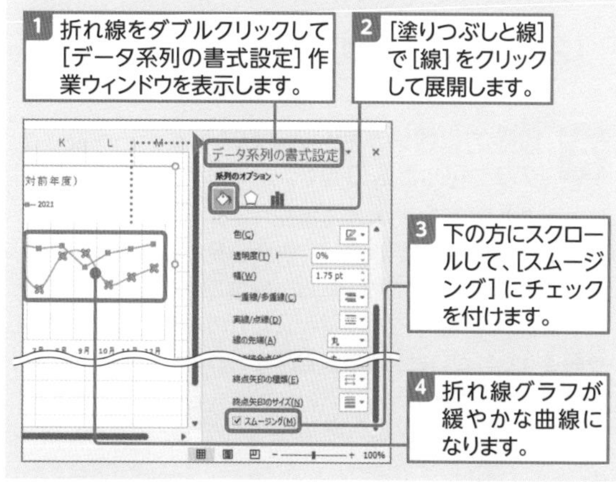

3 下の方にスクロールして、[スムージング]にチェックを付けます。

4 折れ線グラフが緩やかな曲線になります。

Q957

お役立ち度 ★★★

いろいろなグラフの作成と編集

2021 2019 2016

折れ線グラフで2つの線の間隔を比較したい!

A [高低線]を表示します。

[高低線]を表示すると、2つの折れ線グラフのマーカーを結ぶ線が引かれます。2つのグラフの間隔が強調され、比較しやすくなります。

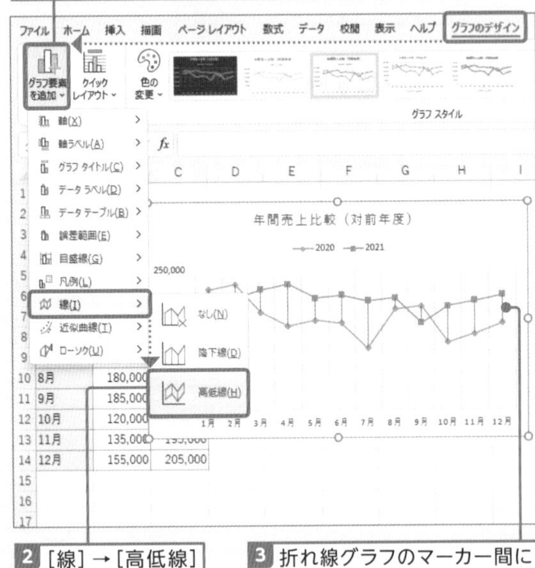

1 グラフを選択し、コンテキストタブの[グラフのデザイン]タブ→[グラフ要素を追加]をクリックします。
年間売上比較（対前年度）
2 [線]→[高低線]をクリックします。
3 折れ線グラフのマーカー間に高低線が引かれます。

Q958

お役立ち度 ★★★

いろいろなグラフの作成と編集

2021 2019 2016

レーダーチャートを作成するには

A 表を選択し、グラフの種類で[レーダー]を選択します。

レーダーチャートは、達成度や評価を分類ごとに比較して、全体的なバランスを見たいときに使います。ここでは、英語テストの分野別の達成度をレーダーチャートで表します。

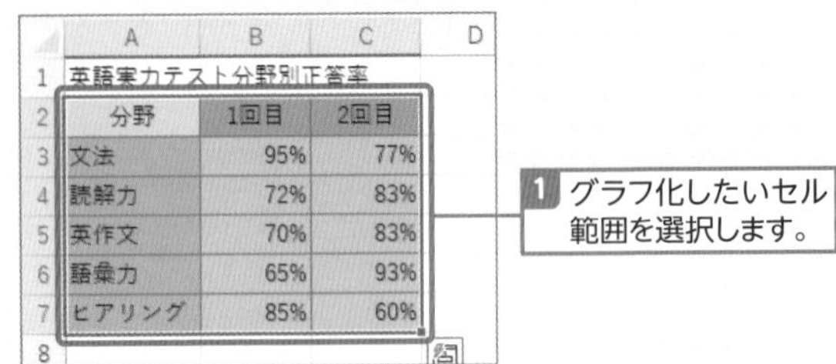

	A	B	C
1	英語実力テスト分野別正答率		
2	分野	1回目	2回目
3	文法	95%	77%
4	読解力	72%	83%
5	英作文	70%	83%
6	語彙力	65%	93%
7	ヒアリング	85%	60%

1 グラフ化したいセル範囲を選択します。

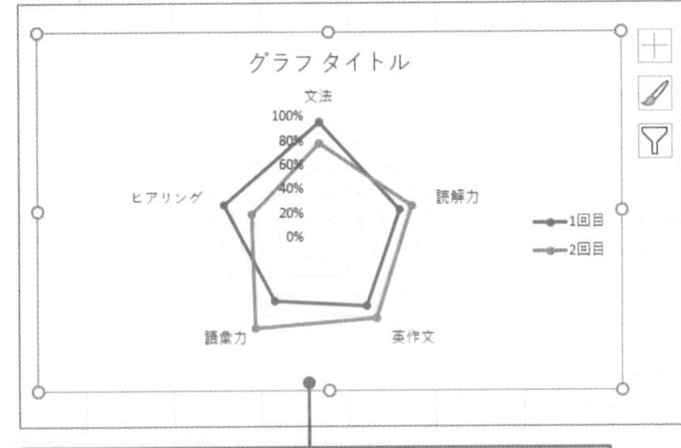

グラフ タイトル
文法
読解力
英作文
語彙力
ヒアリング
1回目
2回目
2 Q905の方法で[グラフの挿入]ダイアログを表示し、[レーダー]を選択して作成します。

Q959

お役立ち度 ★★★

いろいろなグラフの作成と編集

2021 2019 2016

じょうごグラフって何?

A 段階的に数値が絞り込まれていくデータをグラフ化したものです。

じょうごグラフは、いわゆる販売パイプラインの流れをグラフ化したものです。例えば、商品の見込み客が実際に受注する顧客になるまでの人数は、段階ごとに絞り込まれていきます。この様子をグラフ化してどの段階で急激な減少が起こったのか、どのような対策をとればいいのかといった分析に役立ちます。

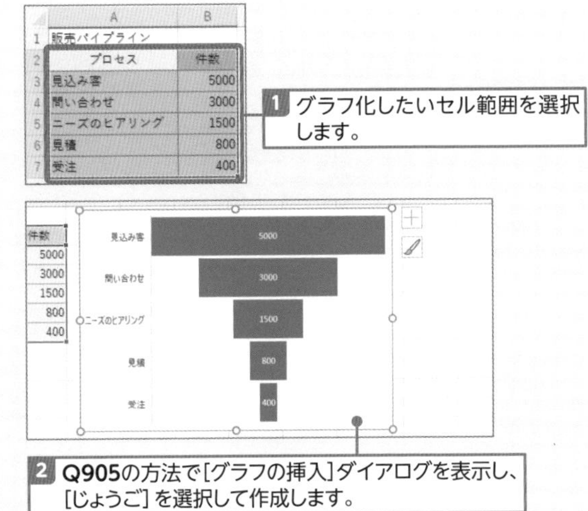

	A	B
1	販売パイプライン	
2	プロセス	件数
3	見込み客	5000
4	問い合わせ	3000
5	ニーズのヒアリング	1500
6	見積	800
7	受注	400

1 グラフ化したいセル範囲を選択します。
2 Q905の方法で[グラフの挿入]ダイアログを表示し、[じょうご]を選択して作成します。

Q960 お役立ち度 ★★★

いろいろなグラフの作成と編集

2021 2019 2016

散布図を作成するには

A 比較する2つの系列を選択して作成します。

散布図とは、2つのデータの相関関係を示すグラフです。例えば、ある店舗の顧客の年齢と購入金額をグラフ上に点で表示（プロット）し、その分布状況によって相関関係を見ることができます。散布図は、比較する2つの系列の見出しと数値を選択して作成します。

1 比較するデータを見出しを含めて範囲選択します。

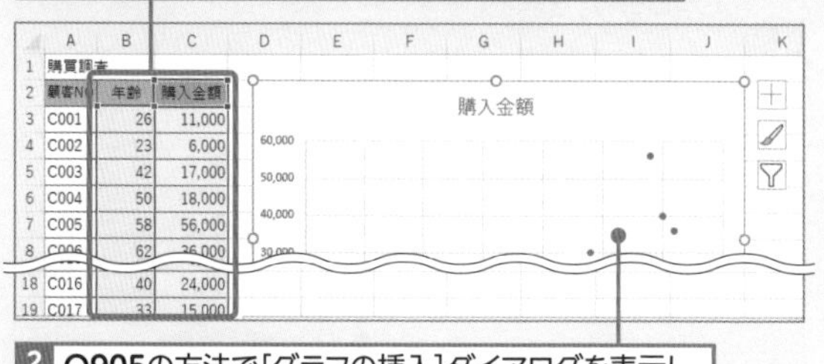

2 Q905の方法で［グラフの挿入］ダイアログを表示し、［散布図］を選択して作成します。

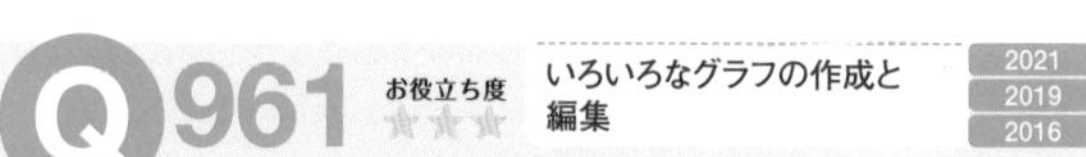

Q961 お役立ち度 ★★★

いろいろなグラフの作成と編集

2021 2019 2016

散布図に傾向を示す線を引きたい!

A 近似曲線を追加します。

近似曲線はグラフのデータを元に傾向を示す線です。散布図に近似曲線を追加してデータの相関関係を線で表現してみましょう。

1 グラフを選択し、コンテキストタブの［グラフのデザイン］タブ→［グラフ要素を追加］をクリックします。

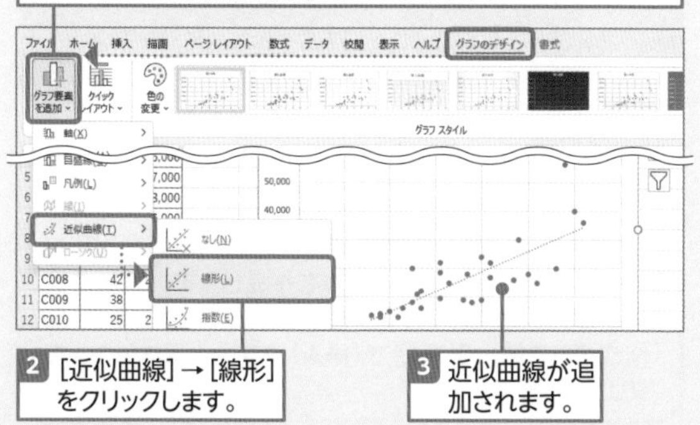

2 ［近似曲線］→［線形］をクリックします。

3 近似曲線が追加されます。

Q962 お役立ち度 ★★★

いろいろなグラフの作成と編集

2021 2019 2016

散布図に項目名を表示したい!

A データラベルでセルの値を選択します。

散布図の点のデータラベルに、各系列の数値ではなく、［顧客NO］のような項目名を表示するには、［ラベルオプション］で［セルの値］を選択します。

1 Q940の方法で［データラベルの書式設定］作業ウィンドウを表示し、［ラベルオプション］をクリックして展開します。

2 ［ラベルの内容］で［セルの値］だけにチェックを付けます。

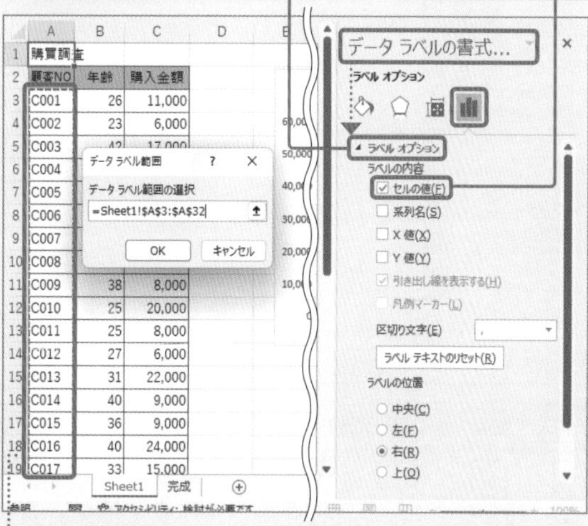

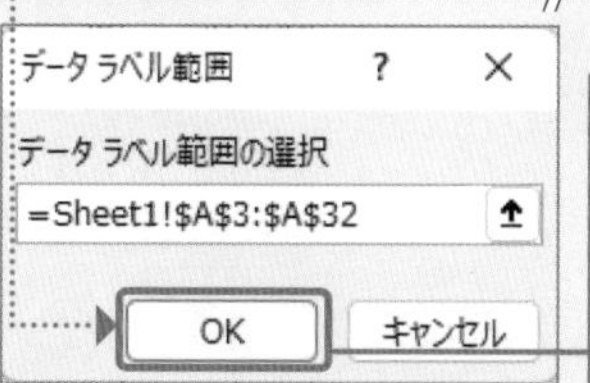

3 ［データラベル範囲］ダイアログが表示されたら、ラベルに表示したいセル範囲をドラッグして選択し、［OK］をクリックします。

4 セルの値（顧客NO）がデータラベルに表示されます。

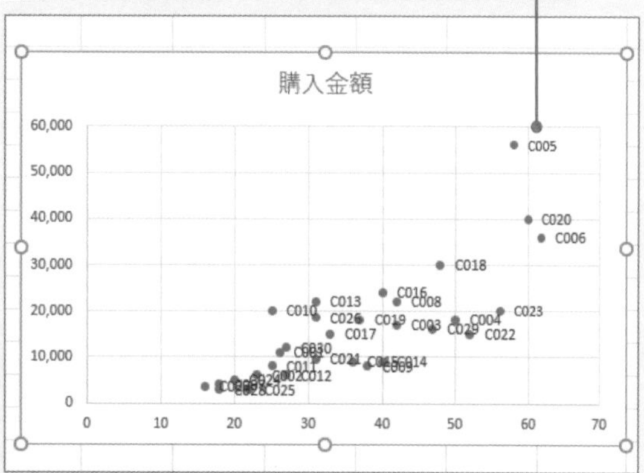

お役立ち度 ★★★

いろいろなグラフの作成と編集

2021 2019 2016

マップグラフを作成するには

A [挿入] タブ→ [マップ] をクリックします。

マップグラフは、表の中にある国名、都道府県名や郵便番号などの情報をもとに作成される地図グラフです。ここでは全国展開の店舗の出店状況をマップグラフにしています。

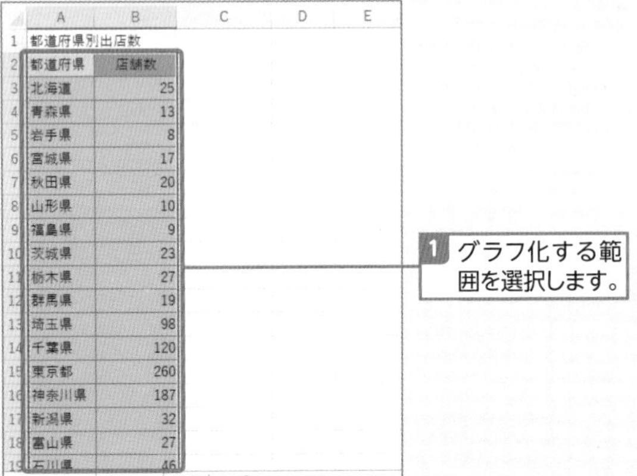

	A	B
1	都道府県別出店数	
2	都道府県	店舗数
3	北海道	25
4	青森県	13
5	岩手県	8
6	宮城県	17
7	秋田県	20
8	山形県	10
9	福島県	9
10	茨城県	23
11	栃木県	27
12	群馬県	19
13	埼玉県	98
14	千葉県	120
15	東京都	260
16	神奈川県	187
17	新潟県	32
18	富山県	27
19	石川県	46

1 グラフ化する範囲を選択します。

2 [挿入] タブ→ [マップ] をクリックしてグラフを選択します。

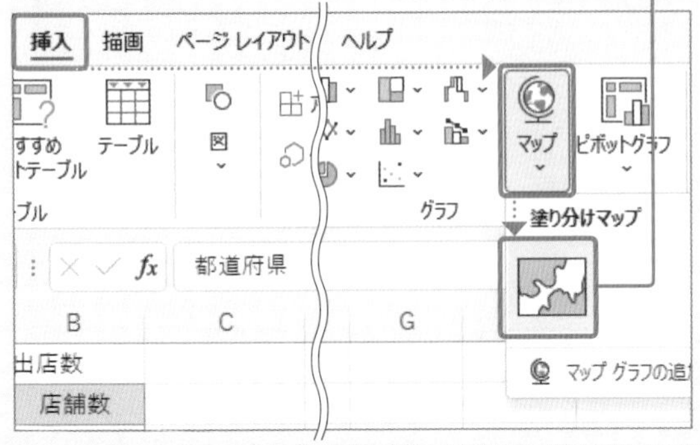

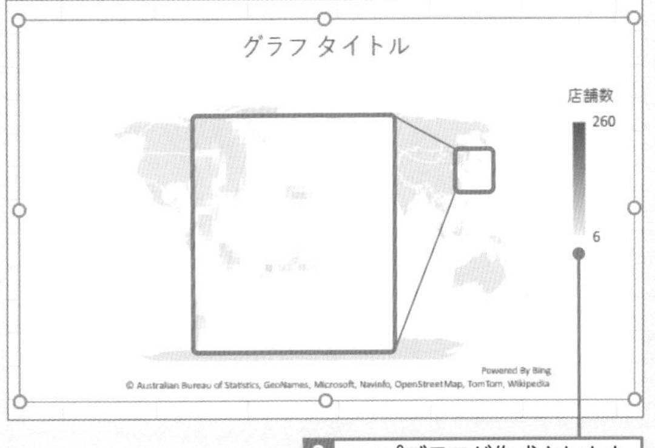

3 マップグラフが作成されます。

4 グラフの中 (系列) でダブルクリックして [データ系列の書式設定] 作業ウィンドウを表示します。

5 [系列のオプション] をクリックして展開します。

6 [マップ投影] で地図の形式、[マップ領域] で [データが含まれる地域のみ] を選択します。

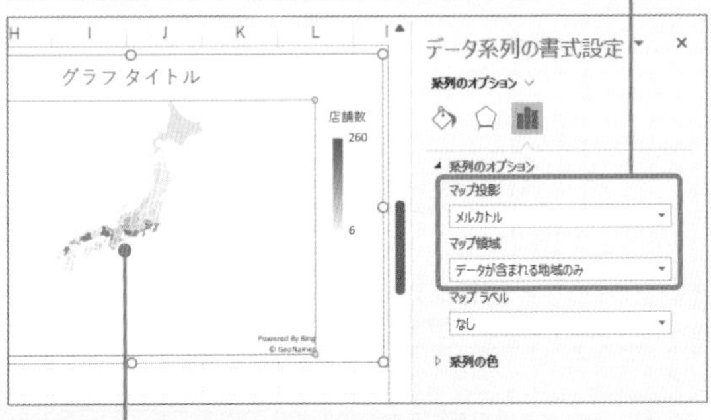

7 表示地域が変更されます。

8 サイズやスタイルを変更して見栄えを整えます。

おトクな情報 3Dマップ

3Dマップは、国や都道府県などの地図情報を利用して地図上に立体的な棒グラフを作成します。地図を見ながら地区別の数字の大きさを立体的に比較できます。作成するには、手順2で [挿入] タブ→ [3Dマップ] をクリックします。

Q964 お役立ち度 ★★★ スパークライン

セルの中に小さなグラフが表示できるの?

A スパークラインを作成します。

スパークラインは、同じ行に入力されている数値をもとにセルの中に作成する小さなグラフです。わざわざグラフを作成することなく、数値の動向を視覚的に確認できます。スパークラインには、折れ線、縦棒、勝敗の3種類があり、それぞれの特徴を理解して活用しましょう。

折れ線スパークライン

セル内に折れ線グラフを作成し、数値の変化を示します。

	4月	5月	6月	7月	販売数動向
ノートPC	183	254	132	300	

縦棒スパークライン

セル内に縦棒グラフを作成し、数値の大小を比較します。

	4月	5月	6月	7月	販売数動向
ノートPC	183	254	132	300	

勝敗スパークライン

セル内の正の数と負の数で勝敗を示します。

	4月	5月	6月	7月	販売数動向
ノートPC	183	-10	132	300	

おトクな情報 スパークラインを削除する

削除したいスパークラインのセルを選択し、コンテキストタブの［スパークライン］タブ→［クリア］をクリックします。

Q965 お役立ち度 ★★★ スパークライン 2021 2019 2016

スパークラインを作成するには

A ［挿入］タブのスパークラインのボタンをクリックします。

スパークラインを表示したいセルを選択し、［挿入］タブ→［スパークライン］グループで種類をクリックします。

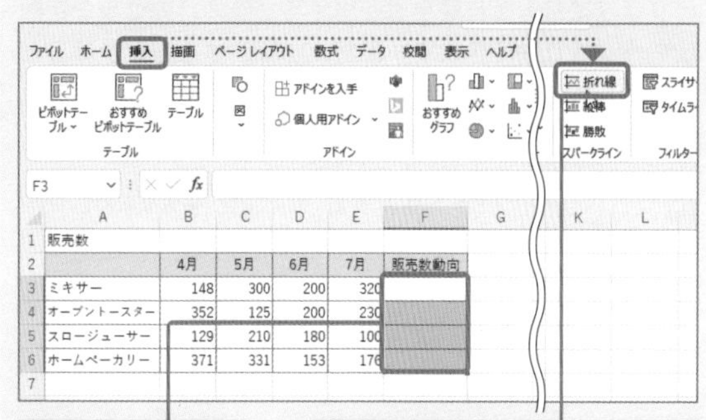

1 スパークラインを表示したいセルを選択します。

2 ［挿入］タブの［スパークライン］グループで種類を選択します（ここでは［折れ線］）。

3 ［データ範囲］内をクリックします。

4 グラフ化するセル範囲をドラッグすると、［データ範囲］にセル範囲が表示されます。

	A	B	C	D	E	F
1	販売数					
2		4月	5月	6月	7月	販売数動向
3	ミキサー	148	300	200	320	
4	オーブントースター	352	125	200	230	
5	スロージューサー	129	210	180	100	
6	ホームベーカリー	371	331	153	176	

スパークラインの作成 ? ×
データを選択してください
データ範囲(D): B3:E6
スパークラインを配置する場所を選択してください
場所の範囲(L): $F$3:$F$6
OK キャンセル

5 ［OK］をクリックします。

6 各行の月別のミニグラフがセルに表示されます。

	A	B	C	D	E	F
1	販売数					
2		4月	5月	6月	7月	販売数動向
3	ミキサー	148	300	200	320	
4	オーブントースター	352	125	200	230	
5	スロージューサー	129	210	180	100	
6	ホームベーカリー	371	331	153	176	

Q966 お役立ち度 ★★★ スパークライン

スパークラインの最大値と最小値を設定するには

A 縦軸の最大値、最小値のオプションを設定します。

初期設定では、スパークラインの最大値と最小値は各行のグラフごとに設定されています。スパークラインのすべてのグラフで最大値と最小値を揃えると他の行のグラフと数値の大小を比較できます。また、任意の値を設定することもできます。ここでは最大値をすべてのスパークラインと揃えて、最小値を「0」に設定しています。

1 スパークラインのセル範囲を選択し、コンテキストタブの［スパークライン］タブ→［軸］をクリックします。

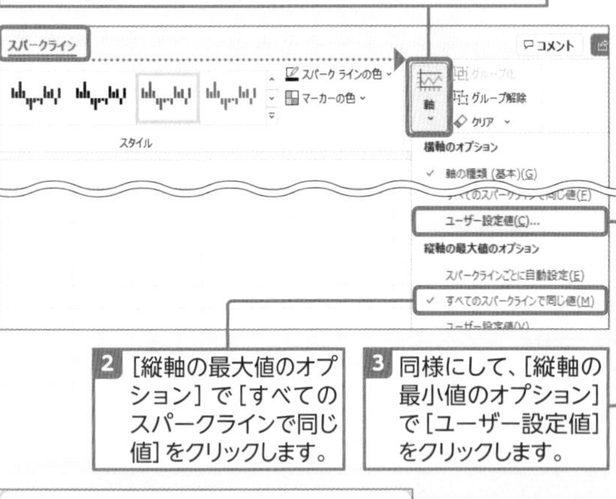

2 ［縦軸の最大値のオプション］で［すべてのスパークラインで同じ値］をクリックします。

3 同様にして、［縦軸の最小値のオプション］で［ユーザー設定値］をクリックします。

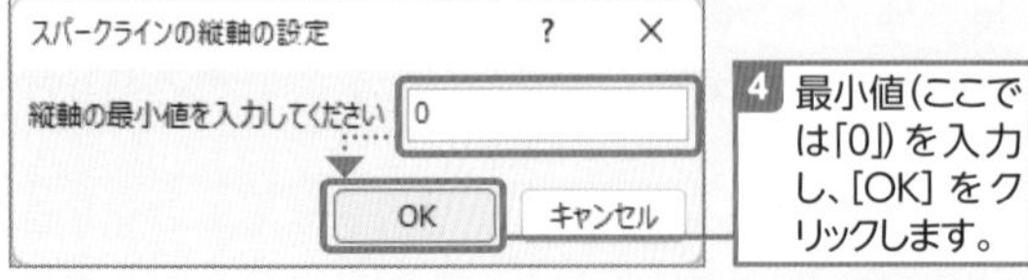

4 最小値（ここでは「0」）を入力し、［OK］をクリックします。

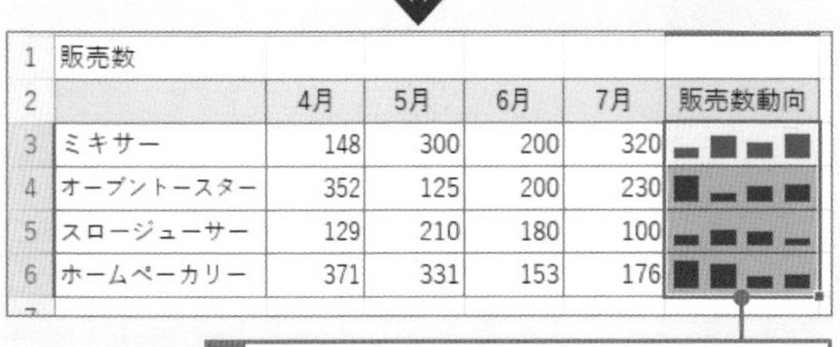

1	販売数					
2		4月	5月	6月	7月	販売数動向
3	ミキサー	148	300	200	320	
4	オーブントースター	352	125	200	230	
5	スロージューサー	129	210	180	100	
6	ホームベーカリー	371	331	153	176	

↓

1	販売数					
2		4月	5月	6月	7月	販売数動向
3	ミキサー	148	300	200	320	
4	オーブントースター	352	125	200	230	
5	スロージューサー	129	210	180	100	
6	ホームベーカリー	371	331	153	176	

5 最小値が「0」、最大値がすべてのデータの中の最大値に設定されます。

Q967 お役立ち度 ★★★ スパークライン

最大値のデータマーカーを強調したい!

A ［スパークライン］タブ→［頂点（山）］にチェックを付けます。

各行のスパークラインの最大値や最小値に色を付けて強調するには、それぞれ、［スパークライン］タブの［頂点（山）］や［頂点（谷）］にチェックを付けます。ここでは最大値を強調しています。

1 スパークラインのセル範囲を選択し、コンテキストタブの［スパークライン］タブ→［頂点（山）］にチェックを付けます。

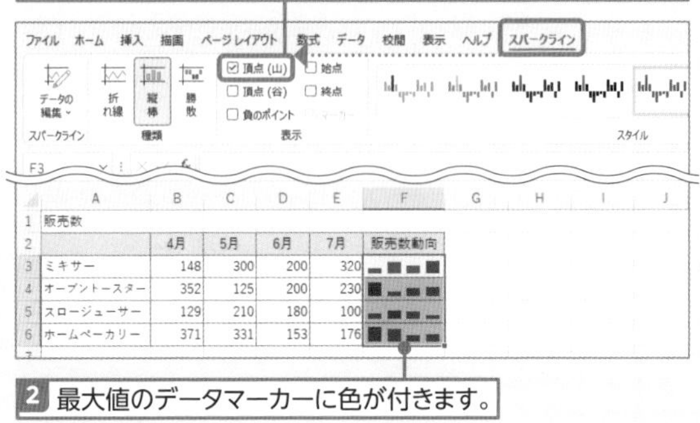

	A	B	C	D	E	F
1	販売数					
2		4月	5月	6月	7月	販売数動向
3	ミキサー	148	300	200	320	
4	オーブントースター	352	125	200	230	
5	スロージューサー	129	210	180	100	
6	ホームベーカリー	371	331	153	176	

2 最大値のデータマーカーに色が付きます。

Q968 お役立ち度 ★★★ スパークライン

2021
2019
2016

スパークラインの見栄えを変更したい!

A ［スパークライン］タブ→［スタイル］で変更します。

スパークラインの色合いなどのスタイルを選択すると、見栄えを素早く変更できます。

1 スパークラインのセル範囲を選択し、コンテキストタブの［スパークライン］タブの［スタイル］でスタイルの種類をクリックします。

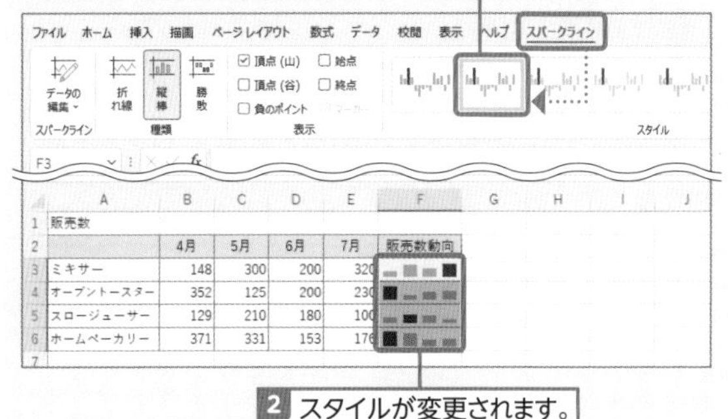

	A	B	C	D	E	F
1	販売数					
2		4月	5月	6月	7月	販売数動向
3	ミキサー	148	300	200	320	
4	オーブントースター	352	125	200	230	
5	スロージューサー	129	210	180	100	
6	ホームベーカリー	371	331	153	176	

2 スタイルが変更されます。

データ分析の全手法を徹底解説

Excelには、データベースに集められたデータを分析する機能が数多く用意されています。集めたデータを並べ替えたり、条件に一致するデータを抽出したりできます。特に、ピボットテーブルやピボットグラフを利用して作成する集計表やグラフは、大変便利なツールで、データ分析には欠かせません。

また、ゴールシーク、シナリオ、予測シートなどの機能を使うと、指定した値でシミュレーションしたり、データを予測したりできます。

Q969 お役立ち度 ★★★ データベースの基礎 2021 2019 2016

データベースとは

A 特定のテーマに沿って集められたデータです。

データベースとは、顧客情報や売上情報など、特定のテーマに沿って集められたデータです。Excelで表をデータベースとして使用するには、一定のきまりのもとで表が作られている必要があります。ここでは、データベースとして扱える表のきまりと、構成を覚えておきましょう。なお、Excelではデータベースのことを「リスト」と表現することもあります。

データベース用の表のきまり

- 表の1行目は列見出しにします。
- 列見出しには2行目以降（レコード行）と異なる書式を設定しておきます。
- 列ごとに同じ種類のデータを入力します。
- 行にはデータが入力されており、1行で1件分のデータ（レコード）になるように列を用意します。
- データベースの表の範囲は自動認識されるため、表に隣接するセルは空白にしておきます。

データベースの構成要素

レコード：1件のデータ
フィールド名：列見出し

NO	氏名	郵便番号	都道府県	住所1	住所2
1	谷本　紀子	105-0021	東京都	港区東新橋14-8-X	SSビル４階
2	野口　淳美	321-3536	栃木県	芳賀郡茂木町神井4-3-X	
3	水島　孝之	809-0032	福岡県	中間市中尾1-9-X	メゾン○○208
4	松本　雄介	252-0142	神奈川県	相模原市緑区元橋本町8-X	ハイツ青森205
5	福田　重彦	330-0046	埼玉県	さいたま市浦和区大原1-1-X	
6	野口　淳美	321-3536	栃木県	芳賀郡茂木町神井4-3-X	
7	市村　健司	272-0134	千葉県	市川市入船1-2-X	ＡＢハイツ102号
8	松本　雄介	252-0142	神奈川県	相模原市緑区元橋本町8-X	ハイツ青森205
9	近藤　晴美	285-0806	千葉県	佐倉市大篠塚4-X	△△ガーデン111
10	塩川　幸太郎	379-1301	群馬県	利根郡みなかみ町奈女沢1-3-X	プラザ○○105
11	澤本　理央	192-0011	東京都	八王子市滝山町2-2-X	
12	小沢　司	315-0165	茨城県	石岡市小倉4-11-XX	グリーン△301
13	井上　ことみ	261-8755	千葉県	千葉市美浜区幸町1-3-X	

フィールド：同じ種類のデータの集まり

おトクな情報　データベース範囲の認識

データベース機能を実行するときは、表内をクリックしてアクティブセルを移動します。アクティブセルを含む表全体がデータベース範囲として自動認識されます。正しく認識されないときは、データベース範囲全体を選択してから機能を実行してください。

Q970 お役立ち度 ★★★ データベースの基礎 2021 2019 2016

データベース機能にはどんなものがあるの？

A 並べ替え、抽出、集計などデータ分析機能があります。

Excelでは、データベースに対して並べ替えや抽出、集計など豊富なデータ分析機能が用意されています。

並べ替え　50音順に並べ替えたり、数値の小さい順に並べ替えたりできます。

NO	氏名	郵便番号	都道府県	住所1	住所2
17	相沢　道子	639-0262	奈良県	香芝市白鳳台1-1-X	
19	飯塚　聡子	215-0012	神奈川県	川崎市麻生区東百合丘3-15-X	
7	市村　健司	272-0134	千葉県	市川市入船1-2-X	ＡＢハイツ102号
26	井出　香	561-0851	大阪府	豊中市服部元町4-8-X	

抽出　条件に一致するデータだけを絞り込んで表示できます。

NO	氏名	郵便番号	都道府県	住所1	住所2
1	谷本　紀子	105-0021	東京都	港区東新橋14-8-X	SSビル４階
11	澤本　理央	192-0011	東京都	八王子市滝山町2-2-X	
18	八田　茂則	112-0012	東京都	文京区大塚5-1-XX	○△マンション801
22	佐々木　昭三	154-0001	東京都	世田谷区池尻5-1-X	ＴＴビル５階

集計　データが切り替わるごとに集計行を挿入して、個数や合計など集計できます。

NO	氏名	郵便番号	都道府県	住所1	住所2
12	小沢　司	315-0165	茨城県	石岡市小倉4-11-XX	グリーン△301
25	原田　竜彦	300-4111	茨城県	土浦市大畑3-3-XX	
		茨城県 個数	2		
15	藤川　里美	565-0821	大阪府	吹田市山田東XXX	
20	下田　正親	596-0814	大阪府	岸和田市岡山町2-1-X	

テーブル　データベースへのデータ追加が効率的にでき、表全体の書式設定、並べ替え、抽出を素早く行えます。

NO	氏名	郵便番号	都道府県	住所1	住所2
1	谷本　紀子	105-0021	東京都	港区東新橋14-8-X	SSビル４階
2	野口　淳美	321-3536	栃木県	芳賀郡茂木町神井4-3-X	
3	水島　孝之	809-0032	福岡県	中間市中尾1-9-X	メゾン○○208

ピボットテーブル　フィールドを行や列に自由に配置した集計表が簡単に作成できます。

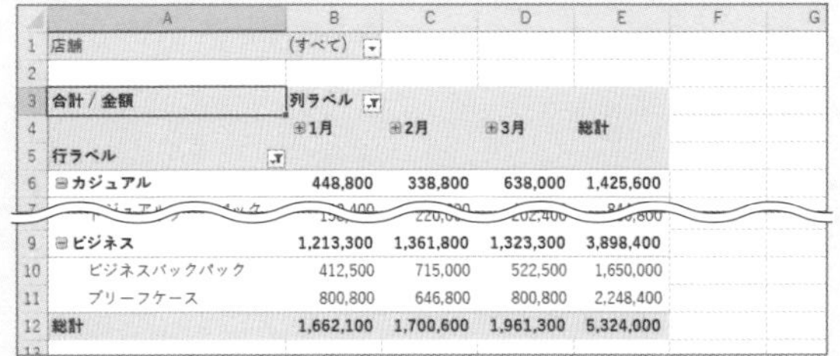

店舗	(すべて)			
合計 / 金額	列ラベル			
	⊞1月	⊞2月	⊞3月	総計
行ラベル				
⊟カジュアル	448,800	338,800	638,000	1,425,600
⊟ビジネス	1,213,300	1,361,800	1,323,300	3,898,400
ビジネスバックパック	412,500	715,000	522,500	1,650,000
ブリーフケース	800,800	646,800	800,800	2,248,400
総計	1,662,100	1,700,600	1,961,300	5,324,000

Q 971 重複レコードを削除するには

お役立ち度 ★★★

データベースの基礎

2021 2019 2016

A [データ] タブ→ [重複の削除] を クリックします。

データベースの中に重複するレコードがあると正しく分析することができません。重複するレコードの有無を確認するには、条件付き書式を使って重複データに色を付けます。重複レコードを削除するには、重複の削除機能を使うと便利です。指定した列で同じデータが見つかったら1つだけ残して重複レコードが削除されます。

条件付き書式で重複データに色を付ける

データベースの中で他のレコードと区別できるデータが入力されている列や列の組み合わせを対象に、重複データに色を付ける条件付き書式を設定することで、重複レコードの有無を確認します。

1 重複データを調べたいセル範囲を選択します。

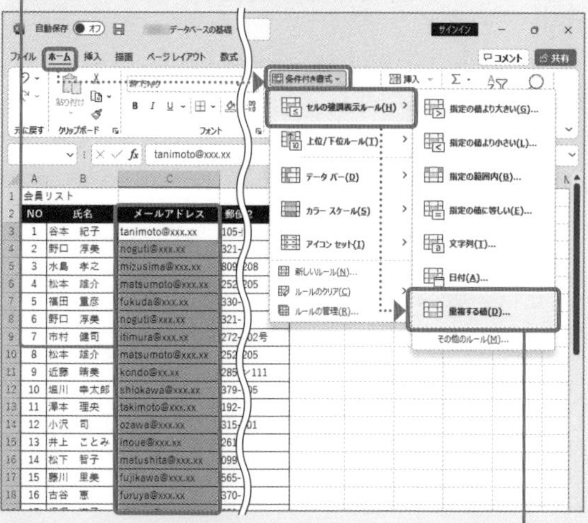

2 [ホーム] タブ→ [条件付き書式] → [セルの強調表示ルール] → [重複する値] をクリックします。

3 [重複] が選択されていることを確認し、書式を選択して [OK] をクリックします。

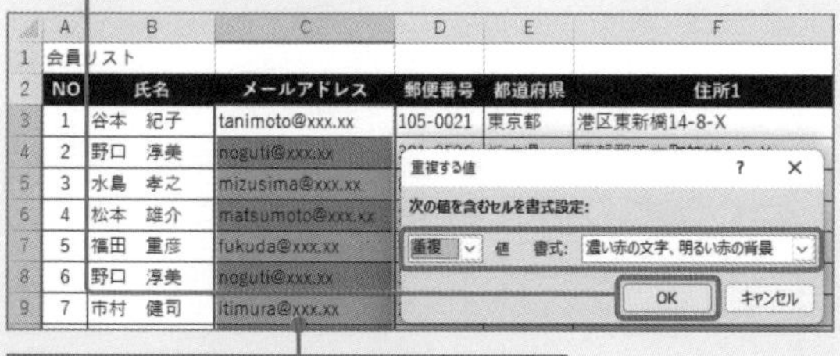

4 データが重複するセルに色が付きます。

重複の削除機能を使って重複レコードを削除する

重複データを持つレコードを1件だけ残して削除します。

1 表の中をクリックします。

2 [データ] タブ→ [重複の削除] をクリックします。

3 重複レコードとする列や列の組み合わせを選択します。

4 [OK] をクリックします。

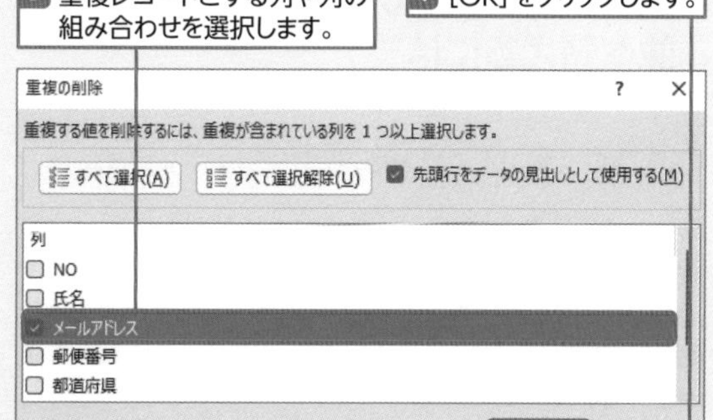

5 [OK] をクリックします。

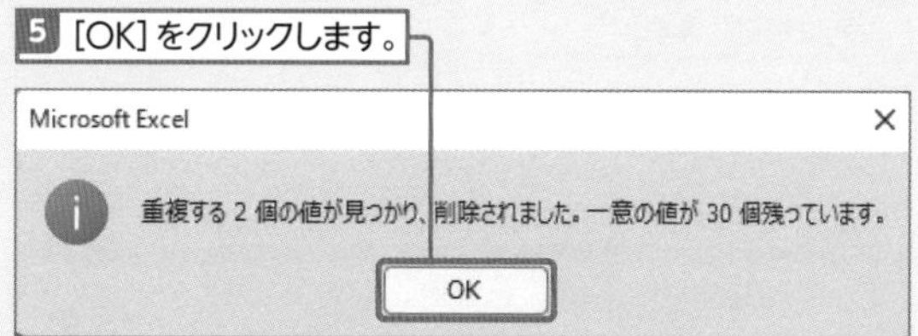

Microsoft Excel
重複する 2 個の値が見つかり、削除されました。一意の値が 30 個残っています。
OK

6 重複レコードが削除され、メールアドレスに重複データがなくなり、色が表示されなくなります。

	A	B	C	D	E	F
2	NO	氏名	メールアドレス	郵便番号	都道府県	住所1
3	1	谷本　紀子	tanimoto@xxx.xx	105-0021	東京都	港区東新橋14-8-X
4	2	野口　淳美	noguti@xxx.xx	321-3536	栃木県	芳賀郡茂木町神井4-3-X
5	3	水島　孝之	mizusima@xxx.xx	809-0032	福岡県	中間市中尾1-9-X
6	4	松本　雄介	matsumoto@xxx.xx	252-0142	神奈川県	相模原市緑区元橋本町8-X
7	5	福田　重彦	fukuda@xxx.xx	330-0046	埼玉県	さいたま市浦和区大原1-1-X
8	7	市村　健司	itimura@xxx.xx	272-0134	千葉県	市川市入船1-2-X
9	9	近藤　晴美	kondo@xx.xx	285-0806	千葉県	佐倉市大篠塚4-X
10	10	塩川　幸太郎	shiokawa@xxx.xx	379-1301	群馬県	利根郡みなかみ町奈女沢1-3-X
11	11	澤本　理央	takimoto@xxx.xx	192-0011	東京都	八王子市滝山町2-2-X
12	12	小沢　司	ozawa@xxx.xx	315-0165	茨城県	石岡市小倉4-11-XX
13	13	井上　ことみ	inoue@xxx.xx	261-8755	千葉県	千葉市美浜区幸町1-3-X
14	14	松下　智子	matushita@xxx.xx	099-4123	北海道	斜里郡斜里町朱円東1-2-X
15	15	藤川　里美	fujikawa@xxx.xx	565-0821	大阪府	吹田市山田東XXX
16	16	古谷　恵	furuya@xxx.xx	370-0411	群馬県	太田市亀岡町XXX
17	17	相沢　道子	aizawa@xxx.xx	639-0262	奈良県	香芝市白鳳台1-1-X

Q972 お役立ち度 ★★★ 並べ替え 2021 2019 2016

昇順と降順の並べ替えのきまりを教えて!

A 昇順が小さい順、降順が大きい順の並べ替えです。

データベースを指定したフィールド(列)を基準に昇順、降順に並べ替えることができます。昇順は小さい順、降順は大きい順の並べ替えです。なお、空白セルは昇順、降順に関わらず常に一番下になります。

●昇順の並べ替え順(降順はこの逆になります)

文字種	並べ替え順
ひらがな	50音順(あ→ん)
英字	アルファベット順(A→Z)
数値	小さい順(小→大)
日付	古い順(古い日付→新しい日付)

おトクな情報 先頭の空白を削除

他のソフトから取り込んだ場合など、文字の先頭に余分な空白があるとうまく並び替えできないことがあります。並べ替えの前に余分なスペースを手動または、TRIM関数(Q811)を使って削除しておきます。

Q973 お役立ち度 ★★★ 並べ替え 2021 2019 2016

表を数値の大きい順に並べ替えるには

A [データ]タブ→[降順]をクリックします。

表を並べ替えるときは、並べ替えの基準となる列にアクティブセルを移動し、[データ]タブの[昇順]または[降順]ボタンをクリックします。数値の大きい順に並べ替えるには、[降順]をクリックします。ここでは、表を金額の大きい順に並べ替えています。

1 アクティブセルを[金額]列に移動します。

2 [データ]タブ→[降順]をクリックします。

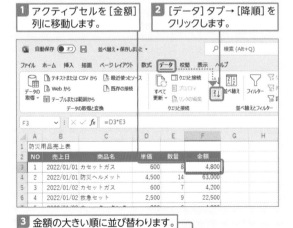

NO	売上日	商品名	単価	数量	金額
1	2022/01/01	カセットガス	600	8	4,800
2	2022/01/01	防災ヘルメット	4,500	14	63,000
3	2022/01/02	カセットガス	600	7	4,200
4	2022/01/02	救急セット	2,500	9	22,500

3 金額の大きい順に並び替わります。

NO	売上日	商品名	単価	数量	金額
40	2022/02/02	防災ヘルメット	4,500	46	207,000
172	2022/05/22	消火器	8,000	20	160,000
85	2022/03/11	消火器	8,000	15	120,000
189	2022/06/02	防災ヘルメット	4,500	26	117,000
195	2022/06/04	防災ヘルメット	4,500	25	112,500

Q974 お役立ち度 ★★★ 並べ替え 2021 2019 2016

表を元の並び順に戻すには

A 連番の列で[昇順]をクリックします。

表の最初の並びに戻すには、表の作成時に表の中に「NO」のような連番の列を用意しておきます。「NO」の列にアクティブセルを移動し、[昇順]をクリックします。なお、並べ替えの直後であれば、[ホーム]タブの[元に戻す]をクリックしても戻せます。

1 連番の列にアクティブセルを移動します。

2 [データ]タブ→[昇順]をクリックします。

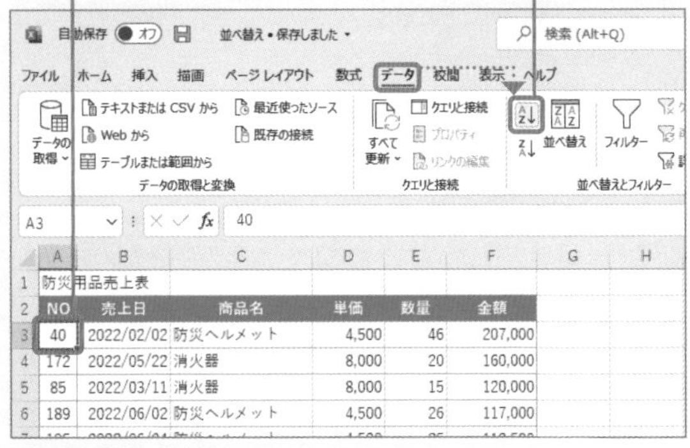

3 表が最初の順番に戻ります。

NO	売上日	商品名	単価	数量	金額
1	2022/01/01	カセットガス	600	8	4,800
2	2022/01/01	防災ヘルメット	4,500	14	63,000
3	2022/01/02	カセットガス	600	7	4,200
4	2022/01/02	救急セット	2,500	9	22,500
5	2022/01/03	ウォータータンク	800	6	4,800

Q975 お役立ち度 並べ替え

2021 2019 2016

複数の列で並べ替えをするには

A [並べ替え] ダイアログで優先順位を付けて並べ替えます。

複数の列をキーにして並べ替えるには、[並べ替え] ダイアログを使います。ここでは、[商品名] を小さい順で並べ替え、[商品名] が同じ場合は、[数量] の小さい順に並べ替えています。

1 表の中でクリックします。

2 [データ] タブ→ [並べ替え] をクリックします。

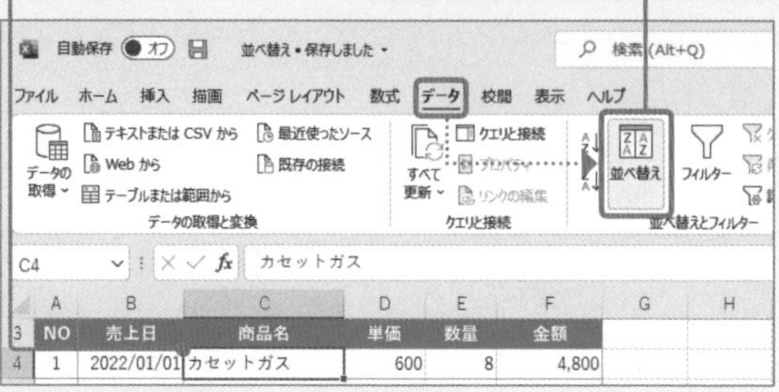

3 [並べ替え]ダイアログが表示されます。

4 [最優先されるキー] で [商品名]、[セルの値]、[昇順] の順に選択します。

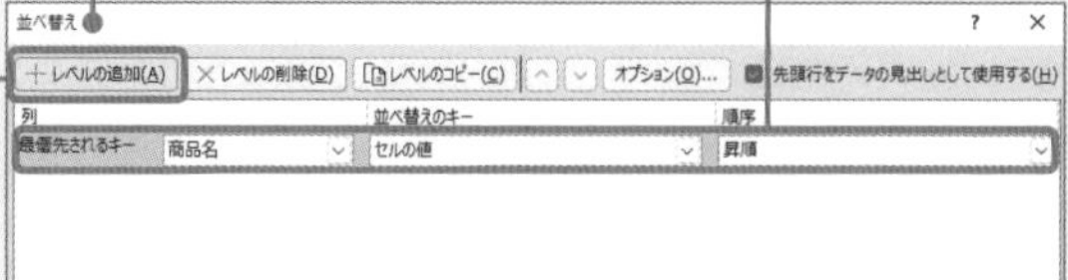

5 [レベルの追加] をクリックします。

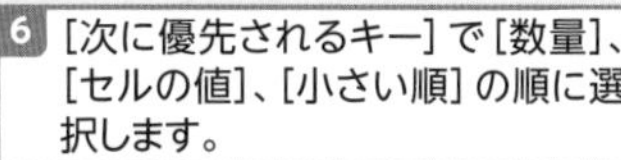

6 [次に優先されるキー] で [数量]、[セルの値]、[小さい順] の順に選択します。

7 [OK] をクリックします。

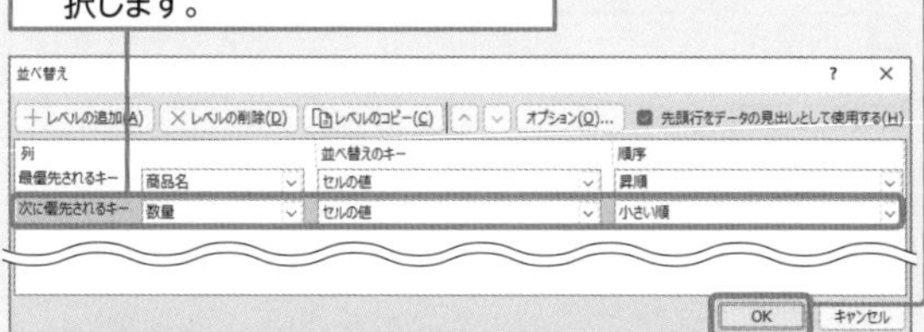

8 [商品名] が昇順で並び替わり、[商品名] が同じ場合は、[数量] が昇順に並び替わります。

	A	B	C	D	E	F	G	H
3	NO	売上日	商品名	単価	数量	金額		
4	10	2022/01/08	ウォータータンク	800	5	4,000		
5	5	2022/01/03	ウォータータンク	800	6	4,800		
6	6	2022/01/03	カセットガス	600	1	600		
7	3	2022/01/02	カセットガス	600	7	4,200		
8	1	2022/01/01	カセットガス	600	8	4,800		
9	15	2022/01/10	カセットガス	600	11	6,600		

Q976 お役立ち度 並べ替え

2021 2019 2016

合計行は並べ替えたくない!

A 範囲を選択し、[並べ替え] ダイアログを使います。

合計行がある表を並べ替えるときは、合計行を省いた部分を範囲選択してから並べ替えます。並べ替えの基準となる列を指定するのに [並べ替え] ダイアログを使います。ここでは、合計行を除き、[合計] 列で金額が小さい順に並べ替えています。

1 合計行を除いて範囲選択します。

2 [データ] タブ→ [並べ替え] をクリックします。

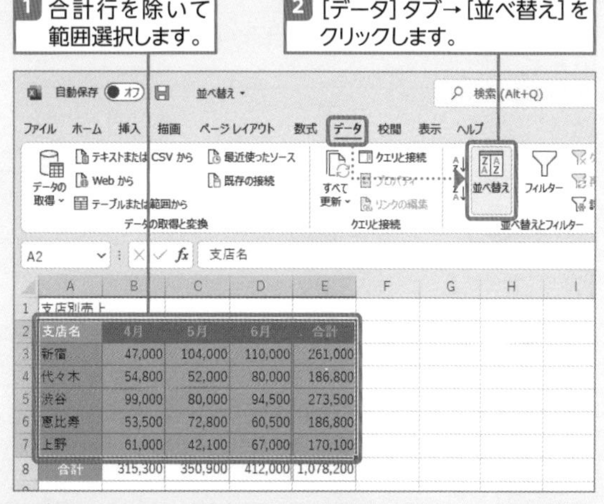

3 [先頭行をデータの見出しとして使用する] にチェックが付いていることを確認します。

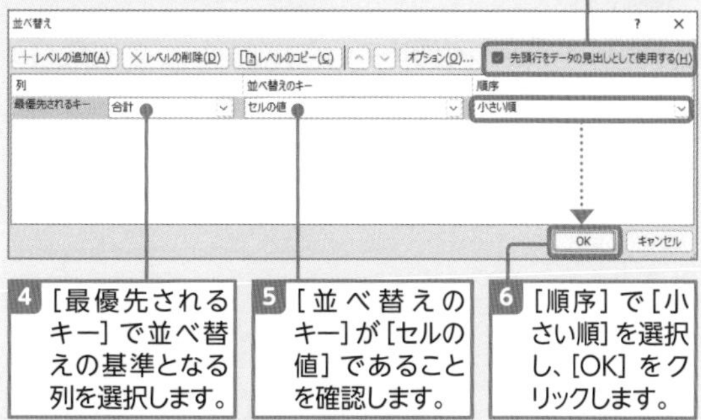

4 [最優先されるキー] で並べ替えの基準となる列を選択します。

5 [並べ替えのキー] が [セルの値] であることを確認します。

6 [順序] で [小さい順] を選択し、[OK] をクリックします。

7 合計行を除いて、合計金額が小さい順に並び替わります。

	A	B	C	D	E	F	G	H
1	支店別売上							
2	支店名	4月	5月	6月	合計			
3	上野	61,000	42,100	67,000	170,100			
4	代々木	54,800	52,000	80,000	186,800			
5	恵比寿	53,500	72,800	60,500	186,800			
6	新宿	47,000	104,000	110,000	261,000			
7	渋谷	99,000	80,000	94,500	273,500			
8	合計	315,300	350,900	412,000	1,078,200			
9								

Q977 お役立ち度 ★★★ 並べ替え

2021 2019 2016

列見出しも並べ替えられてしまう!

A [先頭行をデータの見出しとして使用する]のチェックを確認します。

列見出しとレコード行の区別ができないと、列見出しも含めて並べ替わることがあります。列見出しにはレコード行とは異なる書式を設定しておきます。あるいは、**Q975**の方法で[並べ替え]ダイアログを開いて、[先頭行をデータの見出しとして使用する]のチェックが外れていないか確認しましょう。

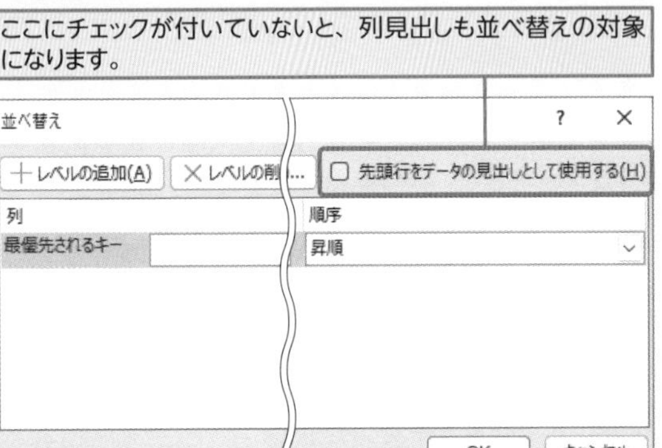
ここにチェックが付いていないと、列見出しも並べ替えの対象になります。
並べ替え
レベルの追加(A)
レベルの削除
先頭行をデータの見出しとして使用する(H)
列
順序
最優先されるキー
昇順
OK
キャンセル

Q978 お役立ち度 ★★★ 並べ替え

2021 2019 2016

漢字でも50音順で並べ替えられるの?

A 漢字のふりがな情報を元に並べ替えられます。

Excelで入力された漢字にはふりがな情報が保存されているため、漢字が読みの50音順で並べ替えられます。ふりがな情報があるかどうかは、[氏名]列を選択し、[ホーム]タブ→[ふりがなの表示/非表示]をクリックしてふりがなが表示されるかどうかで確認できます(**Q669**)。

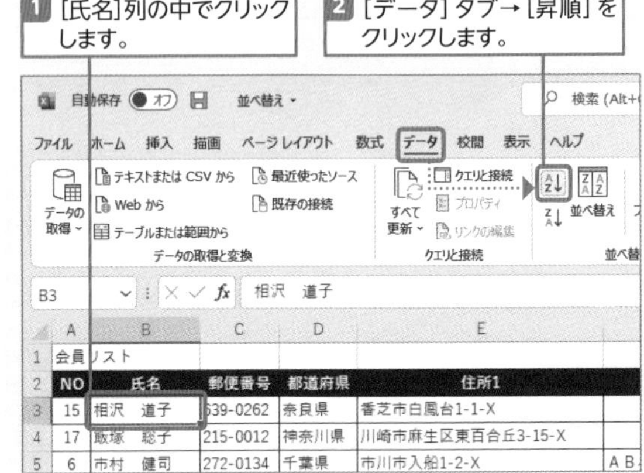
1 [氏名]列の中でクリックします。
2 [データ]タブ→[昇順]をクリックします。

Q979 お役立ち度 ★★★ 並べ替え

2021 2019 2016

色やアイコン順に並べ替えができるの?

A [並べ替えのキー]で色やアイコンを選択します。

[並べ替え]ダイアログでは、[並べ替えのキー]でセルの値以外に、セルの色やフォントの色、条件付き書式のアイコンを選択できます。ここでは[都道府県]列のセルの色を基準に並べ替えています。

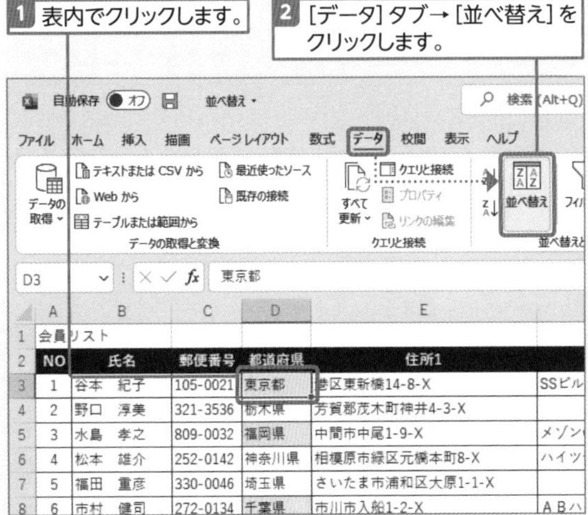
1 表内でクリックします。
2 [データ]タブ→[並べ替え]をクリックします。

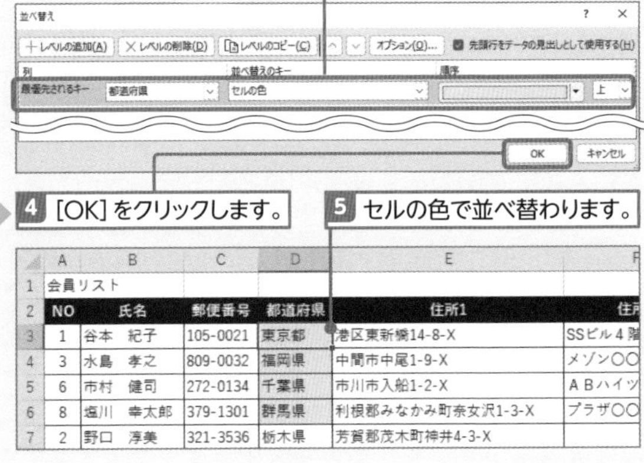
3 [最優先されるキー]で[都道府県]、[並べ替えのキー]で[セルの色]、[順序]で対象の色を選択します。
4 [OK]をクリックします。
5 セルの色で並べ替わります。

Q980

お役立ち度 ★★★　並べ替え　2021 2019 2016

「株式会社」を除いて社名だけで並べ替えたい!

A 会社名だけのフリガナ列を作って並べ替えます。

取引先一覧で会社を50音順に並べたいとき、会社名から「株式会社」を除いたフリガナ列を用意し、フリガナ列で並べ替えます。

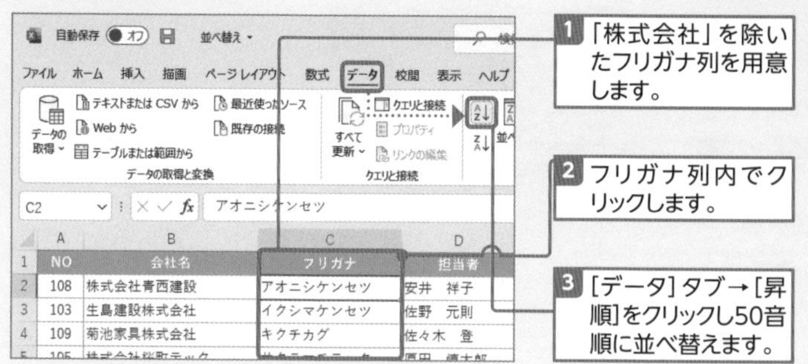

1 「株式会社」を除いたフリガナ列を用意します。
2 フリガナ列内でクリックします。
3 [データ] タブ→[昇順]をクリックし50音順に並べ替えます。

	A	B	C	D
1	NO	会社名	フリガナ	担当者
2	108	株式会社青西建設	アオニシケンセツ	安井　祥子
3	103	生島建設株式会社	イクシマケンセツ	佐野　元則
4	109	菊池家具株式会社	キクチカグ	佐々木　登

おトクな情報 「株式会社」を除いたフリガナの取得

フリガナ列にSUBSTITUTE関数（**Q810**）とPHONETIC関数（**Q832**）を組み合わせて、「=SUBSTITUTE(PHONETIC(B2),"カブシキガイシャ","")」と入力すると、[会社名]の読みから「カブシキガイシャ」を除いたフリガナを取り出せます。

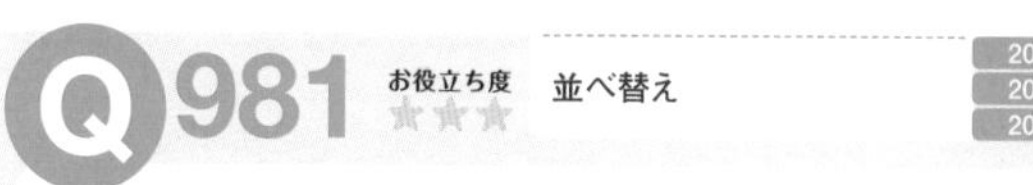
Q981

お役立ち度 ★★★　並べ替え　2021 2019 2016

列を並べ替えたい!

A [並べ替えオプション] で設定します。

[並べ替え] ダイアログの [並べ替えオプション] を使うと、列の並べ替えができます。あらかじめ並べ替える列の範囲を選択し、並べ替えのキーは「行6」のように表の行番号で指定します。ここでは、列を6行目の [合計] の値が小さい順に並べ替えています。

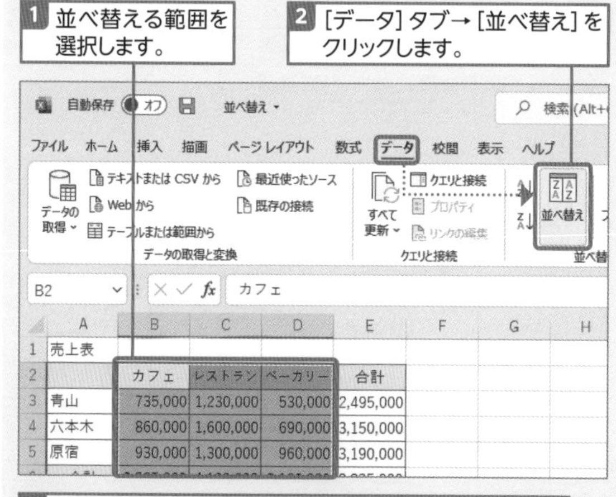

1 並べ替える範囲を選択します。
2 [データ] タブ→ [並べ替え] をクリックします。

	A	B	C	D	E
1	売上表				
2		カフェ	レストラン	ベーカリー	合計
3	青山	735,000	1,230,000	530,000	2,495,000
4	六本木	860,000	1,600,000	690,000	3,150,000
5	原宿	930,000	1,300,000	960,000	3,190,000

3 [並べ替え] ダイアログで [オプション] をクリックします。

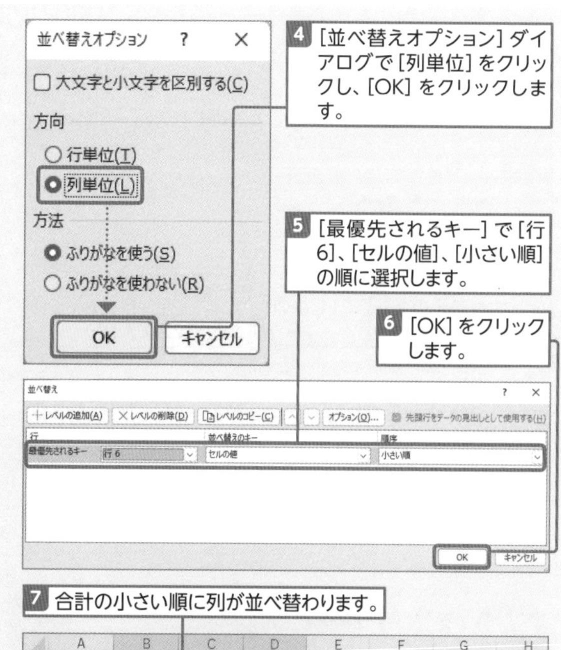

並べ替えオプション
大文字と小文字を区別する(C)
方向
行単位(T)
列単位(L)
方法
ふりがなを使う(S)
ふりがなを使わない(R)
OK
キャンセル
4 [並べ替えオプション] ダイアログで [列単位] をクリックし、[OK] をクリックします。
5 [最優先されるキー] で [行6]、[セルの値]、[小さい順] の順に選択します。
6 [OK] をクリックします。
7 合計の小さい順に列が並べ替わります。

	A	B	C	D	E
1	売上表				
2		ベーカリー	カフェ	レストラン	合計
3	青山	530,000	735,000	1,230,000	2,495,000
4	六本木	690,000	860,000	1,600,000	3,150,000
5	原宿	960,000	930,000	1,300,000	3,190,000
6	合計	2,180,000	2,525,000	4,130,000	8,835,000

おトクな情報 大文字・小文字を区別して並べ替える

[並べ替えオプション] ダイアログで [大文字と小文字を区別する] にチェックを付けると、アルファベットの大文字と小文字を区別して並べ替えられます。

Q982 お役立ち度 ★★★ 並べ替え

2021 2019 2016

オリジナルの順番で並べ替えるには

A ユーザー設定リスト順に並べ替えます。

ユーザー設定リストに登録されている順番で並べ替えることができます。あらかじめ、**Q558**の方法で並べ替えたい順番をユーザー設定リストに登録しておき、[並べ替え] ダイアログで設定します。ここでは、「総務部、経理部、営業部、開発部」の順番がユーザー設定リストに登録されている状態で [所属] を登録している順番で並べ替えしています。

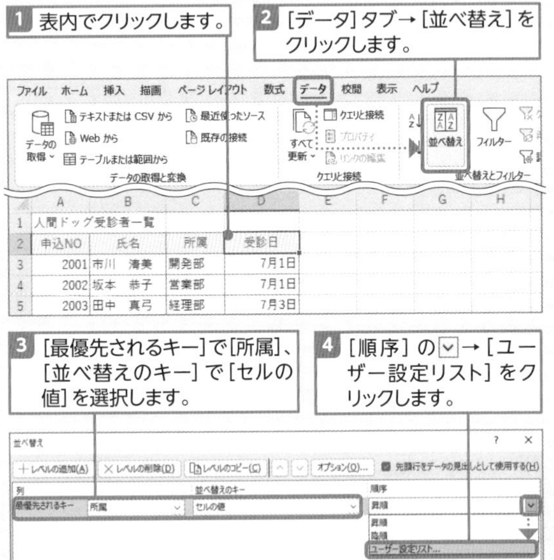

1 表内でクリックします。

2 [データ] タブ→ [並べ替え] をクリックします。

3 [最優先されるキー] で [所属]、[並べ替えのキー] で [セルの値] を選択します。

4 [順序] の▼→ [ユーザー設定リスト] をクリックします。

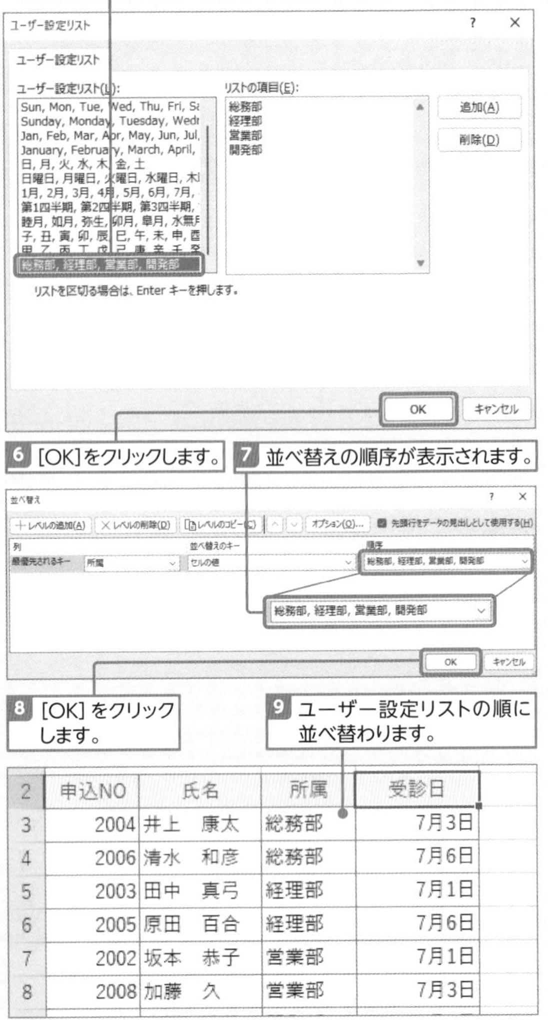

5 [ユーザー設定リスト] ダイアログで「総務部、経理部、営業部、開発部」をクリックします。

6 [OK] をクリックします。

7 並べ替えの順序が表示されます。

8 [OK] をクリックします。

9 ユーザー設定リストの順に並べ替わります。

2	申込NO	氏名	所属	受診日
3	2004	井上　康太	総務部	7月3日
4	2006	清水　和彦	総務部	7月6日
5	2003	田中　真弓	経理部	7月1日
6	2005	原田　百合	経理部	7月6日
7	2002	坂本　恭子	営業部	7月1日
8	2008	加藤　久	営業部	7月3日

Q983 お役立ち度 ★★★ フィルター

2021 2019 2016

フィルターって何?

A 条件を満たすレコードを抽出する機能です。

フィルターとは、データベースの中で、条件を満たすレコードだけを表示し、他のレコードを一時的に非表示にする機能です。[データ] タブ→ [フィルター] をクリックすると、各列見出しにフィルターボタン▼が表示され、各列に対して並べ替えや抽出が簡単に行えるようになります。

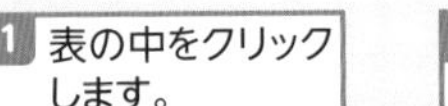

1 表の中をクリックします。

2 [データ] タブ→ [フィルター] をクリックします。

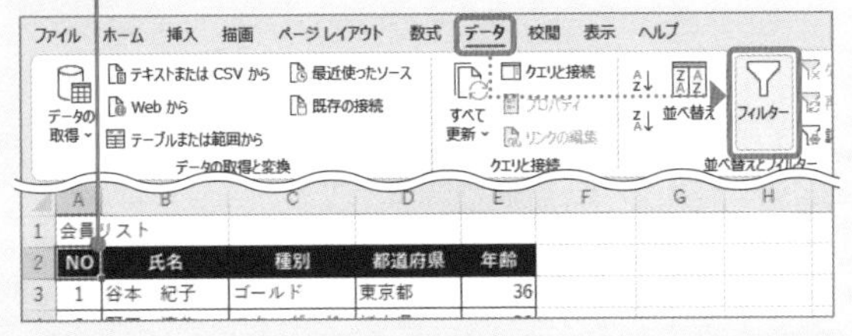

3 列見出しの各列に▼が表示されます。

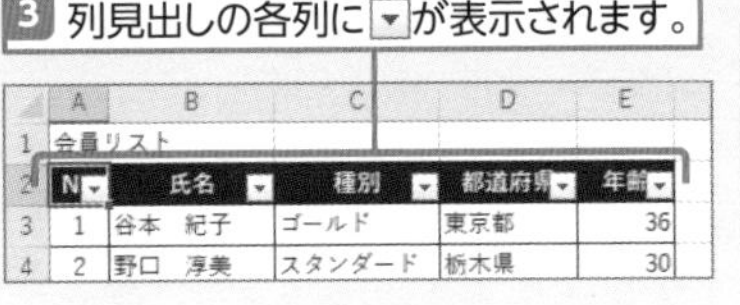

4 再度 [データ] タブ→ [フィルター] をクリックすると非表示になります。

Q984 お役立ち度 ★★★ フィルター 2021 2019 2016

特定の値を持つレコードを抽出するには?

A 抽出する項目にチェックを付けます。

フィルターを実行して条件を満たすレコードを抽出するには、フィルターボタンの▼をクリックして、抽出したい項目にチェックを付けて［OK］をクリックします。

1 Q983の方法でフィルターの▼を表示しておき、抽出したいデータのある列の▼をクリックします。

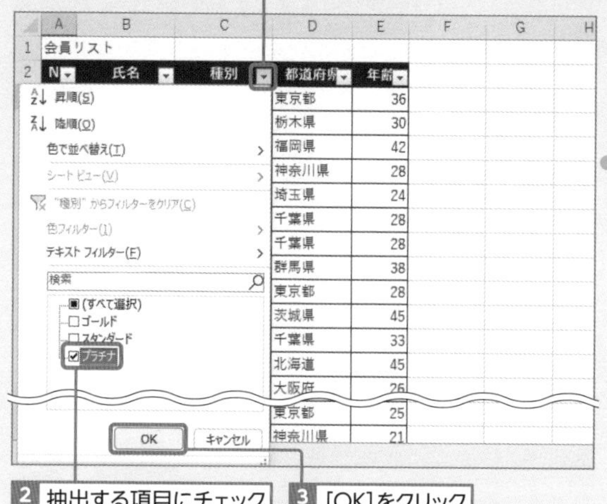

2 抽出する項目にチェックを付けます。

3 ［OK］をクリックします。

	A	B	C	D	E
1	会員リスト				
2	No	氏名	種別	都道府県	年齢
16	14	古谷　恵	プラチナ	群馬県	26
20	18	下田　正親	プラチナ	大阪府	36
27	25	矢崎　敏行	プラチナ	東京都	34
29	27	茂木　良太	プラチナ	大阪府	29
32	30	川野　歩美	プラチナ	千葉県	41
33					
34					
35					

4 目的のデータが抽出されます。

おトクな情報　並べ替えも素早くできる

▼をクリックしたときに表示されるメニューで［昇順］や［降順］をクリックして並べ替えができます。

Q985 お役立ち度 ★★★ フィルター 2021 2019 2016

複数の列の値を指定して抽出するには

A それぞれの列で抽出する項目にチェックを付けます。

フィルターは異なる列で特定の値をもつレコードを同時に指定して抽出できます。この場合、ここでは［種別］が「プラチナ」、［都道府県］が「大阪府」のレコードを抽出しています。

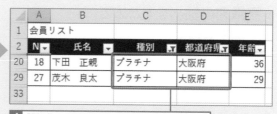

1 すでに［種別］列で［プラチナ］の値を持つレコードが抽出されている状態で操作しています（**Q984**）。

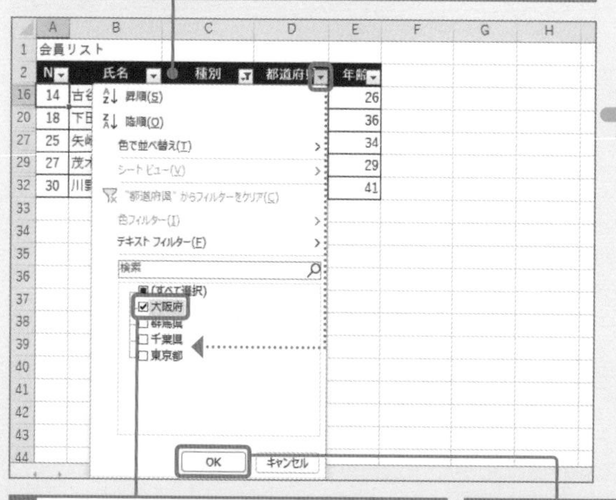

2 続けて抽出したいデータのある列の▼をクリックし、抽出する項目にチェックを付けます。

3 ［OK］をクリックします。

	A	B	C	D	E
1	会員リスト				
2	No	氏名	種別	都道府県	年齢
20	18	下田　正親	プラチナ	大阪府	36
29	27	茂木　良太	プラチナ	大阪府	29
33					

4 ［種別］と［都道府県］の両方の条件を満たすレコードが抽出されます。

おトクな情報　すべて選択

［すべて選択］にチェックを付けると、すべての項目が選択され、チェックを外すと、すべての項目の選択を解除できます。

フィルター

特定の列の抽出を解除するには

A ["列名" からフィルターをクリア] をクリックします。

特定の列の抽出を解除するには、解除したい列の▼をクリックし、["列名" からフィルターをクリア] をクリックします。ここでは [都道府県] 列の抽出を解除しています。

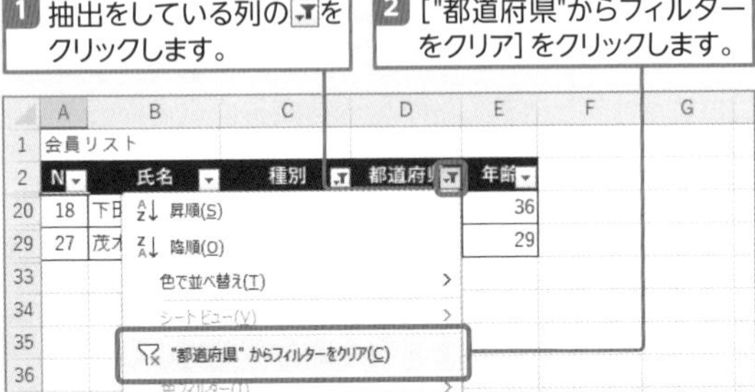

	A	B	C	D	E
1	会員リスト				
2	N	氏名	種別	都道府県	年齢
16	14	古谷　恵	プラチナ	群馬県	26
20	18	下田　正親	プラチナ	大阪府	36
27	25	矢崎　敏行	プラチナ	東京都	34
29	27	茂木　良太	プラチナ	大阪府	29
32	30	川野　歩美	プラチナ	千葉県	41

Q 987 お役立ち度 ★★★ フィルター 2021 2019 2016

複数列の抽出をまとめて解除するには

A [データ] タブ→ [クリア] をクリックします。

フィルターの条件をすべて解除し、全レコードを再表示するには、[データ] タブ→ [クリア] をクリックします。

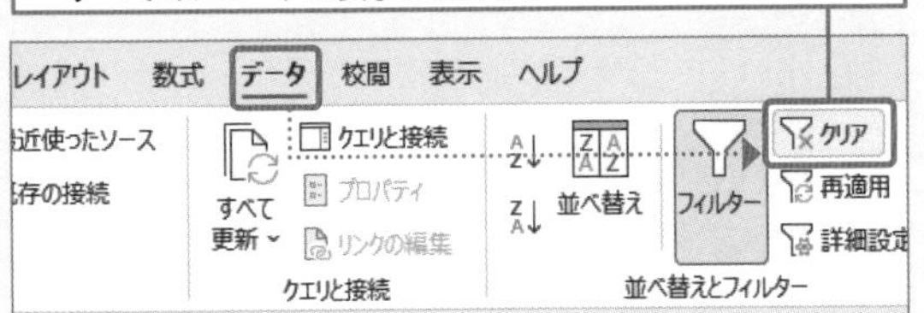

フィルター

文字列を条件に抽出するには

A テキストフィルターを選択します。

列内のデータが文字列の場合は、[テキストフィルター] を使って文字列について「指定の値に等しい」とか「指定の値を含む」などさまざまな抽出条件を設定できます。ここでは商品名が「セット」で終わるレコードを抽出しています。

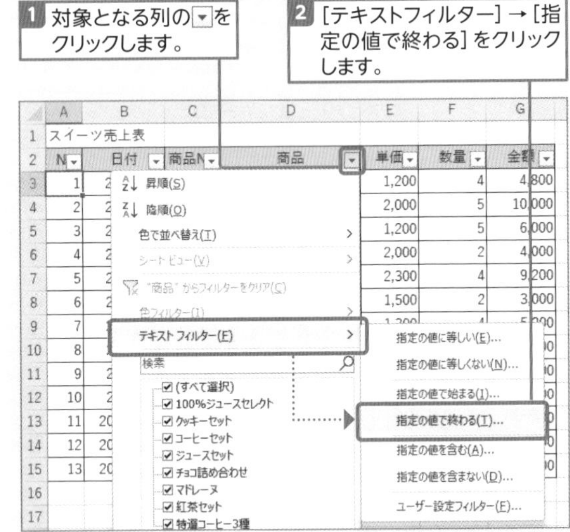

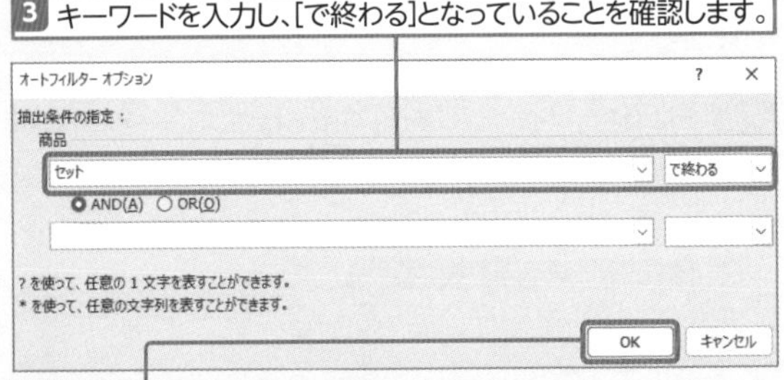

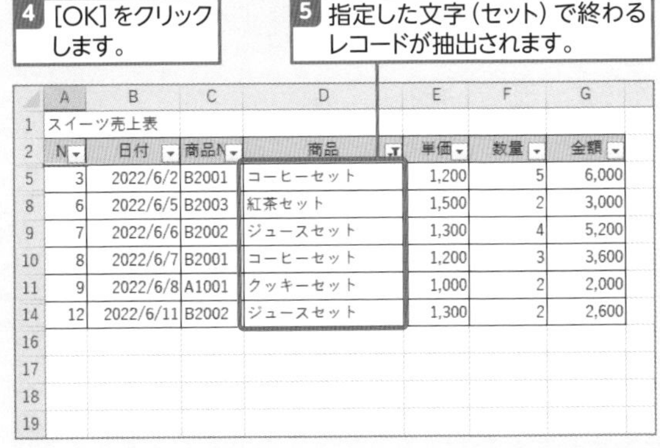

	A	B	C	D	E	F	G
1	スイーツ売上表						
2	N	日付	商品N	商品	単価	数量	金額
5	3	2022/6/2	B2001	コーヒーセット	1,200	5	6,000
8	6	2022/6/5	B2003	紅茶セット	1,500	2	3,000
9	7	2022/6/6	B2002	ジュースセット	1,300	4	5,200
10	8	2022/6/7	B2001	コーヒーセット	1,200	3	3,600
11	9	2022/6/8	A1001	クッキーセット	1,000	2	2,000
14	12	2022/6/11	B2002	ジュースセット	1,300	2	2,600

Q989 お役立ち度 ★★★ フィルター

2021 2019 2016

「〇〇」を含む条件で抽出するには

A [検索] ボックスを使うと便利です。

列の中に特定の文字列を一部に含むレコードを抽出したいときは、フィルターボタン▼をクリックしたときに表示される [検索] ボックスにキーワードを入力するだけで素早く絞り込めます。

1 対象となる列（ここでは「商品」）の▼をクリックします。

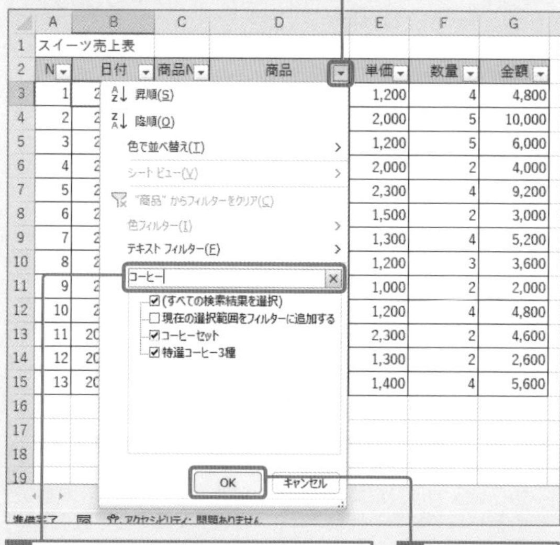

2 検索ボックスにキーワード（ここでは「コーヒー」）を入力します。

3 [OK] をクリックします。

	A	B	C	D	E	F	G
1	スイーツ売上表						
2	No	日付	商品No	商品	単価	数量	金額
5	3	2022/6/2	B2001	コーヒーセット	1,200	5	6,000
7	5	2022/6/4	C3001	特選コーヒー3種	2,300	4	9,200
10	8	2022/6/7	B2001	コーヒーセット	1,200	3	3,600
13	11	2022/6/10	C3001	特選コーヒー3種	2,300	2	4,600
16							
17							
18							
19							
20							

4 指定したキーワードを含む商品名を持つレコードが抽出されます。

おトクな情報 [指定の値を含む] と同じ

[検索] ボックスを使う抽出条件は、テキストフィルターの [指定の値を含む] と同じ結果になります。

Q990 お役立ち度 ★★★ フィルター

2021 2019 2016

数値を条件に抽出するには

A 数値フィルターを選択します。

列内のデータが数値の場合は、[数値フィルター] を使って数値について「以上」「以下」「範囲内」「上位〇位」などさまざまな抽出条件を設定できます。ここでは年齢が30代のレコードを抽出しています。

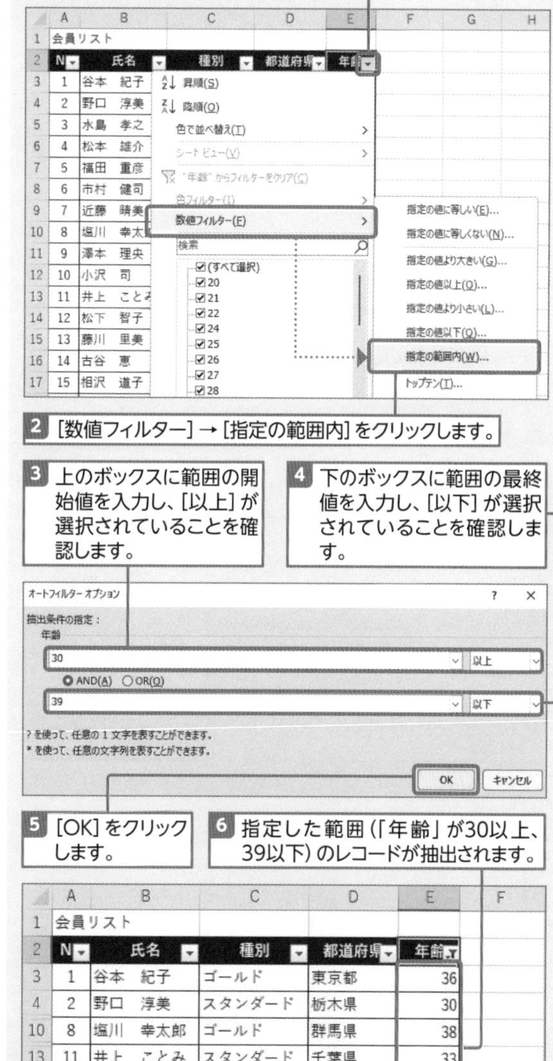

1 対象となる列の▼をクリックします。

2 [数値フィルター] → [指定の範囲内] をクリックします。

3 上のボックスに範囲の開始値を入力し、[以上] が選択されていることを確認します。

4 下のボックスに範囲の最終値を入力し、[以下] が選択されていることを確認します。

5 [OK] をクリックします。

6 指定した範囲（「年齢」が30以上、39以下）のレコードが抽出されます。

	A	B	C	D	E
1	会員リスト				
2	No	氏名	種別	都道府県	年齢
3	1	谷本　紀子	ゴールド	東京都	36
4	2	野口　淳美	スタンダード	栃木県	30
10	8	塩川　幸太郎	ゴールド	群馬県	38
13	11	井上　ことみ	スタンダード	千葉県	33
20	18	下田　正親	プラチナ	大阪府	36
27	25	矢崎　敏行	プラチナ	東京都	34

Q991 お役立ち度 ★★★ フィルター

数値が「多いほうから3つ」の条件で抽出するには

A 数値フィルターで［トップテン］を選択します。

数値フィルターで［トップテン］を選択すると、列内の数値が大きいほうから指定した数で上位、下位のレコードを抽出できます。ここでは、テストの合計が上位3件のレコードを抽出しています。

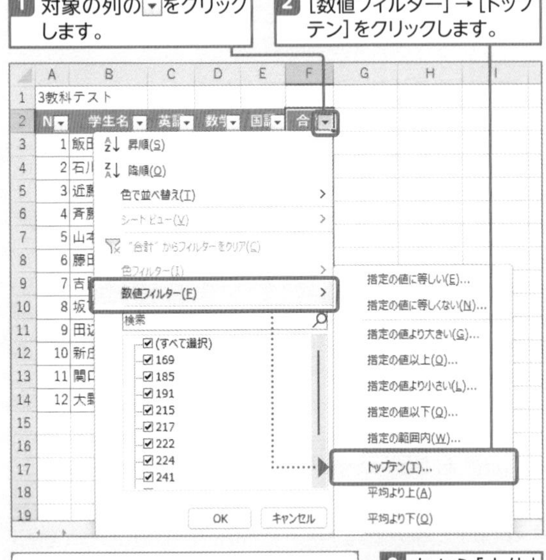

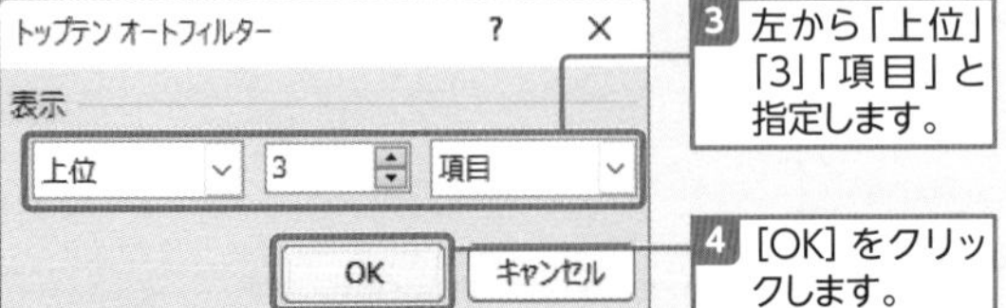

5 指定した列の数値が大きいほうから3件のレコードが抽出されます。

	A	B	C	D	E	F
1	3教科テスト					
2	N	学生名	英語	数学	国語	合計
6	4	斉藤　剛	91	96	93	280
10	8	坂下　裕子	96	92	88	276
11	9	田辺　久美	100	96	93	289
15						

おトクな情報 パーセントで抽出

［項目］の代わりに［パーセント］を選択すると、上位や下位で○パーセントに含まれるレコードを抽出できます。

日付を条件に抽出するには

A 日付フィルターを選択します。

列内のデータが日付の場合は、［日付フィルター］を使って日付について「今日」「今年」「昨年」「期間」などさまざまな抽出条件を設定できます。ここでは日付が「2022/6/1」～「2022/6/5」のレコードを抽出しています。

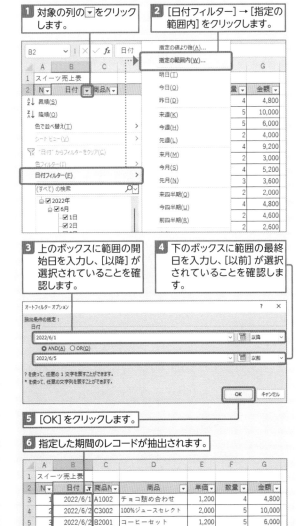

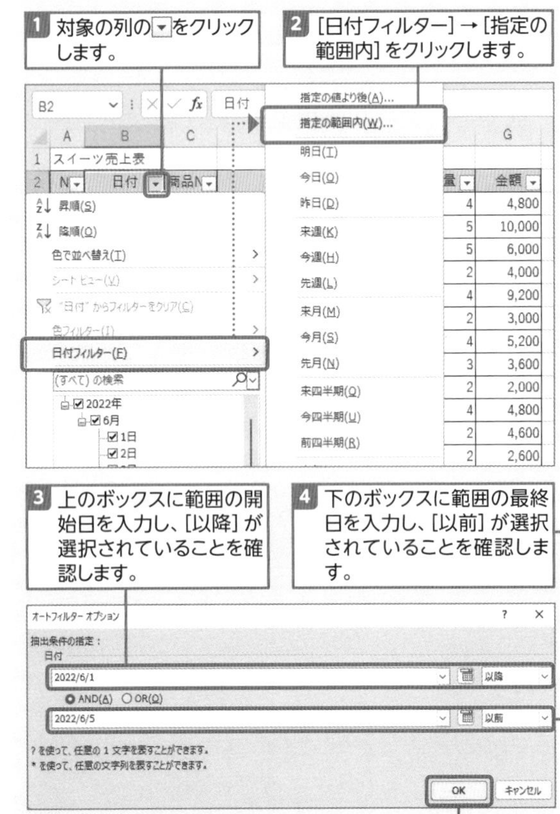

6 指定した期間のレコードが抽出されます。

	A	B	C	D	E	F	G
1	スイーツ売上表						
2	N	日付	商品N	商品	単価	数量	金額
3	1	2022/6/1	A1002	チョコ詰め合わせ	1,200	4	4,800
4	2	2022/6/2	C3002	100%ジュースセレクト	2,000	5	10,000
5	3	2022/6/2	B2001	コーヒーセット	1,200	5	6,000
6	4	2022/6/3	C3002	100%ジュースセレクト	2,000	2	4,000
7	5	2022/6/4	C3001	特選コーヒー3種	2,300	4	9,200
8	6	2022/6/5	B2003	紅茶セット	1,500	2	3,000
16							
17							

Q993 お役立ち度 ★★★ フィルター 2021 2019 2016

色を条件に抽出するには

A 色フィルターを選択します。

[色フィルター]を使うと、セルの塗りつぶしやフォントの色を条件に抽出できます。[色フィルター]を選択すると、列内に設定されている塗りつぶしやフォントの色が表示されるので、抽出したい色をクリックします。

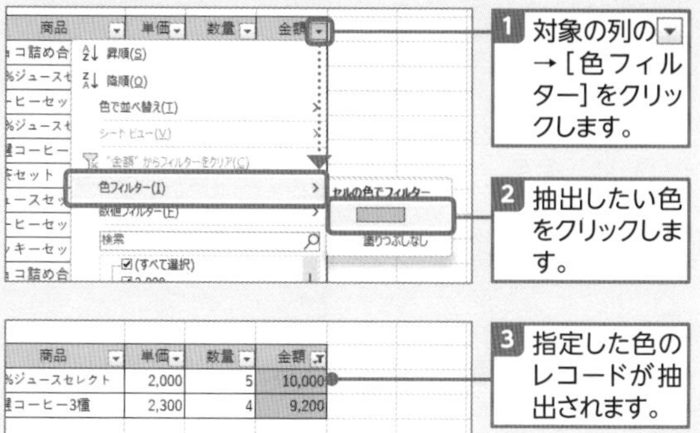

Q994 お役立ち度 ★★★ フィルター 2021 2019 2016

抽出ごとに集計結果を表示するには

A SUBTOTAL関数で集計が可能です。

SUBTOTAL関数を使うと、抽出したデータを対象に集計できます(Q759)。

1 合計を表示するセルにSUBTOTAL関数を入力します。

G1 =SUBTOTAL(109,G4:G16)

	A	B	C	D	E	F	G
1	スイーツ売上表					合計金額	65,400
2							
3	No	日付	商品No	商品	単価	数量	金額
4	1	2022/6/1	A1002	チョコ詰め合わせ	1,200	4	4,800

2 抽出を実行すると、集計結果が自動更新されます。

	A	B	C	D	E	F	G
1	スイーツ売上表					合計金額	9,600
2							
3	No	日付	商品No	商品	単価	数量	金額
6	3	2022/6/2	B2001	コーヒーセット	1,200	5	6,000
11	8	2022/6/7	B2001	コーヒーセット	1,200	3	3,600

Q995 お役立ち度 ★★★ フィルター 2021 2019 2016

抽出された状態を保存しておきたい!

A ユーザー設定のビューに追加しておきます。

指定した条件で抽出した状態を[ユーザー設定のビュー]に名前を付けて保存しておくと、同じ条件で抽出し直す手間が省けます。設定時のワークシートの表が再現対象になります。なお、ブック内にテーブル(**Q1003**)があると無効になり使用することができません。

ユーザー設定ビューの追加

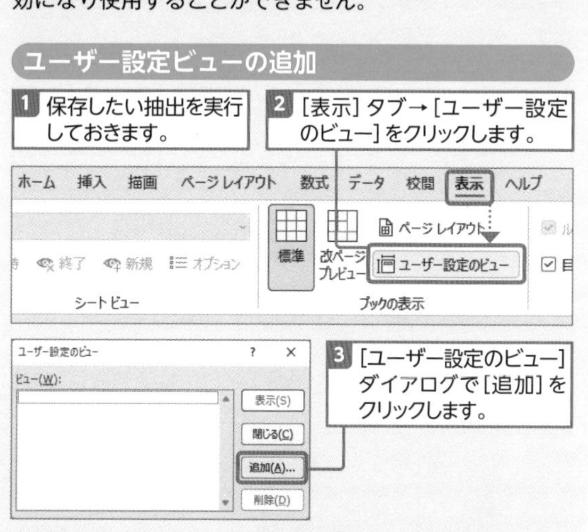

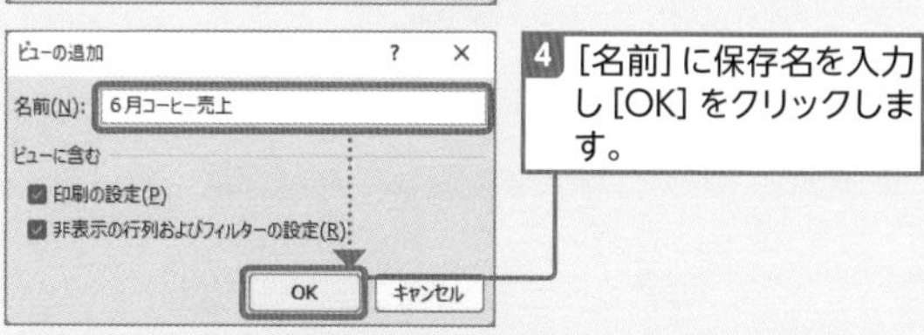

保存したユーザー設定ビューの再現

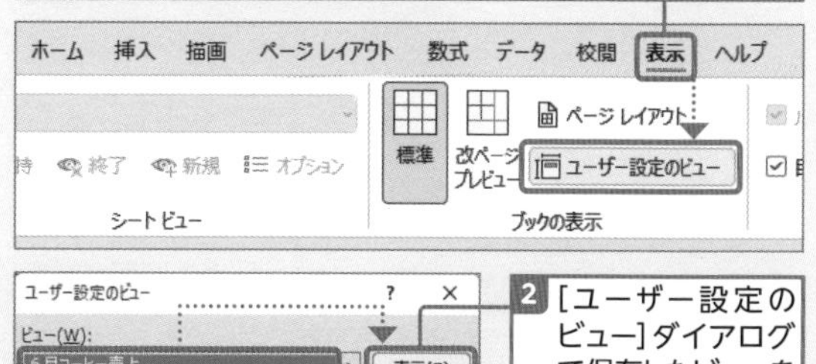

1 ユーザー設定ビューを保存したときのワークシートを表示し、[表示]タブ→[ユーザー設定のビュー]をクリックします。

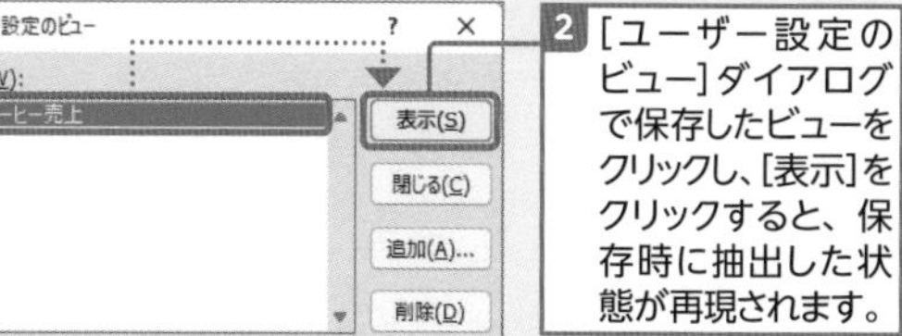

2 [ユーザー設定のビュー]ダイアログで保存したビューをクリックし、[表示]をクリックすると、保存時に抽出した状態が再現されます。

Q996 お役立ち度 ★★★ フィルターオプション

2021
2019
2016

別表の条件をすべて満たすデータを抽出するには

A フィルターオプションの設定でAND条件で抽出します。

別表に条件を設定し、条件を満たすレコードだけを抽出するには、フィルターオプションを使用します。別表の同じ行に条件を並べるとAND条件となり、設定したすべての条件を満たしたレコードが抽出されます。ここでは売上日が2022/5/1～5/5の「消火器」のレコードを抽出しています。条件の設定方法は**Q784**を参照してください。

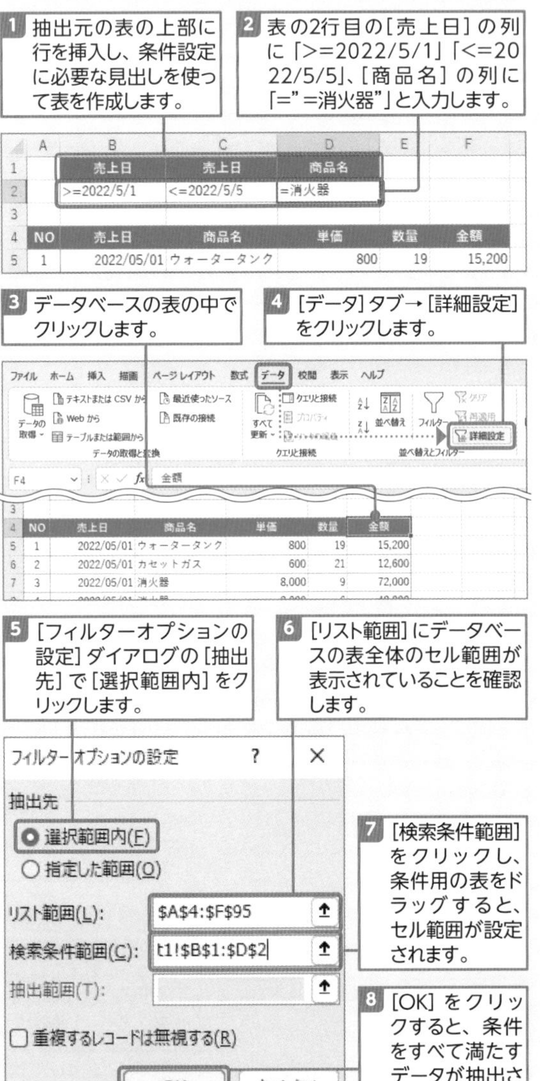
1 抽出元の表の上部に行を挿入し、条件設定に必要な見出しを使って表を作成します。
2 表の2行目の[売上日]の列に「>=2022/5/1」「<=2022/5/5」、[商品名]の列に「="=消火器"」と入力します。
売上日
売上日
商品名
>=2022/5/1
<=2022/5/5
=消火器
NO
売上日
商品名
単価
数量
金額
1
2022/05/01
ウォータータンク
800
19
15,200
3 データベースの表の中でクリックします。
4 [データ]タブ→[詳細設定]をクリックします。
詳細設定
5 [フィルターオプションの設定]ダイアログの[抽出先]で[選択範囲内]をクリックします。
6 [リスト範囲]にデータベースの表全体のセル範囲が表示されていることを確認します。
フィルターオプションの設定
抽出先
選択範囲内(E)
指定した範囲(O)
リスト範囲(L):
$A$4:$F$95
検索条件範囲(C):
t1!$B$1:$D$2
抽出範囲(T):
重複するレコードは無視する(R)
OK
キャンセル
7 [検索条件範囲]をクリックし、条件用の表をドラッグすると、セル範囲が設定されます。
8 [OK]をクリックすると、条件をすべて満たすデータが抽出されます。

Q997 お役立ち度 ★★★ フィルターオプション

2021
2019
2016

別表の条件を1つでも満たすデータを抽出するには

A フィルターオプションの設定でOR条件で抽出します。

フィルターオプションの設定を使って、複数の条件の内1つでも満たすレコードを抽出するには、抽出条件を縦に並べて設定してOR条件にします。ここでは、[売上日]が「2022/5/4」で、[商品名]が「消火器」または「防災ヘルメット」のレコードを抽出します。

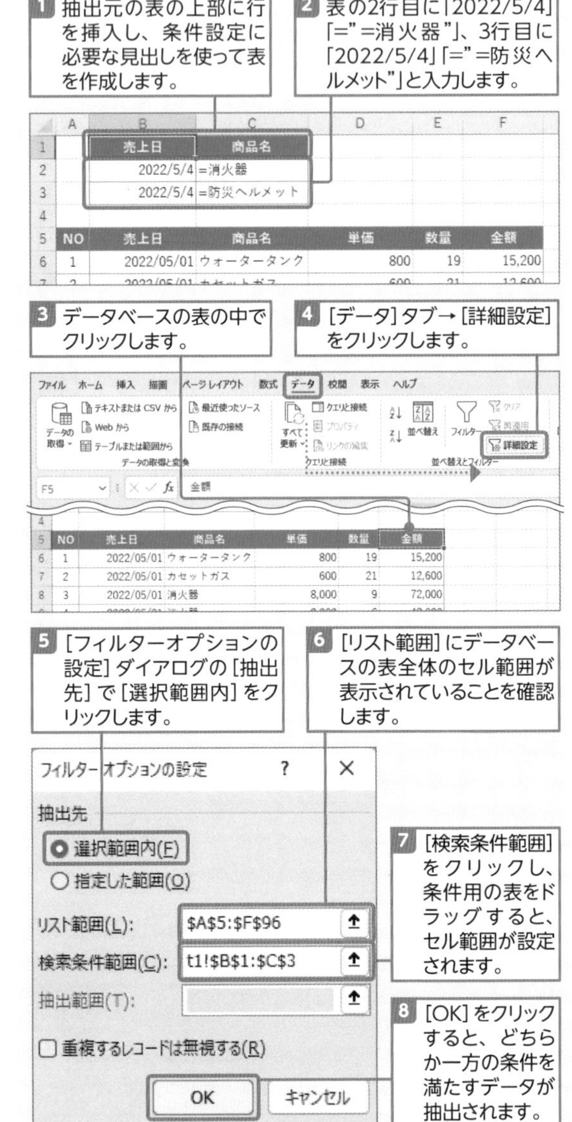
1 抽出元の表の上部に行を挿入し、条件設定に必要な見出しを使って表を作成します。
2 表の2行目に「2022/5/4」「="=消火器"」、3行目に「2022/5/4」「="=防災ヘルメット"」と入力します。
売上日
商品名
2022/5/4
=消火器
2022/5/4
=防災ヘルメット
NO
売上日
商品名
単価
数量
金額
1
2022/05/01
ウォータータンク
800
19
15,200
3 データベースの表の中でクリックします。
4 [データ]タブ→[詳細設定]をクリックします。
詳細設定
5 [フィルターオプションの設定]ダイアログの[抽出先]で[選択範囲内]をクリックします。
6 [リスト範囲]にデータベースの表全体のセル範囲が表示されていることを確認します。
フィルターオプションの設定
抽出先
選択範囲内(E)
指定した範囲(O)
リスト範囲(L):
$A$5:$F$96
検索条件範囲(C):
t1!$B$1:$C$3
抽出範囲(T):
重複するレコードは無視する(R)
OK
キャンセル
7 [検索条件範囲]をクリックし、条件用の表をドラッグすると、セル範囲が設定されます。
8 [OK]をクリックすると、どちらか一方の条件を満たすデータが抽出されます。

Q998 お役立ち度 ★★★ フィルターオプション 2021 2019 2016

条件を満たすレコードを書き出すには

A フィルターオプションの設定で書き出す範囲を指定します。

フィルターオプションの設定では、条件を満たすレコードを指定した位置に書き出すことができます。ここでは、売上金額が10万円以上のレコードを書き出しています。

1 抽出元の表の上部に行を挿入し、条件設定に必要な見出しを使って表を作成し、2行目に「>=100000」と入力します。

2 データベースの表の中でクリックし、[データ]タブ→[詳細設定]をクリックします。

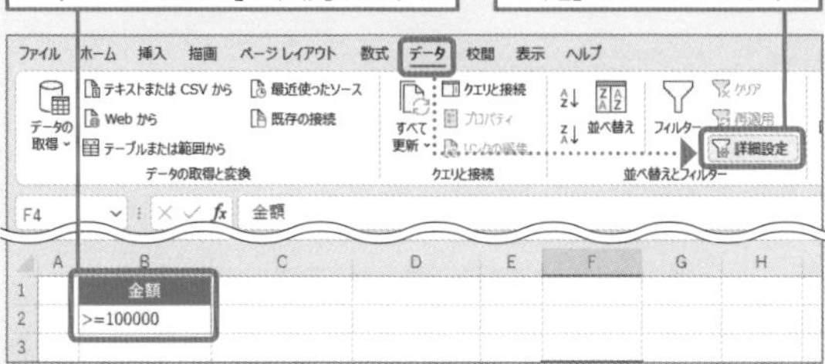

3 [フィルターオプションの設定]ダイアログの[抽出先]で[指定した範囲]をクリックします。

4 [リスト範囲]にデータベースの表全体のセル範囲が表示されていることを確認します。

5 [検索条件範囲]をクリックし、条件用の表をドラッグすると、セル範囲が設定されます。

6 [抽出範囲]をクリックし、データを書き出す先頭のセルをクリックすると、セルが設定されます。

7 [OK]をクリックします。

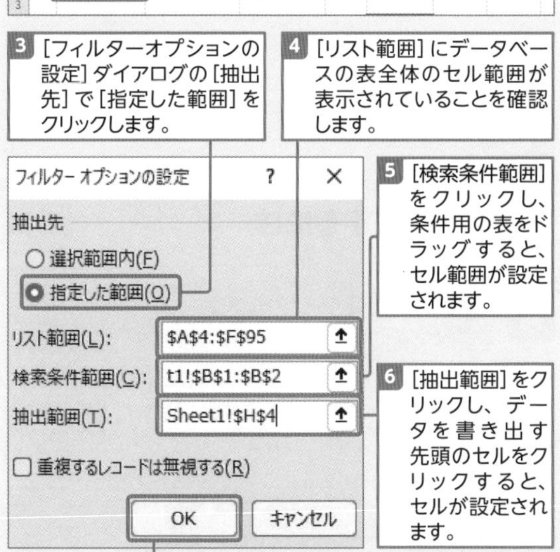

8 条件を満たすレコード（金額が100000以上）が書き出されます。

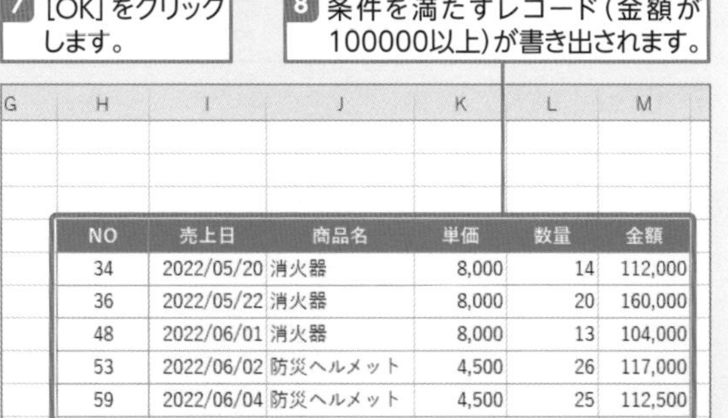

NO	売上日	商品名	単価	数量	金額
34	2022/05/20	消火器	8,000	14	112,000
36	2022/05/22	消火器	8,000	20	160,000
48	2022/06/01	消火器	8,000	13	104,000
53	2022/06/02	防災ヘルメット	4,500	26	117,000
59	2022/06/04	防災ヘルメット	4,500	25	112,500

Q999 お役立ち度 ★★★ フィルターオプション 2021 2019 2016

重複しないデータだけを書き出すには

A フィルターオプションの設定で重複しないデータを書き出します。

フィルターオプションの設定では、データの中から重複しないものを書き出すことができます。例えば、[都道府県]列の中から都道府県名を重複しないで取り出すことができます。条件を指定しなければ、すべてのデータを対象にして抽出できます。

1 重複しないデータを取り出したい列を選択します。

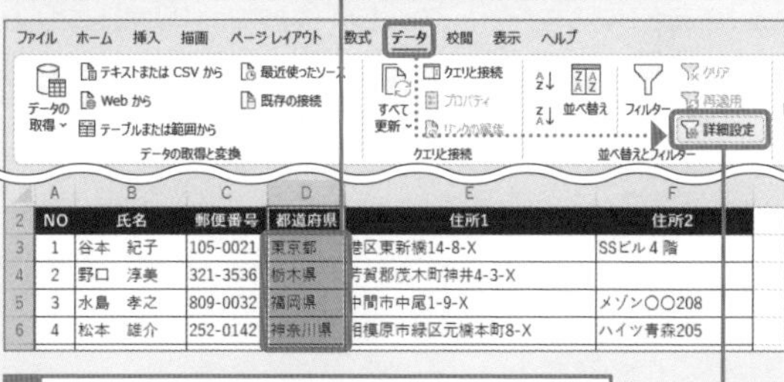

NO	氏名	郵便番号	都道府県	住所1	住所2
1	谷本 紀子	105-0021	東京都	港区東新橋14-8-X	SSビル4階
2	野口 淳美	321-3536	栃木県	芳賀郡茂木町神井4-3-X	
3	水島 孝之	809-0032	福岡県	中間市中尾1-9-X	メゾン○○208
4	松本 雄介	252-0142	神奈川県	相模原市緑区元橋本町8-X	ハイツ青森205

2 [データ]タブ→[詳細設定]をクリックします。

3 [フィルターオプションの設定]ダイアログの[抽出先]で[指定した範囲]をクリックします。

4 [リスト範囲]に選択した列のセル範囲が表示されていることを確認します。

5 [抽出範囲]をクリックし、抽出先のセルをクリックするとセルが設定されます。

6 [重複するレコードは無視する]にチェックを付けます。

7 [OK]をクリックします。

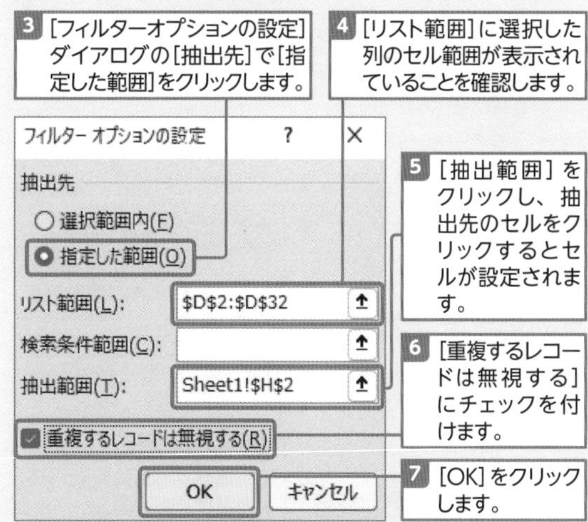

8 列内にある都道府県が重複なしで書き出されます。

郵便番号	都道府県	住所1	住所2		都道府県
05-0021	東京都	港区東新橋14-8-X	SSビル4階		東京都
21-3536	栃木県	芳賀郡茂木町神井4-3-X			栃木県
09-0032	福岡県	中間市中尾1-9-X	メゾン○○208		福岡県
52-0142	神奈川県	相模原市緑区元橋本町8-X	ハイツ青森205		神奈川県
30-0046	埼玉県	さいたま市浦和区大原1-1-X			埼玉県
72-0134	千葉県	市川市入船1-2-X	ＡＢハイツ102号		千葉県
85-0806	千葉県	佐倉市大篠塚4-X	△△ガーデン111		群馬県
79-1301	群馬県	利根郡みなかみ町奈女沢1-3-X	プラザ○○105		茨城県
92-0011	東京都	八王子市滝山町2-2-X			北海道
15-0165	茨城県	石岡市小倉4-11-XX	グリーン△301		大阪府
61-8755	千葉県	千葉市美浜区幸町1-3-X			奈良県
99-4123	北海道	斜里郡斜里町朱円東1-2-X			

Q1000 お役立ち度 ★★★ 集計

2021 2019 2016

商品ごとに売上金額を集計したい!

A [データ] タブ→ [小計] をクリックします。

[集計] 機能を使うと、データベースの表に分類ごとに小計行を挿入して集計することができます。関数を設定しなくても、スピーディーに集計結果を求められます。操作のポイントは、集計対象となる列を基準に並べ替えしてから集計のメニューを選択することです。ここでは商品ごとの売上金額を集計しています。

1 [商品名]の列内でクリックし、[データ]タブ→[昇順]をクリックして商品で並べ替えます。

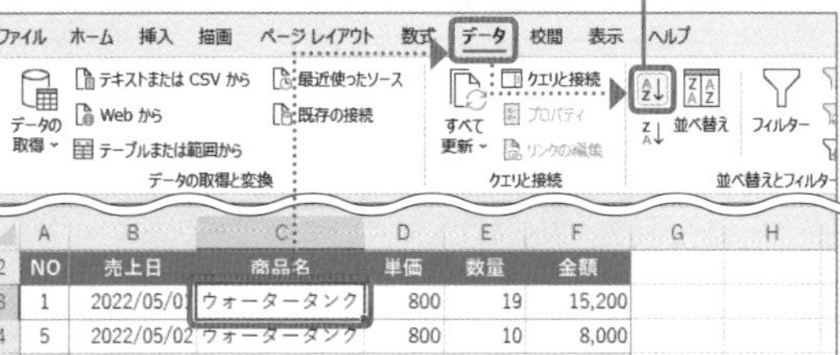

2 [データ] タブ→ [小計] をクリックします。

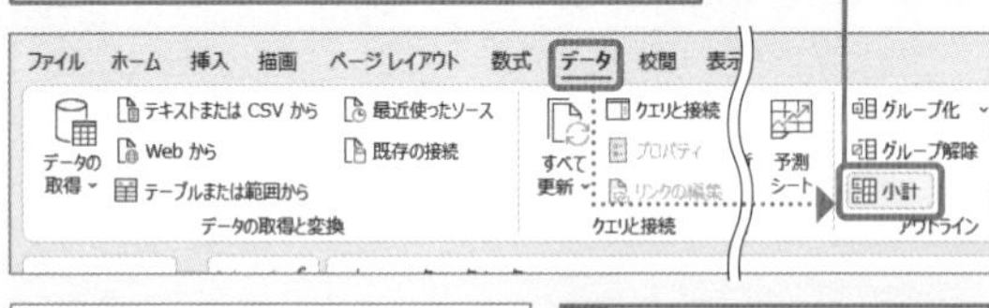

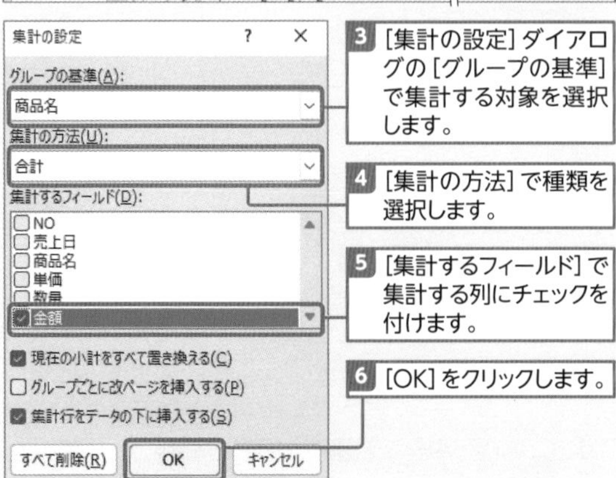

3 [集計の設定] ダイアログの [グループの基準] で集計する対象を選択します。

4 [集計の方法] で種類を選択します。

5 [集計するフィールド] で集計する列にチェックを付けます。

6 [OK] をクリックします。

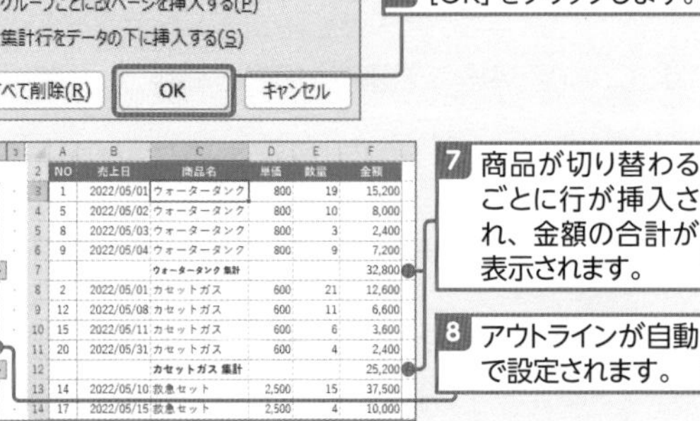

7 商品が切り替わるごとに行が挿入され、金額の合計が表示されます。

8 アウトラインが自動で設定されます。

Q1001 お役立ち度 ★★★ 集計

2021 2019 2016

表を折りたたんで集計結果だけを表示するには

A アウトラインのボタンをクリックします。

集計すると、集計行を折り目にして自動的にアウトライン(**Q624**) が設定され、アウトラインのボタンをクリックすれば集計結果だけを表示できます。

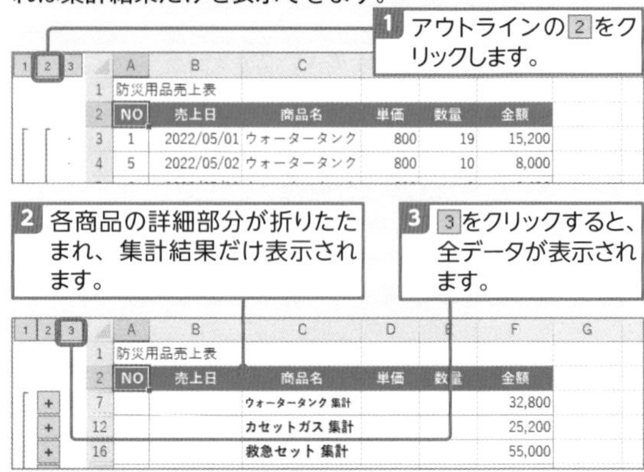

1 アウトラインの 2 をクリックします。

2 各商品の詳細部分が折りたたまれ、集計結果だけ表示されます。

3 3 をクリックすると、全データが表示されます。

Q1002 お役立ち度 ★★★ 集計

2021 2019 2016

集計を解除するには

A [集計の設定] ダイアログで [すべて削除] をクリックします。

[集計の設定] ダイアログで [すべて削除] をクリックすれば、集計機能によって挿入された集計行やアウトラインは自動で削除され、元の表に戻ります。

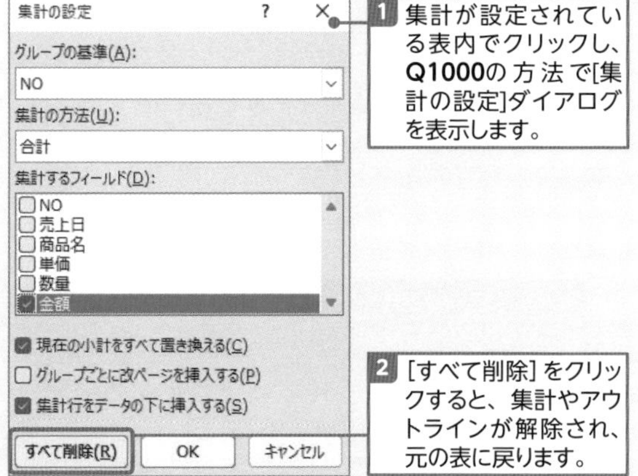

1 集計が設定されている表内でクリックし、**Q1000**の方法で[集計の設定]ダイアログを表示します。

2 [すべて削除] をクリックすると、集計やアウトラインが解除され、元の表に戻ります。

表をテーブルに変換して入力を便利にしたい!

A [挿入] タブ→ [テーブル] をクリックします。

データベース形式の表はテーブルに変換できます。表をテーブルに変換すると、新規入力行が自動的に拡張され、表に設定されている罫線、数式、データの入力規則などの書式が自動でコピーされるため、再設定の手間が省け、データの入力に便利です。また、列見出しにフィルターボタン▼が表示されるため、並べ替えや抽出が素早く行えます。

1 Q571の方法でA ～ G列にデータの入力規則の日本語入力の入力モードを設定します。

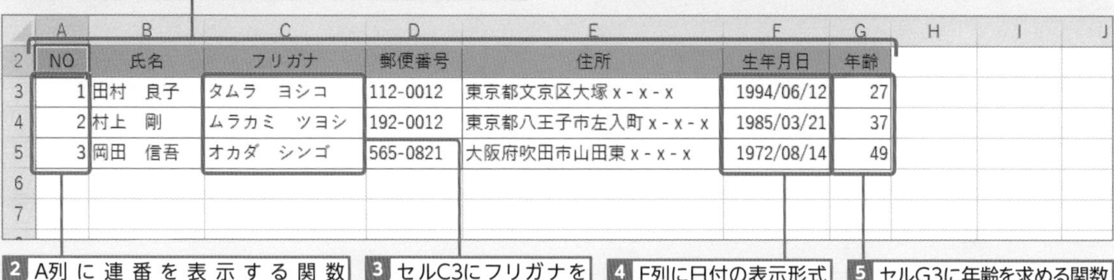

2 A列に連番を表示する関数「=ROW()-2」を入力します。(注：並べ替えを元に戻すための連番にしたい場合は、直接数字を入力してください)

3 セルC3にフリガナを表示する関数「=PHONETIC(B3)」を入力し、コピーします。

4 F列に日付の表示形式「yyyy/mm/dd」を設定します。

5 セルG3に年齢を求める関数「=IF(F3="","",DATEDIF(F3,TODAY(),"Y"))」を入力し、コピーします。

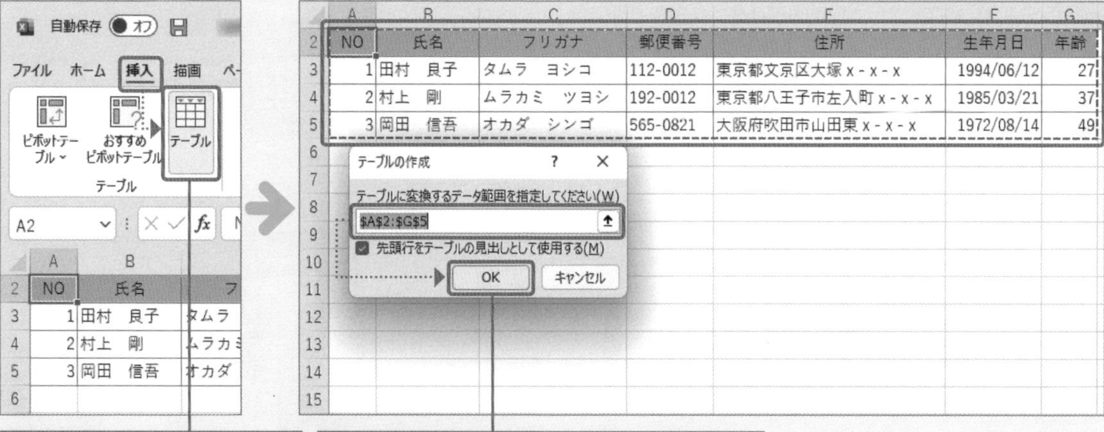

6 表内でクリックし、[挿入] タブ→ [テーブル] をクリックします。

7 表の周囲が点線で点滅し、表のセル範囲が表示されるのを確認して、[OK] をクリックします。

8 テーブルに変換されます。

9 表の最後のセルで Tab キーを押します。

10 新規入力行が追加され、書式と数式がコピーされます。

11 Tab キーを押してセルを移動しながらデータを入力すると、日本語入力モードの切り替えやフリガナ、年齢などが自動で設定されます。

Q1004 お役立ち度 ★★★ テーブル

2021 2019 2016

テーブルのスタイルを削除するには

A テーブルスタイルで[クリア]を選択します。

表をテーブルに変換すると、自動的にテーブルのスタイルが設定されます。元の表の書式に重なる形で設定されるので、見栄えが悪くなったり、文字が読みづらくなってしまう場合もあります。元の書式をそのまま使いたい場合は、テーブルのスタイルを削除します。

1 テーブル内でクリックします。

	A	B	C	D	E	F	G
2	NO	氏名	フリガナ	郵便番号	住所	生年月日	年齢
3	1	田村　良子	タムラ　ヨシコ	112-0012	東京都文京区大塚x-x-x	1994/06/12	27
4	2	村上　剛	ムラカミ　ツヨシ	192-0012	東京都八王子市左入町x-x-x	1985/03/21	37
5	3	岡田　信吾	オカダ　シンゴ	565-0821	大阪府吹田市山田東x-x-x	1972/08/14	49
6	4	辻内　久則	ツジウチ　ヒサノリ	104-0033	東京都中央区新川x-x-x	1977/10/08	44
7							
8							

2 コンテキストタブの[テーブルデザイン]タブ→[テーブルスタイル]の[その他]をクリックします。

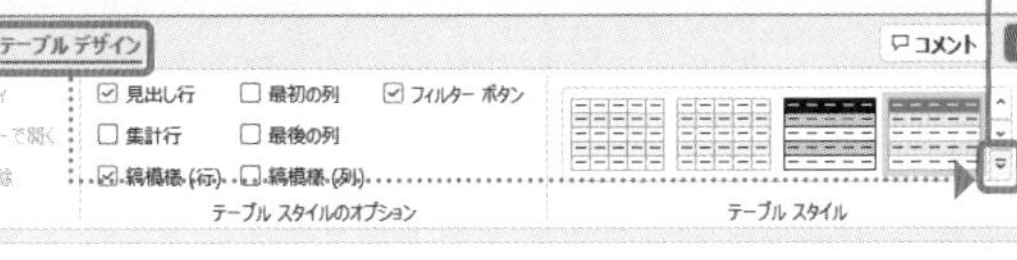

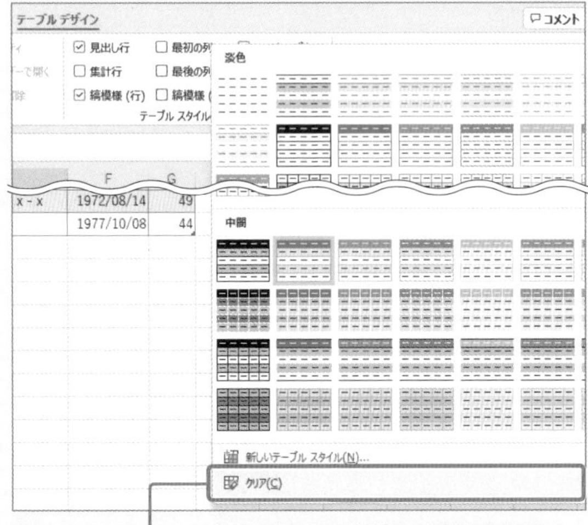

3 テーブルのスタイル一覧から[クリア]をクリックします。

4 テーブルのスタイルが解除され、元の書式が表示されます。

	A	B	C	D	E	F	G
2	NO	氏名	フリガナ	郵便番号	住所	生年月日	年齢
3	1	田村　良子	タムラ　ヨシコ	112-0012	東京都文京区大塚x-x-x	1994/06/12	27
4	2	村上　剛	ムラカミ　ツヨシ	192-0012	東京都八王子市左入町x-x-x	1985/03/21	37
5	3	岡田　信吾	オカダ　シンゴ	565-0821	大阪府吹田市山田東x-x-x	1972/08/14	49
6	4	辻内　久則	ツジウチ　ヒサノリ	104-0033	東京都中央区新川x-x-x	1977/10/08	44
7							
8							

Q1005 お役立ち度 ★★★ テーブル

2021 2019 2016

テーブルのスタイルを適用したい!

A 元の表で設定した塗りつぶしや罫線などの書式を削除します。

元の表の書式ではなく、テーブルのスタイルのほうを使いたい場合は、表の塗りつぶしや罫線などの元の表で設定した書式を削除します。テーブルのスタイルだけが表示されるようになります。

1 表全体を選択し、[ホーム]タブ→[塗りつぶしの色]の[∨]→[塗りつぶしなし]をクリックします。

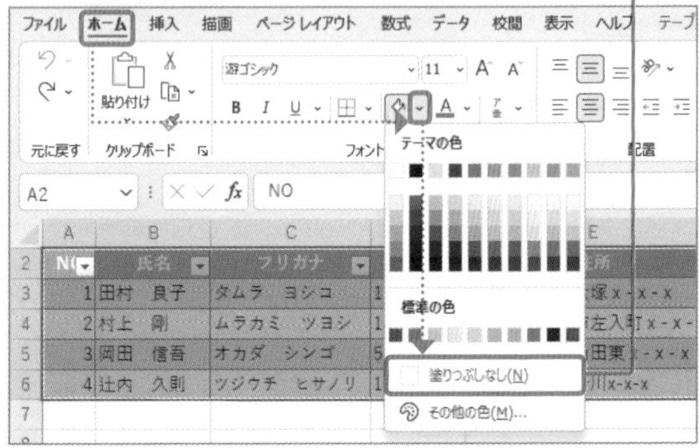

2 [ホーム]タブ→[罫線]の[∨]→[枠なし]をクリックします。

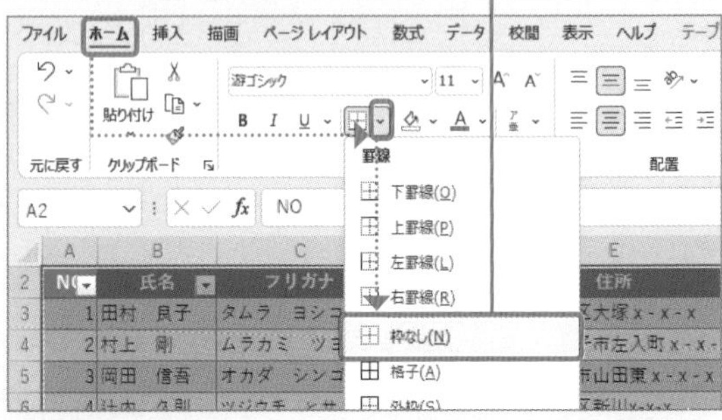

3 元の書式が削除され、テーブルのスタイルだけが表示されます。

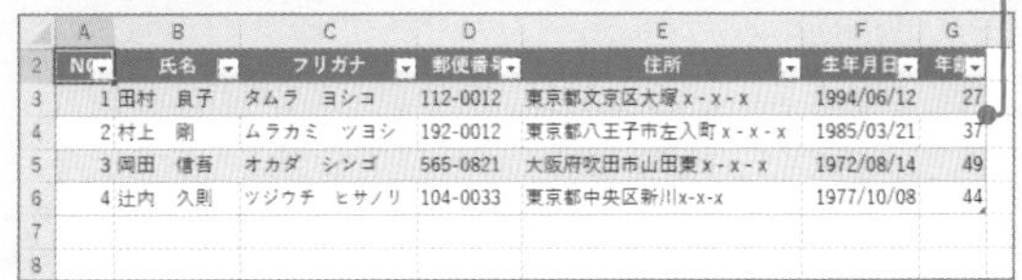

	A	B	C	D	E	F	G
2	NO	氏名	フリガナ	郵便番号	住所	生年月日	年齢
3	1	田村　良子	タムラ　ヨシコ	112-0012	東京都文京区大塚x-x-x	1994/06/12	27
4	2	村上　剛	ムラカミ　ツヨシ	192-0012	東京都八王子市左入町x-x-x	1985/03/21	37
5	3	岡田　信吾	オカダ　シンゴ	565-0821	大阪府吹田市山田東x-x-x	1972/08/14	49
6	4	辻内　久則	ツジウチ　ヒサノリ	104-0033	東京都中央区新川x-x-x	1977/10/08	44
7							
8							

テーブル全体をすばやく選択する

テーブルの1行目でクリックし、Ctrl + A キーを押します。

Q1006 お役立ち度 ★★★ テーブル 2021 2019 2016

テーブルのスタイルを変更するには

A テーブルスタイルでスタイルを選択します。

テーブルのスタイルを使用すると、テーブル全体に罫線や塗りつぶしや色などのスタイルを素早く適用できます。並べ替えをしても、1行おきの網掛けがずれることなくスタイルが保たれます。

1 Q1004の方法でテーブルのスタイル一覧を表示し、変更したいスタイルをクリックします。

2 テーブルにスタイルが設定されます。

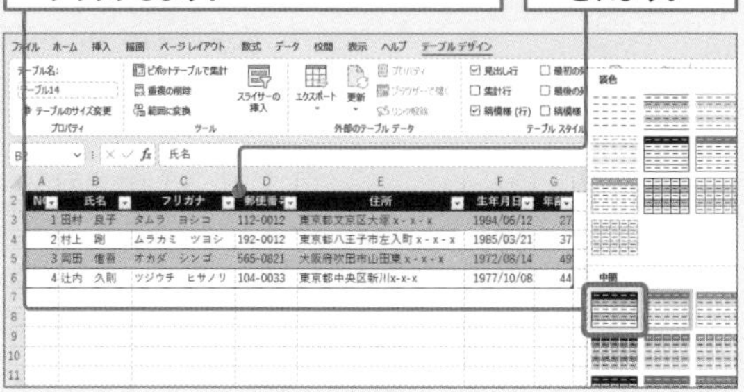

Q1007 お役立ち度 ★★★ テーブル 2021 2019 2016

テーブルを解除するには

A [テーブルデザイン] タブ→ [範囲に変換] をクリックします。

テーブルを解除して元の表に戻すには、[範囲に変換] をクリックします。テーブルは解除されますが、テーブルのスタイルはそのまま残ります。

1 コンテキストタブの[テーブルデザイン]タブ→[範囲に変換]をクリックします。

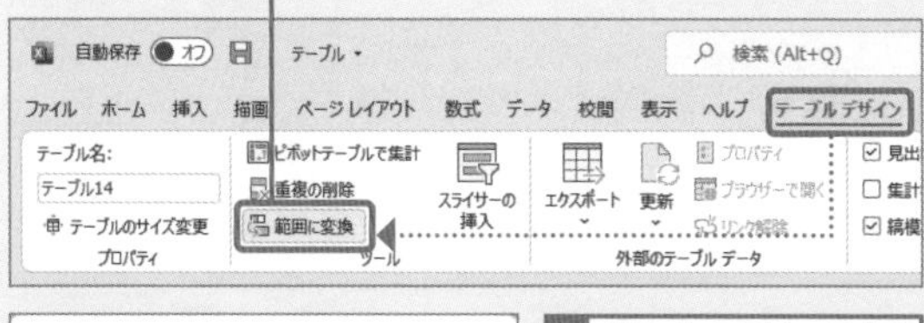

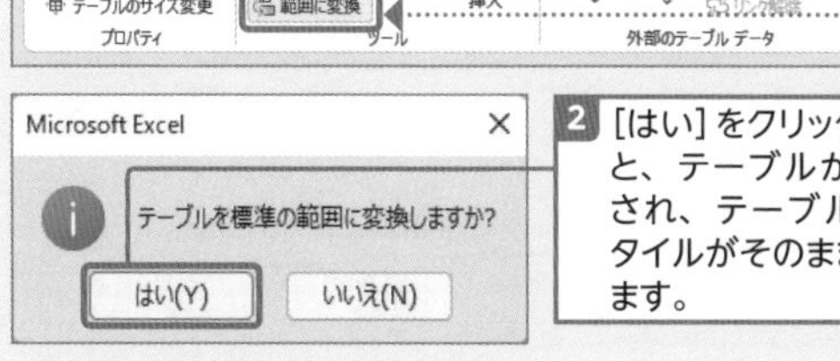

2 [はい] をクリックすると、テーブルが解除され、テーブルのスタイルがそのまま残ります。

Q1008 お役立ち度 ★★★ テーブル 2021 2019 2016

テーブルの範囲を変更するには

A ドラッグまたはメニューで変更できます。

テーブルの範囲を変更するには、テーブル範囲の右下角にある三角のマークにマウスポインターを合わせ、ドラッグします。または、[テーブルのサイズ変更] ダイアログを表示してテーブルの全範囲をドラッグし直して再設定します。

ドラッグで変更する

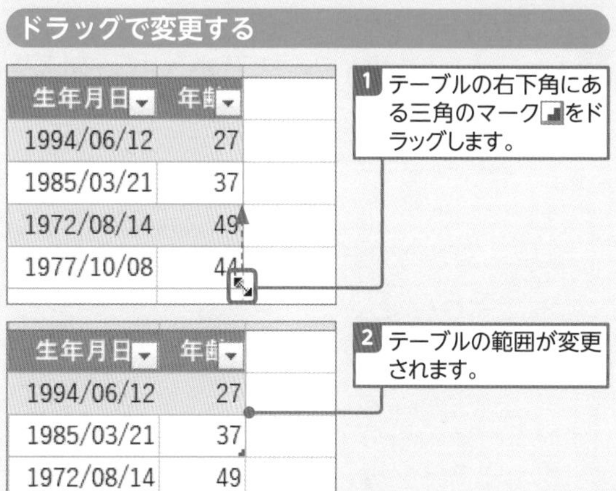

1 テーブルの右下角にある三角のマークをドラッグします。

2 テーブルの範囲が変更されます。

メニューで変更する

1 テーブル内でクリックし、コンテキストタブの [テーブルデザイン] タブ→ [テーブルのサイズ変更] をクリックします。

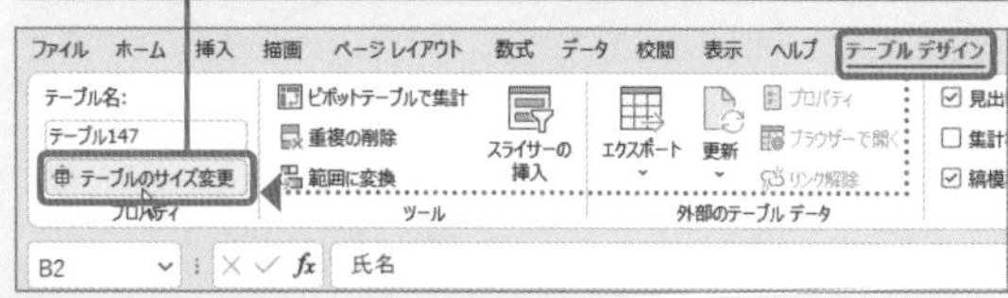

2 テーブル全体をドラッグするとセル範囲が設定されます。

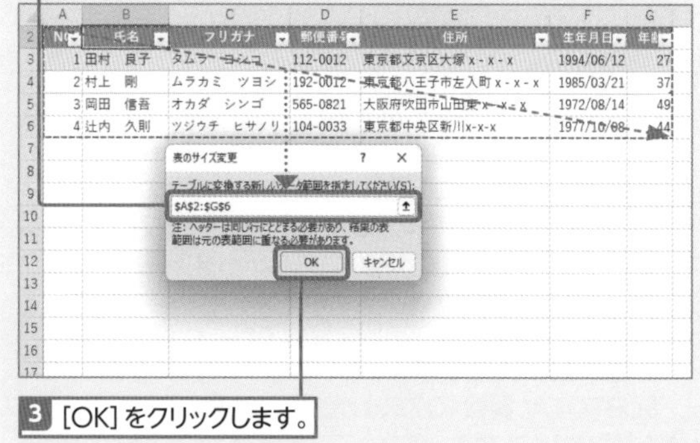

3 [OK] をクリックします。

Q1009 お役立ち度 ★★★ テーブル

2021 2019 2016

集計行を表示するには

A [テーブルデザイン] タブ→ [集計行] にチェックを付けます。

[集計行] にチェックを付けると、テーブルの最下行に集計行が表示され、金額の合計や個数などの集計結果を表示できます。集計行ではフィールドごとに集計結果を表示できます。また、[集計行] のチェックを外せば、集計行を非表示にできます。

1 テーブル内でクリックし、コンテキストタブの [テーブルデザイン] タブ→ [集計行] にチェックを付けます。

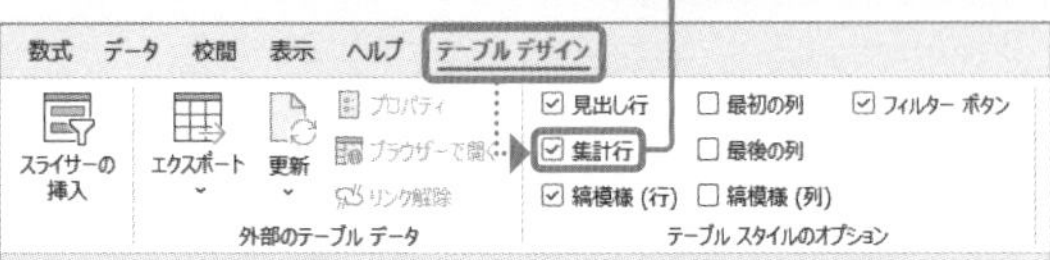

6	3	2022/06/01	消火器	8,000	13	104,000
7	4	2022/06/01	防災ヘルメット	4,500	20	90,000
8	5	2022/06/02	ウォータータンク	800	6	4,800
9	6	2022/06/02	非常用持ち出し袋	4,000	20	80,000
10	7	2022/06/02	防災ヘルメット	4,500	26	117,000
11	8	2022/06/03	消火器	8,000	4	32,000
12	9	2022/06/04	消火器	8,000	3	24,000
13	10	2022/06/04	防災ヘルメット	4,500	13	58,500
14	集計					527,100

なし
平均
個数
数値の個数
最大
最小
合計
標本標準偏差
標本分散
その他の関数...

2 集計行が表示され、金額の合計が表示されます。

3 集計行内のセルをクリックし、[▼] →集計方法をクリックすると、指定した集計方法で列のデータが集計されます。

おトクな情報 集計行で簡単に集計する

テーブルの集計行を表示すると、集計方法を選択するだけで簡単に集計結果が確認できます。集計行のすべてのセルで集計方法を選択できるので、複数のフィールドを対象にいろいろな集計ができます。また、フィルターを実行している場合も、抽出されたデータで集計されます。わざわざ関数を設定する必要がないため、手間なく簡単にデータの集計結果を確認でき、仕事の効率化を図ることができます。なお、集計行には、自動的にSUBTOTAL関数 (Q759) が設定されます。

Q1010 お役立ち度 ★★★ テーブル

2021 2019 2016

フィルターボタンを表示したくない!

A [テーブルデザイン] タブ→ [フィルターボタン] のチェックを外します。

テーブルの列見出しに表示されるフィルターボタン▼は、テーブルを解除しなくても表示／非表示を切り替えられます。

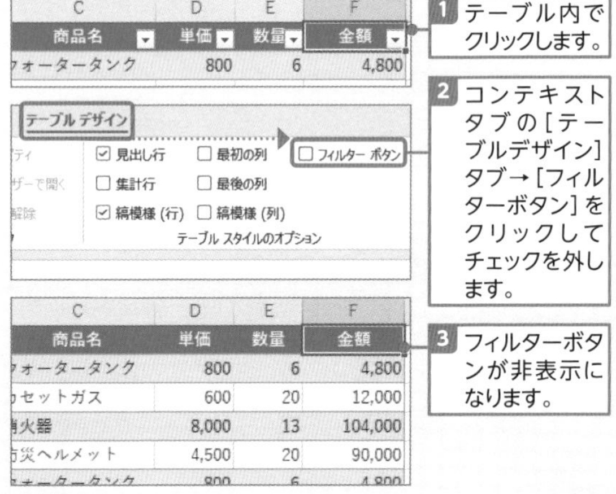

1 テーブル内でクリックします。

2 コンテキストタブの [テーブルデザイン] タブ→ [フィルターボタン] をクリックしてチェックを外します。

3 フィルターボタンが非表示になります。

Q1011 お役立ち度 ★★★ テーブル

2021 2019 2016

縦縞を表示するには

A [テーブルデザイン] タブ→ [縞模様 (列)] にチェックを付けます。

[テーブルデザイン] タブの [縞模様 (行)] と [縞模様 (列)] のチェックのオン／オフでテーブル内の横縞、縦縞の表示／非表示を切り替えられます

1 テーブル内でクリックし、コンテキストタブの [テーブルデザイン] タブ→ [縞模様 (行)] のチェックを外し、[縞模様 (列)] のチェックを付けます。

2 テーブルに縦縞が表示されます。

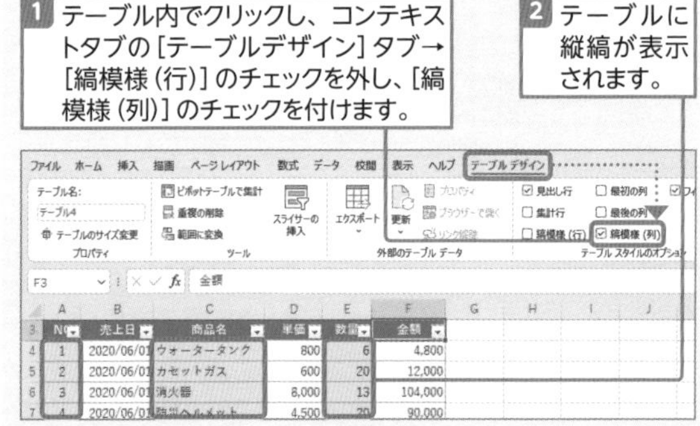

Q1012 お役立ち度  テーブル

2021 2019 2016

テーブルに数式を入力するとセル参照の表記が変わった!

A 構造化参照という参照方法に変わります。

テーブル内で数式を設定すると、通常のセル参照ではなく、「構造化参照」という参照方法に変わります。関数や数式を入力するときに、テーブル内のセルやセル範囲をクリックしたり、ドラッグしたりして選択すると、自動的に構造化参照で式が記述されます。例えば、テーブル内の金額のセルに「単価×数量」の式を入力しようとすると、「＝[@単価]*[@数量]」と表示されます。構造化参照では、指定子を使ってセルやセル範囲を参照します。

1 金額のセルに「=」と入力し、[単価] のセルをクリックして「*」を入力し、[数量] のセルをクリックして「=[@単価]*[@数量]」と表示されたら、Enter キーを押します。

	単価	数量	金額
ク	800	6	=[@単価]*[@数量]
	600	20	
	8,000	13	

2 単価×数量の計算結果が表示され、自動的に列全体に式がコピーされます。

	A	B	C	D	E	F
3	No	売上日	商品名	単価	数量	金額
4	1	2022/06/01	ウォータータンク	800	6	4,800
5	2	2022/06/01	カセットガス	600	20	12,000
6	3	2022/06/01	消火器	8,000	13	104,000
7	4	2022/06/01	防災ヘルメット	4,500	20	90,000
8	5	2022/06/02	ウォータータンク	800	6	4,800
9	6	2022/06/02	非常用持ち出し袋	4,000	20	80,000
10	7	2022/06/02	防災ヘルメット	4,500	26	117,000
11	8	2022/06/03	消火器	8,000	4	32,000
12	9	2022/06/04	消火器	8,000	3	24,000
13	10	2022/06/04	防災ヘルメット	4,500	13	58,500
14						
15						
16						
17						

● **構造化参照の指定子**

指定子	内容
[#すべて]	テーブル全体
[#見出し]	列見出し行
[#データ]	データ部分
[#集計行]	集計行
[@]	数式が入力されている同じ行のセル
[見出し名]	フィールド名に対応するデータ部分
[@見出し名]	[@] と [見出し名] が交差するセル

Q1013 お役立ち度 テーブル

2021 2019 2016

並べ替えを実行するには

A [▼] をクリックして [昇順] または [降順] を選択します。

テーブルの各列見出しに表示される▼をクリックして [昇順] または [降順] をクリックして並べ替えられます。ここでは、[金額] を小さい順に並べ替えています。

1 [金額] の▼をクリックし、[昇順] をクリックすると、[金額] の小さい順に並び替わります。

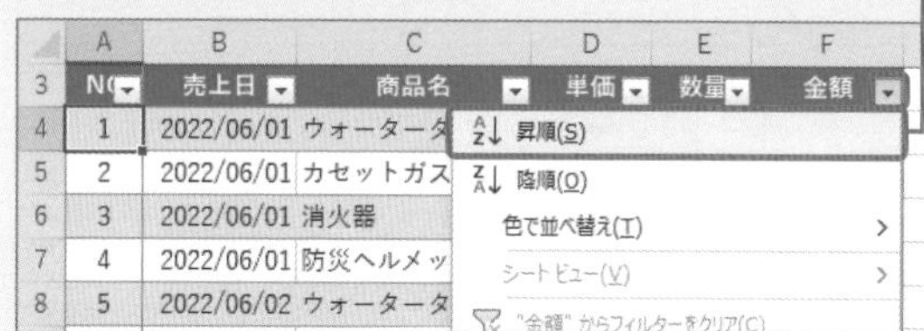

Q1014 お役立ち度 テーブル

2021 2019 2016

レコードを抽出するには

A [▼] ボタンをクリックして抽出したい項目にチェックを付けます。

テーブルの各列見出しに表示される▼をクリックして、表示したい項目にチェックを付け [OK] をクリックします。フィルターと同じ操作で抽出できます (**Q983～Q993**)。

1 [商品名] の▼をクリックし、[ウォータータンク] のチェックを付けます。

2 [OK] をクリックすると、[ウォータータンク] のレコードが抽出されます。

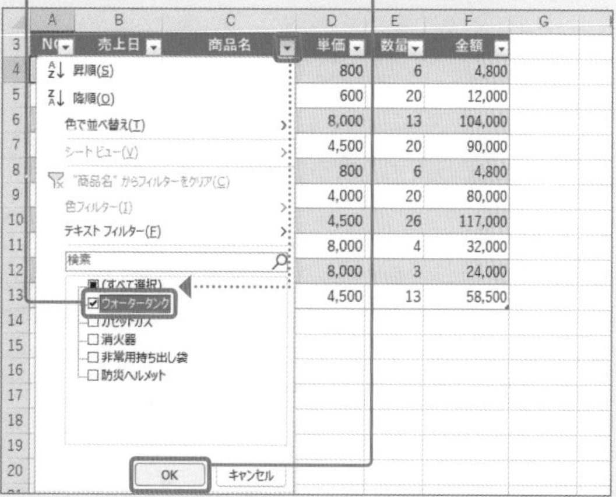

Q1015  テーブル

2021 / 2019 / 2016

クリックだけで簡単に抽出するには

A スライサーを表示します。

スライサーは、テーブル内のフィールドごとにデータをボタンにした画面です。ボタンをクリックするだけで抽出を実行できます。ボタンのオン／オフの状態で現在の抽出対象が一目でわかり、簡単に切り替えられます。

1 テーブル内でクリックし、コンテキストタブの［テーブルデザイン］タブ→［スライサーの挿入］をクリックします。

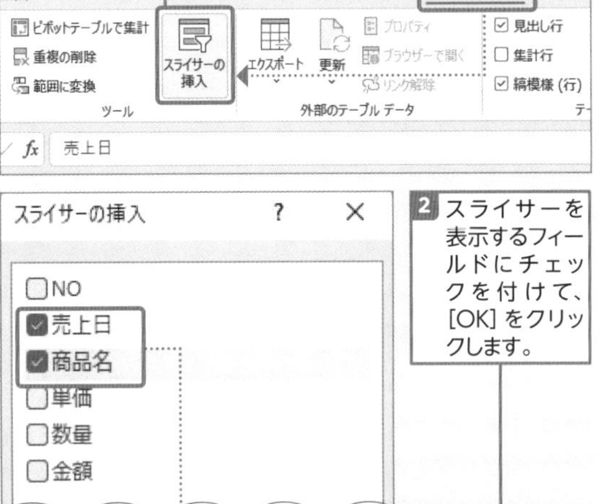

2 スライサーを表示するフィールドにチェックを付けて、［OK］をクリックします。

3 指定したフィールドのスライサーが表示され、フィールド内のデータのボタンが表示されます。

4 ［複数選択］をクリックしてオンにすると、複数選択できるようになります。

5 抽出したい項目をクリックして選択するだけでその項目が抽出されます。

Q1016  テーブル

2021 / 2019 / 2016

スライサーの抽出を解除するには

A ［フィルターのクリア］をクリックします。

スライサーを使って抽出しているときに抽出を解除するには、各スライサーのタイトルバーの右端にある［フィルターのクリア］をクリックします。なお、すべての抽出をまとめて解除するには、［データ］タブ→［クリア］をクリックします。またスライサーを非表示にするには、スライサーのタイトルバーをクリックして選択し、Delete キーを押します。

1 抽出を解除したいフィールドのスライサーの［フィルターのクリア］をクリックします。

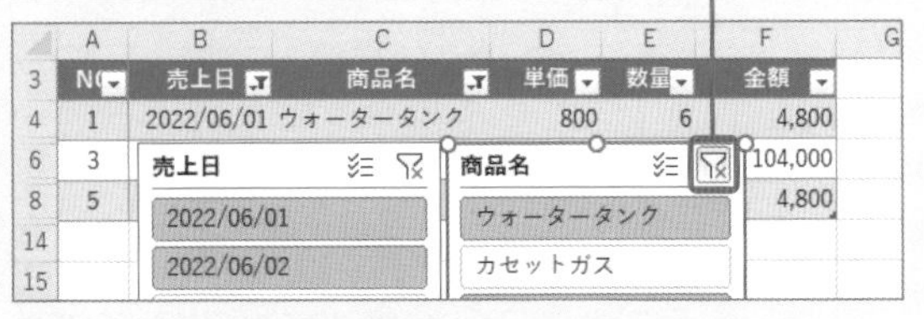

2 フィルターが解除されます。

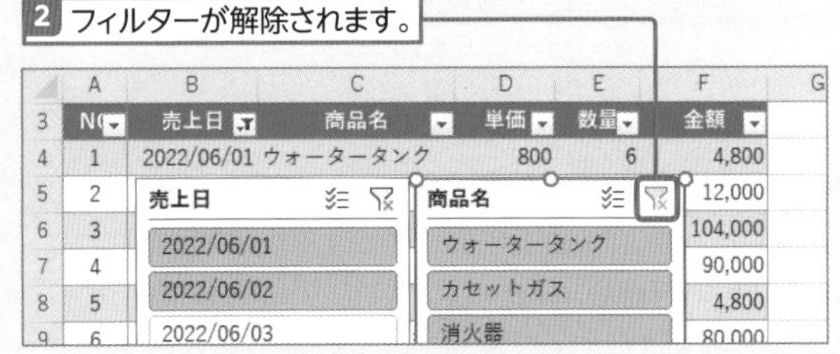

Q 1017 ピボットテーブルって何?

お役立ち度 ★★★　ピボットテーブル　2021 2019 2016

データベース形式の表を元に作成する集計表

データベースのフィールド(列)のデータを行や列に配置して集計表が作成できます。

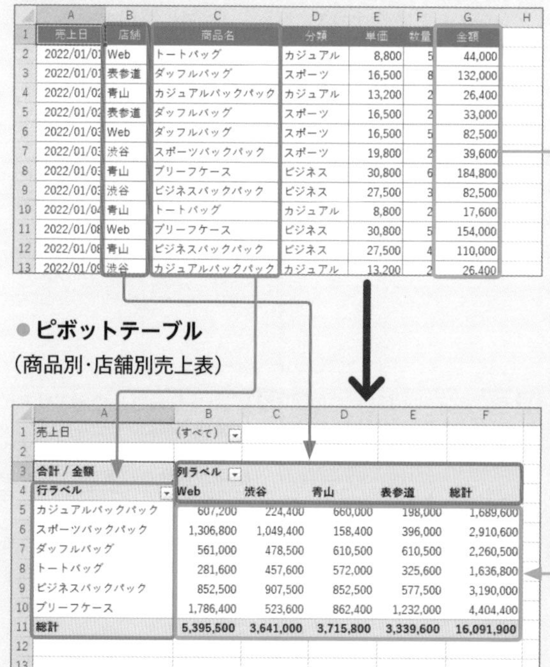

● データベース形式の表

(売上表)

	A	B	C	D	E	F	G
1	売上日	店舗	商品名	分類	単価	数量	金額
2	2022/01/01	Web	トートバッグ	カジュアル	8,800	5	44,000
3	2022/01/01	表参道	ダッフルバッグ	スポーツ	16,500	8	132,000
4	2022/01/02	青山	カジュアルバックパック	カジュアル	13,200	2	26,400
5	2022/01/02	表参道	ダッフルバッグ	スポーツ	16,500	2	33,000
6	2022/01/03	Web	ダッフルバッグ	スポーツ	16,500	5	82,500
7	2022/01/03	渋谷	スポーツバックパック	スポーツ	19,800	2	39,600
8	2022/01/03	青山	ブリーフケース	ビジネス	30,800	6	184,800
9	2022/01/03	渋谷	ビジネスバックパック	ビジネス	27,500	3	82,500
10	2022/01/04	青山	トートバッグ	カジュアル	8,800	2	17,600
11	2022/01/08	Web	ブリーフケース	ビジネス	30,800	5	154,000
12	2022/01/08	青山	ビジネスバックパック	ビジネス	27,500	4	110,000
13	2022/01/09	渋谷	カジュアルバックパック	カジュアル	13,200	2	26,400

● ピボットテーブル

(商品別・店舗別売上表)

	A	B	C	D	E	F
1	売上日	(すべて)				
2						
3	合計 / 金額	列ラベル				
4	行ラベル	Web	渋谷	青山	表参道	総計
5	カジュアルバックパック	607,200	224,400	660,000	198,000	1,689,600
6	スポーツバックパック	1,306,800	1,049,400	158,400	396,000	2,910,600
7	ダッフルバッグ	561,000	478,500	610,500	610,500	2,260,500
8	トートバッグ	281,600	457,600	572,000	325,600	1,636,800
9	ビジネスバックパック	852,500	907,500	852,500	577,500	3,190,000
10	ブリーフケース	1,786,400	523,600	862,400	1,232,000	4,404,400
11	総計	5,395,500	3,641,000	3,715,800	3,339,600	16,091,900
12						
13						

ピボットテーブルに配置された元表のフィールドの値を使って、集計結果が表示されます。

おトクな情報　ピボットテーブルはデータ分析の強い味方

ピボットテーブルは、データベースに集められたデータを分析するための強力な機能です。追加したフィールドを間違えても、正しいフィールドに入れ替えるだけで簡単に修正できますし、計算式を設定する必要もありません。手間なく、効率的に集計表を作成できます。ピボットテーブルを使えば、表を作ること自体に時間をかけず、より重要なデータ分析に時間をかけることができるようになります。

A データベース形式の表を元に集計表を作成する機能です。

ピボットテーブルは、データベースに集めたデータを使って集計表を作成する機能です。集計するフィールドを自由に追加、移動したり、集計方法を変更したりできるので、いろいろな角度からデータ分析ができます。

スタイル、形、計算方法を自由に変えられる

表のスタイルやレイアウトのパターンを使って表の見栄えを簡単に整えられます。

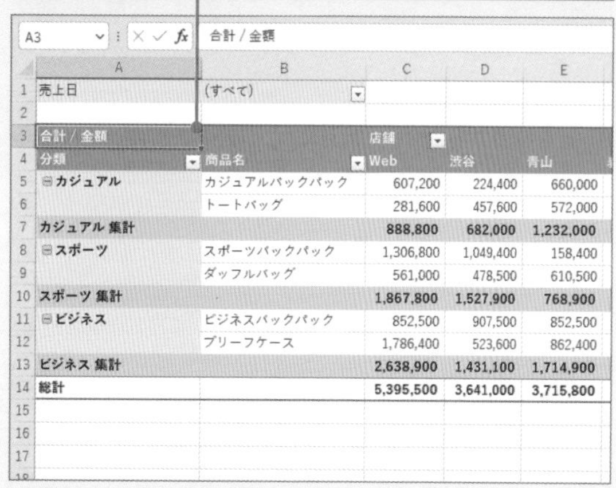

A3　合計 / 金額

	A	B	C	D	E
1	売上日	(すべて)			
2					
3	合計 / 金額		店舗		
4	分類	商品名	Web	渋谷	青山
5	⊟カジュアル	カジュアルバックパック	607,200	224,400	660,000
6		トートバッグ	281,600	457,600	572,000
7	カジュアル 集計		888,800	682,000	1,232,000
8	⊟スポーツ	スポーツバックパック	1,306,800	1,049,400	158,400
9		ダッフルバッグ	561,000	478,500	610,500
10	スポーツ 集計		1,867,800	1,527,900	768,900
11	⊟ビジネス	ビジネスバックパック	852,500	907,500	852,500
12		ブリーフケース	1,786,400	523,600	862,400
13	ビジネス 集計		2,638,900	1,431,100	1,714,900
14	総計		5,395,500	3,641,000	3,715,800
15					
16					
17					

スライサーやタイムラインを使ってデータを絞り込んだり、集計期間を変更したりできます。

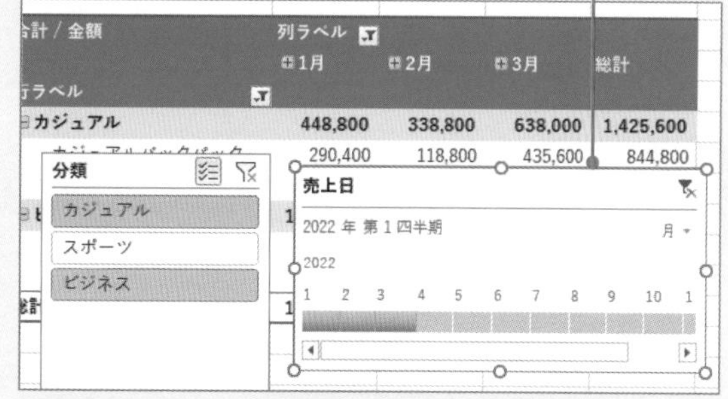

計算方法を変更して、比率や累積、順位などを表示できます。

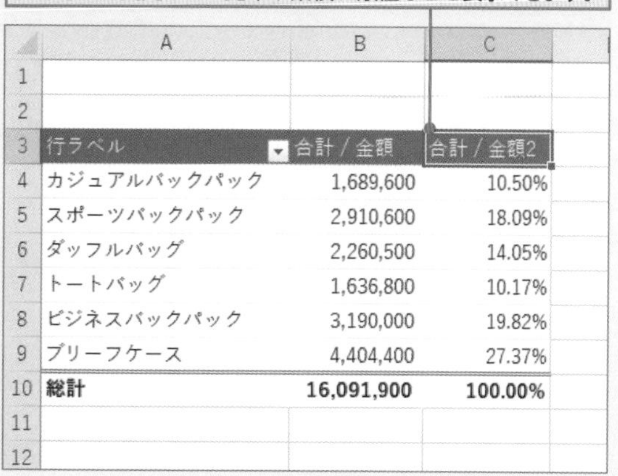

	A	B	C
1			
2			
3	行ラベル	合計 / 金額	合計 / 金額2
4	カジュアルバックパック	1,689,600	10.50%
5	スポーツバックパック	2,910,600	18.09%
6	ダッフルバッグ	2,260,500	14.05%
7	トートバッグ	1,636,800	10.17%
8	ビジネスバックパック	3,190,000	19.82%
9	ブリーフケース	4,404,400	27.37%
10	総計	16,091,900	100.00%
11			
12			

Q 1018 お役立ち度 ★★★ ピボットテーブル 2021 2019 2016

ピボットテーブルを作成するには

A [挿入] タブ→ [ピボットテーブル] をクリックします。

ピボットテーブルは、元になる表の列見出し（フィールド名）をピボットテーブルの [列] エリア、[行] エリア、[値] エリアに配置するだけで作成できます。ここでは、店舗別、商品別の売上集計表を例にピボットテーブルを作成します。

1 ピボットテーブルの作成元となる表の中でクリックします。

2 [挿入] タブ→ [ピボットテーブル] をクリックします。

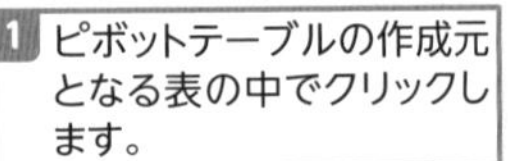

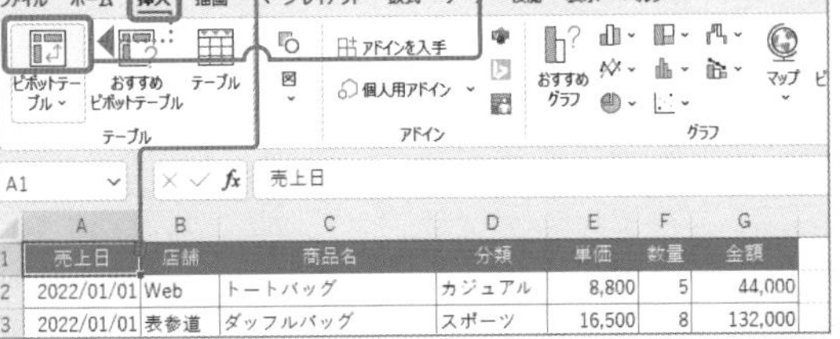

3 [テーブル/範囲] で表の範囲を確認します。正しくない場合はドラッグで選択し直します。

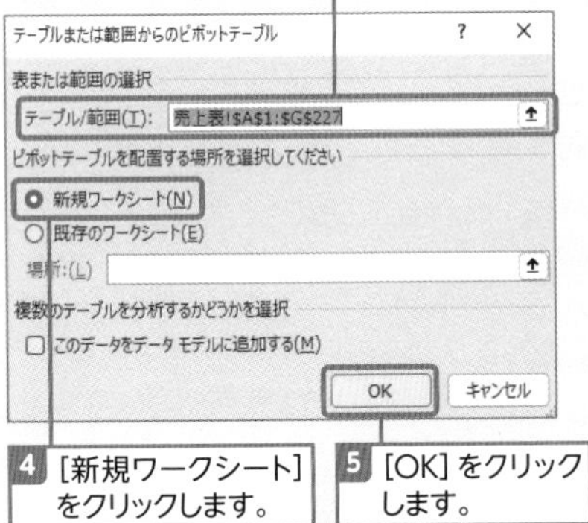

4 [新規ワークシート] をクリックします。

5 [OK] をクリックします。

6 新規ワークシートに空のピボットテーブルが作成され、[ピボットテーブルのフィールド] 作業ウィンドウが表示されます。

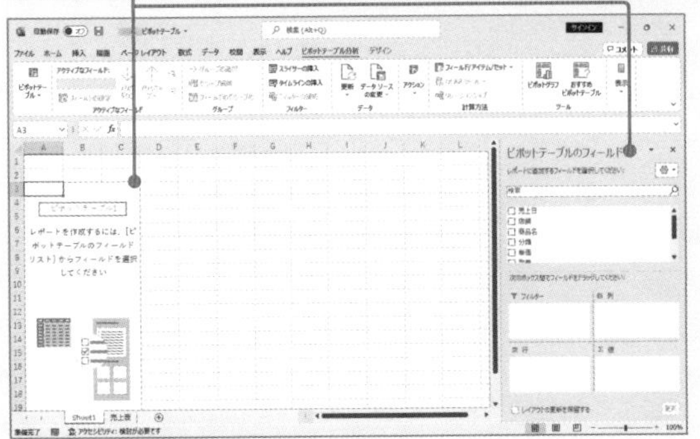

7 行に設定する項目（ここでは [商品名]）を [行] エリアにドラッグします。

8 ピボットテーブルの行エリアに項目の一覧 [商品名] が表示されます。

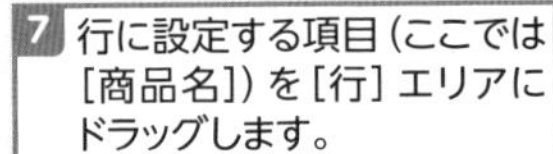

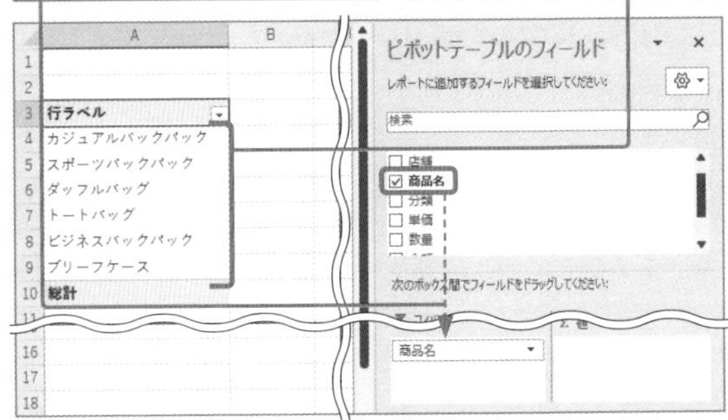

9 列に設定する項目（ここでは [店舗]）を [列] エリアにドラッグします。

10 ピボットテーブルの列エリアに項目の一覧 [店舗] が表示されます。

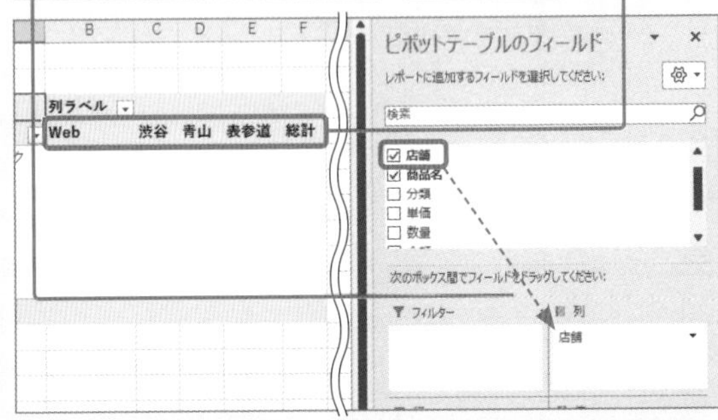

11 値に設定する項目（ここでは [金額]）を [値] エリアにドラッグします。

12 ピボットテーブルの値エリアに追加されたフィールドが集計され、ピボットテーブルに結果が表示されます。

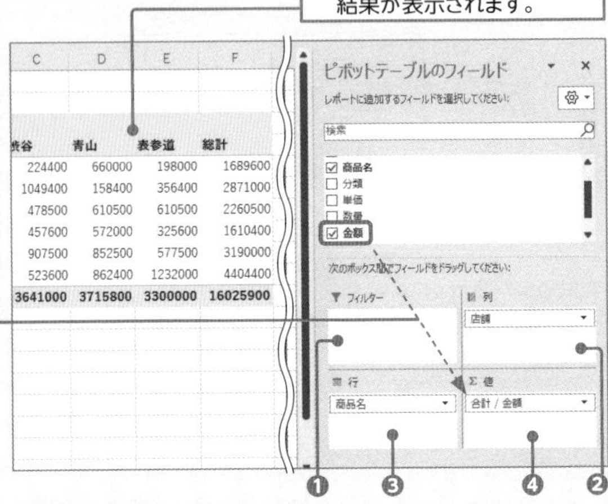

●ピボットテーブルのエリア

エリア	内容
❶ フィルター	集計対象を絞り込むフィールドを指定
❷ 列	集計表の列見出しに配置するフィールドを指定
❸ 行	集計表の行見出しに配置するフィールドを指定
❹ 値	集計表で集計するフィールドを指定

Q1019 お役立ち度 ★★★ ピボットテーブル

2021 2019 2016

ピボットテーブルのデータ範囲を修正するには

A [ピボットテーブル分析]タブ→[データソースの変更]をクリックします。

ピボットテーブルの元となる表のデータに増減がある場合は、ピボットテーブルのデータ範囲を修正します。

1 ピボットテーブル内でクリックします。

2 コンテキストタブの[ピボットテーブル分析]タブ→[データソースの変更]をクリックします。

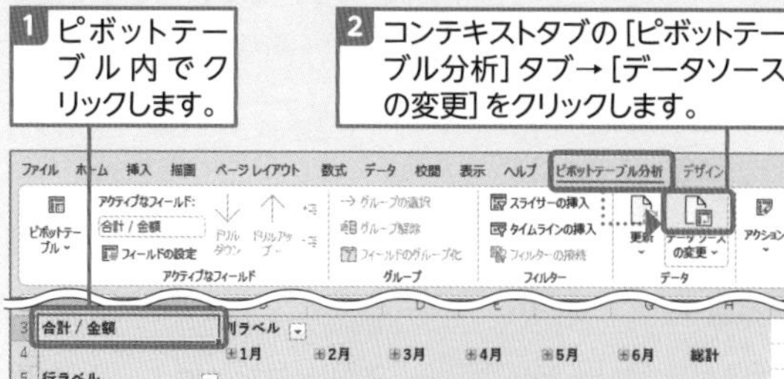

3 [テーブル/範囲]で表のセル範囲をドラッグしてデータ範囲を修正します。

4 [OK]をクリックします。

Q1020 お役立ち度 ★★★ ピボットテーブル

2021 2019 2016

ピボットテーブルを最新のデータにするには

A [ピボットテーブル分析]タブ→[更新]をクリックします。

ピボットテーブルは、元表のデータに変更があっても自動的に更新されません。ピボットテーブルを更新することで修正内容が反映されます。

1 ピボットテーブル内でクリックします。

2 コンテキストタブの[ピボットテーブル分析]タブ→[更新]をクリックします。

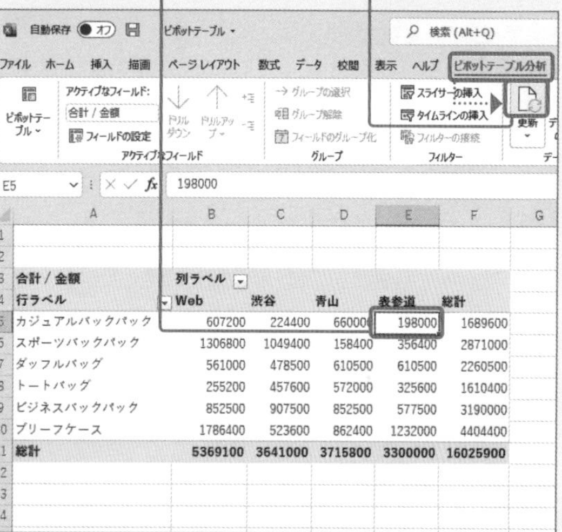

おトクな情報 キー操作で実行

ピボットテーブルの更新：Alt + F5 キー

Q1021 お役立ち度 ★★★ ピボットテーブル

2021 2019 2016

[ピボットテーブルのフィールド]作業ウィンドウが消えてしまった！

A [ピボットテーブル分析]タブ→[表示]→[フィールドリスト]をオンにします。

ピボットテーブル内でクリックすると、[ピボットテーブルのフィールド]作業ウィンドウは自動で表示されます。それでも表示されない場合は、[フィールドリスト]をクリックしてオンにします。

1 ピボットテーブル内でクリックし、コンテキストタブの[ピボットテーブル分析]タブ→[表示]→[フィールドリスト]をクリックします。

2 [ピボットテーブルのフィールド]作業ウィンドウが表示されます。

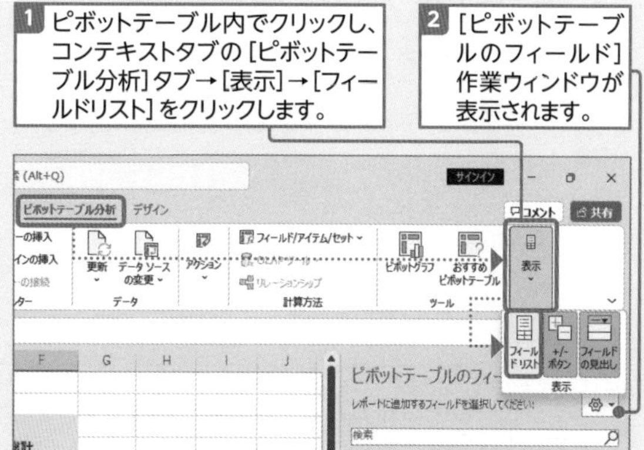

Q1022 お役立ち度 ★★★ ピボットテーブル 2021 2019 2016

ピボットテーブルのフィールドを移動するには

A エリア間でドラッグします。

ピボットテーブルは、フィールドをエリア間でドラッグするだけで簡単に入れ替えることができます。

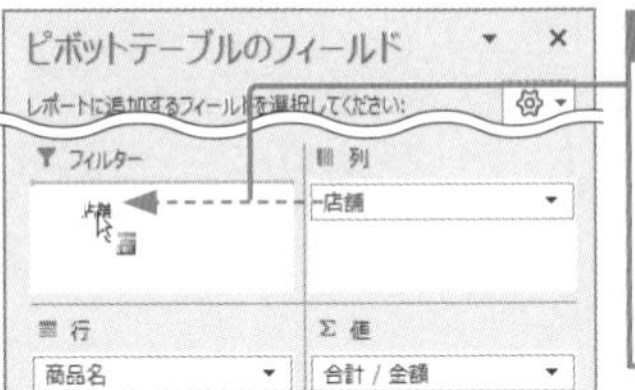

1 ピボットテーブル内でクリックし、[ピボットテーブルのフィールド] 作業ウィンドウのエリア間でフィールドをドラッグして移動します。

2 ピボットテーブルが連動して、列ラベルエリアの [店舗] がレポートフィルターエリアに移動します。

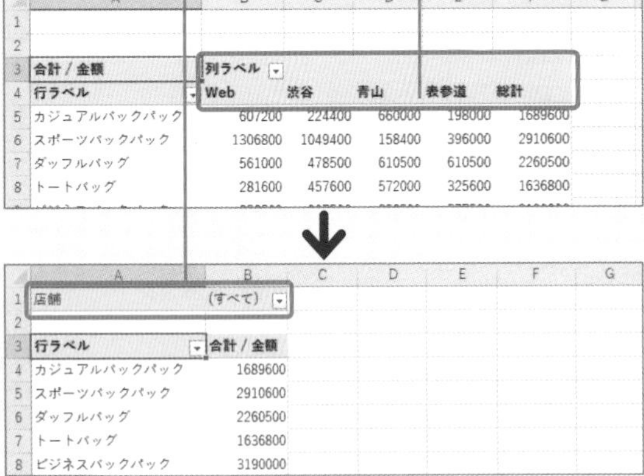

	A	B	C	D	E	F
3	合計 / 金額	列ラベル				
4	行ラベル	Web	渋谷	青山	表参道	総計
5	カジュアルバックパック	607200	224400	660000	198000	1689600
6	スポーツバックパック	1306800	1049400	158400	396000	2910600
7	ダッフルバッグ	561000	478500	610500	610500	2260500
8	トートバッグ	281600	457600	572000	325600	1636800

↓

	A	B
1	店舗	(すべて)
2		
3	行ラベル	合計 / 金額
4	カジュアルバックパック	1689600
5	スポーツバックパック	2910600
6	ダッフルバッグ	2260500
7	トートバッグ	1636800
8	ビジネスバックパック	3190000

Q1023 お役立ち度 ★★★ ピボットテーブル 2021 2019 2016

ピボットテーブルにフィールドを追加するには

A フィールドを各エリアにドラッグします。

ピボットテーブル作成後、自由にフィールドを追加して集計表を変更できます。[ピボットテーブルのフィールド] 作業ウィンドウでフィールドをエリアにドラッグして追加するだけです。ここでは、[売上日] を [列] エリアに追加しています。

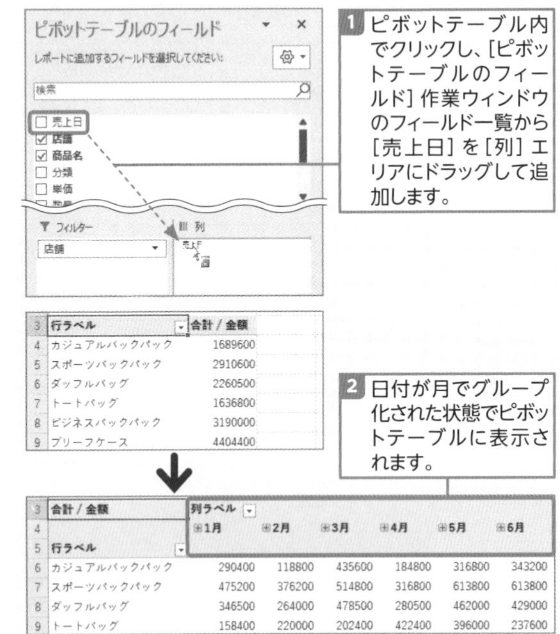

1 ピボットテーブル内でクリックし、[ピボットテーブルのフィールド] 作業ウィンドウのフィールド一覧から [売上日] を [列] エリアにドラッグして追加します。

	行ラベル	合計 / 金額
4	カジュアルバックパック	1689600
5	スポーツバックパック	2910600
6	ダッフルバッグ	2260500
7	トートバッグ	1636800
8	ビジネスバックパック	3190000
9	ブリーフケース	4404400

↓

3	合計 / 金額	列ラベル					
4		⊞1月	⊞2月	⊞3月	⊞4月	⊞5月	⊞6月
5	行ラベル						
6	カジュアルバックパック	290400	118800	435600	184800	316800	343200
7	スポーツバックパック	475200	376200	514800	316800	613800	613800
8	ダッフルバッグ	346500	264000	478500	280500	462000	429000
9	トートバッグ	158400	220000	202400	422400	396000	237600

2 日付が月でグループ化された状態でピボットテーブルに表示されます。

Q1024 お役立ち度 ★★★ ピボットテーブル 2021 2019 2016

ピボットテーブルのフィールドを削除するには

A 削除したいフィールドをエリアの外にドラッグします。

不要なフィールドは [ピボットテーブルのフィールド] 作業ウィンドウの外にドラッグするだけで削除できます。ここでは [店舗] フィールドを削除しています。

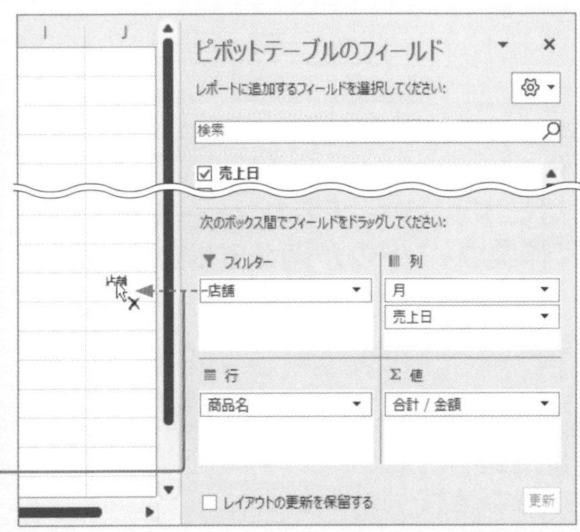

1 ピボットテーブル内でクリックし、[ピボットテーブルのフィールド] 作業ウィンドウのエリアにあるフィールドを作業ウィンドウの外にドラッグします。

Q 1025 お役立ち度 ★★★ ピボットテーブル 2021 2019 2016

集計する項目の分類を追加するには

A 同じエリアにフィールドを追加します。

分類別に詳細を並べて表示したいとき、例えば、商品名を「スポーツ」や「カジュアル」などの分類別にして表示したい場合は、[分類]フィールドと[商品名]フィールドを同じエリアに追加します。

1 ピボットテーブル内でクリックし、[分類]を[行]エリアの[商品名]の上にドラッグします。

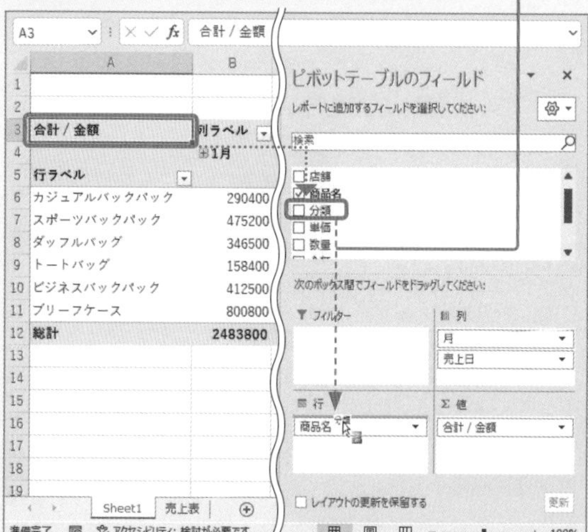

2 [分類]が[行]エリアに追加されます。

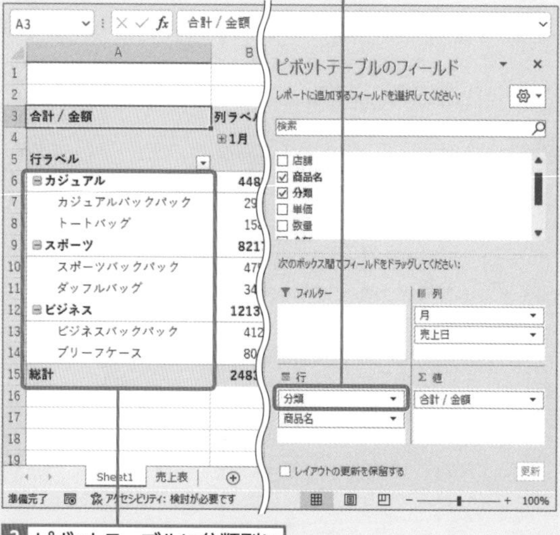

3 ピボットテーブルに分類別に商品名が表示されます。

Q 1026 お役立ち度 ★★★ ピボットテーブル 2021 2019 2016

集計するフィールドを追加するには

A [値]エリアにフィールドを追加します。

[値]エリアには複数のフィールドを配置できます。データの種類が数値の場合は合計、日付や文字列の場合は個数で自動集計されますが、集計方法は後で変更できます。ここでは、[数量]フィールドを追加しています。

1 ピボットテーブル内でクリックし、集計したいフィールド(ここでは[数量])を[値]エリアにドラッグします。

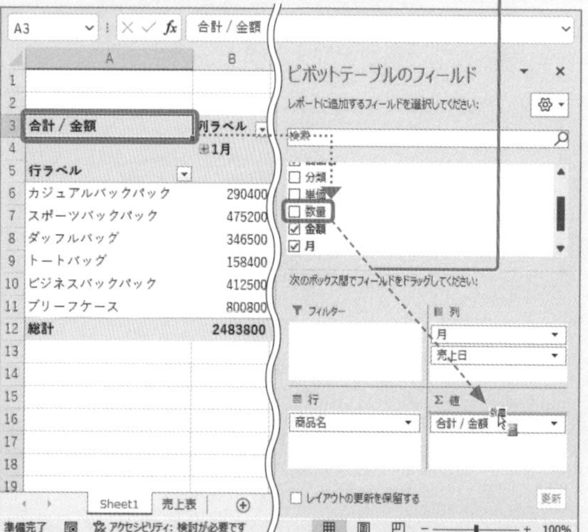

2 [値]エリアに[数量]フィールドが追加されます。

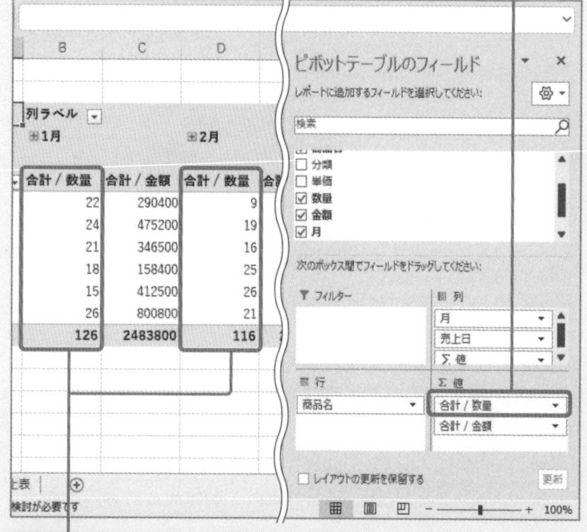

3 ピボットテーブルに数量の集計列が追加されます。

Q1027 お役立ち度 ★★★ ピボットテーブル 2021 2019 2016

集計方法を変更するには

A [値フィールドの設定] で集計方法を選択します。

[値] エリアに配置したフィールドは、合計以外に平均、最大値など別の集計方法に変更できます。例えば同じ金額のフィールドを追加し、追加した金額のフィールドの集計方法を変えて異なる結果を並べることもできます。集計方法は、[値フィールドの設定] ダイアログで変更できます。

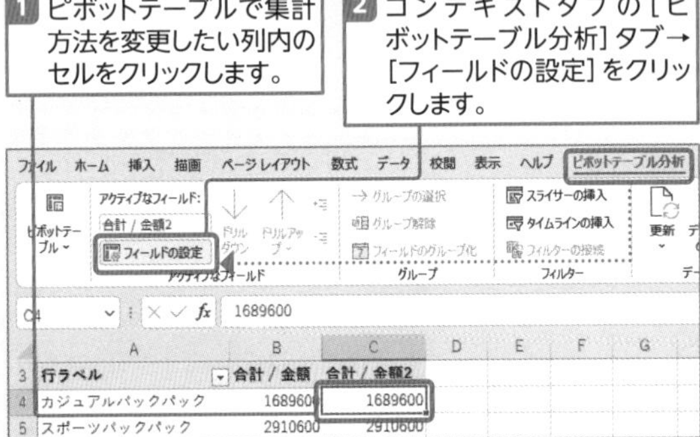

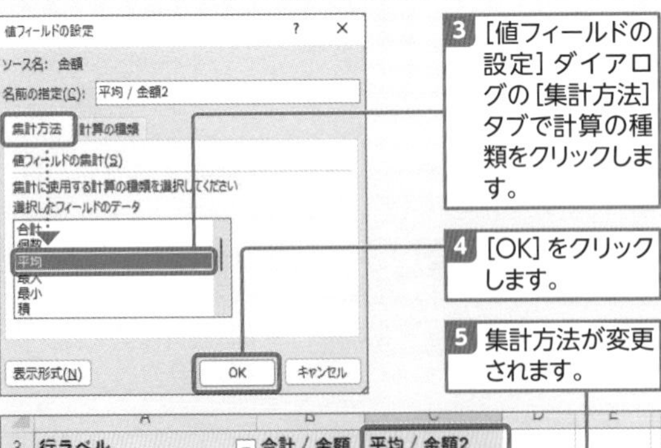

	A	B	C
3	行ラベル	合計 / 金額	平均 / 金額2
4	カジュアルバックパック	1689600	52800
5	スポーツバックパック	2910600	74630.76923
6	ダッフルバッグ	2260500	51375
7	トートバッグ	1636800	44237.83784
8	ビジネスバックパック	3190000	88611.11111
9	ブリーフケース	4404400	110110
10	総計	16091900	70578.50877

● [値フィールドの設定] ダイアログの主な構成要素

構成要素	内容
名前の指定	列見出しとして表示される名前を指定
[集計方法] タブ	合計や個数などの集計方法の指定
[計算の種類] タブ	比率、差分、累計、順位など計算の種類を指定
[表示形式] ボタン	[セルの書式設定] ダイアログを表示し、数値の表示形式を指定

Q1028 お役立ち度 ★★★ ピボットテーブル 2021 2019 2016

ピボットテーブルの数値の表示形式を変更したい!

A [セルの書式設定] ダイアログで変更します。

ピボットテーブル内の数値に表示形式を設定する場合は、数値内で右クリックして[表示形式]をクリックし、表示される[セルの書式設定] ダイアログで設定できます。数値全体を範囲選択する必要はありません。

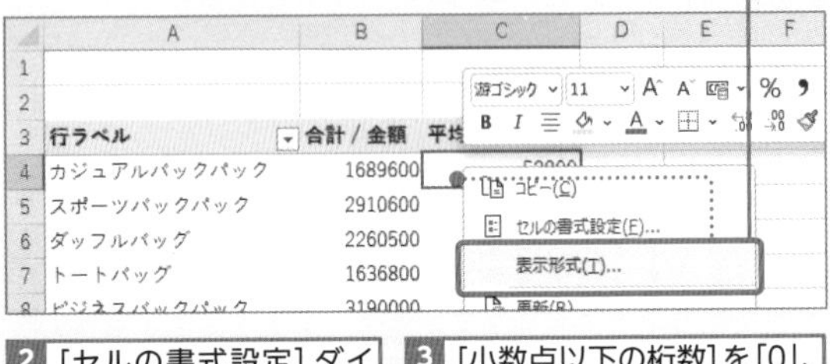

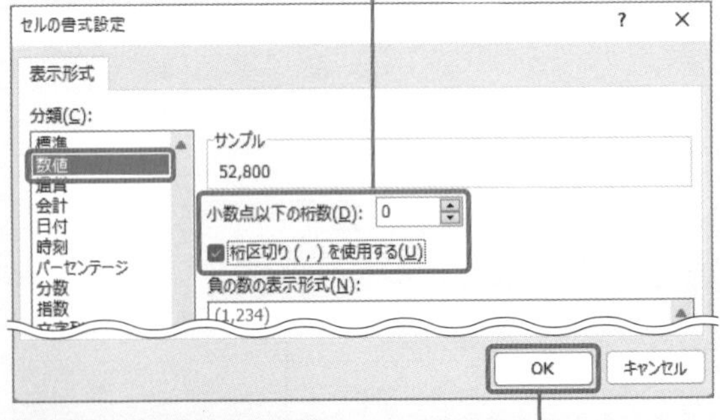

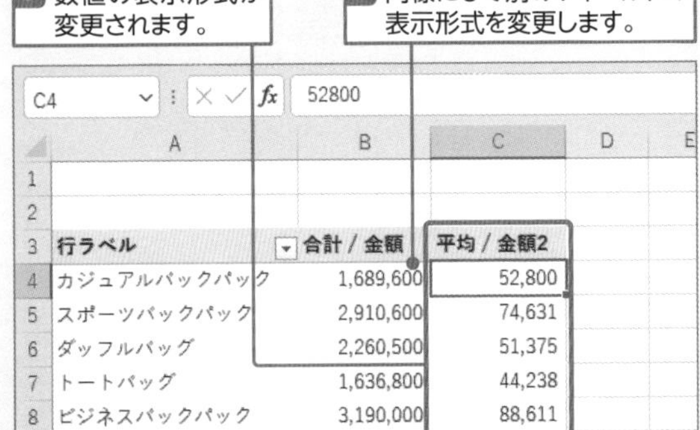

Q 1029 集計結果の詳細データを表示するには

お役立ち度 ★★★　ピボットテーブル　2021 2019 2016

A 集計結果の数値のセルをダブルクリックします。

ピボットテーブル内の集計結果のセルをダブルクリックすると、新しくシートが追加され、集計元となった詳細データのコピーが一覧表示されます。なお、ピボットテーブルとは連携していないので、ピボットテーブルの数値が変わっても変更されません。

1 詳細データを見たいセルでダブルクリックします。

	A	B	C	D
4		⊞1月	⊞2月	⊞3月
5	行ラベル			
6	カジュアルバックパック	290,400	118,800	435,600
7	スポーツバックパック	475,200	376,200	514,800
8	ダッフルバッグ	346,500	264,000	478,500
9	トートバッグ	158,400	220,000	202,400
10	ビジネスバックパック	412,500	715,000	522,500
11	ブリーフケース	800,800	646,800	800,800
12	総計	2,483,800	2,340,800	2,954,600

Sheet1　売上表

準備完了　アクセシビリティ: 検討が必要です

2 新規シートが追加され、集計元の表から詳細データの一覧がコピーされます。

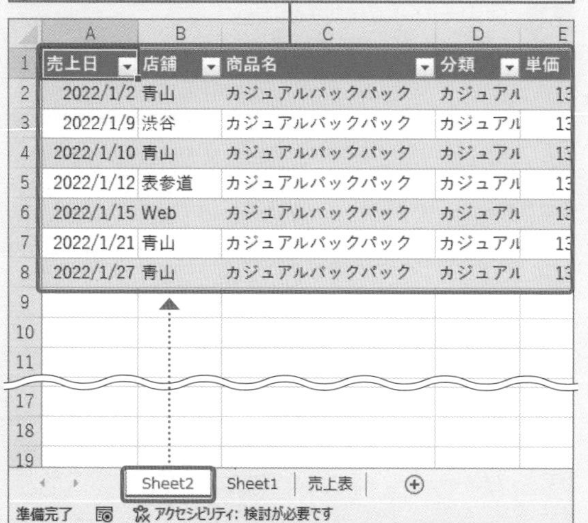

	A	B	C	D	E
1	売上日	店舗	商品名	分類	単価
2	2022/1/2	青山	カジュアルバックパック	カジュアル	13
3	2022/1/9	渋谷	カジュアルバックパック	カジュアル	13
4	2022/1/10	青山	カジュアルバックパック	カジュアル	13
5	2022/1/12	表参道	カジュアルバックパック	カジュアル	13
6	2022/1/15	Web	カジュアルバックパック	カジュアル	13
7	2022/1/21	青山	カジュアルバックパック	カジュアル	13
8	2022/1/27	青山	カジュアルバックパック	カジュアル	13

Sheet2　Sheet1　売上表

準備完了　アクセシビリティ: 検討が必要です

Q 1030 項目の詳細データを追加するには

お役立ち度 ★★★　ピボットテーブル　2021 2019 2016

A 項目名をダブルクリックします。

項目名をダブルクリックすると、[詳細データの表示] ダイアログが表示され、指定した項目で分類して詳細なデータを表示できます。

1 行ラベル内の項目でダブルクリックします。

	A	B	C
4		⊞1月	⊞2月
5	行ラベル		
6	カジュアルバックパック	290,400	118,800
7	スポーツバックパック	475,200	376,200
8	ダッフルバッグ		264,000
9	トートバッグ	158,400	220,000
10	ビジネスバックパック	412,500	715,000
11	ブリーフケース	800,800	646,800
12	総計	2,483,800	2,340,800

スポーツバックパック (商品名)
行: スポーツバックパック

2 [詳細データの表示] ダイアログで詳細データを表示するフィールドをクリックします。

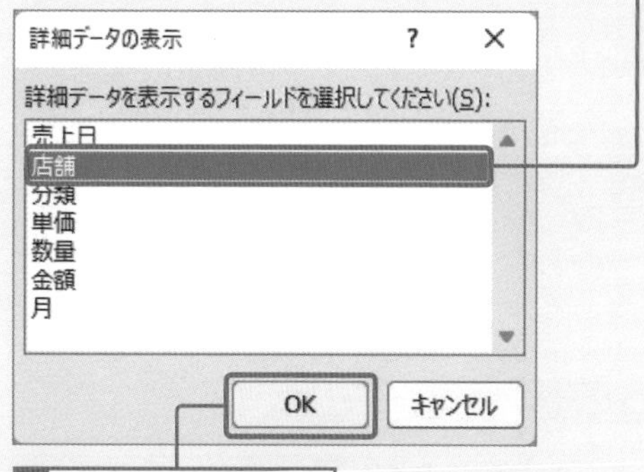

3 [OK] をクリックします。

4 選択したフィールドが下の階層に追加され、集計されます。

	A	B	C	D	E	F	G	H
4		⊞1月	⊞2月	⊞3月	⊞4月	⊞5月	⊞6月	総計
5	行ラベル							
6	⊞カジュアルバックパック	290,400	118,800	435,600	184,800	316,800	343,200	1,689,600
7	⊟スポーツバックパック	475,200	376,200	514,800	316,800	613,800	613,800	2,910,600
8	Web	237,600	158,400	217,800	138,600	297,000	257,400	1,306,800
9	渋谷	118,800	138,600	138,600	99,000	297,000	257,400	1,049,400
10	青山	79,200		79,200				158,400
11	表参道	39,600	79,200	79,200	79,200	19,800	99,000	396,000
12	⊞ダッフルバッグ	346,500	264,000	478,500	280,500	462,000	429,000	2,260,500
13	⊞トートバッグ	158,400	220,000	202,400	422,400	396,000	237,600	1,636,800
14	⊞ビジネスバックパック	412,500	715,000	522,500	852,500	357,500	330,000	3,190,000
15	⊞ブリーフケース	800,800	646,800	800,800	400,400	800,800	954,800	4,404,400
16	総計	2,483,800	2,340,800	2,954,600	2,457,400	2,946,900	2,908,400	16,091,900

Q1031 お役立ち度 ★★★ ピボットテーブル 2021 2019 2016

日付の集計間隔を月単位、四半期単位に変更するには

A 日付を月別や四半期別にグループ化します。

ピボットテーブルに追加した日付データを、週単位、月単位、四半期単位など、集計期間を変更するには、[グループ化] ダイアログで単位を選択します。

1 日付のセルをクリックし、コンテキストタブの [ピボットテーブル分析] タブ→ [グループの選択] をクリックします。

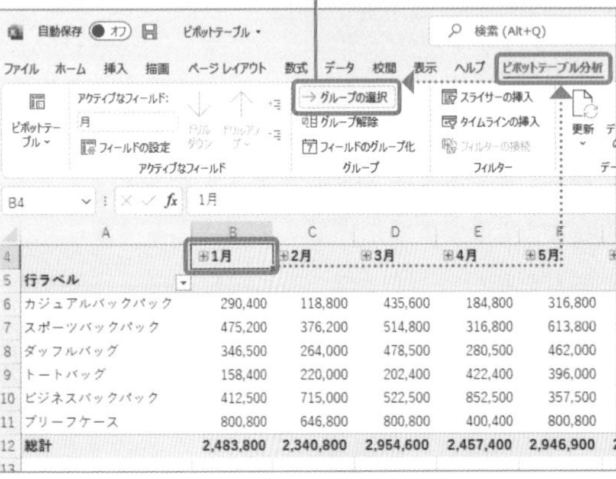

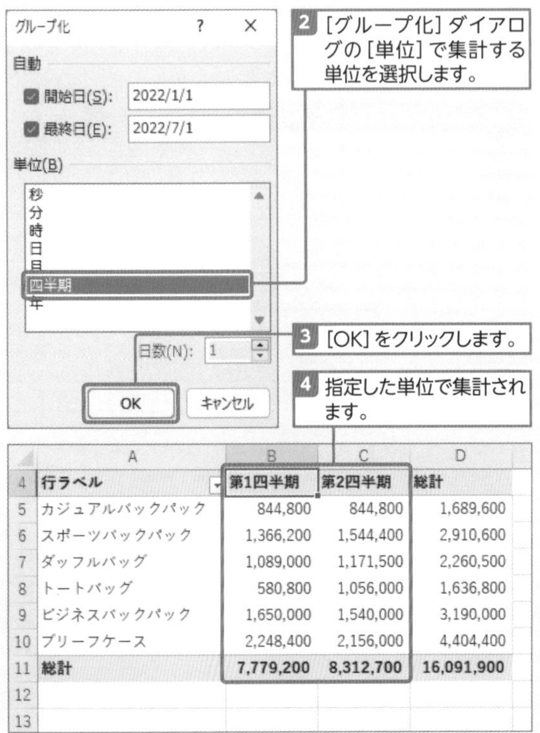

2 [グループ化] ダイアログの [単位] で集計する単位を選択します。
3 [OK] をクリックします。
4 指定した単位で集計されます。

Q1032 お役立ち度 ★★★ ピボットテーブル 2021 2019 2016

グループ化を解除するには

A [分析] タブ→ [グループ解除] をクリックします。

グループ化を解除し各データを表示するには、[グループ解除] をクリックします。ここでは、日付のグループ化を解除しています。

1 日付のセルをクリックし、コンテキストタブの [ピボットテーブル分析] タブ→ [グループ解除] をクリックします。

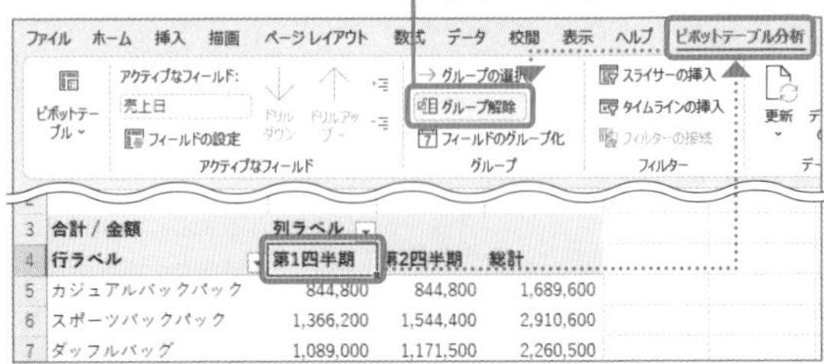

2 グループが解除され、各日付が表示されます。

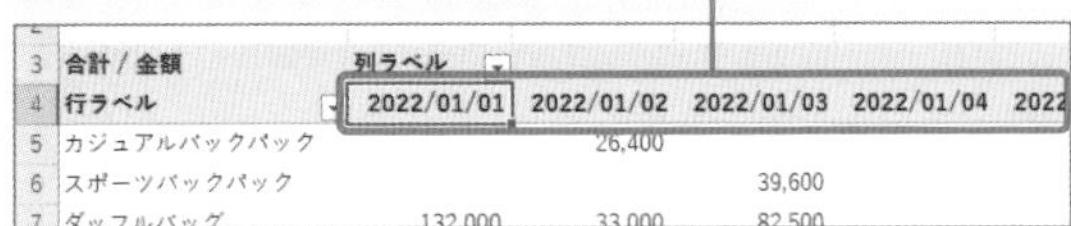

Q1033 お役立ち度 ★★★ ピボットテーブル 2021 2019 2016

集計期間を7日ごとにするには

A グループ化の単位を「日」、日数を「7」に変更します。

日付の集計期間は、単位を「日」にすると、集計の間隔に任意の日数に指定できます。

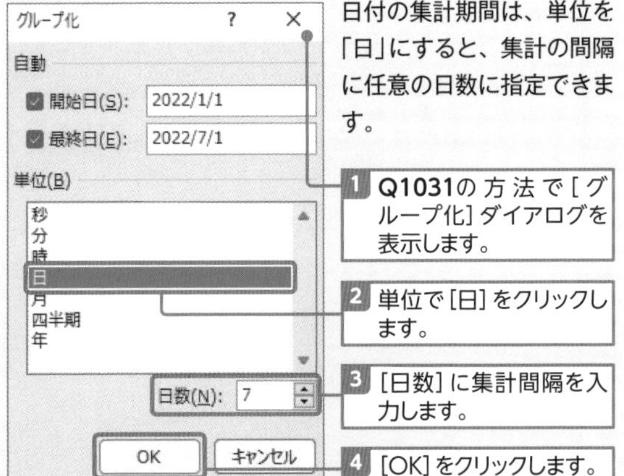

1 Q1031の方法で [グループ化] ダイアログを表示します。
2 単位で [日] をクリックします。
3 [日数] に集計間隔を入力します。
4 [OK] をクリックします。

Q1034 お役立ち度 ★★★ ピボットテーブル 2021 2019 2016

空白セルに0を表示するには

A [空白セルに表示する値]で「0」を指定します。

初期設定では、ピボットテーブルで該当する集計データがない場合は空白で表示されます。空白のセルに「0」を表示するには、[ピボットテーブルオプション]ダイアログで[空白セルに表示する値]で「0」を指定します。

1 ピボットテーブル内の数値のセルを右クリックし、[ピボットテーブルオプション]をクリックします。

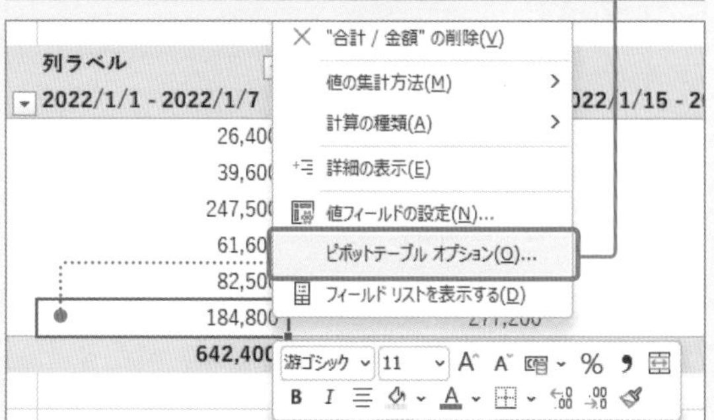

2 [ピボットテーブルオプション]ダイアログが表示されます。

3 [空白セルに表示する値]にチェックを付け、「0」を入力して、[OK]をクリックします。

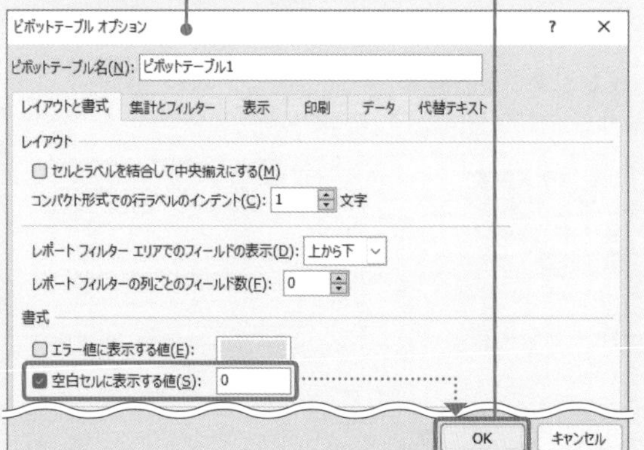

4 空白セルに「0」が表示されます。

列ラベル		
2022/1/1 - 2022/1/7	2022/1/8 - 2022/1/14	2022/1/15 - 2022/1/21
26,400	92,400	145,200
39,600	277,200	59,400
247,500	49,500	0
61,600	0	35,200
82,500	192,500	0
184,800	277,200	184,800
642,400	888,800	424,600

Q1035 お役立ち度 ★★★ ピボットテーブル 2021 2019 2016

ピボットテーブルのデザインを変更するには

A ピボットテーブルスタイルを設定します。

ピボットテーブルを作成すると、自動的にピボットテーブルスタイルが設定されます。ピボットテーブルスタイルは自由に変更できます。

1 ピボットテーブル内でクリックし、コンテキストタブの[デザイン]タブ→[ピボットテーブルスタイル]で[その他]をクリックします。

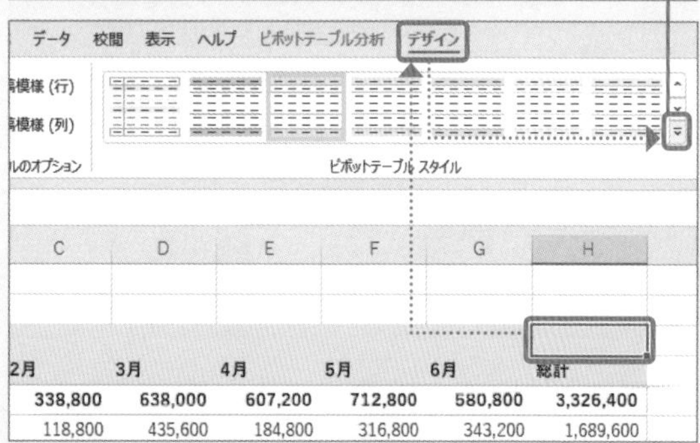

2 一覧からスタイルをクリックします。

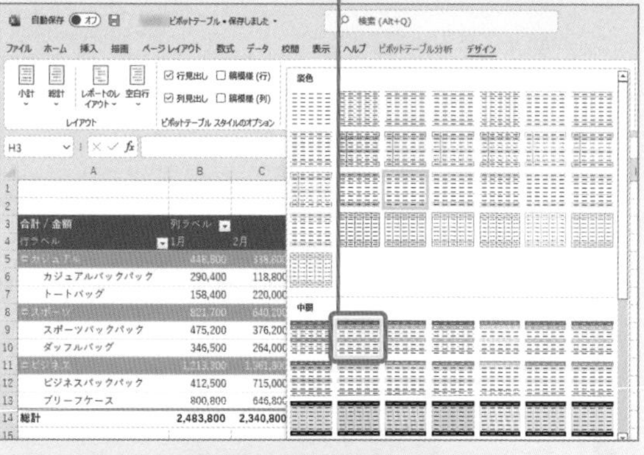

3 ピボットテーブルのスタイルが変更されます。

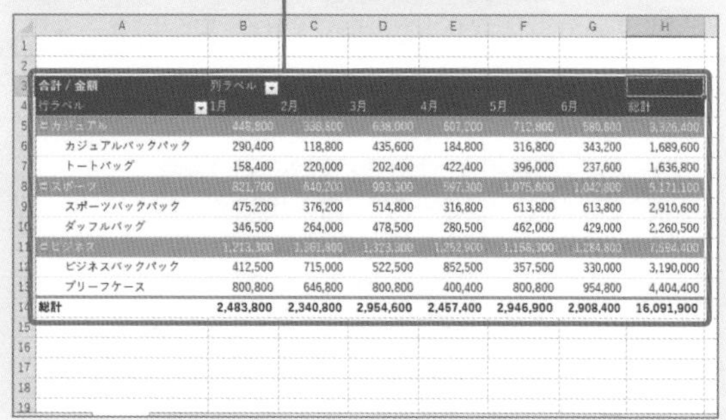

お役立ち度 ★★★　ピボットテーブル

小計や総計を非表示にするには

A [デザイン] タブ→ [総計] または [小計] で選択します。

ピボットテーブルに表示される小計や総計の行や列は、必要に応じて表示／非表示を切り替えられます。

小計を非表示にする

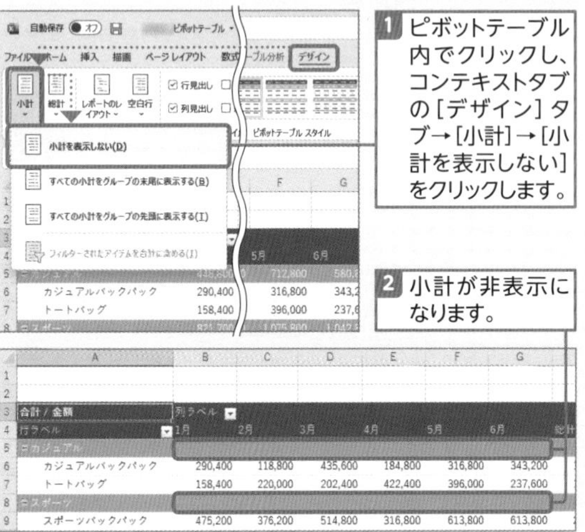

1 ピボットテーブル内でクリックし、コンテキストタブの [デザイン] タブ→ [小計] → [小計を表示しない] をクリックします。
2 小計が非表示になります。
小計を表示しない(D)
すべての小計をグループの末尾に表示する(B)
すべての小計をグループの先頭に表示する(T)

総計を非表示にする

1 ピボットテーブル内でクリックし、コンテキストタブの [デザイン] タブ→ [総計] → [行と列の集計を行わない] をクリックします。

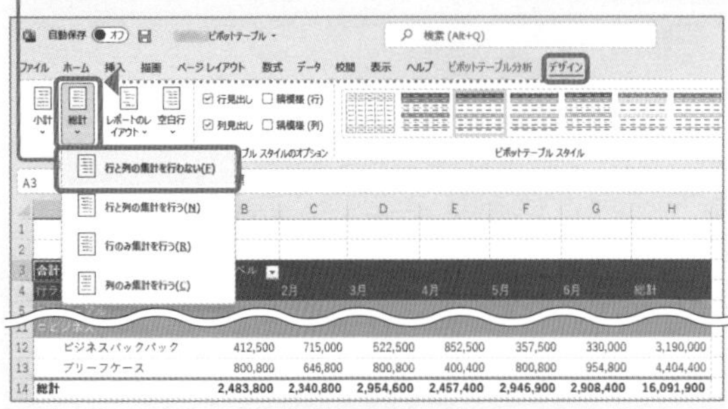

2 行と列の総計が非表示になります。

お役立ち度 ★★★　ピボットテーブル

ピボットテーブルのレイアウトを変更するには

A [デザイン] タブ→ [レポートのレイアウト] で選択します。

ピボットテーブルには、「コンパクト形式」「表形式」「アウトライン」の3つのレイアウトが用意されています。レイアウトを変更してピボットテーブルの構成を変更することができます。初期設定では、コンパクト形式で作成されます。

1 ピボットテーブル内でクリックし、コンテキストタブの [デザイン] タブ→ [レポートのレイアウト] でレイアウトの種類をクリックします。

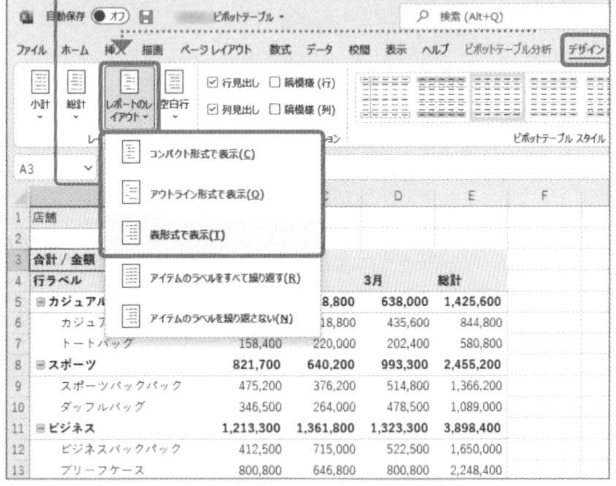

● レイアウトの種類

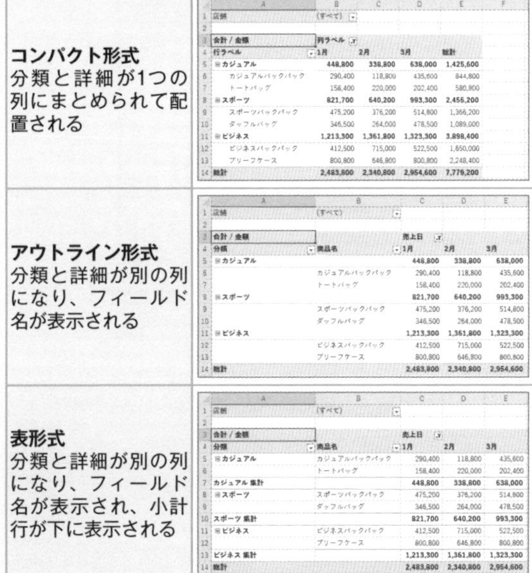

レイアウト	説明
コンパクト形式	分類と詳細が1つの列にまとめられて配置される
アウトライン形式	分類と詳細が別の列になり、フィールド名が表示される
表形式	分類と詳細が別の列になり、フィールド名が表示され、小計行が下に表示される

Q 1038 ピボットテーブルで集計データを絞り込むには

お役立ち度 ★★★　ピボットテーブル　2021 2019 2016

A 各エリアの [▼] ボタンをクリックし、集計するデータを選択します。

ピボットテーブルの各エリアに表示されるフィルターボタン [▼] をクリックして集計項目を選択すると、集計データを絞り込めます。また、[+]、[−] をクリックして詳細データの表示／非表示を切り替えられます。

レポートフィルターエリアで集計データを変更する

1 レポートフィルターエリアの [▼] をクリックします。

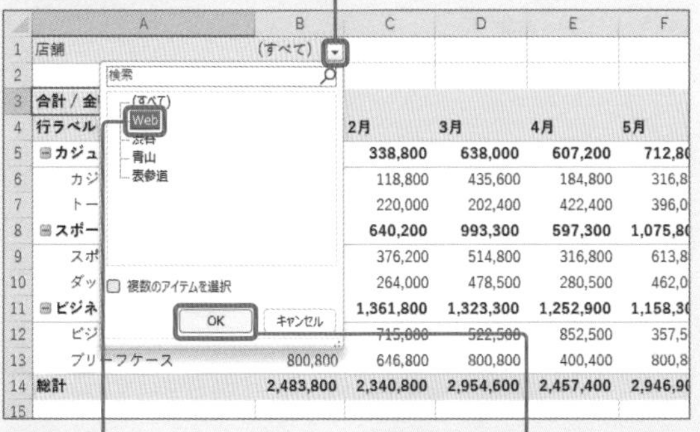

2 集計する項目をクリックします。

3 [OK] をクリックします。

4 指定した項目が選択されます。

5 選択された項目で集計されます。

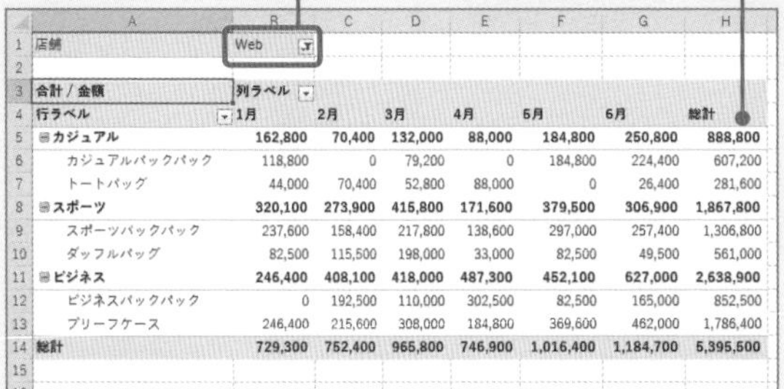

	A	B	C	D	E	F	G	H
1	店舗	Web						
2								
3	合計 / 金額	列ラベル						
4	行ラベル	1月	2月	3月	4月	5月	6月	総計
5	⊟カジュアル	162,800	70,400	132,000	88,000	184,800	250,800	888,800
6	カジュアルバックパック	118,800	0	79,200	0	184,800	224,400	607,200
7	トートバッグ	44,000	70,400	52,800	88,000	0	26,400	281,600
8	⊟スポーツ	320,100	273,900	415,800	171,600	379,500	306,900	1,867,800
9	スポーツバックパック	237,600	158,400	217,800	138,600	297,000	257,400	1,306,800
10	ダッフルバッグ	82,500	115,500	198,000	33,000	82,500	49,500	561,000
11	⊟ビジネス	246,400	408,100	418,000	487,300	452,100	627,000	2,638,900
12	ビジネスバックパック	0	192,500	110,000	302,500	82,500	165,000	852,500
13	ブリーフケース	246,400	215,600	308,000	184,800	369,600	462,000	1,786,400
14	総計	729,300	752,400	965,800	746,900	1,016,400	1,184,700	5,395,500

おトクな情報　集計するフィールドを切り替える

行／列エリアに複数のフィールドを配置しているときに、絞り込むフィールドを切り替えるには、行／列エリアのフィルターボタン [▼] をクリックし、表示されるメニューの [フィールドの選択] でフィールドを選択して切り替えます。また、フィルターを解除するには、メニューの [(フィールド名) からフィルターをクリア] をクリックします。

行ラベルや列ラベルのフィルターで集計する

1 行ラベルの [▼] をクリックします。

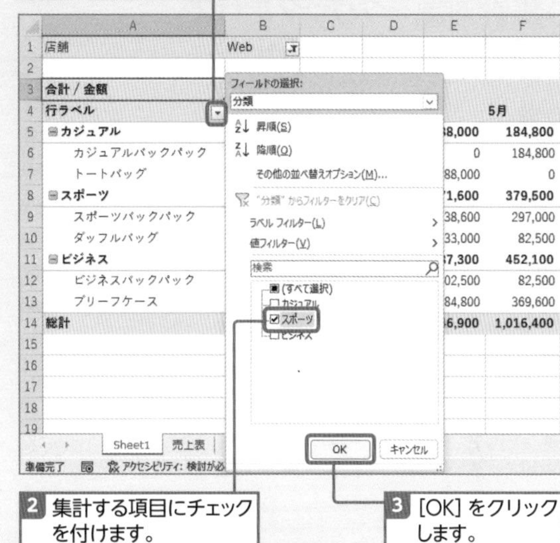

2 集計する項目にチェックを付けます。

3 [OK] をクリックします。

4 指定した項目の集計のみ表示されます。

	A	B	C	D	E	F	G
1	店舗	Web					
2							
3	合計 / 金額	列ラベル					
4	行ラベル	1月	2月	3月	4月	5月	6月
5	⊟スポーツ	320,100	273,900	415,800	171,600	379,500	306,9
6	スポーツバックパック	237,600	158,400	217,800	138,600	297,000	257,
7	ダッフルバッグ	82,500	115,500	198,000	33,000	82,500	49,
8	総計	320,100	273,900	415,800	171,600	379,500	306,9
9							
10							

[+] [−] ボタンで詳細に表示／非表示を切り替える

1 [−] をクリックします。

2				
3	合計 / 金額	列ラベル		
4	行ラベル	1月	2月	3月
5	⊟スポーツ	320,100	273,900	415,800
6	スポーツバックパック	237,600	158,400	217,800
7	ダッフルバッグ	82,500	115,500	198,000
8	総計	320,100	273,900	415,800
9				

2 詳細が非表示になります。[+] をクリックすると、詳細が再表示されます。

1	店舗	Web				
2						
3	合計 / 金額	列ラベル				
4	行ラベル	1月	2月	3月	4月	5月
5	⊞スポーツ	320,100	273,900	415,800	171,600	379
6	総計	320,100	273,900	415,800	171,600	379
7						
8						

2021 2019 2016

Q1039 お役立ち度 ★★★ ピボットテーブル

集計対象をクリックだけで簡単に切り替えたい!

A スライサーを使います。

スライサーを追加すると、ボタンをクリックするだけで集計対象を簡単に切り替えられます。

1 ピボットテーブル内でクリックし、コンテキストタブの［ピボットテーブル分析］タブ→［スライサーの挿入］をクリックします。

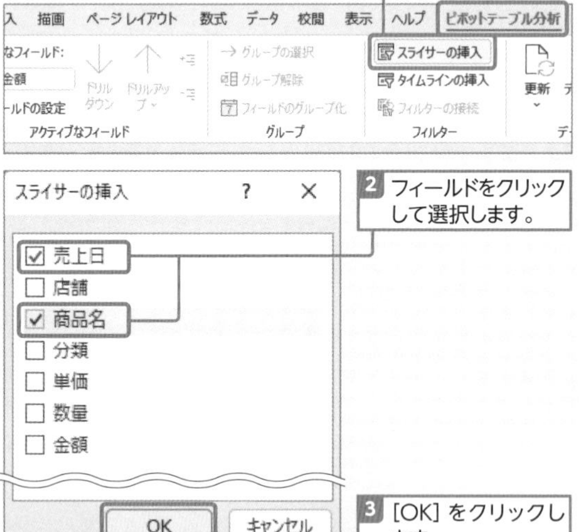

2 フィールドをクリックして選択します。

3 ［OK］をクリックします。

4 ［複数選択］をクリックしてオンにし、複数選択可能にします。

5 ボタンをクリックすると集計対象が変わります。

6 ［フィルターのクリア］をクリックすると、フィルターが解除されます。

2021 2019 2016

Q1040 お役立ち度 ★★★ ピボットテーブル

集計期間をドラッグだけで変更できるの?

A タイムラインを使います。

タイムラインを追加すると、集計したい期間をドラッグだけで簡単に変更できます。

1 ピボットテーブル内でクリックし、コンテキストタブの［ピボットテーブル分析］タブ→［タイムラインの挿入］をクリックします。

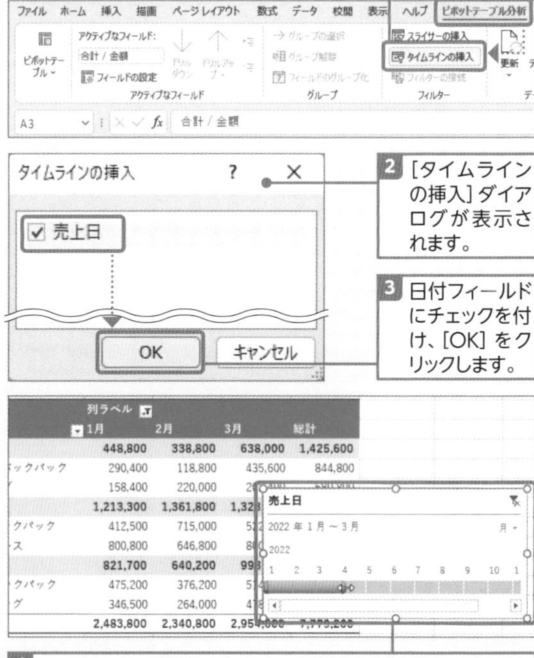

2 ［タイムラインの挿入］ダイアログが表示されます。

3 日付フィールドにチェックを付け、［OK］をクリックします。

4 タイムラインが挿入されます。日付の目盛をドラッグすると集計期間が変更されます。

おトクな情報 タイムラインの単位変更

タイムラインの単位の右にある［▼］をクリックすると表示される単位をクリックして、年、四半期、月、日のいずれかに集計単位を変更できます。

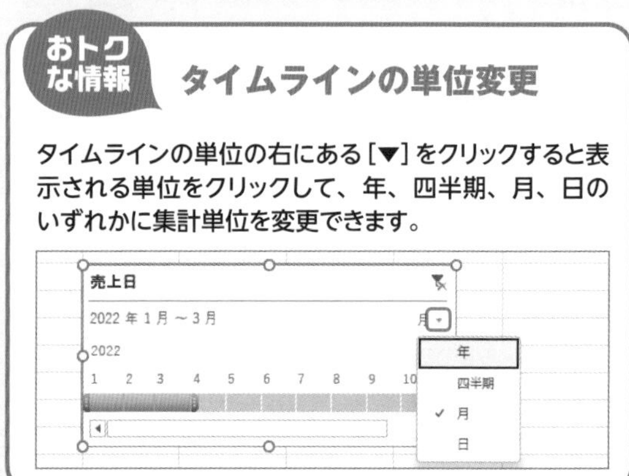

Q 1041 お役立ち度 ★★★ ピボットテーブル 2021 2019 2016

ピボットテーブルを並べ替えるには

A 行／列ラベルの[▼]ボタンから「昇順」「降順」をクリックします。

ピボットテーブルのデータの並びを昇順または降順で並べ替えることができます。

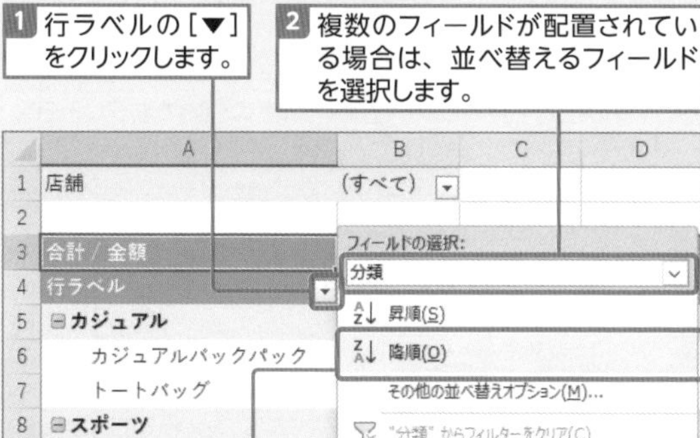

Q 1042 お役立ち度 ★★★ ピボットテーブル 2021 2019 2016

[+]、[−]ボタンを非表示にするには

A [ピボットテーブル分析]タブ→[+/−ボタン]をクリックします。

[+/−ボタン]をクリックするごとに、ピボットテーブル内の[+][−]ボタンの表示／非表示を切り替えられます。

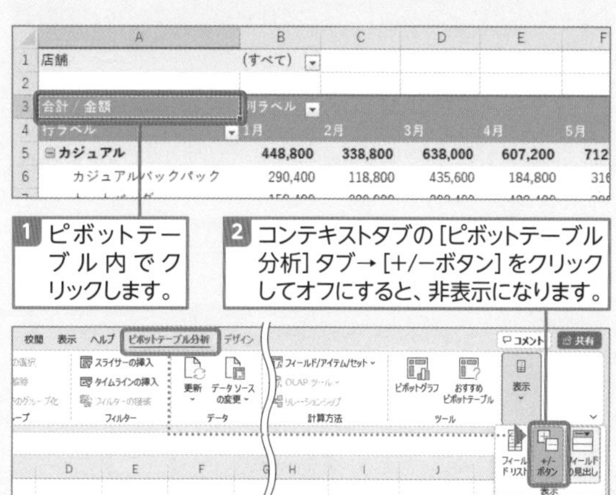

Q 1043 お役立ち度 ★★★ ピボットテーブル 2021 2019 2016

「行ラベル」「列ラベル」という文字列を非表示にしたい！

A [ピボットテーブル分析]タブ→[フィールドの見出し]をクリックします。

[フィールドの見出し]をクリックするごとに、ピボットテーブルに表示されている「行ラベル」や「列ラベル」のような行や列の見出しとフィルターボタン[▼]の表示／非表示を切り替えられます。

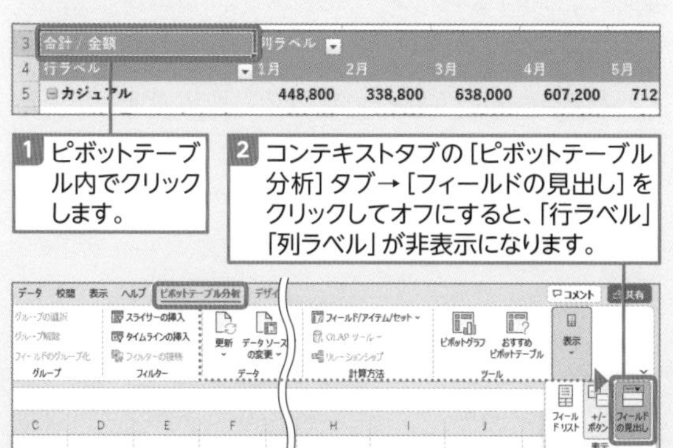

Q 1044 お役立ち度 ★★★ ピボットテーブル 2021 2019 2016

ピボットテーブルの値フィールドの見出しを変更したい！

A [アクティブなフィールド]欄で変更できます。

ピボットテーブルに表示される値フィールドの見出し（例[合計/金額]）は、[ピボットテーブル分析]タブの[アクティブなフィールド]欄で書き換えられます。何も表示したくない場合は、空白の文字だけ入力します。

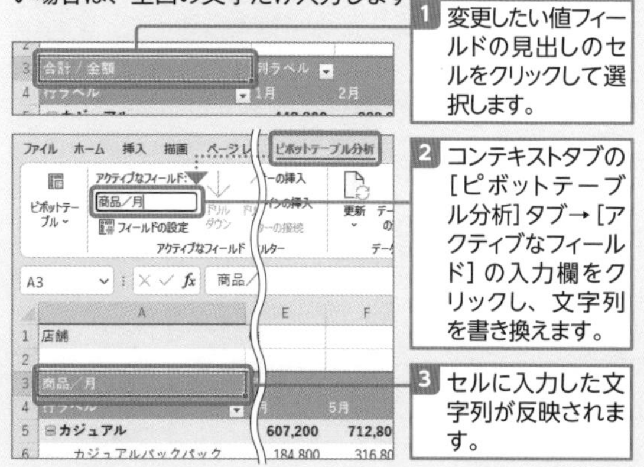

1 変更したい値フィールドの見出しのセルをクリックして選択します。
合計 / 金額
ピボットテーブル分析
アクティブなフィールド:
商品／月
2 コンテキストタブの[ピボットテーブル分析]タブ→[アクティブなフィールド]の入力欄をクリックし、文字列を書き換えます。
店舗
商品／月
カジュアル
3 セルに入力した文字列が反映されます。

Q1045 お役立ち度 ★★★ ピボットテーブル 2021 2019 2016

全体の構成比を表示するには

A 計算の種類を［総計に対する比率］に変更します。

計算の種類を［総計に対する比率］に変更すると、全体に対する構成比を表示できます。ここでは、［金額］フィールドを［値］エリアに2つ追加し、1つの［金額］フィールドの計算の種類を［総計に対する比率］にして各商品の売上が全体の何パーセントを占めているが求めています。

1 計算の種類を変更したい値フィールドの列内で右クリックし、［計算の種類］→［総計に対する比率］をクリックします。

2 総計に対する比率が表示されます。

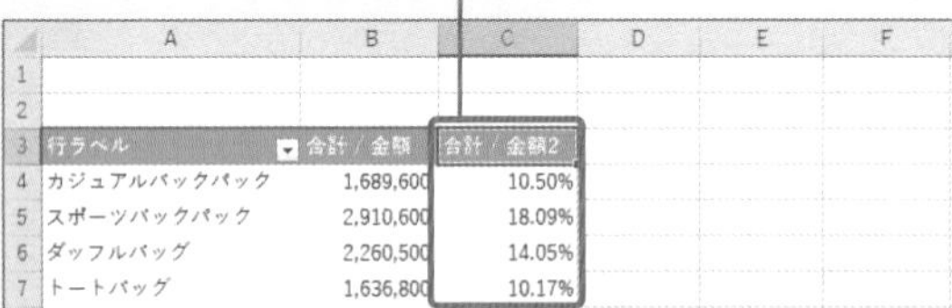

	A	B	C
3	行ラベル	合計 / 金額	合計 / 金額2
4	カジュアルバックパック	1,689,600	10.50%
5	スポーツバックパック	2,910,600	18.09%
6	ダッフルバッグ	2,260,500	14.05%
7	トートバッグ	1,636,800	10.17%

Q1046 お役立ち度 ★★★ ピボットテーブル 2021 2019 2016

累計を表示するには

A 計算の種類を［累計］に変更します。

計算の種類を変更して、累計を表示できます。ここでは、金額フィールドを2つ［値］エリアに追加しておき、1つの金額フィールドの計算の種類を［累計］にして月ごとの売上金額を累計しています。

1 計算の種類を変更したい値フィールドの列内で右クリックし、［計算の種類］→［累計］をクリックします。

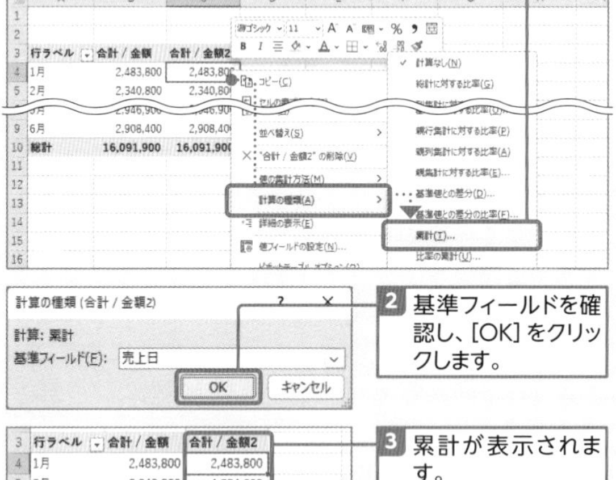

2 基準フィールドを確認し、［OK］をクリックします。

3 累計が表示されます。

	A	B	C
3	行ラベル	合計 / 金額	合計 / 金額2
4	1月	2,483,800	2,483,800
5	2月	2,340,800	4,824,600
6	3月	2,954,600	7,779,200
7	4月	2,457,400	10,236,600

Q1047 お役立ち度 ★★★ ピボットテーブル 2021 2019 2016

全体の順位を表示したい!

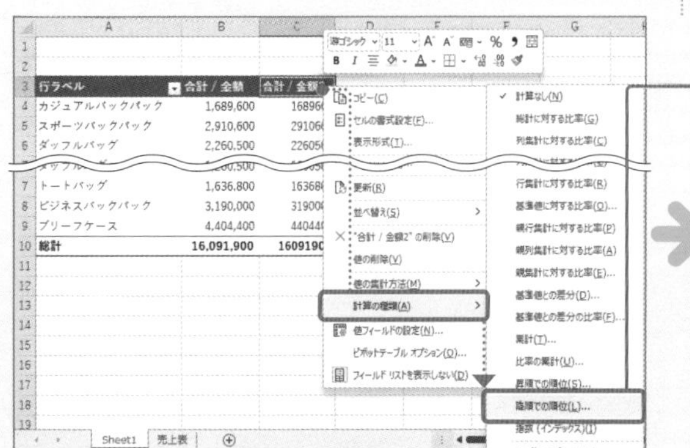

A 計算の種類を［降順での順位］に変更します。

計算の種類を変更して、順位を表示できます。ここでは、金額フィールドを2つ［値］エリアに追加しておき、1つの金額フィールドの計算の種類を［降順での順位］にして各商品の売上が多い順に何番目かを表示しています。

1 計算の種類を変更したい値フィールドの列を右クリックし、［計算の種類］→［降順での順位］をクリックします。

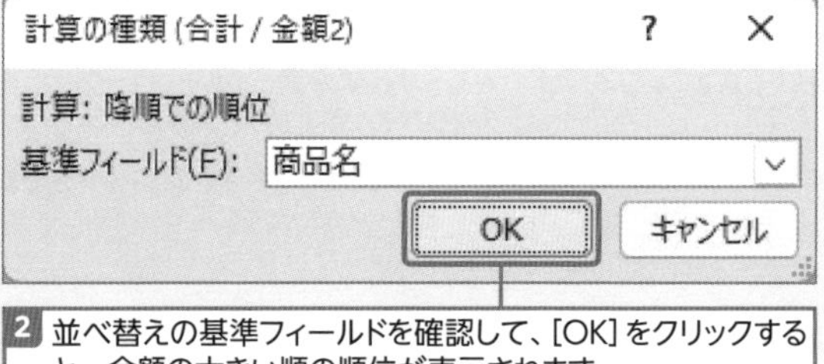

2 並べ替えの基準フィールドを確認して、［OK］をクリックすると、金額の大きい順の順位が表示されます。

Q 1048 お役立ち度 ★★★ ピボットテーブル 2021 2019 2016

任意の集計フィールドを追加するには

A ［集計フィールドの挿入］で設定します。

任意の数式を設定して計算した値を集計フィールドとして追加できます。［集計フィールドの挿入］ダイアログで、集計名と計算式を設定します。ここでは、商品の合計金額の10%アップを目標値とする集計フィールド「目標額:10%アップ」を追加します。

1 ピボットテーブル内でクリックし、コンテキストタブの［ピボットテーブル分析］タブ→［フィールド/アイテム/セット］→［集計フィールド］をクリックします。

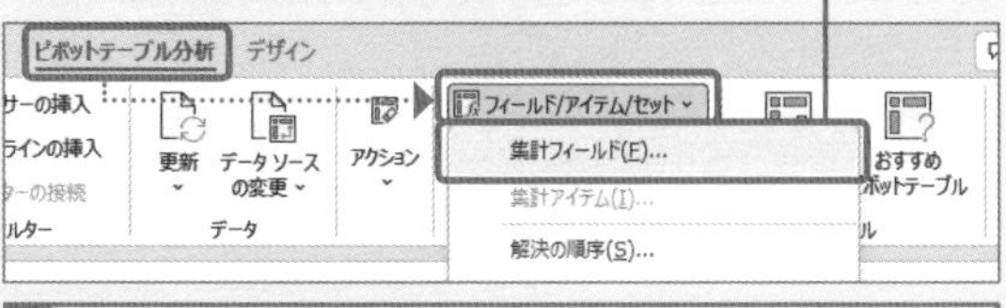

2 ［集計フィールドの挿入］ダイアログの［名前］で集計フィールド名を入力します。

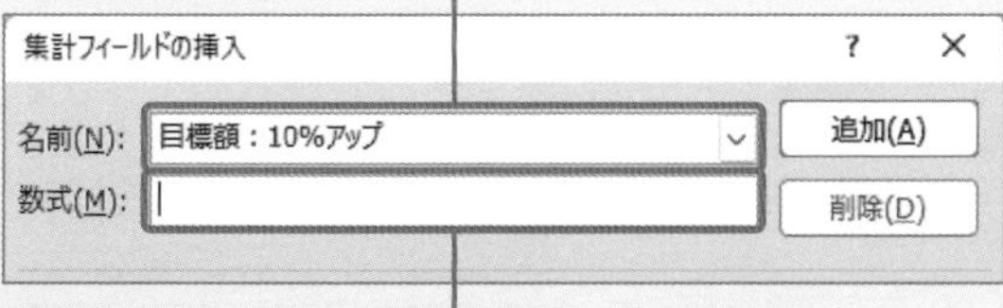

3 ［数式］をクリックして入力されている式を削除します。

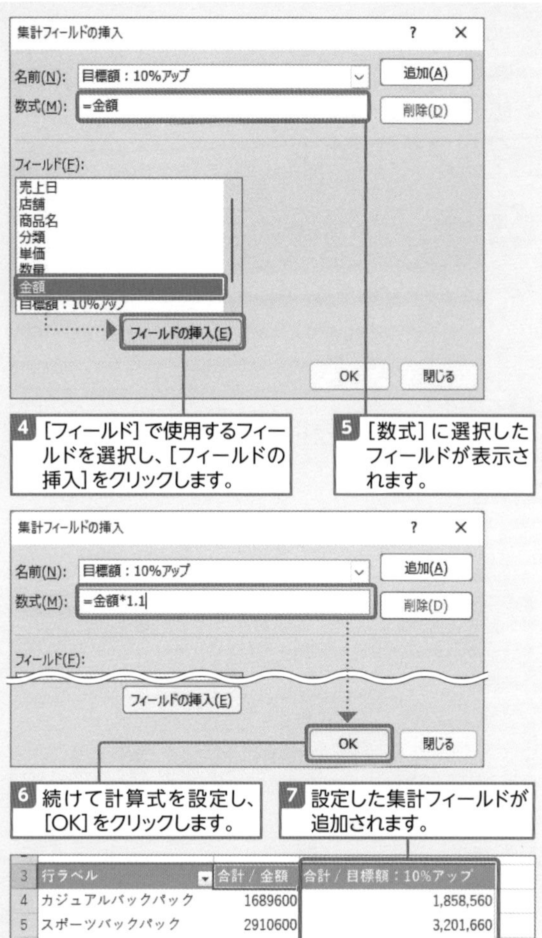

4 ［フィールド］で使用するフィールドを選択し、［フィールドの挿入］をクリックします。

5 ［数式］に選択したフィールドが表示されます。

6 続けて計算式を設定し、［OK］をクリックします。

7 設定した集計フィールドが追加されます。

Q 1049 お役立ち度 ★★★ ピボットテーブル 2021 2019 2016

レポートフィルターエリアの項目ごとにピボットテーブルを作成したい!

A レポートフィルターページを利用します。

［レポートフィルターページ］を利用すると、レポートフィルターエリアに配置されているフィールドの項目ごとに集計したピボットテーブルを別シートに作成できます。

1 ピボットテーブル内でクリックし、コンテキストタブの［ピボットテーブル分析］タブ→［ピボットテーブル］をクリックします。

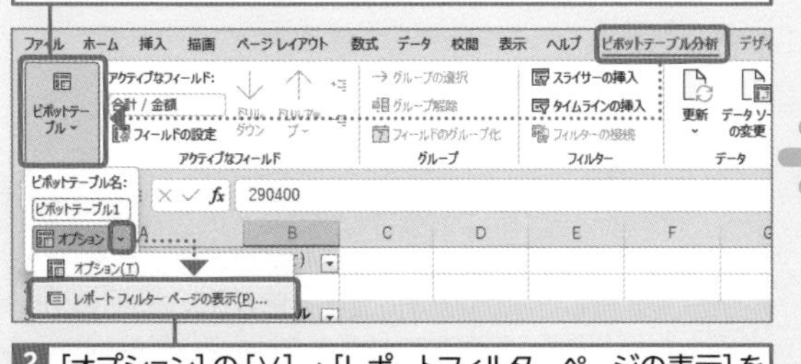

2 ［オプション］の［∨］→［レポートフィルターページの表示］をクリックします。

3 フィールド名を選択し、［OK］をクリックします。

4 各店舗ごとにワークシートが追加され、ピボットテーブルが作成されます。

Q1050 お役立ち度 ★★★ ピボットグラフ

ピボットテーブルからグラフを作るには

A ピボットグラフを作成します。

ピボットグラフはピボットテーブルを元に作成するグラフです。作成後、フィールドを入れ替えることができるので、データをさまざまな角度から分析するのに役立ちます。

1 ピボットテーブル内でクリックし、コンテキストタブの[ピボットテーブル分析]タブ→[ピボットグラフ]をクリックします。

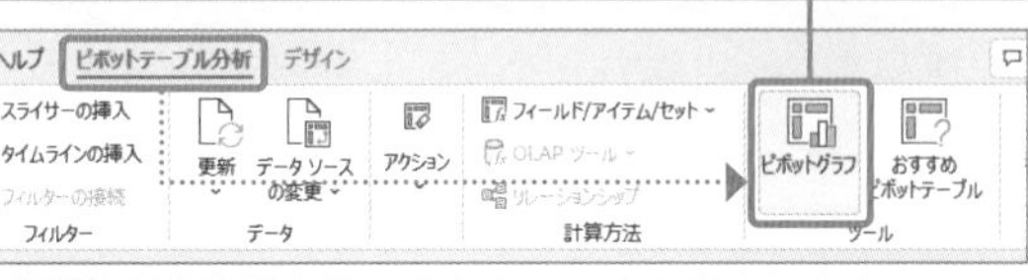

2 [グラフの挿入]ダイアログが表示されます。

3 グラフの種類をクリックします。

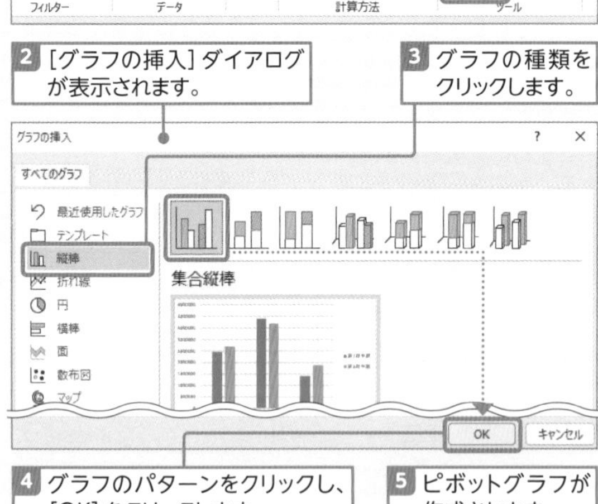

4 グラフのパターンをクリックし、[OK]をクリックします。

5 ピボットグラフが作成されます。

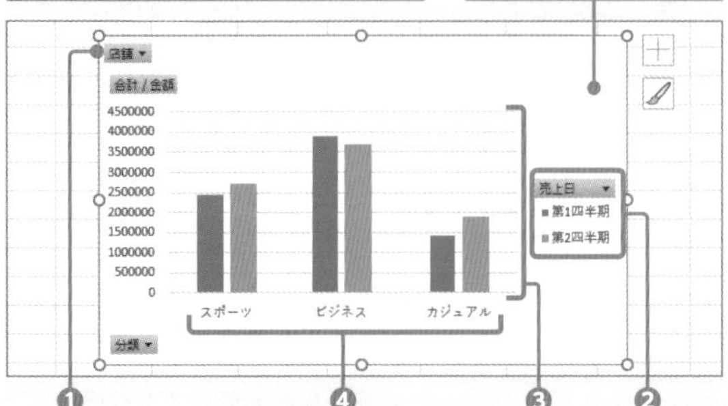

● ピボットグラフの構成要素

❶ レポートフィルターエリア	グラフ化するデータを絞り込むフィールドを設定
❷ 凡例(系列)エリア	凡例にするフィールドを設定(列ラベルエリアに相当)
❸ 値エリア	データ系列になるフィールドを設定
❹ 軸(分類項目)エリア	項目軸になるフィールドを設定(行ラベルエリアに相当)

Q1051 お役立ち度 ★★★ ピボットグラフ

ピボットグラフを編集するには

A [ピボットグラフのフィールド]作業ウィンドウで設定します。

ピボットグラフを作成後、[ピボットグラフのフィールド]作業ウィンドウでフィールドを各エリアに追加したり、移動したり、削除したりして変更できます。すべてドラッグするだけで素早く簡単に変更できます。なお、ピボットグラフを変更するとその変更元となるピボットテーブルも変更されます。同様にピボットテーブルを変更すると対応するピボットグラフも変更されます。

1 ピボットグラフを選択し、フィールドをエリア(ここでは[軸(分類項目)])にドラッグして追加します。

2 [軸(分類項目)]エリアにあるフィールド(ここでは[分類])を外にドラッグして削除します。

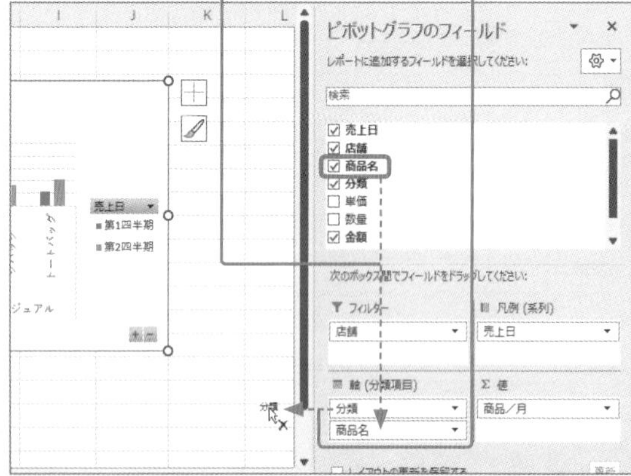

3 グラフが変更されます。

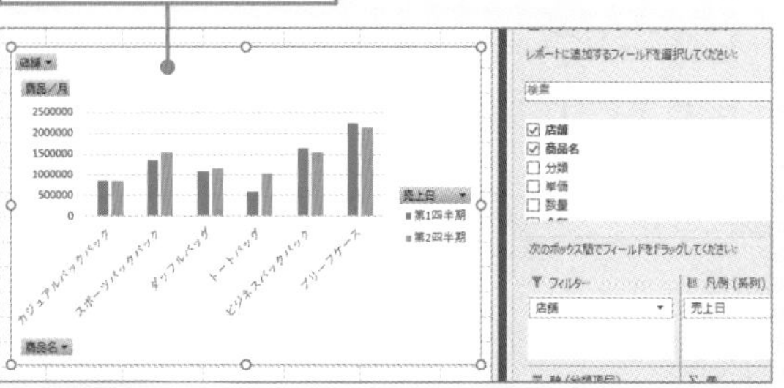

おトクな情報 ピボットグラフの削除と書式設定

通常のグラフと同様に、グラフの種類を変更したり、書式を変更したりできます。また、ピボットグラフ内の何もないところ(グラフエリア)をクリックして選択し、Delete キーをクリックすれば削除できます。

Q1052 お役立ち度 ★★★ ピボットグラフ 2021 2019 2016

ピボットグラフのフィールドをグループ化するには

A 軸（分類項目）エリアに複数のフィールドを配置します。

軸（分類項目）エリアに複数のフィールドを配置すると、フィールドでグループ化したグラフが作成できます。このときグラフの右下に表示される［＋］［－］ボタンをクリックすると、軸（分類項目）で表示するフィールドを絞り込めます。ここでは、売上日（四半期）と分類でグループ化しています。また、エリアでのフィールドの順序を入れ替えるだけで、グラフが変わりデータの見せ方を簡単に変えられます。

1 ［軸（分類項目）］エリアに［売上日］と［分類］フィールドの順で追加します。

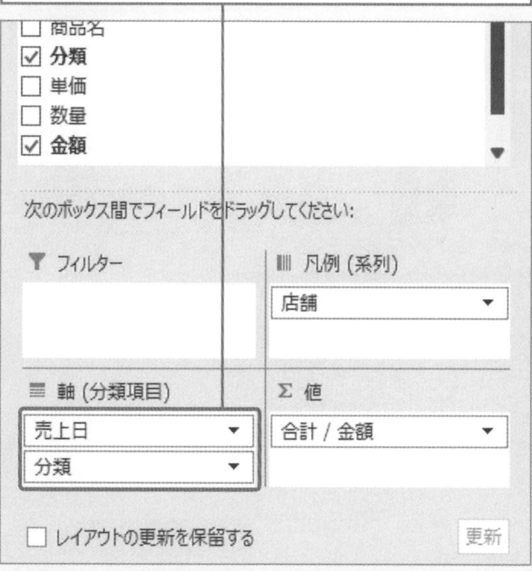

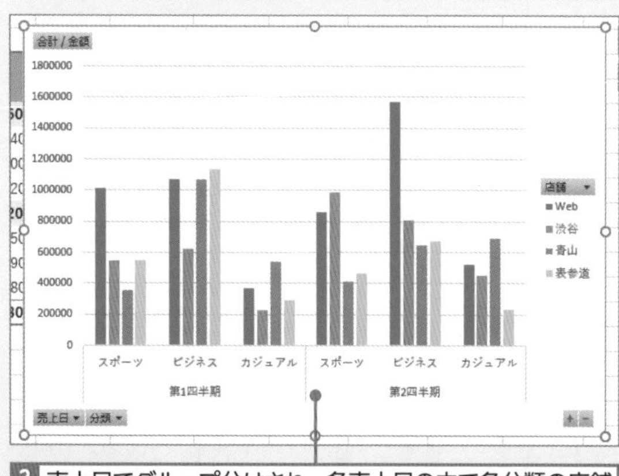

2 売上日でグループ分けされ、各売上日の中で各分類の店舗別売上金額が表示されます。

3 ［軸（分類項目）］エリアで［分類］と［売上日］フィールドの順を入れ替えます。

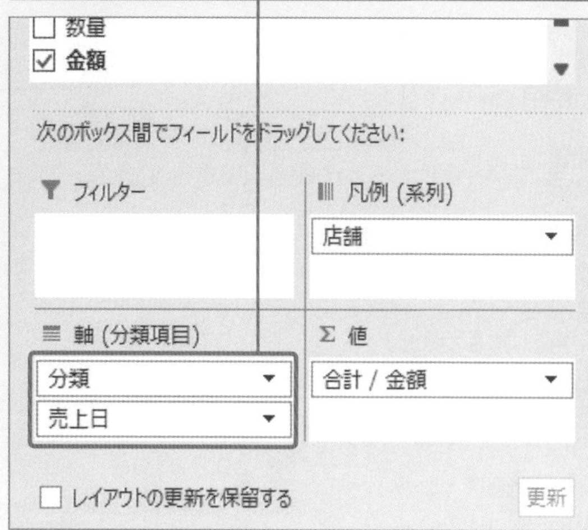

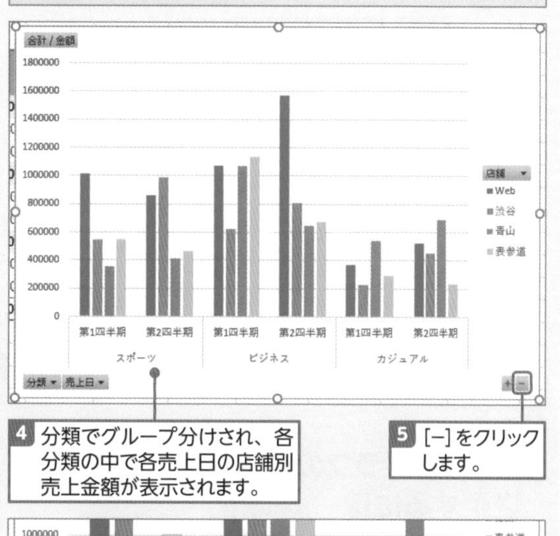

4 分類でグループ分けされ、各分類の中で各売上日の店舗別売上金額が表示されます。

5 ［－］をクリックします。

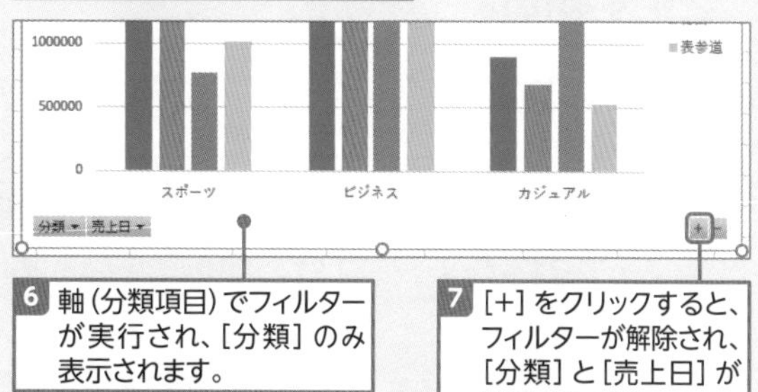

6 軸（分類項目）でフィルターが実行され、［分類］のみ表示されます。

7 ［＋］をクリックすると、フィルターが解除され、［分類］と［売上日］が表示されます。

おトクな情報 データベースの表から直接作成する

［挿入］タブ→［ピボットグラフ］をクリックして、データベースの表から直接ピボットグラフを作成することもできます。この場合、ピボットグラフを作成するのと同時にピボットテーブルも自動で作成されます。

Q1053 グラフに表示する項目を選択したい!

お役立ち度 ★★★　ピボットグラフ　2021 2019 2016

A フィールドボタンから選択できます。

ピボットグラフ上に配置されているフィールドボタンを使うと、グラフ化するデータの絞り込みができます。ここでは、店舗を「Web」、分類を「スポーツ」と「カジュアル」にデータを絞り込んでいます。

1 [店舗▼] をクリックします。

2 [Web] をクリックします。

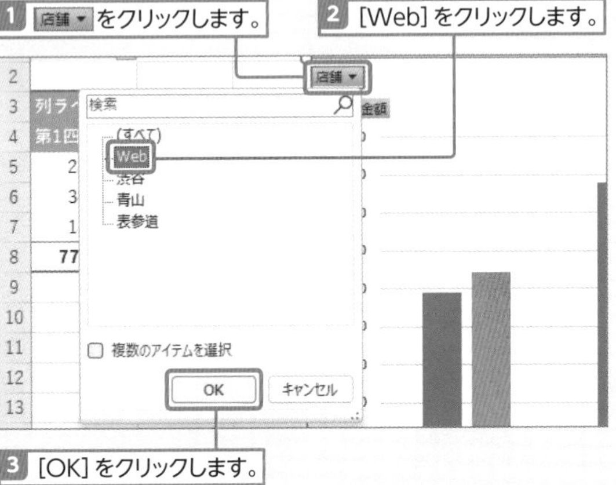

3 [OK] をクリックします。

4 店舗が「Web」のデータでグラフ化されます。

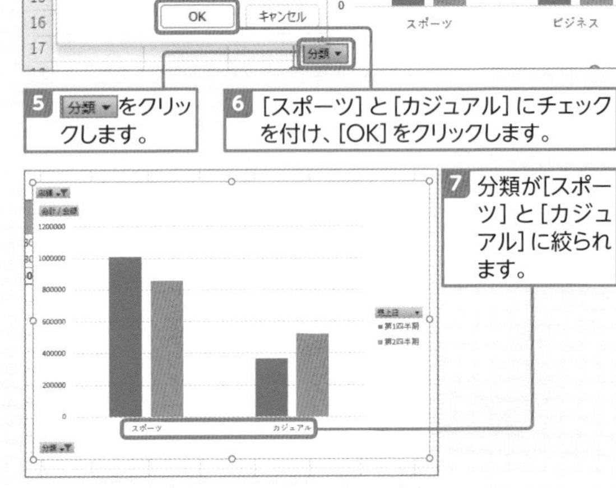

5 [分類▼] をクリックします。

6 [スポーツ] と [カジュアル] にチェックを付け、[OK] をクリックします。

7 分類が[スポーツ] と [カジュアル] に絞られます。

Q1054 ピボットグラフの見栄えを変更するには

お役立ち度 ★★★　ピボットグラフ　2021 2019 2016

A [デザイン] タブ→ [グラフスタイル] や [色の変更] で変更できます。

ピボットグラフは、通常のグラフと同様にグラフの種類を変更したり、書式を変更したりできます。グラフの見栄えも[グラフスタイル] や「色の変更」を使って変更できます。

1 ピボットグラフを選択し、コンテキストタブの [デザイン] タブ→ [グラフスタイル] でスタイルをクリックします。

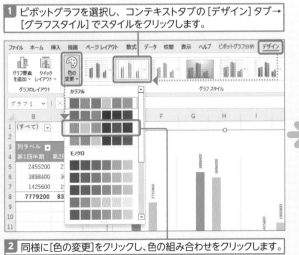

2 同様に[色の変更]をクリックし、色の組み合わせをクリックします。

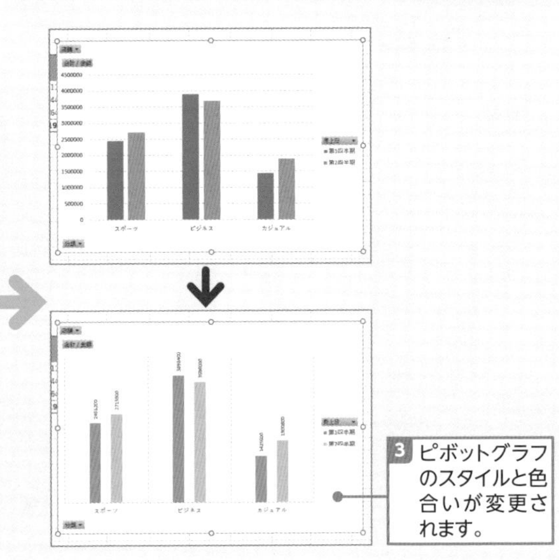

3 ピボットグラフのスタイルと色合いが変更されます。

Q1055 お役立ち度 ★★★ その他の分析機能 2021 2019 2016

ゴールシークとは

A 目標値になるように逆算する機能です。

ゴールシークを使うと、計算式の結果が目標値になるように、計算式で参照しているセルの数値を逆算して求めることができます。例えば、200万円を積み立てるのに、年数とボーナスの金額を決めた場合、月あたりの積立額を求めたいときにゴールシークが使えます。

200万円を2年かけて積み立てたい。ボーナスは年間で15万円積み立てるとしたら月の積立額はいくらにすればいい?

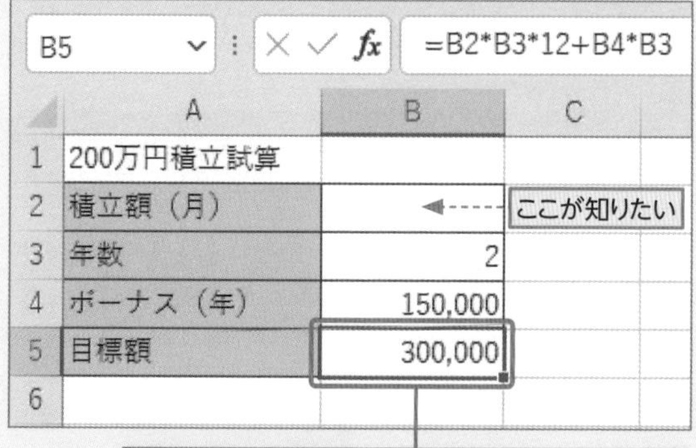

目標額の計算式(セルB5):=B2*B3*12+B4*B3
積立金(月)×年数×12+ボーナス(年)×年数
B2 B3 B4 B3

ゴールシークを使って逆算

	A	B	C
1	200万円積立試算		
2	積立額（月）	70,833	変化させるセル
3	年数	2	
4	ボーナス（年）	150,000	
5	目標額	2,000,000	目標値
6			

目標額の計算式の結果が200万円になるよう逆算され、積立額(月)のセルB2に金額「70,833」が表示されます。

Q1056 お役立ち度 ★★★ その他の分析機能 2021 2019 2016

ゴールシークを使って試算するには

A [データ]タブ→[What-If分析]→[ゴールシーク]をクリックします。

ゴールシークを使う場合は、目標値を求める計算式のセルと変化させるセルと目標値を指定します。ここでは、ゴールシークを使って、Q1055の月の積立金額を求めています。

1 [データ]タブ→[What-If分析]→[ゴールシーク]をクリックします。

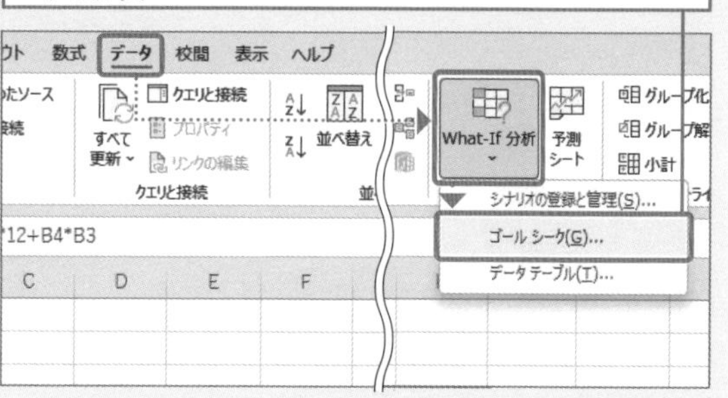

2 [数式入力セル]で目標額を求める計算式のセルをクリックします。

3 [目標値]に目標となる数値を入力します。

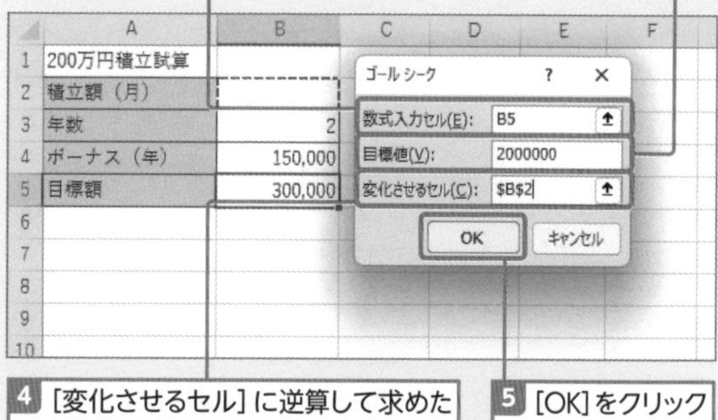

4 [変化させるセル]に逆算して求めたい数値のセルをクリックします。

5 [OK]をクリックします。

6 ゴールシークの機能により、セルB5が目標値となるように逆算された結果、セルB2に最適な数値が表示されます。

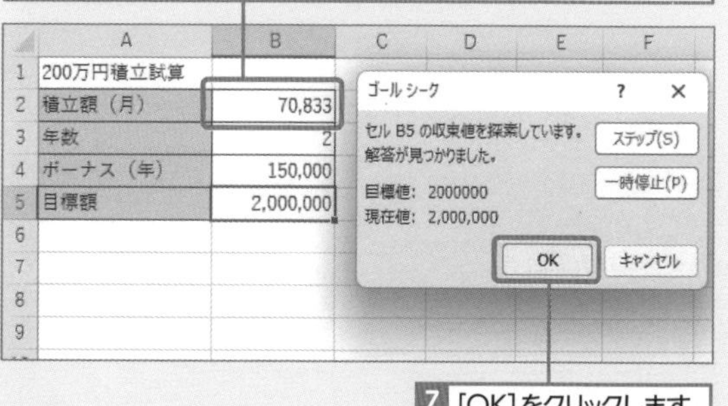

7 [OK]をクリックします。

Q 1057  お役立ち度 ★★★ その他の分析機能 2021 2019 2016

試算の経過を確認するには

A [ゴールシーク] ダイアログで[一時停止] ボタンをクリックします。

ゴールシークを開始すると、最適値が見つかるまで自動で試算が繰り返されます。試算の途中を確認するには、試算途中に表示される画面で[一時停止] をクリックします。[ステップ] をクリックして1回ずつ試算内容を確認できます。

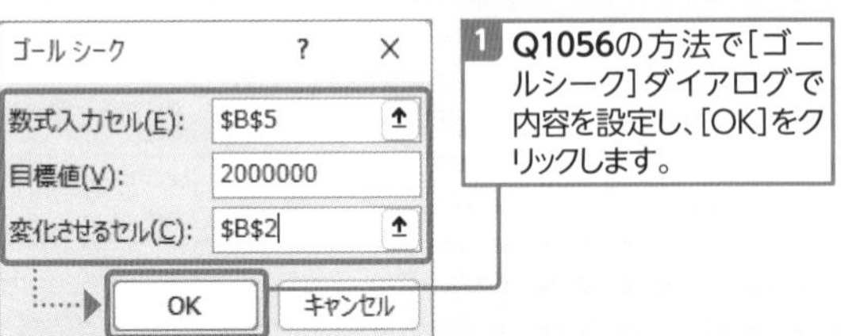

1 Q1056の方法で[ゴールシーク]ダイアログで内容を設定し、[OK]をクリックします。

2 表示された画面で[一時停止]をクリックします。

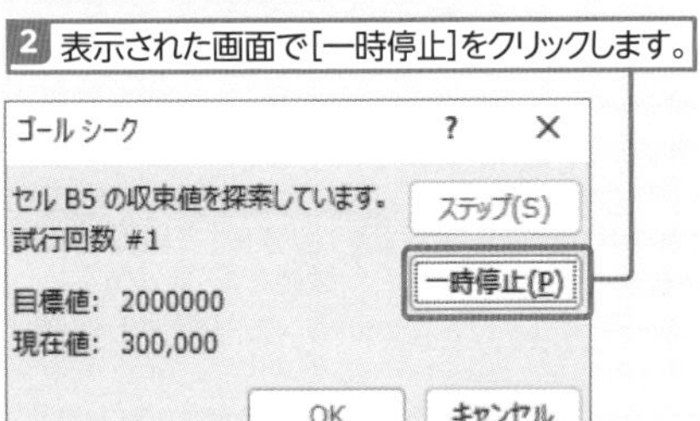

3 試算が一時停止されます。[ステップ]をクリックすると、試行回数を1回ずつ進められます。

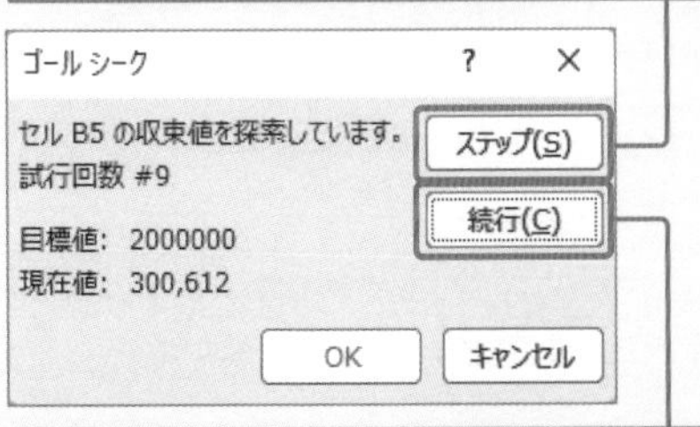

4 [続行]をクリックすると、最適値が見つかるまで自動で試算が繰り返されます。

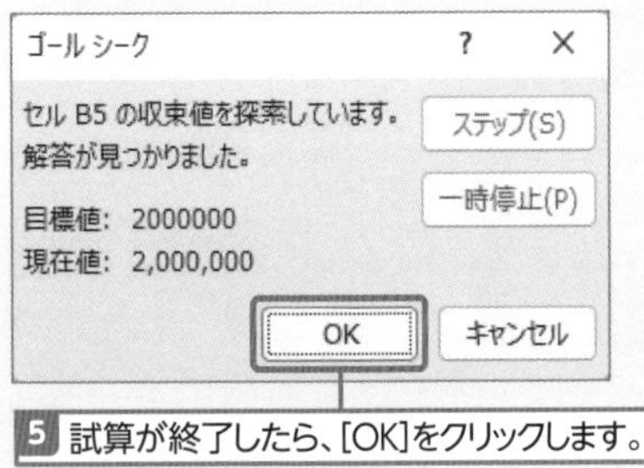

5 試算が終了したら、[OK]をクリックします。

Q 1058 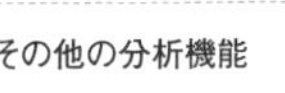  お役立ち度 ★★★ その他の分析機能 2021 2019 2016

シナリオとは

A シミュレーション用の値の組み合わせを登録し、表に表示できる機能です。

シナリオは、シミュレーション用の値の組み合わせのパターンを登録し、1つの表に登録したパターンを切り替えて表示できる機能です。例えば積立貯金のシミュレーションをするのに、パターンごとに表を作成して並べて比較できます。表が小さければ並べたほうがわかりやすいかもしれませんが、パターンが多かったり、表が大きかったりすると、すべての表を用意するのは大変です。そのような場合、シミュレーションする値の組み合わせをシナリオに登録しておけば、1つの表で値を切り替えながら見比べることができます。

積立貯金のシミュレーションの表を別々に作成して比較

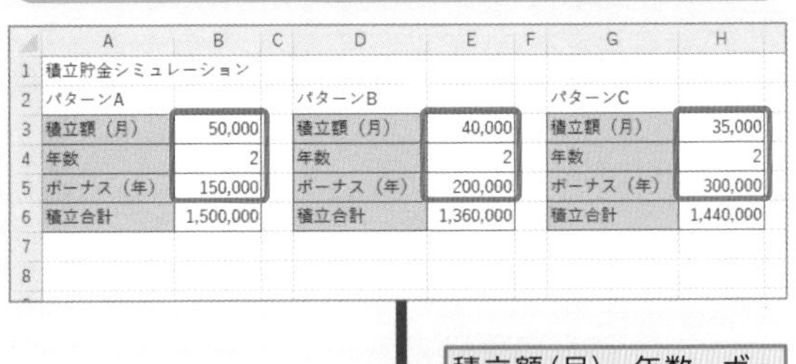

	A	B	C	D	E	F	G	H
1	積立貯金シミュレーション							
2	パターンA			パターンB			パターンC	
3	積立額（月）	50,000		積立額（月）	40,000		積立額（月）	35,000
4	年数	2		年数	2		年数	2
5	ボーナス（年）	150,000		ボーナス（年）	200,000		ボーナス（年）	300,000
6	積立合計	1,500,000		積立合計	1,360,000		積立合計	1,440,000
7								
8								

積立額(月)、年数、ボーナス(年)の値の組み合わせをシナリオに登録します。

シナリオを使って1つの表で切り替えながら表示

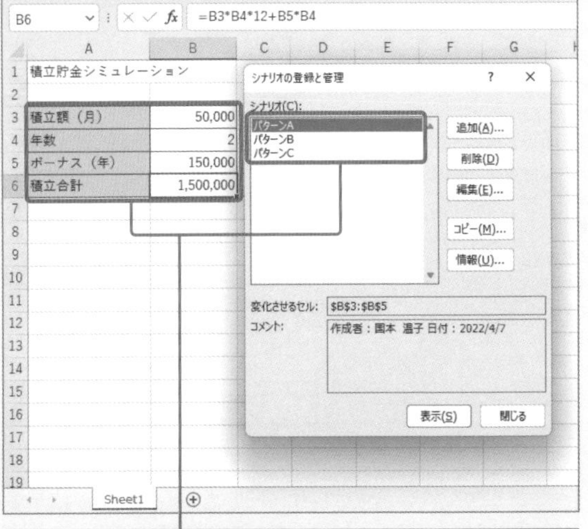

シナリオに登録した値の組み合わせを、1つの表で切り替えながら表示できます。

Q1059 お役立ち度 ★★★ その他の分析機能 2021 2019 2016

シナリオを作成するには

A [データ] タブ→ [What-If分析] → [シナリオの登録と管理] をクリックします。

シナリオを作成する場合は、まず、シミュレーション用の表を用意しておきます。次にシミュレーションのパターンとなる値の組み合わせをシナリオに登録します。事前に値の組み合わせをどこかに書き留めてから操作しましょう。ここでは、Q1058の積立貯金のシミュレーションをシナリオに登録しています。

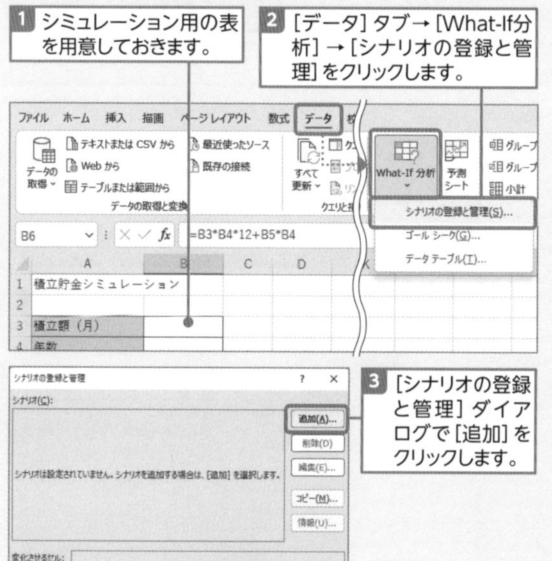

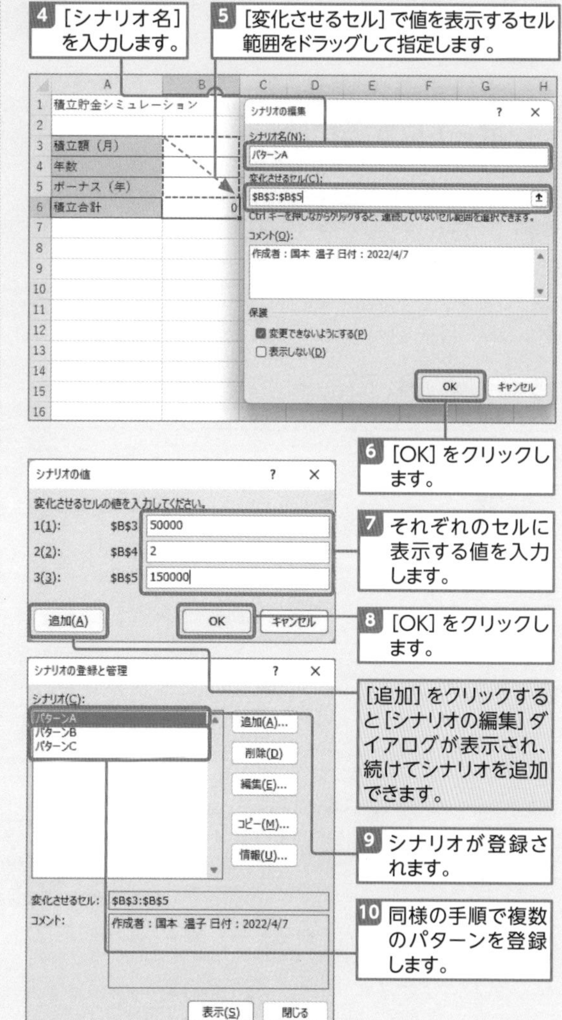

Q1060 お役立ち度 ★★★ その他の分析機能 2021 2019 2016

登録したシナリオの内容をワークシートに表示するには

A [シナリオの登録と管理] ダイアログで [表示] ボタンをクリックします。

シナリオに値の組み合わせを登録したら、値のパターンを切り替えながら表に表示できます。

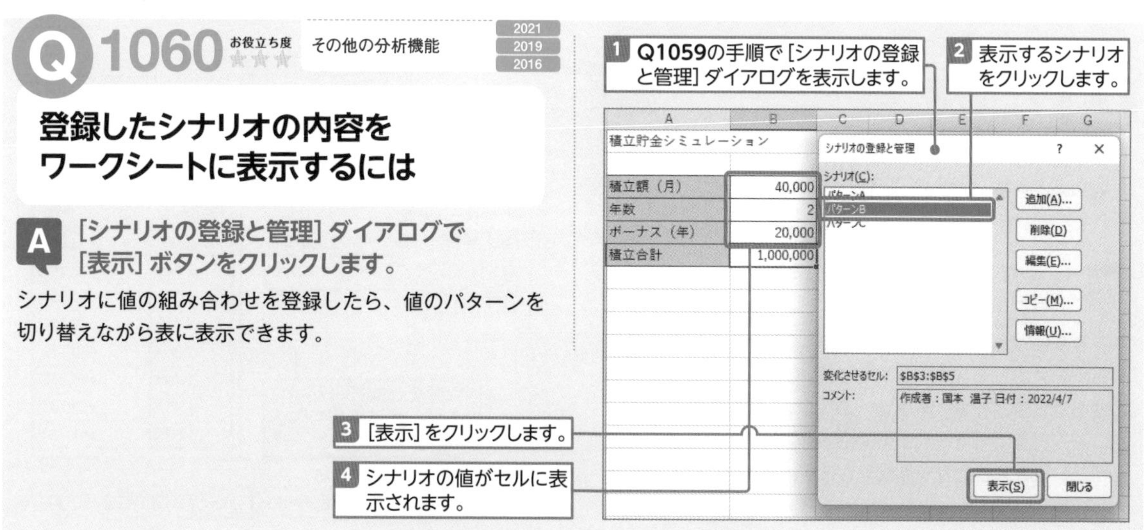

1 Q1059の手順で [シナリオの登録と管理] ダイアログを表示します。
2 表示するシナリオをクリックします。
3 [表示] をクリックします。
4 シナリオの値がセルに表示されます。

Q1061 シナリオの内容をレポートにするには

お役立ち度 ★★★　その他の分析機能　2021 2019 2016

A [シナリオの登録と管理] ダイアログで[情報] ボタンをクリックします。

[シナリオの登録と管理] の [情報] ボタンをクリックすると、登録したシナリオの結果をレポートにして別のシートに表示したり、ピボットテーブルにして表示したりできます。

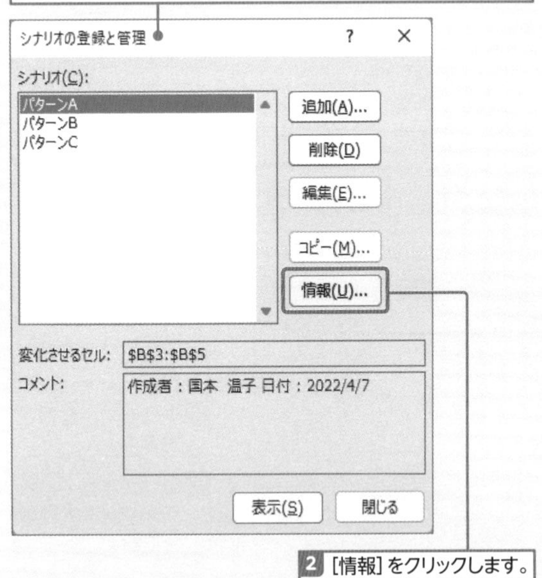

2 [情報] をクリックします。

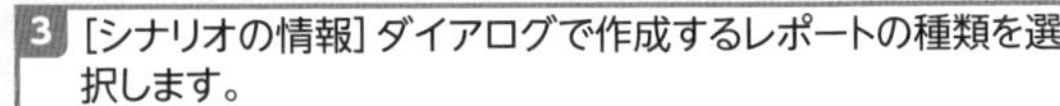

3 [シナリオの情報] ダイアログで作成するレポートの種類を選択します。

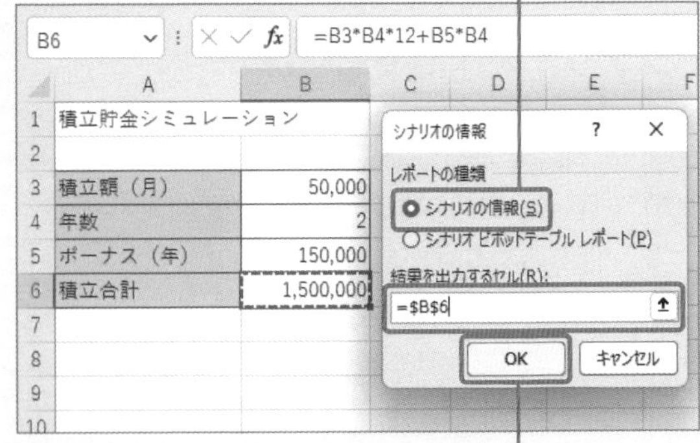

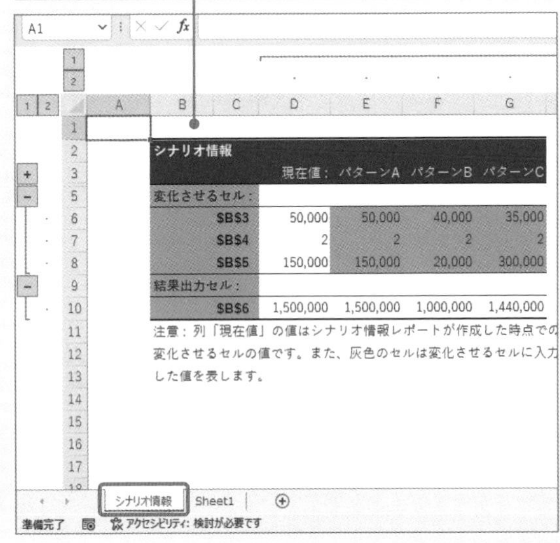

Q1062 データテーブルとは

お役立ち度 ★★★　その他の分析機能　2021 2019 2016

A 複数のシミュレーションの結果を一覧で表示できる機能です。

データテーブルを使うと、計算式の中で使うセルの値を変更したときの計算結果の変化の様子を一覧にしたもの、いわゆる試算表が作成できます。例えば、PMT関数（**Q846**）でローン計算するときに、年利に対する毎月の返済額をシミュレーションした表が作成できます。

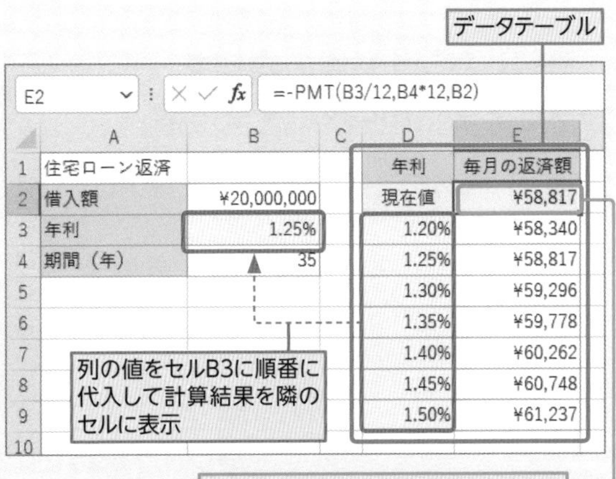

Q1063 お役立ち度 ★★★ その他の分析機能 2021 2019 2016

変化する値が1つの場合の試算表を作成するには

A 単入力テーブルを作成します。

計算式の中で使う1つのセルの値を変化させたときの試算表を作成するには、変化させる値の一覧（変数値）を行または列に入力します。次に、列方向に入力した場合は、一覧の1つ上、1つ右のセルに試算用の計算式を入力しておきます（単入力テーブルといいます）。ここでは**Q1062**の住宅ローンで年利が変化したときの毎月の返済額の試算表を作成します。

1 変数値の一覧の右上のセルに試算用の計算式を入力しておき、変数値の列と計算式を含むようにセル範囲を選択します。

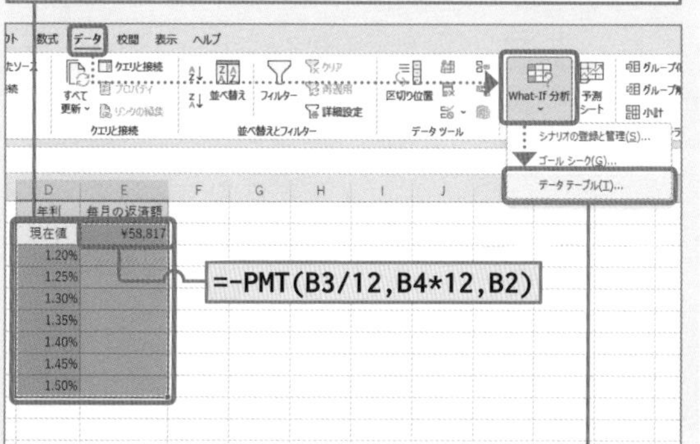

2 [データ]タブ→[What-If分析]→[データテーブル]をクリックします。

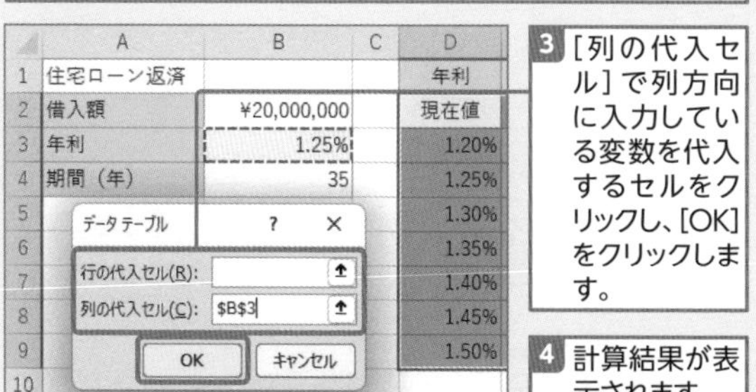

3 [列の代入セル]で列方向に入力している変数を代入するセルをクリックし、[OK]をクリックします。

4 計算結果が表示されます。

	A	B	C	D	E	F
1	住宅ローン返済			年利	毎月の返済額	
2	借入額	¥20,000,000		現在値	¥58,817	
3	年利	1.25%		1.20%	¥58,340	
4	期間（年）	35		1.25%	¥58,817	
5				1.30%	¥59,296	
6				1.35%	¥59,778	
7				1.40%	¥60,262	
8				1.45%	¥60,748	
9				1.50%	¥61,237	

Q1064 お役立ち度 ★★★ その他の分析機能 2021 2019 2016

変化する値が2つのときの試算表を作成するには

A 複入力テーブルを作成します。

計算式の中で使う2つのセルの値を変化させたときの試算表を作成するには、変化させる値の一覧（変数値）を行と列に入力します。次に、変数が入力されている行と列の交差するセルに試算用の計算式を入力しておきます（複入力テーブル）。ここでは**Q1062**の住宅ローンで年利と期間（年）が変化したときの毎月の返済額の試算表を作成します。

1 行と列の変数値の一覧の交点のセルから、変数値全体を含むようにセル範囲を選択します。

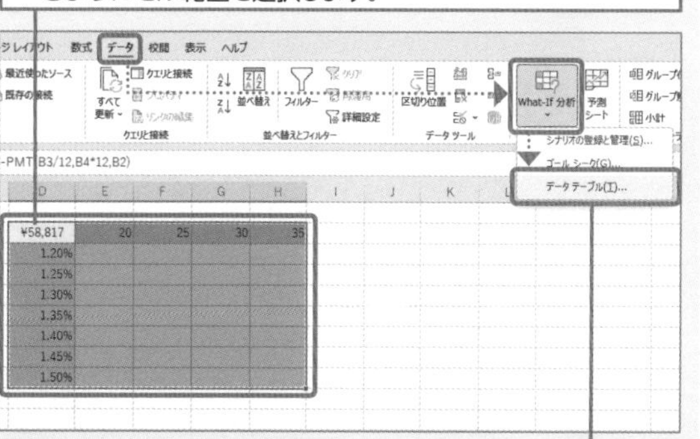

2 [データ]タブ→[What-If分析]→[データテーブル]をクリックします。

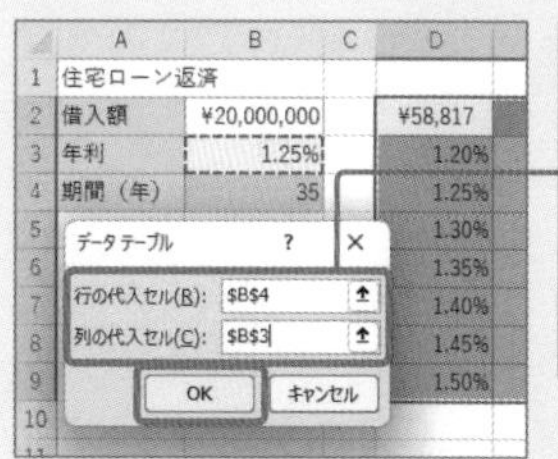

3 [行の代入セル]で行方向に入力している変数を代入するセルを選択し、[列の代入セル]で列方向に入力している変数を代入するセルを選択して、[OK]をクリックします。

セルの座標

セルD2=-PMT(B3/12,B4*12,B2)　データテーブル

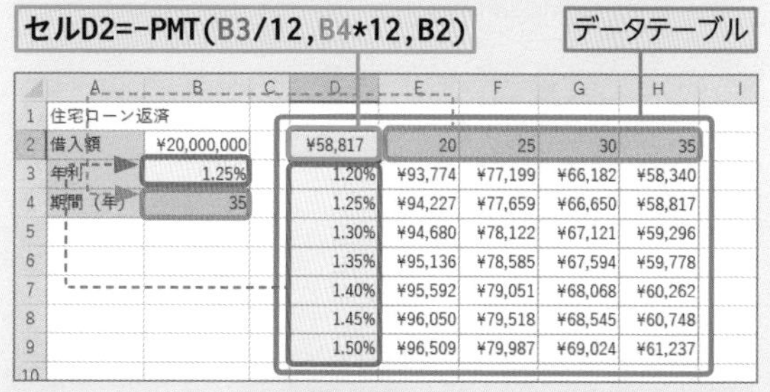

	A	B	C	D	E	F	G	H
1	住宅ローン返済							
2	借入額	¥20,000,000		¥58,817	20	25	30	35
3	年利	1.25%		1.20%	¥93,774	¥77,199	¥66,182	¥58,340
4	期間（年）	35		1.25%	¥94,227	¥77,659	¥66,650	¥58,817
5				1.30%	¥94,680	¥78,122	¥67,121	¥59,296
6				1.35%	¥95,136	¥78,585	¥67,594	¥59,778
7				1.40%	¥95,592	¥79,051	¥68,068	¥60,262
8				1.45%	¥96,050	¥79,518	¥68,545	¥60,748
9				1.50%	¥96,509	¥79,987	¥69,024	¥61,237

列の値をセルB3、行の値をセルB4に順番に代入して、計算結果を交差するセルに表示

その他の分析機能

予測シートとは

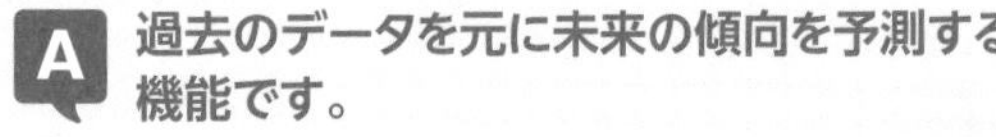

A 過去のデータを元に未来の傾向を予測する機能です。

予測シートを使うと、過去の数値を元に未来の数値の傾向を予測する表とグラフを新しいワークシートに作成します。Excel 2016以降で使用できる機能です。

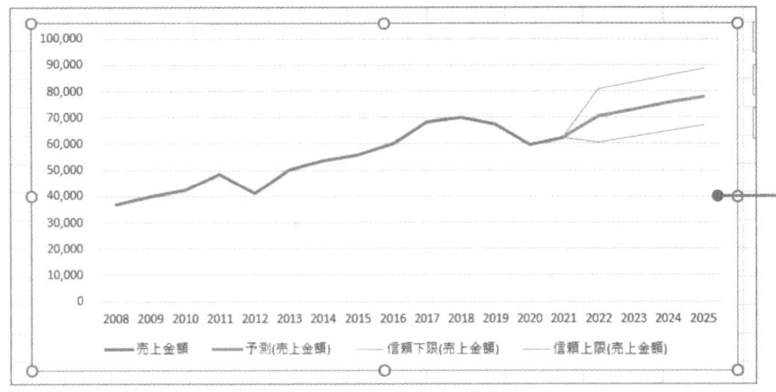

青い線が過去の推移でオレンジの線が予測された数値です。

Q1066 お役立ち度 ★★★ その他の分析機能 2021 2019 2016

予測シートを作成するには

A [データ] タブ→ [予測シート] をクリックします。

予測シートを作成するには、月や年などの一定の間隔で入力されている日付と、日付に対応するデータがある表が必要です。

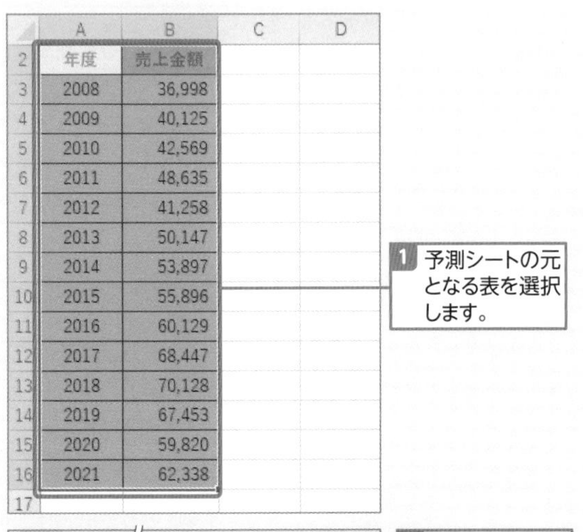

	A	B
2	年度	売上金額
3	2008	36,998
4	2009	40,125
5	2010	42,569
6	2011	48,635
7	2012	41,258
8	2013	50,147
9	2014	53,897
10	2015	55,896
11	2016	60,129
12	2017	68,447
13	2018	70,128
14	2019	67,453
15	2020	59,820
16	2021	62,338

1 予測シートの元となる表を選択します。

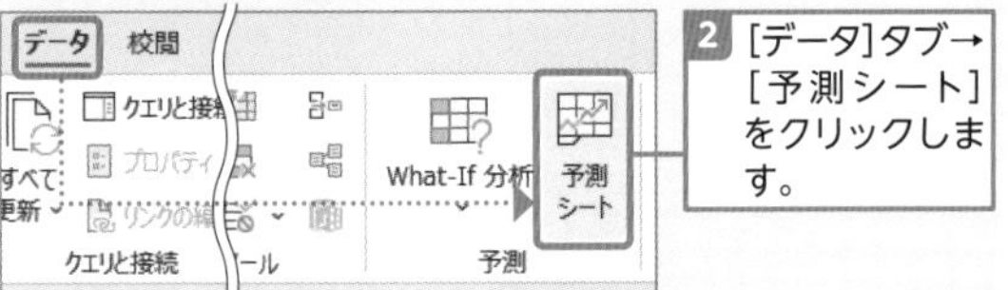

2 [データ]タブ→[予測シート]をクリックします。

3 [予測ワークシートの作成] ダイアログでグラフの種類をクリックします。

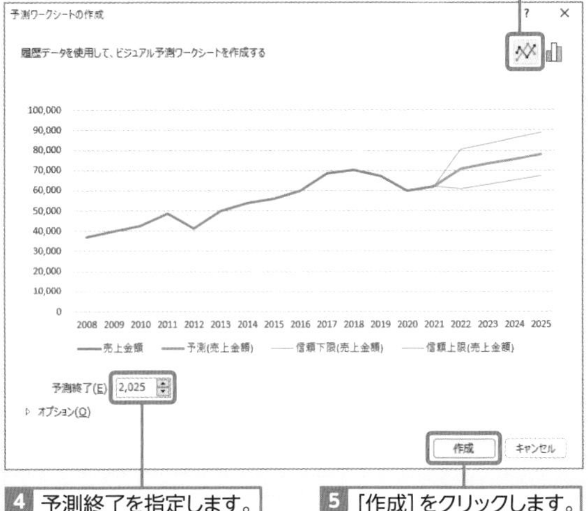

4 予測終了を指定します。

5 [作成] をクリックします。

6 新規ワークシートが挿入され、過去のデータと予測データの表と、未来予測値が含まれたグラフが作成されます。

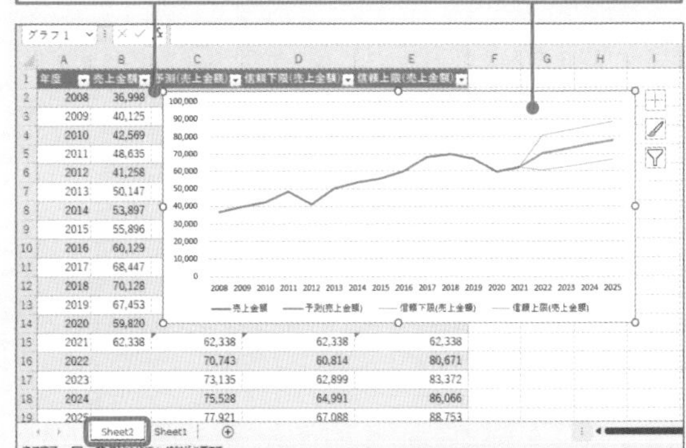

年度	売上金額	予測(売上金額)	信頼下限(売上金額)	信頼上限(売上金額)
2008	36,998			
2009	40,125			
2010	42,569			
2011	48,635			
2012	41,258			
2013	50,147			
2014	53,897			
2015	55,896			
2016	60,129			
2017	68,447			
2018	70,128			
2019	67,453			
2020	59,820			
2021	62,338	62,338	62,338	62,338
2022		70,743	60,814	80,671
2023		73,135	62,899	83,372
2024		75,528	64,991	86,066
2025		77,921	67,088	88,753

ファイル操作の基本とさまざまな活用ワザ

Wordで作成する文章や、Excelで作成するブックは、作成時はまだファイルとして保存されていません。作成日より後で同じ文書やブックを使用する場合は、ファイルとして保存しておきましょう。ここでは、Wordや Excelのファイルの基本的な扱い方から、便利な使い方、トラブルシューティングまで、知っておくと便利な機能を紹介しています。

Q1067 ファイルを新規で作成するには

お役立ち度 ★★★　ファイルの作成　2021 2019 2016

Excel の［新規］画面

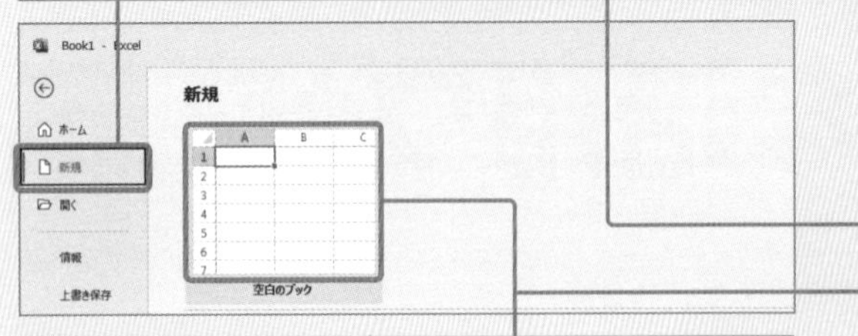

1 ［ファイル］タブ→［新規］をクリックすると、［新規］画面が表示されます。

2 ［空白のブック］または、［白紙の文書］をクリックすると新規の作成画面が表示されます。

A ［ファイル］タブ→［新規］をクリックします。

Word、Excelですでに作業しているときに、［ファイル］タブをクリックし［新規］をクリックすると、［新規］画面が表示されます。［白紙の文書］または［空白のブック］をクリックすると、新規の作成画面が表示されます。また、Ctrl＋Nキーを押しても新規作成画面を表示できます。なお、作成した画面は保存するまでは実際のファイルとしては存在しません（**Q057**、**Q463**）。

Word の［新規］画面

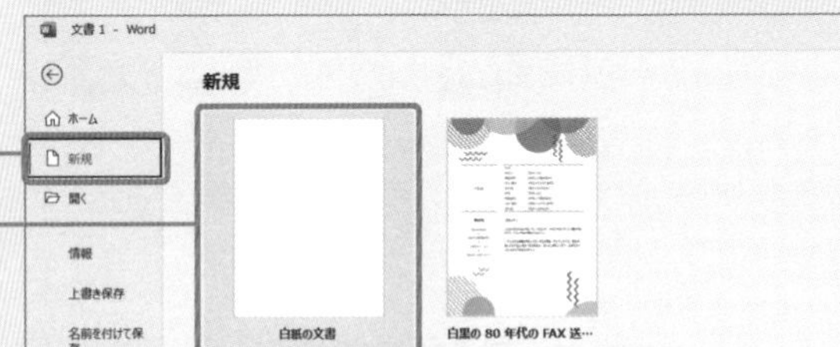

Q1068 文書を効率的に作成したい！

お役立ち度 ★★★　ファイルの作成　2021 2019 2016

1 **Q1067**の方法で［新規］画面を表示し、［オンラインテンプレート検索］ボックスにテンプレートのキーワードを入力し、Enterキーを押します。

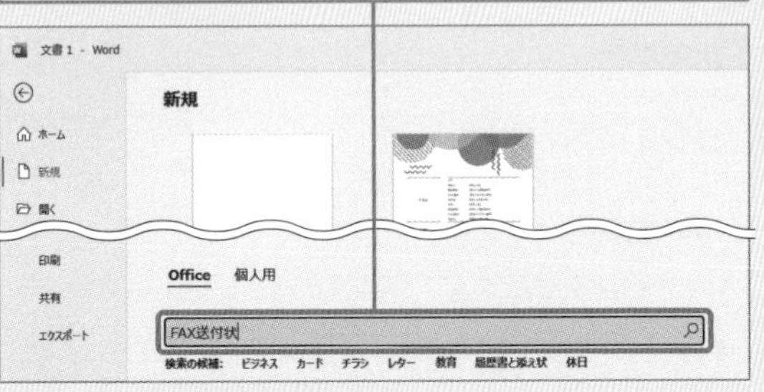

2 キーワードに関連するテンプレートが表示されたら、使用したいテンプレートをクリックします。

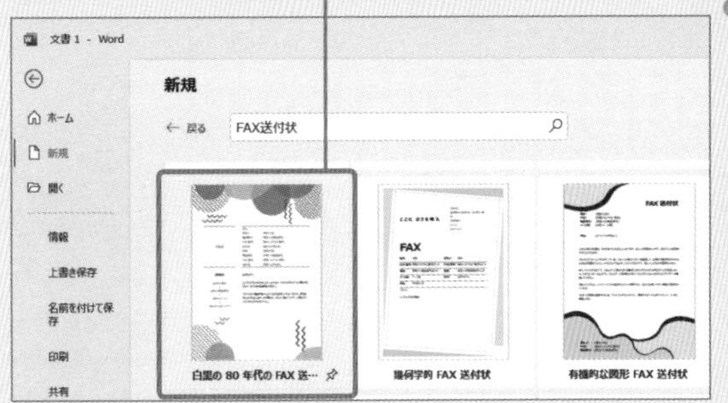

A テンプレートの活用を検討しましょう。

テンプレートとは、文書のひな型のことです。特定のテーマに沿ってあらかじめ画像やイラスト、罫線で枠組みなどが設定されているので、文字を入力するだけで目的の文書を素早く作成できます。ここではWordで「FAX送付状」のテンプレートを検索し、新規文書を作成しています。

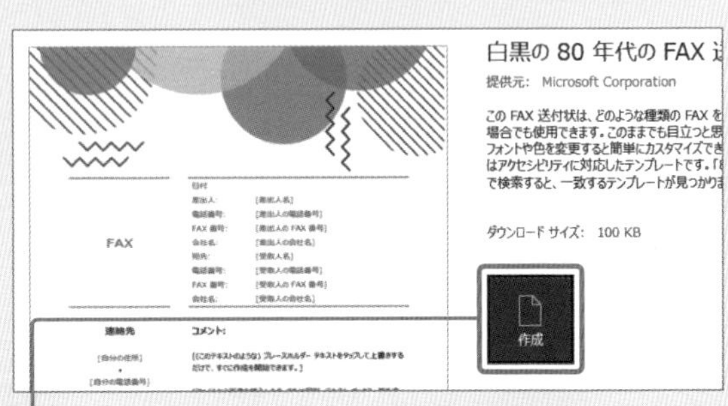

3 サンプル画面と内容を確認し、［作成］をクリックします。

4 テンプレートを元に新規の文書が作成されます。

5 仮の文字列をクリックして選択し、文字列を入力すると置き換えられます。使用しない文字はクリックして選択しDeleteキーを押して削除してください。

Q1069 お役立ち度 ★★★ ファイルの作成 2021 2019 2016

テンプレートは自分で作成できるの?

A テンプレート形式で保存すれば作成できます。

請求書や送付書など、自分で作成した文書のひな型をテンプレート形式で保存すると、テンプレートとして利用できます。あらかじめ表組を用意し、会社名などの情報を入力して、ひな型となる文書やブックを作成したら、[名前を付けて保存] ダイアログでファイルの種類をテンプレートにして保存します。テンプレートは初期設定でユーザーの[ドキュメント]フォルダー内の[Officeのカスタムテンプレート]に保存されます。ここでは、Excelで作成した納品書をひな型にして、オリジナルのテンプレートとして保存しています。

1 テンプレートとして保存する内容を作成します。

NO	商品NO	商品名	税込価格	数量	税込金額

納品書
受注NO
受注日
御中
株式会社 SB○○商事
〒106-0032 東京都港区六本木 x − x − x
TEL：03-xxxx-xxxx

2 Q1078の方法で [名前を付けて保存] ダイアログを表示し、[ファイルの種類] で [Excelテンプレート] を選択します。

3 テンプレートの保存先が自動で指定されます。

名前を付けて保存
« ドキュ... › Officeのカスタム...
Officeのカスタム テンプレートの...
整理 ▼ 新しいフォルダー
デスクトップ
ドキュメント
ピクチャ
ビデオ
ミュージック
ローカル ディス
名前 更新日時 種類
検索条件に一致する項目はありません。
ファイル名(N): 納品書
ファイルの種類(T): Excel テンプレート
作成者: Kunimoto タグ: タグの追加
フォルダーの非表示 ツール(L) 保存(S) キャンセル

4 ファイル名を入力し、[保存] をクリックします。

Q1070 お役立ち度 ★★★ ファイルの作成 2021 2019 2016

オリジナルのテンプレートを元に新規作成するには

A [新規] 画面で個人用テンプレートをクリックします。

Q1069の手順で[Officeのカスタムテンプレート]フォルダーに保存したテンプレートは、[新規] 画面の個人用テンプレートに表示されます。クリックするだけでオリジナルのテンプレートを元に新規作成画面が表示されます。

1 **Q1067**の方法で[新規]画面を表示します。

2 [個人用] をクリックし、使用するテンプレートをクリックします。

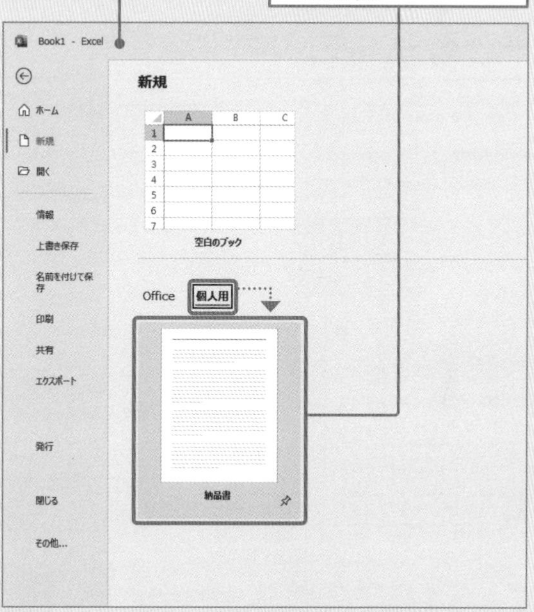

3 テンプレートを元に新規の作成画面が表示されます。

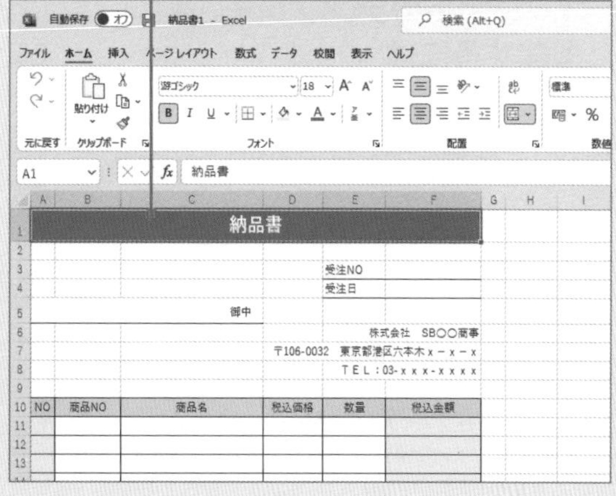

Q1071 お役立ち度 ★★★ ファイルの作成 2021 2019 2016

[Officeのカスタムテンプレート]フォルダーに保存してない場合はどうすればいい?

A エクスプローラーでテンプレートファイルをダブルクリックします。

ユーザーの[ドキュメント]の中の[Officeのカスタムテンプレート]フォルダーにテンプレートファイルを保存しなかった場合は、個人用テンプレート画面には表示されません。[Officeのカスタムテンプレート]フォルダーに保存されていないテンプレートを元に新規作成したい場合は、エクスプローラーでテンプレートファイルを表示し、ダブルクリックしてください。

1 エクスプローラーでテンプレートファイルが保存されているフォルダーを表示します。

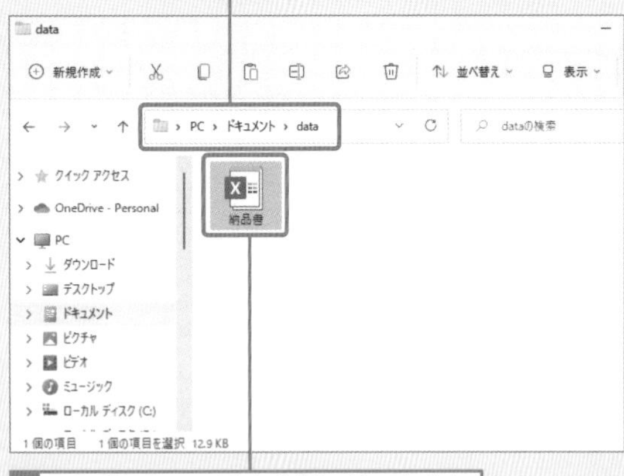

2 テンプレートファイルをダブルクリックします。

Q1072 お役立ち度 ★★★ ファイルの作成 2021 2019 2016

オリジナルのテンプレートを編集するには

A [ファイルを開く]ダイアログからファイルを開いて編集します。

作成したテンプレートファイルを修正したい場合は、[ファイルを開く]ダイアログからテンプレートファイルを開き、必要な編集を加えたら上書き保存します。

1 Q058の方法で[ファイルを開く]ダイアログを開きます。

2 テンプレートファイルが保存されているフォルダーを指定します。

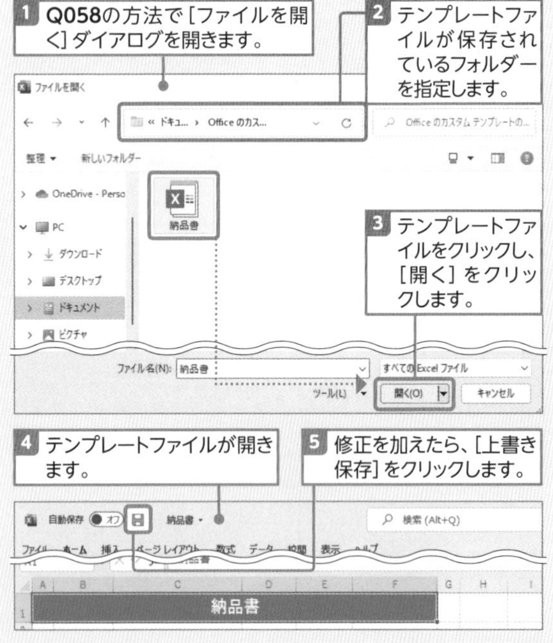

3 テンプレートファイルをクリックし、[開く]をクリックします。

4 テンプレートファイルが開きます。

5 修正を加えたら、[上書き保存]をクリックします。

Q1073 お役立ち度 ★★★ ファイルの作成 2021 2019 2016

オリジナルのテンプレートを削除するには

A テンプレートファイルが保存されているフォルダーを開き Delete キーで削除できます。

エクスプローラーでテンプレートファイルが保存されているフォルダーを開き、Delete キーで削除できます。

おトクな情報 テンプレートファイルのアイコン

テンプレートファイルは通常のExcelやWordのファイルとはアイコンの種類が異なります(Q1082、Q1083)。

1 テンプレートファイルの保存先を開きます。

2 削除するテンプレートファイルを選択し、Delete キーを押します。

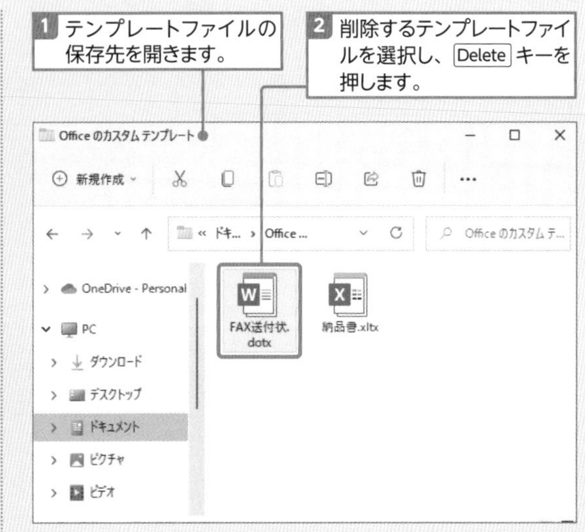

Q 1074 お役立ち度 ★★★ ファイルの作成 2021 2019 2016

起動と同時に新規ブック・新規文書を表示するには

A オプション画面の［全般］の［起動時の設定］で設定できます。

WordやExcelを起動すると最初にスタート画面が表示されます（**Q014**）。起動と同時に白い新規作成画面を表示するにはオプション画面で設定を変更します。ここではWordを例に説明しますが、Excelも同じ操作で設定できます。

1 **Q027**の方法で［Wordのオプション］ダイアログを表示し、［全般］をクリックします。

2 ［起動時の設定］で［このアプリケーションの起動時にスタート画面を表示する］のチェックを外して、［OK］をクリックします。

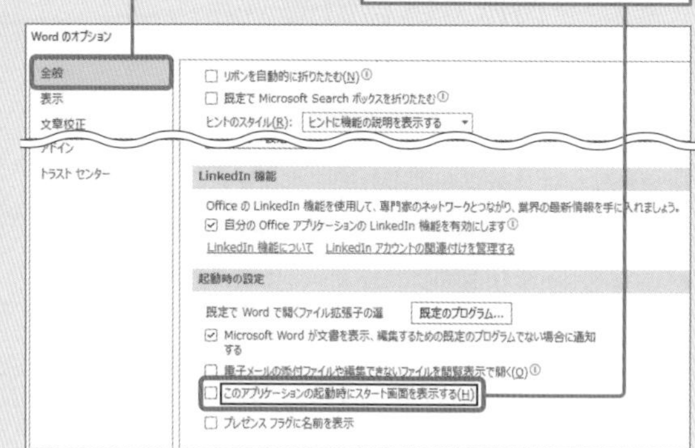

Q 1075 お役立ち度 ★★★ ファイルの作成 2021 2019 2016

ブックや文書の作成者の名前を変更するには

A アプリケーション全体またはファイルごとに変更できます。

WordやExcelで作成したファイルには、作成者の名前が保存されます。オプション画面で変更するとアプリケーションで作成するすべてのファイルの作成者名を変更できます。また、［名前を付けて保存］ダイアログで保存時にファイル単位で変更できます。

WordやExcelの作成者名を変更する

1 **Q027**の方法でオプション画面を表示し、［全般］タブをクリックします。

2 ［ユーザー名］欄でユーザー名を変更します。

3 ［OK］をクリックします。これ以降作成するファイルの作成者名に反映されます。

［名前を付けて保存］ダイアログでファイル別に変更する

1 保存するファイルを表示しておき、**Q1078**の方法で［名前を付けて保存］ダイアログを表示します。

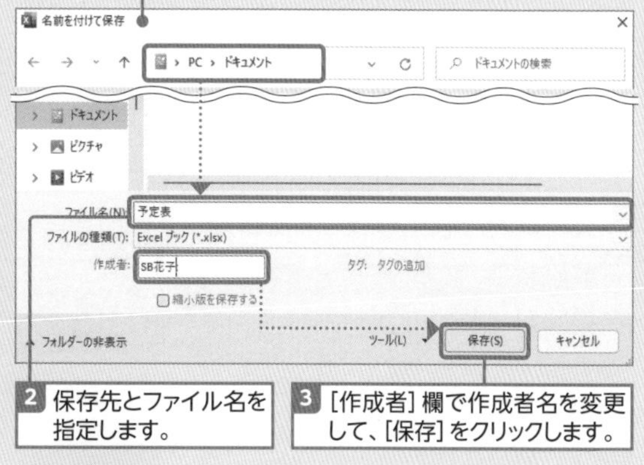

2 保存先とファイル名を指定します。

3 ［作成者］欄で作成者名を変更して、［保存］をクリックします。

おトクな情報 オプション画面で設定するユーザー名

オプション画面で設定するユーザー名は、ファイルの作成者だけでなく、更新者、最終保存者などのプロパティ値、Excelのコメント入力時のユーザー名、Wordの変更履歴のユーザー名など、いろいろなところで利用されます。

Q 1076 お役立ち度 ★★★ ファイルの作成 2021 2019 2016

上書き保存と名前を付けて保存の違いは?

A データの更新と別ファイル作成の違いです。

上書き保存は、元ファイルのデータを更新して同じ名前で保存するため、元ファイルの変更前の状態は残りません。一方、名前を付けて保存は、元ファイルで編集した内容を別の名前を付けて保存するため、元ファイルは変更前の状態でそのまま残ります。

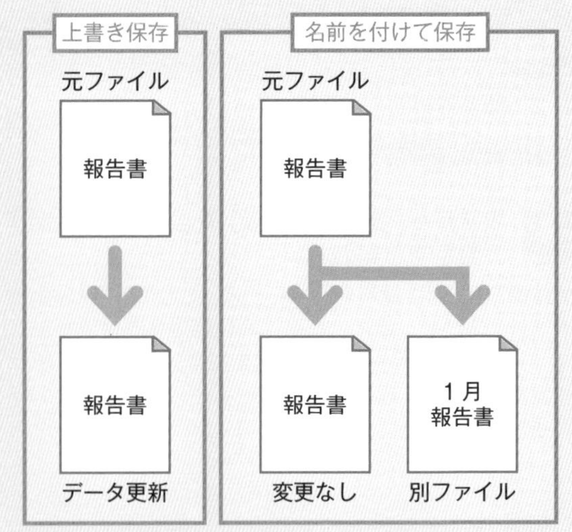

Q 1077 お役立ち度 ★★★ ファイルの作成 2021 2019 2016

素早くファイルを上書き保存するには

A Ctrl + S キーを押します。

データを修正した内容は、できるだけこまめに保存する習慣をつけることをお勧めします。そんなときに便利なのは、上書き保存をするキー操作です。キーボードで作業をしながら、ちょっとしたタイミングでCtrl + S キーを押して編集内容を保存しておけば、思わぬ不具合で強制終了があったとしても、ダメージが少なくて済みます。タイトルバーの[上書き保存]をクリックしても同様に保存できます。

	A	B	C	D	E
1	1月集計				
2		商品A	商品B	商品C	合計
3	第1週	350	265	320	935
4	第2週	280	300	205	785
5	第3週	245	255	240	740
6	第4週	280	270	280	830
7	合計	875	820	765	2,460
8					

1 Ctrl + S キーを押します。

2 上書き保存が実行されます。

おトクな情報 [名前を付けて保存]ダイアログが表示される場合

文書やブックを一度も保存していない場合は、Ctrl + S キーを押すと[名前を付けて保存]ダイアログが表示されます。その場合は、保存先とファイル名を指定して保存してください。

Q 1078 お役立ち度 ★★★ ファイルの作成 2021 2019 2016

素早く[名前を付けて保存]ダイアログを表示するには

A F12 キーを押します。

保存場所とファイル名を指定して保存したいときは、[名前を付けて保存]ダイアログを表示します。通常は、[ファイル]タブ→[名前を付けて保存]をクリックし、[名前を付けて保存]画面で[参照]をクリックして表示できます。F12 キーを押せば、マウスを操作することなく[名前を付けて保存]ダイアログを一発で表示できますので、ぜひ覚えておきましょう。

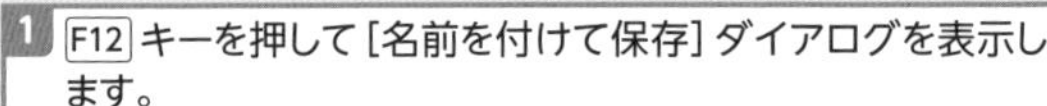

1 F12 キーを押して[名前を付けて保存]ダイアログを表示します。

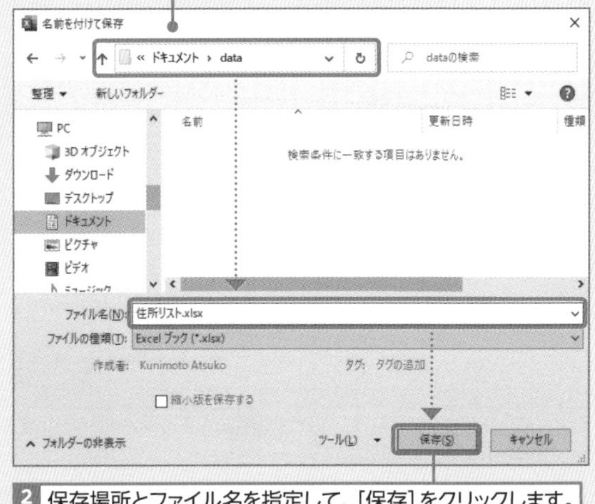

2 保存場所とファイル名を指定して、[保存]をクリックします。

ファイルの作成　2021 2019 2016

変更を自動的に保存するには

A 自動保存をオンにします。

Office 2021とMicrosoft 365では、「自動保存」機能が利用できます。Microsoftアカウントでサインインをし、ファイルをOneDriveまたはSharePointライブラリに保存している場合、「自動保存」が有効になります。自動保存をオンにすると、ファイルの編集中に変更があると自動的に上書き保存されます。そのため保存の手間が省け、データの喪失を防げます。自動保存がオンになっている場合、[ファイル]タブに[名前を付けて保存]ではなく、[コピーを保存]が表示されます。自動保存により上書き保存される前の内容を残しておきたい場合は、変更を行う前に[コピーを保存]で別の場所や名前で保存しておくといいでしょう。なお、自動保存をオフにした場合は、[上書き保存]ボタンをクリックしたタイミングで保存されます。また、自動保存した場合、保存履歴が残ります。保存履歴の一覧を表示し、履歴をクリックするとその時点の保存内容に戻せます。

自動保存をオンに切り替える

1 Microsoftアカウントでサインインし、PC上に保存しているファイルを開いておきます。

2 [自動保存]をクリックします。

3 OneDriveへの保存を促す画面が表示されたら、[OneDrive-個人用]をクリックします。

自動保存を有効にする方法

ファイルをアップロードするだけで、変更が行われたときに変更内容が自動で保存されます。

OneDrive - 個人用
sb_hanako@outlook.jp

4 自動保存がオンになります。これ以降、内容に変更があると自動的に保存されます。

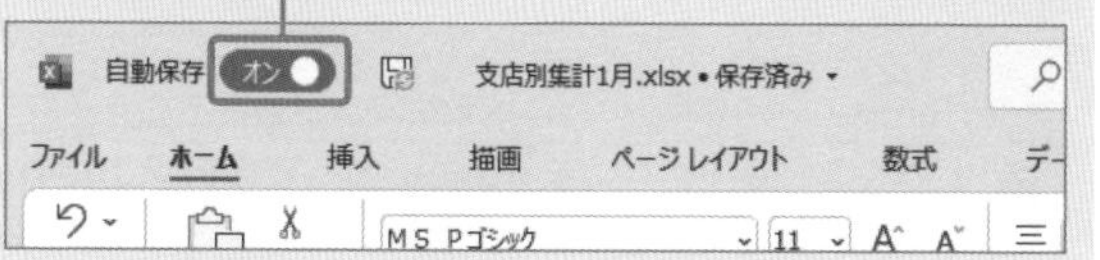

保存の履歴をさかのぼって以前の状態に戻す

1 タイトルバーのファイル名をクリックし、

2 [バージョン履歴]をクリックします。

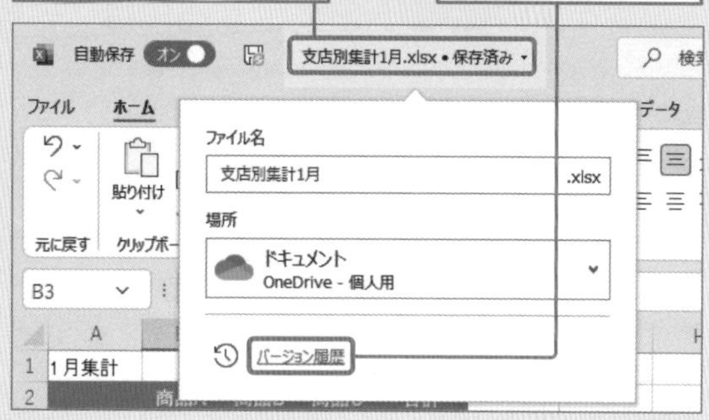

3 [バージョン履歴]作業ウィンドウが表示されたら、保存の履歴の中から戻したい時点のものをクリックします。

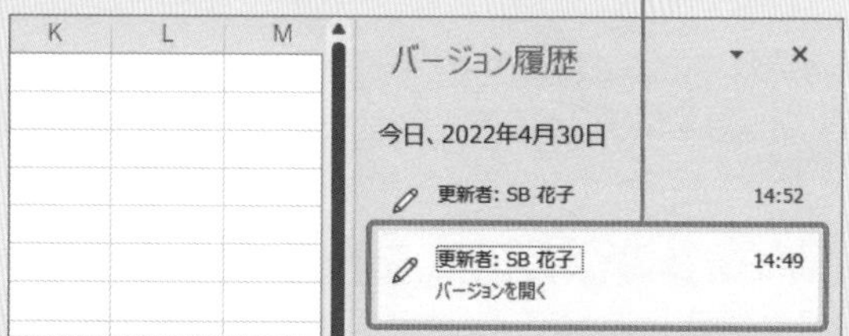

おトクな情報　自動保存がオンのときに[上書き保存]ボタンをクリックした場合

ファイルを他のユーザーと共有している場合、[上書き保存]ボタンのアイコンが に変わります。クリックすると、他のユーザーが変更した内容も反映された状態で保存されます(Q1141)。

Q 1080 お役立ち度　ファイルの作成　2021 2019 2016

ファイル名の付け方にきまりはあるの？

A 名前として使えない記号があります。

ファイル名はドライブ名からのパスを含めて218文字以内で付けます。できるだけわかりやすい名前を付けるようにしましょう。ただし、以下の半角記号はファイル名に使用できません。

Word、Excelで共通してファイル名に使えない半角記号	¥ / : * ? " < > |
Excelのみファイル名に使えない半角記号	[ ]

ファイルの作成

2021
2019
2016

ファイルの拡張子を表示するには

A エクスプローラーの[表示]タブで設定します。

拡張子とは、ファイル名の末尾に追加される記号で、ファイルの種類を表します。拡張子が異なれば同じ場所に同じファイル名のファイルを保存できます。例えば、Excelのブック「納品書.xlsx」とテンプレートファイル「納品書.xltx」は同じ場所に保存できます。ファイルはアイコンの種類で区別できますが、拡張子を表示すると確実です。

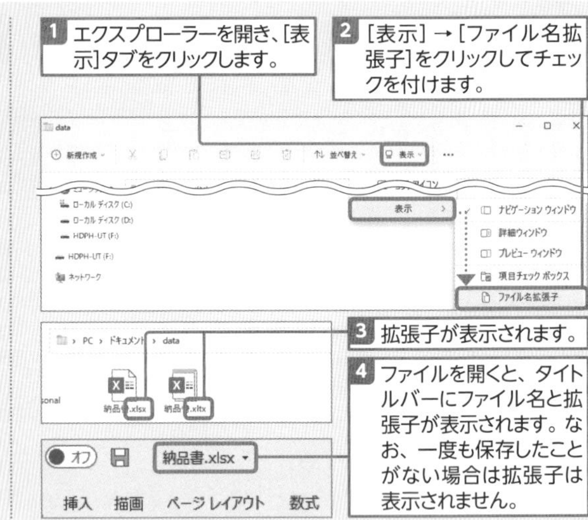

ファイルの作成

2021
2019
2016

Wordの保存形式を教えて!

A 通常は「Word文書(.docx)」です。

通常のWordの文書は、ファイルの種類を[Word文書(.docx)]で保存します。[名前を付けて保存]ダイアログの[ファイルの種類]で保存形式を選択できます。Word形式のファイルの主なものは下表のとおりです。

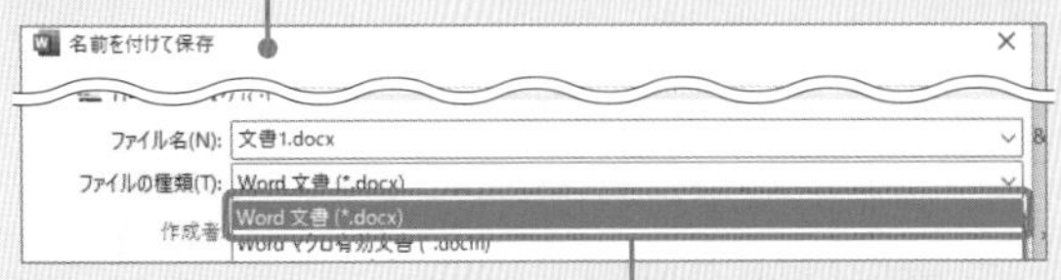

● Word の主なファイルの種類

Word形式ファイル	拡張子	アイコン	説明
Word文書	.docx		通常のWord文書
Wordマクロ有効文書	.docm		マクロが保存されているWord文書
Wordテンプレート	.dotx		Wordテンプレートファイル
Wordマクロ有効テンプレート	.dotm		マクロが保存されているWordテンプレートファイル
Word 97-2003文書	.doc		Word 97-Word 2003のWord文書

ファイルの作成

2021
2019
2016

Excelの保存形式を教えて!

A 通常は「Excelブック(.xlsx)」です。

通常のExcelファイルは、ファイルの種類を[Excelブック(.xlsx)]で保存します。[名前を付けて保存]ダイアログの[ファイルの種類]で保存形式を選択できます。Excel形式のファイルの主なものは下表のとおりです。

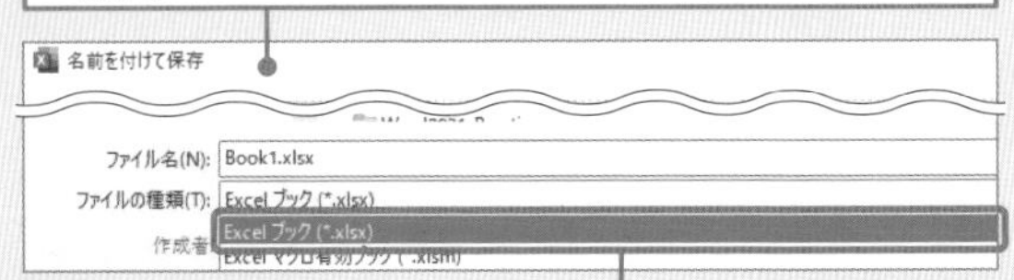

● Excel の主なファイルの種類

Excel形式ファイル	拡張子	アイコン	説明
Excelブック	.xlsx		通常のExcelブック
Excelマクロ有効ブック	.xlsm		マクロが保存されているExcelブック
Excelテンプレート	.xltx		Excelテンプレートファイル
Excelマクロ有効テンプレート	.xltm		マクロが保存されているExcelテンプレートファイル
Excel 97-2003ブック	.xls		Excel 97-Excel 2003のExcelブック

Q1084 お役立ち度 ★★★ ファイルの作成 2021 2019 2016

ファイルをPDF形式で保存するには

A [ファイル] タブ→ [エクスポート] をクリックします。

WordやExcelがない環境でも作成した文書の内容を表示したり印刷したりできる形で保存したいときは、PDF形式で保存します。Word、Excel共に同じ手順で保存できます。

1 [ファイル] タブ→ [エクスポート] をクリックします。

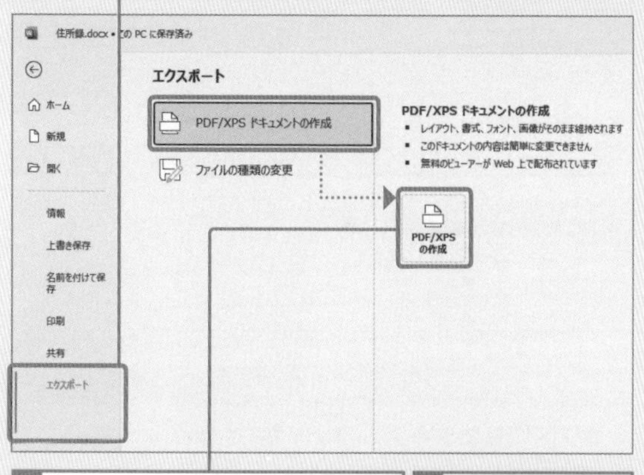

2 [PDF/XPSドキュメントの作成] → [PDF/XPSの作成]をクリックします。

3 保存場所とファイル名を指定します。

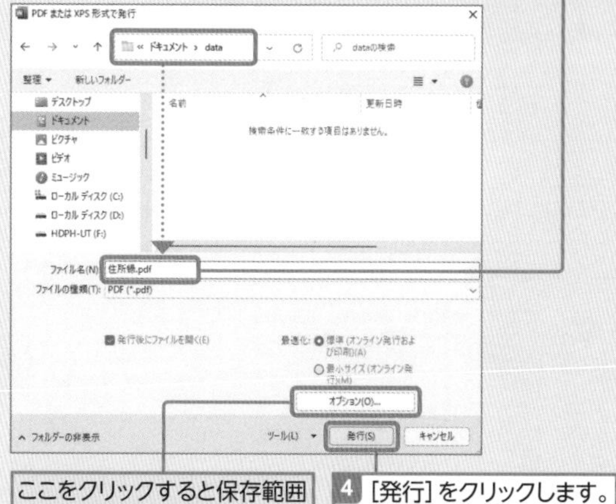

ここをクリックすると保存範囲を変更できます (Q1085)。

4 [発行] をクリックします。

おトクな情報 PDFファイル

PDFファイルは、さまざまな環境のパソコンで同じように表示・印刷できる電子文書の形式です。紙に印刷したときと同じイメージで保存され、Microsoft EdgeなどのWebブラウザーなどで表示できます。

Q1085 お役立ち度 ★★★ ファイルの作成 2021 2019 2016

PDFファイルに保存する範囲を指定できるの?

A [PDFまたはXPS形式で保存] ダイアログの [オプション] で設定できます。

PDF形式で保存する場合、初期設定ではWordは文書全体、Excelは保存時のアクティブシートが対象になります。ページ範囲を指定したり、ブック全体を保存したりと保存範囲を変更したい場合は、[オプション] ダイアログで指定してから保存を実行します。[オプション] ダイアログは、[PDFまたはXPS形式で発行] ダイアログで [オプション] をクリックして表示します (Q1084)。

Wordの [オプション] ダイアログ

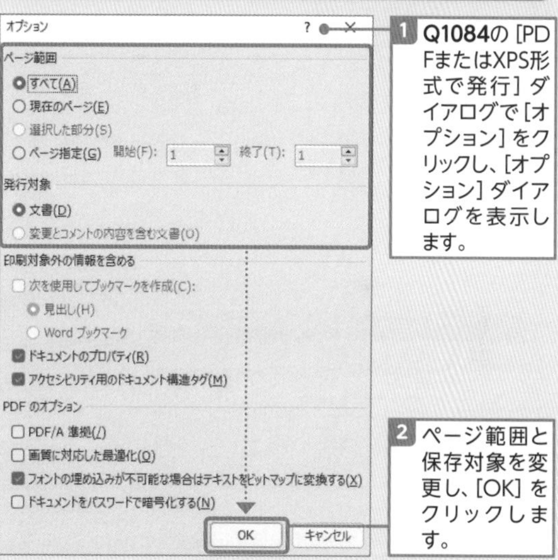

1 Q1084の [PDFまたはXPS形式で発行] ダイアログで [オプション] をクリックし、[オプション] ダイアログを表示します。

2 ページ範囲と保存対象を変更し、[OK] をクリックします。

Excelの [オプション] ダイアログ

1 Q1084の [PDFまたはXPS形式で発行] ダイアログで [オプション] をクリックし、[オプション] ダイアログを表示します。

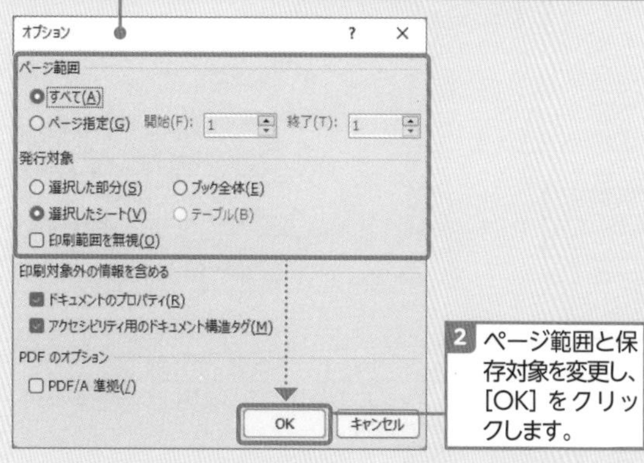

2 ページ範囲と保存対象を変更し、[OK] をクリックします。

お役立ち度 ★★★　ファイルの作成　2021 2019 2016

Excelのワークシートをテキストファイルで保存するには

A ファイルの種類でテキストファイルの種類を選択して保存します。

テキストファイルの主な保存形式には「テキスト（タブ区切り）(*.txt)」「CSV（コンマ区切り）(*.csv)」「テキスト（スペース区切り）(*.prn)」があります。それぞれの形式で保存すると列の区切りにタブ、カンマ、スペースが挿入され、文字データのみ保存されて、書式はすべて破棄されます。なお、テキストファイルで保存できるのは保存時のアクティブシートのみです。ブック内に複数のシートが含まれる場合は、確認メッセージが表示されます。

1 テキストファイルで保存したいシートを表示し、[ファイル] タブをクリックします。

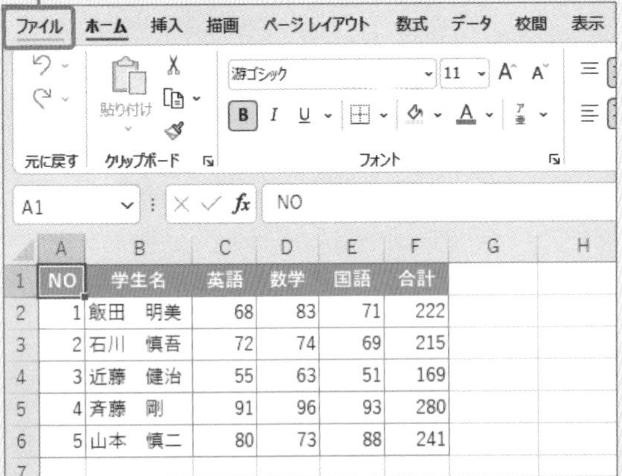

2 [エクスポート] → [ファイルの種類の変更] をクリックします。

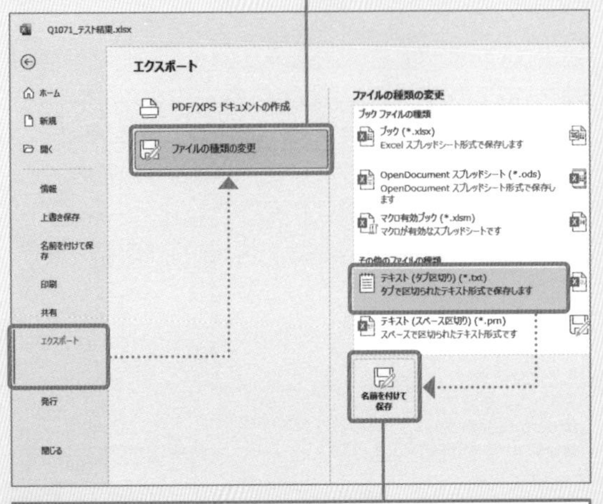

3 保存するテキストファイルの種類をクリックして、[名前を付けて保存] をクリックします。

4 保存場所とファイル名を指定して、[保存] をクリックします。

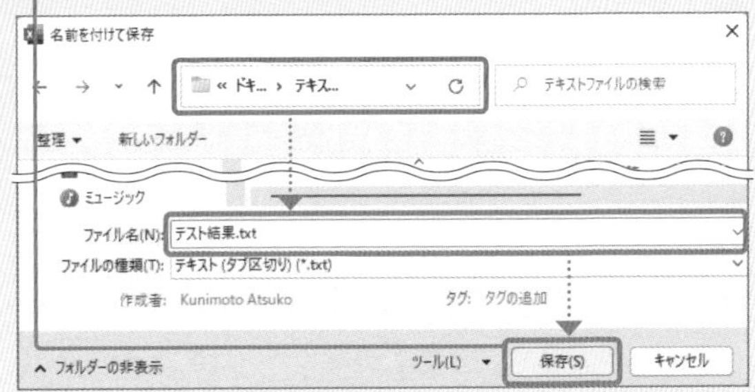

5 保存が終わると、元のシートが表示され [データ損失の可能性] メッセージバーが表示されますが、これは書式や計算式などの設定が削除されることを意味しています。

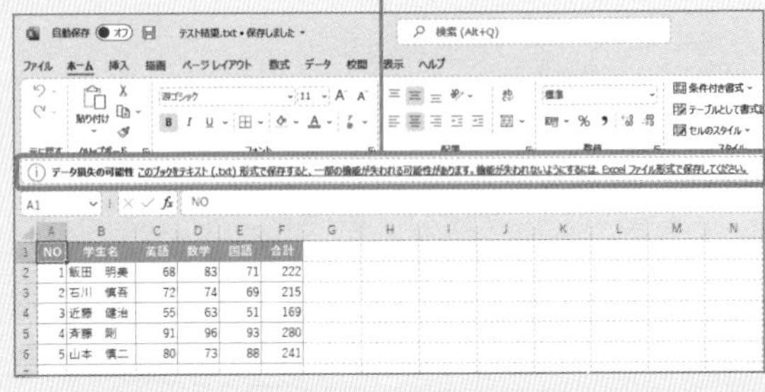

保存したテキストファイル

● タブ区切りのテキストファイル（*.txt）

列がタブで区切られています。

```
ファイル(F)  編集(E)  書式(O)  表示(V)  ヘルプ(H)
NO          学生名  英語    数学    国語    合計
1           飯田  明美      68      83      71      222
2           石川  慎吾      72      74      69      215
3           近藤  健治      55      63      51      169
4           斉藤  剛        91      96      93      280
5           山本  慎二      80      73      88      241
```

● カンマ区切りのテキストファイル（*.csv）

列がカンマで区切られています。

```
ファイル(F)  編集(E)  書式(O)  表示(V)  ヘルプ(H)
NO,学生名,英語,数学,国語,合計
1,飯田　明美,68,83,71,222
2,石川　慎吾,72,74,69,215
3,近藤　健治,55,63,51,169
4,斉藤　剛,91,96,93,280
5,山本　慎二,80,73,88,241
```

● スペース区切りのテキストファイル（*.prn）

列がスペースで区切られています。

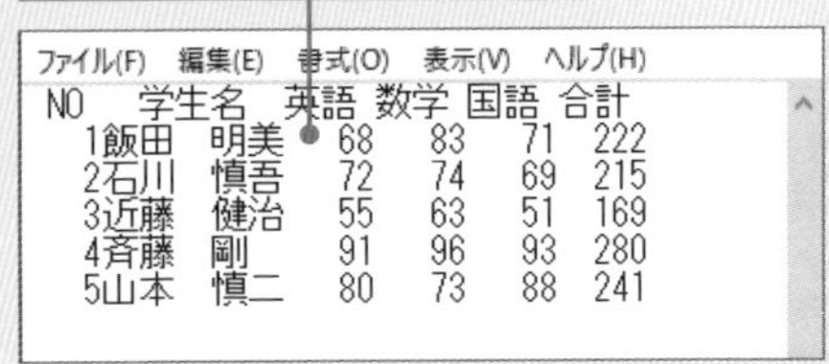

```
ファイル(F)  編集(E)  書式(O)  表示(V)  ヘルプ(H)
 NO   学生名  英語 数学 国語 合計
   1飯田　明美   68   83   71  222
   2石川　慎吾   72   74   69  215
   3近藤　健治   55   63   51  169
   4斉藤　剛     91   96   93  280
   5山本　慎二   80   73   88  241
```

Q1087 お役立ち度 ★★★ ファイルの作成 2021 2019 2016

Wordの文書をテキストファイルで保存するには

A ファイルの種類を[書式なし(.txt)]で保存します。

Wordの文書をテキストファイルで保存すると、文字サイズや配置などの書式、罫線、図形を除いた文字データのみのテキストファイルとして保存されます。

1 [ファイル]タブ→[エクスポート]→[ファイルの種類の変更]をクリックします。

2 [書式なし]をクリックし、[名前を付けて保存]をクリックします。

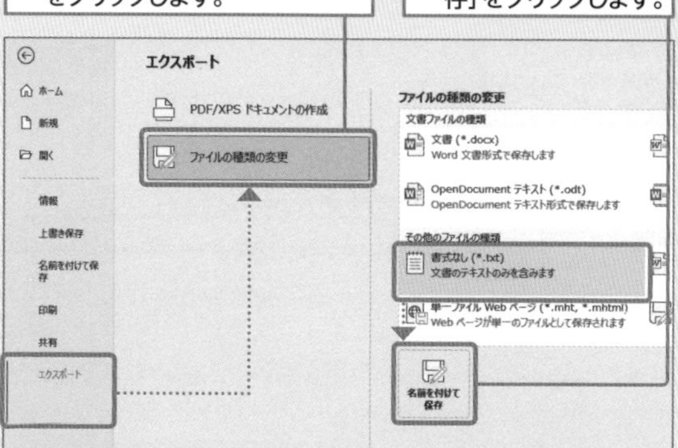

3 保存場所、ファイル名を指定し、[保存]をクリックします。

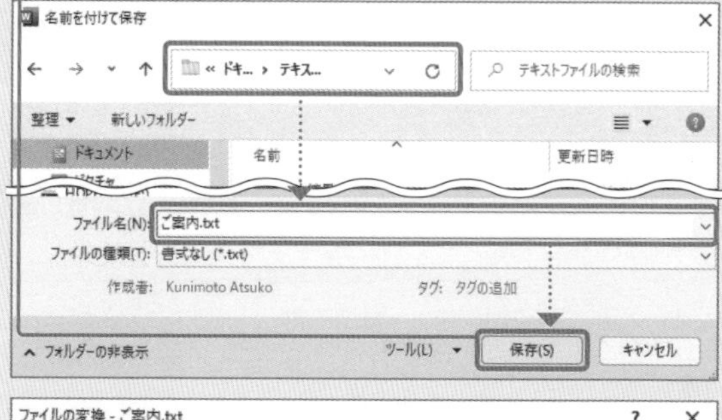

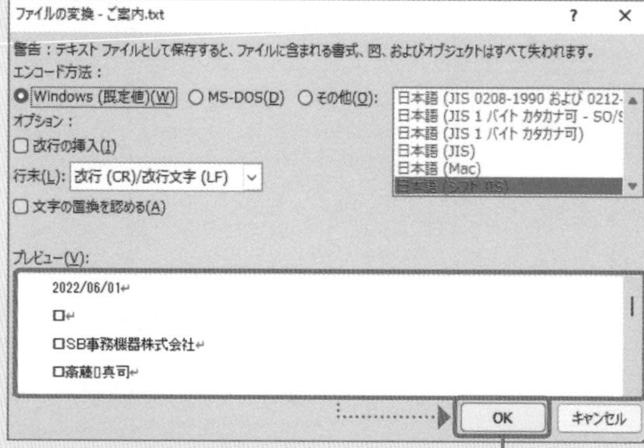

4 プレビューで保存結果を確認し、[OK]をクリックします。

Q1088 お役立ち度 ★★★ ファイルの作成 2021 2019 2016

回復用ファイル自動保存間隔を変更するには

A オプション画面の[保存]で保存間隔を設定します。

Word、Excel共に、初期設定で10分ごとに自動回復用のファイルが自動保存される設定になっています。自動保存されたファイルは、不正終了した場合に[ドキュメントの回復]作業ウィンドウに表示され、復旧用に使用されます。保存間隔はWord、Excel共にオプション画面の[保存]で変更できます。

1 Q027の方法でオプション画面を表示します。

2 [保存]をクリックし、[次の間隔で自動回復用データを保存する]のチェックと保存間隔を確認し、必要に応じて保存間隔を変更して、[OK]をクリックします。

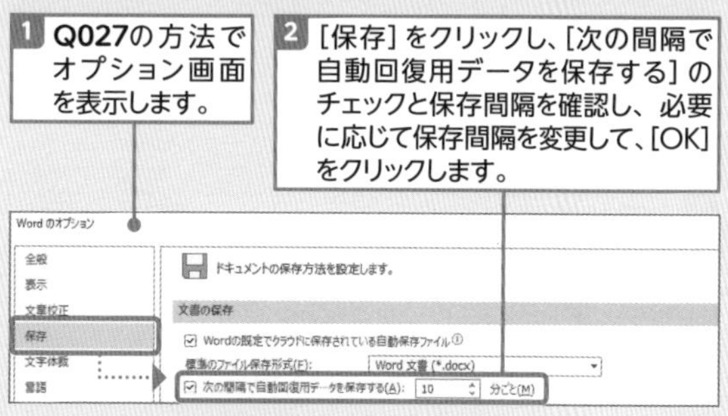

Q1089 お役立ち度 ★★★ ファイルの作成 2021 2019 2016

文書やブックの既定の保存場所を変更したい!

A オプション画面の[保存]で変更します。

WordやExcelで作成した文書の既定の保存場所は、ユーザーの[ドキュメント]フォルダーです。既定の保存場所はオプション画面で変更できます。

1 Q027の方法でオプション画面を表示します。

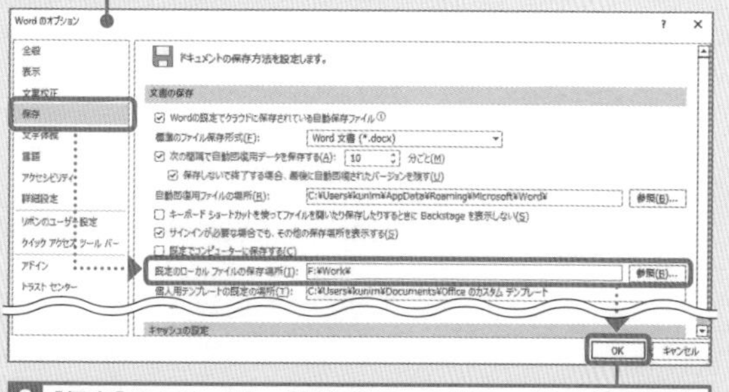

2 [保存]をクリックし、[既定のローカルファイルの保存場所]で保存場所を指定し、[OK]をクリックします。

ファイルの作成

2021 2019 2016

上書き保存するときに前回保存時のファイルを残すには

A バックアップファイルを作成する設定をします。

上書き保存するときに前回保存時のファイルを残すには、バックアップファイルを作成する設定にします。WordとExcelでは、バックアップファイル作成の設定方法とバックアップ対象が異なります。

Word の場合

[Wordのオプション] ダイアログで設定し、作成するすべての文書について、上書き保存時にバックアップファイルが「バックアップ～(ファイル名).wbk」という名前で元ファイルと同じ場所に保存されます。

1 Q027の方法で [Wordのオプション] ダイアログを表示します。

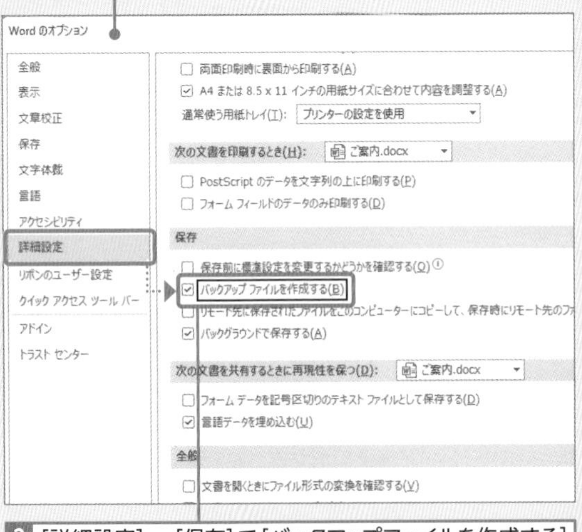

2 [詳細設定] → [保存] で [バックアップファイルを作成する] にチェックを付けて、[OK] をクリックします。

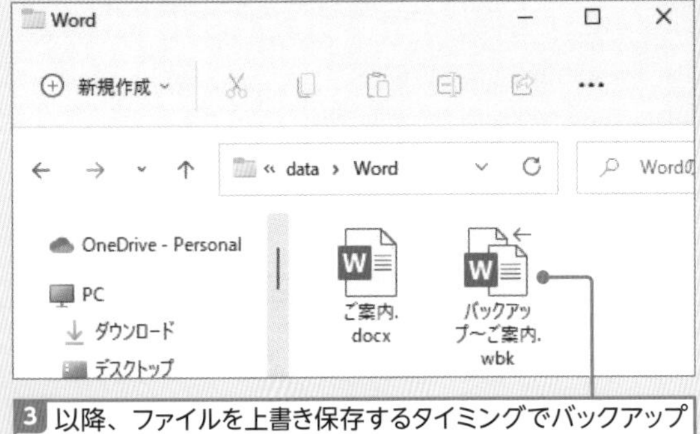

3 以降、ファイルを上書き保存するタイミングでバックアップファイルが自動で作成されます。

Excel の場合

[名前を付けて保存] ダイアログから [全般オプション] を表示し、バックアップの作成を指定します。この場合、ファイル単位の設定になり、上書き保存時に「(ファイル名) のバックアップ.xlk」という名前でバックアップファイルが作成されます。

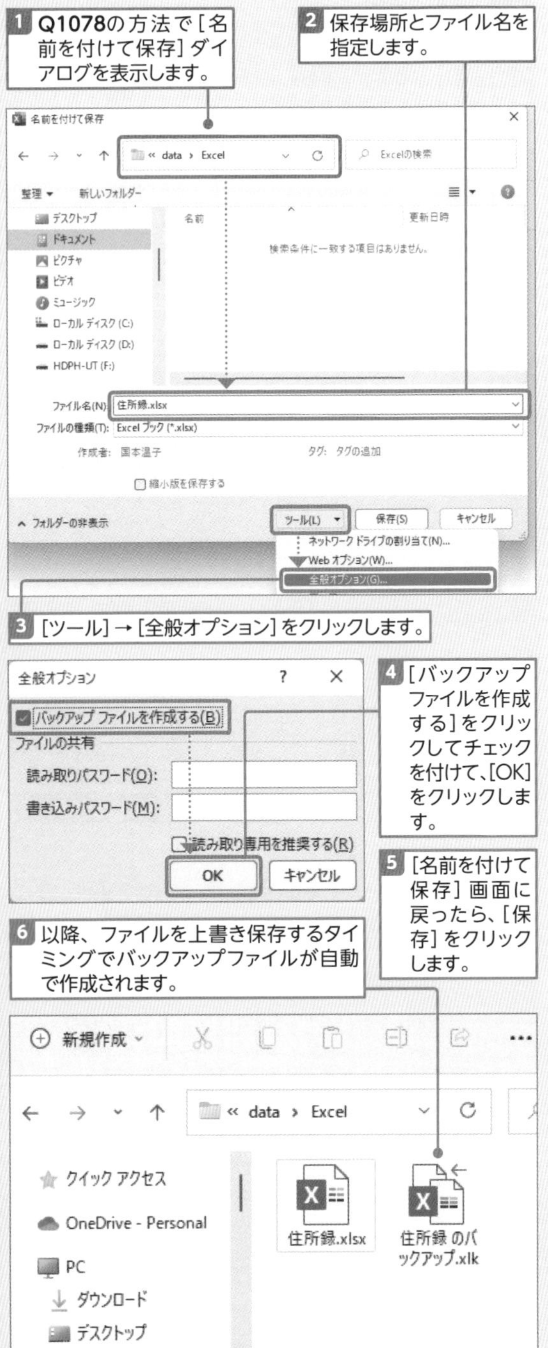

1 Q1078の方法で [名前を付けて保存] ダイアログを表示します。

2 保存場所とファイル名を指定します。

3 [ツール] → [全般オプション] をクリックします。

4 [バックアップファイルを作成する] をクリックしてチェックを付けて、[OK] をクリックします。

5 [名前を付けて保存] 画面に戻ったら、[保存] をクリックします。

6 以降、ファイルを上書き保存するタイミングでバックアップファイルが自動で作成されます。

Q1091 お役立ち度 ★★★ ファイルを閉じる 2021 2019 2016

素早くファイルを閉じるには

A Ctrl ＋W キーを押します。

通常のマウス操作でファイルを閉じるには［ファイル］タブ→［閉じる］をクリックします。タイトルバーの［閉じる］ボタンをクリックすると複数ファイルを開いている場合は前面に表示されているファイルが閉じます。1つだけの場合はファイルを閉じると同時にアプリケーションも終了します。Ctrl ＋W キーはWord、Excel共通で開いているファイルを閉じるキー操作です。なお、Alt ＋F4 キーを押してもファイルを閉じることができますが、開いているファイルが1つだけの場合はファイルを閉じるのと同時にアプリケーションが終了します。

Q1093 お役立ち度 ★★★ ファイルを閉じる 2021 2019 2016

ファイルを閉じるときにメッセージが表示された!

A 未保存の内容を保存するかどうかの確認メッセージです。

ファイルを閉じるときに編集内容が保存されていない場合は、保存確認のメッセージが表示されます。また、ExcelでNOW関数のような自動再計算の関数が入力されている場合は、変更していなくても保存確認のメッセージが表示されます。［保存しない］をクリックすると、保存せずに閉じますが、回復用ファイルが自動保存されている場合は、ファイルの最新のコピーが一時的に保存されるため、間違えて保存しないで閉じた場合、復旧できる可能性があります。

既存のファイルは上書き保存され、新規ファイルは［名前を付けて保存］ダイアログが表示されます。

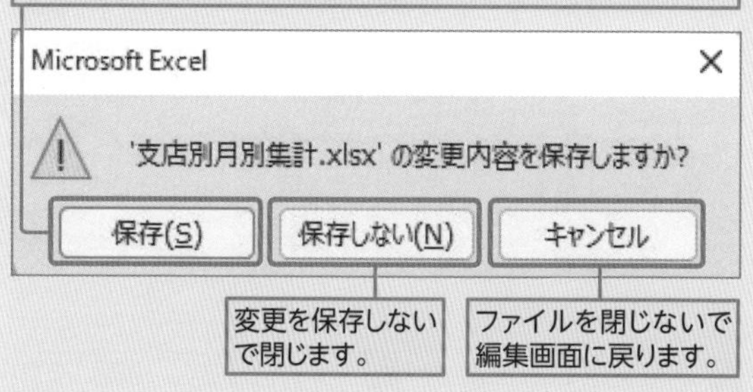

変更を保存しないで閉じます。

ファイルを閉じないで編集画面に戻ります。

Q1092 お役立ち度 ★★★ ファイルを閉じる 2021 2019 2016

すべてのファイルをまとめて閉じて終了するには

A アイコンを右クリックして［すべてのウィンドウを閉じる］をクリックします。

Word、Excel共に複数のファイルを開いている場合、開いているファイルをまとめて閉じるのと同時に終了するには、タスクバーのWordまたはExcelのアイコンを右クリックして［すべてのウィンドウを閉じる］をクリックします。Excelの場合は、Shift キーを押しながらタイトルバーの［閉じる］ボタンをクリックしても、開いているすべてのブックを閉じるのと同時にExcelも終了します。

1 タスクバーのWordのアイコンを右クリックし、［すべてのウィンドウを閉じる］をクリックします。

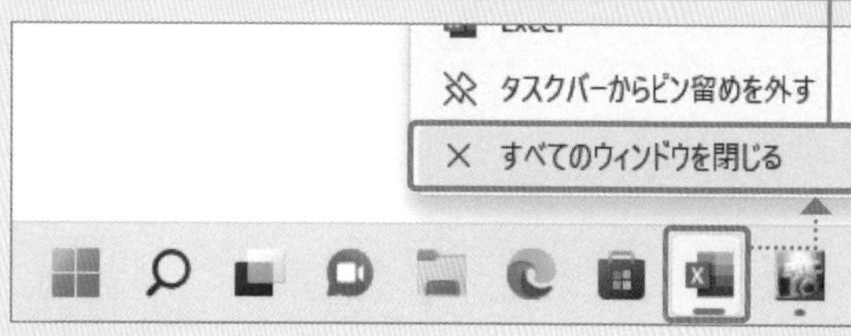

Q1094 お役立ち度 ★★★ ファイルを開く 2021 2019 2016

［ファイルを開く］ダイアログを素早く表示したい!

A Ctrl ＋F12 キーを押します。

Word、Excel共に、Ctrl ＋F12 キーを押すと［ファイルを開く］ダイアログが表示されます。ファイルを開く操作は頻繁に行いますので、このキー操作を覚えておくとマウスに持ち替える必要がないので大変便利です。なお、［ファイル］タブをクリックし、［開く］をクリックして表示される［開く］画面を素早く表示するには、Ctrl ＋O キーを押します。

1 Ctrl ＋F12 キーを押します。

2 ［ファイルを開く］ダイアログが表示されます。

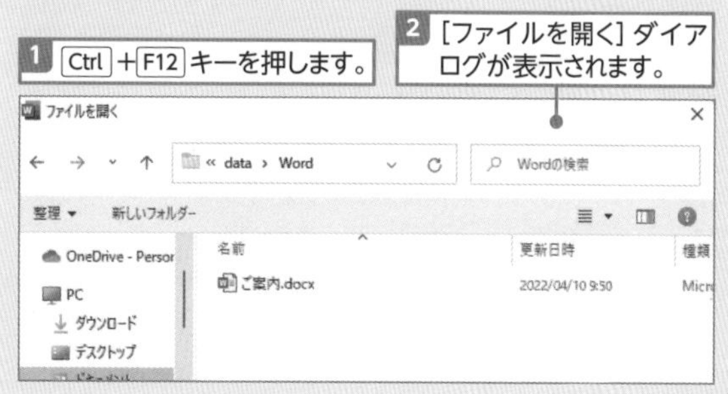

Q1095 お役立ち度 ★★★ ファイルを開く 2021 2019 2016

ファイルを開くには

A [ファイル] タブ→ [開く] をクリックします。

WordやExcelのファイルを開くには、[開く] 画面を表示します。[参照] をクリックすると [ファイルを開く] ダイアログが表示され、ファイルの保存場所とファイル名を指定して開くことができます。また、Ctrl + O キーを押して [開く] 画面を表示できます。

1 [ファイル] タブ→ [開く] をクリックします。

2 [参照] をクリックします。

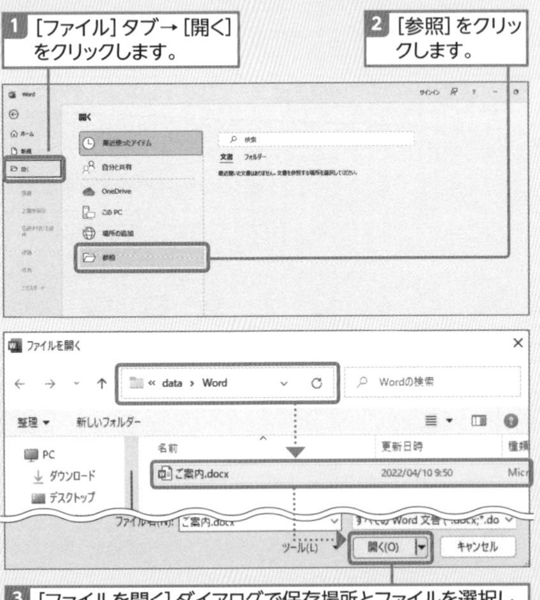

3 [ファイルを開く] ダイアログで保存場所とファイルを選択し、[開く] をクリックします。

Q1096 お役立ち度 ★★★ ファイルを開く 2021 2019 2016

複数のファイルを同時に開くには

A [ファイルを開く] ダイアログで複数のファイルを同時に選択します。

複数のファイルを同時に開くには、[ファイルを開く] ダイアログで複数ファイルを選択してから [開く] をクリックします。連続したファイルを選択する場合は、1つ目のファイルをクリックし、最後のファイルを Shift キーを押しながらクリックします。離れたファイルを選択する場合は、2つ目以降のファイルを Ctrl キーを押しながらクリックして選択します。

1 [ファイルを開く] ダイアログを開き、ファイルが保存されている場所を表示します。

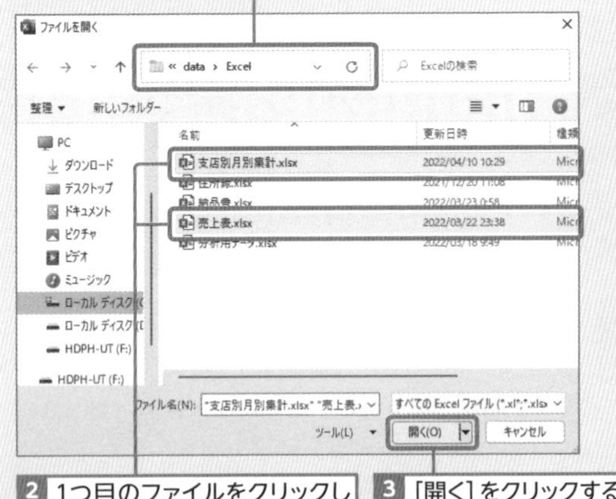

2 1つ目のファイルをクリックして選択し、2つ目のファイルを Ctrl キーを押しながらクリックして選択します。

3 [開く] をクリックすると選択した複数のファイルが開きます。

Q1097 お役立ち度 ★★★ ファイルを開く 2021 2019 2016

目的のファイルの場所がわからない!

A [ファイルを開く] ダイアログでキーワード検索できます。

開きたいファイルがどこに保存されているか忘れてしまったときは、[ファイルを開く] ダイアログの検索ボックスでファイル名やファイル名の一部、更新日をキーワードにして検索することができます。

1 [ファイルを開く] ダイアログを表示し、検索場所を選択します。

2 検索ボックスにキーワードを入力します。

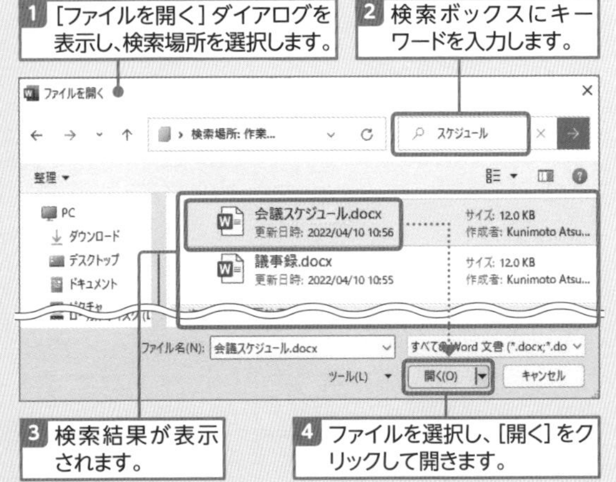

3 検索結果が表示されます。

4 ファイルを選択し、[開く] をクリックして開きます。

Q1098 お役立ち度 ★★★ ファイルを開く 2021 2019 2016

[ファイルを開く]ダイアログで表示されるファイルが小さくて見づらい!

A アイコンのサイズを調整しましょう。

[ファイルを開く] ダイアログに表示されるファイルやフォルダーが小さく見づらい場合は、アイコンサイズを大きくできます。いろいろな表示方法があるので使いやすいものに切り替えて便利に使いましょう。

1 Q1094の方法で[ファイルを開く] ダイアログを表示します。

2 [表示方法を変更します] をクリックするごとにアイコンの表示方法が変わります。見やすい種類に変更します。

ここをクリックすると、一覧から表示方法を選択できます。

Q1099 お役立ち度 ★★★ ファイルを開く 2021 2019 2016

ファイルの内容を確認してから開きたい!

A [ファイルを開く] ダイアログでプレビューウィンドウを表示します。

どのファイルを開けばいいのかわからない場合は、プレビューウィンドウを表示して内容を確認してから開くといいでしょう。

1 Q1094の方法で[ファイルを開く] ダイアログを表示します。

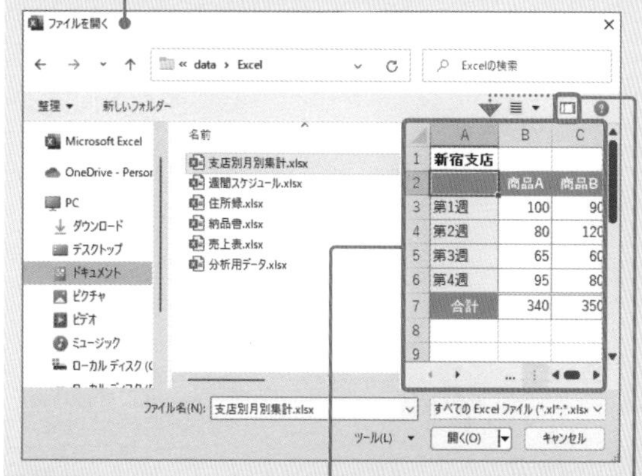

2 [プレビューウィンドウを表示します] をクリックすると選択しているファイルのプレビューが表示されます。

3 [プレビューウィンドウを非表示にします] をクリックすると非表示になります。

Q1100 お役立ち度 ★★★ ファイルを開く 2021 2019 2016

最近使ったファイルを素早く開くには

A 最近使ったファイルに表示されるファイルをクリックします。

[ファイル] タブの [開く] をクリックし、[開く] 画面の [最近使ったアイテム] をクリックすると、最近開いたファイルが一覧表示されます。開きたいファイルが表示されていれば、クリックするだけで簡単にファイルを開けます。

1 [ファイル] タブ→ [開く] をクリックします。

2 [最近使ったアイテム] をクリックし、最近使ったファイルの一覧で開きたいファイルをクリックします。

Q1101 お役立ち度 ★★★ ファイルを開く 2021 2019 2016

いつも使用するファイルを すぐに開きたい!

A 最近使ったファイルをピン留めします。

最近使ったファイルの一覧で、いつも使用するファイルの右端に表示されるピンのアイコンをクリックすると、ファイルがピン留めされて一覧の一番上に移動し、常に表示されるようになります。[ファイルを開く] ダイアログを表示する手間が省けて便利です。

1 Q1100の方法で最近使ったファイルの一覧を表示します。

2 ファイルの右に表示されるピンのアイコンをクリックします。

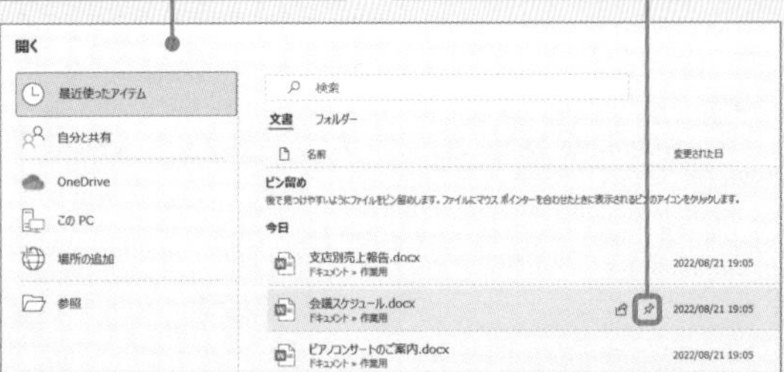

3 ファイルがピン留めされ、一覧の上部に移動し、常に表示されるようになります。アイコンを再度クリックすると解除されます。

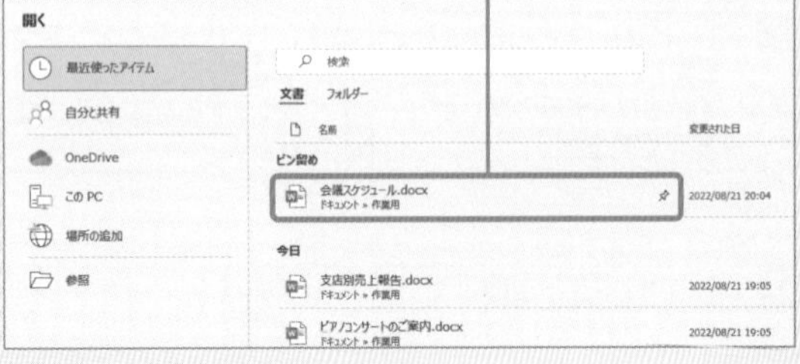

Q1102 お役立ち度 ★★★ ファイルを開く 2021 2019 2016

ピン止め以外のファイルを 一覧から削除するには

A ファイルを右クリックし [一覧から削除] を選択します。

最近使ったファイルの一覧に表示されているファイルを一覧から削除するには、ファイルを右クリックして [一覧から削除] をクリックします。一覧から削除されるだけでファイル自体は削除されません。

1 Q1100の方法で最近使ったファイルの一覧を表示します。

2 ファイルを右クリックし、[一覧から削除] をクリックします。

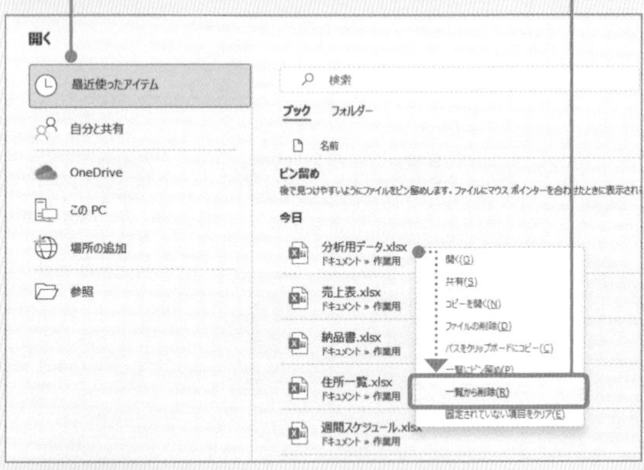

おトクな情報　まとめて削除する

手順2で [固定されていない項目をクリア] をクリックすると、ピン留めされていないファイルを一気に一覧から削除できます。

Q1103 お役立ち度 ★★★ ファイルを開く 2021 2019 2016

最近使ったファイルが 表示されないようにしたい!

A オプション画面の [詳細設定] で 設定できます。

[最近使ったアイテム] に表示されるファイル (**Q1100**) を表示したくないときは、オプション画面で非表示に設定できます。表示/非表示の設定だけでなく、表示するファイルの数も指定できます。Word、Excel共に同じ操作で設定できます。ここではExcelを例に手順を紹介します。

1 Q027の方法で [Excelのオプション] ダイアログを表示し、[詳細設定] をクリックします。

2 [最近使ったブックの一覧に表示するブックの数] を「0」にして、[OK] をクリックします。

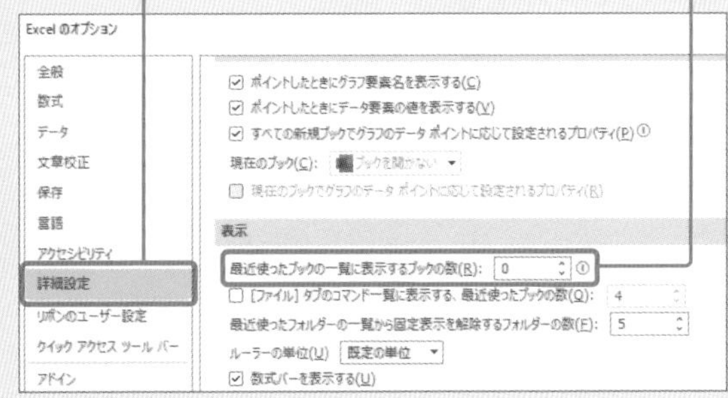

Q1104 お役立ち度 ★★★ ファイルを開く 2021 2019 2016

PDFファイルを開きたい!

A Wordで開けますが、レイアウトが崩れることがあります。

PDFファイルはExcelでは開くことはできません。Wordで開けますがWord形式に変換して開くため、レイアウトが崩れる場合があります。開いた後、必要に応じて編集してください。

1 Wordで[ファイルを開く]ダイアログを開き、ファイルの保存場所を選択します。

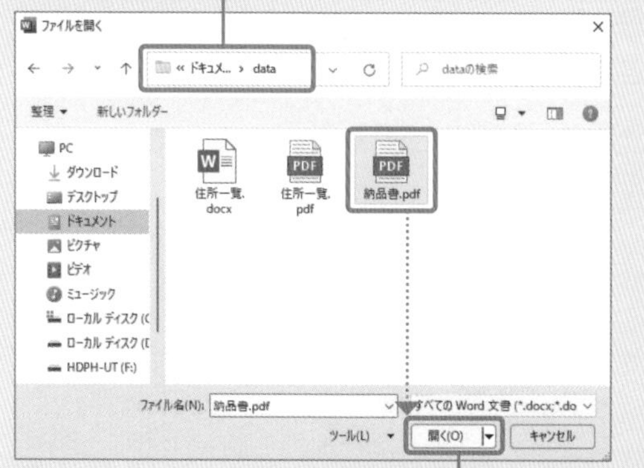

2 PDFファイルをクリックして、[開く]をクリックします。

3 メッセージ内容を確認し、[OK]をクリックします。

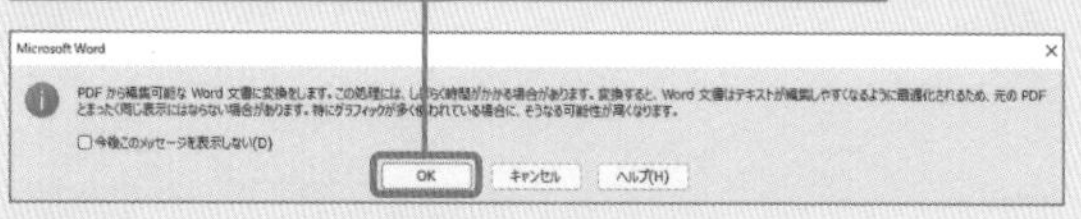

4 PDFファイルが開きます。レイアウトが崩れている場合は必要に応じて編集します。

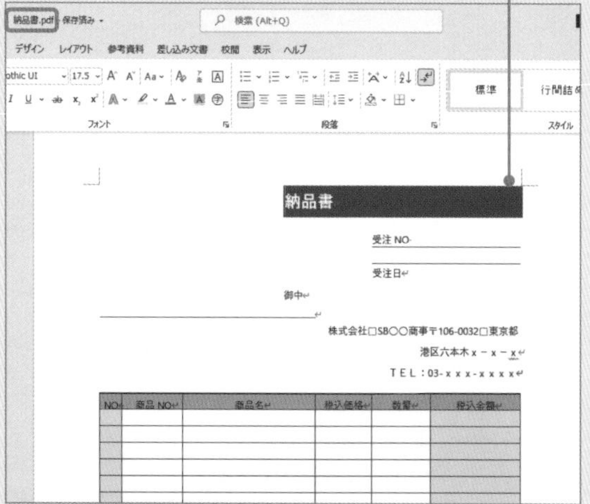

Q1105 お役立ち度 ★★★ ファイルを開く 2021 2019 2016

Wordでテキストファイルを開くには

A ファイルの種類で[テキストファイル]を選択します。

Wordでテキストファイルを開こうとすると、[ファイルの変換]ダイアログが表示され、取り込む方法を選択できます。

1 [ファイルを開く]ダイアログを表示し、ファイルの保存場所を選択します。

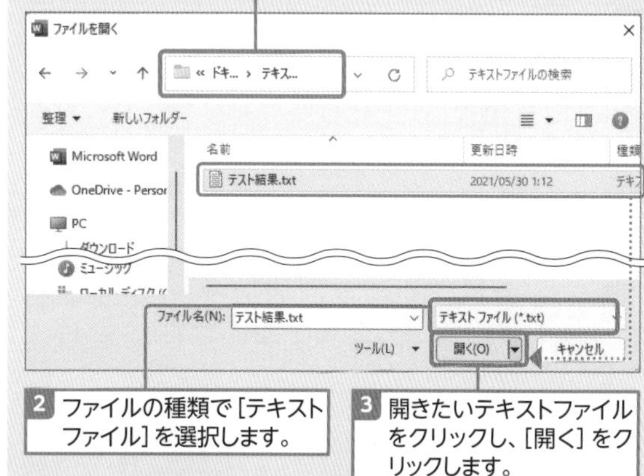

2 ファイルの種類で[テキストファイル]を選択します。

3 開きたいテキストファイルをクリックし、[開く]をクリックします。

4 [ファイルの変換]ダイアログが表示されます。

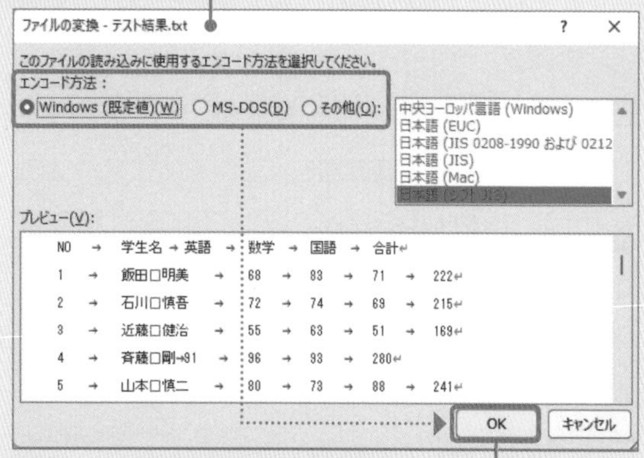

5 エンコード方法を選択し、[OK]をクリックすると、指定したエンコードでファイルが開きます。

おトクな情報 エンコードとは

パソコンの画面に表示するための各文字に数字を割り当てる番号体系のことです。例えば、日本語を表現する番号体系にJISコードがあります。

ファイルを開く　2021 2019 2016

Excelでテキストファイルを開くには

A ファイルの種類で［テキストファイル］を選択します。

Excelでテキストファイルを開こうとすると、［テキストファイルウィザード］が表示され、ワークシートに取り込む方法を対話形式で選択できます。「CSV（コンマ区切り）」ファイルの場合は、ウィザードは起動されず、カンマ「,」を列の区切りにしてすぐにワークシートに表示されます。

1 ［ファイルを開く］ダイアログを表示し、ファイルの保存場所を選択します。

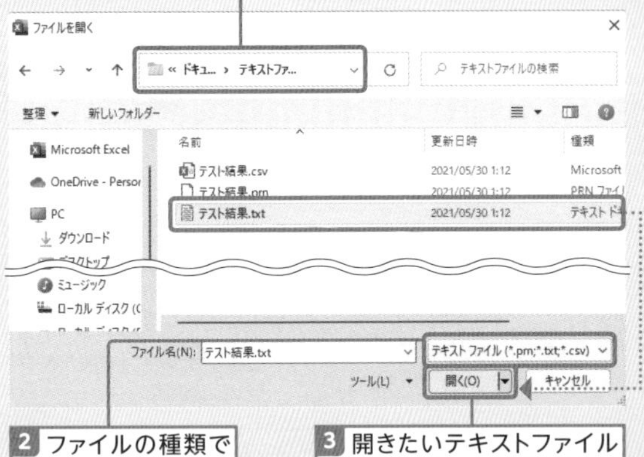

2 ファイルの種類で［テキストファイル］を選択します。

3 開きたいテキストファイル（ここではタブ区切りのテキストファイル）をクリックし、［開く］をクリックします。

4 テキストファイルウィザードが起動したら、データのファイル形式を選択します。

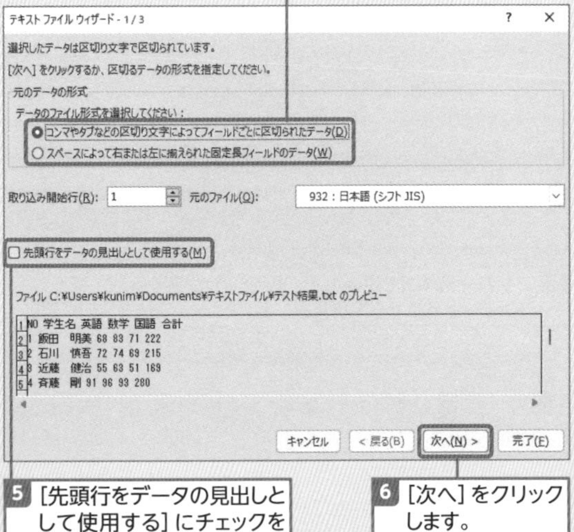

5 ［先頭行をデータの見出しとして使用する］にチェックを付けます。

6 ［次へ］をクリックします。

7 区切り文字をクリックします。

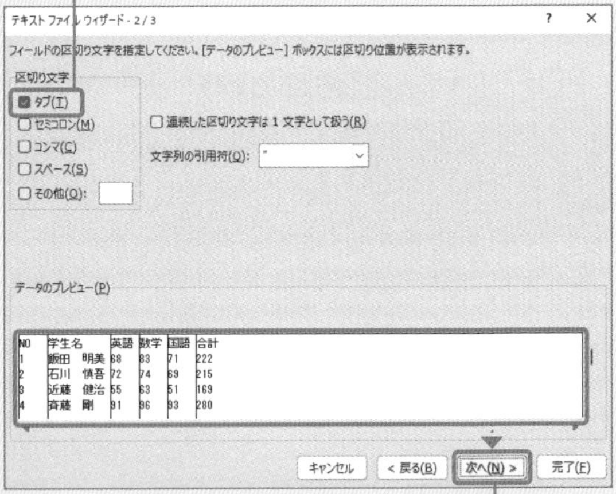

8 プレビューを確認し、［次へ］をクリックします。

データのプレビューで列をクリックし、列のデータ形式でデータの種類を選択できます（**Q1163**）。

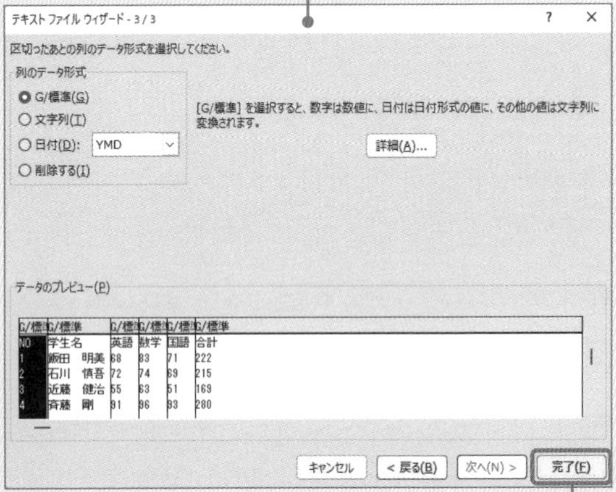

9 ［完了］をクリックします。

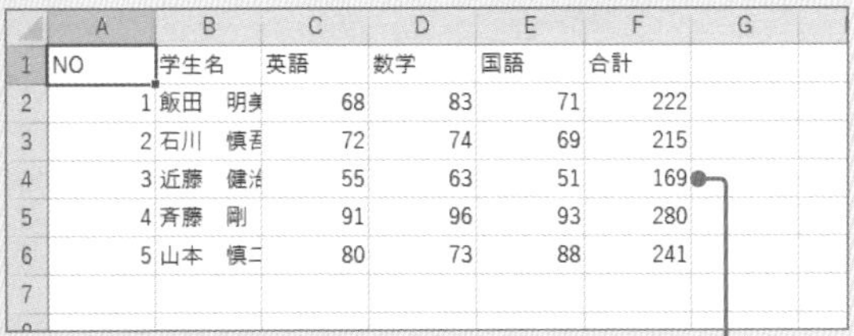

	A	B	C	D	E	F	G
1	NO	学生名	英語	数学	国語	合計	
2	1	飯田　明	68	83	71	222	
3	2	石川　慎	72	74	69	215	
4	3	近藤　健	55	63	51	169	
5	4	斉藤　剛	91	96	93	280	
6	5	山本　慎	80	73	88	241	

10 指定した設定でテキストファイルが読み込まれます。

おトクな情報　プレビューで確認しながら設定する

画面下の［データのプレビュー］にテキストファイルが表示されます。画面で設定した内容がプレビューに反映されるので、確認しながら設定できます。

Q 1107 お役立ち度 ★★★ ファイルの操作 2021 2019 2016

ファイルを開くと［読み取り専用］と表示された！

A ファイルが上書き保存できない状態です。

タイトルバーに［読み取り専用］が表示されているファイルは上書き保存できません。編集内容を保存するには、保存場所を変更するか、別の名前を付けて保存し直してください。

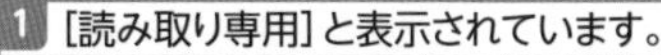

1 ［読み取り専用］と表示されています。

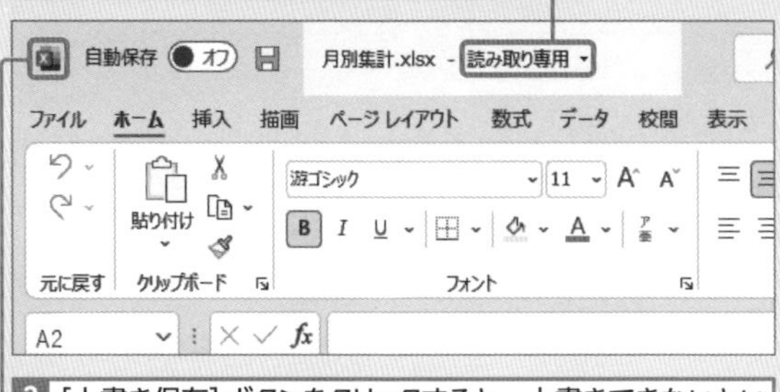

Q 1108 お役立ち度 ★★★ ファイルの操作 2021 2019 2016

ファイルを開くと「ロックされています」と表示された！

A ネットワーク上の別のユーザーが開いています。

ファイルを開こうとしたときに、ネットワーク上の別のユーザーが使用しているときに「ロックされています」というメッセージが表示されます。

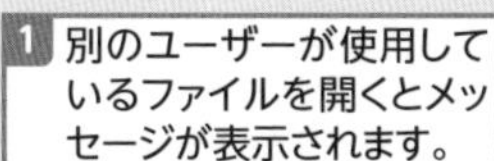

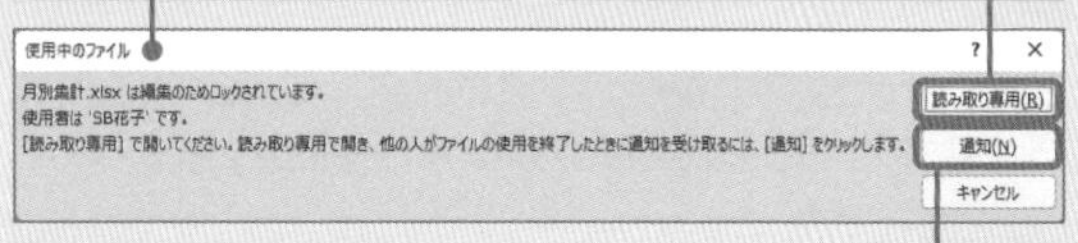

Q 1109 お役立ち度 ★★★ ファイルの操作 2021 2019 2016

ファイルを開くと「保護ビュー」と表示された！

A ファイルに問題がなければ編集を有効にします。

インターネットからダウンロードしたファイルを開くと、［保護ビュー］メッセージバーが表示されることがあります。これは、ウィルスなどの感染からパソコンを守るために一時的に編集できなくしているためです。ファイルに問題がなければ、［編集を有効にする］をクリックして編集作業を進めてください。

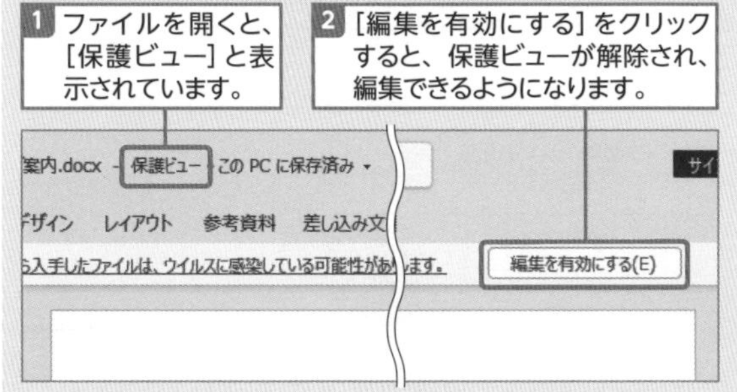

Q 1110 お役立ち度 ★★★ ファイルの操作 2021 2019 2016

ファイルを開くと「セキュリティの警告」と表示された！

A ファイルにマクロが含まれています。

マクロが含まれているファイルを開くと、安全のために自動的にマクロが無効化された状態でファイルが開かれます。開いたファイルが安全であることが確認できている場合は、メッセージバーの［コンテンツの有効化］をクリックすると、ファイル内のマクロが使用できるようになります。

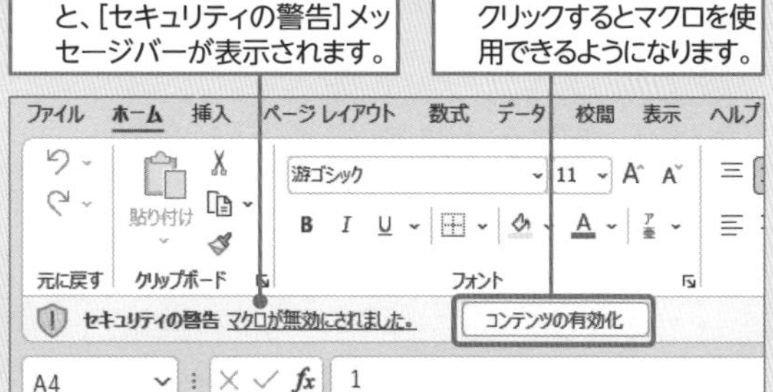

Q 1111 お役立ち度 ★★★ ファイルの操作

2021 2019 2016

最終版って何?

A 内容が完成したものとして作成者が保存した状態のファイルです。

ファイルを最終版にすると、ファイルが読み取り専用になり、文字入力や編集ができなくなります。ファイルを最終版にすれば、誤って書き換えてしまうことを防げます。開いているファイルを最終版にするには、[情報] 画面で設定します。

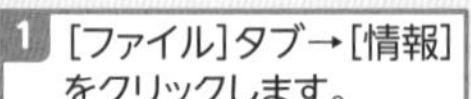

1 [ファイル]タブ→[情報]をクリックします。

2 [ブックの保護] → [最終版にする] をクリックします。

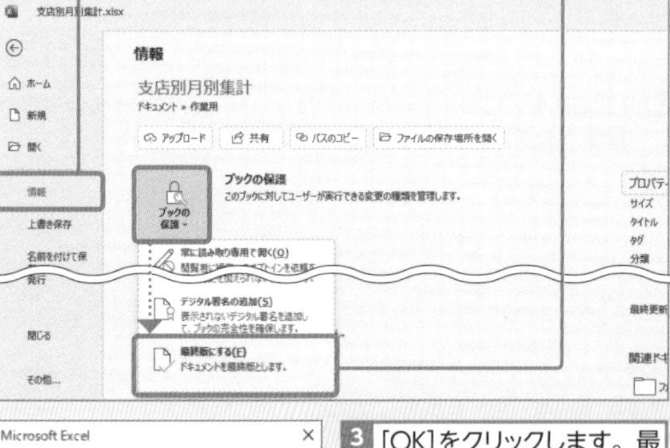

3 [OK]をクリックします。最終版に関するメッセージが表示された場合は、[OK]をクリックします。

4 ブックが最終版として上書き保存され、タイトルバーに[読み取り専用]と表示されます。

5 [最終版] メッセージバーが表示されます。[編集する] をクリックすると最終版が解除され、編集できるようになります。

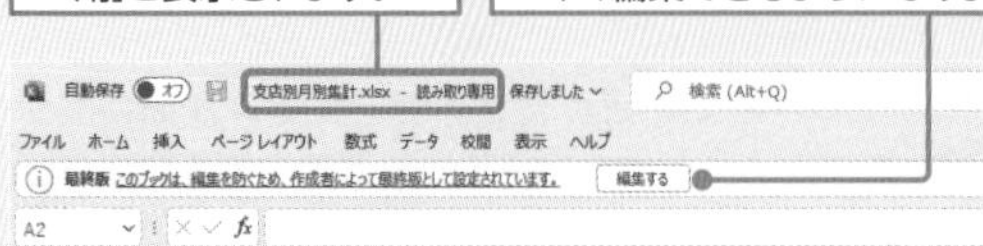

Q 1112 お役立ち度 ★★★ ファイルの操作

2021 2019 2016

パスワードを知っている人だけがファイルを開けるようにしたい!

A 読み取りパスワードを設定します。

ファイルを開くこと自体を許可するかどうかを設定するには、[情報] 画面でファイルに読み取りパスワードを設定します。なお、解除するには手順3でパスワードを削除して[OK] をクリックします。

1 [ファイル] タブ→ [情報] をクリックします。

2 [文書の保護] → [パスワードを使用して暗号化] をクリックします。

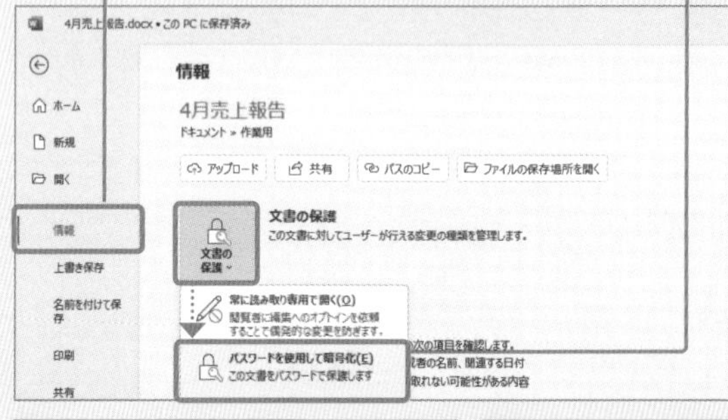

3 パスワードを入力し、[OK]をクリックします。パスワード再入力画面が表示されたら、同じパスワードを入力して[OK]をクリックします。

4 ファイルを上書き保存しておきます。

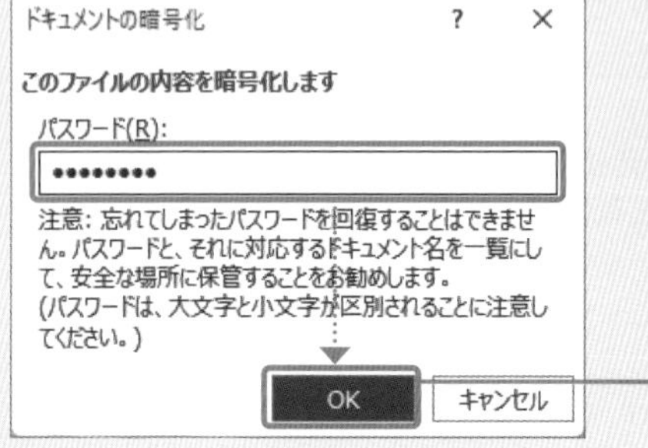

Q 1113 お役立ち度 ★★★ ファイルの操作

2021 2019 2016

読み取りパスワードを設定したファイルを開くには

A ファイルを開くときにパスワードを入力します。

読み取りパスワードが設定されているファイルを開くときに表示されるパスワード入力画面にパスワードを入力します。

1 読み取りパスワードが設定されているファイルを開くとき、パスワード入力画面が表示されます。

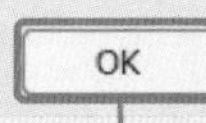

2 パスワードを入力し [OK] をクリックすると、ファイルが開きます。

Q1114 お役立ち度 ★★★ ファイルの操作 2021 2019 2016

ファイルに書き込みパスワードを設定するには

A [名前を付けて保存] ダイアログの [ツール] → [全般オプション] で設定します。

ファイルを編集して上書き保存されることを防ぐには、書き込みパスワードを設定します。書き込みパスワードを入力したユーザーのみ上書き保存を許可します。書き込みパスワードは [名前を付けて保存] ダイアログで設定します。

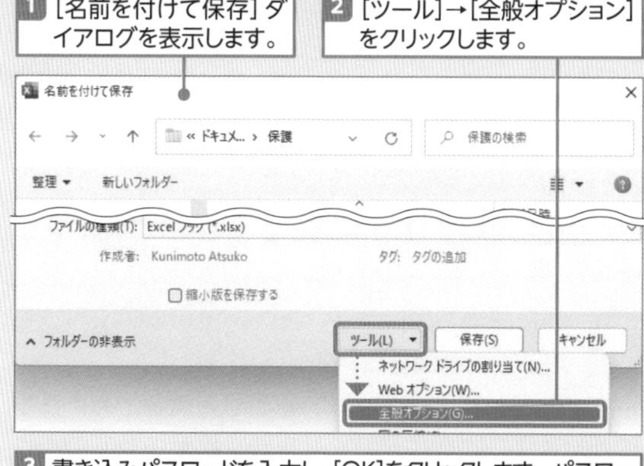

3 書き込みパスワードを入力し、[OK]をクリックします。パスワードの再入力画面が表示されたら、再度同じパスワードを入力し[OK]をクリックします。

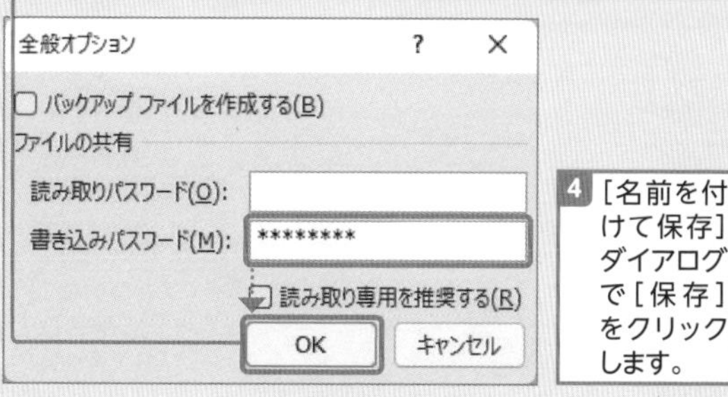

Q1115 お役立ち度 ★★★ ファイルの操作 2021 2019 2016

書き込みパスワードを設定したファイルを開くには

A [パスワード] ダイアログで書き込み用パスワードを入力します。

書き込みパスワードが設定されているファイルを開くとき、パスワード入力画面が表示されます。書き込みパスワードを入力すると、ファイルを上書き保存できる状態で開きます。パスワードを知らない場合は、[読み取り専用] をクリックすれば読み取り専用で開くことができます。

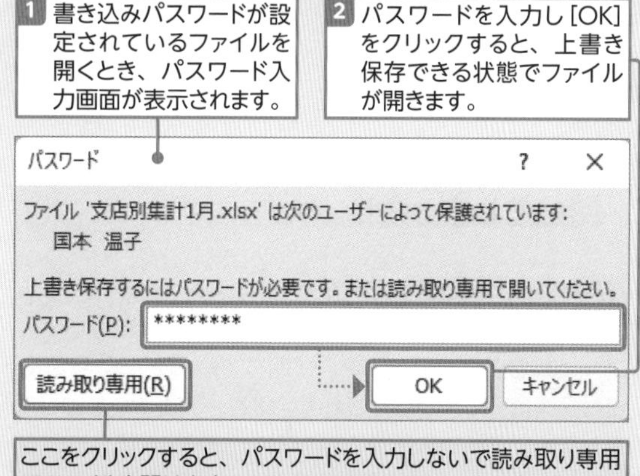

おトクな情報 パスワードを保管しておく

パスワードを忘れてしまうと、書き込みパスワードでは上書き保存、読み取りパスワードではファイルを開けなくなります。パスワードを設定したら、メモに残して安全な場所に保管するようにしましょう。

Q1116 お役立ち度 ★★★ ファイルの操作 2021 2019 2016

書き込みパスワードを解除するには

A [名前を付けて保存] ダイアログの [ツール] → [全般オプション] で解除します。

書き込みパスワードを解除するには、パスワードを設定したときと同じ [全般オプション] ダイアログを表示し、入力されている書き込みパスワードを削除します。

1 Q1114の方法で[全般オプション]ダイアログを表示します。

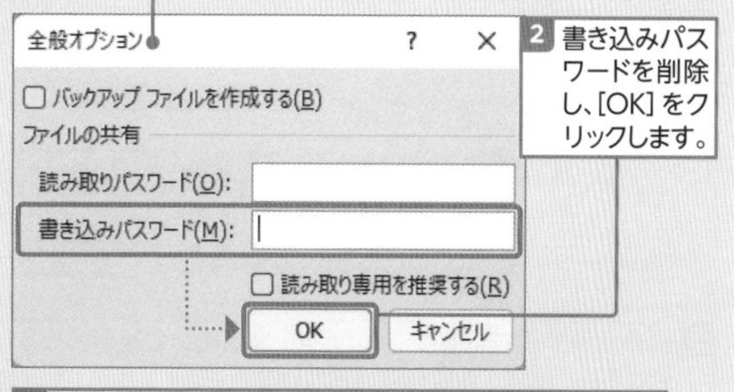

3 [名前を付けて保存]ダイアログで[保存]をクリックします。

Q1117 自動回復用データの保存を指定するには

お役立ち度 ★★★　トラブルシューティング

A オプション画面で保存時の設定を確認します。

初期設定では、自動回復用データが保存されるように設定されています。これにより、ファイルを保存しないで閉じてしまった場合にファイルを回復することができます。ここでは、自動回復用データの保存の設定箇所を確認しておきます。

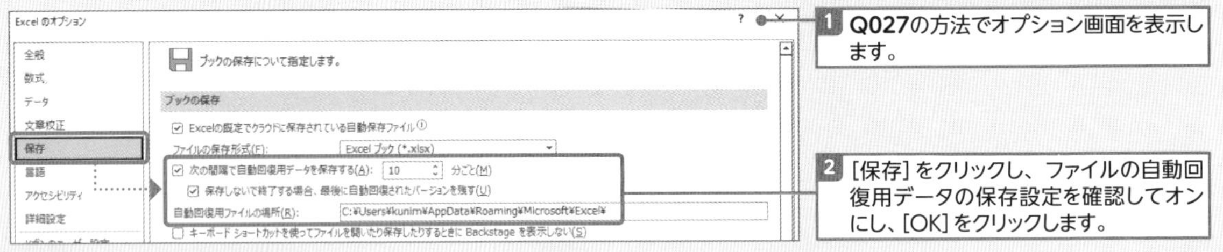

1 Q027の方法でオプション画面を表示します。

2 [保存]をクリックし、ファイルの自動回復用データの保存設定を確認してオンにし、[OK]をクリックします。

Q1118 上書き保存しないで閉じてしまった!

お役立ち度 ★★★　トラブルシューティング

A 自動回復用データから回復を試みてみましょう。

ファイルを上書き保存しないで閉じてしまった場合でも、自動回復用データが保存されていると、ファイルを回復できることがあります。

1 上書き保存しないで閉じてしまったファイルを開き、[ファイル]タブ→[情報]をクリックします。

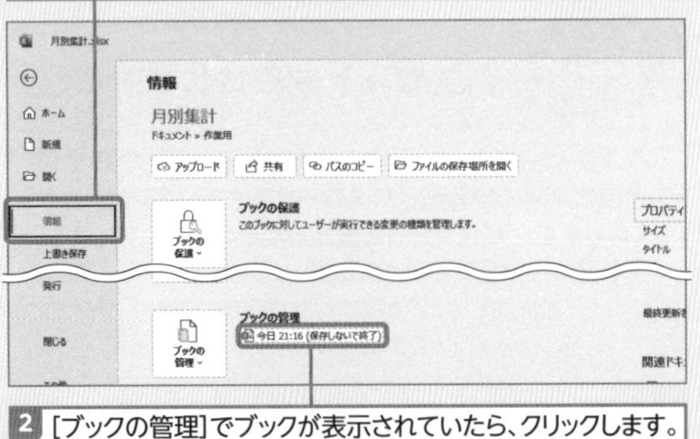

2 [ブックの管理]でブックが表示されていたら、クリックします。

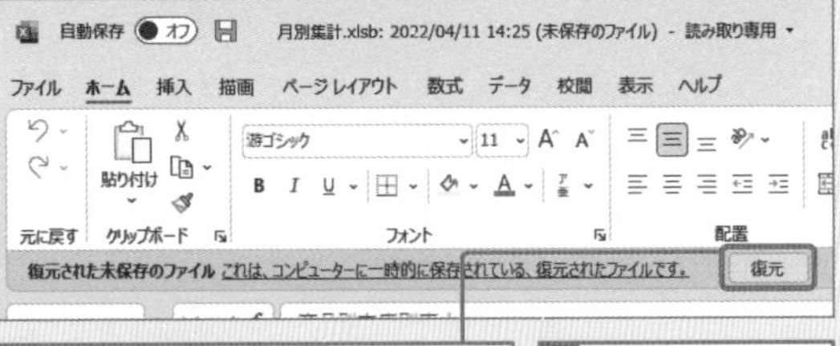

3 自動回復で保存されたファイルが開きます。保存する場合は、[復元]をクリックします。

4 続いて表示される画面で[OK]をクリックします。

Q1119 一度も保存せずに閉じてしまった!

お役立ち度 ★★★　トラブルシューティング

A 自動回復用データが残っているかもしれません。

一度も保存しないでファイルを閉じた場合でも、最後に自動回復されたバージョンを残す設定にしていると(**Q1117**)、回復できる場合があります。

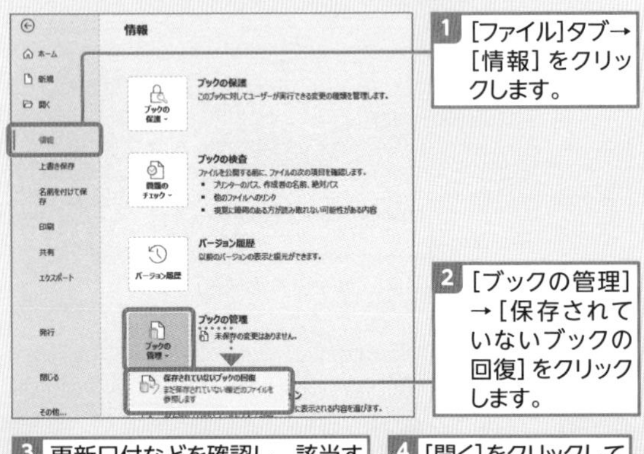

1 [ファイル]タブ→[情報]をクリックします。

2 [ブックの管理]→[保存されていないブックの回復]をクリックします。

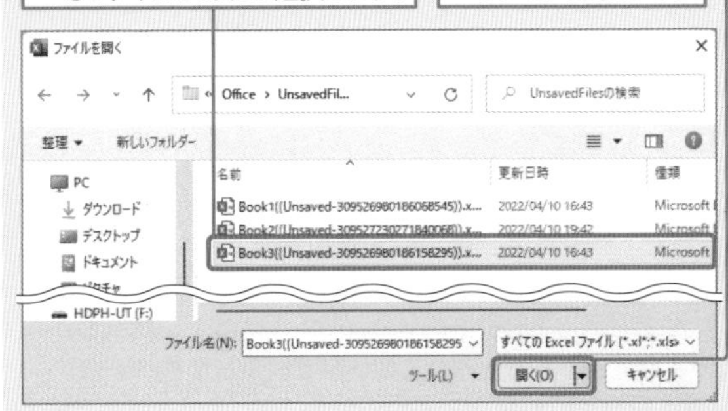

3 更新日付などを確認し、該当するファイルがあれば選択します。

4 [開く]をクリックしてファイルを開きます。

Q 1120 お役立ち度 ★★★ トラブルシューティング 2021 2019 2016

[ドキュメントの回復] ウィンドウが表示された!

A 回復されたファイルが表示されています。

アプリケーションが強制終了されたときに、次にアプリケーションを起動すると[ドキュメントの回復]作業ウィンドウが表示される場合があります。ここに自動回復で保存されたファイルが表示された場合は、ファイルを回復できることがあります。ファイルをクリックして画面に表示し、ファイルを残しておきたい場合は、名前を付けて保存しておきましょう。

1 [ドキュメントの回復]作業ウィンドウが表示されました。

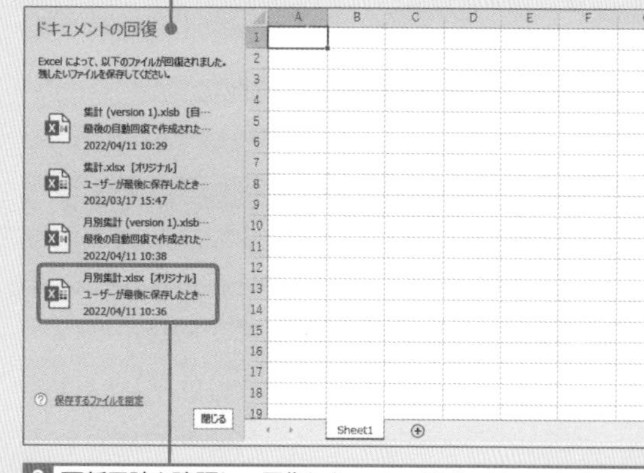

2 更新日時を確認し、回復したいファイルをクリックするとファイルが表示されます。

Q 1121 お役立ち度 ★★★ トラブルシューティング 2021 2019 2016

破損したファイルは修復できるの?

A 手動で修復を試してみましょう。

ファイルが破損している場合、[ファイルを開く]ダイアログの[開いて修復する]で修復を試みることができます。Excelブックでは、修復かデータの抽出かを選択できます。Wordの場合、ファイルの種類を[ファイル修復コンバーター]にしてファイルを開くと修復できることがあります。

Excel の場合

1 [ファイルを開く]ダイアログを表示し、破損しているファイルを選択します。

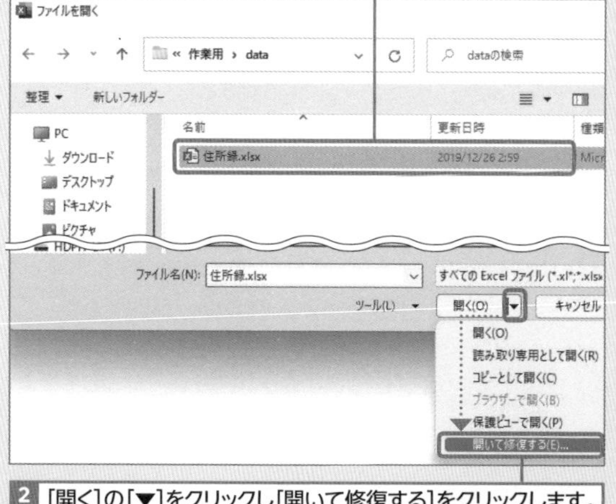

2 [開く]の[▼]をクリックし[開いて修復する]をクリックします。

3 [修復]をクリックします。

4 修復できない場合は、[データの抽出]をクリックしてみましょう。

Word の場合

1 [ファイルを開く]ダイアログを開き、破損しているファイルを選択します。

2 ファイルの種類で[ファイル修復コンバーター]を選択します。

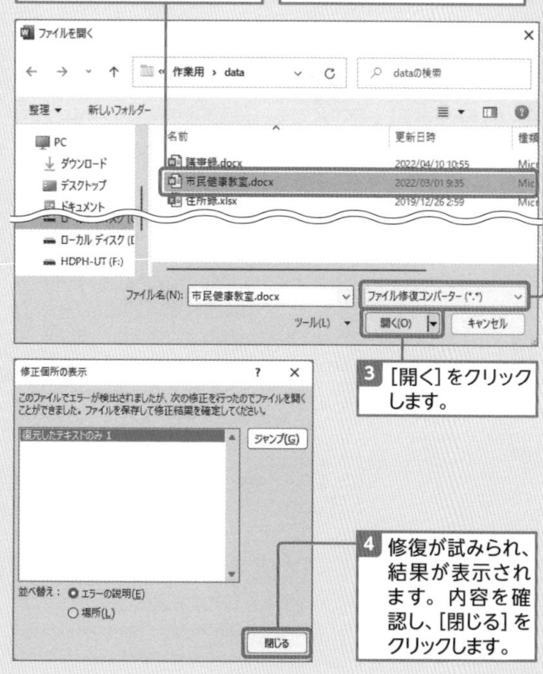

3 [開く]をクリックします。

4 修復が試みられ、結果が表示されます。内容を確認し、[閉じる]をクリックします。

Q1122 お役立ち度 ★★★ トラブルシューティング 2021 2019 2016

画面が固まってしまった!

A タスクマネージャーからアプリを終了します。

作業中にタイトルバーに[応答なし]と表示され、画面が固まってしまうことがあります。しばらく待つと戻ることがありますが、いつまでたっても戻らない場合は、タスクマネージャーを起動してアプリケーションを終了します。

1 Ctrl + Alt + Delete キーを押し、[タスクマネージャー]をクリックします。

2 タスクマネージャーで応答していないアプリケーションをクリックします。

3 [タスクの終了]をクリックします。

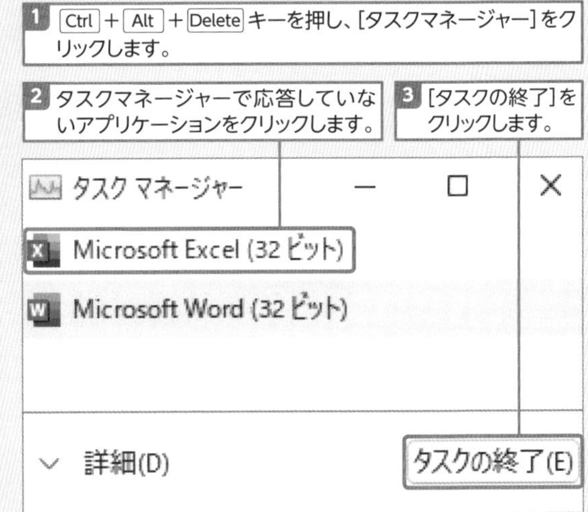

Q1123 お役立ち度 ★★★ トラブルシューティング 2021 2019 2016

Officeの動作がおかしい!

A 再起動するか、修復してみましょう。

使用しているパソコンで多くのアプリケーションを同時に開いている場合や、何らかの操作をした後でOfficeの動作が不安定になったときは、いったんすべてのアプリケーションを終了し、パソコンを再起動してみてください。それでも動作が不安定な場合は、次の手順でOfficeの修復を試してください。

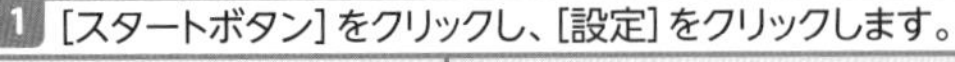

1 [スタートボタン]をクリックし、[設定]をクリックします。

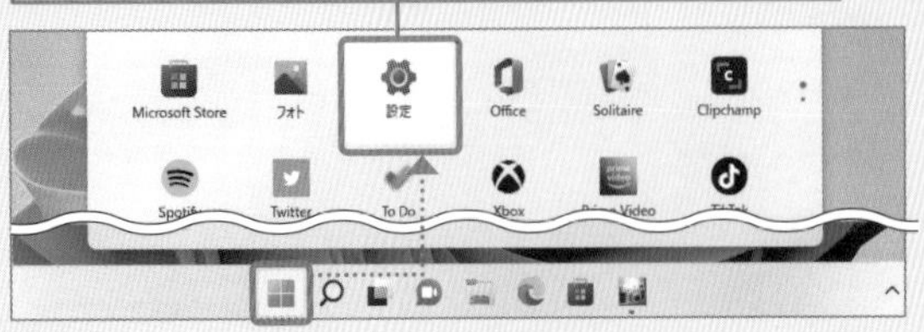

2 [アプリ]をクリックし、[アプリと機能]をクリックします。

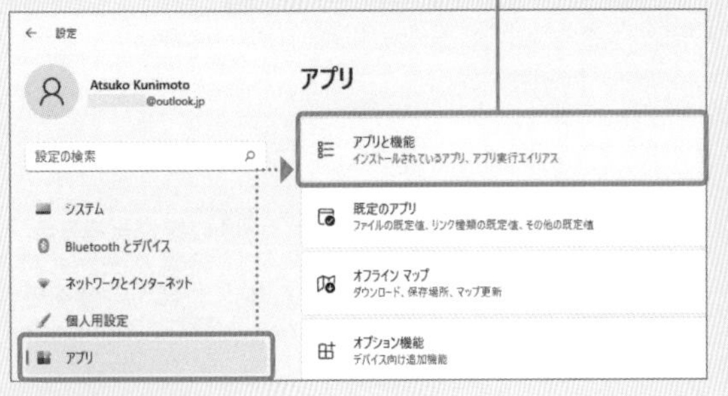

3 アプリ一覧からインストールされているOfficeの右端にある[…]をクリックし、[変更]をクリックします。

4 修復の種類を選択します。

5 [修復]をクリックします。

6 [修復]をクリックして修復を実行します。

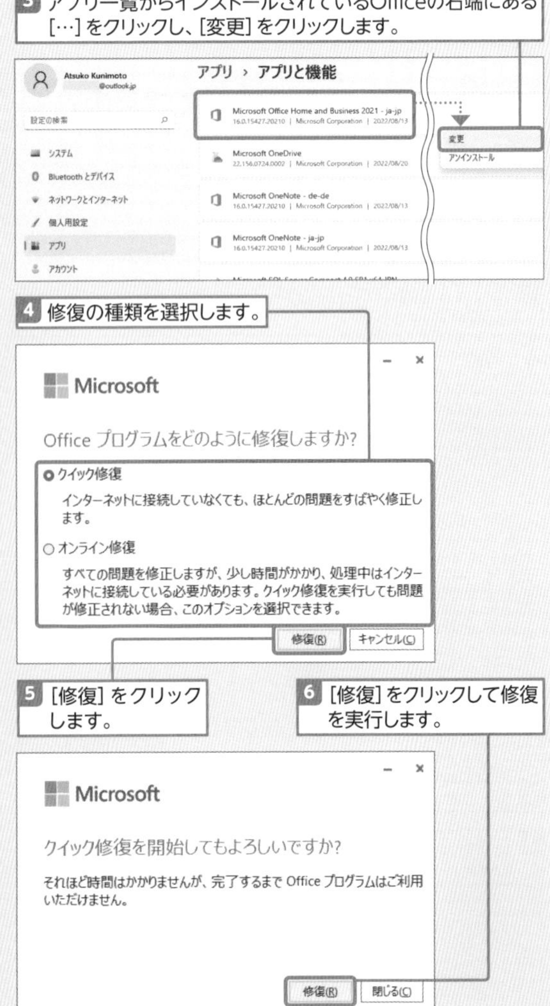

Q1124 お役立ち度 ★★★ トラブルシューティング 2021 2019 2016

矢印キーを押すと画面がスクロールされてしまう!

A ScrollLockモードになっています。

Excelを操作しているとき、↑や↓キーを押すと、アクティブセルが移動しないで、画面が上下にスクロールされてしまうことがあります。これは、キーボードのScrollLockキーがオンになっているためです。使用しているパソコンのScrollLockのランプの点灯で確認できます。また、**Q064**と同じ手順でステータスバーに[ScrollLock]と表示できます。キーボード操作でScrollLockキーを押してオフにすれば解除できます。

1 ScrollLockがオンになっていると、Excelのステータスバーに[ScrollLock]と表示されます。

2 ScrollLockキーを押して解除します。

Q1125 お役立ち度 ★★★ トラブルシューティング 2021 2019 2016

矢印キーを押すと範囲選択されてしまう!

A [選択範囲の拡張]モードになっています。

Excel、Wordで↑↓→←キーを押したり、マウスをクリックしたりすると、カーソルが移動しないで範囲が広がってしまうことがあります。これは、[選択範囲の拡張]モードになっているためです。このとき、ステータスバーに[選択範囲の拡張]と表示されます。[選択範囲の拡張]モードはF8キーを押すと設定されます(**Q579**)。解除するには、ESCキーを押してください。

1 ステータスバーに[選択範囲の拡張]と表示されます。

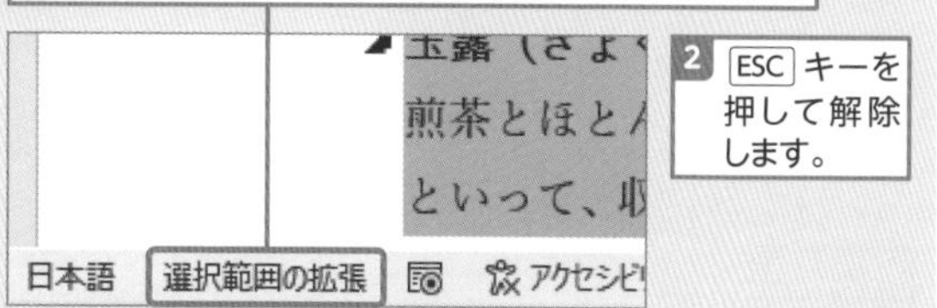

2 ESCキーを押して解除します。

Q1126 お役立ち度 ★★★ ファイルの互換性 2021 2019 2016

Officeのバージョンによって保存形式に違いがあるの?

A Office 2003以前とOffice 2007以降で変わっています。

Officeアプリケーションは、Office 2003以前とOffice 2007以降で保存形式が大きく変わっています。Office 2003以前はファイルの拡張子がExcelのブックは「.xls」、Wordの文書は「.doc」で、マクロも同じファイル内に保存できていました。Office 2007以降になると、ファイルの拡張子がExcelのブックは「.xlsx」で、マクロを含む場合は「.xlsm」、Wordの文書は「.docx」、マクロを含む場合は「.docm」と分かれています。マクロを含むか含まないかでファイルが分けられるようになっています。なお、マクロとは、ExcelやWordの操作を自動化するためのプログラムです。

ファイルの種類	Office2003以前の拡張子	Office2007以降の拡張子
Excelブック	.xls	.xlsx
Excelマクロ有効ブック		.xlsm
Word文書	.doc	.docx
Wordマクロ有効文書		.docm

Q1127 お役立ち度 ★★★ ファイルの互換性 2021 2019 2016

旧バージョンで作成したファイルは使えるの?

A 問題なく開けます。

Excel、Word共に旧バージョンで作成されたファイルは、通常のブックや文書と違和感なく、同様に開くことができます。必要な場合は、開いたブックや文書を新しい形式で保存し直して新しい保存形式に変換することもできます。Excel 97-2003形式やWord 97-2003形式のファイルを開くと、タイトルバーに[互換モード]と表示されます。

97-2003形式のファイルは[互換モード]と表示されます。

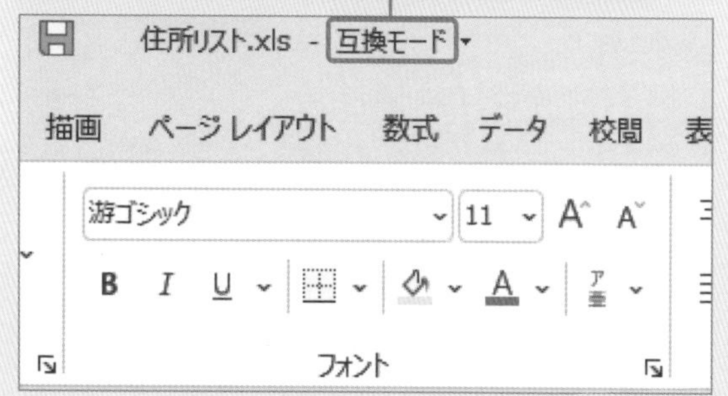

お役立ち度 ★★★ ファイルの互換性 2021 2019 2016

Q1128 以前のバージョンで使えない機能を確認するには

A 互換性チェックを行います。

ExcelやWordではバージョンが新しくなると、新機能が追加されます。異なるバージョンのExcelやWordでファイルを編集する場合は、旧バージョンで利用できない機能は使わないほうがいいでしょう。互換性チェックを実行すると旧バージョンで使用できない機能をチェックし、一覧表示されるので確認するのに便利です。

1 互換性をチェックしたいファイルを開き、[ファイル] タブ→[情報] をクリックします。

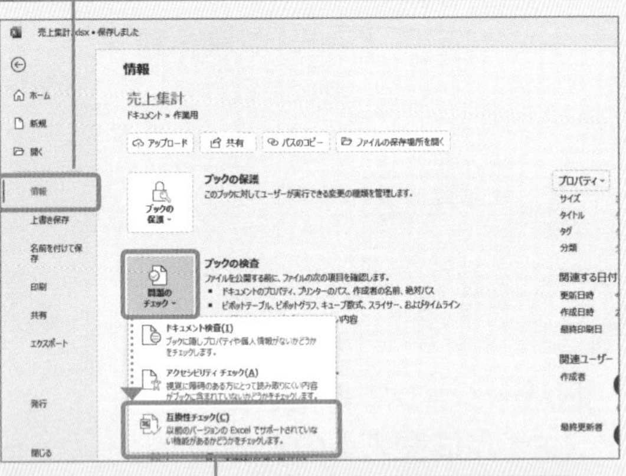

2 [問題のチェック] → [互換性チェック] をクリックします。

3 [互換性チェック] ダイアログが表示されます。

ここをクリックすると、チェックするバージョンを選択できます。

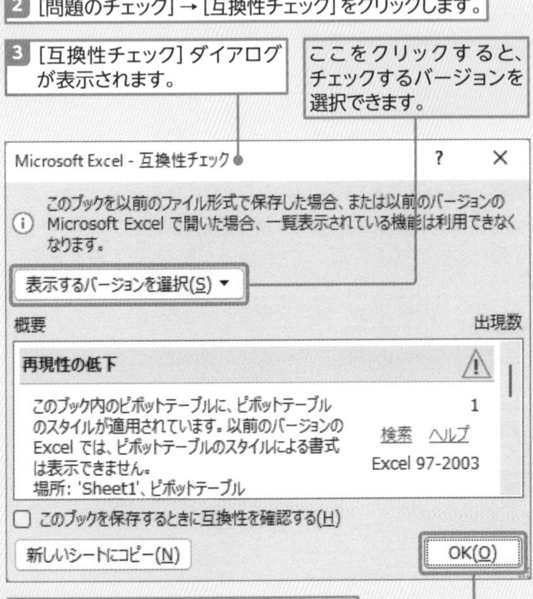

4 内容を確認し、[OK] をクリックします。

お役立ち度 ★★★ ファイルの互換性 2021 2019 2016

Q1129 Office 2003以前のExcelやWordでも開けるように保存するには

A 「Excel 97-2003ブック」、「Word 97-2003文書」形式で保存しましょう。

ExcelやWordのファイルをExcel 2003やWord 2003以前のバージョンで使用することがある場合、それぞれ[Excel 97-2003ブック]、[Word 97-2003文書] 形式で保存してください。保存時に自動的に互換性チェックが行われます。ここではWord文書を例にWord 97-2003形式で保存しています。

1 Q1078の方法で [名前を付けて保存] ダイアログを表示し、保存先とファイル名を指定します。

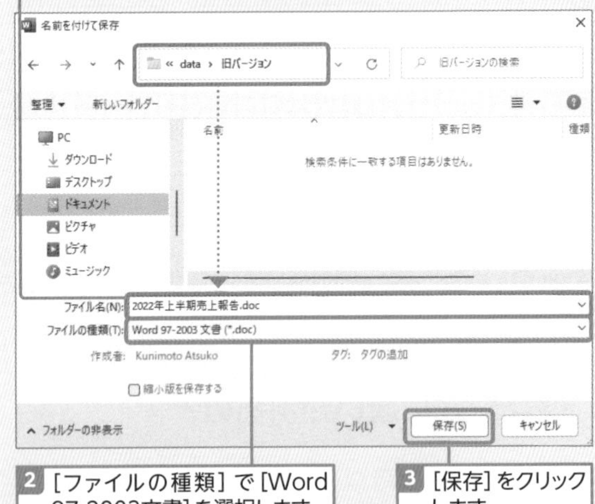

2 [ファイルの種類] で [Word 97-2003文書] を選択します。

3 [保存] をクリックします。

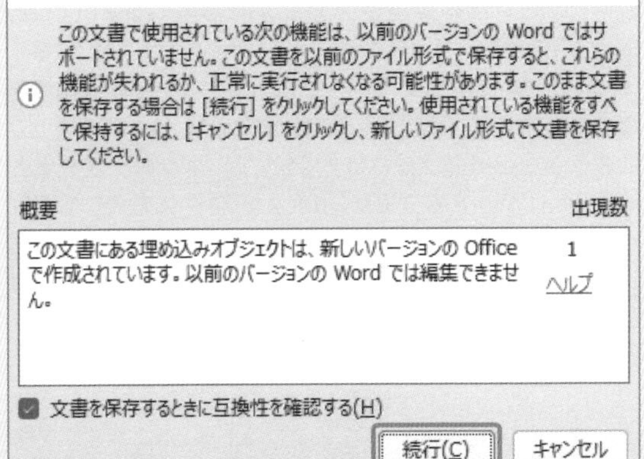

4 互換性チェックが実行され、結果が表示されます。内容を確認し、[続行] をクリックします。

Q 1130 お役立ち度 ★★★ ファイルのプロパティ 2021 2019 2016

ファイルのプロパティって何?

A 作成者、更新日などのファイルに関する情報です。

ファイルの作成者や更新日などの情報を[プロパティ]といいます。ブックや文書のプロパティは[情報]画面で確認・設定できます。ファイルにプロパティを設定しておくと、エクスプローラーでプロパティの内容を表示したり、プロパティの値をキーワードにして検索したりできます。

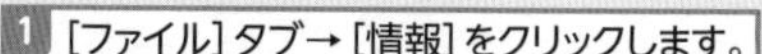
1 [ファイル] タブ→ [情報] をクリックします。

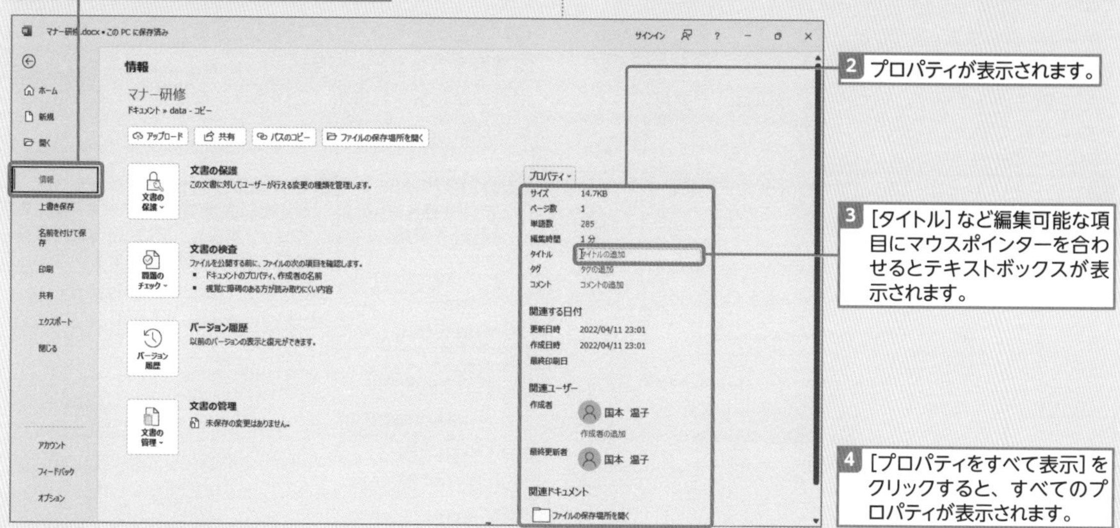
2 プロパティが表示されます。

3 [タイトル] など編集可能な項目にマウスポインターを合わせるとテキストボックスが表示されます。

4 [プロパティをすべて表示] をクリックすると、すべてのプロパティが表示されます。

Q 1131 お役立ち度 ★★★ ファイルのプロパティ 2021 2019 2016

ファイルのプロパティを設定するには

A [(ファイル名) のプロパティ] ダイアログで設定できます。

ファイルのプロパティは、ファイルサイズ、作成日時、更新日時などの自動的に設定されるものは値を変更できませんが、タイトル、作成者、会社名、キーワードなどはユーザーが値を設定できます。

1 プロパティを設定したいファイルを開き、[ファイル] タブ→ [情報] をクリックします。

2 [プロパティ] → [詳細プロパティ] をクリックします。

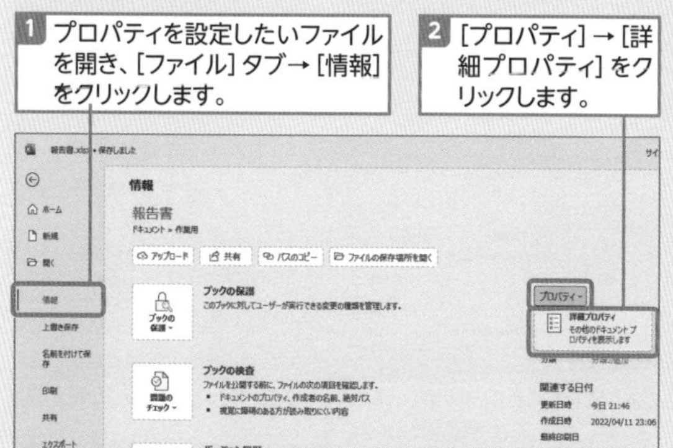

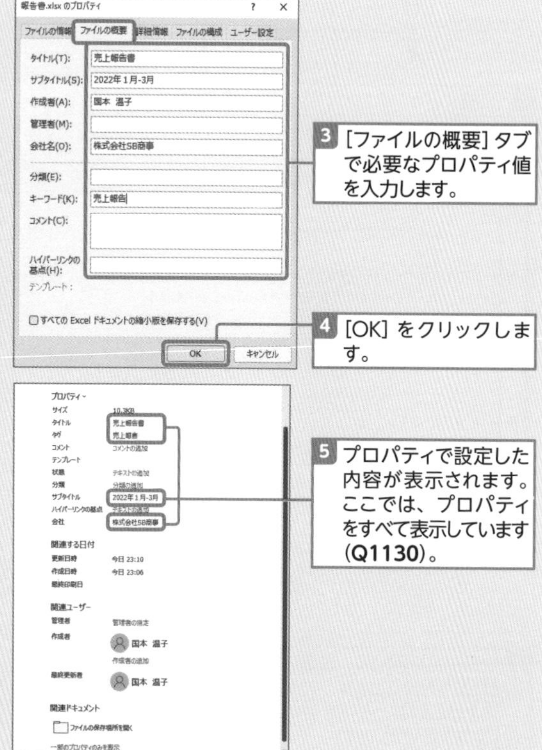
3 [ファイルの概要] タブで必要なプロパティ値を入力します。

4 [OK] をクリックします。

5 プロパティで設定した内容が表示されます。ここでは、プロパティをすべて表示しています(Q1130)。

Q1132

お役立ち度 ★★★ ファイルのプロパティ 2021 2019 2016

ファイルに個人情報が含まれているか調べたい!

A [ドキュメント検査] を実行します。

[ドキュメント検査] を行うと、ファイル内に個人情報や非表示の行や列、シートに隠れたデータがないかどうかを調べて一覧表示できます。見つかった情報は、必要に応じて削除もできます。

1 検査したいファイルを開き、[ファイル] タブ→ [情報] をクリックします。

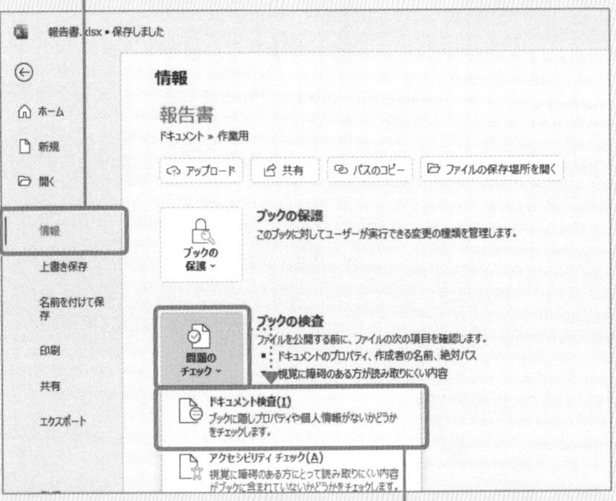

2 [問題のチェック] → [ドキュメント検査] をクリックします。

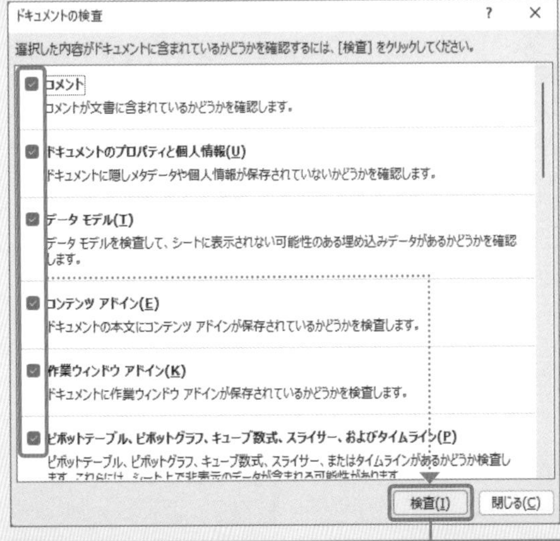

3 検査項目を確認し、検査したい項目にチェックを付けて、[検査] をクリックします。ファイルの変更後に保存していない場合はこのあと保存を促すメッセージが表示されるので、[はい] をクリックします。

Q1133

お役立ち度 ★★★ ファイルのプロパティ 2021 2019 2016

ファイルに含まれる個人情報を削除する

A [ドキュメント検査] の結果から削除できます。

Q1132の [ドキュメント検査] の結果、ファイル内に個人情報が見つかると、項目に「!」が表示され、[すべて削除] ボタンが表示されます。このボタンをクリックすればファイルから個人情報を削除できます。

1 Q1132の方法で [ドキュメント検査] を実行します。

2 検査結果で、[ドキュメントのプロパティと個人情報] の [すべて削除] をクリックすると、プロパティに含まれる個人情報を削除できます。

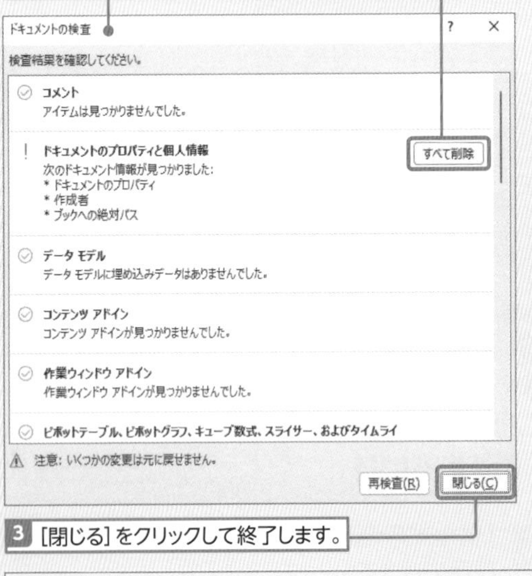

3 [閉じる] をクリックして終了します。

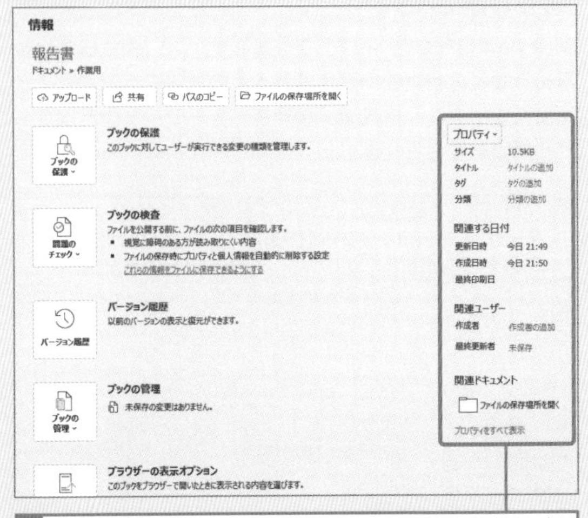

4 プロパティの内容や、作成者、更新者などの個人情報が削除されたことを確認します。

第13章

OneDriveの使い方とWordとExcelの共通テクニック

ここでは、複数のユーザーが共同して作業する場合に利用できる機能のまとめと、ExcelのデータをWordで使うための機能をはじめとする異なるソフトウェアとのデータの連携の方法、そして、インターネット上のデータ保管場所であるOneDriveのさまざまな使い方を中心に紹介しています。

Q1134 お役立ち度 ★★★ OneDriveとファイル共有 2021 2019 2016

OneDriveとは

A インターネット上にあるデータ保管場所です。

OneDriveとは、マイクロソフト社が提供しているオンラインストレージサービスです。Microsoftアカウントを持っていると、インターネット上に自分専用のデータ保存場所が提供され、WordやExcelのファイルや写真などのデータを保存できます。タブレットやスマートフォンなど別のデバイスからでもインターネット経由でOneDriveに接続し、保管されているファイルを開くことができます。1つのMicrosoftアカウントあたり5GBまで無料で使用することができます。Microsoft 365のユーザーであれば、1TBまで使用できます。Microsoftアカウントは次のWebページから取得できます。

URL https://account.microsoft.com

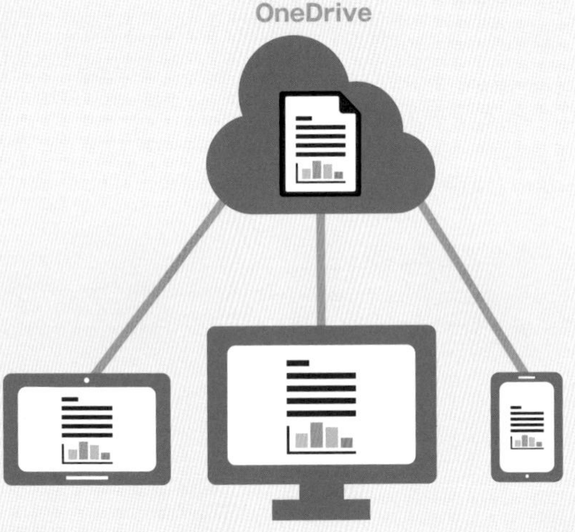

Q1135 お役立ち度 ★★★ OneDriveとファイル共有 2021 2019 2016

WordやExcelから Officeにサインインするには

A タイトルバーの[サインイン]をクリックします。

WordやExcelからOneDriveにファイルを保存したり、OneDriveにあるファイルを開いたりするには、Officeにサインインする必要があります。Officeにサインインするには、タイトルバー上にある[サインイン]をクリックし、画面の指示に従ってMicrosoftアカウントでサインインします。

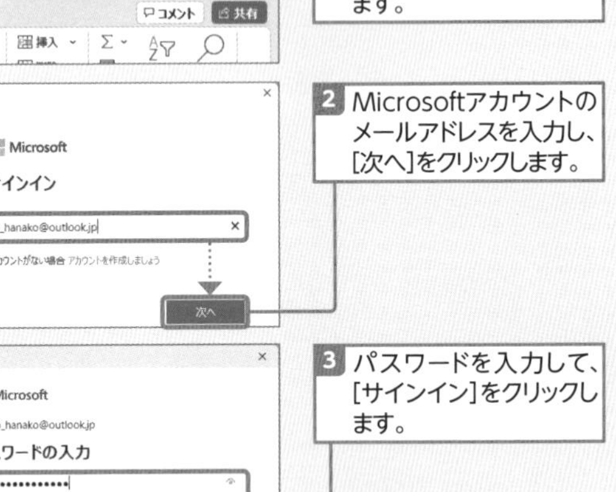

おトクな情報 [アカウント]画面からサインインする

[ファイル]タブ→[アカウント]をクリックして[アカウント]画面を表示し、[サインイン]をクリックします。

Q1136 お役立ち度 ★★★ OneDriveとファイル共有 2021 2019 2016

Officeからサインアウトするには

A [アカウント]画面からサインアウトできます。

[アカウント]画面を表示して、Officeからサインアウトすることができます。

Q1137 お役立ち度 ★★★ OneDriveとファイル共有 2021 2019 2016

ExcelやWordからOneDriveにファイルを保存するには

A [名前を付けて保存]画面でOneDriveを選択します。

Officeにサインインすると、OneDriveにファイルを保存できるようになります。OneDriveにはあらかじめユーザー用の[ドキュメント]フォルダーが用意されていますが、自分でフォルダーを作成することもできます。

1 [ファイル]タブ→[名前を付けて保存]をクリックします。

2 [OneDrive]をクリックし、[OneDrive個人用]をクリックします。

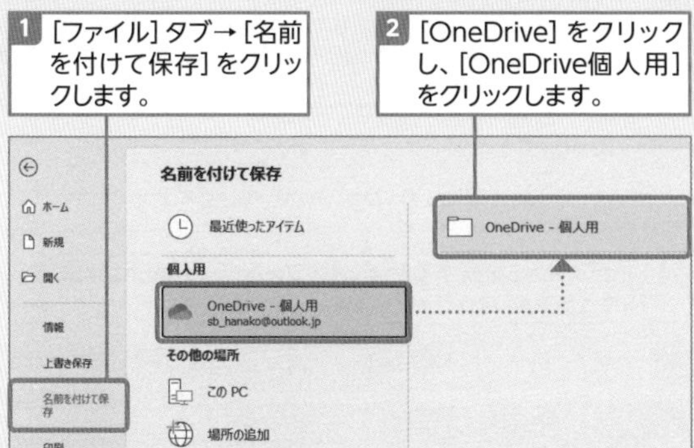

3 [名前を付けて保存]ダイアログでOneDrive内の[ドキュメント]フォルダーを選択します。

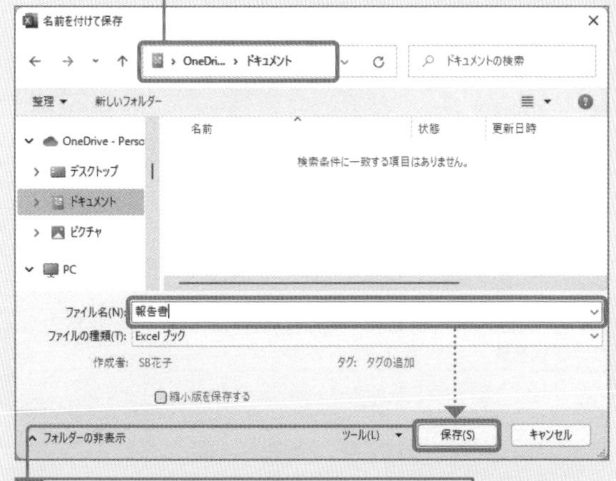

4 ファイル名を指定し、[保存]をクリックします。

5 文書がOneDriveに保存されると、既定で自動保存がオンになり、変更があると自動的に保存されるようになります。

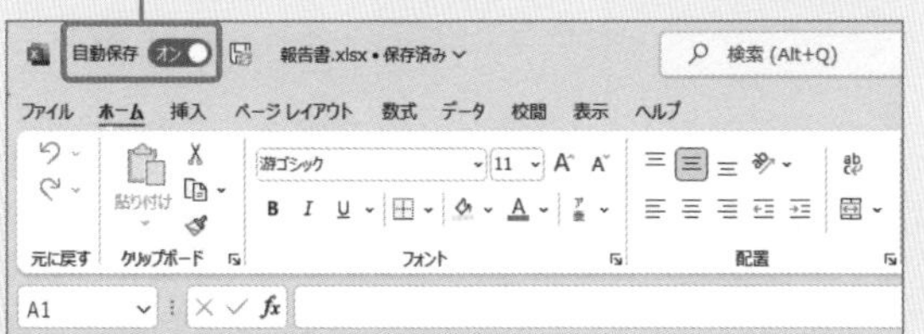

Q1138 お役立ち度 ★★★ OneDriveとファイル共有 2021 2019 2016

OneDriveにあるファイルを開くには

A [開く]画面でOneDriveを選択します。

OneDriveに保存されているファイルを開くには、[開く]画面でOneDriveを選択します。

1 [ファイル]タブ→[開く]をクリックします。

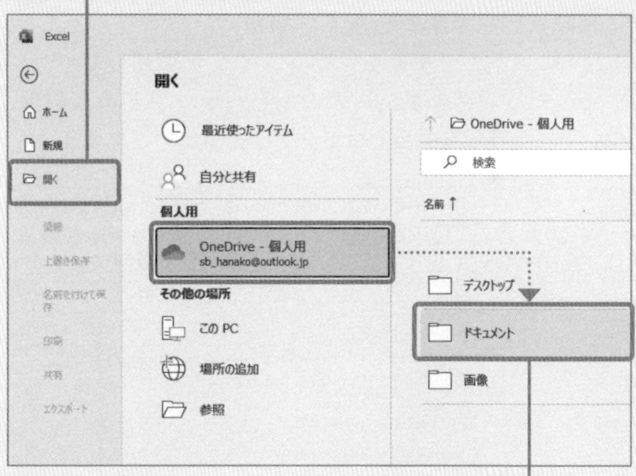

2 [OneDrive]をクリックし、[ドキュメント]をクリックします。

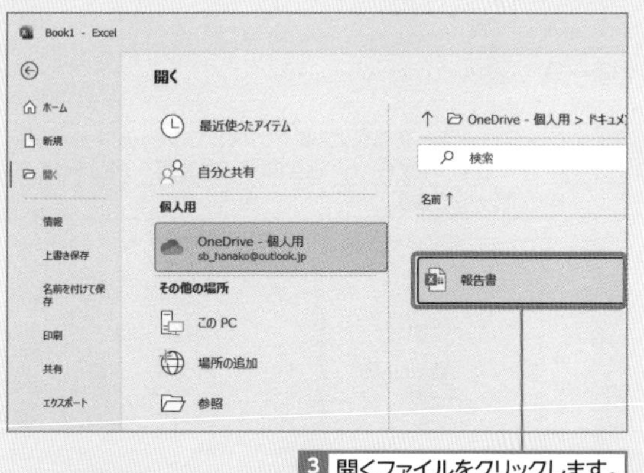

3 開くファイルをクリックします。

おトクな情報 エクスプローラーから開く

Q1139のようにエクスプローラーを開き、OneDrive内のファイルを表示し、WordまたはExcelのファイルを直接ダブルクリックしても開くことができます。なお、ファイル名の先頭に「◎」や「●」が付いているファイルはオフラインでも開けますが、「☁」が付いているファイルは、ネットワークにつながっていないと開くことはできません(Q1139の表参照)。

Q1139 お役立ち度 ★★★ OneDriveとファイル共有 2021 2019 2016

エクスプローラーから OneDriveを操作するには

A エクスプローラーの OneDriveフォルダーを開きます。

エクスプローラーを開いて、画面の左側の[OneDrive]のアイコンをクリックしてOneDriveのフォルダーをクリックすると、OneDrive内に保存されているファイルが表示されます。ファイル名の前にアイコンが表示され、現在の同期の状態が確認できます。また、パソコンからOneDriveにドラッグするだけでファイルを移動したり、コピーしたりできます。ファイルをドラッグすると移動、Ctrl キーを押しながらドラッグするとコピーされます。

1 エクスプローラーを開き、[OneDrive]をクリックしてOneDrive内のフォルダーをクリックします。

2 OneDrive内のファイルが表示されます。

3 エクスプローラーをもう1つ開き、パソコン内のファイルを Ctrl キーを押しながら、OneDriveのフォルダー内にドラッグするとコピーできます。

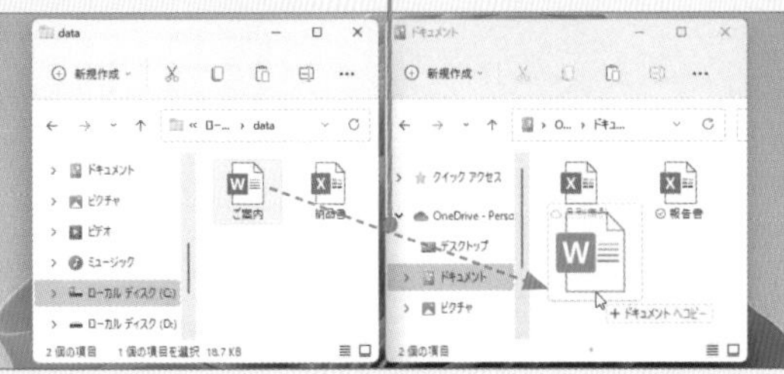

● OneDrive 内のファイルのアイコン

アイコン	状況
☁	オンラインでのみ利用可能なファイル。インターネットに接続されていないと使用できない
✓	ダウンロード済みのファイル。オンライン利用可能のファイルを開くと、パソコンにダウンロードされる。インターネットにアクセスしなくても、利用可能
●	常にパソコンに保存するように設定されたファイル
⟳	同期中のファイル
👤	他のユーザーと共有されているファイル

Q1140 お役立ち度 ★★★ OneDriveとファイル共有 2021 2019 2016

Webブラウザーを使って OneDriveを利用するには

A Webブラウザーで OneDriveにサインインしてください。

WebブラウザーでOneDriveにサインインすれば、OneDriveに保存されているデータを利用できます。そのため、いろいろなデバイスからOneDriveに接続できます。

1 Microsoft EdgeなどのWebブラウザーを起動し、OneDriveのサインインページ(https://onedrive.live.com/about/ja-jp/signin/)を開いて、Microsoftアカウントでサインインしておきます。

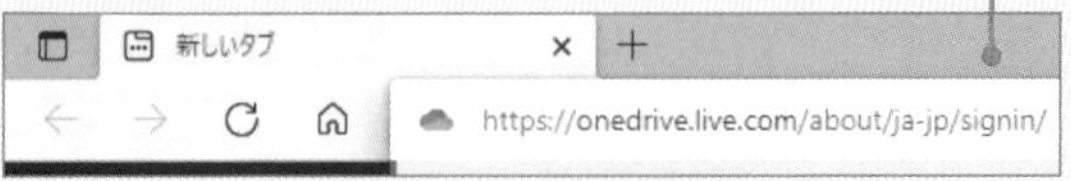

2 OneDriveに接続すると、自分のフォルダーが表示されます。[ドキュメント]をクリックします。

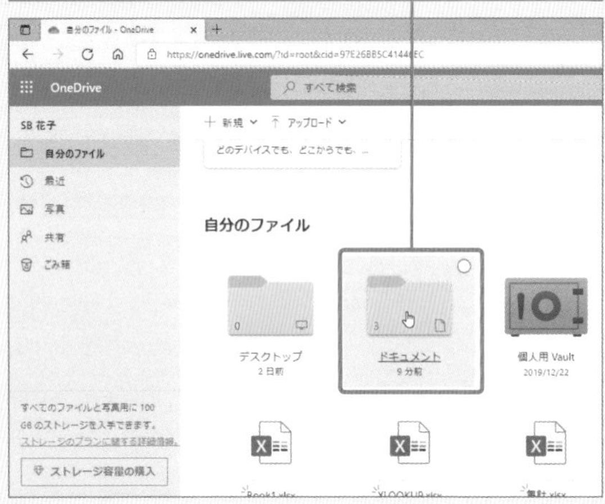

3 [ドキュメント]フォルダー内に保存されているファイルが表示されます。

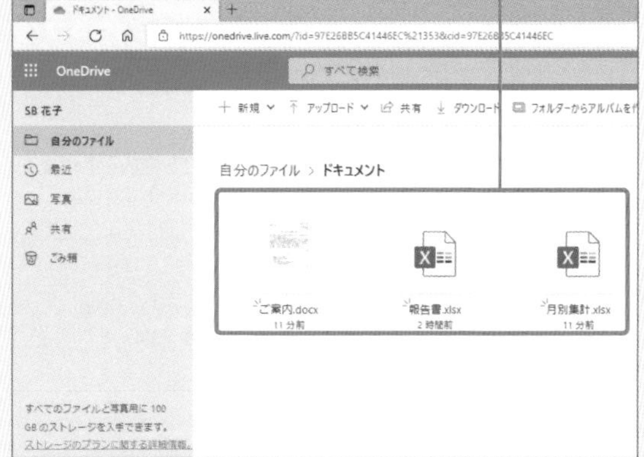

Q1141 お役立ち度 ★★★ OneDriveとファイル共有 2021 2019 2016

OneDriveにあるファイルを他者と共有するには

A 共有する相手にリンクを送信します。

WebページからOneDriveに保存されているファイルを他者と共有することができます。

1 Q1140の方法でOneDrive内のフォルダーを開いておきます。

2 共有したいファイルの右上にある○をクリックしてチェックを付けます。

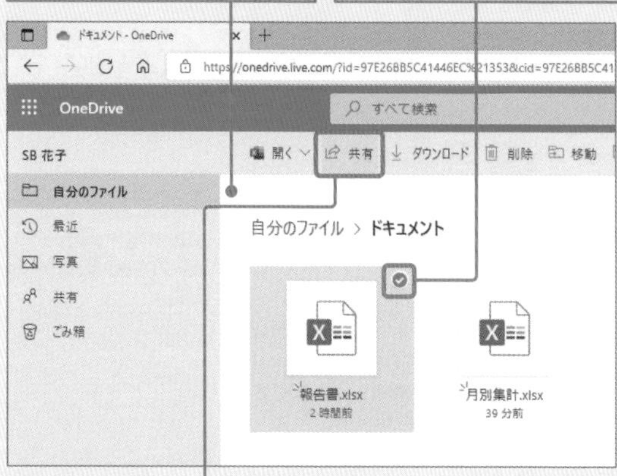

3 ［共有］をクリックします。

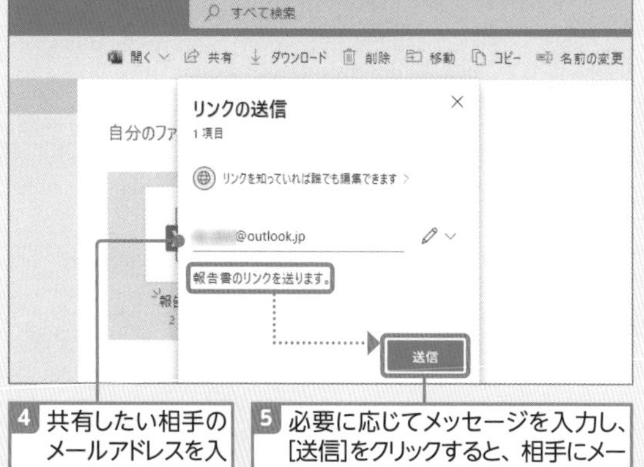

4 共有したい相手のメールアドレスを入力します。

5 必要に応じてメッセージを入力し、［送信］をクリックすると、相手にメールで共有のリンクが送られます。

おトクな情報　読み取り専用で共有する

［リンクを知っていれば誰でも編集できます］をクリックし、［その他の設定］で［表示可能］を選択して［適用］をクリックすると、読み取り専用にして共有することができます。なお、共有後、読み取り専用に変更することもできます（Q1142）。

Q1142 お役立ち度 ★★★ OneDriveとファイル共有 2021 2019 2016

共有ファイルを読み取り専用に変更するには

A ［詳細ウィンドウ］で設定できます。

他者とファイルを共有した場合、初期設定では編集可能な状態でファイルが共有されます。ファイルへの編集の可否を変更したり、共有を解除したりするには、共有したファイルの［詳細ウィンドウ］を表示し、ユーザー別に設定変更できます。

1 Webブラウザー上でOneDrive内にある共有ファイルの右上にある○をクリックしてチェックを付けます。

2 ［詳細ウィンドウを開く］をクリックし、［詳細ウィンドウ］を表示します。

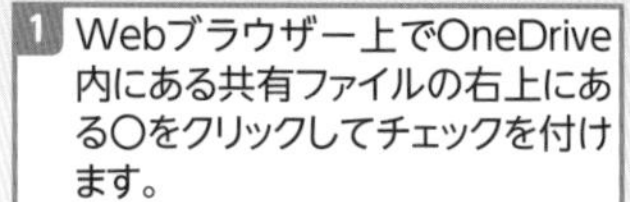

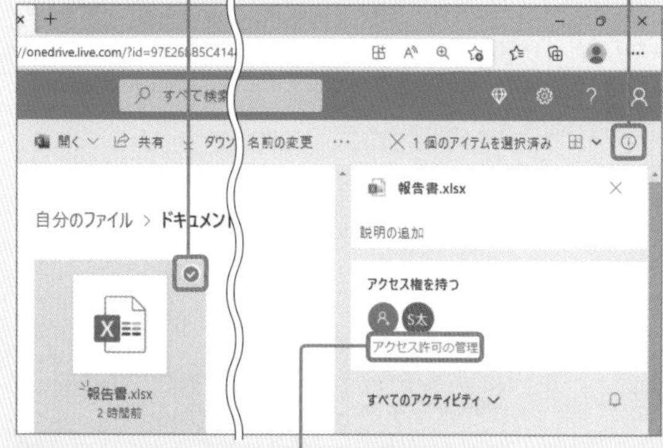

3 ［アクセス許可の管理］をクリックします。

4 共有ユーザーの［編集可能］をクリックし、一覧からアクセス許可の種類をクリックします。

5 アクセス許可の種類が変更されます。

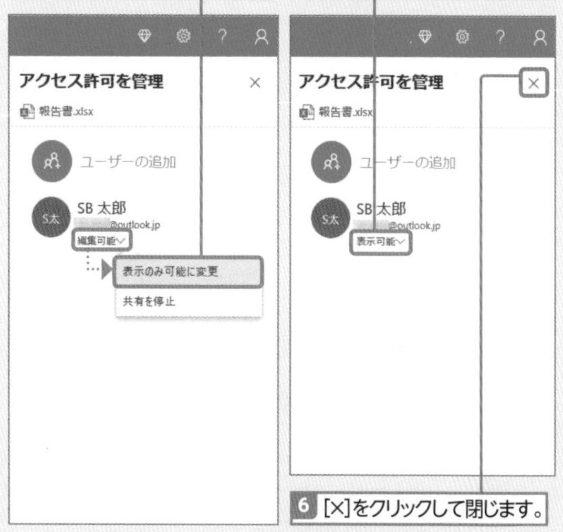

6 ［×］をクリックして閉じます。

Q1143 お役立ち度★★★ 他ユーザーとの連携・コメント 2021 2019 2016

Wordにおける他ユーザーとの連携機能に何があるの？

A コメント、変更履歴などがあります。

Wordの文書を他ユーザーと連携して作業するための主な機能として、コメントと変更履歴があります。コメントは文書内の文字列などに対して修正内容や意見を欄外に追加する機能で、文章自体に変更を加えません。一方、変更履歴は、文章を変更した内容を履歴として残します。1つの文章を複数のユーザーが共同で編集する場合に使える機能です。詳細は**Q399～Q406**を参照してください。

コメント（Q399～Q400）

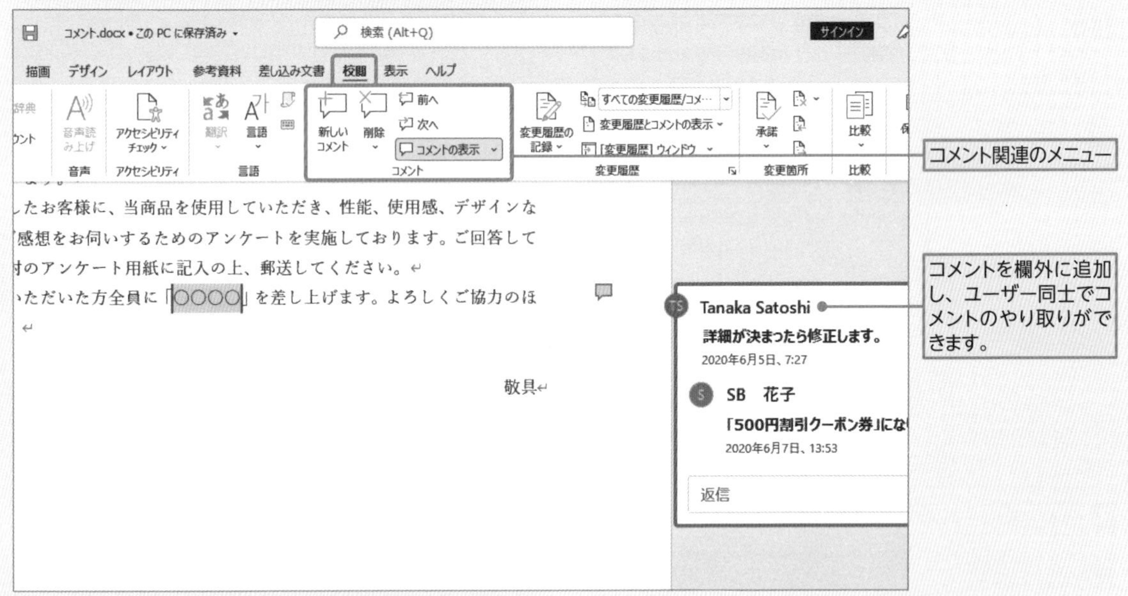

コメント関連のメニュー
コメントを欄外に追加し、ユーザー同士でコメントのやり取りができます。

変更履歴（Q401～Q406）

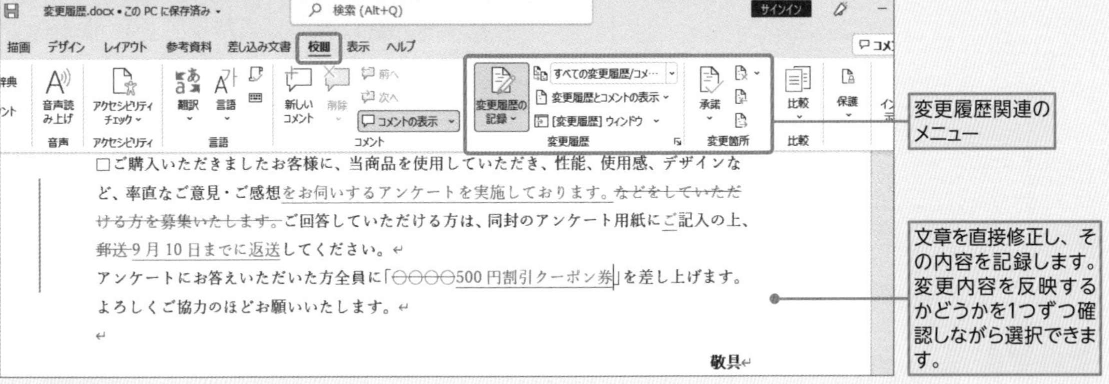

変更履歴関連のメニュー
文章を直接修正し、その内容を記録します。変更内容を反映するかどうかを1つずつ確認しながら選択できます。

おトクな情報 ファイルの共有

OneDriveに保存しているファイルを他のユーザーと共有する機能があります。ネットワーク上に配置したファイルを友人と共有し、内容を表示したり、編集したりできます（Q1141）。

他ユーザーとの連携・コメント

2021 2019 2016

2つの文書を比較して変更点を変更履歴に表示したい!

A 比較機能を使います。

1つの文書を他のユーザーがチェック、修正した内容を、変更履歴を残さずに保存した場合、どこが修正されたのかわかりません。比較機能を使うと、元の文書と変更後の文書を比較して、新規文書に変更点を変更履歴として表示します。ここでは元の文書「研修案内」と変更された文書「研修案内2」を比較しています。

1 あらかじめ比較する2つの文書を開いておきます。

2 [校閲]タブ→[比較]→[比較]をクリックします。

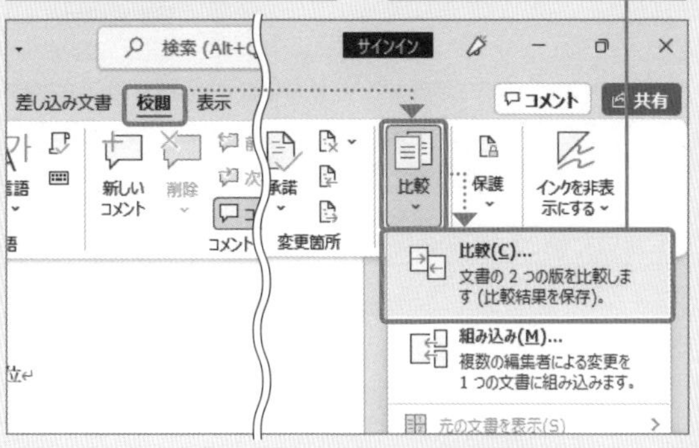

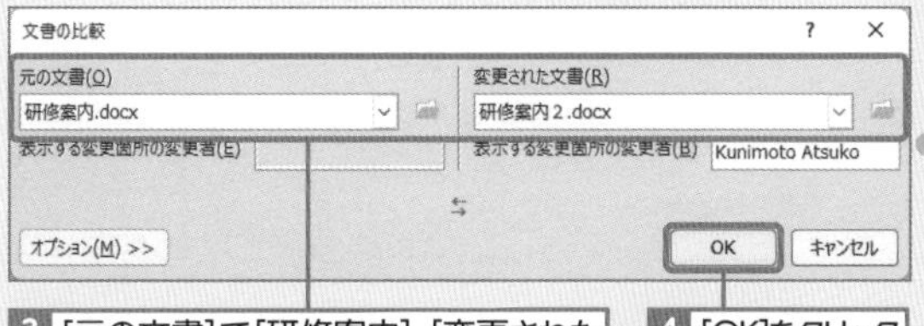

3 [元の文書]で[研修案内]、[変更された文書]で[研修案内2]を選択します。

4 [OK]をクリックします。

5 比較された結果、変更箇所に変更履歴が追加された新規文書が作成されます。

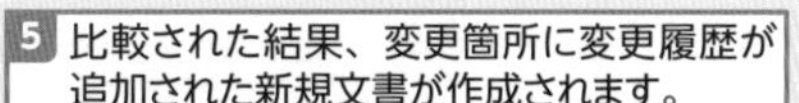

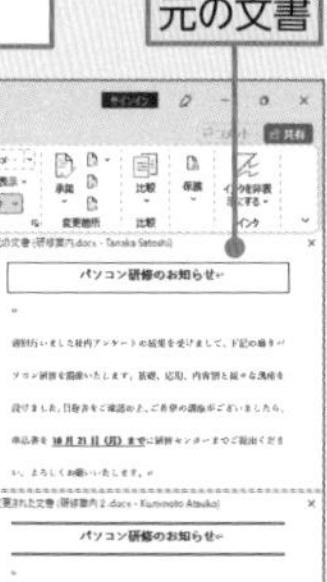

元の文書

[変更履歴]作業ウィンドウ　比較結果文書　変更された文書

[比較] のしくみ

●元の文書

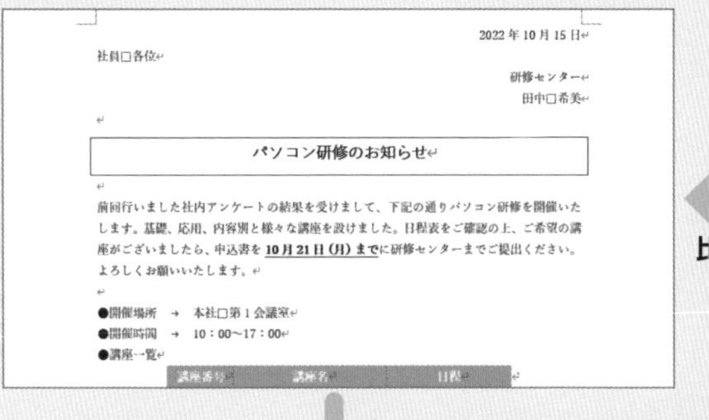

2022年10月15日
社員□各位
研修センター
田中□希美

パソコン研修のお知らせ

前回行いました社内アンケートの結果を受けまして、下記の通りパソコン研修を開催いたします。基礎、応用、内容別と様々な講座を設けました。日程表をご確認の上、ご希望の講座がございましたら、申込書を**10月21日(月)まで**に研修センターまでご提出ください。よろしくお願いいたします。

●開催場所 → 本社□第1会議室
●開催時間 → 10：00～17：00
●講座一覧

講座番号	講座名	日程

比較

●変更された文書

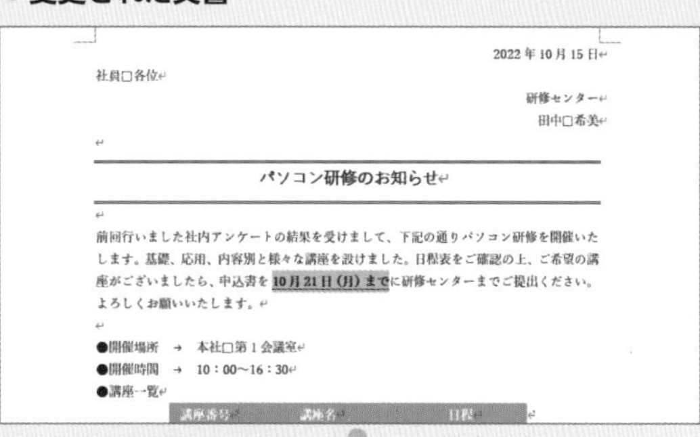

2022年10月15日
社員□各位
研修センター
田中□希美

パソコン研修のお知らせ

前回行いました社内アンケートの結果を受けまして、下記の通りパソコン研修を開催いたします。基礎、応用、内容別と様々な講座を設けました。日程表をご確認の上、ご希望の講座がございましたら、申込書を**10月21日(月)まで**に研修センターまでご提出ください。よろしくお願いいたします。

●開催場所 → 本社□第1会議室
●開催時間 → 10：00～16：30
●講座一覧

講座番号	講座名	日程

変更点を変更履歴に表示

●比較結果文書

2022年10月15日
社員□各位
研修センター
田中□希美

パソコン研修のお知らせ

前回行いました社内アンケートの結果を受けまして、下記の通りパソコン研修を開催いたします。基礎、応用、内容別と様々な講座を設けました。日程表をご確認の上、ご希望の講座がございましたら、申込書を**10月21日(月)まで**に研修センターまでご提出ください。よろしくお願いいたします。

●開催場所 → 本社□第1会議室

Kunimoto Atsuko
書式変更: 罫線: 上罫え: (二重線, 自動, 0.5 pt 線幅), 下罫え: (二重線, 自動, 0.5 pt 線幅), 左: (罫線なし), 右: (罫線なし)

Kunimoto Atsuko
書式変更: 模様: 15% (自動 前景, 白 背景)

おトクな情報　元の文書を非表示にする

比較結果文書だけを表示するには、[校閲] タブ→ [比較] → [元の文書を表示] → [比較元の文書を表示しない] をクリックします。

お役立ち度 ★★★

他ユーザーとの連携・コメント

2021 2019 2016

変更履歴が保存されている2つの文書を1つにまとめたい!

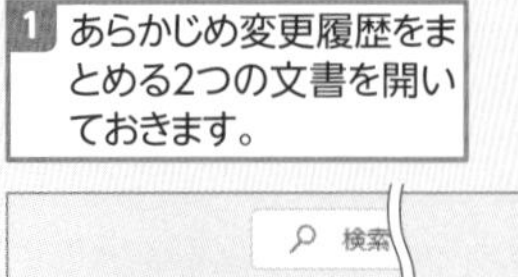

A 組み込み機能を使います。

組み込み機能を使うと、変更履歴が保存されている2つの文書の変更履歴を、1つの新規文書にまとめます。ここでは変更履歴が保存されている2つの文書「研修案内(国本)」と「研修案内(田中)」の変更履歴をまとめています。

1 あらかじめ変更履歴をまとめる2つの文書を開いておきます。

2 [校閲]タブ→[比較]→[組み込み]をクリックします。

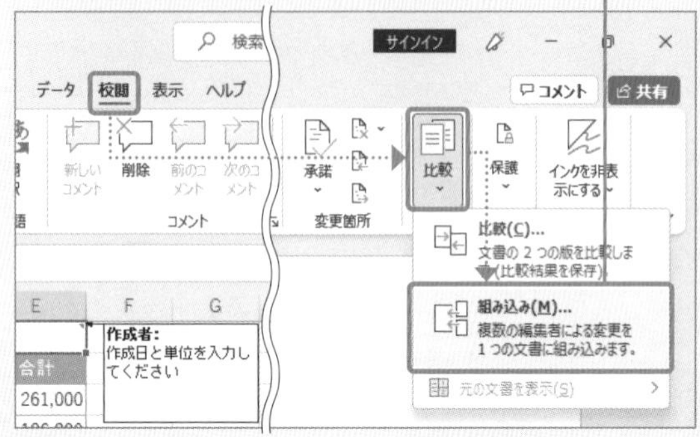

3 [元の文書]で[研修案内(国本)]、[変更された文書]で[研修案内(田中)]を選択します。

4 [OK]をクリックします。

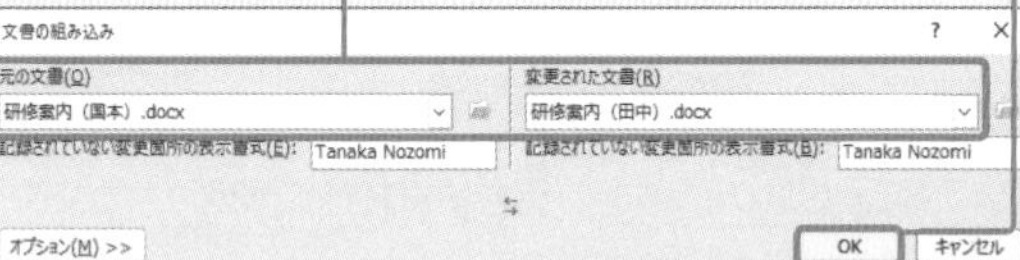

5 どちらの書式変更を維持するか選択します。

6 [反映の続行]をクリックします。

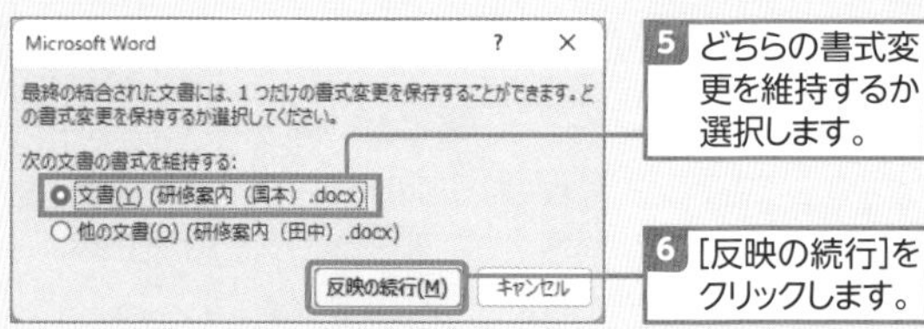

7 新規文書に2つの変更履歴がまとめられます。

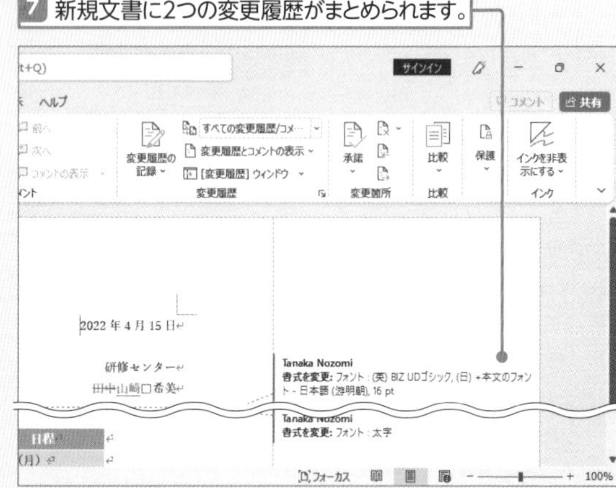

組み込みのしくみ

● 元の文書

● 変更された文書

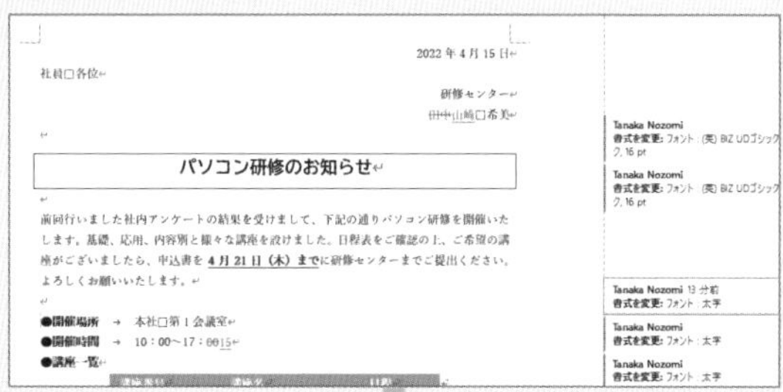

両方の変更履歴をまとめる

● 組み込み結果文書

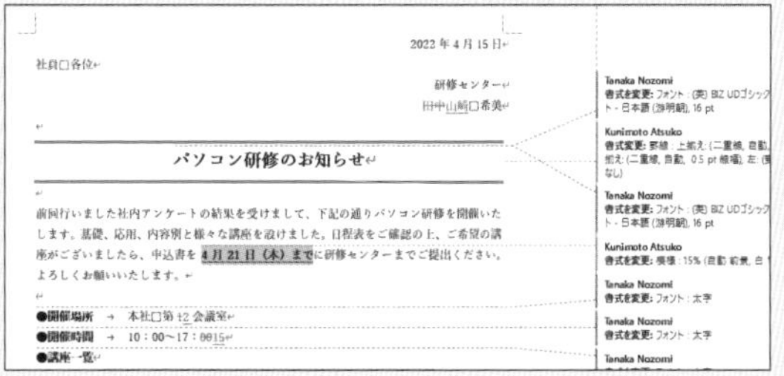

おトクな情報 元の文書も並べて表示する

組み込み結果の画面に元の文書も並べるには、[校閲]タブ→[比較]→[元の文書を表示]→[両方の文書を表示]をクリックします。

Q1146 お役立ち度 ★★★

他ユーザーとの連携・コメント

2021 2019 2016

Excelにおける他ユーザーとの連携機能に何があるの?

A メモ機能やシート・ブックの保護機能があります。

Excelのブックを他ユーザーと連携して作業するための主な機能には、メモ機能(Excel 2019/2016ではコメント機能)とシートやブックの保護機能があります。メモはセル内のデータに対して意見などメモ書きを追加できる機能です。シートやブック保護機能は、誤って計算式を削除したり、シートを削除したりしないように、保護する機能です。また、OneDriveに保存しているファイルを他のユーザーと共有して共同作業することもできます(**Q1141**)。

メモ (Q629 ~ Q631)

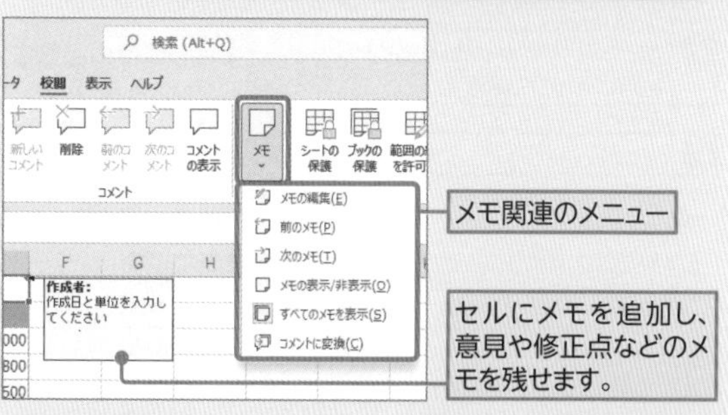

メモ関連のメニュー
セルにメモを追加し、意見や修正点などのメモを残せます。

シート・ブックの保護 (Q487 ~ Q494)

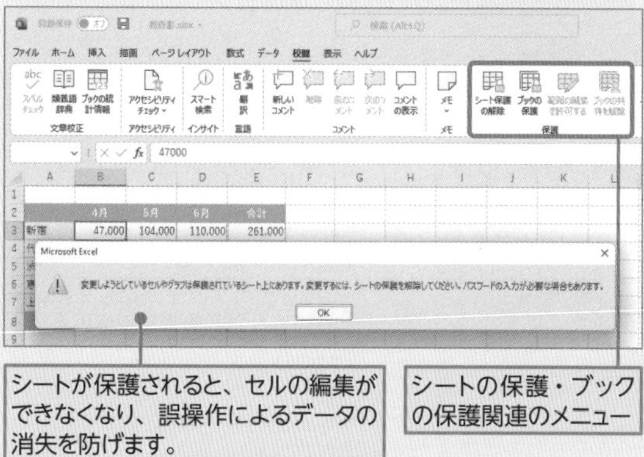

シートが保護されると、セルの編集ができなくなり、誤操作によるデータの消失を防げます。
シートの保護・ブックの保護関連のメニュー

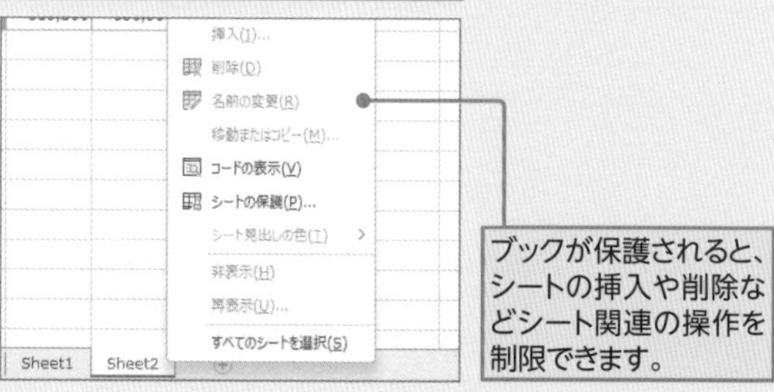

ブックが保護されると、シートの挿入や削除などシート関連の操作を制限できます。

Q1147 お役立ち度 ★★★

他ユーザーとの連携・コメント

2021 2019 2016

Excelでコメントの返信はできないの?

A Excel 2021とMicrosoft 365のExcelで可能です。

Excel 2021とMicrosoft 365版のExcelでは、[校閲]タブ→[新しいコメント]をクリックすると、Wordのコメントのように、コメントに返信をしてやり取りすることができます。従来のコメントを入力するには、[校閲]タブ→[メモ]→[新しいメモ]をクリックします(**Q1146**)。

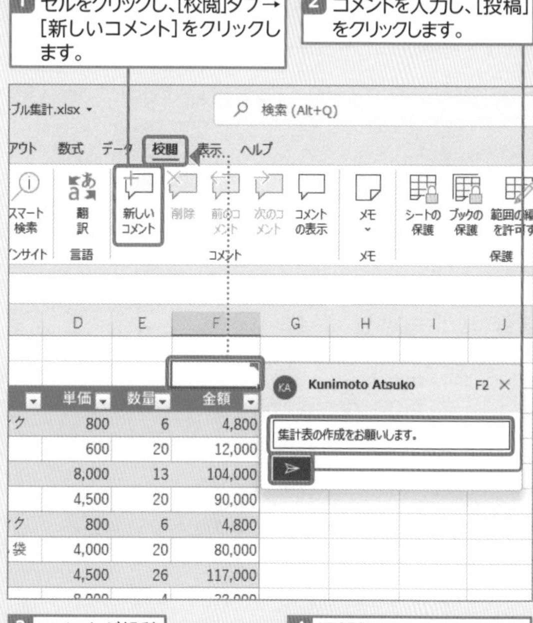

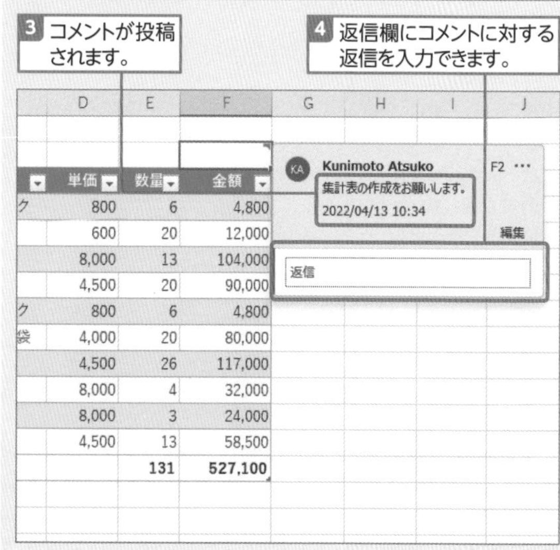

3 コメントが投稿されます。
4 返信欄にコメントに対する返信を入力できます。

Q 1148 お役立ち度 ★★★ 他ソフトウェアとの連携 2021 2019 2016

Excelの表の貼り付け方の種類が知りたい!

A 6種類あります。目的によって使い分けましょう。

Excelの表をWord文書に貼り付ける方法には6種類あります。Wordの表としてExcelの元ブックと連携するかしないか、Excelの表の書式をそのまま使うかどうか、図として扱うかなど、Wordでの表の扱い方で貼り付け方を使い分けましょう(**Q1149~Q1157**)。

1 Excelのブックを開き、表を選択し、[ホーム]タブの[コピー]をクリックします。

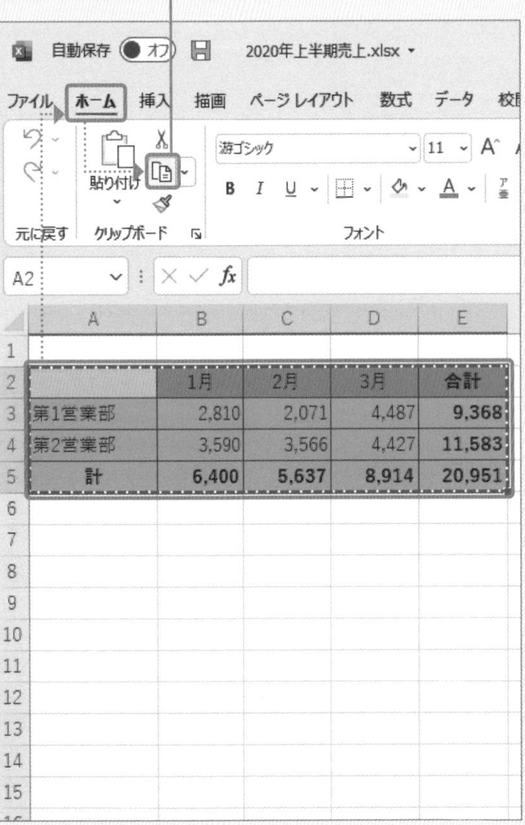

2 Wordで表の貼り付け先にカーソルを移動します。

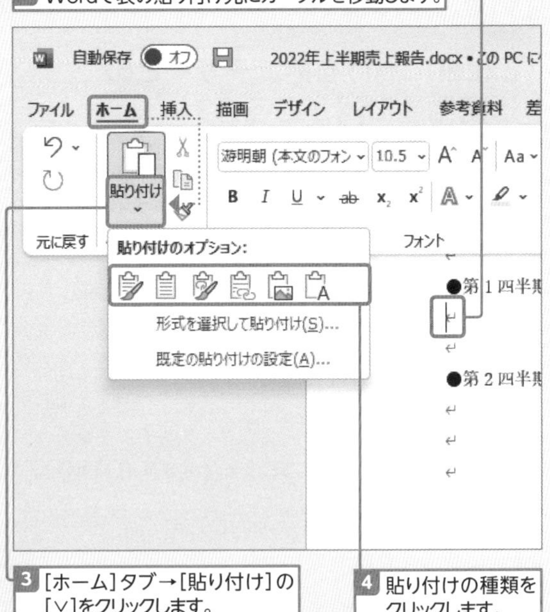

3 [ホーム]タブ→[貼り付け]の[∨]をクリックします。

4 貼り付けの種類をクリックします。

5 Excelの表が指定した形式でWord文書に貼り付けられます。

●第1四半期売上

	1月	2月	3月	合計
第1営業部	2,810	2,071	4,487	9,368
第2営業部	3,590	3,566	4,427	11,583
計	6,400	5,637	8,914	20,951

● **Excel の表の貼り付けのオプション**

種類	ボタン	内容
元の書式を保持		Excelの書式をそのまま貼り付ける
貼り付け先のスタイルを使用		Wordの表のスタイルにして貼り付ける
リンク(元の書式を保持)		Excelの書式のままExcelと連携された状態で貼り付ける
リンク(貼り付け先のスタイルを使用)		Wordの表のスタイルにしてExcelと連携された状態で貼り付ける
図		Excelの書式のまま図として貼り付ける
テキストのみ保持		文字のみ貼り付ける(列の区切りはタブになる)

おトクな情報

元の書式を保持して貼り付けた場合

元の書式を保持してExcelの表を貼り付けると、Excelの表で使用しているフォントの種類によっては、表の行高が広く、ドラッグしても調整できない場合があります。解決法としては、文書内の表以外の箇所を行選択して、[ホーム]タブ→[書式のコピー/貼り付け]をクリックし、表の左余白をドラッグすると、行高が文書内の他の箇所と揃います。

Q 1149 お役立ち度 ★★★ 他ソフトウェアとの連携 2021 2019 2016

Excelの表をWordの表として貼り付けるには

A Excelの表をコピーして Wordで貼り付けをします。

Excelの表をコピーしてWordの表として貼り付ける場合、貼り付けのオプションで、Excelで設定した書式のまま貼り付ける方法の［元の書式を保持］と、Wordのスタイルに合わせて貼り付ける方法の［貼り付け先のスタイルを使用］があります。Excelの元表とは連携していないので、元表とは関係なくデータを変更できます。

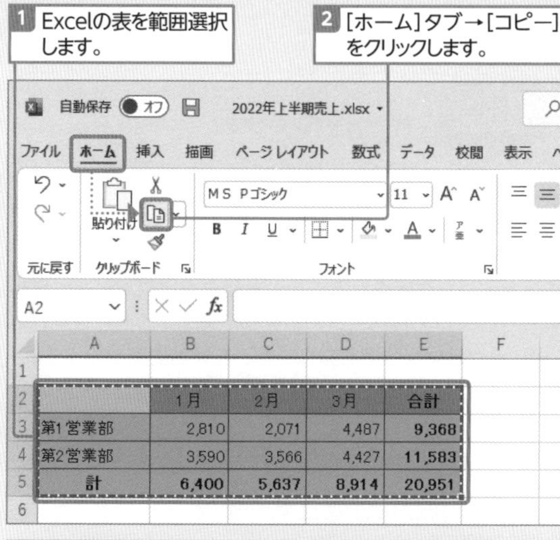

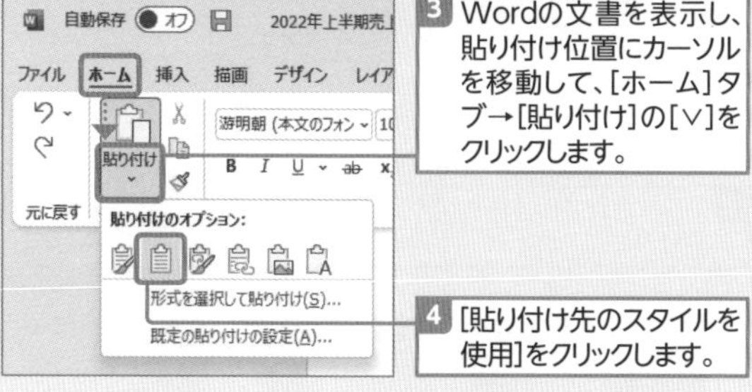

3 Wordの文書を表示し、貼り付け位置にカーソルを移動して、［ホーム］タブ→［貼り付け］の［∨］をクリックします。
貼り付けのオプション:
4 ［貼り付け先のスタイルを使用］をクリックします。

●第１四半期売上

□	1月	2月	3月	合計
第１営業部	2,810	2,071	4,487	9,368
第２営業部	3,590	3,566	4,427	11,583
計	6,400	5,637	8,914	20,951

●第２四半期売上

5 Excelの表がWordのスタイルに変更されて貼り付けられます。

Q 1150 お役立ち度 ★★★ 他ソフトウェアとの連携 2021 2019 2016

Excelの表をWordの表としてリンク貼り付けするには

A Excelの表をコピーして Wordでリンク貼り付けします。

Excelの表をコピーしてWordの表としてリンク貼り付けをする場合、Excelで設定した書式のまま元表と連携した形式で貼り付ける方法の［リンク（元の書式を保持）］と、Wordのスタイルに合わせて元表と連携した形式で貼り付ける方法の［リンク（貼り付け先のスタイルを使用）］があります。Excelの元表と連携しているので、Excelで表のデータが変更されたら、Wordの表も連携して変更されます。

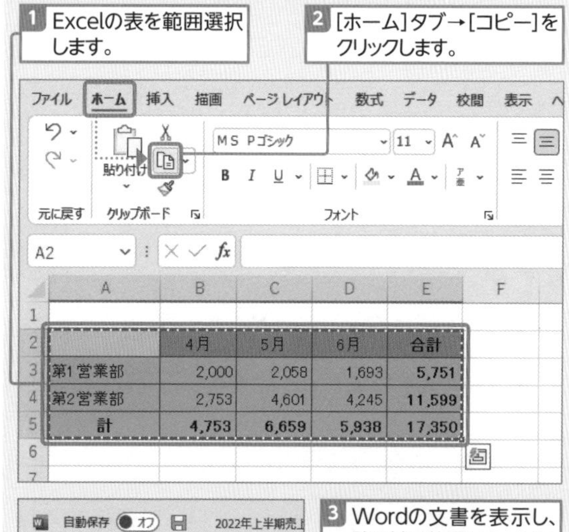

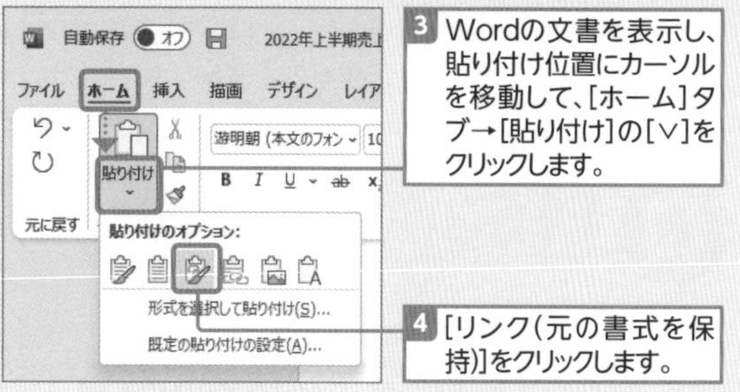

3 Wordの文書を表示し、貼り付け位置にカーソルを移動して、［ホーム］タブ→［貼り付け］の［∨］をクリックします。
貼り付けのオプション:
4 ［リンク（元の書式を保持）］をクリックします。

●第２四半期売上

□	4月	5月	6月	合計
第１営業部	2,000	2,058	1,693	5,751
第２営業部	2,753	4,601	4,245	11,599
計	4,753	6,659	5,938	17,350

5 Excelの表が書式を保ったままWordにリンク貼り付けされます。

Q1151 お役立ち度 ★★★ 他ソフトウェアとの連携

Excelとリンク貼り付けした表を更新するには

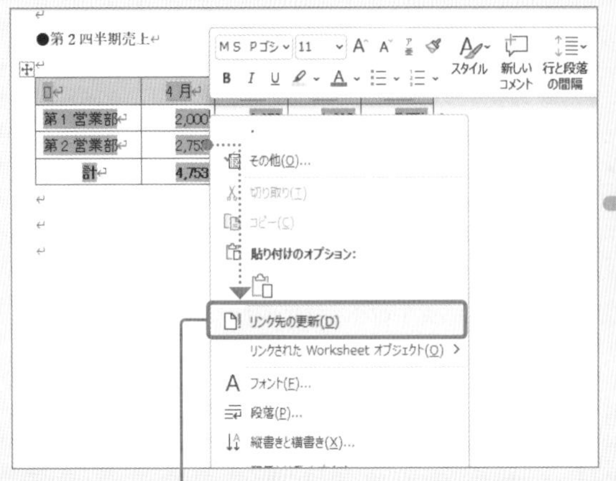

1 リンクしている表内で右クリックし、[リンク先の更新]をクリックします。

A [リンク先の更新]をクリックします。

リンク貼り付けした表のデータを、最新の状態にするには、リンクを更新します。

2 データが更新されます。

●第２四半期売上

	4月	5月	6月	合計
第1営業部	1,800	2,058	1,693	5,551
第2営業部	2,753	4,601	4,245	11,599
計	4,553	6,659	5,938	17,150

おトクな情報 キー操作で実行

リンクの更新：F9 キー

Q1152 お役立ち度 ★★★ 他ソフトウェアとの連携

Wordの文書を開こうとしたらリンクのメッセージが表示された！

A 更新するかしないか選択してください。

文書内に、他のファイルとリンクしているデータがある場合、文書を開こうとすると、更新するかどうかを確認するメッセージが表示されることがあります。開くときに更新するかどうかを[はい]、[いいえ]ボタンで選択します。[いいえ]をクリックしても文書を開いた後で更新できます。

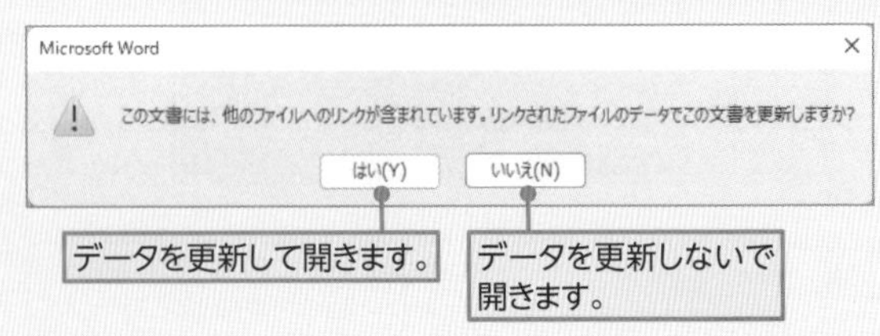

データを更新して開きます。

データを更新しないで開きます。

Q1153 お役立ち度 ★★★ 他ソフトウェアとの連携

リンク貼り付けした表をクリックすると、文字が灰色になる！

A フィールドが挿入されているためです。

リンク貼り付けした表のデータは、実際の文字ではなく、フィールドという記号で、リンク元のデータとのリンク式が実際には入力されており、その結果が表として表示されています。表内の文字上でクリックして Shift ＋ F9 キーを押すと、フィールドが表示され、リンク式が確認できます。再度 Shift ＋ F9 キーを押すと元に戻ります。

1 リンクされている表内でクリックして、Shift ＋ F9 キーを押します。

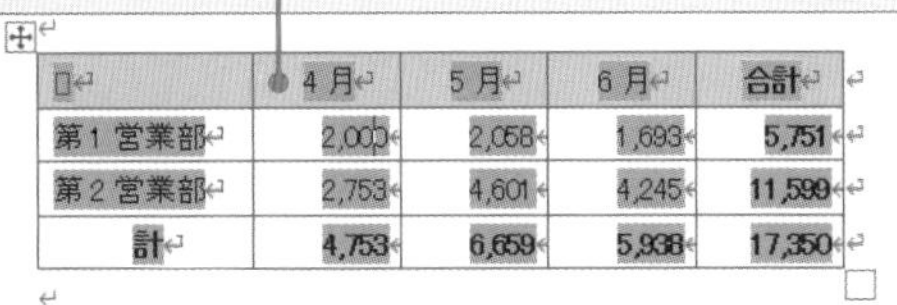

	4月	5月	6月	合計
第1営業部	2,000	2,058	1,693	5,751
第2営業部	2,753	4,601	4,245	11,599
計	4,753	6,659	5,938	17,350

2 フィールドが表示され、リンク式が確認できます。

3 再度 Shift ＋ F9 キーを押して元の表に戻します。

●第２四半期売上

{ LINK Excel.Sheet.12 "C:\\Users\\kunim\\Documents\\2022年上半期売上.xlsx" "第２四半期!R2C1:R5C5" \a \f 4 \h }

Q1154 お役立ち度 ★★★ 他ソフトウェアとの連携 2021 2019 2016

リンクの更新方法を変更したい!

A [リンクの設定] ダイアログで変更します。

[リンクの設定] ダイアログでは、リンクされている表を更新するタイミングを [自動更新]、[手動で更新]、[更新しない] の中から選択できます。[自動更新] 以外に設定すると、文書を開くときにリンクの更新の確認メッセージは表示されなくなります。

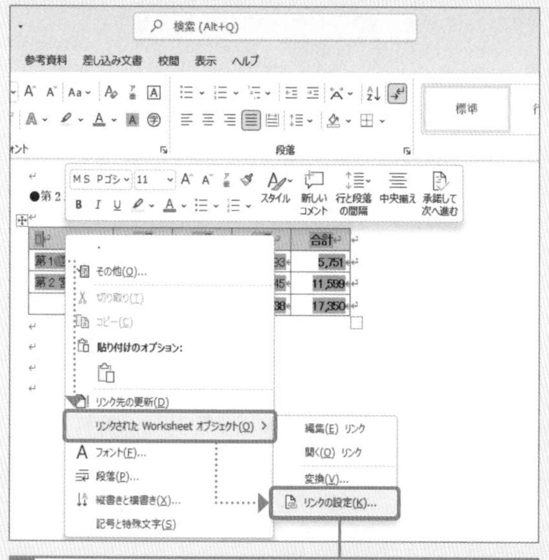

1 リンクされている表内で右クリックし、[リンクされたWorksheetオブジェクト]→[リンクの設定]をクリックします。

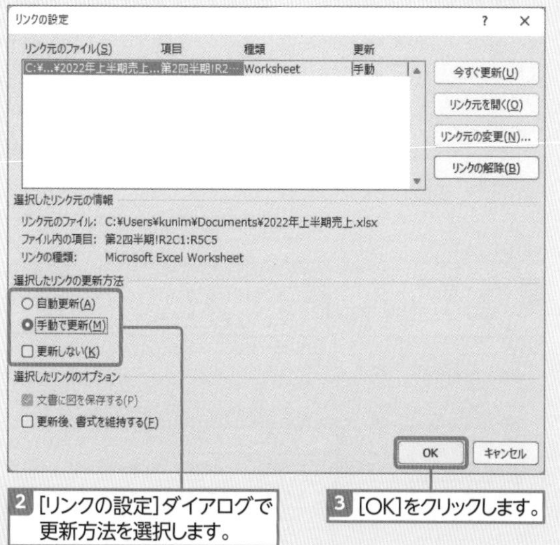

2 [リンクの設定]ダイアログで更新方法を選択します。

3 [OK]をクリックします。

Q1155 お役立ち度 ★★★ 他ソフトウェアとの連携 2021 2019 2016

リンクを解除したい!

A [リンクの設定] ダイアログで解除できます。

リンクされた表と元表のリンクを解除すると、元の表と関係なくデータの変更ができます。

1 Q1154の方法で[リンクの設定]ダイアログを表示します。

2 リンク元のファイルを選択し、[リンクの解除]をクリックします。

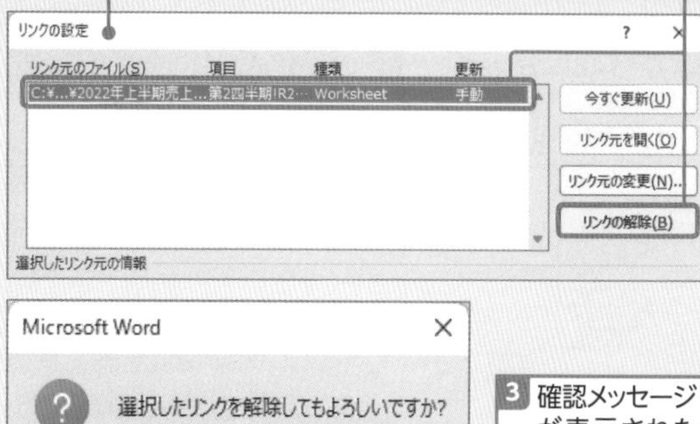

Microsoft Word

選択したリンクを解除してもよろしいですか?

はい(Y) いいえ(N)

3 確認メッセージが表示されたら、[はい]をクリックします。

4 リンクが解除され、Wordの表として自由にデータの変更ができます。

	4 月	5 月	6 月	合計
第 1 営業部	2,000	2,058	1,693	5,751
第 2 営業部	2,753	4,601	4,245	11,599
計	4,753	6,659	5,938	17,350

おトクな情報 リンク元の変更

[リンクの設定] ダイアログでは、リンク元のファイルを変更することもできます。リンク元のファイル名を変更したり、保存場所を変更したりした場合、リンクの更新ができなくなります。その場合は、[リンクの設定] ダイアログで [リンク元の変更] をクリックします。[リンク元の変更] ダイアログが表示されるので、ファイルの場所と名前を選択し、[開く] をクリックして、リンク元を修正してください。

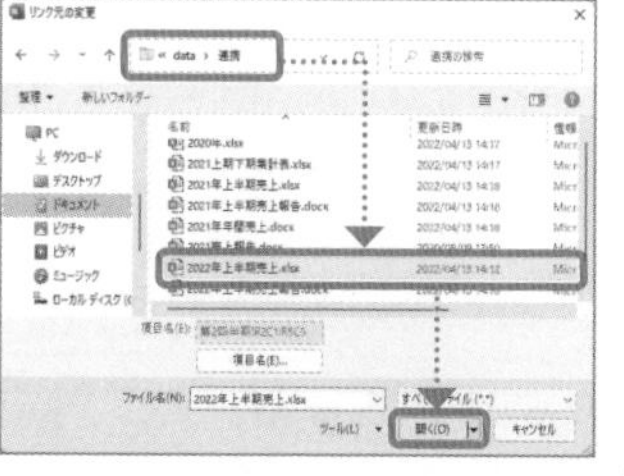

他ソフトウェアとの連携

Excelの表を図としてWordに貼り付けるには

A 貼り付け方法を［図］にします。

Excelで作成した表をWordに図として貼り付けると、自由な位置に配置したり、サイズ調整したりできます。Wordでは難しい、異なるサイズの表をきれいに並べて配置したいときに使うと便利です。なお、データの変更があった場合は、再度貼り付け直す必要があります。

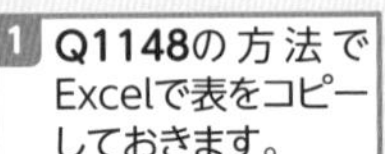

2 Wordの貼り付け先にカーソルを移動し、［ホーム］タブ→［貼り付け］の［∨］をクリックします。

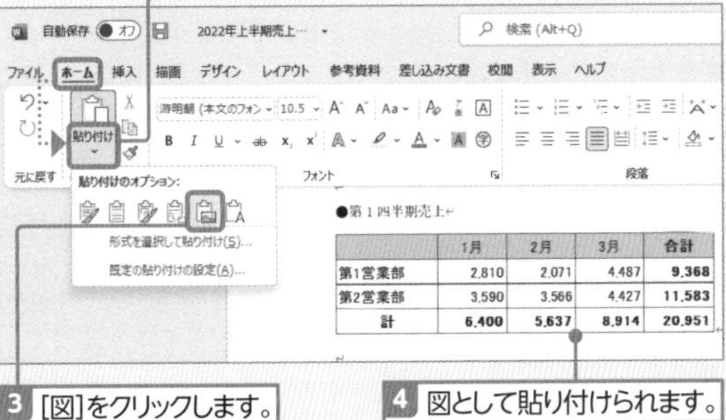

	1月	2月	3月	合計
第1営業部	2,810	2,071	4,487	9,368
第2営業部	3,590	3,566	4,427	11,583
計	6,400	5,637	8,914	20,951

3 ［図］をクリックします。

4 図として貼り付けられます。

Q1157 お役立ち度 ★★★

他ソフトウェアとの連携

2021
2019
2016

Excelの表を文字列としてWordに貼り付けるには

A 貼り付け方法を［テキストのみ保持］にします。

Q1156で貼り付ける方法を［テキストのみ保持］にすると、書式はすべて削除され、列の区切りにタブ、行末に改行が挿入された状態で文字列のみ貼り付けられます。

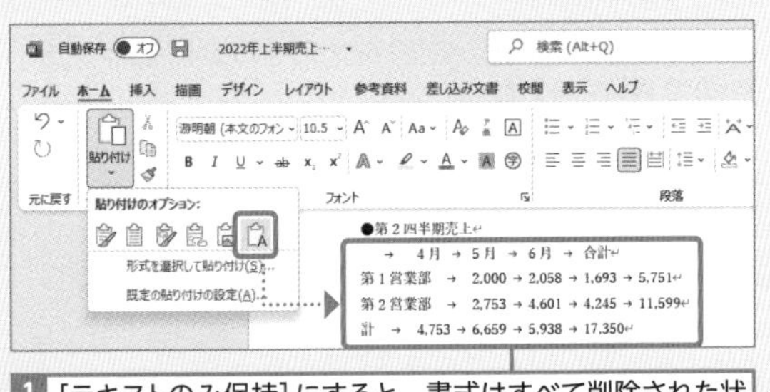

1 ［テキストのみ保持］にすると、書式はすべて削除された状態で貼り付けられます。

Q1158 お役立ち度 ★★★

他ソフトウェアとの連携

2021
2019
2016

Excelの表を元ブックと連携しないでワークシートとして取り込むには

A 「ワークシートオブジェクト」を埋め込みます。

Word文書内にExcelの表をワークシートオブジェクトとして貼り付けると、表を編集するときに、Wordの中でExcelを起動して編集できるようになります。数値や数式の変更があるなど、Excelで表を編集したほうが便利な場合は、この方法でWordに取り込むといいでしょう。

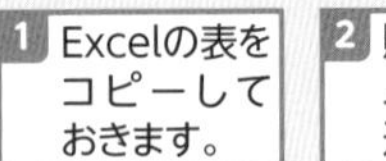

2 貼り付け先にカーソルを移動し、［ホーム］タブ→［貼り付け］の［∨］→［形式を選択して貼り付け］をクリックします。

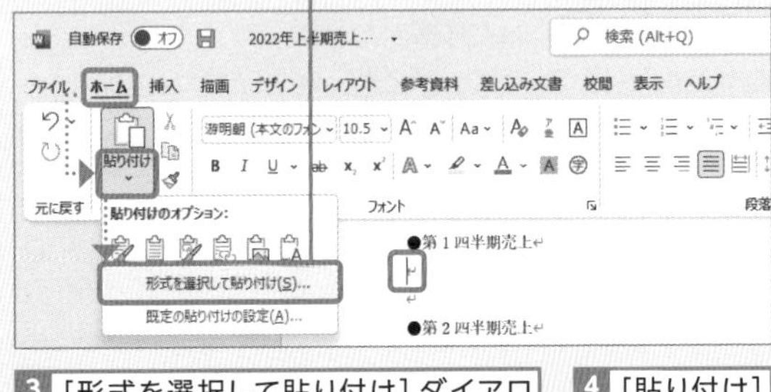

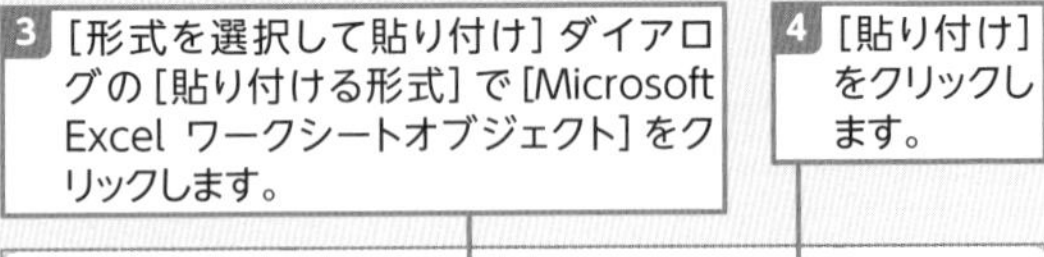

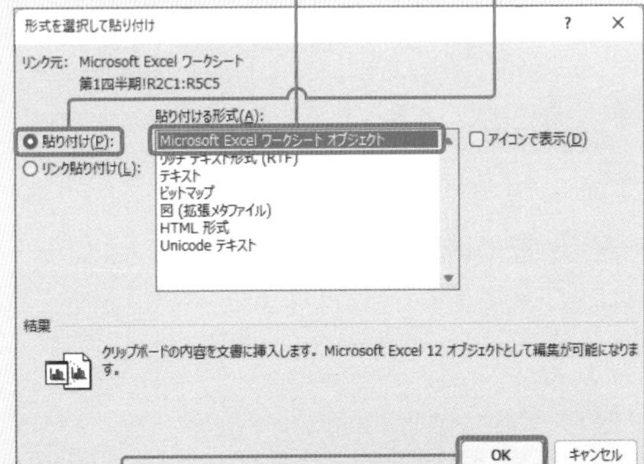

5 ［OK］をクリックします。

6 Excelの表がワークシートオブジェクトとして貼り付けられます。

●第１四半期売上

	1月	2月	3月	合計
第1営業部	2,810	2,071	4,487	9,368
第2営業部	3,590	3,566	4,427	11,583
計	6,400	5,637	8,914	20,951

Q1159 お役立ち度 ★★★ 他ソフトウェアとの連携 2021 2019 2016

文書内に埋め込んだ ワークシートオブジェクトを編集するには

A 表内でダブルクリックします。

Q1158の方法でワークシートオブジェクトとして貼り付けると、Wordの中でExcelを起動して編集できます。埋め込んだオブジェクトは、元のExcelの表とは関連がないので別データとして編集されます。

1 Word内に埋め込まれたExcelのワークシートオブジェクトをダブルクリックします。

●第１四半期売上

	1月	2月	3月	合計
第1営業部	2,810	2,071	4,487	9,368
第2営業部	3,590	3,566	4,427	11,583
計	6,400	5,637	8,914	20,951

2 表内にワークシートが表示され、Excelのリボンが表示されて、Excelと同様に編集できます。

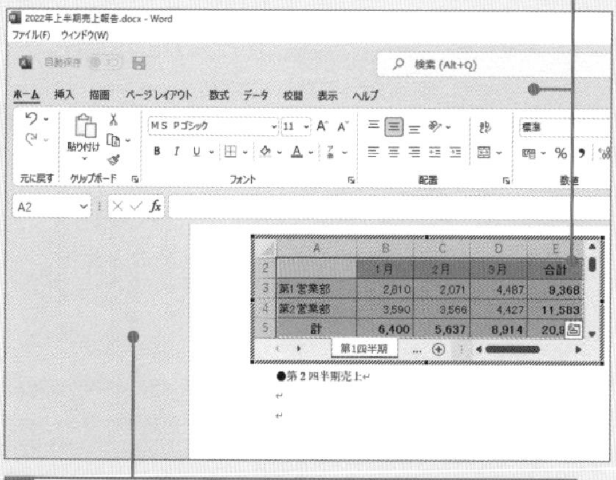

3 Wordの文書内でクリックすると、元の画面に戻ります。

おトクな情報 OLE機能

Excelの表をWord文書に、ワークシートオブジェクトとして貼り付けたり（Q1158）、リンク貼り付けたりしたときに（Q1160）、貼り付けた表をダブルクリックすると、Wordの中でExcelが起動して編集できます。このような機能、仕組みのことをOLE（Object Linking and Enbedding:オブジェクトのリンクと埋め込み）といいます。

Q1160 お役立ち度 ★★★ 他ソフトウェアとの連携 2021 2019 2016

Excelの表を元ブックと連携して ワークシートとして取り込むには

A 「ワークシートオブジェクト」をリンク貼り付けします。

ワークシートオブジェクトとしてリンク貼り付けすると、Wordの中に貼り付けた表を編集するときに、元のExcelブックが開き、編集できます。

1 Excelの表をコピーしておきます。

2 貼り付け先にカーソルを移動し、［ホーム］タブ→［貼り付け］の［∨］→［形式を選択して貼り付け］をクリックします。

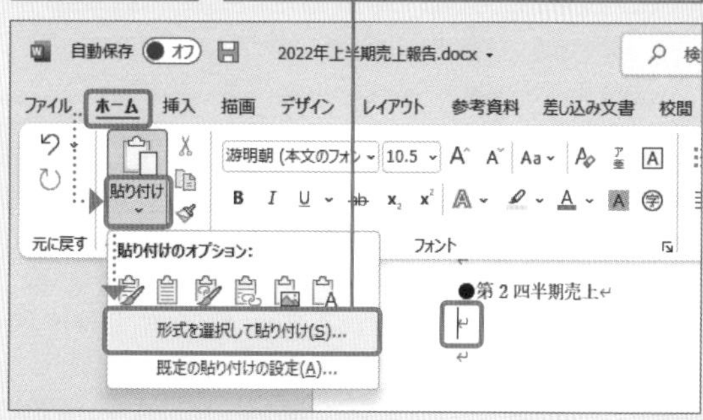

3 ［形式を選択して貼り付け］ダイアログの［貼り付ける形式］で［Microsoft Excel ワークシートオブジェクト］をクリックします。

4 ［リンク貼り付け］をクリックします。

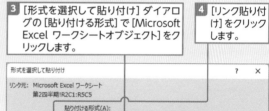

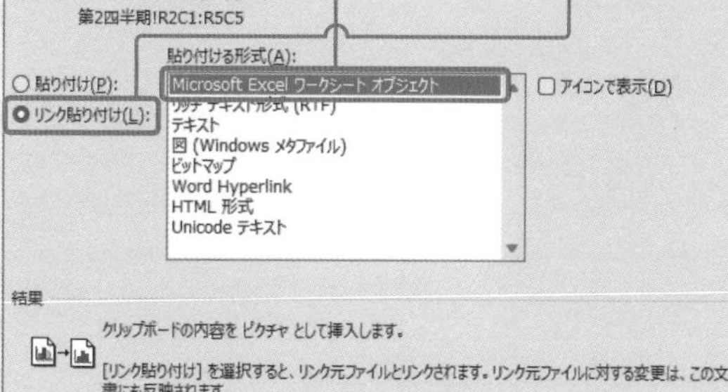

5 ［OK］をクリックします。

6 Excelの表がワークシートオブジェクトとしてリンク貼り付けられます。

●第２四半期売上

	4月	5月	6月	合計
第1営業部	2,000	2,058	1,693	5,751
第2営業部	2,753	4,601	4,245	11,599
計	4,753	6,659	5,938	17,350

Q1161 お役立ち度 ★★★ 他ソフトウェアとの連携

文書内に元ファイルとリンクしたワークシートオブジェクトを編集するには

A 表内でダブルクリックして元のExcelファイルを開きます。

Q1160の方法でワークシートオブジェクトとしてリンク貼り付けした表は、元のExcelファイルとリンクしています。表内でダブルクリックすると、表が保存されている元のExcelファイルが開き、直接編集できます。

1 Word内にリンクしたExcelのワークシートオブジェクトをダブルクリックします。

●第２四半期売上

	4月	5月	6月	合計
第1営業部	2,000	2,058	1,693	5,751
第2営業部	2,753	4,601	4,245	11,599
計	4,753	6,659	5,938	17,350

2 貼り付け元のブックが開きます。編集し、保存して閉じます。

	4月	5月	6月	合計
第1営業部	2,000	2,058	1,693	5,751
第2営業部	2,753	4,601	4,245	11,599
計	4,753	6,659	5,938	17,350

Q1162 お役立ち度 ★★★ 他ソフトウェアとの連携

Excelのグラフの貼り付け方の種類が知りたい!

A 5種類あります。

ExcelのグラフをWordの文書に貼り付ける場合、元のExcelのデータと連携しないで貼り付ける方法（埋め込み）と、連携して貼り付ける方法（リンク）があります。

1 Excelのグラフをクリックします。

2 [ホーム] タブ→ [コピー] をクリックします。

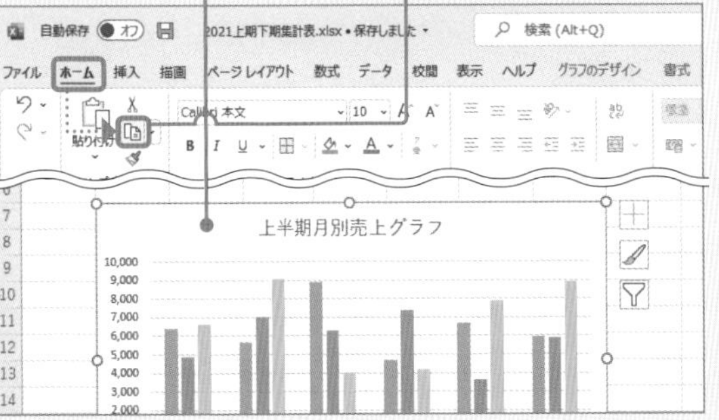

3 Word文書でグラフの貼り付け先にカーソルを移動し、[ホーム] タブ→ [貼り付け] の [∨] をクリックします。

4 貼り付けの種類をクリックします。

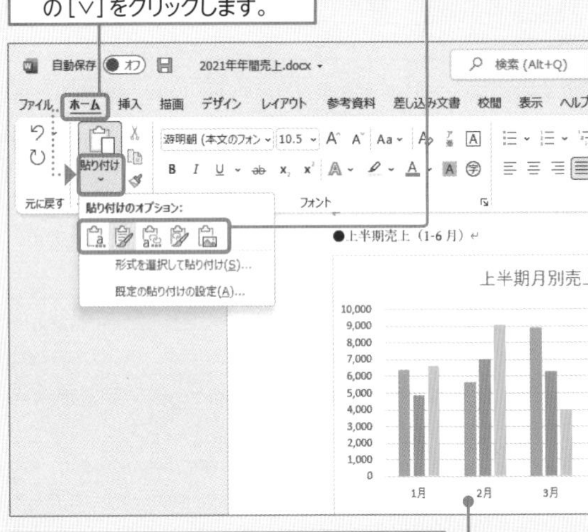

5 指定した形式でグラフが貼り付けられます。

●Excel のグラフの貼り付けのオプション

種類	ボタン	内容
貼り付け先のテーマを使用しブックを埋め込む		Excelの書式を削除し、Wordのテーマで埋め込む
元の書式を保持しブックを埋め込む		Excelの書式をそのまま、文書に埋め込む
貼り付け先テーマを使用しデータをリンク		Excelの書式を削除し、Wordのテーマで、Excelと連携された状態で貼り付ける（[貼り付け] ボタンクリック時の貼り付け方法）
元の書式を保持しデータをリンク		Excelの書式のまま、Excelと連携された状態で貼り付ける
図		Excelの書式のまま図として貼り付ける

おトクな情報　グラフの編集とデータの更新

Wordに貼り付けたグラフを編集する場合、グラフを選択すると表示される [グラフツール] の [デザイン] タブと [書式] タブのボタンを使います。また、リンクしたグラフのデータを更新する場合は、[グラフツール] の [デザイン] タブ→ [データの更新] をクリックします。

お役立ち度 ★★★

他ソフトウェアとの連携

2021 2019 2016

テキストデータをExcelで読み込んだら「001」が「1」になった!

A テキストファイルウィザードでデータ型を指定しましょう。

Excelでテキストファイルを開こうとすると、テキストファイルウィザードが起動します（Q1106）。データをセルに表示するときに、数値とみなされる文字列は数値、日付とみなされる文字列は日付に変換されます。「001」のような数字は数値とみなされ「1」と表示されてしまうため、ウィザード内でデータ型を指定する画面で対象の列を［文字列］に指定すれば、元のデータの形を壊さずに取り込めます。

1 Excelで［ファイルを開く］ダイアログを表示し、ファイルの種類で［テキストファイル］を選択します。

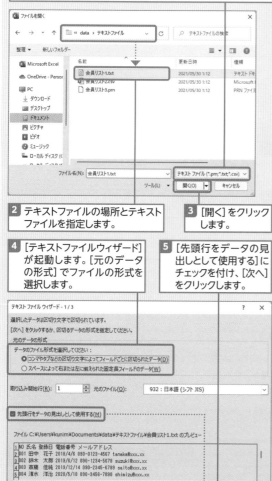

2 テキストファイルの場所とテキストファイルを指定します。

3 ［開く］をクリックします。

4 ［テキストファイルウィザード］が起動します。［元のデータの形式］でファイルの形式を選択します。

5 ［先頭行をデータの見出しとして使用する］にチェックを付け、［次へ］をクリックします。

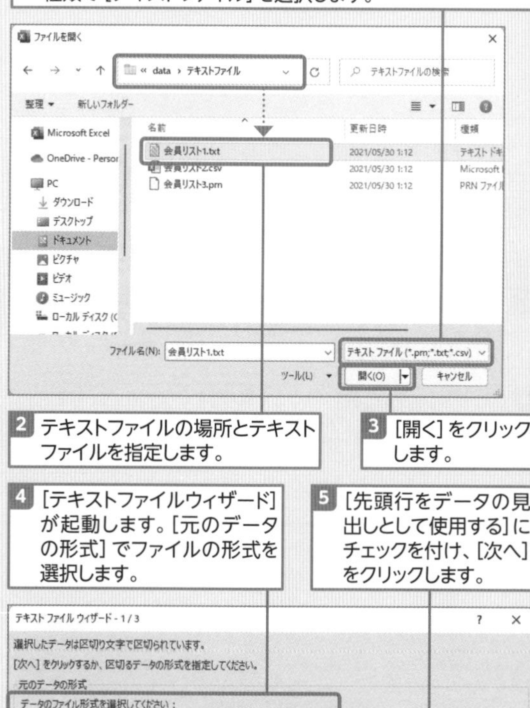

6 区切り文字を選択し、［次へ］をクリックします。

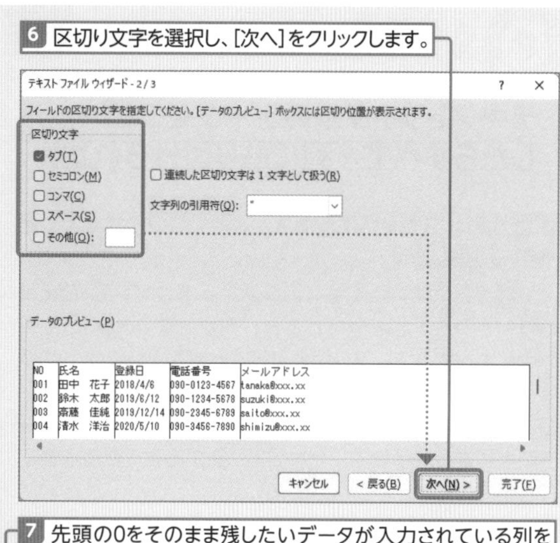

7 先頭の0をそのまま残したいデータが入力されている列をクリックします（ここでは［NO］）。

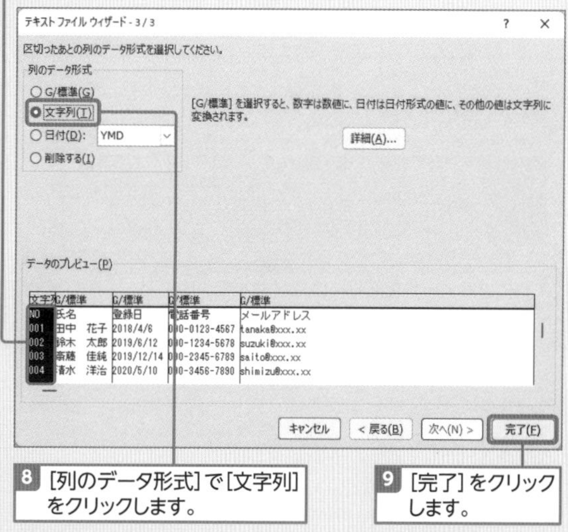

8 ［列のデータ形式］で［文字列］をクリックします。

9 ［完了］をクリックします。

10 NO列のデータ型が文字列となり、「001」と表示されます。

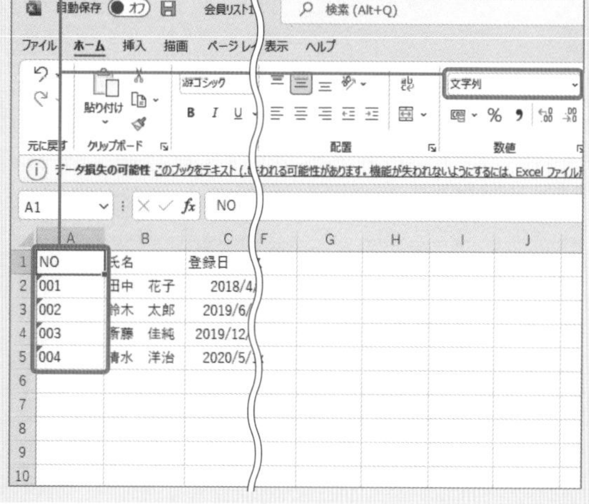

Q1164 お役立ち度 ★★★ 他ソフトウェアとの連携 2021 2019 2016

テキストファイルのデータをコピーしたらすべて1列に貼り付けられた!

A 貼り付け後に「テキストファイルウィザード」を起動します。

メモ帳などに開いたテキストファイルをコピーし、Excelのワークシートに貼り付けると、列が区切られずに、1列の中にすべてのデータが貼り付けられてしまいます。この場合、貼り付け後にテキストファイルウィザードを起動して、画面の指示に従って操作すれば、列を区切ったり、データ型を指定したりして、セルにデータを正しく表示させることができます。

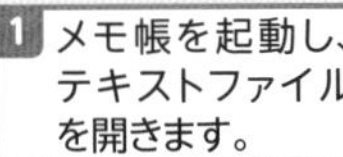

1 メモ帳を起動し、テキストファイルを開きます。

2 Ctrl + A キーを押してすべて選択し、Ctrl + C キーを押してコピーします。

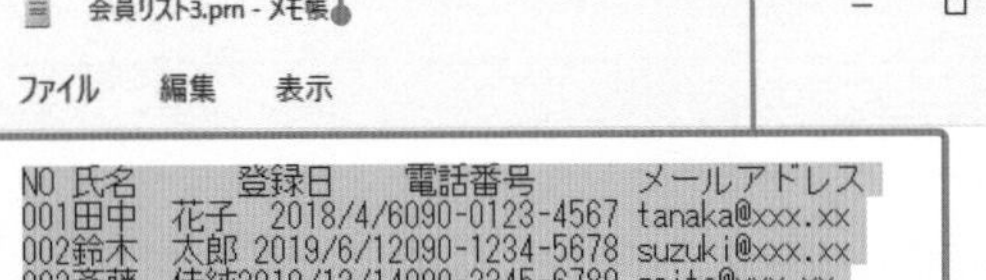

3 Excelでデータを貼り付けたいセルをクリックし、Ctrl + V キーを押して貼り付けます。

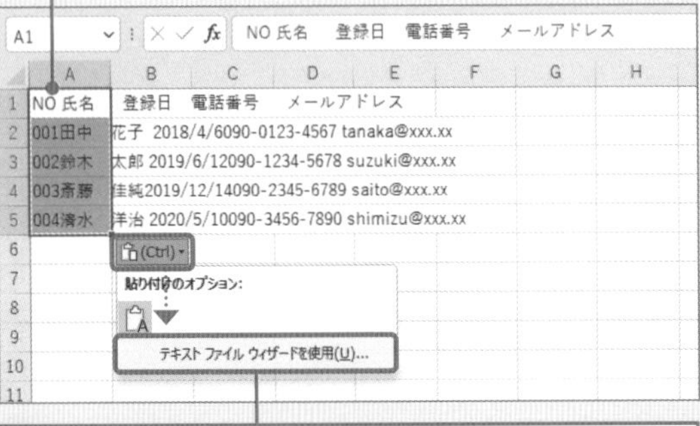

4 [貼り付けのオプション]→[テキストファイルウィザードを使用]をクリックして、テキストファイルウィザードを起動し、画面の指示に従って設定します(Q1163)。

5 テキストファイルウィザードが完了すると、各列にデータが表示されます。

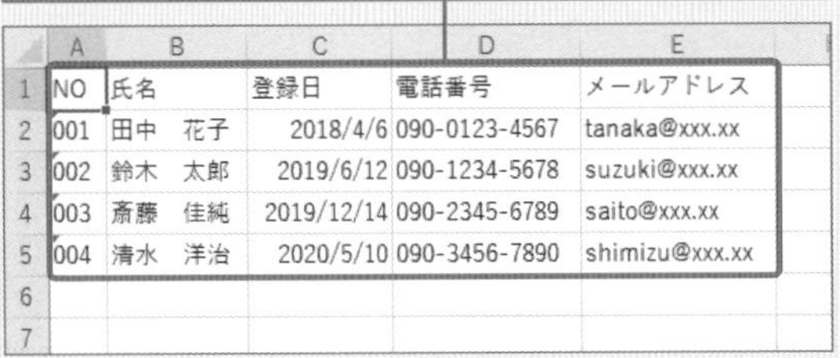

NO	氏名	登録日	電話番号	メールアドレス
001	田中 花子	2018/4/6	090-0123-4567	tanaka@xxx.xx
002	鈴木 太郎	2019/6/12	090-1234-5678	suzuki@xxx.xx
003	斎藤 佳純	2019/12/14	090-2345-6789	saito@xxx.xx
004	清水 洋治	2020/5/10	090-3456-7890	shimizu@xxx.xx

Q1165 お役立ち度 ★★★ 他ソフトウェアとの連携 2021 2019 2016

CSVファイルはどうしたらいいの?

A メモ帳で読み込んでテキスト形式(.txt)で保存し直します。

CSVファイルは、Excelで開くとテキストファイルウィザードが起動せず、区切りのカンマ(,)が列区切りとなり直接ワークシートに読み込まれます。そのため、読み込む前にデータ型の指定ができません。対策としては、メモ帳でCSVファイルを開き、テキスト形式(.txt)で保存し直してから、Excelで開いてテキストウィザードを起動します。または、Q1164の手順でもできます。

1 メモ帳を起動し、[ファイル]タブ→[開く]をクリックして[開く]ダイアログを開きます。

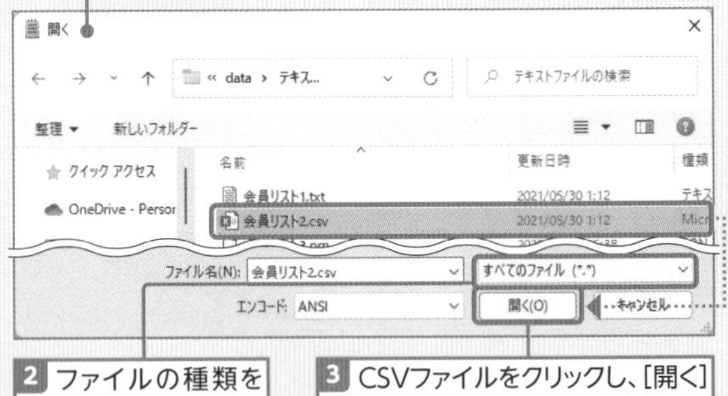

2 ファイルの種類を[すべてのファイル]に変更します。

3 CSVファイルをクリックし、[開く]をクリックすると、CSV形式のテキストファイルが開きます。

4 [ファイル]タブ→[名前を付けて保存]をクリックして[名前を付けて保存]ダイアログを表示します。

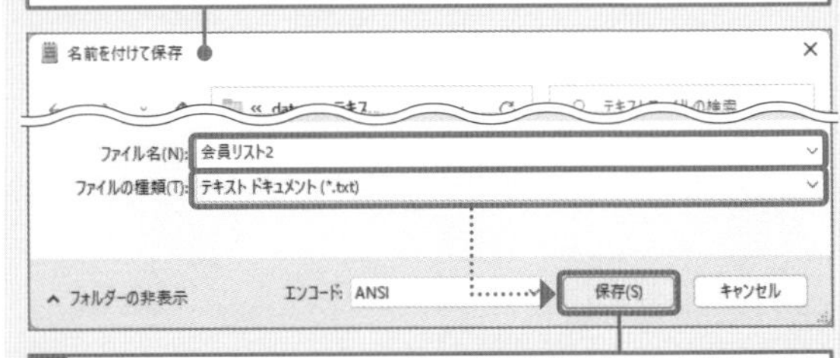

5 ファイル名を指定し、ファイルの種類が[テキスト文書]であることを確認し、[保存]をクリックします。

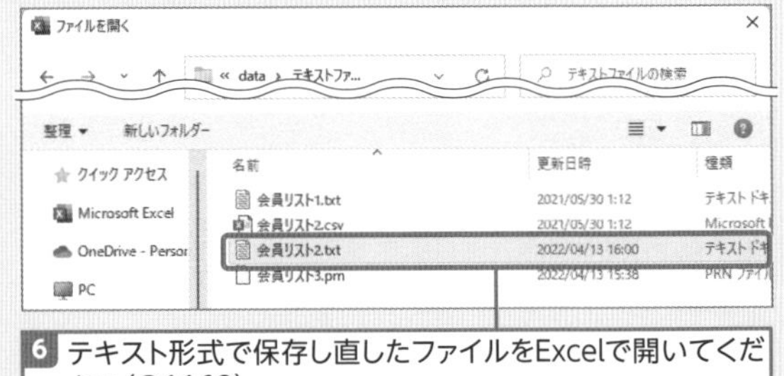

6 テキスト形式で保存し直したファイルをExcelで開いてください(Q1163)。

Q 1166 お役立ち度★★★ スマホ・タブレット 2021 2019 2016

WordやExcelが入っていないタブレットでファイルを編集できるの?

A 「Word Online」「Excel Online」で編集できます。

Webブラウザー上でOneDriveにサインインすると、ExcelやWordが入っていないタブレットのようなデバイスでも「Word Online」や「Excel Online」を使ってWebブラウザー上でOneDriveに保存されたファイルを開き、編集が行えます。ただし、使用できる機能に制限はあります。

1 WebブラウザーでOneDrive内に保存されているファイルを表示し、編集したいファイル(ここではExcelファイル)をクリックします。

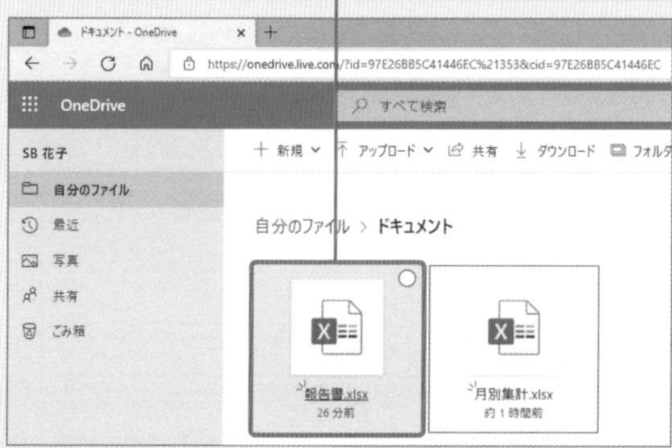

2 Excel OnlineでExcelファイルが開きます。Web上で編集ができます。

3 編集が終了したら、タブの[×]をクリックして閉じます。

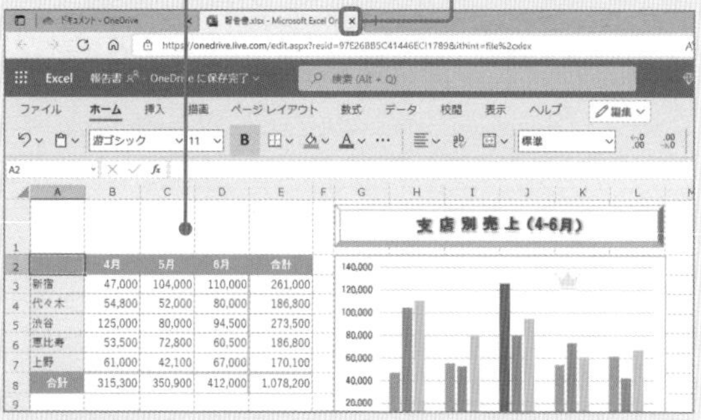

おトクな情報 Microsoft OneDriveアプリから開く

App StoreまたはGoogle PlayからMicrosoft OneDriveアプリをインストールすると、OneDriveアプリからOneDriveに接続し、保存されているファイルを開くことができます。Microsoft Wordアプリ、Microsoft Excelアプリをインストールすれば編集できます。

Q 1167 お役立ち度★★★ スマホ・タブレット 2021 2019 2016

スマホでExcelのブックやWordの文書を開くには

A Microsoft OneDriveアプリを使います。

iPhoneはApp Store、AndroidはGoogle PlayからMicrosoft OneDriveアプリ(無料)をインストールし、OneDriveにMicrosoftアカウントでサインインすれば、スマートフォンからOneDrive内のファイルを開いたり、編集したりできます。

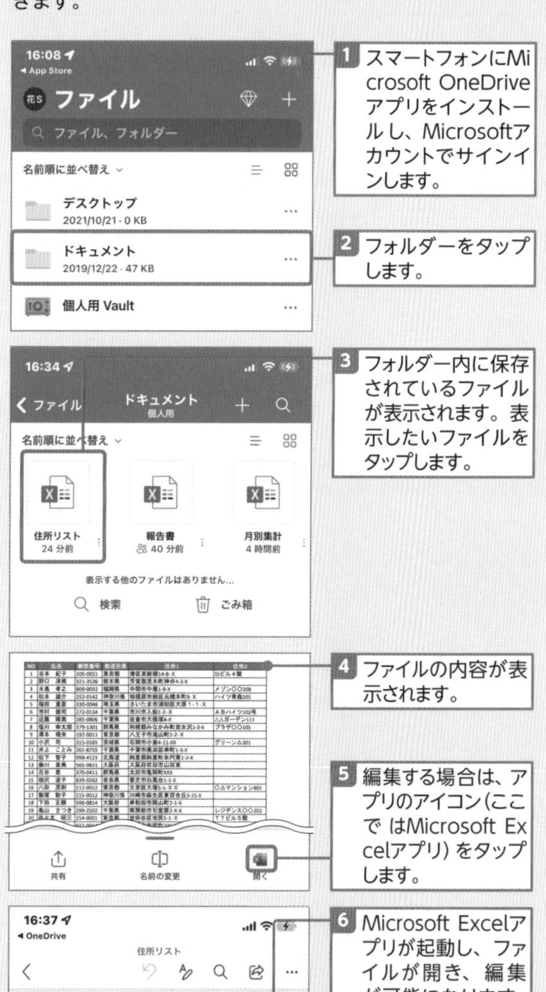

1 スマートフォンにMicrosoft OneDriveアプリをインストールし、Microsoftアカウントでサインインします。

2 フォルダーをタップします。

3 フォルダー内に保存されているファイルが表示されます。表示したいファイルをタップします。

4 ファイルの内容が表示されます。

5 編集する場合は、アプリのアイコン(ここでは Microsoft Excelアプリ)をタップします。

6 Microsoft Excelアプリが起動し、ファイルが開き、編集が可能になります。Microsoft Excelアプリがインストールされていない場合はインストールする必要があります。

Word & Excel 使用時に使えるショートカットキー

WordやExcelの使用時に知っておくと便利なショートカットキーを用途別にまとめました。たとえば、新規ブックを作成するときに使用する Ctrl + N とは、Ctrl キーを押しながら N キーを押すことです。

●共通：文書やブックの操作

ショートカットキー	操作内容
Ctrl + N	白紙の文書、空白ブックを作成する
Ctrl + O	［開く］画面を表示する
Ctrl + F12	［ファイルを開く］ダイアログを表示する
Ctrl + S	文書やブックを上書き保存する
F12	［名前を付けて保存］ダイアログを表示する
Ctrl + W	アプリを終了せずに文書・ブックを閉じる
Alt + F4	文書・ブックを閉じる／アプリを終了する
Ctrl + P	［印刷］画面を表示する
Ctrl + Z	直前の操作を取り消して元に戻す
Ctrl + Y	元に戻した操作をやり直す
F4	直前の操作を繰り返す
ESC	現在の操作を取り消す

●共通：ウィンドウの操作

ショートカットキー	操作内容
Ctrl + F1	リボンの表示／非表示を切り替える
⊞ + ↑	ウィンドウを最大化する
⊞ + ↓	ウィンドウの大きさを元に戻す
⊞ + ↓	ウィンドウを最小化する
⊞ + ↓ キーを何度か押す	複数のウィンドウを順に最小化する
⊞ + D	複数のウィンドウをまとめて最小化する／元に戻す
Ctrl + マウスのホイールを奥に回す	拡大表示する
Ctrl + マウスのホイールを手前に回す	縮小表示する
Ctrl + F6	文書・ブックを切り替えて表示する

●共通：文字入力・書式設定

ショートカットキー	操作内容
半角／全角	日本語入力モードのオン／オフを切り替える
Ctrl + C	選択した内容をクリップボードにコピーする
Ctrl + X	選択した内容をクリップボードに切り取る
Ctrl + V	クリップボードの内容を貼り付ける

● Word：カーソルの移動

ショートカットキー	操作内容
Home	現在カーソルのある行の行頭に移動する
End	現在カーソルのある行の行末に移動する
PageUp	1画面上にスクロールする
PageDown	1画面下にスクロールする
Ctrl ＋ PageUp	前ページの先頭に移動する
Ctrl ＋ PageDown	次ページの先頭に移動する
Ctrl ＋ →、←	単語単位で移動する
Ctrl ＋ ↑、↓	段落単位で移動する
Ctrl ＋ Home	文書の先頭に移動する
Ctrl ＋ End	文書の末尾に移動する

● Word：画面の表示モード

ショートカットキー	操作内容
Alt ＋ Ctrl ＋ O	アウトライン表示
Alt ＋ Ctrl ＋ P	印刷レイアウト表示
Alt ＋ Ctrl ＋ N	下書き表示

● Word：範囲選択

ショートカットキー	操作内容
Shift ＋ ↑、↓、→、←	選択範囲を上下左右に拡大、縮小する
Shift ＋ ↓	行頭にカーソルがある状態でキーを押すと、行選択になる
Ctrl ＋ Shift ＋ ↓	段落の先頭にカーソルがある状態でキーを押すと、段落選択になる
Shift ＋ Home	現在のカーソル位置からその行の先頭までを選択する
Shift ＋ End	現在のカーソル位置からその行の末尾までを選択する
Ctrl ＋ Shift ＋ Home	現在のカーソル位置から文書の先頭までを選択する
Ctrl ＋ Shift ＋ End	現在のカーソル位置から文書の末尾までを選択する
Ctrl ＋ A	文書全体を選択する

● Word：書式設定

ショートカットキー	操作内容
Ctrl ＋ D	［フォント］ダイアログを表示する
Ctrl ＋ E、L、R	段落を中央揃え、左揃え、右揃えにする
Ctrl ＋ Space	文字書式を解除する
Ctrl ＋ Q	段落書式を解除する
Ctrl ＋ Shift ＋ C	書式をコピーする
Ctrl ＋ Shift ＋ V	書式を貼り付ける
Ctrl ＋ Shift ＋ N	標準スタイルを設定する
Ctrl ＋ Shift ＋ L	箇条書きを設定する

● Word：その他の操作

ショートカットキー	操作内容
Ctrl ＋ F	ナビゲーションウィンドウの検索ボックスを表示する
Ctrl ＋ H	［検索と置換］ダイアログの［置換］タブを表示する
Ctrl ＋ G ／ F5	［検索と置換］ダイアログの［ジャンプ］タブを表示する
Ctrl ＋ Alt ＋ M	コメントを挿入する
Shift ＋ Enter	行区切りを挿入する（段落内改行）
Ctrl ＋ Enter	ページ切りを挿入する

● Excel：シート

ショートカットキー	操作内容
Ctrl ＋ PageUp	左のシートに切り替える
Ctrl ＋ PageDown	右のシートに切り替える
Shift ＋ F11	新しいワークシートを挿入する
F11	グラフシートを挿入して標準グラフを作成する

● Excel：アクティブセルの移動

ショートカットキー	操作内容
Ctrl ＋ Home	セル A1 に移動する
↑、↓、→、←	上下左右に移動する
Tab	右隣に移動する
Shift ＋ Tab	左隣に移動する
Home	選択しているセルの A 列に移動する
PageUp	1 画面上方向にスクロールする
PageDown	1 画面下方向にスクロールする
Alt ＋ PageDown	1 画面右方向にスクロールする
Alt ＋ PageUp	1 画面左方向にスクロールする
Ctrl ＋ ↓	データが入力された範囲の下端のセルを選択する
Ctrl ＋ ↑	データが入力された範囲の上端のセルを選択する
Ctrl ＋ →	データが入力された範囲の右端のセルを選択する
Ctrl ＋ ←	データが入力された範囲の左端のセルを選択する
Ctrl ＋ End	表内で右下隅のセルを選択する

● Excel：範囲選択

ショートカットキー	操作内容
Ctrl ＋ Shift ＋ ：	アクティブセル領域を選択する
Shift ＋ Space	ワークシートの行全体を選択する
Ctrl ＋ Space	ワークシートの列全体を選択する
Ctrl ＋ Shift ＋ ↓	データが入力された範囲の下端のセルまでを選択する
Ctrl ＋ Shift ＋ ↑	データが入力された範囲の上端のセルまでを選択する
Ctrl ＋ Shift ＋ →	データが入力された範囲の右端のセルまでを選択する
Ctrl ＋ Shift ＋ ←	データが入力された範囲の左端のセルまでを選択する
Ctrl ＋ A	表全体、ワークシート全体を選択する

● Excel：入力・書式設定

ショートカットキー	操作内容
F2	セル内の文字列の末尾にカーソルを表示する
Ctrl ＋ Delete	セル内で行末までの文字を削除する
Alt ＋ Enter	セル内で改行する
Ctrl ＋ D	上のセルと同じ内容を入力する
Ctrl ＋ R	左のセルと同じ内容を入力する
Ctrl ＋ Enter	複数のセルに同じデータを入力する
Ctrl ＋ Shift ＋ Enter	数式を配列数式として入力する
F4	数式入力中にセル参照を絶対参照、複合参照、相対参照に切り替える
Shift ＋ F3	［関数の挿入］ダイアログを表示する
Ctrl ＋ Alt ＋ V	［形式を選択して貼り付け］ダイアログを表示する
Ctrl ＋ 1	［セルの書式設定］ダイアログを表示する
Ctrl ＋ Shift ＋ &	外枠罫線を設定する
Ctrl ＋ Shift ＋ _	罫線を削除する

● Excel：その他の操作

ショートカットキー	操作内容
Ctrl ＋ F	［検索と置換］ダイアログの［検索］タブを表示する
Ctrl ＋ H	［検索と置換］ダイアログの［置換］タブを表示する
Ctrl ＋ G ／ F5	［ジャンプ］ダイアログを表示する
F9	開いているブックの再計算をする

Word & Excel 用語集

WordとExcelを使用する際によく使われる用語を紹介しています。すべてを覚える必要はありません。必要なときに確認してみてください。WordとExcelに共通するもの、主にWordで使用されるもの、主にExcelで使用されるものの順に記します。

共通用語

アルファベット

3Dモデル

3次元の立体感のある画像のことです。文書やワークシートに挿入後、ドラッグで立体的に回転させることができます。

Backstageビュー

［ファイル］タブをクリックすると表示されるメニュー画面です。ファイルを開く、保存するなど、ファイルに関する操作が行えます。

Microsoft Search

キーワードを入力して使える機能や解説を調べたり、ドキュメント内で検索したりできる機能です。Office 2019以前では、「操作アシスト」と呼ばれています。

Microsoftアカウント

マイクロソフト社がユーザーを認証するためのアカウントです。サインインするとマイクロソフト社が提供するさまざまなサービスが受けられます。

OneDrive

マイクロソフト社が提供しているWeb上のデータ保存場所です。Microsoftアカウントを登録すると、無料で5GBまで使用できます。

SmartArt

リスト、手順、組織図などの図表を簡単に作成できる機能です。

VBA

Visual Basic for Applicationsというプログラミング言語です。ExcelやWordなどで処理を自動化するマクロを作成するときに使用します。

暗号化

パスワードを知っているユーザーしかファイルを開くことができないように保護することです。

あ

アイコン

パソコンや、人、動物、食べ物など、さまざまな事象を単純化して表したイラストです。

インクツール

文書内に手書きでマーカーや文字を書き込んだりできる機能です。Office 2019以降、Microsoft 365では手書きで書いた四角形や矢印などを図形に変換することもできます。

インポート

他のアプリで作成したファイルを、使用できるように変換して開くことです。

ウィザード

対話形式で画面の指示に従って操作するだけで設定ができる機能です。例えば、Excelでは「テキストファイルウィザード」、Wotdでは「はがき宛名面印刷ウィザード」などがあります。

エクスポート

データを他のアプリで使用できるように変換して出力することです。

エンコード

パソコンの画面に文字として表示されるものは、実際のデータ上では数値として保存されており、パソコンの内部の働きで、数値が表示可能な文字に変換されます。エンコードとは、この各文字を数値に割り当てる番号体系のことをいいます。

オートコレクト

入力した文字列を自動で修正する機能です。例えば、英単語の1文字目を大文字にしたり、スペルミスを自動で修正したりします。

オートコレクトのオプション

オートコレクトの機能により自動修正された文字列をポイントすると表示されるボタンです。クリックして表示されるメニューで、修正前の状態に戻したり、オートコレクトの機能をオフにしたり、オートコレクトの設定画面を表示したりできます。

オブジェクト

図形や写真、ワードアート、SmartArt、グラフなど文字以外に挿入できるデータのことです。

か

拡張子

ファイル名の後ろに続く「.」（ピリオド）以降の文字列で、ファイルの種類を表しています。Office 2007以降でWordは「.docx」、Excelは「.xlsx」で、Office 2003以前ではそれぞれ「.doc」、「.xls」です。

拡張モード

クリックだけでセル範囲を広げられる機能です。F8キーを押すと拡張モードになり、ESCキーを押すと解除できます。

関数

計算方法があらかじめ定義されている数式です。選択範囲の合計を求めるSUM関数や平均値を求めるAVERAGE関数などがあります。

共同編集

OneDriveに保存されたファイルを複数のユーザーで共有し、同時に編集できる機能です。

禁則処理

「ー」（長音）や「、」や「。」のような記号が行頭に表示されないようにしたり、「(」などが行末に表示されないように設定する機能のことです。

クイックアクセスツールバー

タイトルバーの左端に表示される、小さなボタンが並んでいる部分です。ボタンを自由に追加することができます。

クリップボード

［コピー］、［切り取り］を実行したときにデータが一時的に保管される場所です。

互換性チェック

以前のバージョンで使えない機能をチェックする機能です。

コンテキストタブ

オブジェクトを選択したり、表内にカーソルがあるときなど、特別な場合に表示されるタブです。選択している図形などのオブジェクトや表に関するリボンが用意されています。

さ

自動保存

MicrosoftアカウントでサインインしOneDriveにファイルが保存されている場合、そのファイルの編集中に変更があると自動的に上書き保存される機能です。

ジャンプ

Wordでは指定したページやブックマークなど指定した位置に移動する機能です。Excelではアクティブセルを移動したり、セルに入力されている値や書式を指定して、該当するセルを選択したりする機能です。

ショートカットアイコン

ファイルやアプリを開くためのアイコンです。ダブルクリックすると、ファイルやアプリを開くことができます。ショートカットアイコンには、矢印が付いています。

ショートカットメニュー

マウスを右クリックしたときに表示されるメニューです。右クリックした位置の近くにメニューが表示されるので素早く機能を選択できます。

書式

選択した文字列や段落に対して見栄えを変更する設定です。例えば、フォント、フォントサイズ、太字、文字色や配置などがあります。

スクリーンショット

パソコンに表示されている画面を画像データにしたものです。［挿入］タブの［スクリーンショット］で画面の全体または一部を画像として文書内に取り込むことができます。

スタイル

Wordではフォントや文字サイズなどの文字書式や配置などの段落書式を組み合わせて登録したものをいいます。Excelではセルの塗りつぶしの色や文字の色などの組み合わせを登録したものをいいます。

た

ダイアログ（ダイアログボックス）

複数の機能をまとめて指定できる設定用の画面です。［OK］をクリックすると指定した設定が実行され、画面が閉じます。表示中は、編集の作業はできません。

データベース

特定のテーマに沿って集められたデータのことです。リストともいいます。

テーマ

フォント、配色、図形などの効果の組み合わせを登録したもののことです。テーマを適用すると、全体のデザインを一括して変更することができます。

テキストボックス

任意の位置に文字列を配置できる図形の一つです。横書き用と縦書き用のテキストボックスがあります。

テンプレート

文書やブックのひな型のことです。あらかじめ文字や表、イラストなどが設定されており、文字などを入力するだけで簡単に文書や表が作成できます。

ドキュメント検査

コメントや個人情報など指定した内容がファイルに保存されていないか検査する機能です。

な

並べ替え

データを並べ替えることです。並べ替えの基準になるフィールドを選択し、昇順（小さい順）または降順（大きい順）で並べ替えられます。

入力オートフォーマット

入力された文字によって自動的に文字が変換、追加されたり、書式が設定されたりする機能です。例えば、URLを入力すると自動的にハイパーリンクが設定されます。

は

ハイパーリンク

別ファイルやWebページのリンク情報が含まれている文字列です。クリックすると、そのリンク先が開き、参照できます。

パスワード

「読み取りパスワード」または「書き込みパスワード」が設定されているファイルに設定されている秘密の文字列のことです。パスワードを知っているユーザーのみファイルを開いたり、編集内容を上書き保存したりできます。

バックアップファイル

ファイルやフォルダー内に保存されているファイルを別の場所にコピーしたものです。元のファイルに何らかの不具合が生じたときに、復元用に予備として用意します。

貼り付けオプション

データをコピーして貼り付けた直後に表示されるボタンです。ここをクリックして貼り付ける形式を後から変更できます。

ハンドル

図形や画像などのオブジェクトを選択したときに表示されるつまみのことです。オブジェクトの周囲に表示される白いハンドルをドラッグするとサイズ変更できます。

ファイルのプロパティ

ファイルの作成者やタイトル、更新日や印刷日など、ファイルに関する情報のことをいいます。

表示モード

WordやExcelの編集画面の種類です。標準では、Wordは「印刷レイアウト」ビュー、Excelは「標準」ビューで表示されます。

フィールド

Wordでは特定のデータを表示する領域です。フィールドには、フィールドコードと呼ばれる式が挿入されており、フィールドコードの内容に対応したデータが表示されます。例えば、自動的に更新される日付や計算式、差し込みデータなどのデータはフィールドとして挿入されます。Excelではデータベースの列をフィールドと呼びます。

フォント

書体のことです。Word 2016以降は「游明朝」、Excel 2016以降は「游ゴシック」が標準のフォントになっています。

フォントサイズ

文字の大きさのことです。ポイント単位（1ポイント=約0.35ミリ）で変更できます。

プロポーショナルフォント

文字の横幅に合わせて、文字間隔が調整されるフォントのことです。「MS P 明朝」「MS P ゴシック」など、フォント名にPが付きます。

ページ設定

用紙のサイズや向き、余白や1ページの行数や文字数など、ページ全体に対する設定です。

ま

マクロ

操作を自動化するためのプログラムのことです。WordやExcelではVBAというプログラミング言語を使って作成します。

ミニツールバー

よく使われるボタンが配置された小さなツールバーのことです。文字列や図形などを選択したときや、右クリックしたときに表示されます。

ら

リアルタイムプレビュー

メニューを表示して一覧から選択肢をポイントしたときに、設定後のイメージが表示される機能です。設定前に確認できるので、何度も選択し直す必要がありません。

レコード

データベースの1件のデータのことです。1行で1レコードとなります。

わ

ワイルドカード

任意の文字を代用する記号です。＊は0文字以上の任意の文字列、？は任意の1文字の代用として使用します。検索や条件式などで使用できます。

ワードアート

影や反射、立体など特殊効果を付けたり、文字を変形したりしてデザインされたオブジェクトのことです。チラシのタイトルなど目立たせたい文字列を強調し、効果的に見せることができます。

主にWordで使用される用語

アルファベット

IMEパッド

日本語入力システムに付属している機能です。漢字を手書き、総画数、部首などから検索し、文書内に入力できます。

Webレイアウト

Webブラウザーで文書を開いたときと同じイメージで表示される表示モードです。

あ

アウトライン（表示モード）

罫線や画像が省略され、文章のみが表示される表示モードです。章や節のような階層構造の見出しのある文書を作成する場合に便利です。

アンカー

文書に挿入された図形や写真などのオブジェクトを選択すると表示される錨（いかり）のマークです。

印刷レイアウト

標準の表示モードです。余白や画像などが印刷結果のイメージで表示されます。

インデント

文字の字下げのことです。行頭や行末の位置をずらして段落内の行の幅を変更できます。

閲覧モード

画面の幅に合わせて文字が折り返されて表示されるWordの表示モードです。画面で文書を表示するためのモードであり、編集はできません。

か

行間

前の行の文字の上端から、次の行の文字の上端までの間隔のことです。

行頭文字

箇条書きで文字列を入力するときに各行の先頭に表示する、「●」などの記号や「①、②、③」などの段落番号のことです。

均等割り付け

選択した文字列について、指定した文字数分の幅に均等に配置する機能です。例えば、4文字の文字列を5文字分の幅になるように揃えることができます。

クリックアンドタイプ

文書内の何も入力されていない空白の領域でダブルクリックするとその位置にカーソルが表示され、文字入力できる機能です。

グリッド線

図形などのオブジェクトを揃えたいときに目安として表示する線のことです。グリッド線は印刷されません。

罫線

文書内に引くことができる線のことです。行数と列数を指定して表を作成したり、ドラッグで引いたりできます。文字や段落に引く罫線、ページの周囲に引くページ罫線などがあります。

結語

手紙などの文書の末尾に記述する結びの言葉のことです。結語は文頭に記述する頭語と対になっており、例えば、頭語が「拝啓」の場合は「敬具」、「前略」の場合は「草々」を使います。

校正

誤字や脱字などを訂正して文書を修正する作業のことです。

コメント

文書に挿入するメモ書きのことです。複数の人で文書を校正する際に、意見などをコメントとして挿入してやり取りするのに使えます。

さ

差し込み印刷

宛先など別ファイルのデータを一つの文書内に差し込みながら印刷する機能です。はがき宛名印刷など、宛先を変えながら印刷したいときに使います。

下書き

余白や画像などが表示されず、文字入力や編集作業をするのに適している表示モードです。

セクション

ページ設定ができる単位となる文書内の区画のことです。任意の位置にセクション区切りを挿入して、文書を複数のセクションに分割することができます。

た

タブ

Tabキーを押したときに挿入される編集記号です。初期設定ではTabキーを1回押すと、行頭から全角4文字分空白が挿入されます。文書内で文字位置を揃えたいときに使います。

段組み

雑誌や新聞のように、文章を複数の段に分けて配置することです。段組みにすると、1行の文字数が短くなるので、読みやすくなります。

単語の登録

単語の読みと漢字の組み合わせを登録することです。漢字変換しづらい漢字を読みと一緒に登録しておくと、指定した読みで素早く変換できるようになります。

段落

段落記号から次の段落記号までの文章の単位のことです。

段落書式

選択している段落に対して設定できる書式のことです。中央揃え、箇条書き、インデント、行間などがあります。

頭語

手紙などの文書の冒頭に記述する言葉です。頭語を記述したら、必ず文書の最後に対になる結語を記述します。例えば、「拝啓」の場合は「敬具」、「前略」の場合は「草々」を使います。

特殊文字

文書に入力できる特殊な記号や文字のことです。例えば、「♬」のような絵文字やラテン文字、ギリシャ文字などがあります。

トリミング

画像の一部分を切り出すことです。画像の不要な部分を除いて、必要な部分だけを使いたいときに使います。

な

ナビゲーションウィンドウ

文書内に設定されている見出しを階層的に表示し、見出しをクリックするだけで文書内を移動できる機能です。文書内にある文字列などのデータを検索するときにも使用します。

は

はがき宛名面印刷ウィザード

画面の指示に従って対話形式で設定しながら、はがきに宛名印刷する設定ができる機能です。

プレースホルダー

文字を入力するためにあらかじめ用意されている枠組みです。Wordに用意されているテンプレートの中にはプレースホルダーが配置されているものがあります。クリックして文字を入力すると、プレースホルダーがその文字列に置き換わります。

変更履歴

文書内で変更した内容を記録する機能です。記録した内容を後で一つずつ確認しながら反映するか、削除するかを指定できます。

編集記号

段落記号やタブ記号、セクション区切りなど、Wordの文書中に挿入される編集用の記号のことです。編集記号は印刷されません。

ま

文字書式

選択している文字に対して設定できる書式です。フォント、フォントサイズ、太字、フォントの色などがあります。

文字列の折り返し

文書内に挿入した図形や画像に対する、文字列の配置方法です。文字列を画像の周囲に回り込ませたり、文字列の前面や背面に配置したり、いろいろな設定ができます。

ら

リーダー線

タブによって文字と文字の間に挿入された空白を埋める線のことです。

ルーラー

Wordの編集画面の上部と左側に表示される目盛りです。

ルビ

選択した文字列の上に小さくふりがなを表示する機能です。

主にExcelで使用される用語

アルファベット

3Dマップ

国別や都道府県別の数値の表をもとに、地図上に場所ごとの値の大きさを立体的に表現するグラフです。Excel 2016以降で使用できます。

CSVファイル

テキストファイルの一つです。データが「,」（カンマ）で区切られています。

あ

アイコンセット

条件付き書式で、値の大きさに応じたアイコンをセルに表示する機能です。アイコンによって、値の大きさを見やすく比較できます。

アウトライン

ワークシートに折り目を付けて、行や列を折りたたんだり、展開したりして、表示する行や列を自由に切り替えられる機能です。

アクティブセル

現在選択されている太枠で囲まれたセルのことで、作業対象となります。セルをクリックすると移動します。

インデント

セル内の文字の先頭位置を1文字ずつずらす機能です。

ウィンドウ枠の固定

スクロールしても常に行や列が画面に表示されるように固定する機能です。

埋め込みグラフ

ワークシート内にオブジェクトとして作成されるグラフです。

エラーインジケーター

エラー発生の可能性を知らせる、セルの右上角に表示される緑のマークです。

エラー値

数式が正しく設定されていない場合にセルに表示される値です。「#DIV/0!」や「#N/A」などがあります。

オートカルク

選択されているセル範囲内のデータをもとに、個数や合計など自動計算された結果をステータスバーに表示する機能です。

オートコンプリート

先頭の数文字を入力すると、同じ列内に入力されている同じ読みの文字列を自動的に認識して表示する機能です。

オートフィル

フィルハンドルをドラッグまたはダブルクリックして、連続するセルにデータをコピーしたり、連続データを自動入力したりする機能です。

折り返して全体を表示する

セル幅より長い文字列が入力された場合、自動的に文字列が折り返され、複数行で表示される機能です。

か

改ページプレビュー

改ページ位置や印刷範囲を確認したり、変更したりするときに使用すると便利な表示モードです。

可視セル

選択したセル範囲内にある、非表示の行や列などを除いた、実際に見えているセル範囲のことです。

カラースケール

条件付き書式で、値の大きさに応じてセルを色分けする機能です。色の濃淡や色の違いで大きさを視覚的に区別できます。

関数の挿入

関数を入力するときに使用すると便利なダイアログのことです。関数を検索したり、引数を確認しながら関数の入力ができます。

近似曲線

折れ線グラフや散布図などのデータの傾向を表現するときに表示する線のことです。

均等割り付け（インデント）

セルの横幅に合わせて文字列を等間隔で配置する書式のことです。

クイック分析

選択範囲の右下に表示されるボタンです。選択範囲内のデータを分析するのを補助する機能で、条件付き書式、グラフ、テーブル変換、計算式入力などを設定できます。

串刺し集計

別シート上の同じセル番号のデータ同士で集計することです。

罫線

セルの上下左右や対角線上に引く線のことです。

桁区切りカンマ

3桁ごとにカンマを表示する書式のことです。

構造化参照

Excelのテーブル内で数式を設定する場合に使用されるセルの参照方法です。

ゴールシーク

計算式の結果が目標値になるように、参照元セルの値を逆算する機能です。

コメント

セルに設定できるメモ書きのことです。なお、Excel 2021、Microsoft 365ではコメント機能が新しくなっており、従来のコメント機能はメモ機能として残されています。

さ

最頻値

データ群の中で一番頻繁に出現する値のことです。

作業グループ

複数のワークシートを同時に選択している状態のことです。選択されたすべてのシートに対して同じ編集が行えます。

算術演算子

数式を設定するときに使用する計算用の記号です。「＋」「－」「*」「／」「^」「%」などがあります。

シート

表などを作成する、行と列に区切られたシートのことです。ワークシートともいいます。グラフのみ表示されるグラフシートもあります。

シートの保護

セルに入力された文字や数式を変更したり、書式を変更したりできないように保護することです。シートの保護を解除するためのパスワードを指定することもできます。

シート見出し

ブックに含まれるシート名が表示される見出しです。ここをクリックしてシートを切り替えます。

指数

2の2乗（2^2）とか3の4乗（3^4）のように、数字の右肩に表示する数値です。

シナリオ

シミュレーション用の値の組み合わせのパターンを登録し、表に登録したパターンを切り替えて表示できる機能です。

循環参照

数式が入力されているセルを、その数式自体から参照している状態のことです。数式に変更を加えるとエラーが発生します。

条件式

指定した式が成立するかどうかを判定するための式で、True（真）またはFalse（偽）が答えとなる式のことです。論理式ともいいます。

条件付き書式

選択範囲の中で指定した条件を満たすセルに色を付けたり、アイコンを表示するなど、自動的に書式を設定する機能です。

書式記号

表示形式をカスタマイズするときに使用する記号です。例えば、#や0は数字の1桁を表します。

シリアル値

日付や時刻を管理するための連続した数値のことです。1900年1月1日を1として、1日経過するごとに1加算される整数です。時刻は0時を「0」、24時を「1」として、24時間を0から1の間の小数で管理しています。

数式

セルに入力される計算式のことです。数式を入力すると、セルには計算結果が表示されます。

数式バー

アクティブセルの内容が表示されるバーのことです。ここでアクティブセルに入力された数式や文字列を編集できます。

スパークライン

表の同じ行に入力されている数値を元にセルの中に作成する小さなグラフのことです。折れ線、縦棒、勝敗の3種類があります。

スピル

数式が複数の値を返す場合に、隣接するセルに自動的に結果が表示される機能のことです。

スライサー

テーブルやピボットテーブル内のデータをボタンにした画面のことです。ボタンをクリックするだけで、抽出や集計対象を変更できます。

絶対参照

数式をコピーしても、セル参照がずれないようにした参照方式です。

セル

ワークシート内の1つ1つのマス目のことです。セルに文字や数値、数式などを入力します。セルには、セルを区別するためにセル番地が付いています。例えば、A列の3行目のセルは「セルA3」といいます。

セル参照

セル番地を指定して、セル内にある数式や関数などで使うデータを指定する方法です。

セルの結合

隣り合ったセルを一つにまとめることです。

セルのロック

セルの編集ができない状態のことです。シートを保護するとセルを編集できなくなりますが、セルのロックを外してから保護すると、ロックが外れているセルは編集できます。

全セル選択ボタン

行番号「1」の上、列番号「A」の左にあるグレーのボタンのことです。クリックすると、ワークシート全体が選択されます。

相対参照

数式をコピーしたときに、コピー先に合わせてセル参照が自動調整される参照方式です。

挿入オプション

セル、行、列を挿入後に表示されるボタンです。クリックすると、挿入された箇所に設定される書式を指定するメニューが表示されます。

た

タイムライン

日付の目盛が表示された画面を表示し、目盛をドラッグするだけでピボットテーブルで集計する日付を変更できる機能です。

データテーブル

複数のシミュレーションの結果を一覧で表示できる機能です。いわゆる試算表を作成できます。

データの入力規則

セルに入力する値を制限したり、セルを選択したときの日本語入力モードを指定したりできる機能です。

テーブル

データベース形式の表を、ひとまとまりの処置単位として、データの入力、書式、抽出や並べ替え、集計などデータや表全体を便利に活用できるようにする機能です。

動的配列数式

複数の値を返す数式を入力する際、先頭のセルに数式を入力し[Enter]キーを押すだけで、[スピル] 機能により自動的に複数セルに結果が表示される配列数式です。従来の配列数式がより機能アップされたものでExcel 2021・Microsoft 365で使用できます。

ドロップダウンリスト

[Alt]+[↓]キーを押すと同じ列内に入力されている文字列が一覧で表示される機能です。項目を選択してそのままセルに入力できます。

な

名前

セルやセル範囲に付ける名前のことです。数式でセル参照を指定する代わりに名前を指定できます。

名前ボックス

数式バーの左側にある、アクティブセルのセル番地やセル範囲に付けた名前が表示されるところです。

ネスト

関数の引数に関数を組み合わせることです。入れ子ともいいます。

は

配列数式

複数セル（配列）を対象に、1つの数式を作成する式のことです。

比較演算子

「>」「>=」「<」「<=」「<>」「=」など、2つのデータを比較した結果を得るために使用する演算子のことです。

引数

セル範囲を指定したり、桁数を指定するなど、関数を使って計算するときに必要となる情報です。関数によっては引数が複数必要されるものがあります。

ピボットグラフ

ピボットテーブルを元に作成するグラフのことです。グラフ作成後に項目を自由に入れ替えることができます。

ピボットテーブル

データベース形式の表を元に作成する集計表のことです。作成した集計表は、後から項目の追加や移動、集計方法などを自由に変更できます。

表示形式

数値や日付などの値をどのように表示するか指定する書式のことです。

フィルター

データベースの中で、条件を満たすレコードだけを表示し、他のレコードを一時的に非表示にする機能です。フィルターボタンを使ってデータの抽出ができます。

フィルハンドル

アクティブセルや選択範囲の右下角に表示される「■」の部分です。オートフィル機能を実行する際に使用します。

複合参照

セルを参照する方法の一つです。行と列のどちらかが固定される参照方式です。

ブック

Excelの保存単位です。「ファイル」と同じ意味です。ブックには複数のシートを含むことができます。

ブックの保護

ワークシートの追加、削除など、ワークシート関連の操作を制限して、ブック内のワークシートを保護する機能です。

フラッシュフィル

隣接するセルに入力されたデータの入力パターンを分析し、セルに自動的にデータを入力するのを補助する機能です。

ふりがな

セルに入力した文字の読みを表示する機能です。

ページレイアウトビュー

ヘッダーやフッターの表示内容を指定したり、編集したりできる表示モードです。ページの区切りを確認しながら編集もできます。

ま

マップグラフ

表の中の国名、都道府県名、郵便番号などの情報を元に作成される地図グラフです。Excel 2019以降とMicrosoft 365で使用できます。

メモ

セルに設定できるメモ書きです。Excel 2019までの「コメント」にあたる機能です。

や

ユーザー設定のビュー

ワークシートの非表示の行や列、セル選択、フィルターやウィンドウの設定とページ設定、余白、ヘッダー／フッターなどの印刷設定に名前を付けて登録する機能です。登録した名前を選択するだけで簡単に設定を切り替えられます。

予測シート

過去のデータを元に未来の傾向を予測する機能です。

ら

乱数

次にどの数字がでるかわからない、規則性のない数字のことです。

わ

ワークシート

作業用のシートのことです。縦に1048576行、横に16384列に区切られています。最前面に表示されている作業対象のシートをアクティブシートといいます。

枠線

セルとセルを区切る線です。通常印刷されません。

索引

▶ 共通操作

アルファベット

あ行・か行

さ行・た行

は行～わ行

▶ Word

数字・アルファベット

あ行

か行

さ行

た行

な行・は行

ま行

や行・ら行・わ行

▶ Excel

数字・アルファベット

あ行

か行

さ行

た行

な行

は行

ま行～わ行

注意事項

- 本書に掲載されている情報は、2022年9月30日現在のものです。本書の発行後にWord・Excelの機能や操作方法、画面が変更された場合は、本書の手順どおりに操作できなくなる可能性があります。
- 本書に掲載されている画面や手順は一例であり、すべての環境で同様に動作することを保証するものではありません。読者がお使いのパソコン環境、周辺機器、スマートフォンなどによって、紙面とは異なる画面、異なる手順となる場合があります。
- 読者固有の環境についてのお問い合わせ、本書の発行後に変更されたアプリ、インターネットのサービス等についてのお問い合わせにはお答えできない場合があります。あらかじめご了承ください。
- 本書に掲載されている手順以外についてのご質問は受け付けておりません。
- 本書の内容に関するお問い合わせに際して、編集部への電話によるお問い合わせはご遠慮ください。

本書サポートページ https://isbn2.sbcr.jp/13877/

著者紹介

国本 温子（くにもと あつこ）

テクニカルライター。企業内でワープロ、パソコンなどのOA教育担当後、Office、VB、VBAなどのインストラクターや実務経験を経て、現在はフリーのITライターとして書籍の執筆を中心に活動中。

カバーデザイン　西垂水 敦・松山 千尋（krran）
本文デザイン　ISSHIKI
編集・制作　BUCH+

Word & Excel完全ガイド　改訂第2版
[Office 2021 ／ 2019 ／ 2016 ／ Microsoft 365対応]
基本操作＋疑問・困った解決＋便利ワザ

2022年11月 6日　初版第1刷発行

著　者　国本 温子
発行者　小川 淳
発行所　SBクリエイティブ株式会社
〒106-0032 東京都港区六本木2-4-5
https://www.sbcr.jp/
印　刷　株式会社シナノ

落丁本、乱丁本は小社営業部（03-5549-1201）にてお取り替えいたします。
定価はカバーに記載されております。
Printed in Japan　ISBN978-4-8156-1387-7